LES ÉTATS-UNIS EN 1876

500 km

OCÉAN ATLANTIQUE

OCÉAN PACIFIQUE

Les 13 États d'origine

État, avec date de création

Sioux   Tribu indienne

✗   Principale bataille contre les Indiens

OREGON 1859

Seattle

TERRITOIRE DE WASHINGTON

Portland

OREGON 1859

Columbia

Nez Percés

Paiutes

Shoshones

San Francisco

CALIFORNIE 1850

Los Angeles

NEVADA 1864

Salt Lake City

TERRITOIRE DE L'UTAH

Colorado

COLORADO 1876

TERRITOIRE DU NOUVEAU-MEXIQUE

Navahos

Apaches

Comanches

Rio Grande

TEXAS 1845

Dallas

Sioux

Missouri

Crows

Little Big Horn 1876 ✗

Cheyennes

TERRITOIRE DU NEBRASKA

NEBRASKA 1867

Arkansas

✗ **Sand Creek 1864**

KANSAS 1861

1876

MINNESOTA 1858

WISCONSIN 1848

IOWA 1846

M.

MICHIGAN 1837

Chicago

ILLINOIS 1818

St-Louis

MISSOURI 1821

Kansas City

ARKANSAS 1836

LOUISIANE 1812

Mississippi

New Orleans

MISSISSIPPI 1817

ALABAMA 1819

Ohio

INDIANA 1816

OHIO 1803

KENTUCKY 1792

TENNESSEE 1796

GÉORGIE

Atlanta

ALABAMA 1819

PENNSYLVANIE

Philadelphie

VIRGINIE OCCID.

VIRGINIE

CAROLINE DU NORD

CAROLINE DU SUD

FLORIDE 1845

NEW YORK

MAINE

VERMONT

NEW HAMPSHIRE

MASSACHUSETTS

Boston

RHODE ISLAND

CONNECTICUT

New York

NEW JERSEY

DELAWARE

MARYLAND

Washington

LE CIEL ET L'ENFER

NORD ET SUD

JOHN JAKES

LE CIEL ET L'ENFER

LIBRE
EXPRESSION

PRESSES DE LA CITÉ

Titre original :
Heaven and Hell

Publié par HARCOURT BRACE JOVANOVICH Publishers

Traduit de l'anglais par Jacques Martinache

Données de catalogage avant publication (Canada)

Jakes, John, 1932-
  Le ciel et l'enfer
  Traduction de: Heaven and Hell.
  ISBN 2-89111-358-6
  I. Titre.
PS3560.A43H4214 1988   813'.54   C88-096545-2

Maquette de la couverture: France Lafond

© Éditions Libre Expression, 1989, pour le Canada
244, rue Saint-Jacques, Montréal, H2Y 1L9
Dépôt légal:
1er trimestre 1989

ISBN 2-89111-358-6

PROLOGUE

LA GRANDE REVUE
1865

... disant : « Tout va bien, tout va bien ! »
Et rien ne va.

Jérémie VI, 14 ; VIII, 11

La pluie tomba sur Washington toute la nuit. Peu avant l'aube du 23 mai, un mardi, George Hazard s'éveilla dans sa suite de l'hôtel *Willard,* posa la main sur l'épaule chaude de sa femme, Constance, écouta.

Il ne pleuvait plus.

C'était de bon augure en ce jour de fête marquant le début d'une nouvelle ère, une ère de paix, au sein d'une Union préservée.

Alors pourquoi pressentait-il un malheur imminent ?

Il se leva, sortit furtivement de la chambre, la chemise de nuit en flanelle flottant autour de ses mollets poilus. Âgé de quarante et un ans, c'était un homme robuste, aux épaules puissantes, que ses camarades de West Point avaient surnommé *Stump** à cause de sa corpulence et de sa taille inférieure à la moyenne. Ses cheveux bruns grisonnaient, tout comme la barbe bien taillée qu'il continuait à porter, comme beaucoup d'autres, pour montrer qu'il avait servi dans l'armée.

A pas de loup, il entra dans le salon, jonché de journaux et de magazines qu'il avait été trop las pour ranger la veille. Il les ramassa, en fit une pile, le plus silencieusement possible car ses enfants dormaient dans deux autres chambres. William Hazard III avait eu seize ans en janvier ; Patricia aurait le même âge à la fin de l'année. Billy, le frère cadet de George, occupait une quatrième chambre avec sa femme Brett. Billy participerait au défilé du matin mais avait obtenu la permission de passer la nuit hors du camp des sapeurs installés à Fort Berry.

* Trapu. (N.d.t.)

Quotidiens et revues semblaient se gausser des sombres pressentiments de George Hazard : le *New York Times,* le *Tribune,* le *Washington Star,* le dernier numéro du *Journal de l'Armée et de la Marine* avaient le même ton triomphant :

Bien que notre combat titanesque ne soit terminé que depuis quelques jours, nous avons déjà commencé à licencier la grande armée de l'Union...
Ils ont écrasé la Rébellion, sauvé l'Union et gagné, pour eux-mêmes et pour nous, un pays...
Le ministère de la Guerre a ordonné d'imprimer six cent mille lettres de licenciement sur papier blanc...
Notre République démantèle ses armées, renvoie dans leurs foyers ses loyaux soldats, démonte ses tentes de recrutement, résilie ses contrats de matériel et se prépare à abandonner le triste sentier de la guerre pour la route lumineuse de la paix...

C'est cette victoire qu'on célébrerait par une grande revue de l'armée du Potomac, commandée par Grant, et de l'armée de l'Ouest, la « racaille » de l'« oncle » Billy Sherman. Les hommes de Grant défileraient le matin même ; les troupes de Sherman, plus coriaces et moins disciplinées, le lendemain. Les soldats de l'Ouest — qui traitaient avec mépris ceux de l'Est de « cols en papier » — marcheraient peut-être avec les vaches et les chèvres, les mules et les coqs de combat qu'ils avaient amenés avec eux dans leurs camps installés le long du Potomac.

Tous ceux qui avaient fait la guerre ne participeraient pas à ce défilé. Beaucoup dormaient à jamais, enlevés à ceux qui les aimaient, comme le grand ami de George, Orry Main. Les deux hommes s'étaient connus en première année de West Point, en 1842 ; ils avaient servi ensemble au Mexique et préservé leur amitié après que Fort Sumter se fut rendu et que leurs sentiments respectifs de loyauté les eurent placés dans des camps opposés du conflit. Alors que la guerre touchait à sa fin, Orry avait rencontré la mort, non pas au combat mais de façon stupide et vaine : tué par un soldat de l'Union blessé qu'il tentait de secourir.

Certains jeunes hommes prématurément vieillis par la guerre marchaient encore d'un pas lourd le long des routes du Sud, retournant chez eux pour trouver la misère, un pays affamé et dévasté par les bataillons vainqueurs. D'autres, dans les trains qui les ramenaient vers le Nord, étaient encore meurtris dans leur chair et leur esprit par leur captivité dans les cloaques que les rebelles qualifiaient de prison. Certains Confédérés avaient disparu au Mexique, dans l'armée du khédive d'Égypte, ou dans l'Ouest, pour tenter d'oublier leurs blessures invisibles. C'est cette troisième voie qu'avait choisie Charles Main, le jeune cousin d'Orry.

D'autres encore avaient terminé la guerre en sombrant dans l'ignominie, comme Jeff Davis, débusqué dans son terrier près d'Irwinville, en Géorgie. De nombreux journaux nordistes affirmaient qu'il avait tenté d'échapper à la capture en se déguisant en femme. Quelle que fût la vérité, pour certains Nordistes, la prison n'était pas un châtiment suffisant pour Davis et ils réclamaient la corde.

George Hazard alluma un de ses coûteux cigares cubains et s'approcha d'une des fenêtres donnant sur Pennsylvania Avenue. De sa suite, il aurait pu assister au défilé mais il avait des places réservées dans la tribune faisant face à celle du président.

Il ouvrit la fenêtre, se pencha, remarqua les bannières patriotiques décorant les immeubles de trois ou quatre étages de l'avenue. Enfin des décorations aux couleurs vives remplaçaient les crêpes funèbres accrochés partout après l'assassinat de Lincoln.

Au-dessus du bassin du Potomac, une bande de lumière écarlate marquait l'horizon. Véhicules, cavaliers et piétons commençaient à circuler dans l'avenue boueuse. George vit une famille noire — les parents et cinq enfants — se diriger d'un pas pressé vers President's Park. En plus de la fin de la guerre, elle avait à célébrer le Treizième Amendement, abolissant à jamais l'esclavage, et que les États n'avaient plus qu'à ratifier pour qu'il prenne force de loi.

Un ciel dégagé, une débauche de bleu-blanc-rouge — pourquoi, malgré des présages aussi favorables, les sombres pressentiments de George ne se dissipaient-ils pas ?

A cause de la situation des Main et des Hazard, se dit-il. Les deux familles avaient survécu à la guerre mais elles étaient mutilées. Virgilia, la sœur de George, s'était coupée elle-même du reste des Hazard par ses positions extrémistes, et c'était d'autant plus affligeant qu'elle vivait à Washington, bien que George ne connût pas son adresse.

Il y avait ensuite Stanley, son frère aîné, homme incapable qui avait accumulé des richesses inestimables en profitant de la guerre. Malgré cette réussite — ou peut-être à cause d'elle — Stanley buvait.

Le sort des Main n'était pas meilleur. Ashton, la sœur d'Orry, avait disparu dans l'Ouest après avoir trempé dans un complot manqué pour renverser le gouvernement de Davis et le remplacer par un cabinet extrémiste. Cooper, le frère d'Orry, qui avait travaillé à Liverpool pour la Marine confédérée, avait perdu son fils unique, Judah, quand le navire qui les ramenait en Amérique avait été coulé au large de Fort Fisher par une escadre de l'Union.

Enfin, Madeline, la veuve de son meilleur ami, devait lutter pour se bâtir une nouvelle vie et reconstruire la plantation incendiée, près de Charleston, le long de la rivière Ashley. George lui avait donné une lettre de crédit de quarante mille dollars, à tirer sur une banque dont il était le principal actionnaire. Il avait espéré qu'elle ferait encore appel à lui car une grande partie de cette somme initiale serait nécessaire pour payer les intérêts de deux hypothèques et régler les impôts fédéraux afin d'empêcher le domaine d'être confisqué par les agents du fisc qui envahissaient déjà le Sud. Mais Madeline ne l'avait pas sollicité, et cela l'inquiétait.

Les Hazard prirent un petit déjeuner rapide, au cours duquel Brett se montra particulièrement joyeuse et excitée. Dans quelques semaines, Billy démissionnerait de l'armée et prendrait avec sa femme un bateau pour San Francisco. Ils ne connaissaient pas la Californie mais les descriptions qu'ils avaient entendues sur le climat, le pays, les occasions qu'il offrait, les avaient décidés à partir. Billy voulait ouvrir son propre cabinet d'ingénieur civil. Comme son ami Charles

Main, avec qui il avait fait West Point — imitant en cela l'exemple de George et Orry — il voulait s'éloigner des lieux ravagés où des Américains avaient combattu des Américains.

Le couple devait se hâter de partir car Brett était enceinte de son premier enfant.

La famille arriva à la tribune à huit heures et quart, s'installa parmi les journalistes, les parlementaires, les juges à la Cour Suprême et les officiers supérieurs de l'Armée et de la Marine. A gauche, l'avenue contournait le bâtiment du Trésor masquant la longue montée de la 15e Rue vers le Capitole. A droite, sur toute la longueur de l'artère, des gens s'entassaient derrière des barrières, se penchaient aux fenêtres et au bord des toits, se juchaient sur les branches des arbres. Juste en face des Hazard se dressait la tribune couverte du président Johnson, qui accueillerait les généraux Grant et Sherman, ainsi que le ministre de la Guerre, Stanton, le patron de Stanley Hazard.

A neuf heures moins le quart, le président n'avait toujours pas fait son apparition. Cet homme aux traits grossiers naviguait à présent sur une mer de ragots : on disait qu'il manquait de tact, qu'il buvait. Et qu'il était vulgaire — ce qui était vrai. Ancien tailleur devenu sénateur, ce fils autodidacte d'un portier de taverne du Tennessee n'avait pas les qualités qui avaient permis à Lincoln de transformer en avantage l'inconvénient de ses origines modestes. George avait rencontré Johnson et découvert en lui un personnage brusque, opiniâtre, imbu d'un respect quasi religieux pour la Constitution. Ce dernier trait suffisait à l'opposer aux républicains radicaux, qui entendaient interpréter la Constitution pour l'adapter à leur vision de la société.

George approuvait bon nombre de positions radicales, y compris l'égalité des droits et le droit de vote pour tous les hommes majeurs des deux races, mais il trouvait souvent répugnants les mobiles et la tactique des radicaux. Beaucoup d'entre eux ne cachaient pas, en effet, leur intention d'utiliser les électeurs noirs pour faire des républicains le parti majoritaire, en mettant fin à la traditionnelle domination démocrate sur le pays.

Le président Johnson et les radicaux s'affrontaient dans une lutte de plus en plus véhémente pour le contrôle de la « Reconstruction* » de l'Union. La querelle n'était pas neuve. En 1862, Lincoln avait proposé son plan pour la Louisiane, élargi ultérieurement en vue de permettre la réintégration de tout État sécessionniste dans lequel un « noyau » d'électeurs — dix pour cent seulement des personnes inscrites en 1860 — prêtait serment de loyauté et constituait un gouvernement favorable à l'Union.

En juillet 1864, les républicains radicaux avaient riposté avec un projet de loi (rédigé par le sénateur Ben Wade, de l'Ohio, et le représentant Henry Davis, du Maryland) qui traçait les grandes lignes d'un plan beaucoup plus dur, prévoyant notamment une administration militaire de la Confédération vaincue et plaçant la reconstruction sous l'autorité du Congrès.

* Terme consacré par l'usage. Il conviendrait plutôt de dire reconstitution, réorganisation. (N.d.t.)

Andrew Johnson avait accusé Jefferson Davis d'avoir « inspiré » et « causé » l'assassinat commis au théâtre Ford*. Il avait fait des déclarations sévères contre le Sud mais souligné aussi avec insistance qu'il désirait appliquer le programme modéré de Lincoln. Dernièrement, George avait entendu dire que le président avait l'intention de mettre ce programme en application dès l'été et l'automne au moyen d'ordonnances. Le Congrès ayant suspendu ses travaux et ne devant pas les reprendre avant la fin de l'année, les radicaux essuieraient un échec.

Aussi le vent politique portait-il la nouvelle de représailles radicales, et l'une des missions de George à Washington consistait à rencontrer un homme politique influent de Pennsylvanie pour lui exposer son opinion sur la situation. L'industriel donnait suffisamment d'argent au parti chaque année pour s'estimer autorisé à le faire.

— Papa, voilà tante Isabelle, annonça Patricia derrière lui.

George vit l'épouse de Stanley agiter la main dans la tribune présidentielle, fit une grimace et lui rendit son salut.

— Elle tient à ce qu'on la voie, grommela-t-il.

Brett sourit, Constance tapota la main de son mari.

— Voyons, George, ne sois pas méchant. Tu ne donnerais pas ta place pour celle de Stanley.

Il haussa les épaules, continua à chercher dans la foule le parlementaire qu'il voulait coincer. Pendant ce temps, Constance sortit de son sac à main un morceau de sucre candi. Son éclatante chevelure rousse bouclait sous un chapeau de paille à la mode. Elle avait gardé sa beauté d'Irlandaise au teint pâle mais avait pris quinze kilos depuis son mariage, à la fin de la guerre du Mexique. George assurait que cela ne le gênait aucunement, que l'embonpoint était signe de bonheur.

A neuf heures précises, un canon gronda au loin, près du Capitole, et quelques minutes plus tard, les Hazard entendirent une fanfare lointaine jouer *When Johnny Comes Marching Home*. Des milliers de personnes cachées par le bâtiment du Trésor se mirent à applaudir les premiers soldats du défilé, qui apparurent bientôt dans l'avenue.

Le général George Meade chevauchait en tête sous les ovations. Parvenu devant la tribune présidentielle, il salua les dignitaires de son sabre — ni Grant ni Johnson n'étaient encore arrivés — puis confia sa monture à un caporal et rejoignit les personnalités.

Des femmes lançaient des cris joyeux, des hommes pleuraient sans se cacher ; un chœur de jeunes écolières jetait des bouquets en chantant. Le soleil rendait le dôme du Capitole d'un blanc aveuglant quand le général Wesley Merritt apparut devant la Troisième Division, dont le commandant habituel, le petit Phil Sheridan, était déjà en route pour le golfe du Mexique. En voyant les soldats de la Troisième, William lui-même, qui affectait pour presque toute chose un dédain d'adolescent, bondit de son siège en claquant des mains.

Le sabre étincelant au soleil, les cavaliers de Sheridan, rasés de frais, ne semblaient guère touchés par la guerre. Beaucoup avaient piqué de petits bouquets de marguerites ou de violettes au canon du fusil qu'ils portaient à l'épaule. Chaque homme abaissa son sabre en

* L'assassinat de Lincoln. (N.d.t.)

passant devant le chef de l'exécutif, enfin arrivé avec le général Grant, qui avait l'air gêné. George entendit une femme assise quelques rangées derrière lui se demander à voix haute si Johnson était déjà soûl.

Des nuages de poussière s'élevèrent ; l'odeur de crottin se fit plus forte.

— Custer, Custer, Custer ! se mit à scander la foule.

Le *Boy General** apparut sur son magnifique cheval bai, Don Juan, longs cheveux bouclés tombant sur les épaules, foulard écarlate, éperons dorés, chapeau à large bord agité pour répondre aux acclamations. Peu d'officiers de l'Union fascinaient l'opinion et la presse autant que George Armstrong Custer, dernier de sa promotion à West Point, général de brigade à vingt-trois ans, général de division à vingt-quatre. Cet homme qui avait eu douze chevaux tués sous lui était intrépide ou téméraire, selon le point de vue. On disait qu'il avait l'intention de devenir président après qu'Ulysses Grant aurait exercé ces fonctions. S'il le désirait vraiment — si sa célèbre chance ne l'abandonnait pas et si le public ne l'oubliait pas — il obtiendrait probablement ce qu'il désirait.

Près de la tribune, le *Boy General* voulut attraper un des bouquets jetés par les écolières et son mouvement soudain effraya son cheval, qui s'emballa et fila vers la 17e Rue. Lorsque Custer eut repris le contrôle de Don Juan, il était impossible de remonter le défilé pour saluer Johnson et, furieux, il continua à descendre l'avenue.

Pas de chance pour Custer, ce matin, pensa George en allumant un cigare. Le chemin des ambitieux est creusé d'ornières. Dieu merci, lui-même n'avait pas de hautes visées politiques.

Selon le programme, les sapeurs ne défileraient pas avant un moment, et George s'excusa auprès de sa famille pour chercher de nouveau le parlementaire qu'il espérait trouver dans la foule.

Il le trouva effectivement, pérorant sous les arbres derrière la tribune. Thaddeus Stevens, membre du Congrès, républicain de Lancaster, peut-être le plus en vue des radicaux, dégageait encore, à plus de soixante-dix ans, une aura de puissance que ni un pied bot ni une perruque hideuse, qu'on remarquait aussitôt, ne parvenaient à entamer. Ne portant ni barbe ni moustache, il laissait à nu ses traits austères.

Lorsqu'il eut fini de parler, ses deux admirateurs soulevèrent leur chapeau et s'éloignèrent. George s'approcha, la main tendue.

— Bonjour, Thad.

— George, quel plaisir de vous voir. J'ai appris que vous avez quitté l'uniforme.

— Et je suis retourné à Lehig Station, pour diriger l'usine Hazard. Vous avez un moment ? J'aimerais vous parler de républicain à républicain.

— Naturellement, répondit l'homme politique, l'air sur ses gardes.

— Je tiens juste à vous dire que je suis partisan de donner une chance au programme de Mr Johnson.

Stevens fit la moue.

---

* Général adolescent. (N.d.t.)

— Je comprends votre sollicitude. Je sais que vous avez des amis en Caroline.

L'homme avait une façon de vous décontenancer avec ses mines vertueuses. George regrettait de ne pas mesurer quinze centimètres de plus, pour ne pas avoir à lever les yeux.

— Oui, c'est exact. La famille de mon meilleur ami. Lui-même n'a pas survécu à la guerre. Je dois dire pour défendre les Main que je ne les considère ni comme des aristocrates ni comme des criminels...

— Ils sont l'un et l'autre s'ils maintenaient des Noirs en esclavage.

— Thad, je vous en prie, laissez-moi terminer.

— Certainement, dit Stevens, dont le ton n'avait plus rien d'amical.

— Il y a quelques années, je pensais que des hommes politiques trop zélés, dans un camp comme dans l'autre, avaient provoqué la guerre, inutilement. Au fil des ans, j'ai réfléchi et j'ai conclu que j'avais tort. Aussi terrible qu'elle ait été, cette guerre était nécessaire. L'émancipation progressive et pacifique des esclaves aurait été impossible : ceux qui avaient intérêt à l'esclavage auraient assuré son maintien.

— Tout à fait juste, approuva le parlementaire. Avec le soutien et les encouragements de ces gens, les négriers ont importé et vendu des esclaves de Cuba et des Antilles bien après que le Congrès eut interdit la traite, en 1807.

— Je m'intéresse davantage à ce qu'il se passe en ce moment. La guerre est finie, il ne doit plus y en avoir d'autre. Elle a trop coûté en biens et en vies. La guerre fait échouer toute tentative de progrès matériel.

— Ah ! nous y voilà, fit Stevens avec un sourire glacial. Le nouveau credo de l'homme d'affaires. Je me rends parfaitement compte de la montée de ce courant de pacifisme économique dans le Nord, et je ne veux pas, absolument pas, m'y associer.

George se hérissa.

— Pourquoi ? N'êtes-vous pas censé représenter vos électeurs républicains ?

— Les représenter, oui. Leur obéir, non. Ma conscience est mon seul guide.

L'homme politique posa une main sur l'épaule de George, baissa les yeux. Le simple fait d'incliner la tête avait chez lui quelque chose de condescendant.

— Je ne veux pas être grossier, George, reprit-il. Je sais que vous faites des dons importants aux organismes pennsylvaniens et nationaux du Parti. Je sais que vous vous êtes courageusement comporté pendant la guerre. Malheureusement, rien de tout cela ne modifie mon opinion sur la « slavocratie* » sudiste. Ceux qui appartiennent à cette classe, et tous ceux qui la soutiennent, sont des traîtres à notre pays. Ils ne vivent pas dans des États souverains mais dans des provinces conquises, et méritent un châtiment sévère.

Dans les yeux surmontés de sourcils broussailleux, George vit s'allumer la lumière de la vraie foi, de la guerre sainte. Des cyniques avançaient souvent des raisons peu avouables pour ce fanatisme : ils liaient le zèle de Stevens en faveur des droits des Noirs à sa

---

* Aristocratie esclavagiste. (N.d.t.)

gouvernante de Lancaster et de Washington, Mrs Lydia Smith, une jolie veuve qui était aussi une mulâtresse ; ils rattachaient l'incendie de son usine métallurgique de Chambersburg par les soldats de Jubal Early à sa haine de tout ce qui venait du Sud. George ne croyait pas tout à fait à ces explications et considérait Stevens comme un idéaliste sincère, quoique extrémiste, et l'amitié qui unissait le parlementaire à sa sœur Virgilia Hazard ne l'avait jamais surpris.

— Je croyais que la reconstruction du Sud était du ressort de l'exécutif, fit remarquer George.

— Pas du tout, c'est une prérogative du Congrès. Mr Johnson a dit une sottise en annonçant son intention de régler cette question par ordonnances. Cela a suscité une grande hostilité chez mes collègues, et vous pouvez être certain que, lorsque nous nous réunirons, nous déjouerons ce mauvais coup. Le Congrès ne se laissera pas dépouiller de ses droits, déclara Stevens en frappant le sol du bout ferré de sa canne. Je ne le permettrai pas.

— Mais Johnson ne fait que ce qu'Abraham Lincoln...

— Mr Lincoln est mort.

— Très bien, fit George en s'empourprant. Et quel programme appliquerez-vous ?

— Une transformation totale des institutions et des comportements sudistes par l'occupation, la confiscation et le feu purificateur de la loi. Un tel programme effraie peut-être les esprits faibles et ébranle les tempéraments émotifs mais il est nécessaire et justifié.

George Hazard devint plus écarlate encore quand Stevens poursuivit :

— Pour être plus précis, j'exige des peines sévères pour les traîtres qui ont exercé de hautes fonctions. Je ne me satisfais pas que Jeff Davis soit aux fers dans la forteresse Monroe. Je réclame son exécution, et j'entends que l'amnistie soit refusée à tout homme ayant quitté l'Armée ou la Marine pour servir la rébellion.

George songea tristement à Charles Main.

— Et j'exige l'égalité des droits, une citoyenneté à part entière pour tous les Noirs, conclut l'homme politique.

— Pour cette dernière proposition, on vous jettera des pierres, même en Pennsylvanie. Les Blancs ne considèrent pas les Noirs comme leurs égaux. A tort, sans doute — du moins je le pense — mais c'est ainsi. Votre programme ne marchera pas.

— La justice ne marchera pas ? L'égalité ne marchera pas ? Je n'en ai cure. Ce sont des valeurs auxquelles je crois et je me battrai pour elles. En matière de principes moraux, il ne saurait y avoir de compromis.

— Je me refuse à adopter cette position, répliqua George. Et beaucoup d'autres Nordistes pensent la même chose sur cette...

Mais Stevens s'éloignait déjà en direction de trois autres admirateurs.

Le bataillon de sapeurs de l'armée du Potomac descendait Pennsylvania Avenue en direction de la tribune présidentielle. Huit compagnies avançaient au pas cadencé, dans de beaux uniformes neufs qui avaient remplacé les guenilles portées pendant les derniers jours de la campagne de Virginie. A la ceinture de la moitié des sapeurs pendaient de courtes pelles, symboles du travail dangereux que ces hommes avaient accompli — construction de ponts, réparation de routes — souvent sous le feu de l'ennemi.

La barbe bien taillée, Billy Hazard défilait avec fierté sous le chaud soleil. Sa blessure à la poitrine, quasiment guérie, ne le faisait plus souffrir. Il jeta un coup d'œil vers la tribune où sa famille devait se trouver et... oui, il vit le visage charmant, lumineux de sa femme, qui lui faisait signe. Puis il repéra son frère et faillit perdre la cadence tant George semblait absorbé dans de sombres pensées.

Une fanfare aux accents retentissants entraîna les sapeurs sous une pluie de fleurs.

Constance remarqua elle aussi la mine soucieuse de son mari et, après le passage de Billy, elle lui en demanda la cause.

— Oh ! j'ai fini par trouver Thad Stevens, c'est tout, répondit-il.

— Non, ce n'est pas tout, je le vois bien.

George songea qu'il avait éprouvé un sentiment semblable en avril 1861, au spectacle d'un incendie qui avait complètement détruit une maison de Lehig Station. En contemplant le brasier, il avait vu la nation en flammes et avait craint pour l'avenir. Ses craintes s'étaient révélées fondées puisque son ami Orry était mort et que les Main avaient perdu leur grande maison de Mont Royal, que la guerre avait coûté des centaines de milliers de vies et presque rompu les liens entre les familles.

George tenta de dissimuler à Constance la noirceur de ses réflexions et répondit avec un haussement d'épaules :

— J'ai exprimé mon point de vue et il l'a démoli, avec une certaine rage. Il veut que le Congrès dirige la reconstruction, il veut saigner le Sud...

Sans qu'il le veuille, son ton s'était chargé d'émotion.

— Stevens est prêt à entrer en guerre contre Mr Johnson pour faire prévaloir son opinion, poursuivit-il. Et moi qui pensais le moment venu de consolider l'Union ! Dieu sait que notre famille a assez souffert. Et celle d'Orry aussi.

Constance soupira, chercha un moyen de réconforter son mari. Avec un sourire forcé, elle déclara :

— Chéri, ce n'est que de la politique, après tout.

— Non, c'est beaucoup plus que cela. Je croyais la guerre finie mais Stevens m'a détrompé : elle ne fait que commencer.

Et George ignorait si les deux familles, déjà blessées par quatre années de conflit, pourraient survivre à une nouvelle guerre d'une autre nature.

LIVRE PREMIER

LES CAUSES PERDUES

Nous convenons tous que les États dits en sécession ne sont plus en relation adéquate avec l'Union, et que l'unique objectif du gouvernement, civil et militaire, en ce qui concerne ces États, est de les replacer dans cette relation adéquate. Je crois qu'il est non seulement possible, mais en fait plus facile, de le faire sans estimer que ces États ont jamais quitté l'Union, ou même sans se demander s'ils l'ont jamais quittée. Puisqu'ils se retrouvent à bon port, il importe peu qu'ils aient été ou non à l'étranger.
Dernier discours public d'Abraham Lincoln d'un balcon de la Maison-Blanche, le 11 avril 1865.

Écrasez les traîtres, réduisez-les en poussière.
Thaddeus Stevens, après l'assassinat de Lincoln, 1865.

1

Tout autour de lui, des piliers de feu montaient vers le ciel. Les combats avaient incendié les broussailles sèches, puis les arbres. La fumée le faisait pleurer, l'empêchait de repérer les tirailleurs ennemis.

Penché sur le cou de son cheval, Joueur, Charles Main agitait son chapeau en hurlant : « Ah ! Ah ! » Devant lui, lancés au galop, crinière au vent, les vingt magnifiques chevaux de cavalerie tournèrent d'un côté puis d'un autre, cherchant à échapper à la chaleur et aux lueurs écarlates.

— Ne les laisse pas filer ! cria Charles à Ab Woolner, qu'il ne pouvait voir dans l'épaisse fumée.

Des coups de fusil retentirent ; à sa gauche, une vague silhouette bascula de sa selle.

Réussiraient-ils à s'en sortir ? Il le *fallait*. L'armée avait désespérément besoin de ces montures volées.

Un sergent robuste en uniforme bleu de l'Union surgit de derrière un rondin, visa et logea une balle dans la tête de la jument menant le troupeau. L'animal hennit, s'écroula. Derrière, un cheval roux trébucha, tomba à son tour, et Charles entendit un craquement d'os en passant au galop. Avec un sourire, le sergent transperça le crâne du cheval roux.

Le feu cuisait le visage de Charles, la fumée l'aveuglait ; il avait complètement perdu de vue Ab et les autres soldats vêtus de gris participant à la razzia. Seule l'idée de ramener les bêtes au général Hampton le retenait de fuir cet enfer. Les poumons douloureux, il suffoquait. Croyant voir une trouée dans les arbres en feu, il éperonna Joueur, qui répondit avec vaillance.

— Ab, droit devant ! Tu as vu ?

Il n'entendit que de nouveaux coups de feu, d'autres cris poussés par des hommes tombant sur le tapis de feuilles embrasé recouvrant le sol. Il remit son chapeau sur sa tête, dégaina son colt militaire calibre 44, en releva le percuteur. Devant lui, barrant la trouée, trois soldats de l'Union levèrent leur baïonnette et s'écartèrent au passage des chevaux. Un Nordiste enfonça sa lame dans le ventre d'un cheval pie qui l'éclaboussa de sang. L'animal s'effondra dans un grand hennissement d'agonie.

Une telle cruauté envers une bête fit perdre tout contrôle de soi à Charles, qui tira deux balles. Mais Joueur filait sur un terrain si accidenté que son maître ne pouvait espérer faire mouche. Tandis que le troupeau galopait autour d'eux, les trois jeunes soldats de l'Union visèrent. Une balle s'enfonça entre les yeux de Joueur, aspergeant de sang le visage de Charles, qui poussa un cri de dément quand les jambes antérieures de l'animal fléchirent.

Précipité par-dessus son cheval, il heurta durement le sol, se releva sur les mains et les genoux, étourdi. Un autre jeune soldat nordiste, souriant, se rua vers lui, lui enfonça sa baïonnette dans l'abdomen et poussa vers le haut, l'éventrant du nombril au sternum.

Un troisième soldat appuya le canon de son fusil contre la tête de Charles ; il entendit la détonation, sentit l'impact... puis le bois devint obscur.

— Mr Charles...

— Droit devant, Ab ! C'est le seul moyen de s'en sortir.

— Mr Charles, réveillez-vous.

Il ouvrit les yeux, vit une silhouette de femme baignée de lumière rouge. *L'incendie...*

Non. La lumière provenait des verres rouges des lampes à gaz du salon. Encore hébété, il murmura :

— Augusta ?

— Non, monsieur, c'est Maureen. Vous avez crié si fort que j'ai cru que vous aviez une attaque.

Charles se redressa, releva les mèches noires collées à son front moite. Ses cheveux trop longs bouclaient par-dessus le col de sa chemise bleu délavé. Bien qu'il n'eût que vingt-neuf ans, sa beauté avait été en grande partie effacée par les privations et le désespoir.

De l'autre côté du salon, dans la suite du *Grand Prairie Hotel* de Chicago, il vit son ceinturon sur le coussin d'un fauteuil, l'étui contenant le colt 1848 dont la crosse s'ornait d'une scène de bataille entre Indiens et cavaliers de l'Armée. Sur le dos du siège, son poncho, un patchwork de carrés découpés dans des pantalons *butternut**, des manteaux de fourrure, des capotes de l'Union, des cache-nez jaunes et rouges. Il les avait cousus un par un pendant la guerre, pour avoir chaud. La guerre...

— Un mauvais rêve, dit-il. J'ai réveillé Gus ?

— Non, monsieur. Votre fils dort profondément. Désolée pour le cauchemar.

— J'aurais dû me douter que c'en était un. Ab Woolner et mon cheval Joueur sont morts, tous les deux. Ça va, maintenant. Merci, Maureen.

— Oui, monsieur, fit la femme d'un ton hésitant, avant de s'éloigner sur la pointe des pieds.

« Ça va ? » pensa Charles. Comment cela pourrait-il jamais aller ? Il avait tout perdu pendant la guerre quand Augusta Barclay était morte en mettant au monde le fils dont il ignorait qu'elle était enceinte.

---

* Noix qu'utilisaient les Sudistes pour teindre leur drap d'uniforme. (N.d.t.)

Il releva de nouveau ses cheveux, gagna le buffet d'un pas chancelant et se versa un grand verre d'alcool. La lumière rouge du crépuscule teintait les toits de Randolph Street, visibles de la fenêtre. Charles finissait son verre, encore sous le coup de son cauchemar, lorsque le général de brigade Jack Duncan, l'oncle d'Augusta, entra dans la pièce.

— Charlie, j'ai de mauvaises nouvelles, annonça-t-il.

Jack Duncan était un homme solidement bâti aux joues rouges et aux cheveux gris. Il était magnifique en grand uniforme : redingote, baudrier, large ceinture d'étoffe sous laquelle étaient glissés les gants, chapeau à cocarde de soie noire sous le bras. Son véritable grade, dans son nouveau poste à la Région militaire du Mississippi, dont le quartier général se trouvait à Chicago, était celui de capitaine. On avait en effet rétrogradé la plupart des officiers promus pendant la guerre mais, comme tous les autres, Duncan avait le droit de porter les insignes de son grade antérieur.

Charles ralluma un mégot de cigare, attendit la suite. Duncan se débarrassa de son chapeau, se servit un verre.

— J'ai passé tout l'après-midi à la Région, Charlie. Bill Sherman doit remplacer John Pope au poste de commandant.

— C'est la mauvaise nouvelle ?

Le général secoua la tête.

— Nous avons encore un million d'hommes sous les drapeaux mais nous aurons de la chance s'il nous en reste vingt-cinq mille dans un an. Dans le cadre de cette réduction, les six premiers régiments d'infanterie de volontaires seront dissous.

— Tous les « Yankees galvanisés » ?

Il s'agissait de prisonniers confédérés qui avaient été incorporés à l'armée de l'Union pendant la guerre au lieu d'être gardés en captivité.

— Jusqu'au dernier. Ils se sont bien comportés, d'ailleurs. Ils ont empêché les Sioux de massacrer les colons au Minnesota, reconstruit les lignes télégraphiques détruites par les tribus hostiles, défendu les forts, escorté les diligences. Mais c'est terminé.

Charles alla à la fenêtre.

— Bon Dieu, Jack, j'ai fait le voyage jusqu'ici pour m'enrôler dans un de ces régiments.

— Je le sais. Les portes sont fermées, maintenant.

Charles se retourna, l'air si abattu que Duncan en fut fortement ému. Le Carolinien du Sud qui avait fait un enfant à sa nièce était un homme remarquable. Mais comme tant d'autres, il s'était retrouvé désemparé et meurtri à la fin d'un conflit qui l'avait totalement accaparé pendant quatre ans.

— Bon, il ne me reste plus qu'à laver les planchers, creuser des fossés...

— Il existe une autre possibilité, déclara Duncan. La cavalerie régulière.

— Impossible. La proclamation d'amnistie exclut les officiers de West Point qui ont changé de camp.

— Vous pouvez contourner cet obstacle.

Avant que Charles ait eu le temps de demander comment, Duncan poursuivit :

— Il y a trop d'officiers mais pas assez de bons soldats. Vous êtes un excellent cavalier, un militaire de premier ordre, puisque vous sortez de West Point. On vous prendra de préférence aux immigrants irlandais, aux manchots et aux vauriens évadés de prison.

Charles Main réfléchit en mâchonnant son cigare.

— Et mon fils ?

— Eh bien, nous nous en tiendrons à l'arrangement sur lequel nous nous étions mis d'accord : Maureen et moi nous occuperons de lui jusqu'à ce que vous ayez terminé vos classes et que vous soyez affecté quelque part. Avec de la chance — si vous êtes envoyé à Fort Leavenworth ou Fort Riley, par exemple — vous pourrez le mettre en nourrice chez la femme d'un sous-officier. Dans le cas contraire, il restera avec nous aussi longtemps qu'il le faudra.

Charles réfléchit un moment encore avant de répondre :

— Je n'ai pas vraiment le choix. M'engager dans l'armée régulière ou rentrer chez moi vivre de la charité de ma cousine Madeline et passer le reste de ma vie assis sur un tonneau à raconter des histoires de guerre.

Il mordilla férocement son cigare, jeta à Duncan un regard interrogateur.

— Vous êtes certain qu'on me prendrait ?

— Charlie, des centaines d'anciens reb..., euh, Confédérés s'engagent dans l'armée. Il vous suffit de faire comme eux.

— C'est-à-dire ?

— Mentez.

— Suivant, appela le sergent recruteur.

Charles s'approcha de la table crasseuse sous laquelle se trouvait un crachoir malodorant. Dans la pièce voisine, un homme cria quand un barbier lui arracha une dent.

Le sous-officier empestait le gin, paraissait avoir passé l'âge de la retraite depuis vingt ans et faisait tout avec lenteur. Charles avait attendu une heure que le sergent ait fini de s'occuper de deux jeunes gens aux yeux égarés qui ne parlaient anglais ni l'un ni l'autre. Le premier répondait à chaque question par un retentissant « Budapest ! », en se frappant la poitrine ; l'autre ne cessait de répéter « États-Unis Mérique ». Dieu vienne en aide à l'armée des Plaines.

Pinçant son nez veiné de rouge, le sergent grommela :

— 'vant de commencer, fais-moi plaisir. Prends ce tas de chiffons ou je ne sais pas quoi et jette-le dehors. Ça pue.

Bouillant intérieurement, Charles plia le poncho, le posa soigneusement sur le trottoir de planches situé de l'autre côté de la porte. De retour à la table, il regarda le sergent tremper sa plume dans l'encre.

— Tu sais que c'est un engagement de cinq ans ?

Charles acquiesça de la tête.

— Infanterie ou cavalerie ?

— Cavalerie.

Ce seul mot le trahit. D'un ton hostile, le sous-officier lui lança :

— Sudiste, hein ?

— Caroline du Sud.

Le sergent tendit la main vers une pile de feuilles maintenues ensemble par un anneau métallique.

— Nom ?

Charles s'était préparé à cette question et avait choisi un nom proche du sien de manière à réagir naturellement quand on s'adresserait à lui.

— Charles May, répondit-il.

— May, May, chantonna le sergent en feuilletant sa pile.

Bredouille, il releva la tête et, voyant le regard interrogateur de Charles, expliqua :

— C'est la liste des officiers sortis de West Point.

Il considéra les hardes du postulant, ajouta :

— De toute façon, avec tes nippes, tu risques pas d'être pris pour un de ces types. Bon, t'as déjà servi dans l'armée ?

— Oui, dans la légion montée de Wade Hampton. Ensuite...

— Wade Hampton, ça suffit, déclara le sergent en prenant note. Grade le plus élevé ?

Avec une certaine gêne, Charles suivit le conseil de Duncan :

— Caporal.

— Tu peux le prouver ?

— Je peux rien prouver. Mon dossier a brûlé à Richmond.

Le sergent eut un reniflement de mépris.

— Ça vous arrange bien, vous autres, rebelles. Enfin, on peut pas faire les difficiles. Depuis que Chevington a réglé les choses avec les Cheyennes de Chaudron-Noir, l'année dernière, ces foutues tribus des Plaines sont devenues enragées.

L'expression « régler les choses » ne correspondait pas à la version des faits que connaissait Charles. Près de Denver, un groupe d'émigrants avait été massacré par des Indiens. Un ancien prédicateur, le colonel J.M. Chivington, avait levé des troupes de volontaires pour exercer des représailles contre un village cheyenne de Sand Creek, bien qu'il n'y eût aucune preuve que son chef, Chaudron-Noir, ou ses habitants fussent responsables de la tuerie. Sur les trois cents Indiens environ que les hommes de Chivington exterminèrent, il y avait plus de deux cents femmes et enfants.

Dans la pièce voisine, le patient du dentiste poussa un nouveau cri.

— Non, on peut pas faire les difficiles, répéta le sergent. On prend quasiment tout ce qui se présente... y compris les traîtres, ajouta-t-il en regardant le postulant.

Charles luttait contre sa colère. S'il maintenait son choix — et il y était bien obligé puisqu'il ne connaissait que le métier de soldat — il entendrait de nombreuses variations de ce couplet sur les traîtres. Autant s'habituer tout de suite à les écouter sans broncher.

— Tu sais lire ou écrire ?

— Les deux.

Le recruteur sourit.

— C'est bien, mais ça ne change rien. T'as le principal : au moins un bras et une jambe. Signe là.

La cloche de la locomotive tinta.

— Général, le train va partir, fit Maureen, tout agitée.

Dans la vapeur dérivant le long du quai, Charles serra contre lui son fils emmailloté. Le petit Gus, âgé de six mois, se tortillait et pleurnichait sous l'effet d'une colique.

— Je ne veux pas qu'il m'oublie, Jack.

— C'est pourquoi je vous ai fait poser pour ce daguerréotype, dit Duncan. Lorsqu'il sera un peu plus vieux, je le lui montrerai en disant que c'est son papa.

Avec douceur, Charles mit le bébé dans les bras de Maureen, la gouvernante, qui — soupçonnait-il — devait être aussi la femme illégitime du général.

— Bon voyage, dit Duncan en serrant la main de Charles. N'oubliez pas de tenir la bride à votre langue et à votre tempérament. Vous aurez quelques mois très durs à passer.

— Je m'en sortirai. Je peux être soldat pour n'importe qui, même pour les Yankees.

La locomotive siffla, Charles monta sur le marchepied d'une voiture de deuxième classe et agita le bras tandis que le train s'ébranlait. Avec soulagement, il songea que la vapeur qui l'enveloppait empêchait Duncan et Maureen de voir ses yeux.

Journal de Madeline.

Juin 1865. Orry chéri, je commence à tenir ce journal dans un vieux cahier parce que j'ai besoin de te parler. Dire que je suis désemparée sans toi, que je souffre, ne peut donner une idée de mon état. Je m'efforcerai, dans ces pages, de ne pas m'apitoyer sur mon sort mais je sais que je n'y parviendrai pas toujours.

Une infime partie de moi se réjouit que tu ne sois pas là pour voir la ruine de notre cher pays. L'ampleur des dévastations ne se révèle que lentement. La Caroline du Sud a engagé quelque soixante-dix mille hommes dans cette guerre absurde et plus d'un quart d'entre eux ont été tués — c'est, dit-on, le nombre de victimes le plus élevé de tous les États.

Les Noirs affranchis, qui sont maintenant deux cent mille, parcourent le pays, dont ils constituent la moitié de la population. Sur la route de la rivière, la semaine dernière, j'ai rencontré Maum Ruth, qui appartenait auparavant à feu Francis LaMotte. Elle serrait contre elle un vieux sac de farine d'un air si farouche que je lui ai demandé ce qu'il y avait dedans. « C'est la liberté que j'ai là-dedans, et j'la laisserai pas filer », m'a-t-elle répondu. Je suis repartie pleine de tristesse et de colère. Comme nous avons eu tort de ne pas donner d'instruction à nos Noirs ! Ils sont sans défense dans ce nouveau monde où une paix étrange les a précipités.

Tout le monde dans le district sait maintenant ce que ta sœur Ashton a révélé sur moi à Richmond. Pourtant, personne n'y fait allusion, et c'est toi que je dois en remercier. Tu étais tenu en haute estime, et tous te regrettent...

Nous avons planté quatre carrés de riz et nous devrions avoir une bonne récolte à vendre — s'il se trouve quelqu'un pour l'acheter. Andy, Jane et moi-même travaillons chaque jour dans les champs.

Un pasteur de l'Église méthodiste africaine a marié Andy et Jane le mois dernier. Ils ont pris un nouveau nom. Lui voulait Lincoln mais elle a refusé : trop d'anciens esclaves choisissent ce nom. Ils sont donc devenus les Sherman, un choix qui ne leur vaudra certainement pas la sympathie de la population blanche ! Mais ils sont libres, ils ont le droit de prendre le nom qu'ils veulent.

La baraque en pin construite pour remplacer la grande maison incendiée par Cuffey, Jones et leur racaille, a été à nouveau blanchie à la chaux. Jane y vient tous les soirs tandis qu'Andy termine leur nouvelle petite maison. Nous bavardons en raccommodant les hardes qui nous tiennent lieu de vêtements décents.

Jane parle souvent d'ouvrir une école, et même de demander au Bureau des affranchis, récemment créé, de nous aider à trouver un instituteur. Je m'y suis rendue — je le devais, je crois, malgré l'hostilité que ma démarche ne manquera pas de provoquer. Dans l'amertume de la défaite, peu de Blancs songent à aider ceux que la plume de Lincoln et l'épée de Sherman ont libérés.

Toutefois, avant de penser à une école, nous devons penser à survivre. Le riz ne suffira pas à subvenir à nos besoins. Je sais que ce cher George Hazard voudrait nous ouvrir un crédit illimité mais je considérerais comme une faiblesse de faire appel à lui. A cet égard, je suis à coup sûr une Sudiste — pleine d'un orgueil intransigeant.

Nous pourrons peut-être vendre le bois des pins et des cyprès qui sont si nombreux à Mont Royal. J'ignore totalement comment diriger une scierie mais je peux apprendre. Il nous faudrait du matériel, ce qui signifie une nouvelle hypothèque. Les banques de Charleston rouvriront peut-être bientôt. Geo Williams et Leverett Dawkins, notre vieil ami whig*, ont tous deux spéculé sur la livre sterling anglaise pendant la guerre. Les fonds qu'ils ont placés dans une banque étrangère serviront maintenant à redonner vie aux affaires dans le Bas-Pays. Si la banque de Leverett ouvre effectivement, je m'adresserai à lui.

Devrai aussi engager des ouvriers, et me demande si je pourrai. Les gens craignent que les Noirs aiment mieux profiter de leur liberté que peiner pour leurs anciens maîtres, aussi bienveillants aient-ils été. C'est un problème sérieux pour tout le Sud.

Mais mon Orry adoré, je dois te parler de mon rêve le plus insensé — celui que je me suis promis de faire passer avant tout autre. Il est né il y a quelques jours de mon amour pour toi, de ma souffrance, et de ma fierté d'être ta femme...

A minuit passé, ce jour-là, Madeline, incapable de dormir, sortit de la maison blanchie à la chaux qui comportait maintenant une aile avec deux chambres. Proche de la quarantaine, la veuve d'Orry Main avait gardé des seins aussi fermes et une taille aussi fine que le jour où il l'avait secourue sur la route de la rivière, bien que l'âge et les soucis eussent commencé à marquer son visage.

Elle avait pleuré pendant près d'une heure, honteuse de ses larmes mais incapable de les arrêter. A présent, elle traversait d'un pas rapide la vaste pelouse, sous une lune blanche qui resplendissait au-dessus des arbres bordant l'Ashley. Parvenue sur la berge, à l'endroit où la jetée s'élançait autrefois dans la rivière, elle dérangea un grand héron blanc qui s'envola et passa devant la lune ronde.

---

* Parti politique américain fondé en 1834 et remplacé par le parti républicain en 1854. (N.d.t.)

Madeline se retourna et crut voir, parmi les chênes moussus, la grande maison où Orry et elle avaient vécu ensemble, ses gracieux piliers, ses fenêtres brillamment éclairées.

Une idée lui vint alors et lui fit battre le cœur si vite qu'elle en eut presque mal. A la place de la pauvre cabane blanchie à la chaux, elle bâtirait un nouveau Mont Royal. Une magnifique et vaste demeure qui rappellerait à jamais son mari et sa bonté.

En un éclair, elle pensa que cette maison ne devrait pas être une réplique du Mont Royal détruit, dont la beauté avait symbolisé — caché — trop de mauvais côtés des Main. S'ils avaient bien traité leurs esclaves, ils les avaient indiscutablement considérés comme leur bien, approuvant ainsi une société qui punissait du fouet, des fers, de la castration et de la mort ceux qui avaient l'audace de s'enfuir. Vers la fin de la guerre, Orry en était presque venu à désavouer un système que Cooper, dans sa jeunesse, avait condamné ouvertement. Le nouveau Mont Royal devait être *vraiment* nouveau, car une ère nouvelle s'ouvrait.

Les larmes aux yeux, Madeline joignit les mains et les leva vers le ciel.

— J'y arriverai, dit-elle. Je le jure devant Dieu, Orry. Je rebâtirai Mont Royal pour toi.

Une visite surprise aujourd'hui, celle du général Wade Hampton, rentrant de Charleston. A cause de son rang et de sa férocité de soldat, on dit qu'il s'écoulera des années avant que l'amnistie ne monte assez haut pour l'inclure.

Sa force et son excellente disposition d'esprit me stupéfient. Il a tant perdu — son frère Frank et son fils Preston morts au combat, trois mille esclaves partis, les maisons de Millwood et Sand Hills incendiées par l'ennemi. Il vit dans une baraque de régisseur et ne parvient pas à faire oublier que c'est lui, et non Sherman, qui a brûlé Columbia en mettant le feu aux balles de coton pour qu'elles ne tombent pas aux mains des pillards yankees.

Il ne se montre pourtant aucunement abattu et exprime au contraire son souci d'autrui...

Wade Hampton était assis, devant la maison de pin, sur un rondin servant de siège. Le plus vieux commandant de cavalerie de Lee, âgé à présent de quarante-sept ans, se déplaçait avec une certaine raideur car il avait été blessé cinq fois au combat. Depuis son retour, il avait rasé sa grande barbe pour ne garder qu'une mouche sous la bouche mais avait conservé moustache en croc et favoris. Sous une veste en drap élimé, il portait dans un étui un revolver à crosse d'ivoire.

— Café arrosé, général, dit Madeline en sortant de la maison, deux gobelets fumants dans les mains. Du sucre, un peu de whisky de maïs — mais le café n'est qu'une décoction de glands séchés, j'en ai peur.

— J'en boirai volontiers quand même, répondit Hampton avec un sourire.

Il prit son gobelet, Madeline s'assit sur une caisse près d'un massif de jasmin jaune qu'elle adorait.

— Je suis venu m'enquérir de votre sort, dit-il. Mont Royal est à vous, maintenant...

— En un sens, oui. Il ne m'appartient pas.

Voyant Hampton hausser un sourcil, elle expliqua que Tillet Main avait laissé la plantation à ses fils, Orry et Cooper. Il avait pris cette décision malgré la longue querelle qui l'avait opposé à Cooper sur la question de l'esclavage : finalement, les liens du sang et la tradition s'étaient montrés plus forts que la colère ou l'idéologie. En rédigeant son testament, Tillet ne s'était nullement soucié de ses filles, Ashton et Brett, à qui il n'avait légué qu'une somme d'argent symbolique, puisque, comme beaucoup d'hommes de sa génération, il avait avant tout pensé aux garçons, les filles devant être entretenues par leurs époux. Le testament précisait que, à la mort d'un des fils, sa part du domaine irait directement au frère survivant.

— Cooper est donc à présent le seul propriétaire de Mont Royal mais il m'a généreusement permis d'y rester par égard pour Orry. Je dirige la plantation, je perçois ce qu'elle rapporte tant qu'il en demeure propriétaire et que je paie les intérêts de l'hypothèque. J'ai aussi à ma charge toutes les dépenses de fonctionnement mais ce sont des conditions tout à fait raisonnables.

— Cet arrangement vous assure une certaine sécurité ? Je veux dire, c'est un contrat légal, contraignant ?

— Absolument. Quelques semaines seulement après que nous avons appris la mort d'Orry, Cooper a mis notre accord par écrit, dans un document qui le rend irrévocable.

— Alors, sachant combien les Caroliniens sont attachés à la famille et aux biens familiaux, je pense que Mont Royal restera à jamais aux Main.

— Oui, j'en suis certaine. Malheureusement, le domaine ne rapporte rien pour le moment et les perspectives ne sont pas brillantes. Puisque vous êtes venu vous enquérir de notre sort, le mieux que je puisse vous dire, c'est que nous nous débrouillons.

— Je crois que nous sommes tous dans ce cas. Ma fille Sally épouse le colonel Johnny Haskell à la fin du mois. Cette union dissipera quelque peu les nuages.

L'officier but une gorgée.

— Délicieux. Avez-vous des nouvelles de Charles ?

— J'ai reçu une lettre il y a deux mois. Il disait espérer redevenir soldat, dans l'Ouest.

— Je crois savoir que nombre de Confédérés ont choisi cette solution. J'espère qu'on le traitera bien. C'était un de mes meilleurs éclaireurs. Les Éclaireurs de fer, disions-nous. Il s'est montré à la hauteur de ce surnom, bien que, vers la fin, j'aie parfois trouvé sa conduite étrange, je l'avoue.

Madeline hocha la tête.

— Je l'ai remarqué moi aussi quand il est revenu ici, au printemps. La guerre l'a meurtri. Il est tombé amoureux d'une femme de Virginie qui est morte en mettant leur enfant au monde. Charles a cet enfant près de lui, maintenant.

— La famille est un des rares baumes contre la douleur, murmura Hampton. (Il but une autre gorgée.) A présent, parlez-moi un peu plus de vous.

— Comme je vous l'ai dit, général, nous survivons. Jusqu'ici, personne n'a soulevé la question de mes origines.

Madeline observa le visage de Hampton, qui demeura serein.

— Naturellement, je suis au courant, dit-il. Cela ne change rien.

— Merci.

— Madeline, je suis aussi venu vous faire une offre. Nous connaissons tous des conditions difficiles mais vous, vous les affrontez seule. Des hommes sans scrupules, noirs et blancs, rôdent sur les routes de cet État. Si vous deviez vous réfugier quelque part, si la lutte devenait trop dure et que vous vouliez connaître un peu de répit, venez à Columbia. Notre maison, à Mary et à moi, vous sera toujours ouverte.

— C'est très gentil. Pensez-vous que le chaos en Caroline du Sud s'achèvera bientôt ?

— Bientôt, non. Mais nous pouvons hâter sa fin en nous prononçant pour ce qui est juste.

— C'est-à-dire ?

Hampton contempla la rivière mouchetée de soleil avant de répondre :

— A Charleston, plusieurs *gentlemen* m'ont proposé de commander une expédition qui fonderait une colonie au Brésil. Une colonie esclavagiste. J'ai refusé. J'ai répondu que ce pays était le mien et que je ne pensais plus désormais en termes de Nord et de Sud : il n'y a plus que l'Amérique. Nous avons combattu, nous avons perdu, la question d'une nation séparée sur le continent est résolue. Néanmoins, en Caroline du Sud, nous sommes confrontés au très vaste problème du nègre. Son statut a changé. Comment devons-nous nous comporter à son égard ? Eh bien, puisqu'il a été un esclave loyal, je crois que nous devons le traiter loyalement maintenant qu'il est libre. Assurer que justice lui soit rendue dans nos tribunaux. Lui accorder le droit de vote, exactement comme aux Blancs. Si nous faisons cela, les bandes errantes disparaîtront, le Noir considérera à nouveau la Caroline comme son pays et le Blanc comme son ami.

— Vous le pensez vraiment, général ?

Hampton plissa légèrement le front, peut-être par contrariété.

— Oui, je le pense. Seules la justice et la compassion amélioreront le sort de cet État.

— Vous êtes plus généreux que beaucoup d'autres à l'égard des Noirs.

— Ils nous posent un problème pratique et moral à la fois. Nos terres sont dévastées, nos maisons brûlées, notre monnaie et nos titres sans valeur, et des soldats campent à nos portes. Devons-nous aggraver la situation en prétendant que notre cause n'est pas perdue ? Qu'elle peut encore triompher, même ? Je crois plutôt qu'elle était perdue dès le départ. En 1860, je me suis tenu à l'écart de la convention extraordinaire parce que je voyais dans la sécession une impossible folie. Allons-nous nourrir les mêmes illusions ? Allons-nous provoquer des représailles en nous opposant à une tentative honorable de restaurer l'Union ?

— Beaucoup veulent résister, fit remarquer Madeline.

— Si des hommes comme Mr Stevens ou Mr Summer essaient de m'imposer l'égalité sociale avec les nègres, je résisterai. Mais hormis cela, si Washington est raisonnable, si nous le sommes aussi, nous pourrons reconstruire notre pays. Si, au contraire, nous nous accrochons à nos vieilles chimères, nous ne ferons que déclencher une nouvelle sorte de guerre.

Madeline soupira :

— J'espère que la raison prévaudra, dit-elle. Je n'en suis pas certaine.

Hampton se leva, prit dans ses mains celles de la veuve d'Orry Main.

— N'oubliez pas mon offre, rappela-t-il. Un refuge, en cas de besoin.

Sous le coup d'une impulsion, elle lui embrassa la joue.

— Vous êtes un homme de cœur, général. Dieu vous bénisse.

Au coucher du soleil, Madeline se promenait dans un carré en jachère en repensant aux remarques de Hampton quand une des sandales qu'elle avait fabriquées avec un morceau de cuir et de la corde se posa sur quelque chose de dur. Elle creusa le sol sablonneux, découvrit un caillou gros comme ses deux mains. Jane, Andy et elle en avaient trouvé de nombreux autres dans les quatre lopins cultivés et s'étaient interrogés à leur sujet : les cailloux étaient rares dans les terres du Bas-Pays.

Elle le nettoya, nota sa couleur jaunâtre, son aspect poreux. En faisant un petit effort, elle le brisa en deux et s'en étonna : les cailloux ne se cassent pas aussi facilement. Mais si ce n'était pas un caillou, qu'est-ce que c'était ?

Sa vue ayant baissé avec l'âge, elle approcha les deux moitiés de son visage et sentit une odeur fétide qui lui souleva le cœur. Elle jeta les morceaux par terre et courut vers la cabane en pin, son ombre filant devant elle sur un sol aussi rouge que du sang répandu.

J'aimerais pouvoir croire, comme le gén. H., que nos concitoyens comprendront qu'il est sage, et important, sur le plan pratique, de nous comporter loyalement envers les Noirs affranchis. J'aimerais croire que les Caroliniens se montreront raisonnables face à la défaite et à ses conséquences. Je ne le peux pas. Je suis à nouveau en proie à de sombres pensées.

Elles me sont venues ce soir, en cassant un de ces étranges cailloux que tu m'avais montrés un jour avant la guerre. Une puanteur ! Même notre terre est pourrie. J'y ai vu un signe, le présage d'un avenir noyé de bile et de poison.

Pardonne-moi, Orry, je ne dois plus écrire ce genre de choses.

2

A la tombée de la nuit, le jour de la visite de Hampton à Mont Royal, une jeune femme tourna précipitamment dans Chambers Street, à New York. D'une main, elle maintenait son chapeau sur sa tête, serrait de l'autre des feuilles de papier couvertes de signatures qu'elle mit à l'abri sous son bras quand il commença à pleuviner. Elle découvrit devant elle la marquise du Nouveau Théâtre Knickerbocker de Wood, sa destination. Elle était en retard pour la répétition spéciale que le directeur avait fixée à sept heures et demie.

En retard pour une bonne cause, toutefois, puisqu'elle avait passé l'après-midi à recueillir des signatures en faveur des Indiens, plus particulièrement la nation cheyenne, décimée l'année dernière par le massacre de Sand Creek. La pétition, qui serait envoyée au Congrès et au Bureau des affaires indiennes du ministère de l'Intérieur, exigeait des réparations pour Sand Creek et la condamnation définitive de la « méthode Chivington ».

En s'engageant dans la ruelle obscure conduisant à l'entrée des artistes, elle songeait à Claudius Wood, pour qui elle ne travaillait que depuis dix jours, mais dont elle avait déjà découvert le caractère exécrable. En plus, il buvait — elle avait senti son haleine chargée d'alcool à presque toutes les répétitions.

Wood l'avait vue jouer Rosalinde à l'Arch Street Theater de Philadelphie et lui avait offert beaucoup d'argent. Agé d'environ trente-cinq ans, il l'avait charmée par ses bonnes manières, sa voix profonde et son air de connaître le monde, mais elle commençait à regretter sa décision de quitter la troupe de Mrs Drews et de signer pour toute une saison avec Wood.

Louisa Drews l'avait pressée d'accepter une proposition qui, disait-elle, serait un pas en avant dans sa carrière.

— Tu es une jeune femme capable et sensée, Willa, avait-elle ajouté. Mais souviens-toi que New York regorge d'hommes sans scrupules. Tu as des amis là-bas ? Quelqu'un à qui tu pourrais t'adresser en cas de besoin ?

Elle avait réfléchi un moment avant de répondre :

— Eddie Booth.

— Tu connais Edwin ?

— Oh ! oui. Mon père et lui ont joué dans la même troupe, à Saint Louis, quand j'étais enfant. Je l'ai revu plusieurs fois au fil des années mais il vit retiré depuis que son frère Johnny a assassiné le président*. Je n'oserais jamais l'ennuyer avec mes petites histoires.

— Non, mais s'il y avait quelque chose de grave... Fais attention avec Mr Wood, Willa, avait recommandé Mrs Drew.

Interrogée, la directrice avait seulement consenti à répondre :

— Tu découvriras toi-même ce que je veux dire. Certaines actrices — les jolies femmes — ont des problèmes avec Wood. Mais ne laisse pas passer une chance pareille à cause de ça. Sois prudente, c'est tout.

La jeune femme qui descendait la ruelle en toute hâte s'appelait Willa Parker. Elle était grande et toute en jambes, assez mince pour les rôles d'homme, mais avec cependant la poitrine idéale pour jouer Juliette. Ses grands yeux bleus légèrement bridés lui donnaient un air vaguement exotique ; ses cheveux d'un blond très pâle prenaient des reflets argentés sous les feux de la rampe.

* Le comédien Johnny Booth a tué Abraham Lincoln au Théâtre Ford. (N.d.t)

Elle avait la peau douce et lisse, une grande bouche, un visage auquel le dessin du menton donnait un air volontaire. Parfois elle se sentait très vieille parce qu'elle avait perdu sa mère à l'âge de trois ans, son père onze ans plus tard, et qu'elle avait commencé à monter sur scène à six ans. Willa était la fille unique d'une femme dont elle ne se souvenait pas et d'un père large d'esprit et travailleur opiniâtre, mort d'une crise cardiaque dans la scène de la tempête du *Roi Lear*.

Peter Parker avait été un de ces acteurs qui font leur métier avec ardeur et enthousiasme bien qu'il eût compris très tôt que son talent ne lui permettrait jamais que de subsister, sans que son nom s'étale au-dessus du titre d'une pièce. Il avait commencé à jouer des rôles d'enfant dans son Angleterre natale puis avait abordé le répertoire adulte dans le style « noble » de la famille Kemble et de Mrs Siddons. Il avait ensuite travaillé avec Kean, le flamboyant, qui l'avait persuadé d'abandonner le classicisme pour le naturalisme. C'est à cette époque qu'il avait abandonné aussi le nom dont il avait hérité à sa naissance, Potts. Trop de mauvaises plaisanteries de ses camarades — Pot de fleur, Pot de chambre — l'avaient décidé à adopter celui de Parker, plus pratique, plus capable d'inspirer une impression favorable. Willa connaissait son véritable nom, qui l'amusait, mais c'était celui de Parker qui lui venait à l'esprit quand elle pensait à elle-même.

Lorsqu'elle franchit la porte d'entrée, le vieux concierge l'avertit :

— Il est dans son bureau, Miss. Et il vous réclame en braillant toutes les cinq minutes.

— Merci, Joe.

Le vieillard, vêtu d'un ciré, faisait tinter le trousseau de clefs avec lequel il s'apprêtait à fermer le théâtre. Il partait de bonne heure. Wood lui avait peut-être donné sa soirée.

Willa se précipita en coulisses, se faufila entre de faux arbres dont les branches n'étaient pas encore peintes : la forêt de Birnam, qui deviendrait celle de Dunsinane dans le prochain spectacle. L'endroit sentait le bois neuf, le maquillage, la poussière. De la lumière s'échappait par la porte à demi ouverte d'une pièce où Wood déclamait :

— *J'y vais et c'est fait : la cloche m'invite. Ne l'entends pas, Duncan, car c'est le glas qui t'appelle au ciel ou en enfer... Ou en enfer,* redit le comédien en modifiant son intonation.

Immobile sur le seuil du bureau, Willa frissonna. Son directeur répétait *en dehors de la scène,* ce qui portait malheur. En outre, de nombreux acteurs pensaient que cette pièce de Shakespeare portait malheur, même si d'autres faisaient simplement remarquer qu'on s'y battait beaucoup, et que la cause des mauvaises chutes, des bras ou des jambes cassés se trouvait dans le texte, pas dans les astres. Pourtant, cette superstition demeurait, et comme nombre de ses camarades, Willa s'en moquait tout en la respectant. Jamais elle ne répétait autre part que sur scène ; jamais elle ne prononçait dans le théâtre le titre de l'œuvre*, qu'elle remplaçait toujours par « la pièce écossaise ».

Elle scruta la pénombre, se demanda où se trouvaient les autres comédiens qui, pensait-elle, viendraient aussi à la répétition. Dans le

* *Macbeth.* (N.d.t.)

silence, elle n'entendit qu'un faible craquement — peut-être le chat du théâtre — et eut envie de s'enfuir.

— Qui est là ?

L'ombre de Claudius Wood s'approcha de la porte, précédant le directeur lui-même qui l'ouvrit toute grande. Il avait la cravate dénouée, le gilet déboutonné, les manches retroussées.

— Le rendez-vous était à la demie de sept heures, fit-il d'un air menaçant. Tu as quarante minutes de retard.

— Excusez-moi, Mr Wood. J'étais très occupée.

— A quoi faire ? rétorqua le directeur. (Il remarqua les feuilles.) Encore une de tes croisades extrémistes ? (Il lui prit la pétition avec une brusquerie qui la fit sursauter.) Oh ! c'est pour ces malheureux Indiens. Pas pendant les heures de travail, s'il te plaît. Ce sera retenu sur ton salaire. Bon, entre, qu'on se mette enfin au travail.

Un sentiment mal défini mais alarmant incitait Willa à fuir le théâtre silencieux et cet homme robuste dont le beau visage se marquait déjà d'un réseau de veines sur les joues. Mais elle voulait désespérément jouer le rôle difficile qu'il lui avait proposé — un rôle qui demandait une actrice plus âgée, et accomplie. Si elle y parvenait, cela serait excellent pour sa carrière.

Et cependant...

— Les autres ne viennent pas ?

— Pas ce soir. J'ai pensé qu'il fallait travailler nos scènes avec un soin particulier.

— Ne pourrait-on pas répéter sur scène ? C'est la « pièce écossaise »...

Son rugissement de rire la fit se sentir stupide et toute petite.

— Tu ne crois quand même pas à ces sornettes, Willa ? Toi qui es si intelligente, qui connais si bien les idées progressistes. Allez, entre, qu'on commence.

Il fit demi-tour, retourna dans le bureau. Willa le suivit en se disant qu'il avait raison, qu'il était puéril de sa part de croire à ces superstitions.

— Enlève ton châle et ton chapeau, suggéra Wood, qui déplaça des chaises pour dégager un espace au centre du tapis élimé.

Les murs de la pièce étaient couverts d'affiches annonçant les spectacles de la saison : Goldsmith, Molière, Boucicaut, Sophocle. Wood poussa sur le côté les papiers encombrant l'immense bureau, posa dessus une dague émaillée, accessoire à la pointe émoussée, et se servit deux doigts de whisky.

Nerveuse, Willa défit ses gants de velours, son châle et son chapeau, les rangea sur une chaise, à portée de main, au cas où elle devrait filer rapidement. Devenue femme à douze ans, elle avait appris à repousser avec humour les avances des hommes — et aussi à se sauver à toutes jambes.

Wood s'approcha de la porte, la ferma.

— Bon. Acte I, scène 7.

— Mais nous l'avons déjà répétée hier, presque toute la journée, fit observer Willa.

— Je ne suis pas satisfait, dit le comédien en retournant auprès d'elle. *Le château de Macbeth...*

Avec un grand sourire, il tendit le bras, promena lentement la main sur la manche en soie de la jeune femme.

— Tu prends au milieu de la tirade de lady Macbeth, là où elle dit : *J'ai donné le sein...*

Wood prononça le dernier mot avec une moue gourmande ; Willa s'efforça de chasser sa peur et son désespoir. Ce que Wood voulait — ce qu'il avait voulu dès le départ en l'engageant — était parfaitement clair maintenant. Willa ne s'en sentit pas flattée. Si c'était le prix pour débuter à New York, elle ne paierait pas.

— Commence, ordonna-t-il avec une rudesse qui l'alarma.

Il lui caressa à nouveau le bras, elle tenta de se dégager mais il se rapprocha, en lui soufflant son haleine chargée d'alcool au visage.

— *J'ai donné le sein, et je sais...* récita Willa. (Elle s'interrompit.) *Je sais combien j'aime tendrement le petit qui me tète.*

— C'est vrai, ça ? murmura Wood.

Il se pencha, lui embrassa le cou.

— Mr Wood...

— Continue.

Il la saisit par les épaules, la secoua. Terrifiée, elle vit dans les yeux noirs du directeur plus que de la colère : le désir de faire mal.

— *Eh bien ! au moment où il souriait à ma face, j'aurais arraché mon mamelon de ses gencives sans os...*

La main de Wood glissa du bras au sein gauche, sur lequel elle se referma.

— Tu ne l'arracherais pas des miennes, hein ?

Elle frappa le sol de sa bottine en répliquant :

— Je suis une comédienne. Je refuse d'être traitée comme une prostituée.

Il lui saisit de nouveau le bras.

— Je te paie, tu fais ce que je te dis — même la putain.

— Non, s'écria Willa en se libérant.

Il recula, la frappa du poing.

— Sale garce ! Tu vas me donner ce que je veux.

Il la prit par les cheveux, lui renversa la tête en arrière et la frappa à nouveau.

— Alors, tu te décides ?

— Lâchez-moi. Vous êtes ivre — complètement fou !

— La ferme !

Il la gifla si fort qu'elle tomba, se cogna la tête sur le bord du bureau.

— Relève tes jupes !

Étourdie, Willa chercha à tâtons un objet pour se défendre. Il la renversa sur le bureau, lui écarta les jambes, ouvrit sa braguette.

— Relève tes jupes, bon Dieu ! ou je cogne jusqu'à ce que tu ne tiennes plus debout.

Folle de frayeur, elle referma les doigts sur la dague. Wood voulut lui saisir le poignet mais elle le frappa de toutes ses forces. Bien qu'émoussée, la pointe de l'accessoire traversa le tissu du pantalon, pénétra dans la chair, s'arrêta, puis s'enfonça à nouveau.

— Nom de Dieu ! s'exclama Wood.

Il prit à deux mains le manche de la dague plantée dans sa cuisse gauche, essaya de la défaire.

— Je te tuerai ! brailla-t-il.

Les yeux exorbités, Willa le repoussa violemment, le fit tomber sur un faux palmier nain. Elle courut à la chaise, prit précipitamment ses affaires, sortit du bureau et se rua dans l'obscurité. Parvenue à la porte, elle s'escrima un moment sur le verrou, réussit à l'ouvrir, faillit tomber dans la ruelle aux pavés mouillés et s'enfuit, en s'attendant à entendre Wood courir derrière elle.

3

Moi, ..., jure solennellement devant Dieu que dorénavant, je soutiendrai, protégerai et défendrai loyalement la Constitution des États-Unis ainsi que l'Union de ses États, et que je respecterai et soutiendrai pareillement toutes les lois et proclamations faites durant la rébellion concernant l'émancipation des esclaves. Que Dieu me vienne en aide.
    Serment exigé de tous les Confédérés
    demandant la grâce présidentielle, 1865.

— Je dois faire ce serment ? demanda Cooper Main.

Il s'était rendu à cheval à Columbia pour se renseigner sur cette question et avait soudain des doutes.

— Si vous voulez obtenir l'amnistie, soupira l'avocat Trezevant, assis de l'autre côté de la table fragile servant de bureau.

Son cabinet ayant brûlé lors du grand incendie du 17 février, il avait loué une pièce au premier étage de l'entreprise de pompes funèbres Reverdy Bird, dans la partie est de la ville, épargnée par les flammes. Mr Bird avait transformé sa grande salle en boutique vendant des pieds de liège, des jambes de bois et des yeux de verre aux mutilés de la guerre. Le bourdonnement de voix montant du rez-de-chaussée indiquait que les affaires marchaient bien, ce matin-là.

Cooper regarda fixement le serment manuscrit. C'était un homme efflanqué dont les cheveux mal peignés étaient presque complètement gris, bien qu'il n'eût que quarante-cinq ans. Des journées de travail de seize heures avaient cerné ses yeux marron profondément enfoncés. A Charleston, il s'épuisait à rebâtir les entrepôts et les docks de sa Compagnie maritime de Caroline, dont il essayait de relancer les activités.

— Je comprends votre ressentiment, poursuivit Trezevant. Mais si le général Lee est capable de s'abaisser jusqu'à demander cette grâce — comme il l'a fait à Richmond la semaine dernière — vous le pouvez aussi.

— La demander implique qu'on a mal agi. Je n'ai rien fait de mal.

— Je suis d'accord, Cooper. Malheureusement, le gouvernement fédéral ne l'est pas, lui. Si vous voulez que votre entreprise redémarre, vous devez faire oublier que vous avez servi dans la marine confédérée.

Cooper Main jeta un regard noir à l'homme de loi, qui continua :

— Je me suis rendu personnellement à Washington, et jusqu'à un certain point, je fais confiance à ce marchand d'amnistie, même si c'est un avocat, et un Yankee, qui plus est...

L'humour amer de Trezevant ne dérida pas Cooper.

— Il s'appelle Jasper Dills, précisa le juriste. Comme il est cupide, je suis sûr qu'il fera passer votre demande avant de nombreuses autres sur le bureau de Mr Johnson.

— Pour combien ?

— Deux cents dollars de l'Union, ou l'équivalent en livres sterling. Mes honoraires se montent à cinquante dollars.

Cooper Main réfléchit un moment avant de répondre :

— D'accord. Donnez-moi les papiers.

Pendant la demi-heure qui suivit, les deux hommes bavardèrent. Trezevant connaissait tous les bruits de couloir de Washington : Johnson avait l'intention de nommer en Caroline du Sud un gouverneur provisoire qui réunirait une convention constitutionnelle et restaurerait l'assemblée de l'État telle qu'elle était avant la chute de Fort Sumter. Le choix de Johnson ne serait pas surprenant puisqu'il se porterait sur le juge Benjamin Franklin Perry, de Greenville, partisan avoué de l'Union avant la guerre. Comme Lee, Perry avait proclamé sa loyauté à son État malgré son opposition farouche à la sécession en déclarant : « Vous allez tous à la catastrophe — et j'irai avec vous. »

— Pour être rétablie, l'assemblée devra satisfaire aux conditions de Mr Johnson, ajouta Trezevant. Abolir officiellement l'esclavage, par exemple. En même temps, elle aura la possibilité de, euh, d'imposer des règles aux nègres pour que nous ayons à nouveau de la main-d'œuvre et non de la racaille paresseuse.

— Quelles règles ?

— Disons un code de bonne conduite. Je crois savoir que le Mississippi envisage la même mesure.

— Ce code s'appliquerait aussi aux Blancs ?

— Seulement aux affranchis.

Cooper voyait le danger d'une décision aussi provocatrice mais l'aspect moral de l'affaire ne l'inquiétait pas. La fin de la guerre avait apporté humiliation et ruine à sa famille, à son État et à lui-même. Il ne se préoccupait plus du sort de ceux que cette guerre avait libérés.

Vers midi, le vieux cheval de Cooper Main prit lentement le chemin du retour et repassa par le centre de Columbia. Cooper pouvait à peine supporter de voir cette ville dont près de cent vingt pâtés de maisons avaient brûlé. Une lourde odeur de charbon de bois flottait encore dans l'air de cette chaude journée de juin.

Les rues en terre battue étaient jonchées de débris, de meubles brisés. Au chariot du Bureau des affranchis, des réfugiés et des terres abandonnées, on distribuait des sacs de riz et de farine à une foule nombreuse, composée principalement de Noirs. D'autres anciens esclaves avaient envahi les quelques mètres de trottoir en bois demeurés intacts. Cooper remarqua des uniformes, plusieurs *gentlemen* en civil, mais l'absence de femmes blanches bien habillées sautait aux yeux. C'était partout la même chose. Les dames restaient chez elles parce qu'elles haïssaient les soldats et qu'elles avaient peur des nègres libérés. Judith, l'épouse de Cooper, constituait une exception que celui-ci trouvait irritante.

Le général Sherman avait détruit le pont de bois enjambant la Congaree. Il ne restait que les culées en pierre, qui émergeaient de la rivière telles des pierres tombales noircies par la fumée. La lente traversée en bac permit à Cooper de contempler longuement l'un des rares bâtiments que le feu avait épargnés : le capitole inachevé, proche de la rive droite. Sur l'un des murs de granit, trois boulets de canon attestaient, tels des points sur une feuille de papier, la fureur de Sherman.

En descendant du bac, Cooper s'engagea dans une zone ravagée par le feu et chemina le long d'une bande de terre brûlée large d'un kilomètre. Là, entre les pins en flammes, la cavalerie de Kilpatrick s'était livrée au pillage, laissant une plaine de ruines noires où ne se dressaient plus que des cheminées solitaires — les Sentinelles de Sherman, tout ce qu'il restait des maisons balayées par cette marche barbare.

Il passa la nuit dans une auberge minable à la sortie de la ville. Au bar, il évita d'engager la conversation mais écouta attentivement les fermiers ruinés venus y boire. A les entendre, on aurait cru que le Sud avait gagné ou était pour le moins capable de continuer à combattre.

Le lendemain, il repartit dans la brume qui annonçait une nouvelle journée caniculaire dans le Bas-Pays. Il emprunta des chemins de terre qui n'avaient pas été réparés après avoir été labourés par les convois de ravitaillement de l'Union.

Sur la route de Charleston et de la côte, il traversa un terre-plein de voie ferrée : tous les rails avaient disparu, il ne restait que quelques traverses. Il ne croisa aucun Blanc mais rencontra à deux reprises des bandes de Noirs rôdant dans les champs. Juste après le hameau de Chicora, alors qu'il se dirigeait vers la rivière Cooper, il tomba sur une dizaine d'hommes et de femmes noirs cueillant de l'herbe le long du terre-plein. Il plongea la main dans la poche de sa vieille veste, prit le petit pistolet qu'il avait emporté pour le voyage.

Les Noirs regardèrent Cooper approcher. L'une des femmes portait une robe de velours rouge piquée d'un camée ovale, probablement volés l'une et l'autre à une maîtresse blanche, se dit Cooper. Les autres étaient vêtus de haillons. D'une main moite, Cooper serra la crosse de l'arme qu'il dissimulait mais ils le laissèrent passer.

Un colosse au front ceint d'un bandeau rouge descendit sur la route derrière Cooper et lui lança :

— Vous êtes plus le patron ici, capitaine.

Cooper Main se retourna, le regarda avec colère et répliqua :

— Et qui prétend que je le suis ? Mettez-vous donc au travail pour faire quelque chose d'utile.

— Pas obligé de travailler, dit la femme en rouge. Vous pouvez pas nous forcer, vous pouvez pas nous fouetter. C'est fini, ça. On est libre, maintenant.

— Libre de vivre dans la paresse, oui ! d'oublier vos amis.

— Quels amis ? Les hommes comme vous, qui nous gardaient enfermés ? fit le Noir au bandeau en ricanant. Filez, capitaine, avant qu'on vous fasse descendre de votre canasson et qu'on vous traite comme on nous traitait.

Cooper serra les dents, sortit le pistolet de sa poche et le braqua vers le groupe. La femme en robe de velours poussa un cri, se jeta dans le fossé ; les autres détalèrent à l'exception de l'homme au bandeau, qui s'avança vers le cheval. Retrouvant soudain son bon sens, Cooper éperonna son haridelle et décampa.

Il ne s'arrêta de trembler que dix minutes plus tard. Trezevant avait raison, l'Assemblée devait réglementer la conduite des affranchis. La liberté s'était transformée en anarchie. Et sans bras pour peiner dans la chaleur et l'humidité, la Caroline du Sud glisserait d'une maladie grave à la mort.

Plus tard, quand il fut calmé, il songea au travail qu'il fallait faire à la Compagnie maritime. Par bonheur, Cooper n'avait plus à se soucier de Mont Royal. L'honnêteté, la rectitude l'avait conduit à passer un accord avec la veuve de son frère Orry, qui devenait responsable de la plantation alors qu'il en demeurait propriétaire. Madeline avait du sang noir, tout le monde le savait depuis qu'Ashton l'avait révélé publiquement. Mais personne ne posait la question de ses origines et le problème ne se poserait pas tant qu'elle se conduirait en femme blanche.

De mélancoliques images de ses jeunes sœurs le détournèrent de ses préoccupations professionnelles. Il pensa à Brett, mariée au Yankee Billy Hazard, et partie pour la Californie, d'après sa dernière lettre ; il revit Ashton, qui s'était mêlée à quelque complot grotesque pour renverser le gouvernement de Davis et le remplacer par un groupe de têtes chaudes. Elle avait disparu quelque part dans l'Ouest, et Cooper supposait qu'elle était morte. Il ne parvenait pas à le regretter et ne s'en sentait pas coupable. Fille tourmentée, Ashton avait connu toutes les difficultés personnelles qui semblent affliger les femmes très belles et très ambitieuses. Sa moralité avait toujours été déplorable.

Lorsque le soleil descendit vers les collines sablonneuses, Cooper commença à se faufiler à travers les marais salants qui miroitaient non loin de chez lui. Comme il aimait la Caroline du Sud, et plus particulièrement le Bas-Pays ! La mort tragique de son fils avait fait de lui un sécessionniste, bien qu'il se considérât encore comme un modéré sur toutes les questions excepté une seule : la supériorité inhérente à la race blanche et sa capacité à gouverner la société. Cooper était sur le point de rencontrer, dix minutes plus tard, un homme qui poussait plus loin encore la loyauté envers le Sud.

Il s'appelait Desmond LaMotte, et c'était une sorte d'épouvantail dont les jambes démesurées touchaient presque le sol, de part et d'autre d'une mule qui trottait à travers les marais. Il avait des cheveux bouclés couleur carotte, avec une étonnante bande blanche courant du front au sommet du crâne — un cadeau de la guerre — et une impériale bien taillée de même couleur que la chevelure.

Descendant d'une vieille lignée huguenote occupant une place dominante parmi l'aristocratie des planteurs, il était né à Charleston en 1834. A l'âge de quinze ans, il avait déjà atteint sa taille adulte de deux mètres dix, et c'est tout naturellement que ce physique dégingandé, joint à un caractère volontaire et rebelle, l'incita à devenir professeur de danse.

C'était une profession honorable et fort ancienne, en particulier dans le Sud. Chez les hypocrites de la Nouvelle-Angleterre, les prêcheurs fustigeaient toujours la danse en couples, mais les Sudistes avaient une opinion plus éclairée du fait de leur plus haute culture, de leurs liens avec la *gentry* anglaise, et de leur système économique : l'esclavage leur laissait le temps d'apprendre à danser. Washington et Jefferson — de grands hommes, de grands Sudistes, selon Des LaMotte — avaient eu tous deux un penchant pour la danse.

Cinq ans avant le début de la guerre, Desmond épousa Miss Sally Sue Means, de Charleston, et ouvrit une école de danse dans King Street. Il se fit aussi une excellente clientèle dans les plantations du Bas-Pays dont il faisait le tour trois fois par an, en annonçant chaque fois sa venue dans les journaux locaux. Il ne manquait jamais d'élèves, enseignait un peu d'escrime aux garçons mais surtout la danse : quadrilles traditionnels dans lesquels les danseurs, placés face à face ou l'un derrière l'autre, n'enfreignaient pas la morale par des contacts trop rapprochés, mais aussi danses nouvelles, audacieuses importations européennes comme la valse et la polka, plaçant le couple dans une intimité que d'aucuns jugeaient dangereuse. Un prédicateur épiscopalien de Charleston avait tonné contre « l'abomination qui consiste à permettre à un homme qui n'est ni votre fiancé ni votre mari de vous entourer de ses bras et de presser légèrement votre taille ».

Pour Desmond, les cinq années pendant lesquelles il exerça son art furent merveilleuses. Malgré les abolitionnistes et la menace de guerre, il avait organisé des bals fastueux, regardé avec ravissement les planteurs et les belles dames danser toute la nuit à la lumière des chandelles, sans presque montrer de signes de fatigue.

Desmond avait de la danse une connaissance vaste et éclectique. Il connaissait la danse de la planche pratiquée par les pionniers, et dans laquelle deux hommes gigotaient sur une planche posée sur deux tonneaux jusqu'à ce que l'un d'eux tombe. Dans les plantations, il avait observé les danses des esclaves, plongeant leurs racines en Afrique — pas complexes talon-pointe effectués au son de crécelles ou de limes de forgeron frottées l'une contre l'autre. En général, les planteurs interdisaient les tambours car ils y voyaient un moyen pour les esclaves de transmettre des messages secrets appelant à la révolte.

Des Caroliniens ayant voyagé dans le Nord lui avaient parlé des *Shaking Quakers*, notoires amis des nègres, dont les danses exprimaient la doctrine religieuse. Les danseurs avançaient lentement sur une seule file en plaçant soigneusement un pied devant l'autre, pour figurer l'étroit chemin menant au salut. Des connaissait tout l'univers de la danse américaine, bien qu'il avouât à ses élèves n'aimer que le type de danse qu'il enseignait.

Cet univers bascula avec le premier coup de canon tiré sur Fort Sumter. Desmond s'engagea aussitôt dans les *Palmetto Rifles**, unité

---

* *Rifles :* fusiliers. Le *palmetto*, palmier nain, est l'emblème de l'État de Caroline du Sud. (N.d.t.)

organisée par son meilleur ami, le capitaine Ferris Brixham. Sur les quatre-vingts hommes qui la composaient à l'origine, il n'en restait que trois en avril précédent, lorsque le général Joe Johnston s'était rendu avec la dernière armée de la Confédération, à Durham Station, en Caroline du Nord. La veille de la capitulation, une brute de sergent yankee et quatre de ses hommes avaient surpris Des et Ferris en train de marauder, les avaient roués de coups et laissés pour morts. Des survécut, Ferris mourut dans ses bras une heure après que les officiers eurent annoncé la reddition.

Plein d'amertume, Des retourna à Charleston où un vieil oncle lui apprit que Sally Sue était morte en janvier de pneumonie et de malnutrition. Comme si cela ne suffisait pas, la famille LaMotte avait été traînée dans la boue pendant toute la guerre par une autre famille du district de l'Ashley. C'était plus que Desmond ne pouvait supporter et son esprit avait craqué. Pendant un mois — dont il ne gardait aucun souvenir — il avait été soigné par des parents âgés.

A présent, il traversait les marais sur sa mule, à la recherche d'anciens clients ou de gens assez riches pour payer des leçons de danse à leurs enfants. Il n'en avait trouvé aucun. Derrière lui marchait pieds nus son vieux serviteur, un Noir arthritique nommé Juba, auquel Desmond avait fait signer un contrat à vie. Effrayé par la liberté nouvelle accordée par le légendaire Linkum*, Juba avait volontiers apposé sa marque sur un papier qu'il ne pouvait lire.

Le serviteur marchait au soleil, une main sur la croupe de la mule conduite par un homme qui n'avait plus que deux buts dans la vie : recommencer à exercer la profession qu'il aimait dans un monde où, à cause des Yankees, elle n'avait plus sa place ; et se venger de tous ceux qui avaient contribué à sa ruine, à celle de sa famille et de son pays.

Tel était l'homme que Cooper Main allait affronter.

Une planche en pin de soixante-quinze centimètres de large était posée en travers d'une fondrière, à un endroit infranchissable autrement. Cooper y parvint, côté terre ferme, une seconde ou deux avant que le personnage dégingandé ne se présente à l'autre bout, avec sa mule et son nègre maussade.

Sur une langue de terrain sec, à vingt pas de la planche, un alligator paressait au soleil. On en comptait un grand nombre dans les marais côtiers. Celui-là était un animal adulte : douze pieds de long, probablement cinq cents livres. Dérangé dans sa sieste, il se glissa dans l'eau et disparut presque complètement. Seuls ses yeux qui dépassaient indiquaient son lent mouvement vers la planche.

Cooper aperçut le saurien. Bien qu'il connût ces animaux depuis son enfance, il en avait la terreur et faisait encore des cauchemars dans lesquels leurs mâchoires le déchiraient. Soudain, l'alligator plongea plus profondément et s'éloigna.

Le jeune homme à la barbe carotte avait un visage familier sur lequel Cooper Main ne parvenait cependant pas à mettre un nom.

— Place ! l'entendit-il dire à l'autre extrémité de la planche.

Rendu irritable par la chaleur, Cooper répondit :

* Déformation de « Lincoln » par les Noirs. (N.d.t.)

— Je ne vois pas pourquoi je...

— Place ! répéta l'homme.

— Certainement pas, monsieur. Vous êtes impertinent, présomptueux, et je ne vous connais pas.

— Mais moi, je vous connais, monsieur.

Bien qu'il parlât d'un ton détaché, presque plaisant, le jeune barbu avait dans le regard une expression de rage contenue.

— Vous êtes Mr Cooper Main, de Charleston, poursuivit-il. Propriétaire de la Compagnie maritime de Caroline et de la plantation de Mont Royal. Moi, je suis Desmond LaMotte.

— Ah ! oui, le maître de danse.

Ce point éclairci, Cooper fit avancer son cheval sur la planche. Desmond donna du talon sur le flanc de sa mule, qui monta elle aussi sur la passerelle. Effrayée, la monture de Cooper fit un écart et tomba ; son cavalier battit l'air de ses bras, atterrit dans l'eau peu profonde, à côté de l'animal. Il se releva indemne mais crotté.

— Qu'est-ce qui vous prend, LaMotte ?

— Le déshonneur, monsieur, voilà ce qui me prend.

Trempé, frissonnant malgré la chaleur, Cooper se demanda si l'homme n'avait pas l'esprit dérangé par la guerre.

— Je ne comprends goutte à ce que vous dites.

— Je fais allusion, monsieur, aux tragédies qui se sont abattues sur des membres de ma famille à cause de membres de la vôtre.

— Je n'ai fait tort à aucun LaMotte.

— D'autres, qui portent votre nom, ont commis des actes criminels. Vous avez tous souillé l'honneur des LaMotte en laissant le colonel Main cocufier mon cousin Justin. Et juste avant mon retour, votre esclave Cuffey, échappé de votre plantation, a assassiné mon cousin Francis.

— Mais je vous répète que je n'ai...

— Nous avons tenu un conseil de famille, avec ceux d'entre nous qui ont survécu, coupa Desmond. Je suis ravi de vous rencontrer maintenant, cela m'épargnera d'avoir à vous chercher dans Charleston.

— Pour quelle raison ?

— Pour vous informer que les LaMotte ont décidé de laver les offenses qui leur ont été faites.

— Vous déraisonnez. Le duel est interdit par la loi.

— Je ne parle pas de duel. Nous emploierons d'autres moyens, à l'heure et au lieu de notre choix.

Cooper tendit la main vers la bride de son cheval. Des gouttes d'eau tombant de l'animal et des coudes de son cavalier ponctuèrent le silence.

— Nous les emploierons avec vous, Mr Main, ou avec la négresse de feu votre frère — ou avec l'un et l'autre. Soyez-en assuré, déclara Desmond LaMotte.

Et il fit avancer sa mule, dont les sabots résonnèrent sur le bois comme des coups de feu. Après qu'il eut gagné la terre ferme, son serviteur au dos voûté le suivit, sans croiser une seule fois le regard de Cooper.

Tard cette nuit-là, dans sa maison de Tradd Street, près de la Battery, Cooper raconta l'incident à Judith, sa femme, qui ne fit qu'en rire.

— Il était sérieux, insista Cooper, furieux. Tu ne l'as pas vu. Moi si. Tout le monde ne revient pas de la guerre parfaitement sain d'esprit.

Il ne remarqua pas le regard affligé de son épouse et ne se rappela pas que lui-même avait connu plusieurs semaines d'égarement après la noyade de leur fils.

— Je vais écrire à Madeline pour la prévenir, dit-il.

4

Willa s'éveilla en sursaut, entendit un bruit et une voix qu'elle ne put identifier.

La mémoire lui revint : Claudius Wood, la dague de *Macbeth*. Elle s'était enfuie du théâtre sous la pluie, avait failli se faire renverser par le cheval d'un cab lorsqu'elle avait glissé et trébuché au milieu d'un carrefour. Ce n'est qu'après avoir couru plusieurs centaines de mètres qu'elle avait osé regarder derrière elle.

Pas de signes de Wood, pas d'autre poursuivant. Elle avait repris sa course.

Le bruit qu'elle avait entendu était celui de coups frappés à la porte ; la voix, inconnue, appartenait à un homme.

— Miss Parker, la logeuse vous a vue entrer. Ouvrez la porte ou je l'enfonce.

— Enfoncer une bonne porte ? protesta la logeuse. Sûrement pas.

Une heure plus tôt, quand Willa était rentrée en trombe, la harpie l'avait lorgnée de la salle à manger où elle occupait la place d'honneur parmi les quatre messieurs minables louant les autres chambres.

— Vous n'avez rien à dire, répliqua l'homme. Cette fille est accusée d'agression sur la personne de son employeur. (Il cogna de nouveau à la porte.) Miss Parker !

Assise sur son lit, la comédienne se blottit contre le mur.

— Police ! beugla l'homme. Pour la dernière fois, je vous demande d'ouvrir.

Willa se leva, parcourut rapidement sa chambrette obscure pour dire un bref adieu à ses quelques affaires personnelles, prit son châle et ouvrit la fenêtre. L'homme l'entendit, entreprit d'enfoncer la porte à coups d'épaule.

Luttant contre sa peur, la jeune femme enjamba l'appui de fenêtre, se laissa glisser le long du mur et se lâcha. Elle tomba dans le noir et la pluie en poussant un cri d'angoisse couvert par le craquement de la porte, qui venait de céder.

— Oh ! Mon Dieu, je n'avais jamais connu ça, Eddie.

— Là, là, fit-il en serrant la comédienne contre lui.

Ayant mis ses vêtements à sécher, Willa portait un peignoir d'Eddie Booth, qui lui allait parfaitement : l'homme était de petite taille. Une mèche de cheveux blonds sur le front, elle avait posé ses jambes nues sur un tabouret. Sa cheville gauche, foulée, était étroitement bandée.

— Le policier a bien failli m'attraper, dit-elle. C'est Wood qui l'a envoyé, n'est-ce pas ?

— Sans aucun doute, répondit Booth.

Agé de trente-deux ans, svelte et bel homme, il avait une voix profonde que les critiques qualifiaient de « merveilleux instrument ».

La pluie zébrait les hautes fenêtres de la maison du comédien, au 28 de la 19e Rue Est. Il était une heure et demie du matin. Willa frissonna dans la robe de chambre en soie tandis que Booth poursuivait :

— Wood est un sale individu, la honte de la profession. Il boit trop — et je m'y connais. Ajoute à cela un tempérament colérique. L'année dernière, il a presque estropié un machiniste qui n'éclairait pas la scène exactement comme il le voulait. Et puis il y a eu la mort de sa femme...

— Je ne savais pas qu'il avait été marié.

— Il n'en parle jamais — il a de bonnes raisons pour ça. Ils se rendaient à Londres en bateau, pour un engagement, et la mer était mauvaise. Helen Wood a glissé, est tombée à l'eau et a disparu. Wood était le seul témoin. Plus tard, un steward a déclaré que le matin de l'accident, Helen avait des bleus sur la joue et le bras. Autrement dit, Wood la battait.

— Mais il peut être tellement charmant...

La phrase resta en suspens, Willa poussa un soupir autocritique.

— Comme j'ai été bête de me laisser prendre ! fit-elle.

— Pas du tout. Son charme abuse bien des gens, dit Booth.

Il lui tapota l'épaule, se leva. Sous une veste d'intérieur en velours, il portait un pantalon noir et avait chaussé de minuscules pantoufles — ses pieds étaient plus petits que ceux de l'actrice.

— Tu as froid, remarqua-t-il. Je vais te donner un peu de cognac. J'en ai une bouteille, même si je n'y touche pas.

Il ne buvait jamais d'alcool, elle le savait. En 1863, alors que sa femme Mary agonisait, Eddie avait été trop soûl pour se rendre à son chevet, et cet épisode de son passé pesait sur lui presque autant que la soirée fatale au Théâtre Ford.

Willa contempla la pluie tandis que Booth versait du cognac dans un verre et le chauffait de ses mains.

— Demain, je sortirai pour essayer de savoir ce que fait Wood maintenant que tu as échappé à la police.

Il lui tendit le verre.

— En tout cas, ne t'attends pas à ce qu'il en reste là, continua-t-il. Entre autres traits de caractère charmants, il est rancunier. Comme il compte de nombreux amis parmi les directeurs de théâtre, il t'empêchera à tout le moins de travailler à New York.

Willa agita les doigts de pied. Sa cheville lui faisait moins mal maintenant. Dans la cheminée, des bûches de pommier craquaient et répandaient une odeur agréable dans la pièce. Tandis qu'elle finissait son verre, Booth jeta un regard mélancolique à la grande photo encadrée posée sur une table en marbre et montrant trois hommes vêtus de toges romaines. C'était un souvenir de la grande représentation de novembre 1864, quand il avait joué Brutus entouré de ses frères Johnny et June, dans les rôles de Cassius et Marc Antoine.

Willa Parker reposa son verre et dit :

— Je ne peux pas retourner chez Mrs Drew, sa troupe est au complet. Elle m'a remplacée tout de suite après mon départ.

— Louisa aurait dû te prévenir, pour Wood.

— Elle l'a fait, indirectement, mais je n'y ai pas pris garde. J'ai beaucoup de défauts, dont celui de penser du bien de tout le monde.

— Ce n'est pas un défaut, assura Eddie Booth en tapotant la main de la jeune femme. A supposer que New York te soit fermé, maintenant, connais-tu un autre endroit où tu pourrais travailler ?

— Un endroit où m'enfuir ? Je choisis toujours la fuite, et après je m'en veux. Je déteste la lâcheté.

— Prudence n'est pas lâcheté. Je te rappelle qu'il ne s'agit pas d'une simple dispute d'écoliers. Réfléchis. Où pourrais-tu aller ?

Accablée, elle secoua la tête.

— Je ne vois pas une seule ville où... Si, il y a Saint Louis. Un des amis de mon père me prendrait sûrement dans sa troupe. Tu le connais, tu as joué avec papa et lui en Californie.

— Sam Trump ? fit Booth, dont le visage s'éclaira enfin d'un sourire. « Le-plus-grand-acteur-d'Amérique » ? J'ignorais qu'il était à Saint Louis.

— Il y dirige son propre théâtre, concurrent du Dan DeBar. D'après la lettre qu'il m'a envoyée à Noël, ça ne marche pas très fort.

— Parce qu'il boit, probablement, dit Booth en allant à la fenêtre. C'est vraiment le fléau de notre métier. (Il se retourna.) Mais Saint Louis est peut-être le refuge idéal pour toi. C'est loin, et Sam Trump est un type bien. Il serait même un grand acteur s'il ne s'était entiché des techniques de jeu de Forrest. Sam a érigé le style héroïque en religion.

Il demeura un moment silencieux, l'air pensif.

— Oui, le théâtre de Sam est sans doute la solution, reprit-il. Qui sait ? tu pourrais peut-être même lui faire perdre sa sale habitude.

Épuisée et malheureuse, Willa murmura :

— Je dois prendre une décision tout de suite ?

— Non. Seulement quand nous saurons ce que Wood manigance. Viens, je vais te conduire à ta chambre. Dormir te fera du bien.

En sortant de la pièce, Booth regarda de nouveau la photo de ses frères. Pauvre Eddie, pensa Willa. Encore obligé de vivre coupé du monde parce que tant de gens continuent à crier vengeance, bien que Johnny ait été retrouvé et abattu près de Bowling Green, en Virginie, deux mois plus tôt. Penser au sort de Booth lui fit oublier le sien et l'aida à s'endormir.

Lorsqu'elle s'éveilla, à deux heures de l'après-midi, son ami était parti. Dehors, le ciel demeurait orageux. Un repas léger composé de fruits, de petits pains au lait et de confiture l'attendait en bas. Willa mangeait avec appétit quand Booth rentra, vêtu comme un bambocheur avec son chapeau mou, sa cape d'opéra et sa canne d'ébène.

— Mauvaise nouvelle, annonça-t-il. Wood a obtenu un mandat contre toi. Je t'achèterai un billet de train et t'avancerai un peu d'argent pour le voyage. Pas question que tu passes à ta banque ou chez ta logeuse.

— Eddie, je ne peux pas laisser mes affaires. Les œuvres de Mr Dickens, les programmes de toutes les pièces que j'ai jouées depuis mes débuts, avec la signature de tous les autres acteurs...

— Je comprends qu'ils soient précieux pour toi, mais ça ne mérite pas de risquer la prison.

— Oh ! Mon dieu ! Il a vraiment... ?

— Oui. Tu es accusée de tentative de meurtre.

Le lendemain, après la tombée de la nuit, Eddie Booth fit discrètement sortir Willa Parker de chez lui et prit avec elle un fiacre qui les conduisit à une jetée de l'Hudson. Il lui remit une valise contenant quelques vêtements qu'il avait achetés pour elle, l'embrassa sur la joue, affectueusement, et lui souhaita bonne chance. Elle prit le bac pour le New Jersey et, pendant la traversée, ne se retourna pas pour regarder son ami ou la ville. Elle savait que si elle le faisait, elle craquerait, fondrait en larmes et reprendrait le bac dans l'autre sens — ce qui pouvait la mener au désastre.

A sa descente du train, à Chicago, elle envoya un télégramme à Sam Trump, loua une chambre dans un hôtel bon marché et attendit la réponse, qui arriva au bureau du télégraphe, le lendemain. Trump assurait qu'il serait ravi de lui offrir le gîte et la table ainsi qu'une place importante dans sa petite compagnie. Pour un homme en proie aux tourments de l'alcoolisme, il semblait confiant et sûr de lui. Mais Willa était dans un tel état de tension qu'elle avait oublié un détail essentiel : c'était un acteur.

Comme le père de Willa, Mr Samuel Horatio Trump était né en Angleterre. Bien que vivant aux États-Unis depuis l'âge de dix ans, il avait pris soin de garder son accent en pensant qu'il contribuerait à lui apporter une gloire méritée. Celui qui s'était baptisé lui-même « le-plus-grand-acteur-d'Amérique » était aussi connu dans le milieu du théâtre sous le nom moins aimable de Sam le Pleurnicheur, non seulement parce qu'il pouvait sangloter à volonté sur scène, mais aussi parce qu'il n'arrêtait pas de fondre en larmes dans la vie.

Agé de soixante-quatre ans, il en avouait cinquante. Sans les bottes spéciales auxquelles un cordonnier avait ajouté des garnitures intérieures pour rehausser ses talons de trois centimètres, il mesurait un mètre soixante-cinq. C'était un homme replet, aux allures avunculaires, avec des yeux noirs pleins de chaleur et une façon de se dandiner en marchant qui faisait bouger son ventre proéminent. Il avait une garde-robe fournie mais datant de vingt ans. Les directeurs montant des adaptations de Dickens insistaient toujours pour lui donner le rôle de Micawber, alors que Trump se voyait en Charlemagne, en Tamerlan, ou même — abusant vraiment de la crédulité de son public — en Roméo.

Au fil des années, Trump avait connu de nombreuses femmes, car lorsqu'il était à jeun ou juste un peu gris, c'était un homme plein de gaieté et d'allant. Il racontait à qui voulait l'entendre qu'il avait eu maintes fois le cœur brisé alors que, en vérité, il avait lui-même mis fin à toutes les histoires d'amour qu'il avait vécues. Jeune encore, il avait décidé que les chaînes conjugales ne feraient que contrarier une carrière qui ne pouvait manquer de lui apporter la renommée internationale.

Si Willa et de nombreux autres acteurs cédaient à la superstition, Trump l'élevait au rang de dogme. Il refusait d'attacher une corde autour d'un tronc d'arbre ou d'engager un comédien qui louchait ; il ne portait jamais de jaune, ne répétait jamais le dimanche et ordonnait à son concierge de chasser avec des pierres tout chien errant rôdant près de la porte des artistes pendant une représentation. Et bien entendu, il n'aurait pas même envisagé de produire la « pièce écossaise » ou d'y figurer.

L'unique superstition qu'il ne respectait pas, c'était celle qui interdisait de parler de l'avenir. Les mots « demain », « la semaine prochaine », « la représentation suivante », revenaient fréquemment dans sa bouche, invariablement assortis de phrases comme « un important producteur dans la salle », « une tournée d'un an ».

Son théâtre avait été construit par l'un de ses prédécesseurs au coin de la 3e Rue et d'Olive Street, que Trump appelait la rue des Granges, parce qu'il trouvait plus élégant d'utiliser les noms français que les artères de la ville portaient à l'origine. Le *Trump Saint Louis Playhouse* pouvait accueillir trois cents spectateurs, sur des sièges individuels et non sur des bancs comme c'était l'habitude.

Pendant le long voyage vers Saint Louis, Willa décida de changer son nom en *Mrs* Parker, ce qui égarerait peut-être les recherches et tiendrait aussi à l'écart les hommes indésirables. En tout cas, elle se refusait à aller jusqu'à reprendre son nom de Willa Potts.

Son moral était relativement bon lorsque le bateau la débarqua à Saint Louis. Elle trouva Sam Trump au théâtre en train de peindre une toile de fond représentant une forêt. Il pleura lorsqu'ils se jetèrent dans les bras l'un de l'autre, l'embrassa avec effusion puis ouvrit une bouteille de champagne qu'il entreprit de vider seul. Quand il ne resta plus qu'un fond de liquide, il passa aux aveux :

— J'ai donné à mon télégramme un ton trop optimiste, ma chère enfant. Tu as choisi d'habiter une maison en ruine.

— Saint Louis me paraît prospère, Sam.

— Je parle de mon théâtre. Nous avons des mois d'arriérés chez tous nos créanciers. Pourtant, le public vient ; nous jouons même parfois à guichets fermés. Mais pour des raisons qui me dépassent, je n'arrive pas à avoir un sou en caisse.

Willa avait sous les yeux une de ces raisons : faite de verre épais, elle reposait, vide, dans un seau à glace.

Avec une mine de chien battu, Trump ajouta :

— Il faudrait une tête plus ordonnée que la mienne. Ma pauvre vieille tête chenue...

Chenue, elle ne l'était qu'autour des oreilles puisqu'il teignait le reste d'une hideuse couleur brune rappelant le cirage pour bottes.

— En plus de ton métier d'actrice, accepterais-tu de diriger la maison ? demanda-t-il à Willa en lui prenant la main. Tu es jeune mais tu as une grande expérience. Je ne pourrais pas te donner un supplément pour ce travail, mais en compensation, je t'offrirais la même place que moi sur l'affiche.

Solennel, Sam Trump précisa :

— La place d'une vedette.

Elle éclata de rire. Elle n'avait jamais dirigé un théâtre mais autant qu'elle pût en juger, cela demandait surtout du bon sens, de l'application et une attention aux moindres dépenses.

— C'est une offre alléchante, Sam. Laisse-moi y réfléchir vingt-quatre heures.

Le lendemain, Willa se rendit au bureau du théâtre, une pièce qui avait les dimensions et le charme d'une cage à poules. Elle y trouva Trump, qui ruminait ses malheurs en caressant le chat noir de l'établissement, Prosperity.

— Sam, j'accepte ton offre — à une condition.

— Magnifique !

— La voici, cette condition : ma première décision de directrice consistera à te mettre au régime sec. Le théâtre pourvoira à tes besoins, mais plus un sou pour le champagne et autres boissons.

Le comédien se frappa la poitrine en déclamant :

— Oh ! Plus dure que la dent du serpent...

— Sam, tu veux que je renonce ?

— Non, non.

— Alors, régime sec.

— Chère madame, fit Trump en s'inclinant, j'entends et j'obéis.

Journal de Madeline.

Juillet 1865. L'humeur sombre est passée. Travailler dur est un puissant remède contre la mélancolie.

L'État demeure en proie à l'agitation. Le juge Perry, devenu gouverneur provisoire, s'est engagé à appliquer le programme de Johnson et a fixé la date du 13 septembre pour une convention constitutionnelle chargée d'atteindre cet objectif.

De Hilton Head, le gén. Gilmore commande les neuf districts militaires, pourvu chacun d'une garnison de l'Union dont le but essentiel est d'empêcher toute violence raciale. Dans notre district, certains de ces soldats sont noirs, et beaucoup de mes voisins disent avec colère que nous sommes en train de nous faire « ennégrer à mort ». C'est mon cœur, Orry, non mes origines, qui m'incite à croire que si Dieu tout-puissant a jamais conçu un seul critère permettant de juger de la capacité de la République à remplir sa promesse de liberté pour tous les hommes, c'est bien le problème racial.

Le Bureau des affranchis du ministère de la Guerre a commencé à fonctionner. Le gén. Saxton, installé à Beaufort, est commissaire adjoint pour notre État. Les vivres commencent à parvenir aux plus démunis...

Reçu une lettre curieuse de Cooper, qui a rencontré un certain Desmond LaMotte, de Charleston, que je ne connais pas. Ce D.L., qui est professeur de danse, prétend que les LaMotte se vengeront parce qu'ils croient que j'ai trompé Justin. Après tant de privations et de sang versé, qui est encore capable de haïr ? Je trouverais cette histoire ridicule si Cooper ne me recommandait pas de la prendre au sérieux.

Chaleur accablante, mais nous avons récolté notre riz, dont nous avons tiré un peu d'argent. Il y a encore peu de Noirs prêts à travailler. Dans les plantations abandonnées du voisinage, beaucoup d'entre eux s'emploient à abattre les cabanes où ils vivaient en esclavage afin de construire de nouvelles demeures qui, quoique exiguës et rudimentaires, sont les emblèmes de leur liberté nouvelle.

Andy et Jane continuent à me presser d'ouvrir une école pour les Noirs du coin. Prendrai une décision prochainement, après avoir pesé les risques.

Hier, n'ayant plus de pétrole pour la lampe, suis allée à pied au vieux magasin du carrefour de Summerton. J'ai pris le raccourci à travers les marécages miroitants dont tu m'as si bien appris les sentiers cachés. Au carrefour, triste spectacle. La boutique des frères Gettys est ouverte mais ne le restera sans doute pas longtemps : les étagères sont vides. L'endroit n'est plus guère qu'un abri pour les membres de cette famille nombreuse, notamment un vieux rustre qui, armé d'une pétoire, garde la boutique...

Le soleil de midi brillait au-dessus du carrefour de Summerton, où trois grands chênes verts donnaient de l'ombre au magasin et à son perron cassé. Près des arbres, des yuccas aux feuilles pointues d'un vert sombre poussaient en groupes de faible hauteur. Madeline regardait le vieillard à la carabine, vêtu d'un pantalon sale passé sur une combinaison en flanelle qui lui servait de chemise.

— Y a rien ici pour vous ni pour personne, marmonna-t-il.

— Il y a de l'eau dans le puits, dit Madeline. Je peux boire avant de repartir ?

— Non, répondit le membre du clan Gettys. Allez prendre de l'eau aux puits des gens de votre espèce, ajouta-t-il en montrant la route déserte serpentant vers Mont Royal.

— Merci infiniment de votre gentillesse, répliqua Madeline.

Elle releva le bas de sa robe maculée de boue et partit sous le soleil.

Quelques minutes plus tard, elle aperçut sur le bord de la route un détachement de six soldats noirs commandé par un lieutenant blanc au visage juvénile couvert de duvet. Les hommes étaient étendus à l'ombre, le col déboutonné, fusil et gourde posés par terre.

— Bonjour, madame, fit le jeune officier.

Il se leva d'un bond, salua respectueusement.

— Bonjour. Il fait chaud pour voyager.

— Oui, mais nous devons absolument retourner à Charleston. Je vous aurais volontiers offert un peu d'eau mais nos gourdes sont vides. Le vieux bonhomme du magasin ne nous a pas laissés les remplir à son puits.

— Il n'est pas du genre très généreux, j'en ai peur. Si vous m'accompagnez à ma plantation — c'est à trois kilomètres d'ici, environ, et sur votre chemin — vous pourrez vous servir de notre puits.

*Ainsi le spectre est revenu me hanter. « Des gens de votre espèce »,
a dit le vieux. Dans sa lettre, Cooper écrivait que le professeur de
danse avait lui aussi fait allusion à mes origines.*

*Hier soir, suis allée à pied par la route de la rivière à l'église Saint-
Joseph-d'Arimathie, où nous priions autrefois ensemble. Je n'y étais
pas retournée depuis l'incendie de la maison. Le père Lovewell m'a
accueillie et m'a laissée me recueillir sur le banc de la famille aussi
longtemps que je le souhaitais.*

*J'y suis demeurée une heure, et mon cœur a parlé. Il faut que je
me rende à la ville le plus tôt possible pour m'occuper de trois
questions, dont une, au moins, ne manquera pas de scandaliser des
gens comme le professeur de danse et le vieux Mr Gettys. Aucune
importance. Si je dois être pendue quoi que je fasse, pourquoi hésiter
à commettre un acte passible de la corde ? Orry, mon amour, je
puise un nouveau courage en pensant à toi et à mon cher père. Ni
lui ni toi n'avez jamais laissé la crainte enchaîner votre conscience.*

5

Ashton poussa une longue plainte, à laquelle le client qui se
tortillait sur elle répondit par un sourire béat. En bas, la maquerelle,
la señora Vasquez-Reilly, entendit le cri et leva son verre de tequila
vers le plafond.

Ashton détestait ce qu'elle faisait — du moins, quand elle y était
contrainte pour gagner sa vie. Être coincée dans cette petite ville
perdue — Santa Fe, dans le Territoire du Nouveau-Mexique — c'était
insupportable ; être réduite à se prostituer, c'était inconcevable. Et
la jeune femme exprimait sa rancœur par des cris et des gémissements.

Le client, un éleveur de bétail veuf et d'âge mûr, se retira d'elle en
détournant timidement les yeux. Comme il l'avait déjà payée, il
s'habilla rapidement, s'inclina et lui baisa la main. Ashton sourit,
dit dans un espagnol hésitant :

— Revenez bientôt, don Alfredo.

— La semaine prochaine, señorita Brett.

Dieu ! comme je hais ces métèques, pensa-t-elle en comptant
l'argent après le départ du client. Trois pièces sur quatre revenaient
à la señora Vasquez-Reilly, une veuve dont le robuste beau-frère
veillait à ce que les trois filles de la señora ne la volent pas. Ashton
avait commencé à travailler pour elle au début de l'été, lorsqu'elle
s'était retrouvée sans le sou. Elle se faisait appeler señorita Brett,
plaisanterie qu'elle trouvait bonne et qui l'aurait été plus encore si
sa chichiteuse de sœur avait été au courant.

Ashton Main — elle ne se considérait plus comme Mrs Huntoon —
avait décidé de rester à Santa Fe à cause du trésor. Deux chariots
avaient disparu quelque part dans le désert infesté d'Apaches, et les
deux hommes qui les avaient amenés de Virginia City avaient été
massacrés. La mort du premier, son mari James Huntoon, n'était
pas une perte. L'autre, son amant, Lamar Powell, avait voulu fonder

dans le Sud-Ouest une deuxième confédération dont il aurait été président, avec Ashton comme épouse. Pour financer son projet, il avait caché dans le double fond d'un des chariots pour trois cent mille dollars d'or extrait d'une mine du Nevada qui appartenait à l'origine à son défunt frère.

La nouvelle du massacre avait été rapportée par un conducteur de chariot qui s'était traîné jusqu'à un comptoir avant de mourir de ses blessures. Dans son récit, décousu et ponctué de cris de douleur, il n'avait pas révélé l'endroit du massacre. Une seule personne détenait peut-être cette information : le guide que Powell avait engagé à Virginia City, Collins. Selon la rumeur, il aurait survécu mais Dieu seul savait où il se trouvait maintenant.

En apprenant qu'elle avait perdu mari et amant, Ashton s'était cherché un riche protecteur à Santa Fe. Il y avait peu de possibilités. La plupart des hommes étaient mariés, et s'ils fréquentaient l'établissement de la señora, ils ne montraient nul désir de se débarrasser de leur femme. Quant à dénicher un homme à Fort Marcy, c'était une plaisanterie. Les officiers et les soldats composant la garnison de ce poste délabré proche de l'ancien palais du Gouverneur ne gagnaient pas de quoi assouvir leurs appétits charnels, encore moins entretenir une maîtresse.

Naturellement, Ashton aurait pu éviter de travailler pour la señora si elle avait écrit à son cagot de frère, Cooper, ou à la sœur dont elle prenait plaisir à traîner le nom dans la boue, ou même à cette garce d'octavonne qu'Orry avait épousée. Mais jamais elle ne se serait abaissée à leur demander la charité. Elle ne voulait ni les revoir ni prendre contact avec eux avant de pouvoir le faire dans des conditions qu'elle choisirait elle-même.

Elle enfila sa tenue de travail : une robe en soie jaune avec de larges épaulettes en dentelle, qui se portait normalement sur une blouse à manches dolman. Mais la señora lui avait interdit blouse et corset pour que le renflement de sa poitrine en partie dénudée allèche le client. De plus, la robe avait dû être à la mode à l'époque où son fichu frère Orry était entré à West Point. Elle en avait horreur, comme elle avait horreur de la mantille noire de sainte nitouche que la señora l'obligeait à porter.

Ashton ajusta la mantille devant un morceau de miroir, passa une main sur sa joue gauche. Les trois égratignures parallèles ne se voyaient presque plus, Dieu merci. Rosa, une des autres filles, s'était jetée sur elle au cours d'une querelle à propos d'un client et l'avait griffée avant que la señora ait pu les séparer. Ashton avait pleuré des heures en regardant les marques sanglantes laissées par les ongles : son corps et son visage étaient ses principaux atouts, les armes dont elle usait pour obtenir ce qu'elle désirait. Mais Rosa n'y reviendrait plus : Ashton portait désormais une petite lime aiguisée dans sa bottine droite.

Elle songeait parfois à la mine du Nevada et, la cupidité éveillée, se demandait si elle ne lui appartenait pas. Après tout, elle avait été *presque* mariée avec Lamar Powell. Évidemment, pour entrer en possession de la mine, elle devrait franchir d'énormes obstacles : convaincre les autorités qu'elle était Mrs Powell et, avant cela, se rendre à Virginia City. Ashton se considérait comme une jeune femme énergique et pleine de ressource, mais elle n'était pas folle. Traverser seule des centaines de kilomètres de désert ? Sûrement pas. Il valait mieux concentrer ses efforts sur un trésor plus proche, les chariots.

Si seulement elle pouvait les retrouver ! Elle était convaincue que les Apaches n'avaient pas volé l'or. Il avait été soigneusement caché, et ces sauvages en ignoraient probablement la valeur. Avec cet or, elle s'offrirait bien davantage que le confort matériel. Il lui donnerait une position sociale et un grand pouvoir. Le pouvoir de retourner en Caroline du Sud, à Mont Royal et, par un moyen qui restait à imaginer, de faire manger la poussière aux membres de la famille qui l'avaient rejetée. Elle était obsédée par le désir de les ruiner jusqu'au dernier.

En attendant, elle avait le choix entre mourir de faim ou se prostituer. Alors elle faisait la putain. Et elle attendait, elle espérait.

La plupart des clients de la señora aimaient la peau blanche d'Ashton, ses manières et son accent de femme du Sud, qu'elle entretenait délibérément. Ce soir-là, lorsqu'elle descendit à la *cantina* avec des airs de grande dame, elle exécuta son numéro pour rien puisqu'il n'y avait dans la salle que trois *vaqueros* jouant aux cartes.

Après la tombée de la nuit, la *cantina* était particulièrement lugubre. La lumière des lampes jaunissait les murs, révélait les trous faits par des balles, les marques de couteau, les taches de whisky et la crasse qui recouvrait les meubles. Assise dans un coin, la señora lisait un vieux journal de Mexico. Quand Ashton lui remit les pièces, la maquerelle la gratifia d'un sourire qui découvrit sa dent de devant en or.

— *Gracias, querida.* T'as faim ?

La jeune femme fit la moue.

— J'ai faim d'un peu d'amusement dans cet endroit épouvantable. Si au moins il y avait un peu de musique.

La lèvre supérieure de la señora et la moustache qui l'ombrait retombèrent, dissimulant la dent en or.

— Dommage. Je peux pas me payer des *mariachi*.

Le beau-frère, une brute nommé Luis, entra par les portes à battant. La seule marchandise gratuite que la señora lui permettait, c'était Rosa, qui avait des cheveux poisseux et avait eu la variole. Peu après l'arrivée d'Ashton, Luis avait essayé de la tripoter. Comme elle ne supportait ni son odeur ni ses manières de porc et qu'elle savait déjà que la señora le tenait en piètre estime, elle l'avait giflé. Il s'apprêtait à lui rendre sa gifle quand la maquerelle s'était interposée en l'abreuvant d'injures. Depuis, Luis ne s'approchait jamais d'Ashton sans lui laisser voir sa rancœur.

Un vent brûlant soufflait de la poussière sous les portes à battant. Aucun client ne se montrait. A dix heures et demie, la señora autorisa Ashton à se coucher. Allongée dans l'obscurité de sa chambre minuscule, la jeune femme écoutait les volets claquer et ne parvenait pas à s'endormir. Finalement, elle ralluma la lampe, sortit de dessous le lit sa boîte en laque d'Orient. Sur le couvercle, des incrustations de nacre dessinaient un couple japonais prenant le thé. Si l'on ouvrait la boîte, en tenant le couvercle à la lumière, on découvrait le couple en train de forniquer. L'expression ravie de la femme trahissait le plaisir qu'elle éprouvait à avoir en elle la hampe démesurée de son amant.

Cette boîte ne manquait jamais d'égayer l'humeur d'Ashton car elle contenait une collection de quarante-sept boutons qu'elle s'était constituée au fil des années. Des boutons d'uniforme de cadet de West Point, des boutons de braguette. Chacun d'eux lui rappelait un homme qui lui avait donné du plaisir, ou qu'elle avait utilisé. Deux de ses partenaires seulement n'étaient pas représentés : le premier garçon qui l'avait prise, avant qu'elle commence sa collection, et son minus de mari, Huntoon.

Elle remit la boîte en place, examina son corps dans le miroir. Toujours doux où il le fallait, ferme aux bons endroits. Rassurée, elle se dit qu'elle parviendrait d'une manière ou d'une autre à se servir de sa beauté pour s'échapper de cet horrible lieu.

Trois jours plus tard, un homme au teint clair et à la mise grossière entra dans la *cantina*. Il avait des moustaches en pointe, un revolver sur la hanche. Après avoir avalé deux doubles whiskys au comptoir, il se dirigea en titubant vers les chaises sur lesquelles Ashton et Rosa attendaient le client — la troisième fille était au travail en haut.

— Salut, ma jolie, lança-t-il à Ashton. Comment tu vas ce soir ?

— Très bien.

— Comment tu t'appelles ?

— Brett.

L'homme eut un grand sourire.

— C'est pas l'accent d'une beauté déchue de ce bon vieux Sud que j'entends là ?

Elle releva la tête, l'aguicha du regard.

— Je ne tombe que si on me paie, répliqua-t-elle. Et vous, comment vous appelez-vous ?

— Ah ! j'ai un prénom un peu spécial. Banquo, d'après un personnage de la tragédie de Mr Shakespeare, *Macbeth*. Et mon nom de famille, c'est Collins. Je reviendrai peut-être te voir après avoir bu un verre ou deux.

Ashton s'efforça de cacher son dégoût et le regarda retourner au bar.

— Tournée générale ! brailla Banquo Collins en tapant du poing sur le comptoir. Ayez pas peur, j'ai de quoi payer.

La señora s'approcha de lui.

— On dit ça…, fit-elle.

— Mais c'est vrai. Je sais où trouver de l'or.

— Ah ! je me disais bien que vous rigoliez. Il y a pas de mines d'or, dans le coin.

Collins but la moitié d'un verre de tord-boyaux.

— Je cherche pas dans la terre, je cherche dans les chariots.

— Les chariots ? Je comprends pas.

— Moi, je me comprends.

Il étendit les bras, remua ses pieds bottés.

— Ça manque de musique, ici. On peut pas danser.

Comme tous les regards étaient tournés vers lui, personne ne remarqua l'expression stupéfaite d'Ashton. C'était l'homme qu'elle cherchait — le guide de Powell !

— J'vais être riche comme Crésus, déclara-t-il en se grattant l'entrejambe.

Ashton tira la lime de sa chaussure, la dissimula sous son bras gauche et piqua le flanc de Rosa.

— Celui-là, il est à moi, murmura-t-elle. Si tu me le prends, je t'éborgne.

— Je te le laisse, fit Rosa, livide.

— Bon, si on peut pas danser, on peut s'amuser autrement, dit Collins.

Il retourna vers les filles, Ashton se leva. Avec un sourire radieux, il lui prit la main et la conduisit en haut.

Après avoir verrouillé la porte, elle l'aida à se déshabiller et, dans son excitation, arracha un bouton de pantalon qui roula contre le mur. Il s'assit sur le lit, attendit qu'elle se déshabille à son tour.

— C'était intéressant, ce que vous disiez, en bas.

Il cligna des yeux, comme s'il n'avait pas entendu.

— D'où tu viens, ma jolie ? T'es pas une métèque, c'est sûr.

— Je suis une Carolinienne, conduite ici par une série de malheurs...

Une profonde inspiration, et le grand saut :

— Des malheurs que vous connaissez, je crois.

Malgré tout ce qu'il avait bu, les propos de la jeune femme le mirent sur ses gardes.

— On cause ou on baise ?

Elle se pencha en avant, le caressa un moment pour chasser son irritation.

— J'ai juste une question à vous poser, sur ces chariots...

Il la saisit par les cheveux.

— Collins, je suis votre amie. Je sais ce qu'il y a dans ces chariots.

— Comment ça se fait ? demanda-t-il. (Furieux, il tira plus fort sur la chevelure.) J'ai dit *comment ça se fait ?*

— Je vous en prie, vous me faites mal !

Il la lâcha, elle se recula, effrayée. Et s'il se sentait vraiment menacé ? Et s'il décidait de la tuer ? De toute façon, rester ici était encore pire que la mort. Elle se ressaisit, répondit prudemment :

— Je le sais parce que j'étais liée à l'homme qui possédait ces chariots. C'était un Sudiste, n'est-ce pas ?

Les yeux de Collins acquiescèrent avant qu'il pût nier.

— Bien sûr, fit Ashton en claquant des mains. Ils étaient sudistes tous les deux. Et vous leur avez servi de guide depuis Virginia City.

Elle fit tomber les épaulettes de sa robe pour libérer ses seins, aux mamelons déjà érigés. Seigneur, la seule idée de l'or la mettait dans un état !

— Tu sais où sont les chariots, Collins ?

Il se contenta de sourire d'un air affecté.

— Tu le sais. Et je sais ce qu'il y a dedans. Qui plus est, je sais d'où cela vient — et comment en obtenir cent, peut-être mille fois plus.

Elle détecta dans son regard une lueur d'intérêt, résolut de pousser son avantage.

— Je parle de la mine de Virginia City. Elle m'appartient, parce que l'un des hommes qui est mort, Mr Powell, en était propriétaire, et que ce qu'il possédait me revient.

— Tu peux le prouver ?

Sans hésiter, sans changer d'expression, elle répondit :

— Absolument. Tu partages avec moi ce qu'il y a dans les chariots, tu m'aides à aller au Nevada, et je partage avec toi une fortune encore plus grande.

— C'est ça, encore plus grande, ricana Collins.

— C'est la vérité. Si nous mettons en commun nos informations, nous deviendrons riches à en avoir le vertige. Nous parcourrons le monde ensemble. Tu ne trouves pas ça excitant ?

De sa langue, Ashton donna une idée de ce qu'elle entendait par « excitant ». Une dizaine de secondes s'écoulèrent sans qu'il réponde et la peur s'insinua de nouveau en elle. Soudain, il éclata de rire.

— Par Dieu, tu es maligne. Aussi maligne que chaude.

— Dis que nous sommes associés et je te ferai des choses spéciales. Des choses que je ne fais à personne d'autre, même si on me paie cher.

Elle murmura à son oreille des paroles salaces qui le firent à nouveau éclater de rire.

— D'accord, nous sommes associés.

— Alors, allons-y ! s'écria-t-elle en se jetant sur lui.

Ashton tint sa promesse mais au bout de dix minutes, l'âge et l'alcool eurent raison de Collins, qui se mit à ronfler. Elle se leva pour s'essuyer, revint s'allonger à côté de l'homme endormi. Enfin, sa patience était récompensée. Fini de faire la putain, elle avait mis la main sur l'homme qui détenait l'or.

Elle murmura son nom en s'éveillant, n'entendit pas de réponse. Elle tendit le bras, cherchant à tâtons dans le lit.

Vide. Froid.

— Collins ?

A la lumière matinale passant à travers les fentes des volets, elle vit qu'il lui avait laissé un mot sur le vieux bureau.

Chère petite Fleur du Sud,
Continue à faire miroiter ta « mine » de V. City. Peut-être qu'un jour quelqu'un avalera cette histoire. En attendant, j'ai pas besoin de toi pour savoir où trouver de l'or et j'ai pas envie de partager. Mais merci quand même pour les choses spéciales.

B.C.

Ashton hurla. Elle hurla jusqu'à ce qu'elle eût réveillé les autres filles et la señora, qui se précipita dans la chambre et la gifla. Ashton se mit à pleurer et continua à crier.

Deux jours plus tard, elle trouva le bouton qu'elle avait arraché au pantalon de Banquo Collins, l'examina et, fondant de nouveau en larmes, le rangea dans sa boîte.

Une chaleur infernale s'abattit sur Santa Fe, dont les habitants se déplaçaient le moins possible. Chaque soir Ashton s'asseyait dans la *cantina* sans savoir que faire. Comme elle ne souriait pas, les clients ne voulaient plus d'elle et la señora Vasquez-Reilly menaça de la chasser. Cela lui était égal.

Journal de Madeline.

Juillet 1865. Me suis rendue en ville hier. Andy a insisté pour me conduire en chariot, afin de me protéger. C'était étrange de voyager de nouveau de cette façon, comme une maîtresse blanche avec son esclave. Par moments, on pouvait imaginer que rien n'avait changé.

Impossible d'imaginer cela à Charleston. Dans Concord Street, le bâtiment de la firme de Cooper se dresse au-dessus d'entrepôts vides sur lesquels se perchent des vautours. Comme il était absent, j'ai laissé un message demandant à le voir plus tard.

On a peu reconstruit depuis le grand incendie de 61 et la zone dévastée donne l'impression d'avoir été visitée par le gén. Sherman. Des rats, des chiens sauvages rôdent parmi les ruines envahies d'herbes. De nombreuses maisons proches de la Battery ont été endommagées par des obus mais celle de Mr Leverette Dawkins, à East Bay, est demeurée intacte...

S'il existait homme plus gras que le vieux *Whig Unionist* Dawkins*, Madeline ne l'avait jamais rencontré. La cinquantaine, vêtu d'un impeccable costume sur mesure, il avait des cuisses comme des pastèques et le ventre d'une femme attendant des triplés. Derrière lui, l'inévitable série de portraits d'ancêtres était accrochée au mur du salon. Lorsque Madeline entra dans la pièce, Dawkins était déjà installé dans l'énorme fauteuil fabriqué spécialement pour lui et contemplait, de l'autre côté du port, les décombres de Fort Sumter. Il n'aimait pas qu'on le voie marcher ou s'asseoir.

Madeline était venue lui parler des deux hypothèques, d'un montant total de six cent mille dollars, qu'elle avait contractées auprès de banques d'Atlanta. Dawkins répondit que sa propre banque ouvrirait bientôt et qu'il demanderait à son conseil d'administration de racheter et de consolider les hypothèques.

— Mont Royal est une excellente garantie, conclut-il.

Lorsque Madeline exposa son projet de scierie, il se montra moins encourageant :

— Nous ne disposerons pas de beaucoup de fonds pour financer des projets de ce genre. Le conseil d'administration trouvera peut-être un millier de dollars ou deux pour une cabane, quelques scies de long et une année de gages pour une équipe de nègres — si vous trouvez les nègres.

— J'avais envisagé une machine à vapeur...

— Hors de question si vous devez emprunter. Tant de gens implorent de l'aide pour pouvoir rebâtir leur maison. Notre État est ravagé, Madeline. Regardez la ville.

— Je l'ai vue. Bien. C'est déjà très généreux de votre part de vous occuper des hypothèques, Leverett.

— N'y voyez pas un acte charitable. La plantation a de la valeur, c'est une des plus belles du district. Son propriétaire, votre beau-frère, est un membre estimé de notre communauté. Et vous-même avez fait preuve de votre sens des responsabilités.

Il veut dire que je me tiens tranquille, songea Madeline avec tristesse. Que penserait-il de mon « sens des responsabilités » s'il connaissait la deuxième raison de ma venue à Charleston ?

---

* Membre du parti *Whig* et partisan de l'Union. (N.d.t.)

Nous n'irons donc pas aussi vite que je l'espérais.

Suis allée ensuite au Bureau des affranchis, où j'ai été reçue par un petit homme pugnace qui s'est présenté comme le colonel Orpha C. Munro, du « Ve'mont ». Il porte le titre officiel de sous-commissaire adjoint pour le district de Charleston, à peine moins ronflant que « calife » ou « pacha ».

J'ai présenté ma requête, il a répondu qu'il était persuadé que le Bureau pourrait obtenir un maître et qu'il me tiendrait au courant. Je suis partie avec l'impression d'avoir commis un acte criminel.

Voyant qu'il se faisait tard, j'ai renvoyé Andy et je me suis rendue à pied à la maison de Tradd Street pour voir Judith avant mon rendez-vous avec Cooper. A ma surprise, il se trouvait chez lui.

— Au lieu de retourner au bureau après le repas, je suis resté ici pour travailler là-dessus, dit Cooper.

Il montra les plans de quai posés à ses pieds sur l'herbe roussie du jardin clos. Dans la maison, quelqu'un jouait sur un piano mal accordé une version hésitante du thème central du 21e concerto en ut de Mozart.

Il se tourna vers sa femme.

— Pourrions-nous avoir du thé, ou un succédané acceptable ?

Judith sourit, se retira.

— Alors, Madeline, qu'est-ce qui nous vaut cette visite inattendue et fort agréable ?

Elle s'assit sur un banc de fonte peint en noir et répondit :

— Je veux ouvrir une école à Mont Royal.

Cooper, qui s'était baissé pour ramasser les plans, releva brusquement la tête, une lueur méfiante dans ses yeux enfoncés.

— Quel genre d'école, je vous prie ?

— Une école où on apprendra à lire et à compter à tous ceux qui le désirent. Les Noirs libérés du district ont absolument besoin d'acquérir quelques connaissances de base pour survivre.

— Non, fit Cooper, le visage écarlate. Non, je ne peux pas vous permettre cela.

Tout aussi prompte à s'émouvoir, Madeline répliqua :

— Je ne vous demande pas la permission, je vous fais simplement part de mes intentions, par courtoisie.

Une adolescente à la poitrine plate passa la tête par une des hautes fenêtres du premier étage.

— Papa, pourquoi cries-tu ? Oh, bonjour, tante Madeline.

— Bonjour, Marie Louise.

Agée de treize ans, la fille de Cooper ne serait jamais une beauté et deviendrait peut-être même laide en prenant de l'âge. Apparemment consciente de ce handicap, elle s'efforçait de le combler en déployant une énergie de garçon manqué et en souriant beaucoup. Les gens l'aimaient bien, Madeline l'adorait.

— Retourne à tes exercices, ordonna sèchement son père.

Marie Louise battit en retraite et l'on entendit de nouveau Mozart, avec presque autant de fausses notes que de notes justes.

— Madeline, reprit Cooper, laissez-moi vous rappeler que les sentiments hostiles envers les nègres et ceux qui les défendent sont très répandus. Ce serait folie de les exacerber. Vous ne devez pas ouvrir d'école.

— Cooper, cette décision ne vous appartient pas, répondit Madeline, avec le plus d'aménité possible. Vous m'avez confié la direction de la plantation, par écrit. J'ouvrirai cette école.

La mine menaçante, il se mit à faire les cent pas. Elle découvrait en lui un Cooper qu'elle ne connaissait pas, nettement inamical. Le silence se prolongeant, elle tenta de l'amadouer.

— J'avais espéré que vous seriez de mon côté. Après tout, l'instruction des Noirs n'est plus illégale.

— Mais elle est mal vue...

Cooper hésita puis poursuivit :

— Si vous provoquez les gens, ils ne feront plus preuve de retenue.

— A quel propos ?

— A votre propos ! Pour le moment, tout le monde feint d'ignorer que vous n'êtes pas... enfin, vous me comprenez. Si vous ouvrez une école, les gens seront moins tolérants.

Madeline était blême. Elle s'attendait à ce que quelqu'un, un jour, la menace au sujet de ses origines mais elle n'aurait jamais imaginé que ce serait son beau-frère.

— Voici le thé.

En faisant danser ses boucles, Judith descendait le perron avec un plateau chargé de tasses ébréchées. Elle vit l'expression orageuse de son mari, s'arrêta sur la dernière marche.

— Madeline est obligée de partir, j'en ai peur, déclara-t-il. Elle était seulement passée m'informer d'une question concernant Mont Royal. Merci de votre amabilité, Madeline. Pour votre propre bien, je vous conseille instamment de changer d'avis. Au revoir.

Il fit demi-tour, gagna le fond du jardin. Interloquée par la grossièreté de son époux, Judith demeurait immobile sur le perron. Madeline, cachant qu'elle était blessée, lui tapota le bras en passant près d'elle et sortit de la maison.

Voilà où nous en sommes pour le moment. Je crains de m'être fait un ennemi. Si c'est le cas, mon Orry adoré, j'ai du moins perdu l'amitié de Cooper pour une cause juste.

J'ai reçu un message ! Deux semaines seulement après mon entrevue avec le colonel Munro. La Société d'aide aux affranchis de l'Église méthodiste épiscopalienne, de Cincinnati, nous envoie une maîtresse d'école. Elle s'appelle Prudence Chaffee.

Pas de nouvelles de Cooper. Aucun signe de représailles pour le moment.

6

L'armée des États-Unis formait les recrues de la cavalerie à la caserne Jefferson, dans le Missouri, plus précisément dans un camp d'instruction situé sur la rive gauche du Mississippi, à quelques kilomètres au sud de Saint Louis.

A son arrivée, Charles Main fut examiné par un médecin-major qui chercha d'éventuels fausses dents, tumeurs visibles, signes de maladies vénériennes ou d'alcoolisme. Jugé apte, il reçut l'ordre de former les rangs avec un ancien vendeur de corsets de Hartford qui se disait en mal d'aventure, un vaurien new-yorkais qui parlait peu et avait probablement beaucoup à fuir, un menuisier de l'Indiana qui avait découvert un beau matin en s'éveillant qu'il haïssait sa femme, un jeune garçon bavard qui racontait avoir menti sur son âge et un bel homme qui ne disait rien. Lorsque les « bleus » arrivèrent aux baraquements délabrés, un caporal aux cheveux blancs désigna la recrue silencieuse.

— Légion étrangère française, dit-il. Il parle presque pas un mot d'anglais. Sacrédieu, on en voit de toutes les couleurs, et pour treize malheureux dollars par mois.

Il se tourna vers Charles.

— J'ai vu tes papiers ? Ancien rebelle, hein ?

Se rappelant les conseils de prudence de Duncan, Charles fit taire sa susceptibilité sur cette question et répondit simplement :

— Oui.

— Moi, je m'en fous. Mon cousin Fielding, il était rebelle aussi, et si t'es aussi bon soldat que lui, tu seras plus utile à l'Oncle Sam que le reste de ces épaves. Bonne chance.

Le caporal recula d'un pas, brailla :

— Bon, entrez là-dedans et trouvez-vous une couchette. Grouillez ! C'est pas un hôtel, ici.

Charles prêta serment de soutenir et de défendre la Constitution. Cela ne lui posa aucun problème : il s'était déjà engagé à le faire à West Point. Et lorsque la guerre avait pris fin, il avait décidé d'élever son fils en Américain, non en Sudiste.

Les pantalons en créseau bleu à bandes jaunes et les chemises de flanelle grise qu'on lui donna lui rappelèrent le 2e de cavalerie. Les baraquements mal aérés, avec leurs lampes qui fumaient, leurs étroites fenêtres à chaque extrémité et les rongeurs qu'on entendait trotiner la nuit lui parurent familiers. Familière aussi sa couchette, instrument de torture constitué d'un cadre métallique et de lattes de bois, recouvert d'un sac en toile à matelas bourré de paille malodorante. Familière la nourriture, en particulier les biscuits de mer et le bœuf servi en tranches dures pour le repas du midi, noyé dans une sauce fangeuse le soir. La viande passait mieux avec la sauce, qui faisait disparaître la faible odeur de pourriture.

La caserne Jefferson était moins un centre d'instruction qu'un réservoir d'hommes puisque les recrues la quittaient dès qu'elles étaient assez nombreuses pour former un régiment. Aussi l'instruction durait-elle deux jours ou deux mois, ce qui, selon Charles, ne donnait pas une très bonne impression de l'armée d'après-guerre.

La plupart des instructeurs étaient de vieux sous-officiers attendant l'âge de la retraite, devant qui Charles s'efforçait de paraître maladroit et sans expérience. Au cours d'une leçon d'équitation à cru, il tomba délibérément de son pitoyable cheval ensellé. Il accumulait les maladresses pendant le maniement d'armes et, au tir, ne touchait jamais le centre de la cible. Ce comportement lui réussit jusqu'à ce qu'un instructeur tombe malade et soit remplacé par un caporal rabougri nommé Hans Hazen. Selon une des recrues, c'était un type mauvais, qui avait été cassé trois fois de son grade de sergent-chef.

Après un exercice au sabre, Hazen entraîna Charles à l'écart.

— Soldat May, j'ai l'impression que t'es pas un milicien de Caroline. Tu te donnes beaucoup de mal pour avoir l'air d'un bleu mais je t'ai observé en douce et j'ai vu comment tu te débrouilles quand tu crois que personne te regarde. Où t'as été formé ? A West Point ?

Charles le toisa.

— A la légion de Wade Hampton, caporal.

Hazen agita le doigt.

— Si je te prends à mentir, ça ira mal pour toi. Je déteste les menteurs presque autant que les snobinards de West Point — ou les Sudistes comme toi.

— Oui, caporal, répondit Charles, sans cesser de regarder Hazen dans les yeux.

L'homme détourna les yeux le premier, ce qui acheva de le mettre en colère.

— Montre-moi de quoi t'es capable. Allez, cent fois le parcours d'équitation, au pas de gymnastique. En avant !

A partir de ce jour, le caporal s'acharna sur Charles, le questionnant chaque jour sur son passé, le forçant à mentir. Malgré Hazen — ou peut-être, curieusement, à cause de lui, parce qu'il avait reconnu en lui un soldat expérimenté — Charles était heureux d'avoir réintégré l'armée, dont il avait toujours aimé la routine : exercices, rassemblements, réveil au son du clairon.

Il restait le plus souvent seul, sans chercher à se faire d'amis. La plupart des soldats se choisissaient un copain avec qui partager leur sort misérable mais Charles évitait les autres. Il tint ainsi trois semaines, non sans céder parfois à de soudains accès de découragement. Il connaissait un de ces moments lorsque, un samedi soir, il quitta le poste et franchit la route séparant le camp de la petite ville de toile et de cabanes qui s'étendait de l'autre côté. Un grand nombre de sous-officiers y vivaient avec leurs femmes, qui lavaient le linge des militaires pour arrondir la solde. Des civils y vendaient du whisky douteux dans de grandes tentes ; de dociles Indiens osages proposaient des haricots et des gourdes cultivés dans leurs champs voisins, et d'élégants messieurs tenaient toute la nuit des tables de poker et de pharaon. Charles avait même vu quelques recrues stupides perdre leur argent au bonneteau.

D'autres distractions étaient offertes dans les tentes devant lesquelles on avait accroché une lanterne rouge. Charles entra dans l'une d'elles, passa une demi-heure avec une jeune femme laide désireuse de plaire. Il en ressortit physiquement soulagé mais déprimé par le souvenir de Gus Barclay et le sentiment qu'il l'avait salie.

Après quatre semaines à Jefferson, le soldat May et sept autres recrues reçurent l'ordre de se préparer à embarquer sur un vapeur remontant le Missouri jusqu'à Fort Leavenworth, dans le Kansas. Établi en 1827 par le colonel Henry Leavenworth, le grand cantonnement situé sur la rive droite du fleuve était le poste le plus important de l'Ouest. Il servait de quartier général pour le Missouri et de dépôt de ravitaillement pour tous les forts entre le Kansas et la ligne de partage des eaux continentale. A Leavenworth, ils trouveraient, leur dit-on, un moyen de transport pour rejoindre le 6e de cavalerie, sur la frontière nord du Texas. Cette perspective séduisait Charles, qui avait aimé la beauté naturelle du Texas lorsqu'il avait été cantonné au camp Cooper avant la guerre.

Tandis que l'orage grondait au-dessus des baraquements, il prépara son sac et un petit coffre en bois dans lequel il gardait son uniforme. Puis il mit sa vareuse bleue à col rond, son képi orné des deux sabres croisés de la cavalerie, et prit le chemin de la « ville ».

L'orage avait renversé plusieurs abris et transformé en bourbier les allées de terre battue. Charles se dirigea vers le Palais égyptien, la plus grande et la mieux éclairée des tentes où l'on servait à boire. Un morceau de toile y séparait le coin des officiers de celui des engagés et des civils. Le whisky était bon marché, âpre, mais Charles éprouva une vive satisfaction en le buvant à petites gorgées.

Il venait de commander un deuxième verre quand un trio de sous-officiers braillards et titubants fit son entrée. Hazen, qui en faisait partie et était manifestement ivre, repéra Charles au bout de la planche servant de comptoir et fit une remarque sur la mauvaise odeur des lieux.

Charles regarda froidement dans les yeux le caporal maigrichon, qui finit par détourner les yeux et réclamer à boire d'une voix aiguë.

Un homme petit et fluet qui se dirigeait vers l'entrée des officiers aperçut parmi les engagés massés dans le Palais égyptien un visage familier. Il s'arrêta net, bouche bée, regarda plus attentivement à l'intérieur de la tente enfumée...

Pas d'erreur.

Les joues de l'homme prirent des couleurs lorsqu'il entra. Les soldats, remarquant son expression et son allure, s'arrêtèrent de parler.

L'officier gagna le bout du comptoir en se rengorgeant, probablement pour compenser sa petite taille. Tout en lui dénonçait un esprit tatillon : les pointes cirées de sa moustache, son bouc impeccablement taillé.

Les parements et les bandes jaunes de son pantalon indiquaient qu'il appartenait à la cavalerie ; une feuille de chêne argent de lieutenant-colonel ornait ses épaulettes. En passant, il heurta le bras d'un barbu solidement bâti, portant une plume de dindon dans les cheveux, une veste en daim décorée de piquants de porc-épic et de morceaux de verre taillés en diamant, et lui fit renverser son verre de whisky.

— Hé, abruti ! protesta l'homme, dont la verroterie étincela lorsqu'il se retourna.

Réagissant au ton de la voix, le chien couché aux pieds du civil grogna en direction de l'officier, qui poursuivit son chemin sans s'excuser, la main sur la poignée de son sabre.

— 'soir, capitaine, fit Hazen quand l'homme passa devant le trio de sous-officiers.

Alors, la feuille de chêne indique un grade du temps de guerre, se dit Charles.

— Bonsoir, Hazen, répondit l'officier.

Il continua à avancer, s'arrêta à deux pas de Charles.

— Votre nom, soldat ?

L'accent n'était pas vraiment du Sud mais similaire. Un des *border states**? se demanda l'ancien éclaireur.

— Charles May, capitaine.

— Vous mentez.

L'officier saisit le verre de Charles, lui en jeta le contenu au visage.

Un brouhaha soudain s'éleva, puis ce fut le silence. Des gouttes d'alcool tombèrent du menton de Charles sur la planche du comptoir. Il se retenait de frapper le petit fanfaron parce qu'il ne comprenait pas ce qu'il se passait. Il devait y avoir méprise.

— Capitaine, commença-t-il.

— Appelez-moi « colonel », répliqua l'officier. Et inutile de continuer à mentir. Votre nom n'est pas May, c'est Main. Vous êtes sorti de West Point en 1857, deux ans avant moi. Vous étiez comme les deux doigts de la main avec ce satané rebelle de Fitz Lee.

Le visage orné d'un bouc acquit instantanément un passé dont Charles se souvenait parfaitement.

— Capitaine, vous faites erreur, bluffa-t-il.

— Certainement pas. Je me souviens de vous et vous vous souvenez de moi. Harry Venable, du Kentucky. Vous m'avez flanqué un rapport quatre fois pour chambre mal rangée. J'ai bien failli me faire virer de l'École à cause de vous.

Quoique abruti par l'alcool, Hazen comprit ce qui se passait.

— Je vous l'avais pas dit ? cria-t-il à ses amis. Je l'avais pas repéré ?

Il s'écarta du comptoir, au cas où Charles tenterait de se ruer vers la sortie. Celui-ci ne savait comment se tirer d'embarras de manière pacifique. D'autres souvenirs lui revinrent en mémoire, notamment le surnom de Venable à West Point : Beau Gosse, prononcé généralement d'un ton sarcastique. Personne n'aimait ce petit salaud à la mise toujours trop correcte, un véritable obsédé du règlement.

— Vous avez menti pour réintégrer l'armée, accusa Venable. Les anciens de West Point n'ont pas droit à l'amnistie.

— Colonel, il faut bien que je gagne ma vie, et le métier de soldat est le seul que je connaisse. J'aurais une dette envers vous si vous vouliez bien oublier...

— Oublier la trahison ? Laissez-moi vous dire une chose. Ce sont des hommes de votre camp — ceux de John Hunt Morgan — qui ont saccagé la ferme de ma mère pendant que je servais l'Union, à l'état-major du général Sherman. Ils ont dispersé notre bétail, brûlé

---

* Les *border states,* situés entre Nord et Sud, comprenaient le Delaware, le Maryland, le Kentucky et le Missouri. (N.d.t.)

la maison et les dépendances, tué ma mère à coups de sabre et commis... (Venable rougit, baissa la voix) commis des atrocités sur la personne de ma sœur de douze ans, Dieu sait combien de fois, avant de la tuer de trois balles Minié.

— Colonel, je suis désolé, mais vous ne pouvez me tenir pour responsable des actes de tous les partisans sudistes, pas plus que vous ne l'êtes de ceux de tous les vauriens de Sherman. Je suis sincèrement désolé pour votre famille, mais...

Venable frappa l'épaule de Charles du plat de la main.

— Cessez de dire que vous êtes désolé, comme un fichu perroquet. Être désolé ne répare rien.

Charles lâcha dans le silence :

— Ne me touchez pas.

Venable inspecta rapidement la tente, vit Hazen et ses amis prêts à l'aider. Les bras ballants, il plia et déplia les doigts.

— Je te toucherai si ça me plaît, sale traître !

Il enfonça soudain son poing dans le ventre du « soldat May ». Surpris, Charles se plia en deux ; Venable le frappa à la mâchoire ; Hazen et les deux autres sous-officiers se précipitèrent pour saisir Charles qui vacillait.

De la tête, Venable montra la sortie ; les sous-officiers traînèrent Charles le long du comptoir et le jetèrent dehors, dans la boue. Venable se débarrassa de son sabre, défit les boutons soigneusement astiqués de sa veste et dit aux clients du Palais égyptien :

— Avant que ce rebelle menteur se fasse renvoyer de l'armée, je vais lui donner une petite leçon. Venez m'aider si vous le voulez.

La plupart des civils et des militaires applaudirent en riant mais l'homme à la veste de daim déclara :

— Ça me paraît beaucoup pour un seul gars, colonel.

Venable se tourna vers lui.

— Si vous ne voulez pas nous aider, tenez-vous tranquille. Sinon, vous aurez droit au même traitement.

L'homme regarda fixement le petit officier, retint son chien qui s'était remis à grogner.

Venable sortit au moment où Charles commençait à se relever. Hazen se rua sur lui, l'agrippa par les cheveux d'une main et lui écrasa le nez de l'autre. Du sang jaillit ; Charles retomba sur le dos, Hazen lui décocha un coup de pied dans le ventre.

— Laissez-le-moi, fit Venable.

Il écarta le caporal, baissa les yeux vers Charles, qui essayait de s'asseoir. La bouche tordue par un rictus, l'officier enfonça la pointe de sa botte dans les côtes de Charles. Celui-ci poussa un cri, s'effondra sur le flanc. Venable lui donna un coup de pied dans la nuque et, le visage cramoisi, ordonna aux sous-officiers :

— Remettez-le debout.

Hazen et un de ses compagnons prirent Charles sous les bras, le soulevèrent. Quand il eut recouvré l'équilibre, il se libéra, fit quelques pas titubants au milieu du cercle des visages mouillés de pluie, pour la plupart hilares. Trempé, couvert de boue, il songeait qu'il venait de perdre sa deuxième chance d'être dans l'armée.

Comme un taureau, il baissa la tête et fonça sur Venable, qui bondit en arrière. Charles obliqua et saisit Hazen, sa véritable cible.

Les dents serrées, il tira la tête du caporal vers le bas en remontant le genou. La mâchoire du sous-officier craqua comme un pétard.

Hazen se mit à hurler ; un de ses amis assaillit Charles par-derrière, lui frappa le cou du tranchant de la main. Charles chancela, Venable lui décocha deux coups de poing au visage, une ruade dans le bas-ventre. Charles tomba à la renverse dans la foule, qui le réexpédia en avant dans un concert de rires et de moqueries. Les coups pleuvaient sur Charles, que les soldats se renvoyaient comme une balle.

— Ça suffit, dit une voix.

Venable s'apprêtait à jurer mais un objet dur et froid se posa sur sa gorge tandis qu'une main, surgie de nulle part, se glissait sous son bras gauche et remontait jusqu'à son cou. Il était pris entre une paume calleuse qui lui pressait la nuque et la lame affilée d'un coutelas.

C'était le barbu à la veste ornée de verroterie, qui sentait le cheval et la peau de daim mouillée.

— 'core un foutu Sudiste, marmonna un civil.

— Non. Et je connais même pas ce type. Mais on traiterait même pas un chien comme ça. Lâchez-le.

Les soldats qui tenaient Charles regardèrent Venable. Le couteau sur la gorge, il battit des cils et murmura :

— Faites ce qu'il dit.

Les hommes lâchèrent Charles, qui s'écroula dans la boue. Le barbu libéra Venable, qui se remit à jurer et s'interrompit quand la pointe du coutelas lui piqua le nez.

— Quand tu veux, petit bonhomme, fit le barbu. Un contre un, sans un peloton pour t'aider.

Venable agita le doigt en direction de Charles, couché par terre, le visage dans la boue.

— Ce salaud est viré de l'armée américaine. Terminé !

Le barbu tourna son coutelas, une goutte de sang perla sur le nez du capitaine.

— Fous le camp, vermine. Tout de suite.

Venable clignota des yeux, parvint à prendre un air méprisant, fit demi-tour et se dirigea vers le Palais égyptien.

— Suivez-moi, les gars, c'est ma tournée.

La foule l'acclama, prit son sillage ; les deux sous-officiers portèrent Hazen à l'intérieur de la tente.

La pluie redoubla. Le barbu à la veste en daim rengaina son arme, regarda Charles s'efforcer de se relever, chanceler, retomber dans la boue, la tête en avant. Le barbu, qui paraissait âgé d'une cinquantaine d'années, marcha vers le côté abrité du vent de la tente. Le chien qui trottait derrière lui était de bonne taille, le pelage gris marqué de blanc et de noir. Autour de l'œil gauche, un cercle noir lui donnait un air de pirate. Il s'ébroua deux fois, se mit à gémir.

— Tais-toi, Fen, dit simplement son maître.

Près de la tente, un adolescent gras, pâle et imberbe se tenait dans l'obscurité. Il portait une vieille veste en laine et des pantalons en toile rapiécés. Ses yeux sombres et limpides étaient légèrement bridés ; sa tête, au-dessus des sourcils et des oreilles, s'évasait considérablement et se terminait par un crâne presque plat ressemblant à l'extrémité d'un poteau.

Comme il avait l'air effrayé, l'homme lui posa une main sur l'épaule et dit :

— Tout va bien, Boy. Fini la bagarre, faut plus avoir peur.

L'adolescent étreignit la main du barbu avec une pathétique expression de gratitude.

— Désolé de t'avoir fait attendre pour aller boire le coup mais t'as plus à avoir peur.

L'adolescent regarda l'homme avec l'air de quelqu'un qui désire comprendre. Dans l'allée, Charles grogna, enfonça ses poings dans la boue, souleva sa tête et sa poitrine du sol, retourna un regard larmoyant en direction de la voix. L'homme à la veste en daim savait que le soldat ne pouvait le voir.

— C'est un gaillard qui a du cran, reprit-il. Et maintenant, il peut plus retourner dans l'armée. On a peut-être trouvé notre homme. Et si on l'a pas trouvé, on peut au moins se montrer charitable, en l'accueillant dans notre tipi.

Il se dégagea de l'étreinte des mains juvéniles et dit :

— Viens, Boy. Aide-moi à le porter.

Journal de Madeline.

Juillet 1865. Ai engagé trois affranchis de plus, ce qui porte leur nombre à six. La Palmetto Bank de Leverett m'a accordé un crédit de neuf cents dollars et nous avons commencé à creuser hier la première fosse pour scie de long. Andy S. surveille le travail jusqu'à midi, puis abat des arbres avec deux autres hommes jusqu'à quatre heures et cultive ensuite son propre lopin jusqu'à la tombée de la nuit. Chaque nouveau travailleur reçoit cinq acres de terre, un salaire et une petite partie de la récolte ou du bois que nous vendrons.

Cassandra, la femme de Nemo, s'attendait à ce que je lui alloue un lopin plus grand. Les larmes aux yeux, elle m'a montré une poignée de piquets peints sans trop de soin en bleu, blanc, rouge. La pauvre naïve a donné son dernier dollar pour les acheter et le marchand blanc qui les lui a vendus a disparu depuis longtemps. Comme il est triste et étonnant de constater que le dénuement suscite le meilleur chez les uns, le pire chez d'autres...

— Des piquets peints en bleu, blanc, rouge ?

— Oui, monsieur le président. Vendus à des hommes de couleur de Caroline du Sud pour un prix allant jusqu'à deux dollars.

Andrew Johnson jeta le rapport sur son bureau en s'écriant :

— Mr Hazard, c'est une honte.

Le dix-septième président des États-Unis était un homme basané âgé de quarante-huit ans, et d'humeur colérique ce jour-là. Son visiteur, Stanley Hazard, le trouvait vulgaire. Que pouvait-on espérer d'autre d'un tailleur du fin fond de la campagne qui savait à peine lire et écrire avant que sa femme ne le lui apprenne ? Johnson n'était même pas républicain. Il s'était présenté avec Lincoln en 64 comme candidat du Parti d'Union nationale pour soumettre aux électeurs un *ticket* bipartite.

Tout vulgaire et démocrate qu'il fût, Johnson n'en voulait pas moins des explications et ses yeux noirs étincelèrent de colère lorsque Stanley reprit le rapport d'une main légèrement tremblante. Stanley Hazard était l'un des adjoints de Stanton, le ministre de la Guerre, et assurait plus particulièrement la liaison avec le Bureau des affranchis, département administratif du ministère.

— Oui, monsieur le président, une honte, approuva-t-il. Je peux vous garantir que le Bureau n'a rien à voir là-dedans. Ni Mr Stanton ni le général Howard ne toléreraient une escroquerie aussi cruelle.

— Et la rumeur qui l'a inspirée ? Tous les nègres libérés de là-bas recevront une mule et quarante acres de terres avant Noël. Quarante acres, qu'ils délimiteront avec des piquets bleu-blanc-rouge. Qui a répandu cette histoire ?

De la sueur luisait sur le visage pâle et lourd de Stanley. Pourquoi fallait-il que Howard, le chef du Bureau, soit absent de Washington, et que Stanley doive répondre à sa place à la convocation du président ? Pourquoi ne pouvait-il parler avec assurance et fermeté, ou se rappeler tout au moins une des platitudes bigotes de Howard ? Stanley avait grand besoin de boire un verre.

— Alors, monsieur le sous-secrétaire ?

— Euh, fit Stanley d'une voix chevrotante, le général Saxton m'a assuré que les agents du Bureau en Caroline du Sud n'avaient rien fait qui puisse créer de faux espoirs ou répandre la rumeur.

— Alors d'où vient-elle ?

— Autant que nous sachions, d'une remarque faite incidemment par...

Stanley Hazard s'éclaircit la voix. Il n'avait aucune envie de critiquer un membre influent de son propre parti mais il devait penser à son poste, même s'il le détestait.

— ... par Mr Stevens, le parlementaire, acheva-t-il.

Il comprit qu'il avait marqué un point en voyant Johnson renifler avec mépris.

— Mr Stevens a parlé de confisquer et de redistribuer quelque cent millions d'acres de terres rebelles, poursuivit-il. C'est peut-être ce qu'il souhaite mais cela ne figure pas dans le programme du Bureau.

— Et pourtant, l'histoire s'est répandue en Caroline du Sud, n'est-ce pas ? Et elle a permis à des gredins sans scrupules de vendre ces piquets, n'est-ce pas ? Je crois que vous ne saisissez pas l'ampleur de cette malheureuse affaire, Hazard. Non seulement cette rumeur d'attribution de quarante acres de terre et d'une mule expose les Noirs à une cruelle déception mais elle nous aliène aussi les Blancs que nous voulons convaincre de travailler avec nous. Je déteste les planteurs autant que vous...

Davantage, pensa Stanley. La haine de Johnson pour l'aristocratie sudiste était notoire.

— ... mais la Constitution me dit qu'ils n'ont jamais quitté l'Union, parce que la Constitution rend impossible l'acte même de sécession, continua le président.

Il se pencha en avant, comme un maître d'école agressif.

— C'est pourquoi mon programme pour le Sud tient en trois points seulement. Les États vaincus doivent annuler les dettes de guerre confédérées, abroger les ordonnances sécessionnistes, et abolir l'esclavage en ratifiant le 13e Amendement. Nous ne leur en demandons pas plus parce que, selon la Constitution, le gouvernement fédéral ne *peut* pas exiger davantage. Le général Sherman ne l'a pas compris lorsqu'il a confisqué des terres le long de la côte et des fleuves par son Ordre n° 15, à présent annulé, Dieu merci. Votre bureau ne le comprend pas non plus. Vous parlez allègrement de droit de vote alors que la désignation des électeurs revient à chaque État. Et personne ne semble comprendre que si nous menaçons de confisquer les terres, nous ne ferons qu'accroître la rancœur des Sudistes que nous voulons ramener au bercail. Vous me reprochez mon exaspération ? Je signe des grâces au rythme d'une centaine par jour, et puis je reçois *ça*, ce rapport.

— Monsieur le président, je dois respectueusement le répéter, le Bureau n'est en aucune façon responsable...

— Qui d'autre a répandu la promesse des quarante acres ? Faute d'un coupable patent, je tiens le Bureau pour responsable. Veuillez le faire savoir à Mr Stanton et au général Howard. Maintenant, ayez la bonté de me laisser.

Stanley Hazard menait une vie infernale, qu'il s'efforçait de rendre supportable en prenant régulièrement un premier verre avant huit heures du matin. Il gardait diverses bouteilles de vin et d'alcool enfermées dans son bureau du vieux bâtiment accueillant provisoirement le Bureau des affranchis. Quand il avait trop bu, qu'il comprenait mal une question, trébuchait ou faisait tomber quelque chose, il bredouillait toujours la même excuse : il se sentait très fatigué. Mais il trompait peu de gens.

Stanley avait de bonnes raisons de se sentir misérable. Des années plus tôt, son frère cadet, George, l'avait privé de toute responsabilité dans l'usine familiale. Au fond de lui-même, Stanley savait pourquoi : parce qu'il était un incapable.

Sa femme Isabel, harpie ambitieuse de deux ans son aînée, lui avait donné deux fils, Laban et Levi, qui s'attiraient si souvent des ennuis que Stanley gardait à la banque des fonds spéciaux pour graisser la patte des magistrats et geôliers, ou pour dédommager les filles enceintes. Les deux garçons, des jumeaux, avaient dix-huit ans et leur père arrosait de pots-de-vin — de dons philanthropiques — les administrateurs de Yale et Dartmouth dans l'espoir d'y faire entrer ses fils et de leur faire ainsi quitter la maison. Il ne pouvait les supporter.

Paradoxalement, il ne supportait pas davantage l'immense fortune qu'il avait bâtie pendant la guerre avec sa fabrique de chaussures car il savait qu'il ne méritait pas cette réussite. Isabel le pressait de liquider l'affaire car, avec la paix, les conditions d'une concurrence normale étaient revenues.

Enfin, son ancienne maîtresse, une artiste de music-hall nommée Jeannie Canary, l'avait quitté après qu'Isabel eut découvert leur liaison. Elle m'aurait plaqué de toute façon, avait pensé Stanley. Nombre de ses soupirants avaient autant d'argent que lui et il n'était pas un bon amant : l'alcool, le stress l'empêchaient de se montrer assez viril pour satisfaire la chanteuse. On disait qu'elle était devenue la maîtresse d'un homme politique républicain dont on ignorait le nom.

Tout ce que Stanley avait gagné par une vie de travail et de souffrance, c'était d'autres échecs du même genre, et une épouse chevaline, prétentieuse, qu'il affrontait chaque soir dans la vaste salle à manger, magnifique et désolée, de leur grande maison de la Rue I. Alors il buvait. Cela l'aidait à tenir le coup dans la journée et à s'endormir le soir.

— Johnson en a après le Bureau, c'est ça, Stanley ?
— Oui. Il voudrait qu'on le ferme. Il croit qu'en agissant dans la ligne des objectifs radicaux, nous empiétons sur le droit des États.
— Ce n'est pas surprenant, fit Isabel. C'est un démocrate et, finalement, un Sudiste. Ces questions de terres m'intéressent. Pourquoi se battre pour elles ? Elles ont de la valeur ?

Stanley avala le reste de son troisième verre de champagne avant de répondre :
— Pas pour le moment. On peut acheter pour presque rien certains domaines confisqués par le Trésor. A long terme, elles auront beaucoup de valeur, naturellement. La terre a toujours de la valeur. Et l'agriculture est la base de l'économie du Sud. Il n'y a pas d'industrie, là-bas, il n'y en a jamais eu.

Les yeux d'Isabel étincelèrent au-dessus des chandeliers.
— Alors nous devrions peut-être envisager d'investir dans le Sud pour remplacer la fabrique.

Comme toujours, elle stupéfiait Stanley par son audace, la façon dont elle se préparait déjà à enfoncer les crocs dans une proie qu'il n'avait même pas repérée.
— Si je comprends bien, tu voudrais que je me renseigne auprès du Trésor ?
— Non, chéri. Je m'en chargerai personnellement. Je vais te laisser seul une semaine environ, annonça Isabel — je suis sûre que cela te peine terriblement, ajouta-t-elle d'un ton venimeux.

Il la traita silencieusement de garce, eut un pâle sourire et se versa un autre verre de champagne.

Mr Marvin, notre vieil ami de Green Pond, est venu me dire adieu. Il est amer, furieux — ruiné. Les agents du Trésor ont saisi pour quinze mille dollars de coton au sortir de son égreneuse et l'ont emporté sous ses yeux. Et cela parce qu'il refusait de verser le pot-de-vin que l'agent du fisc exigeait. Les Yankees auraient laissé M. garder son coton et le vendre mais il aurait dû céder la moitié de l'argent à l'agent.

Partout ces vautours volent les terres et les récoltes. Le voisin de Marvin a perdu sa ferme, une propriété magnifique, parce qu'il ne pouvait régler cent cinquante dollars d'arriérés d'impôt. Nous avons ici notre part de pécheurs, mais les saints et les anges n'habitent pas dans le Nord...

Philo Trout, jeune agent du Trésor jovial et bien bâti, accueillit Isabel à sa descente du vapeur, à Charleston. La suite du voyage, par terre, fut retardée de vingt-quatre heures à cause d'une tempête tropicale qui ravagea la ville et la côte avant de poursuivre sa route vers l'intérieur des terres.

Lorsqu'ils purent enfin partir, le buggy couvert de Trout roula le long de routes boueuses bordées de champs inondés.

— La tempête a fait déborder les rivières à marée, expliqua l'agent du Trésor. Le sel empoisonnera ces terres pendant quelques saisons.

La remarque conduisit aussitôt Isabel à renoncer à l'idée qui l'avait décidée à partir pour le Sud : devenir propriétaire « absentéiste » de terres cultivées de Caroline. Les tempêtes, qui sévissaient régulièrement, constituaient un trop grand risque à son goût mais elle n'en dit rien à Trout.

Sur la route longeant l'Ashley, il lui montra plusieurs plantations, dont Mont Royal, et Isabel, plissant la bouche en une moue dégoûtée, garda le silence et ne laissa même pas entendre qu'elle en connaissait les propriétaires.

Quelques kilomètres plus loin, Trout arrêta le buggy à un croisement, devant un magasin dont l'enseigne, FRÈRES GETTYS, pendait de guingois. Sur la porte d'entrée, on avait cloué une planche portant un seul mot tracé à la peinture :

FERMÉ

Trout repoussa en arrière son chapeau de paille de planteur, posa une botte sur le marchepied.

— Voilà une affaire intéressante, dit-il, bien que ce ne soit pas ce que vous vouliez au départ. On peut se faire pas mal d'argent avec ce petit magasin sans se préoccuper du sel qui rend les terres incultivables.

— Comment un établissement aussi minable pourrait-il rapporter ? demanda Isabel en fronçant le nez.

— De trois façons, madame, à condition d'avoir l'argent pour l'approvisionner correctement. Du vrai argent, pas des billets confédérés. Les planteurs locaux ont besoin d'acheter : outils, produits de première nécessité, graines. D'abord, le magasin pourrait demander un prix élevé pour ces marchandises. Mais comme les planteurs et les affranchis n'ont pas d'argent pour payer, le magasin traiterait chaque vente comme un prêt : le coût, au prix que vous fixeriez, plus les intérêts, au taux que vous choisiriez. Cinquante ? quatre-vingt-dix pour cent ? Ce sera ça ou mourir de faim.

Ce fut à cet instant précis que, malgré la chaleur épuisante de cette région marécageuse, malgré les insectes et l'odeur de pourriture, Isabel se dit que les désagréments du voyage valaient la peine.

— Vous parliez de *trois* façons, Mr Trout.

— En effet. Pour garantir chaque prêt, vous réclameriez également une partie de la prochaine récolte de riz ou de coton. Ingénieux, non ? fit l'agent avec un grand sourire.

— Je n'aurais pas trouvé mieux moi-même, reconnut Isabel. Qui pourrait gérer ce magasin ?

— Madame, si vous l'achetez, il vous faudra à coup sûr un nouveau gérant. Avec votre mari au Bureau des affranchis... L'homme qui s'en occupait avant sa fermeture, Randall Gettys, est un sécessionniste. Je le connais. S'il restait, et à supposer qu'il accepte de vendre aux nèg... aux Noirs, il leur demanderait huit ou dix fois plus cher qu'aux Blancs, par dépit.

Isabel eut un sourire radieux.

— Voyons, cher Mr Trout. Mon mari et moi sommes républicains, c'est vrai, mais je ne me soucierai pas des préjugés d'un gérant ou de sa façon de travailler tant qu'il gagne de l'argent.

— Oh, ça, Randall Gettys en gagnerait, c'est sûr. Il connaît tout le monde, ici. Il publiait un petit journal pour le district et ne demande qu'à le relancer.

— Il peut demander dix fois plus cher aux nègres tant que personne à Washington n'est au courant et qu'on ne peut établir de lien entre mon mari et cette affaire. Il faudrait bien le faire comprendre à votre homme.

— Randall et les siens sont dans une situation si désespérée qu'ils signeraient un contrat pour vendre de la glace en enfer.

Isabel pouvait à peine contenir son excitation. Comme toujours, c'était elle qui prospectait et trouvait l'or tandis que Stanley restait derrière.

— On pourrait tout arranger, assura Trout. (Il reprit les rênes, fit tourner le buggy.) Je peux acheter le magasin pour vous à la vente aux enchères, le mois prochain.

Le cheval reprit le chemin de Mont Royal sous la mousse d'Espagne, dont l'ombre défilait sur le visage en sueur d'Isabel.

— Il nous reste un point à discuter, madame.

— Le prix de vos services — et de votre silence ?

— Oui, madame. Vous savez, j'ai travaillé comme télégraphiste dans l'Ohio avant que mon oncle ne me fasse entrer au Trésor. En six mois, j'ai amassé plus d'argent que je n'en aurais gagné pendant toute une vie dans le Nord.

— Le Sud est vraiment une région qui offre des possibilités à tout le monde, n'est-ce pas ? conclut Isabel avec un sourire suffisant.

Le magasin des frères Gettys a rouvert. Reblanchi à la chaux, intérieur et extérieur, marchandises plein les étagères. Le jeune Randall gère cette richesse nouvelle. Il a fait mettre sur le toit une enseigne de couleur criarde où le nouveau nom du magasin, THE DIXIE* STORE, s'étale sous le drapeau confédéré.

Comme il se refuse à expliquer ce soudain changement de fortune, nous voilà avec un mystère. Je ne perdrai pas mon temps à essayer de le résoudre : tu connais mes sentiments envers ce fanatique de Gettys.

---

* Dixie, nom populaire des États du Sud. (N.d.t.)

7

— Trop courte, cette visite, dit George par-dessus le vacarme des bagages qu'on chargeait deux voitures plus loin.

En serrant Brett contre lui, il sentit le renflement du ventre de la jeune femme malgré ses volumineux jupons.

— Prenez bien soin du bébé, recommanda-t-il — et surtout, arrivez à temps à San Francisco...

La vapeur les enveloppa.

— Ne vous en faites pas, assura la jeune femme. Il naîtra en Californie.

— Il ? répéta Constance. Vous êtes sûrs que c'est un garçon ?

— Certain, déclara Billy Hazard.

Il avait fière allure avec son ample veste grise, son pantalon et sa cravate d'un gris plus clair. Il serra Constance dans ses bras puis les deux femmes s'embrassèrent, les deux frères se serrèrent la main.

— Je ne te le cache pas, Billy, dit George. J'aurais préféré que tu restes en Pennsylvanie.

— J'ai trop de souvenirs de ce côté-ci du Mississippi. Je resterai attaché à West Point mais, comme toi, j'en ai assez de l'armée.

Et de ce qu'on lui fait faire, ajouta George *in petto*.

— Dieu vous protège, toi, ta femme et ton fils, dit-il. Puisque Constance est la plus croyante de la famille, je lui demanderai de prier pour que la mer soit calme quand votre bateau descendra le long de l'Amérique latine et doublera le cap Horn.

— C'est l'hiver, là-bas, mais nous nous débrouillerons.

Mieux que moi, pensa George avec tristesse. Depuis la confrontation avec Stevens, à Washington, il était en proie à une mélancolie profonde.

— Si le navire fait escale plus de quelques heures à Los Angeles, allez donc voir mon père dans son cabinet juridique et embrassez-le pour moi, demanda Constance.

— Très volontiers, répondit Billy.

— En voiture ! cria le contrôleur.

Patricia, qui se tenait légèrement en retrait, fit signe de la main à Billy et à Brett. A côté d'elle, son frère William lorgnait une jolie fille qui se hâtait de monter dans le train.

— Fais signe, triple buse, murmura Patricia entre ses dents sans cesser de sourire.

William lui tira la langue, agita la main.

Le train s'ébranla, George courut le long du quai pour rester au niveau de la voiture de Billy et Brett.

— Insistez auprès de Madeline pour qu'elle me fasse un nouvel emprunt en cas de besoin.

— Nous n'y manquerons pas, répondit Brett.

— Billy, envoie-nous un message quand vous serez installés.

— Promis. Et toi, préviens-moi, si le ministère de la Guerre trouve Charles.

Le ministère n'avait pas répondu aux deux lettres de Billy demandant des nouvelles de son meilleur ami, censé servir dans la cavalerie de l'Ouest.

Le train accéléra, George courut plus vite, agitant son haut-de-forme et criant d'autres recommandations que personne n'entendait. La dernière voiture passa devant l'extrémité du quai, longea la rivière et le vieux canal. Billy et Brett disparurent.

Comme George enviait leur jeunesse, leur indépendance ! Il admirait aussi leur courage car ils avaient décidé de s'établir dans un État qu'ils ne connaissaient que par la lecture des guides de la Ruée vers l'or, peu dignes de confiance. Pourtant, des Américains s'enrichissaient en Californie. Quatre hommes d'affaires faisaient creuser des tunnels dans les sierras pour construire le dernier tronçon d'une voie ferrée transcontinentale, et dans quelques années, la côte du Pacifique serait reliée au reste du pays. Billy était résolu à ouvrir un cabinet d'ingénieur civil et toutes les promesses de George lui garantissant une carrière sûre et lucrative à l'usine Hazard n'avaient pu le détourner de son projet.

Immobile au bout du quai, George s'essuya les yeux avant de retourner auprès des siens. Il savait ce que son frère avait voulu dire en parlant de « trop de souvenirs de ce côté-ci du Mississippi ». Ils en avaient longuement discuté un soir, après que tous les autres furent couchés. La guerre les avait tous deux meurtris, changés — mutilés, peut-être — d'une manière profonde, fondamentale et parfois au-delà de toute compréhension.

George avait raconté à son frère une rencontre avec deux anciens soldats, avant de quitter Washington. Après avoir beaucoup bu au bar de l'hôtel *Willard*, l'un et l'autre avaient tour à tour reconnu qu'ils se sentaient comme dépossédés, maintenant que l'excitation de la guerre n'était plus qu'un souvenir.

Cette nuit-là, chacun des deux frères avait évoqué ses propres fantômes. Billy demeurerait à jamais hanté par le souvenir de son camarade, le vieux Lije Farmer, mort au combat malgré sa foi inébranlable en la bonté de Dieu. Il ne pouvait oublier non plus sa détention à la prison Libby et les mauvais traitements qu'il avait subis. Il y serait probablement mort sans sa folle évasion, préparée et exécutée par Charles et Orry Main. Et de la fin de la guerre, il se rappelait le regard dur et froid de son ami Charles, la dernière fois qu'ils s'étaient vus.

George, lui, ne pouvait oublier le moment où il avait appris la mort d'Orry, ni la demi-heure qu'il avait passée à genoux devant la tombe vide d'Orry, à Mont Royal, avant d'y enfouir une lettre d'amitié écrite en 1861 mais jamais envoyée. Il y avait exprimé l'espoir que les liens unissant les Main et les Hazard survivraient à la guerre, et que chacun des membres des deux familles survivrait aussi. Pour Orry, cet espoir avait été vain.

George se sentait profondément abattu lorsqu'il retrouva sa famille. Remarquant son état, Constance lui prit le bras tandis qu'ils se dirigeaient vers le phaéton laqué, dont la capote avait été rabattue par cette chaleur d'août. Le cocher tint la portière ouverte pour les faire monter puis regagna son siège et fit claquer son fouet au-dessus de la tête des magnifiques bais à la robe assortie.

Ma ville, pensait George alors que la voiture roulait vers la route de la colline. Il détenait la majorité des actions de la banque de Lehig Station, située de l'autre côté de la place, était propriétaire du

Station House Hotel, sur sa gauche, et d'un tiers des immeubles bâtis à l'intérieur des limites de la ville.

En passant dans les rues, George chercha des yeux les trois estropiés que la guerre avait donnés à Lehig Station. Il aperçut le jeune aveugle mendiant sur le trottoir noir de monde près du magasin de Pinckney Herbert. Il ne vit pas le jeune homme à la jambe de bois mais quelques centaines de mètres plus loin, il découvrit Tom Hassler.

— Arrête-toi, Jérôme, ordonna-t-il au cocher.

Lorsqu'il sauta du phaéton, Patricia et William poussèrent un soupir d'impatience. Les courtes jambes de George le portèrent jusqu'au jeune homme à qui il avait offert un emploi dans son usine. Mais Tom n'était même plus capable des tâches les plus simples, et il se traînait chaque jour à travers la ville en faisant tinter une timbale dans laquelle sa mère mettait des cailloux pour faire croire que d'autres avaient déjà donné. Comme les deux autres mutilés de guerre de Lehig Station, Tom Hassler n'avait pas vingt ans.

— Comment ça va, aujourd'hui, Tom ? demanda George en fourrant un billet de dix dollars dans le gobelet.

Les yeux égarés du jeune homme quittèrent la rivière brumeuse pour se porter sur les pentes couvertes de lauriers.

— Très bien, lieutenant. Nous attendons les ordres du général Meade. Nous attaquerons les rebelles là-haut, à Seminary Ridge, avant le coucher du soleil.

— C'est ça, Tom. Et vous emporterez la victoire.

George s'éloigna. Comme il avait honte de cette envie de pleurer qui lui venait si souvent, ces temps-ci ! Il monta dans le phaéton, referma la portière en évitant le regard de sa femme. Quelle honte ! pensa-t-il. Qu'est-ce qu'il m'arrive ?

Il lui arrivait — il le comprenait parfois — la même chose qu'à son frère Billy et à des milliers d'autres hommes. Des émotions violentes, peu familières, à la suite de la capitulation. De mauvais rêves. Le souvenir d'amitiés forgées dans le climat étrange, vertigineux, de la mort toujours présente. L'image d'hommes de valeur massacrés dans des escarmouches inutiles, d'imbéciles et de lâches pâles et tremblants qui survécurent par hasard ou en feignant d'être malades la veille d'une bataille...

Ce qui était arrivé à George, et à l'Amérique, c'était quatre années de conflit sans précédent dans le monde. Non seulement frères et cousins s'étaient entre-tués — il n'y avait là rien de nouveau — mais les armes mécanisées, le chemin de fer, le télégraphe avaient donné une efficacité neuve à l'art de tuer. Dans les prés et les ruisseaux, dans les jolis vallons, des innocents avaient livré la première guerre moderne.

Une guerre qui refusait maintenant de lâcher George. Constance le voyait dans les yeux perdus et tristes de son mari tandis que le phaéton suivait la route sinueuse montant vers Belvedere, la grande maison bâtie au sommet de la colline. Elle aurait voulu le consoler mais devinait que sa peine était inaccessible, pour elle et peut-être pour quiconque.

George passa l'après-midi à l'usine Hazard, qui avait presque totalement converti sa production de guerre en fer forgé pour l'ornement architectural, pièces en fonte pour d'autres produits et, surtout, en rails. Presque toutes les voies ferrées du Sud étaient détruites. Dans l'Ouest, deux nouvelles lignes avaient créé un énorme marché. L'Union Pacific, qui longeait la route Platte, et l'Union Pacific Division Est, au Kansas — aucun rapport malgré des noms similaires — faisaient la course en direction du centième méridien. La première compagnie à l'atteindre gagnerait le droit de continuer la ligne et d'opérer la jonction avec la Central Pacific, partie de Californie.

Lorsqu'il rentra chez lui, sa femme et ses enfants avaient déjà dîné et entouraient leur nouveau trésor, un piano à queue offert par Henry Steinweg, de New York. L'usine Hazard avait fourni un grand nombre de plaques métalliques pour les pianos de la firme, auxquels leur fabricant donnait le nom de Steinway, qu'il jugeait plus mélodieux, plus commercial et plus américain. Steinweg avait parcouru un long chemin depuis le champ rouge de sang de Waterloo, où il s'était battu contre Napoléon.

Après avoir salué sa famille, George trouva dans la cuisine quelques tranches de rôti froid — tout ce qu'il lui fallait pour le dîner. Il alla s'asseoir dans la véranda, posa un pied sur la balustrade et nota des remarques sur le plan de la nouvelle fonderie qu'il voulait édifier à Pittsburgh. La ville, située sur deux affluents de l'Ohio, deviendrait probablement le centre métallurgique du pays dans les dix prochaines années. George avait l'intention de s'y établir dès le départ, avec des convertisseurs Bessemer rendus plus fiables par une innovation suédoise.

Il travailla jusqu'à ce que la lumière d'août commence à baisser et vit alors la lanterne du gardien passer d'une pièce à l'autre dans la maison d'à côté, au mobilier couvert de housses. Ses propriétaires, Stanley et Isabel, n'y résidaient pas souvent, et ils ne manquaient pas du tout à George.

De nouveau en proie à la mélancolie, il rentra, erra un moment dans la maison, s'arrêta devant la table vernie de la bibliothèque déserte pour contempler deux choses. L'une était un fragment de météorite — du fer d'étoile, disait-on jadis — qui représentait pour lui le pouvoir incroyable qu'avait le métal d'améliorer la vie ou, transformé en armes, de l'anéantir. A côté, il y avait une brindille de laurier, abondant dans la vallée. Traditionnellement, le laurier était pour les Hazard le symbole de la résistance, de la survie, du triomphe certain de l'espoir et de la bonté rendu possible par l'amour et la famille. Le rameau était mort, ses feuilles jaunies, et George le jeta dans l'âtre froid.

La porte s'ouvrit derrière lui.

— Je pensais bien t'avoir entendu, fit Constance.

Lorsqu'elle l'embrassa sur la joue, il sentit une agréable odeur de chocolat. Elle avait relevé ses cheveux roux au-dessus de son visage grassouillet, brillant d'avoir été lavé.

— Qu'y a-t-il, chéri ? demanda-t-elle.

— Je ne sais pas. Je me sens terriblement abattu. Je ne peux pas expliquer pourquoi.

— Je vois au moins plusieurs raisons. Ton frère est en route pour l'autre bout du continent et tu éprouves probablement la même chose que les deux hommes du *Willard* dont tu m'as parlé. Ceux qui reconnaissaient que l'excitation de la guerre leur manquait.

— J'aurais honte de regretter de ne plus pouvoir tuer des êtres humains.

— Ce n'est pas cela qu'on regrette, mais un sentiment plus intense de la vie, comme lorsqu'on marche au bord d'un précipice. Il n'y a aucune honte à l'avouer si c'est la vérité. Cela passera.

Il acquiesça de la tête, bien qu'il ne fût pas convaincu.

— Ce sera encore plus vide ici dans quelques semaines, murmura-t-il. Quand William entrera à Yale et que Patricia retournera à Bethlehem, au pensionnat des sœurs moraves.

Constance caressa le visage barbu de sa main fraîche.

— Les parents sont toujours tristes quand leurs oisillons quittent le nid pour la première fois, dit-elle. (Elle lui prit le bras.) Viens, marchons un peu. Cela te fera du bien.

Dans le vent chaud de la nuit, ils gravirent la colline derrière la maison et découvrirent sous eux, à gauche, les hauts fourneaux de l'usine Hazard qui faisaient rougeoyer le ciel.

Sans qu'ils le veuillent, leurs pas les conduisirent à un endroit que Constance aurait préféré éviter parce qu'il rappelait de mauvais souvenirs : le cratère d'une météorite tombée au printemps 61, juste au début de la guerre.

George se pencha au-dessus de l'entonnoir, regarda le fond.

— Pas un brin d'herbe, remarqua-t-il. Tu crois qu'il a stérilisé le sol ? (Il jeta un coup d'œil au sentier qui continuait vers le sommet de la colline.) Virgilia est sans doute passée par là le soir où elle a volé l'argenterie de la maison.

— George, à quoi bon évoquer de mauvais souvenirs ?

— Parce qu'il y en a de bons ? Orry est mort, Tom Hassler erre dans les rues, le cerveau malade. Nous n'avons pas assez lutté pour empêcher la guerre et nous avons hérité d'un immense gâchis. On dit que la cause du Sud est perdue. Eh bien, celle de l'Amérique l'est aussi. Et la mienne également.

Les cheminées de l'usine projetaient dans la nuit des gerbes d'étincelles.

— Oh ! je voudrais tant chasser de ton esprit ces idées noires, s'écria Constance en lui serrant le bras. Je voudrais tant que tu ne souffres plus.

— Je suis désolé, je ne me conduis pas en homme.

Il étouffa un juron en enfouissant le visage dans la courbe chaude de la gorge de Constance.

— Mais je n'y puis rien, ajouta-t-il dans un murmure.

Ils demeurèrent longtemps enlacés sur la colline déserte, près du cratère mort.

Journal de Madeline.
Août 1865. Elle est là ! Miss Prudence Chaffee, de l'Ohio.
Vingt-trois ans, très robuste — elle est d'une famille de paysans — elle est la première à reconnaître, sans s'apitoyer sur elle-même, qu'elle est plutôt laide. Certes, elle a le visage rond, une carrure masculine, mais chacun de ses gestes, chacune de ses expressions sont empreints d'une extraordinaire chaleur. Elle rayonne non de perfection

mais de dévouement — telles ces rares personnes qui quittent la terre après l'avoir améliorée.

Son père devait être un original car il ne souscrivait pas à l'idée fort répandue que l'instruction des jeunes filles est inutile, voire dangereuse. Prudence a reçu une bonne éducation au Western College pour femmes.

Elle est arrivée avec une valise contenant des vêtements, sa Bible et une demi-douzaine de numéros de l'Eclectic Readers de McGuffey*. Le premier soir, devant un frugal repas de riz, je me suis efforcée de lui exposer franchement les obstacles que nous devrons affronter, en particulier les mauvaises dispositions de certains voisins.

Ce à quoi elle a répondu : « Mrs Main, j'ai prié pour connaître ce genre de situation. Les revers ne m'abattront pas. Je suis de ces privilégiés que saint Paul décrit dans son épître aux Romains, ceux qui "contre toute espérance ont cru à l'espérance". Je suis ici pour enseigner et j'enseignerai. »

Orry, je crois que j'ai trouvé une confidente — et une amie.

... Prudence continue à m'étonner. L'ai emmenée ce matin au bâtiment de l'école, déjà en construction à mi-chemin de la route menant aux anciens quartiers des esclaves. Lincoln, notre dernière recrue, était en train de le couvrir de bardeaux de cyprès et Prudence déclara que, puisque c'était son école, elle devait mettre la main à la pâte. Sur ce, elle ramena ses jupons entre ses jambes, les noua et monta à l'échelle. Lincoln parut stupéfait, embarrassé, mais ne tarda pas à constater que Prudence enfonçait les clous comme si elle avait fait ça toute sa vie. Plus tard, je l'interrogeai sur son savoir-faire et elle me répondit :

« Papa me l'a appris. Il disait que je devais être préparée à pourvoir à mes besoins en toute circonstance. Je crois plutôt qu'il pensait qu'aucun homme n'épouserait un laideron aux idées abolitionnistes. Je me marierai peut-être un jour — je vous l'ai dit, je garde toujours espoir — mais en attendant, savoir travailler le bois est une bonne chose. Apprendre quoi que ce soit d'utile est une bonne chose. C'est pourquoi j'enseigne. »

... Suis allée au Dixie Store ce matin, que je n'avais pas vu depuis sa réouverture. Mr Randall Gettys en personne, rondouillard et pâle, m'a saluée de derrière son comptoir, sur lequel il avait posé bien en vue une pile de The Land We Love, une de ces publications encourageant bassement l'idée affligeante que la cause du Sud n'est pas perdue...

Affectant une politesse excessive, Gettys tournait d'un peu trop près autour de Madeline. Les verres de ses petites lunettes rondes à monture métallique étincelaient. Un grand mouchoir blanc moussait au-dessus de la poche de poitrine de sa veste graisseuse. Même rasé de près, il avait le visage marqué d'ombres noires qui lui donnaient un air malpropre.

Madeline nota la profusion de marchandises sur les étagères et dit :

— Je ne savais pas que vous aviez un tel stock — ni les fonds pour l'acheter.

* Livre de lecture. (N.d.t.)

— Un parent de Greenville m'a avancé l'argent, répondit aussitôt le boutiquier.

Elle s'aperçut qu'il lorgnait ses seins en s'essuyant le menton avec le mouchoir blanc.

— C'est un grand plaisir de vous voir, Mrs Main. Qu'est-ce que je peux vous servir, ce matin ?

— Rien pour le moment. J'aimerais connaître vos prix, déclara Madeline. (Elle montra du doigt un baril.) Ces graines de maïs, par exemple.

— Un dollar le boisseau. Plus un quart de la récolte, ou l'équivalent en argent. Pour les Noirs, le prix est le double.

— Randall, je suis heureuse que le magasin soit rouvert mais je ne crois pas que nous puissions supporter une telle envolée des prix dans le district.

Bien qu'elle eût parlé sans aigreur, la remarque mit en fureur le commerçant, qui abandonna son ton doucereux.

— Ce que nous ne pouvons supporter, c'est cette école infernale que vous construisez. Une école pour nègres !

— Et pour tout Blanc qui veut s'instruire.

Ignorant la remarque, Gettys poursuivit :

— C'est un outrage, et qui plus est, du gaspillage. Un moricaud ne peut pas apprendre, il a le cerveau trop petit. Il n'est bon qu'à couper notre bois, puiser notre eau, comme c'est écrit dans la Bible. Si un nègre a une parcelle d'intelligence, l'instruction enflamme ses passions les plus viles et attise en lui la haine de ceux qui lui sont supérieurs.

— Seigneur Dieu, Randall, épargnez-moi ces boniments.

— Non, madame, s'exclama-t-il, vous m'entendrez. Nous avons perdu la guerre mais certainement pas la raison. Les citoyens blancs de ce district ne se laisseront pas « africaniser ».

Avec lassitude, Madeline se retourna et se dirigea vers la porte.

— Vous feriez mieux d'écouter, cria le gérant. Vous avez été prévenue.

Comme elle lui tournait le dos, il ne pouvait voir son visage ni son expression effrayée. Madeline songeait avec tristesse à la lettre de Cooper au sujet de Desmond LaMotte. Combien d'autres encore se tourneraient contre elle ?

Samedi. Bâtiment de la scierie terminé, sur la berge de la rivière, pour qu'on puisse transporter le bois par bateau si le vapeur reprend un jour son service. Avec une immense fierté, j'ai regardé nos deux mules tirer le premier tronc de cyprès jusqu'à la scierie. Avec Lincoln en haut et Fred au fond de la fosse, le tronc a été débité à l'aide de la scie de long à deux poignées. La méthode est vieille, éreintante, mais faute de machine à vapeur, nous n'en avons pas d'autre. C'est un début.

Prudence veut aller à la messe demain. Je l'y conduirai...

Allée ce matin à l'église Saint-Joseph-d'Arimathie, et comme je le regrette...

En attachant les chevaux du chariot, Madeline vit deux hommes jeter leur cigare et entrer précipitamment dans la petite église où les familles épiscopaliennes du district assistaient à la messe depuis des générations.

Coiffées toutes deux de leurs plus jolis bonnets, Prudence et Madeline approchèrent des doubles portes. La musique de l'harmonium s'arrêta avec un chuintement lorsque le père Lovewell s'avança vers l'entrée. Derrière lui, assis sur les bancs baignés de soleil, les fidèles se retournèrent pour regarder les deux femmes.

— Mrs Main, fit le prêtre à voix basse. C'est regrettable mais on m'a prié de vous rappeler que, euh, les personnes de couleur n'ont pas le droit de venir ici.

— De couleur ? répéta Madeline, comme s'il l'avait frappée.

— C'est cela. Nous n'avons pas de galerie séparée pour vous accueillir et je ne puis plus vous laisser vous asseoir sur le banc de la famille Main...

— Êtes-vous sérieux, Mon Père ?

— Oui. J'aimerais qu'il en soit autrement mais...

— Alors vous êtes un homme mauvais, qui ne peut prétendre pratiquer la charité chrétienne.

Le prêtre approcha son visage luisant de sueur de celui de Madeline et répliqua entre ses dents :

— Je fais preuve de charité chrétienne pour ceux de ma race, pas pour une espèce abâtardie qui fomente des troubles, provoque des incendies, répand la haine et pratique la doctrine diabolique du républicanisme noir.

Prudence avait l'air sidéré, furieux, mais Madeline parvint à faire au prêtre un sourire radieux.

— Que Dieu vous frappe à l'instant, Mon Père. Pour que je puisse vous voir aller en enfer avant de courir me cacher comme... comme une lépreuse.

— L'enfer ? fit l'ecclésiastique.

Le visage suffisant recula ; des mains blanches et douces agrippèrent la porte.

— J'en doute, ajouta-t-il.

— Oh ! si, vous venez de réserver votre place.

L'assemblée des fidèles éclata en propos hargneux, les portes se fermèrent en claquant.

— Venez, dit Madeline.

Elle fit volte-face, donna un coup de pied au bas de sa robe pour qu'il suive le mouvement et regagna le chariot. Prudence prit son sillage, interloquée.

— Qu'est-ce que cela signifie ? Pourquoi a-t-il parlé de vous comme d'une femme de couleur ?

Madeline soupira.

— J'aurais dû vous l'expliquer à votre arrivée. Je le ferai sur le chemin du retour. Si vous le souhaitez, vous pourrez partir. Quant au reste des propos du père Lovewell, je crains que ce ne soit une déclaration de guerre. Contre **Mont Royal**, l'école et moi.

Prudence est au courant de tout. Elle reste. Je prie Dieu qu'elle ne regrette pas un jour ce choix, qu'elle n'ait pas à en souffrir.

8

Charles ouvrit les yeux, joignit les mains, étira les bras vers le haut. Un marteau invisible lui frappa le front et le fit retomber.

— Bon Dieu.

Il essaya de nouveau et cette fois, malgré la douleur, réussit à se redresser.

De l'autre côté d'un petit feu brûlant dans un trou creusé dans le sol, il découvrit un homme barbu au visage hâlé, pliant et dépliant une branche souple pour la casser. Il portait une veste ornée de verroterie qui aurait pu appartenir à un marchand ambulant de remèdes miracles. Près de lui, un chien étendu par terre rongeait un os ; derrière, un jeune garçon aux yeux bridés et à la tête difforme était assis en tailleur.

Charles sentit une odeur nauséabonde.

— Qu'est-ce qui pue comme ça ?

— Des herbes malaxées avec de la cervelle de bison, répondit l'homme. Je t'en ai mis là où ils t'ont cogné le plus fort.

Le Sudiste s'aperçut qu'il se trouvait dans une tente de peaux tendues sur une douzaine de perches de manière à former un cône, avec un trou au sommet pour laisser la fumée s'échapper.

— C'est not'tipi, fit le barbu. Dans la langue des Sioux dakotas, *tipi* veut dire l'endroit-où-un-homme-habite.

Il parvint à briser la branche, en jeta la moitié dans le feu.

— Tiens, prends du « singe ». Ça te fera du bien.

Charles mordit dans la viande de bison boucanée.

— Merci, dit-il. Je connais.

— Oh ! s'exclama l'homme, ravi. C'est pas la première fois que tu viens dans l'Ouest, alors ?

— Avant la guerre, j'ai servi au Texas dans le 2e de Cavalerie de Bob Lee.

Le sourire de l'inconnu révéla des dents jaunies.

— De mieux en mieux.

Charles changea de position, la masse s'abattit à nouveau sur lui.

— A ta place, je bougerais pas trop, conseilla le barbu. T'es couvert de bleus. Pendant que t'étais dans les pommes, je suis allé me renseigner. Le petit coq qui t'a rossé, il t'a accusé d'avoir fait le Grand Saut.

— Déserté ?

— Ouais. Tu ferais mieux de ne pas retourner au poste.

Charles s'assit, lutta contre l'étourdissement.

— J'ai mes affaires, là-bas.

L'inconnu tendit le bras ; Charles découvrit son sac derrière lui.

— Je l'ai rapporté. Personne m'a vu sauf la sentinelle à l'entrée. Pour un dollar, il a regardé de l'autre côté. Comment tu t'appelles ?

— Charles Main.

— Content de te connaître, fit l'homme. Moi, c'est Adolphe O. Jackson. Pied-de-Bois pour les amis.

Il releva une jambe de son pantalon en cuir, frappa du plat de la main son pied droit, qui résonna étrangement.

— Du chêne, expliqua-t-il. Le résultat d'une rencontre avec des Utes, quand j'avais quatorze ans. Mon père vivait encore, on chassait le castor dans les contreforts est des montagnes Rocheuses. Un jour que j'étais parti seul, je me suis pris le pied dans un piège tendu par un autre trappeur. Là-dessus, trois Utes s'amènent, de mauvais poil. Ou je me tirais du piège ou je me faisais tuer. J'ai pris mon couteau, je me suis libéré. Enfin, presque. Pis je me suis évanoui mais, heureusement pour moi, papa a rappliqué et il a fait détaler les Utes. Il m'a dégagé, il m'a amputé. Sans lui je me serais vidé de mon sang.

Pied-de-Bois parlait d'un ton anodin, comme s'il discutait du « singe » qu'il était en train de mâcher.

— Je vous remercie de votre aide, Mr Jackson. J'étais dans la cavalerie avant que ce petit saligaud me repère.

— Il fait encore la guerre aux Sudistes, c'est sûr.

— Je vous suis reconnaissant de m'avoir amené ici et soigné. Maintenant je vais repartir et trouver un autre...

— Reste ici, coupa Jackson. T'es pas en état de marcher. (Il se cura les dents.) Et d'ailleurs, je t'ai pas tiré d'affaire seulement parce qu'ils étaient dix contre toi. J'ai quelque chose à te proposer.

— Quoi ?

— Une affaire.

Pied-de-Bois découvrit un morceau de bison boucané dans l'enche-vêtrement de poils blancs et bruns de sa grande barbe en éventail, le fit tomber d'une chiquenaude et ajouta :

— Avec la Compagnie commerciale Jackson, dont t'as devant toi les deux associés. Moi, tu me connais déjà. Ce brave gars derrière moi, c'est mon neveu Herschel. Je l'appelle Boy, c'est plus facile. Quand son père est mort d'influenza, à Louisville, il avait personne pour s'occuper de lui.

Pied-de-Bois posa sur l'adolescent un regard chargé de tristesse et d'affection, et ce seul regard lui valut la sympathie de Charles. Jackson le faisait penser à Orry, qui avait recueilli lui aussi un membre de sa famille et lui avait donné de l'amour ainsi qu'un but dans la vie.

— Et là, poursuivit Jackson en montrant le chien, c'est Fenimore Cooper — Fen. Il a pas l'air, comme ça — les colleys, c'est jamais impressionnant — mais tu serais surpris de voir avec quelle force il tire un travois.

Pied-de-Bois termina son « singe » et reprit :

— Tous les trois, on va régulièrement chez les *Tsis-tsis-tas*.

— Qu'est-ce que c'est que ça ?

— Ça dépend à qui tu demandes. Pour certains, ça veut dire « notre peuple », ou « le peuple », ou « les gens d'ici », pour donner une traduction à peu près. Pour toi, disons qu'on fait du commerce avec les Cheyennes du Sud, et pour que tout le monde comprenne, on prononce leur nom comme ça.

Il exécuta une série de gestes rapides en tournant le poignet, en tendant ou en repliant les doigts.

— Le langage par signes, reconnut Charles. Les Comanches l'utilisaient, au Texas.

— Oui, mon gars, la langue universelle des tribus. Ce que je viens de dire, c'est : nous faisons du commerce avec les Cheyennes sur le territoire indien. On apporte des marchandises, on repart avec des chevaux. Ça rapporte, mais pas autant que si je leur filais des armes ou de l'alcool. Ça, je veux pas.

Charles avait à présent une idée générale de la proposition de Jackson.

— Ça rapporte, mais c'est dangereux, fit-il observer.

— Seulement de temps en temps. Y a deux, trois cents Peaux-Rouges dans le secteur, mais beaucoup moins d'un tiers qui sont d'humeur bagarreuse, et encore, pas toujours. Tu t'en tires sans problème s'ils comprennent que t'as pas peur.

Il défit la plume de dindon piquée dans ses cheveux, montra le grand V taillé dans les barbes.

— Ça veut dire que je suis tombé un jour sur un mauvais Indien, que je l'ai scalpé pour qu'il ait pas de vie dans l'au-delà et que je lui ai tranché la gorge.

— La plume dit tout ça ?

Jackson acquiesça d'un hochement de tête.

— Et vous l'avez fait ?

— Deux fois.

Boy posa la main sur l'épaule de son oncle avec une expression de fierté ; Fen se lécha paresseusement les pattes ; la pluie tambourinait sur le tipi.

— Vous parliez d'une proposition.

— J'ai besoin d'un associé pour surveiller mes arrières. Je lui apprendrai le pays, et tout ce qui va avec, mais faut que j'aie confiance en lui et qu'il sache faire mouche avec un fusil. Du premier coup.

— Je me débrouille. J'ai fait partie des éclaireurs du général Wade Hampton.

— La cavalerie sudiste, fit Pied-de-Bois d'un air approbateur. Une sacrée référence.

— Vous ajoutez un type à l'équipe ou vous en remplacez un ? demanda Charles.

Jackson se passa la langue sur les dents avant de répondre :

— Pas la peine de mentir si on doit travailler ensemble. J'ai perdu Dean, mon associé, pendant le dernier voyage. Il a fricoté avec une femme ; son mari et plusieurs de ses copains du Bouclier-Rouge l'ont découpé en morceaux pour faire du ragoût.

Le bison boucané fit un bond dans l'estomac de Charles.

— Qu'est-ce que c'est, le Bouclier-Rouge ?

— Une société guerrière cheyenne. Y en a plusieurs : les Boucliers, les Cordes-d'Arc, les Chiens. A peu près la moitié des braves de la tribu appartiennent à l'une ou l'autre. Quand un jeune atteint l'âge de quinze ou seize ans, il entre dans une des sociétés, et c'est sans doute l'événement le plus important de sa vie. Les sociétés font la loi dans la tribu, t'as pas intérêt à l'oublier. Même les quarante-quatre chefs du conseil tribal vont pas pisser sans que les membres des sociétés leur disent d'accord, vous pouvez y aller.

— Et je remplacerais un homme massacré par ces hommes ?

— Oui, mon gars. Je prétends pas qu'il y a pas de risques, mais il y a de bons côtés, aussi. Voir un des pays les plus beaux et les plus purs que le Bon Dieu a jamais faits — et quelques-unes des plus belles filles. Je m'entends bien avec la plupart des Cheyennes du Sud. Ils aiment bien ce vieux Pied-de-Bois.

Avec un roucoulement, Boy s'assit près de son oncle et lui tapota la barbe. Jackson caressa la main de l'adolescent, qui semblait calme et heureux.

— V'là comment ça se présenterait, continua le négociant. La première année, je te donne vingt pour cent de ce qu'on tire des chevaux qu'on ramène. Tu fais tes preuves, je t'augmente de dix pour cent chaque année jusqu'à ce qu'on soit à part égale. En attendant, j'achète toutes les marchandises et je prends tous les risques... Sauf ceux qui concernent ton scalp et ta peau, bien sûr, ajouta Jackson avec un grand sourire.

Incapable de dire quoi que ce soit pour le moment, Charles gardait le silence. Pied-de-Bois lui proposait un changement de vie radical. La présence de Boy le fit songer à son fils Gus, qu'il ne verrait pas pendant des mois s'il acceptait la proposition du marchand. Cette idée ne lui souriait pas mais il avait besoin de gagner sa vie. Et avant la guerre, quand il servait au Texas, il avait juré de retourner dans cette région pour s'y établir. Il appréciait la beauté de l'Ouest.

— Alors, mon gars ?

— Donnez-moi la nuit pour réfléchir, répondit-il. Franchement, je ne sais pas si je pourrai m'habituer à appeler quelqu'un Pied-de-Bois, ajouta-t-il en souriant.

— Ça, je m'en fiche tant que tu sais tirer.

Peu de temps après, Charles s'enveloppa d'une peau de bison près du feu mourant. Il se trémoussa jusqu'à trouver une position dans laquelle il eut moins mal et s'endormit.

Au lieu de vastes prairies et de féroces Indiens, il rêva d'Augusta Barclay. Dans les paysages gris et flous du sommeil, il posa les mains sur son corps nu et chaud. Puis d'autres femmes se glissèrent dans son rêve, la remplacèrent. Il se réveilla en érection, avec un sentiment de culpabilité et de solitude.

Charles hésitait encore à accepter l'offre de Jackson. Elle valait mieux qu'un travail ennuyeux, monotone, mais elle comportait des dangers évidents.

Il se retourna, gémit, entendit en écho un autre gémissement : c'était Fen, qui s'était réveillé lui aussi. L'animal traversa le tipi, approcha sa gueule de la tête de Charles. Allait-il mordre ?

Le chien se pencha, lécha de sa langue tiède et râpeuse le visage couturé de Charles.

Les grandes décisions tiennent parfois à de petits signes d'affection.

— Formidable ! s'exclama Pied-de-Bois quand Charles lui donna son accord, le lendemain matin.

Le négociant fouilla parmi les couvertures et les ballots, trouva deux objets souples qu'il mit dans la main de son nouvel associé.

— Qu'est-ce que c'est ?

— Des mocassins en peau de bison. Une bête tuée en hiver, quand le pelage est très épais. On le retourne, tu vois ? Ça te tiendra chaud aux pieds là où on va.

Il flottait dans le tipi une odeur de café chaud et de porc salé frit. Accroupi, un gant à la main droite, Boy tenait une poêle en fonte au-dessus du feu, l'air tout à fait absorbé par sa tâche.

— Il me faudrait un cheval, déclara Charles.

— Il m'en reste un que j'ai ramené du Territoire indien. Un cabochard, un rejeton de Satan que personne a voulu acheter. Si tu réussis à le monter, tu peux l'avoir.

— Il faut que je fasse mes preuves pour être ton associé ?

— Y a de ça, répondit le marchand en coulant à Charles un regard en biais.

— J'ai encore des douleurs partout. Monter un cheval sauvage n'arrangera rien.

— On pourrait attendre un jour ou deux, proposa Pied-de-Bois en haussant les épaules.

Charles se palpa les côtes, réfléchit.

— Non. Réglons ça tout de suite.

Un brouillard épais cachait presque tout le sol autour du tipi, que Jackson avait installé à l'est de la ville de tentes proche du camp Jefferson. Le négociant conduisit Charles au cheval, attaché à l'écart des autres animaux de selle et de bât. C'était un pie bien découplé, avec une large marque blanche sur le chanfrein.

— Je crois que c'est un tueur, dit Pied-de-Bois en tendant le bras vers la branche basse à laquelle il avait attaché l'animal. J'aurais dû l'abattre.

— Attention ! cria Charles.

Il poussa Jackson au moment où le cheval se cabrait. Les sabots avant fendirent la brume à l'endroit où le marchand se trouvait l'instant d'avant.

— Tu vois ? grommela Pied-de-Bois. Je l'ai brisé mais personne peut le monter. Déjà deux fois j'ai été sur le point de lui tirer une balle dans le crâne.

Charles se sentait tendu, mal à l'aise. Il se rappelait sa dernière chevauchée avec Joueur, en Virginie. Blessée, la bête l'avait porté en lieu sûr, laissant derrière elle une traînée sanglante dans la neige. Joueur était, lui aussi, un cheval dont personne ne voulait.

— N'essaie pas de le tuer devant moi, dit-il. J'ai perdu un animal exceptionnel pendant la guerre. Je ne peux supporter qu'on fasse du mal à un cheval.

Pourtant, l'ancien éclaireur comprenait les craintes de Jackson. Le pie avait en effet dans le regard une lueur meurtrière. Dommage, car il avait aussi des qualités. La légèreté — il estima son poids à un millier de livres, environ — une encolure bien dessinée, les sabots fins et la tête d'un cheval de selle sudiste.

— Une bête indienne, tu dis ?

— Ouais. L'armée les bousille. Elle les gave tellement d'avoine qu'ils en perdent le goût de l'herbe. Ça les affaiblit, ça les rend lents. En tout cas, ça n'arrivera pas à celui-là, il vivra pas assez longtemps pour ça.

— On va bien voir. Où sont la couverture et la selle ?

La brume roulait autour d'eux en vagues épaisses. Jackson rattacha le cheval à la branche ; Charles s'approcha de la bête.

— Tout doux, murmura-t-il en posant la couverture. Tout doux.

Le pie souleva le sabot avant droit, le laissa retomber, soupira. Charles le sella avec soin et, ne rencontrant aucun problème, lança un regard surpris à son associé. Il mit un pied à l'étrier, monta lentement en selle, autant par prudence qu'à cause de ses douleurs. Le cheval demeura calme, tourna toutefois la tête pour essayer de voir son cavalier. Au loin, dans les baraquements, un clairon sonna le rassemblement.

— Défais la corde, demanda Charles à Pied-de-Bois.

Jackson détacha l'animal, s'écarta vivement. Charles saisit la corde, l'enroula autour d'une de ses mains et tira légèrement.

Projeté en l'air, la jambe gauche tordue, le pied sorti de l'étrier, Charles pensa que Jackson serait obligé de tuer le cheval. En retombant, il heurta la croupe de la bête puis le sol, tandis que le pie hennissait et ruait. Le choc lui donna l'impression que des torches s'étaient allumées à l'intérieur de son corps. Un sabot lui entailla le front avant qu'il ne roule sur le côté et ne dégaine son colt de l'armée. A genoux, transpercé de douleur, il braqua le revolver à deux mains, attendit que le cheval attaque.

Le pie renifla, frappa le sol, s'immobilisa.

— Tire donc, Main, fit Jackson.

— Non, sauf s'il... Eh, attends. Tu vois cette bulle rouge sur sa bouche ?

Avec agacement, le marchand reconnut qu'il ne voyait rien. Charles savait que les hommes de l'âge de son associé avaient souvent des problèmes de vue. Il rengaina son arme, s'approcha précautionneusement du cheval.

— Montre-moi, fit-il d'une voix apaisante. Tiens-toi tranquille que je regarde.

Les yeux du pie avaient à nouveau leur lueur assassine mais il laissa l'homme écarter ses mâchoires, révélant le mors taché de sang. Charles eut un rire de soulagement.

— Viens voir, dit-il à Jackson. Voilà ce qui fait de lui un tueur : un abcès dentaire. Tant qu'on ne touche pas aux rênes, il est calme ; dès qu'on les tire, il devient fou.

— Je l'avais pas vu, marmonna Jackson.

— Ce n'est pas facile à voir, dit Charles, qui n'osait pas conseiller à Pied-de-Bois d'acheter une paire de lunettes. Quand le vétérinaire l'aura soigné, il n'y aura plus de problème.

— Alors, tu le gardes ?

— C'était convenu, non ? Tu peux le caresser, Boy. Viens, n'aie pas peur.

Le neveu de Jackson s'avança en trottinant, l'air ravi, toucha le flanc du cheval et sourit. Le marchand soupira, se détendit.

— Trouve-lui un nom, maintenant.

Charles réfléchit.

— Voyons, tu l'as traité de rejeton de Satan. Eh bien, je lui donnerai le nom de son père. Satan.

— Crénom ! s'écria Jackson. (Il entama une petite gigue, bondissant de son bon pied sur sa prothèse avec une agilité étonnante.) Crénom ! La Compagnie va reprendre les affaires.

9

Le lendemain, Jackson conduisit le pie chez un vétérinaire et, laissant Boy avec le cheval, partit pour la ville en compagnie de Charles. Pour éviter de rencontrer des soldats qui auraient pu reconnaître l'ancien éclaireur, ils firent un détour et arrivèrent par l'ouest, le colley courant derrière eux.

Les premiers colons, d'origine française, avaient appelé l'endroit Pain-Court et en avaient fait le centre du commerce des peaux. Depuis, l'agriculture avait pris sa revanche, et sur la route, bordée de sycomores et de tilleuls, de laiteron et de morelle grimpante, ils croisèrent des chariots remplis de pommes ou de sacs de grains. Ils dépassèrent deux paysans menant des porcs qui emplissaient l'air de leurs couinements et d'une puanteur caractéristique.

Des faîtes apparurent, surmontés d'un nuage gris.

— Respire pas trop à Saint Lou, conseilla Pied-de-Bois. On construit tellement de fonderies, de tanneries, de moulins et d'ateliers que j'arrive plus à en tenir le compte. Je crois que les Américains se foutent de crever étouffés par les fumées des fabriques tant qu'ils meurent pleins aux as.

Le temps était froid, ensoleillé. Charles se sentait bien. Ses douleurs s'étaient atténuées et son poncho lui tenait chaud. Sa première impression sur Jackson avait été la bonne : le marchand était un homme en qui on pouvait placer amitié et confiance.

Ils se dirigèrent vers le centre de la ville, passèrent devant de vieilles maisons en pierre de colons français, des baraques de rondins grossièrement équarris, des maisons aux portes « à la hollandaise »*, construites par les membres d'une importante communauté allemande. Cent cinquante mille personnes environ vivaient à Saint Louis, d'après Pied-de-Bois.

En arrivant dans la 3e Rue, ils entendirent déjà le vacarme des chariots, les dockers criant le long des trois kilomètres de quai. Un *river boat*** fit mugir sa sirène au moment où Jackson tendait à Charles une liasse de billets.

— Je vais refaire mon stock de marchandises pendant que tu t'achèteras des vêtements d'hiver et un couteau, une carabine à ta convenance et beaucoup de munitions. Lésine pas. Y a pas de magasin là où on va et t'aurais l'air malin si une dizaine de Cheyennes furieux te dégringolaient dessus et que t'aurais plus de cartouches. Ah ! prends aussi les cigares que t'aimes. Faut s'offrir des petits plaisirs de civilisés dans les Plaines. Les nuits d'hiver sont drôlement longues.

Pied-de-Bois salua son associé de la main, tourna à gauche devant un char à bœufs et disparut.

Dix minutes plus tard, Charles sortit d'un débit de tabac d'Olive Street et fourra dans la vieille sacoche de selle que Jackson lui avait donnée les trois boîtes en bois qu'il portait. Au moment où il allumait le cigare qu'il avait gardé pour le fumer tout de suite, il avisa un officier marchant à grands pas sur le trottoir d'en face. Il ne connaissait pas son nom mais se rappelait son visage pour l'avoir vu

---

* Avec panneaux inférieur et supérieur s'ouvrant séparément. (N.d.t.)
** Bateau fluvial du Mississippi. (N.d.t.)

à la caserne Jefferson. Charles se tint parfaitement immobile ; l'allumette se consuma, lui brûla les doigts.

L'officier tourna le coin de la rue sans le voir.

Charles expira longuement, jeta d'une chiquenaude l'allumette calcinée, frotta ses doigts brûlés contre la jambe de son pantalon. Il rallumait son cigare quand un chariot s'arrêta devant la façade sur Olive Street d'un immeuble de deux étages situé au coin de la rue. Au-dessus de la porte, une grande pancarte placée de manière à pouvoir être lue des deux rues portait une inscription en grosses lettres rouges : TRUMP'S SAINT LOUIS PLAYHOUSE.

Le conducteur du chariot, un homme ventru coiffé d'un chapeau noir au bord avant relevé, attacha les rênes à un poteau et frappa la croupe de son vieux cheval gris en descendant du véhicule — méchanceté inutile qui amena Charles à froncer les sourcils.

L'homme entra par une porte où il était écrit ENTRÉE DES ARTISTES, cria, ressortit et commença à décharger des planches du chariot. Il avait l'air de détester son travail et le monde entier.

Un chat noir se glissa hors du théâtre, s'approcha du cheval, qui hennit et fit un écart. Le chat fit le gros dos, cracha : le cheval se cabra, partit en avant, faillit provoquer une collision avec un omnibus vert et blanc amenant à l'hôtel des passagers descendus du bateau. L'un d'eux se pencha pour frapper le cheval, qui se cabra de nouveau.

Tandis que l'omnibus s'éloignait avec fracas, le conducteur du chariot laissa tomber les planches qu'il portait et frappa avec acharnement la croupe du cheval de son chapeau noir en grommelant :

— Saleté de bourrin !

Sous la pluie de coups, l'animal essaya de mordre son bourreau ; le conducteur prit sous son siège une longue cravache, se mit à fouetter l'encolure, le garrot, l'arrière-train de la vieille bête.

— J'vais t'apprendre à mordre, moi, saloperie !

Charles fit le tour de sa propre monture, traversa la rue, évita de justesse de se faire renverser par un cavalier.

— Frappe-le encore une fois et je te colle une balle entre les yeux.

Le conducteur se retourna, vit Charles sur le trottoir, les deux bras tendus, braquant sur lui son colt de l'armée.

— C'est mon cheval, nom de Dieu, protesta l'homme.

— C'est une pauvre bête, répliqua Charles, le cœur battant, le sang à la tête.

Une femme qui se tenait sur le seuil de la porte du théâtre s'écria :

— Mais que se passe-t-il ?

Charles commit l'erreur de tourner la tête vers elle, le cocher abattit le fouet sur l'épaule de Charles, qui vacilla. Lorsque l'homme au chapeau noir fit tomber le colt, quelque chose explosa dans la tête de l'ancien éclaireur. Il saisit la cravache levée pour le frapper, l'arracha au conducteur, la jeta puis se rua sur l'homme, le fit tomber sur le trottoir en planches et entreprit de lui marteler le visage des deux poings. Quelqu'un, dans la foule qui se rassemblait autour d'eux, le tira par les épaules.

— Arrêtez. Relevez-vous.

Charles continuait à cogner.

— Arrêtez ! Vous allez le tuer.

Deux hommes réussirent à le maîtriser. Le brouillard rouge qui enveloppait son esprit se dissipa et il vit le visage tuméfié, sanguinolent du cocher étendu sur le dos. Charles tira de sa poche arrière un foulard bleu, le lança à l'homme qui le rejeta en l'injuriant.

— Feriez mieux de décharger en vitesse et de filer, fit quelqu'un dans la foule.

Le cocher se releva péniblement, recommença à descendre les planches du chariot en lorgnant Charles d'un œil déjà cerné de violet.

— Plutôt sévère, comme correction, pour quelques coups de fouet à un cheval, fit observer un badaud.

— Il m'a agressé, rétorqua Charles, qui fixa l'importun jusqu'à ce qu'il baisse les yeux et s'éloigne en marmonnant.

— Arthur ! cria la femme dans le couloir du théâtre. Venez aider à décharger les planches, s'il vous plaît.

Charles se tourna vers elle, pas du tout préparé à ce qu'il découvrit : une femme d'une vingtaine d'années environ, jolie comme une gravure, mince mais bien faite, avec des yeux bleus et des cheveux d'un blond si pâle qu'il avait des reflets argent. Elle portait une robe de batiste jaune toute simple, maculée de poussière par endroits, et tenait dans ses bras le chat noir.

— C'est ce chat perdu qui a effrayé le cheval, expliqua Charles. Tout a commencé comme ça.

Se rappelant les bonnes manières, il ôta son vieux chapeau de paille.

— Prosperity n'est pas perdue, c'est la chatte du théâtre, répondit la jeune femme en montrant la pancarte. Je suis Mrs Parker.

— Charles Main. Croyez-moi, madame, je n'explose pas toujours comme ça mais lorsque je vois quelqu'un maltraiter un cheval...

— Il y a de l'eau dans notre foyer, si vous voulez vous laver les mains, proposa-t-elle.

Charles baissa les yeux, s'aperçut qu'il avait les mains tachées de sang.

— D'accord, merci.

Ils entrèrent, gagnèrent les coulisses. Un homme venant de la scène vivement éclairée par des lampes au calcium s'approcha d'eux, le dos courbé, un coussin attaché sur le dos, la langue pointant entre les lèvres, au coin de la bouche, les bras ballants comme un pendule. Soudain il se redressa.

— Willa, comment puis-je me concentrer sur « l'hiver de mon mécontentement » si une centaine d'énergumènes font un charivari à ma porte.

— Ce n'était pas un charivari, Sam, juste une petite dispute. Mr Main... mon associé, Mr Samuel Trump, dit Mrs Parker. (Elle montra le coussin.) Nous répétons *Richard III*.

Charles croyait savoir que c'était une pièce de Shakespeare mais ne voulut pas révéler son ignorance en demandant confirmation.

— Ai-je l'honneur, cher monsieur, de m'adresser à un confrère ? dit Trump.

— Non, monsieur, je suis marchand, répondit Charles, un peu surpris de se présenter ainsi pour la première fois.

— Commercez-vous avec les Indiens ? voulut savoir Mrs Parker.

Il acquiesça.

— Vous avez l'accent du Sud, poursuivit-elle. Auriez-vous combattu dans ce qu'on appelle maintenant le « récent désaccord »* ?

— Oui, madame. Je suis de Caroline du Sud. J'ai servi pendant quatre ans dans la cavalerie du général Wade Hampton.

— Une chance que vous vous en soyez sorti indemne, dit Trump.

Charles jugea inutile de le détromper, et Mrs Parker entreprit de raconter à son associé ce qui s'était passé dehors en termes flatteurs pour Charles.

— J'ai invité Mr Main à se nettoyer dans notre foyer, conclut-elle.

— Mais certainement, approuva Trump. Cher monsieur, si vous voulez assister à une représentation de notre nouvelle production, je vous recommande de réserver très tôt votre place. Je prévois une salle comble, peut-être même une offre pour jouer à New York...

— Sam, tu sais que ça porte malheur, intervint Willa.

— Adieu, mes amis, mon art m'appelle, déclara le comédien.

Les bras ballant de nouveau, il retourna vers la scène en déclamant :

— *La guerre au hideux visage a rendu lisse ce front ridé...*

— Par ici, dit Willa à Charles.

Elle referma la porte du foyer des artistes, pièce vaste et en désordre où un acteur ronflait sur une causeuse à laquelle il manquait un pied, le texte de son rôle couvrant son visage. Prosperity sauta sur ses cuisses, se mit à se laver ; l'homme ne bougea pas.

Willa indiqua à Charles une cuvette d'eau propre posée sur une table encombrée de pots de maquillage, de brosses, de boîtes de poudre, lui trouva une serviette.

— Merci, bredouilla-t-il, mal à l'aise.

Depuis la mort d'Augusta Barclay, il avait évité la compagnie des femmes, et lors de ses visites aux prostituées de la ville de tentes, il ne prononçait presque jamais un mot.

Il mouilla la serviette, frotta le sang qui tachait ses mains. Bras croisés, la comédienne l'examinait attentivement.

— Comment appelez-vous ce vêtement que vous avez sur le dos ? demanda-t-elle.

— Mon poncho ? Je l'ai cousu morceau par morceau quand nos uniformes commençaient à s'user et que Richmond ne pouvait nous en envoyer d'autres.

— Je ne sais pas grand-chose de la guerre, hormis ce que j'en ai lu. Je n'avais que quinze ans quand les combats ont commencé.

Comme elle est jeune, pensa Charles. Il posa la serviette à côté de la cuvette, dont l'eau avait rougi.

— Avant que vous ne posiez la question, je vais vous répondre, déclara-t-il. Je ne me suis pas battu pour l'esclavage et je me fichais totalement de la sécession. J'ai quitté l'armée des États-Unis afin de combattre pour mon État et la maison de ma famille.

— La guerre est finie, Mr Main. Inutile d'être agressif.

Il s'excusa.

— Ce furent des moments terribles, Mrs Parker. Difficiles à oublier.

* Euphémisme désignant à l'origine la guerre de Sécession puis n'importe quel conflit. (N.d.t.)

— Peut-être que quelque chose d'agréable vous y aiderait. Pour vous récompenser de votre attitude dehors, puis-je vous inviter à dîner ?

Il ouvrit la bouche toute grande, Willa éclata de rire.

— Je vous ai choqué ? Ce n'était pas dans mon intention. Voyez-vous, Mr Main, on ne respecte guère les conventions dans le monde du théâtre. Si une actrice veut passer une heure à bavarder amicalement avec un confrère, elle n'éprouve aucune honte à l'inviter. Pour quelqu'un qui n'appartient pas à ce monde, cela ne paraît peut-être pas très innocent. Pas étonnant que les prédicateurs nous accusent d'être dissolus et dangereux. Je vous assure que je ne suis ni l'une ni l'autre.

— Non, je m'en doute, puisque vous êtes mariée...

— Ah — Mrs Parker. C'est seulement un truc pour tenir à distance les hommes qui assiègent l'entrée des artistes. Je ne suis pas mariée.

Elle eut un sourire chaleureux, contagieux.

— Je renouvelle mon offre, dit-elle. Voulez-vous dîner avec moi, disons demain soir ? Ce soir, nous répétons.

Charles faillit refuser mais quelque chose en lui le poussa à répondre :

— Ce sera avec grand plaisir.

— Et pas de chicanerie sur le fait que ce soit une femme qui paie la note ?

— Pas de chicanerie, promit Charles avec un sourire.

— Alors, sept heures ? Au *New Planter House*, dans la 4e Rue ?

— Parfait. J'essaierai d'avoir l'air plus présentable.

— Vous êtes splendide, assura Willa. Le portrait même du vaillant cavalier.

Elle le choqua de nouveau par sa franchise désinvolte, par sa façon énergique de lui serrer la main.

— A demain.

— Oui, madame.

— Oh, non, je vous prie. Willa et Charles.

Il hocha la tête et déguerpit.

En passant de boutique en boutique pour acheter ce dont il avait besoin, il tentait de s'expliquer pourquoi il s'était fourré dans le pétrin avec cette invitation à dîner. Était-ce simple envie de compagnie féminine ? Était-ce la manière dont cette femme s'était comportée avec lui, renversant les rôles avec une franchise inattendue ? Il l'ignorait. Il savait en revanche que la jeune comédienne le fascinait et cela le préoccupait pour deux raisons. Il se sentait coupable envers Gus Barclay, et il redoutait la souffrance qui existait en puissance, même dans une simple amitié.

— C'est elle qui t'a invité ? s'exclama Pied-de-Bois quand Charles lui raconta la rencontre.

— Oui. Elle n'est pas... ordinaire, disons. C'est une actrice.

— Oh, je vois, maintenant. Ben, profites-en, Charlie. Paraît qu'elles valent le coup pour une petite séance au plumard.

— Non, ce n'est pas son genre, répondit Charles.

C'était une des rares choses qu'il pût affirmer avec certitude au sujet de Willa Parker.

10

Dire que la jaquette était vieille, c'était qualifier l'Atlantique de mare. Elle avait coûté quatre dollars à Charles, d'occasion. « C'est seulement un prêt, ça, avait précisé Pied-de-Bois. Je suis pour les belles histoires d'amour mais j'ai pas pour habitude de les financer. » Le fripier avait ajouté en prime une cravate défraîchie, et avec un autre dollar emprunté à son nouvel associé, Charles avait acheté de l'huile de Macassar. Ainsi endimanché, ses longs cheveux coiffés en arrière, il se sentait ridicule.

Cette opinion semblait partagée par les deux Noirs en livrée de velours vert qui accueillaient les clients à l'entrée du *New Planter House,* deuxième hôtel de Saint Louis à porter ce nom. Charles confia son cheval à un groom, s'avança entre les deux portiers. Son regard dur et son allure vaguement menaçante prévenaient tout commentaire sur sa mise.

Willa se leva d'un des fauteuils recouverts de peluche du vaste hall, eut un sourire qui le détendit un peu.

— Dites donc, fit-elle, quelle élégance pour un marchand qui commerce avec les Indiens.

— Occasion spéciale. C'est plutôt vous qui êtes élégante.

— Merci, monsieur.

Elle le prit par le bras, le guida vers le restaurant. Par quelque magie féminine à laquelle il ne comprenait goutte, Willa étincelait de charme et de jeunesse, bien qu'elle fût presque entièrement vêtue de noir : jupe à paniers, boléro en soie ajusté, petit chapeau orné d'une unique plume teinte en noir. De la dentelle blanche dépassait au cou et aux manches — juste assez pour faire un contraste saisissant.

Lorsque le maître d'hôtel hautain tenta de les installer derrière une fougère en pot, près de la porte de la cuisine, Willa déclara d'un ton plaisant :

— Non, merci. Je suis Mrs Parker, du Théâtre Trump. J'envoie beaucoup de nos spectateurs déguster votre cuisine et je ne veux pas de votre plus mauvaise table. Donnez-moi donc celle-là, au milieu, s'il vous plaît.

C'était une table pour quatre, mais vaincu par le charme de la jeune femme, le maître d'hôtel la remercia avec effusion.

La lumière douce des lampes à gaz et les bougies des tables se conjuguaient pour créer une atmosphère intime et raffinée dans la salle animée. Plusieurs messieurs interrompirent leur conversation pour jeter des regards admiratifs à Willa, séparée de Charles par quelques dizaines de centimètres de nappe rose.

— Je ne suis pas à ma place, ici... commença-t-il.

— Ne dites pas de bêtise. Vous êtes le plus bel homme en vue. Cessez donc d'aller à la pêche aux compliments.

Il protesta, s'aperçut qu'elle ne faisait que le taquiner. Un serveur apporta des menus reliés de cuir ; Charles pâlit quand il ouvrit la carte des vins.

— C'est en français, murmura-t-il. Enfin, je crois.

— Oui. Je commande pour nous deux ?

— Il vaudrait mieux. Il y a du rata ?

Elle gloussa, comme il l'avait espéré, et il commença à se sentir bien.

— J'en doute, répondit-elle. Les médaillons de veau sont toujours succulents, et nous commencerons par des *escargots**, je pense.

Charles contempla ses couverts pour cacher qu'il ignorait tout des *escargots**.

— Vous aimez le vin rouge ? poursuivit Willa. Ils ont un bordeaux du petit village de Pomerol, à un prix raisonnable.

Quand le garçon s'éloigna, Charles la complimenta :

— Vous vous y connaissez, en cuisine et en vin.

— Les acteurs passent beaucoup de temps à l'hôtel. Demandez-moi de planter un jardin ou de pêcher un poisson, j'en serai incapable.

Le sourire de la jeune femme acheva de détendre Charles mais il s'exhorta à la prudence en se rappelant Augusta et ce qu'il avait souffert en la perdant.

— Alors vous vous apprêtez à partir pour le Territoire indien, dit Willa. Il n'y aura peut-être pas de problèmes, cette année.

Il sortit à demi un cigare de sa poche, le laissa retomber.

— Non, non, allez-y, la fumée ne me dérange pas.

Il alluma le cigare avant de remarquer :

— Vous vous intéressez aux Indiens ?

Le ton se voulait facétieux, mais elle répondit avec le plus grand sérieux :

— Oh ! oui. A New York, j'appartenais à une association intitulée la Société d'amitié avec les Indiens. Nous avons fait signer des pétitions adressées au Congrès demandant au gouvernement de dénoncer le massacre de Sand Creek. Vous connaissez les faits ?

Charles acquiesça, la jeune femme poursuivit :

— La responsabilité en incombe entièrement aux Blancs. Nous volons aux Indiens des terres qui leur appartiennent puis nous les exterminons s'ils résistent ou protestent. Les relations des Blancs avec les tribus indigènes sont une suite honteuse de tromperies, d'injustices, de promesses non tenues, de traités violés et d'atrocités indicibles.

Impressionné par la passion de Willa, Charles répondit :

— Mon associé vous approuverait totalement. Il aime les Cheyennes ; la plupart, en tout cas.

— Et vous ?

— Je n'ai eu de rapports qu'avec quelques Comanches, au Texas. Tous assez en rogne pour me tirer dessus.

— Je sais qu'il est impossible d'arrêter la marche vers l'Ouest, mais elle ne doit pas se faire au prix de l'extermination des premiers habitants de ce pays. Dieu merci, certains signes annoncent un pas en direction de la paix. Le sanguinaire général Dodge voulait lâcher le long de la piste de Santa Fe un millier d'hommes ayant ordre de tuer tous les Indiens qu'ils rencontreraient, mais il en a été empêché. Et j'ai lu hier dans la *Missouri Gazette* que le colonel Jesse Leavenworth est parvenu à obtenir une trêve avec certains des Indiens dont il s'occupe avec son Agence de l'Arkansas-Nord. Vous vous rendez compte de ce que cela signifie ?

La comédienne se pencha en avant, le rouge aux joues.

* En français dans le texte. (N.d.t.)

— Cela signifie que William Bent, Kit Carson et le sénateur Doolittle, du Wisconsin, ont une vraie chance d'organiser bientôt une conférence de paix. Peut-être aurons-nous pour une fois un traité que les deux parties honoreront.

Le garçon apporta de petites fourchettes d'argent et de curieuses choses en forme de coquille disposées en demi-cercle dans chaque assiette. Devant l'air sidéré de Charles, Willa expliqua :

— Les *escargots*. *Snails*.

Il toussa, chercha à tâtons le cigare qu'il avait posé dans un plat en cristal. Plusieurs profondes bouffées l'aidèrent à se remettre de cette première rencontre avec des escargots qu'on *mangeait* au lieu de les observer dans leur traversée immobile d'un rocher ou d'une feuille.

Après que le serveur eut décanté le pomerol et que Charles eut goûté le vin riche et capiteux, la conversation devint plus facile. Il parla un peu de ce qu'il avait connu pendant la guerre, de son meilleur ami Billy Hazard, qu'il avait sorti de la prison Libby. Il évoqua Bent, l'officier animé d'une rancœur inexplicable contre la famille de Charles et celle de Billy.

— Il a disparu pendant la guerre. Mort, je suppose, et je ne peux pas dire que je le regrette.

Après le veau, garni d'appétissantes rondelles de courge jaune vif et de cosses de petits pois, Charles aborda d'autres sujets avec une émotion évidente : son amour immuable pour Mont Royal — brûlé mais reconstruit — son affection pour son cousin Orry, qui l'avait sauvé du suicide.

— Et vous ? demanda-t-il à la jeune femme. Cette ville est la vôtre ?

Elle se concentra pour porter un morceau de veau à ses lèvres avec la fourchette qu'elle tenait dans la main gauche, exercice que Charles n'avait vu pratiquer que par des gens très raffinés.

— Non, dit-elle. J'ai répondu à un appel de Sam Trump me demandant de l'aider à faire de son théâtre une affaire rentable. C'est un vieil ami de mon père. Dont le nom n'était pas Parker, à propos, mais Potts.

Elle loucha, fit une grimace qui provoqua le rire de Charles.

Ils continuèrent à bavarder et Charles oublia que ses cheveux coiffés en arrière devaient avoir l'air bizarres, qu'il se sentait engoncé dans la jaquette élimée. Le vin coulait, rendait plus intime la lumière des bougies et rehaussait la beauté de Willa. Un violoniste et un violoncelliste, moustachus solennels en habit noir et cravate blanche, se mirent à jouer de la musique viennoise.

— Qu'est-ce qui vous a incité à venir faire du commerce à Saint Louis, Charles ?

— En fait..., commença-t-il.

Pouvait-il lui faire confiance ? Il scruta ses yeux bleus. Oui.

— Je suis diplômé de West Point. Après la guerre, je suis retourné dans l'armée mais quelqu'un m'a reconnu, et je me suis fait jeter dehors à coups de botte, littéralement. Comme je devais trouver un moyen de nourrir mon fils...

Elle laissa échapper sa cuillère, qui rebondit sur le bord de sa coupe de myrtilles à la crème avant de tomber sur le sol. La voyant fâchée, Charles s'écria :

— Non, attendez. (Sans réfléchir, il lui saisit la main.) Je ne vous ai pas trompée. J'ai un fils de huit mois, sa mère est morte en Virginie, à sa naissance.

— Oh ! je suis désolée.

De nouveau détendue, Willa prit la cuillère propre que le serveur avait silencieusement posée à côté de sa coupe. Les yeux baissés sur son dessert, elle murmura :

— Nous avons tous deux un passé qui sort de l'ordinaire, dirait-on.

Charles s'interrogea sur le ton de souffrance sous-jacent aux paroles de la comédienne. Un client donna un pourboire aux musiciens pour qu'ils jouent *Lorena* ; Charles et Willa échangèrent un regard, laissèrent la musique douce et triste parler pour eux.

La nuit sentait le feu de bois, l'automne proche. Willa suggéra une promenade sur les quais et ils partirent en se donnant le bras. La poitrine tendue de soie de l'actrice oscillait légèrement contre la manche de Charles, qui en était profondément troublé.

Ils arrivèrent aux quais, vaste esplanade s'étendant entre les débarcadères et une rangée d'entrepôts et de bâtiments commerciaux. Une lune en forme de faucille dissimulait la saleté et les détritus, estompait les silhouettes des caisses et des barils empilés attendant l'embarquement. Assis sur un tonneau, l'homme de quart d'un cargo ôta de sa bouche sa pipe de maïs et leur souhaita le bonsoir, la main gauche sur son fusil.

— J'ai passé une délicieuse soirée, déclara la jeune femme, avec un soupir. Comme vous savez déjà que je suis directe, je puis me permettre de vous dire que j'aimerais beaucoup la répéter.

Maintenant, pensa Charles. C'est maintenant qu'il faut arrêter. Mais il avait trop bu du capiteux produit du village de Pomerol.

— Moi aussi, répondit-il.

— Combien de temps devrai-je attendre ?

— Jusqu'au printemps, je suppose. Quand Jackson revient avec les chevaux rassemblés pendant l'hiver.

— Très bien, dit Willa, avec un hochement de tête qui agita la plume noire de son chapeau. A partir du 1er avril, je laisserai des instructions à la caisse pour qu'on vous garde une loge en permanence. Quand je vous apercevrai dans le public, je saurai que le moment de dîner de nouveau ensemble est enfin venu.

— Entendu. Vous semblez certaine du succès de votre théâtre.

— Je m'en occupe, répondit Willa sans forfanterie. Comme tant d'autres acteurs, Sam est un homme charmant, adorable, mais il a un faible pour l'alcool. Si je parviens à l'empêcher de boire, si nous réussissons à monter trois ou quatre nouveaux spectacles, une comédie de Molière, peut-être, et un de ces mélodrames que Sam écrit sous le nom de Samuels — ils sont épouvantables, vraiment, mais le public en raffole — si nous pouvons réaliser tout cela avant votre retour, ce sera gagné. Nous pourrons alors envisager d'engager d'autres acteurs pour partir en tournée.

— Pour quelqu'un de jeune, vous êtes très déterminée.

Elle regarda le fleuve, où un grand bateau à aubes remontait vers le Missouri, une guirlande de lumières ambrées scintillant le long du pont.

— N'est-ce pas joli, Charles ?

— Si, mais les lumières des cabines me rendent mélancolique.

— Je connais ça. Lorsque j'étais enfant et que je traversais avec mon père des villes inconnues, je souhaitais toujours qu'une des lampes qu'on voyait briller dans les maisons ait été allumée pour nous accueillir... Il est tard, fit-elle soudain. Il faut rentrer. Je vérifie toujours que Sam est au lit, et à jeun. Nous répétons *la Rue de la honte* demain matin.

Ils marchèrent en silence, détendus, écoutant les bruits de la nuit : un couple qui se chamaillait, un banjo qui jouait *Old Folks at Home**, des chiens errants qui se disputaient des restes.

— C'est un air charmant, dit Willa au moment où ils approchaient du théâtre. Qu'est-ce que c'est ?

— De quoi parlez-vous ?

— De l'air que vous fredonniez.

— Je ne m'en étais pas rendu compte. C'est juste un air que j'ai composé, comme ça, pour me rappeler comment c'était chez moi.

— Voilà quelque chose que je n'ai jamais eu, un vrai foyer.

Ils s'arrêtèrent devant l'entrée des artistes, Willa pêcha une clef dans son petit sac en soie.

— Sam dort dans le bureau moi, j'ai une paillasse dans le grenier. Cela nous fait faire des économies mais j'espère m'installer dans un meilleur logement si la saison est bonne.

Elle leva la tête, attendit. Charles se pencha, lui donna un baiser fraternel, effleurant à peine le coin de ses lèvres. La main gauche de la jeune femme pressa sa nuque un bref instant puis ils se séparèrent.

— Veillez bien sur vous dans l'Ouest. Je tiens à vous revoir au printemps.

— Willa... Vous êtes directe, je vais l'être aussi. Je mène une vie solitaire, en particulier depuis que la mère de mon fils est morte. Je ne veux pas... m'attacher.

D'un ton sans émotion, elle demanda :

— Cela exclut l'amitié ?

Dérouté, il ne put que répéter :

— Je ne veux pas m'attacher.

— Pourquoi ?

— Parce qu'on en souffre, après, répondit Charles. Je ne veux pas suggérer que vous et moi... que c'est... (Il s'éclaircit la voix.) Je vous aime bien, Willa. Restons-en là.

— Cela me convient parfaitement, Charles. Bonne nuit.

Elle ouvrit la porte, disparut. Il demeura immobile, contemplant l'immeuble baigné de clair de lune, se félicitant d'avoir parlé au bon moment.

Mais s'il s'était si bien débrouillé, pourquoi éprouvait-il une sorte de ravissement, et même un désir d'une ardeur surprenante, en songeant au visage de Willa, au contact de son sein contre son bras, aux choses qu'elle avait dites, aux petites façons gracieuses qui semblaient lui venir si naturellement ?

Quelque chose s'éveillait en lui — quelque chose de dangereux.

Tu auras tout le temps de t'en débarrasser, se dit-il en se dirigeant vers l'écurie de l'hôtel.

* Les vieux de mon pays. (N.d.t.)

Journal de Madeline.

Septembre 1865. Cooper a obtenu sa grâce.

L'ai appris par Judith, venue de Charleston avec Marie Louise pour s'enquérir de notre sort. Je leur ai montré l'école, presque terminée, et les ai présentées à Prudence, qui les a enchantées. Cooper ne mettra plus les pieds à Mont Royal à cause de l'école. Il soutient avec véhémence que le seul ordre social acceptable place à jamais les gens de couleur en dessous des Blancs. Il leur accorde la liberté mais pas l'égalité. Judith en est affligée.

Connaissant notre isolement, elle nous a laissé plusieurs journaux de Charleston décrivant les travaux fort importants de la convention constitutionnelle réunie dans l'église baptiste de Columbia. L'ordonnance de sécession est abrogée, le 13ᵉ Amendement ratifié. Perry, gouverneur provisoire, a fait échec à une minorité qui tentait d'amender la notion d'abolition de l'esclavage en accordant des indemnités aux anciens propriétaires d'esclaves et en interdisant aux nègres tout travail autre que manuel. « Non, a répondu Perry. L'esclavage est mort, à jamais. »

Ainsi deux des conditions de Johnson sont réunies. La troisième, l'annulation de la dette de guerre, ne l'est pas. « On reprochera à la Caroline du Sud d'avoir une Constitution moins républicaine que tous les autres États », a encore déclaré Perry.

Des délégués ont recommandé l'élection de James Orr au poste de gouverneur. C'est un homme modéré, adversaire des têtes brûlées et autrefois président de la Chambre des représentants, à Washington. Je me rappelle que tu avais du respect pour lui. Au Sénat confédéré, il avait plaidé en faveur d'une paix négociée en prédisant une défaite militaire certaine. Personne ne l'avait écouté.

Un appel à la clémence envers Mr Davis a suscité des propos enflammés. « Il ne nous sied pas de faire le fanfaron, de nous gonfler comme des baudruches et de plastronner, de jouer aux bravaches, de menacer et de prendre de grands airs. Notre situation et l'opinion mondiale nous commandent de panser les blessures de la Caroline et de répandre le baume de la paix », a déclaré le délégué Pickens.

Certains l'ont hué. Sommes-nous à jamais prisonniers des vieilles habitudes, des passions et des erreurs du passé ?

Ai trouvé ce soir un curieux paquet au bout de notre allée. Je ne sais pas comment il est arrivé là...

La mule reconnut le Noir au dos voûté, lui renifla l'épaule. Juba traîna son corps las et perclus d'arthrite jusqu'au seuil du *Dixie Store* et, transpercé par la douleur, s'agrippa à l'encadrement de la porte. Pendant près d'une minute, les deux Blancs feignirent de ne pas remarquer sa présence, puis LaMotte lui lança :

— Tu l'as laissé où je te l'ai dit ?

Sa haute taille écrasait celle de Gettys, le boutiquier à lunettes, qui avait l'air d'un jeune garçon.

— Oui, m'sieur Desmond. Et personne il m'a vu.

— Excellente plaisanterie, ricana Gettys.

— Et ce n'est qu'un début, dit LaMotte. Attends dehors, Juba.

— M'sieur Desmond, je me demandais... vu que j'ai pas mangé depuis le matin...

— Nous serons à Charleston dans quelques heures. Tu mangeras à ce moment-là.

Le misérable vieux domestique savait qu'il valait mieux ne pas protester et sortit lentement.

— Quand je me suis arrêté ici pour attendre que mon nègre fasse la commission, je ne pensais jamais rencontrer quelqu'un comme toi, Gettys, déclara son maître.

— Il semble que nous ayons les mêmes idées, Mr LaMotte.

— Ce que tu m'as dit de Mont Royal me stupéfie. Je ne pensais pas que cette garce noire aurait autant d'audace. Il faut l'arrêter. Si tu y es résolu, coopérons.

— J'y suis résolu.

Dehors, dans l'obscurité, Juba appuya son corps douloureux contre un chêne vert en songeant tristement à ce dont certains hommes étaient capables.

Madeline tenait le mystérieux paquet à bout de bras pour rendre plus nettes les lettres tracées grossièrement à l'encre sur le vieux morceau de papier peint servant d'emballage. Elle ne pouvait se permettre d'acheter les lunettes dont elle avait besoin.

MADELINE MAIN, lut-elle. Assise dans un fauteuil à bascule de l'autre côté de la lampe, Prudence demanda :

— Qu'est-ce que ça peut bien être ?

— Regardons.

Madeline ouvrit le paquet plat, découvrit un daguerréotype jauni de vingt-cinq centimètres de long environ, collé sur un morceau de carton. Il représentait la Noire la plus laide qu'elle eût jamais vue, une femme à la mâchoire proéminente, avec les dents supérieures en saillie. Elle avait un sourire curieux, empreint de méchanceté et tout ce qu'elle portait — robe à volants, mitaines en dentelle et chapeau à plume — était blanc, tout comme l'ombrelle ouverte qu'elle tenait au-dessus de son épaule.

Madeline secoua la tête.

— C'est manifestement une allusion à mes origines, mais je ne connais pas cette femme.

Elle posa le daguerréotype sur une petite étagère, l'examina. Plus elle le regardait, plus le visage souriant devenait sinistre, et il lui apparut cette nuit-là dans ses rêves.

Le lendemain, un problème à la scierie conduisit Lincoln à la maison de Madeline. Au moment où il commençait à l'exposer, il remarqua le daguerréotype et se tut.

— Lincoln, tu connais cette femme ? demanda la veuve d'Orry.

— Non, je... Si, répondit le Noir en détournant les yeux. J'ai travaillé une fois pour elle, pendant deux semaines. Elle était si mauvaise que je me suis sauvé. Comment ça se fait que cette horreur soit arrivée ici ?

— Quelqu'un l'a laissée dans l'allée, hier soir. Tu sais pourquoi ?

A nouveau, le Noir tenta de se dérober.

— Lincoln, tu es mon ami. Tu dois me répondre. Qui est cette femme ?

— Elle porte le nom de Nell Whitebird. S'il vous plaît, Miss Madeline...

— Continue.

— L'endroit où j'ai travaillé, chez elle, c'était plein de beaux messieurs blancs qui entraient et sortaient à n'importe quelle heure.

Il n'eut pas le courage d'en dire plus. Madeline porta une main à ses lèvres, furieuse, affligée, effrayée aussi. Son persécuteur anonyme, quel qu'il fût, savait non seulement qu'elle était octavonne mais aussi que sa mère avait été prostituée.

Il n'y a plus eu de « cadeaux » ni d'incidents d'aucune sorte. Prudence me presse de brûler le portrait. Moi, j'insiste pour que nous le gardions et qu'il nous rappelle à la vigilance...

Une semaine entière de calme. Le gouverneur Orr a réuni l'Assemblée, qui s'est lancée dans un débat animé sur une nouvelle série de lois destinées à aider les affranchis ainsi qu'à améliorer les conditions économiques en général. Je ne pense guère de bien des réglementations proposées jusqu'ici, qui ne font qu'habiller de neuf le vieux système. Si ceux qui ont besoin de bras pour leurs champs l'emportent et si ces réglementations deviennent des lois, nous ne manquerons pas de provoquer la colère nordiste.

Jour de réjouissance. Prudence a accueilli ses premiers élèves : Pride, qui a douze ans, et Grant, quatorze. Ce sont les fils de notre affranchi Sim et de sa femme Lydie. Du temps où ils appartenaient à Francis LaMotte, les garçons portaient des noms traditionnels : Jason, Ulysses. L'aîné a renvoyé la balle en se baptisant du nom d'un Ulysses moins apprécié !

Fait plus encourageant encore, nous avons une élève blanche, Dorrie Otis, qui a quinze ans. Elle est venue timidement, sur l'insistance de sa mère, et a rapidement montré un vif désir de connaître le sens des curieux signes imprimés dans les livres. Son père est un pauvre fermier qui n'a jamais possédé d'esclaves mais qui soutenait le système. Comme je suis heureuse que sa femme ait remporté la bataille sur la question de l'éducation de leur fille...

Un jour de réjouissance — c'est tout ce qui nous a été accordé...

— Réveillez-vous, Madeline.

Prudence la secoua de nouveau. Madeline entendit un homme crier.

— Nemo est dehors. Il y a le feu.

— Oh ! mon Dieu.

Madeline se leva précipitamment du fauteuil à bascule en frottant les yeux. De ses doigts maladroits, elle reboutonna le haut de sa robe tachée, qu'elle avait ouvert pour moins souffrir de la chaleur humide, juste avant de s'endormir là où elle s'était assise.

Elle courut à la porte ouverte, vit à la lumière de la lampe le visage en larmes de Nemo, découvrit une lueur dans le ciel.

— C'est l'école ?

Incapable de parler, le Noir hocha la tête.

Elle se précipita dehors, courut pieds nus sur la route sablonneuse menant aux anciens quartiers des esclaves. Prudence se maintenait à sa hauteur, la transpiration collant sa chemise de nuit en coton sur son gros derrière et ses hanches larges. La lueur rougeoyant à travers les arbres éclairait leur chemin.

A leur arrivée, le dernier mur de l'école s'effondra dans une cascade de feu et d'étincelles.

— Tous mes livres sont à l'intérieur ! s'écria Prudence. Et ma Bible !

— Vous ne pouvez pas y aller, déclara Madeline en la tirant en arrière.

L'institutrice se débattit un moment avant de renoncer puis regarda l'incendie avec dans le regard une expression douloureuse et incrédule. Derrière les deux femmes, plusieurs des Noirs de Mont Royal s'étaient rassemblés : Andy, Nemo et Sim, leurs épouses, Pride et Grant, qui avaient l'air égaré.

— Quelqu'un a vu des inconnus rôder par ici ? demanda Madeline.

Personne n'en avait vu. Sim dit que la lueur du brasier l'avait réveillé : il avait le sommeil léger.

Madeline faisait les cent pas, furieuse, submergée par le sentiment qu'on avait violé sa personne, ses biens, les principes élémentaires d'honnêteté et de bon sens. Relevant une mèche de cheveux humide tombée sur son front, elle reprit :

— Randall Gettys m'avait mise en garde contre l'ouverture de l'école. Je le soupçonne d'être pour quelque chose dans l'incendie. Je ne pense pas qu'il mettrait le feu lui-même, il m'a fait l'impression d'un fieffé couard. Il doit avoir des complices.

Elle regarda les arbres proches, constata que le feu ne se propageait pas, contenu qu'il était par la zone déboisée entourant le bâtiment incendié. Les flammes diminuaient mais la chaleur demeurait intense.

— Le pire, c'est de ne pas connaître nos ennemis, poursuivit Madeline. Enfin, nous n'y pouvons rien. Quelqu'un pourrait-il aller à la maison me chercher le portrait de la femme noire ?

Lincoln s'avança.

— J'y vais.

Il partit en courant, Madeline se remit à faire les cent pas, incapable de contrôler sa nervosité. Prudence parla aux Noirs avec douceur, secoua la tête et haussa les épaules parce qu'elle ne pouvait répondre à leurs questions.

Lincoln rapporta le daguerréotype de Nell Whitebird, Madeline le prit, marcha vers les ruines rougeoyantes.

— Cet incendie est l'œuvre d'hommes méprisables, qui attendent la nuit pour cacher leurs actes. Je suis certaine que ce sont eux aussi qui m'ont envoyé ceci. (Elle tendit le bras pour montrer à tous le visage de la prostituée.) C'était une Noire de mauvaise vie. Ceux qui ont incendié l'école prétendent que le Noir, c'est le mal. Dieu les maudisse. Savez-vous pourquoi ils m'ont envoyé ce portrait ? Ma mère était une quarteronne...

Sous les regards stupéfaits des Noirs, Madeline continua :

— Qui plus est, pendant une certaine période de sa vie, elle s'est vendue à des hommes. Pourtant mon père l'adorait, et il l'a épousée. J'honore la mémoire de ma mère. Je suis fière d'avoir son sang. *Votre* sang. Ils veulent nous faire croire qu'il est souillé, inférieur au leur. Nous sommes censés nous blottir dans les coins, les bénir quand ils daignent nous jeter leurs restes, les remercier s'ils choisissent de nous fouetter. Qu'ils aillent au diable ! Voilà ce que je pense d'eux et de leurs menaces.

Elle déchira le daguerréotype, lança les morceaux dans le feu. Ils fumèrent, se tordirent, brûlèrent, disparurent.

— Au cas où vous vous poseriez des questions, reprit Madeline, oui, cet incendie me bouleverse, non, il ne change rien à mes intentions. Quand les cendres seront froides, nous les balaierons et nous construirons une nouvelle école.

Une des « lois sur les Noirs » stupidement promulguées par la nouvelle Assemblée définit comme personne de couleur un homme ou une femme ayant plus d'un huitième de sang noir. Je suis donc à l'abri. Pourtant, mon cher amour, je crois que cela ne dissuadera pas mes ennemis.

Je suis convaincue que Mr Gettys en fait partie. Le maître de danse aussi ? Je n'en sais rien et je n'en ai cure. Ils m'ont déclaré la guerre, je n'ai pas besoin d'en savoir davantage.

Je dois t'avouer, mon chéri, que j'ai terriblement peur. Je ne suis pas particulièrement courageuse mais j'ai été élevée dans l'idée qu'il faut distinguer le bien du mal, et persévérer dans la voie du premier.

Construire une école, c'est bien. Rêver d'un nouveau Mont Royal, c'est bien. Je ne me soumettrai pas. Pour venir à bout de moi, il faudra qu'ils me tuent.

————

Un Noir a le droit d'acheter et de posséder des biens.
Un Noir a le droit de réclamer justice devant les tribunaux, de poursuivre et d'être poursuivi, d'être témoin dans toute affaire n'impliquant que des Noirs.
Un Noir a le droit de se marier, et l'État reconnaîtra ce mariage et la légitimité des enfants qui en naîtront.
Un Noir n'a pas le droit d'épouser une personne d'une race différente.
Un Noir n'a le droit d'exercer aucun métier, excepté ceux de paysan ou de domestique, sans une licence spéciale coûtant de dix à cent dollars par an.
Un Noir sera fouetté par décision d'un officier de justice et ramené s'il s'enfuit de chez un maître auquel il s'est attaché en qualité de serviteur. S'il a moins de dix-huit ans, il sera fouetté avec modération.
Un Noir n'a pas le droit de s'enrôler dans une quelconque unité de la milice ni de détenir d'autres armes qu'un fusil de chasse à petit plomb.
Un Noir sera envoyé travailler dans les champs s'il est déclaré coupable de vagabondage par un officier de justice.
Un Noir sera relégué hors de l'État ou condamné aux travaux forcés pour tout crime ne réclamant pas la peine de mort.
Un Noir sera mis à mort pour incitation à la rébellion, vol avec effraction, agression sexuelle sur la personne d'une femme blanche, vol d'un cheval, d'une mule ou de coton en balles.

Quelques dispositions du *Code noir de Caroline du Sud, 1865.*

————

11

Cher Jack, écrivit Charles, *je pars pour l'Ouest avec une compagnie de commerce pour une période de six mois à un an. Mon associé me recommande de faire envoyer d'éventuels messages à Fort Riley, dans le Kansas. Je prendrai contact avec vous dès mon retour. J'espère que mon fils ira bien, qu'il se souviendra de moi et ne vous causera pas trop de tracas, à vous et Maureen. Embrassez-le bien fort de la part de son papa.*

Je suis contraint de partir parce que je me retrouve une fois de plus hors de l'armée. J'ai eu quelques ennuis au camp Jefferson...

Une bande de lumière brillait entre la terre et les épais nuages gris roulant vers l'ouest. Le calendrier indiquait que c'était encore l'été — septembre — mais la végétation rafraîchie par la pluie et l'air frisquet abusait les sens et faisait croire à l'automne.

Sortant des bois, la Compagnie commerciale Jackson chevauchait au grand complet devant une dizaine de mules lourdement chargées de marchandises. Des ballots de toiles contenaient des sacs de perles, petites et grosses, en forme de diamant ou de triangle, comme celles qui étincelaient sur le devant de la veste de Pied-de-Bois Jackson.

Le marchand avait expliqué à Charles que les femmes cheyennes voulaient des perles pour orner les vêtements qu'elles fabriquaient. C'était les Blancs qui avaient introduit les perles dans l'Ouest, et ce goût des Indiens était donc acquis, contrairement à l'utilisation plus ancienne et traditionnelle des piquants de porc-épic, abondants le long du Mississippi mais rares dans les plaines sèches, où ils se rendaient. Aussi les mules portaient-elles également une bonne quantité de piquants.

Jackson avait emporté par ailleurs des objets relativement volumineux, notamment des fers de houe, qui duraient plus longtemps que les omoplates de bison fixées à un bâton par une lanière. Durer était aussi un avantage d'un autre article dont il avait un bon stock, un petit rectangle de fer avec un côté long aiguisé à la lime. Il remplaçait un outil similaire en os utilisé pour enlever les poils des peaux de bison devant servir à confectionner des vêtements ou un tipi.

Le négociant disait qu'il y avait beaucoup d'autres choses qu'il aurait pu vendre aux Indiens mais qu'il préférait s'en tenir à quelques articles qui s'étaient révélés très demandés au fil des ans. Toutes les marchandises étaient destinées aux femmes et seraient payées par les hommes, en ayant recours à la forme de richesse la plus courante chez les Indiens : les chevaux.

Charles assimila ces détails, que Pied-de-Bois assortit d'une explication de son succès :

— Y a d'aut' négociants qui vendent exactement les mêmes articles que moi, seulement les Cheyennes s'approcheront jamais d'eux, et vice versa. Ça fait près de vingt ans que je porte ma marchandise dans les villages.

— Les agents chargés des affaires indiennes ne réglementent pas ce commerce ?

Jackson cracha un peu de tabac à chiquer, exprimant ainsi son opinion sur les fonctionnaires du Bureau des affaires indiennes, dépendant du ministre de l'Intérieur.

— Ils aimeraient bien, parce que c'est presque tous des bons à rien cupides qui voudraient le commerce rien que pour eux. Je fais attention à eux : s'ils me trouvent pas, ils peuvent pas m'arrêter. Les Cheyennes me dénonceront pas, pour la même raison que j'ai encore mes cheveux. Je suis un ami.

— Un ami qui pourrait devenir autre chose s'il se mettait en colère ? suggéra Charles en montrant la plume entaillée.

— Ben, ouais, y a de ça aussi.

Une volute de fumée de cigare montait vers le bord du chapeau à calotte plate flambant neuf de Charles. Confortablement installé sur Satan, il avait cousu à l'intérieur des jambes de son pantalon, au niveau des cuisses, des bandes de peau de bison. Bien que le pie fût de nouveau en excellente condition, Charles prenait soin de ne tirer que légèrement sur la bride et le guidait chaque fois que possible d'une pression de la main ou du genou. L'animal répondait parfaitement, il était intelligent. L'ancien cavalier sudiste ne s'était pas trompé dans son choix.

Dans son étui de selle, il portait une rutilante Spencer à levier pouvant tirer sept balles d'un magasin tubulaire logé dans la crosse. Son poncho dissimulait un coutelas d'un pied de long et une hachette pawnee décorée de plumes et de perles. Il était mieux équipé que les cavaliers de l'armée, qui devaient écouler les surplus de la guerre, quelles que soient les circonstances.

Le paysage automnal, la température fraîche et la tombée de la nuit le plongèrent dans un état mélancolique que Pied-de-Bois s'efforça de combattre par une conversation animée.

— C'est quel genre, ta petite actrice ? Une coureuse ?

— J'en doute.

— Tu penses la revoir ?

— Au printemps, peut-être.

— Charlie, t'as un drôle d'air. T'aurais pas déjà perdu une aut' bonne femme ?

— Si. En Virginie. Je n'aime pas en parler.

— Alors, on en parle pas. Quand même, c'est bien que t'aies l'actrice, pour te soulager.

— C'est juste une connaissance. Et une femme n'en remplace pas une autre. On peut parler d'autre chose ?

— Bien sûr. Tu l'auras bientôt oubliée, de toute façon. Là où on va, il y aura des tas d'aut' choses pour t'occuper l'esprit.

Le ton de Pied-de-Bois indiquait qu'il s'agissait de dangers, non de distractions.

12

L'orage grondait au-dessus de Richmond. La pluie ruisselait des gouttières de l'hospice municipal, éclaboussait les pierres tombales du Shockoe Cemetery, situé au sud de la ville. Le fracas du tonnerre tenait les malades éveillés dans les salles pour indigents en cette sinistre nuit de septembre.

Un homme couché sur le flanc étreignait ses genoux, ramenés contre sa poitrine. Occupant le dernier lit de la rangée, il contemplait le mur nu et se réfugiait dans ses pensées. Dans la salle obscure au haut plafond, d'autres malades gémissaient, faisaient grincer leur sommier. La lampe d'une infirmière-chef traversa la pièce, flottant comme une luciole. Un homme jeune à la barbe totalement blanche se redressa soudain et cria :

— La cavalerie de l'Union ! La cavalerie de Sheridan sur notre flanc gauche !

L'infirmière courut à son chevet, le calma d'une voix apaisante, puis la lampe s'éloigna de nouveau en dansant.

Au plus fort de la guerre, l'hospice avait servi d'hôpital confédéré. Vers la fin, il était devenu le siège temporaire de l'Institut militaire de Virginie, chassé des bords de la Shenandoah par la férocité des cavaliers de Sheridan. Depuis la capitulation, plusieurs ailes avaient été rouvertes provisoirement pour accueillir les anciens combattants mentalement perturbés, les épaves humaines rejetées par la guerre et abandonnées sur la grève de la paix. L'hospice abritait une cinquantaine de ces hommes, tandis que des centaines, voire des milliers d'autres s'entassaient dans les villes ravagées du Sud ou erraient sur ses routes défoncées, sans aide d'aucune sorte.

Le malade couché au bout de l'allée se retourna et se tortilla. Le poinçon familier de la douleur lui transperça le front, s'enfonça profondément en tournant. Son corps brisé, déformé le faisait souffrir depuis sa chute presque fatale dans...

Dans...

Bon Dieu, ils avaient aussi détruit son esprit. Il lui fallut plusieurs minutes pour achever mentalement sa phrase.

Dans le James.

Oui, le James. Lui et d'autres conspirateurs avaient tenté de débarrasser la Confédération de l'incapable Jefferson Davis, mais ils avaient été découverts par un officier de l'armée nommé...

Nommé...

Malgré ses efforts, il ne parvenait pas à se rappeler le nom de cet homme mais savait qu'il avait de bonnes raisons de le haïr. Après la découverte du complot, il s'était battu avec cet ennemi sans nom, qui l'avait fait tomber dans le fleuve à travers une fenêtre.

Il se souvenait en revanche parfaitement de son horrible chute. Jamais il n'avait eu aussi mal. Sa tête, ses fesses, ses jambes avaient heurté des roches en saillie avant qu'il ne tombe finalement dans le fleuve.

Il revivait souvent dans ses cauchemars ce qui s'était passé ensuite. Il coulait, se débattait pour remonter à la surface, suffoquait. A force d'agiter les bras ou simplement par hasard, il ne s'en souvenait plus, il avait réussi à se hisser sur un banc de sable, avait vomi de l'eau et perdu conscience.

Depuis, il était un autre homme, avec la douleur pour compagne de tous les instants. D'étranges lumières palpitaient fréquemment dans sa tête. Il avait pourtant regagné Richmond et survécu à la terrible conflagration qui avait rasé une grande partie de la ville la nuit où le gouvernement confédéré était tombé. Il avait vécu de rapines, en rôdant dans les rues. La dernière lui avait rapporté deux dollars et le magnifique bonnet en castor, un peu démodé, posé sur une étagère au-dessus de son lit. Il lui était arrivé de ne rien manger pendant de longues périodes — deux, parfois même trois jours. Puis il y avait eu un blanc, après lequel il s'était réveillé à l'hospice. On lui avait dit qu'il s'était écroulé dans la rue.

Pourquoi se rappelait-il certaines choses et pas d'autres ? Cela faisait partie des mutilations causées par ce...

Ce...

Le nom ne venait pas.

La pluie tombait plus dru, avec un bruit de tambour. Sa main glissa sur la couverture comme une araignée blanche aveugle, à la recherche de quelque chose dont il se souvenait, cette fois. Il tâta l'objet, le saisit, le pressa contre sa chemise grossière et souillée de malade. Un magazine déchiré, qu'on lui avait donné pendant une de ses périodes de lucidité. Le *Harper's New Monthly* de juillet.

Il se rappelait les paragraphes d'un article décrivant la grande revue des armées de Grant et de Sherman à Washington, en...

En...

En mai, c'était en mai.

Il serra les poings dans le noir. *J'aurais dû défiler. On m'en a empêché. On m'a empêché de remplir le rôle pour lequel je suis né.*

Il se voyait chevauchant un fringant étalon, courbant la tête pour répondre aux acclamations de la populace, saluant de son sabre le président Lincoln puis poursuivant son chemin tandis que la foule, fascinée, scandait comme un seul homme :

— *Bo-na-parte. Bo-na-parte.*

Il était le Bonaparte américain.

Non, il aurait dû l'être. Mais ils l'en avaient empêché, ces hommes nommés...

Nommés...

Rien à faire.

Mais il se souviendrait d'eux un jour. Un jour. Et alors, que Dieu leur vienne en aide, à eux et à toute leur tribu.

Il continua à écouter les tambours de la pluie pendant la plus grande partie de la nuit puis s'endormit. Il se réveilla vers six heures, étreignant le magazine déchiré. Bien que libéré de toute douleur, il se sentait effroyablement malheureux et ne savait pas pourquoi.

Il ne se rappelait même pas son nom.

LIVRE DEUX

COMPTE D'HIVER

Il est regrettable que le caractère des Indiens ne soit pas tel que Cooper le décrit dans ses intéressants romans.
Débarrassé du romanesque dont nous avons longtemps voulu l'entourer, transféré des pages captivantes du romancier aux lieux où nous sommes contraints de le rencontrer, dans son village natal, sur le sentier de la guerre, ou lorsqu'il attaque les fermes des colons et les lignes de transport, l'Indien déchoit de sa prétention à être le noble homme rouge. Nous le voyons tel qu'il est et... a toujours été, un sauvage, dans tous les sens du mot.
Général G.A. Custer, *Ma vie dans les Plaines*, 1872-1874.

Je suis né dans la prairie, où le vent souffle librement et où rien n'arrête la lumière du soleil. C'est là que je veux mourir, non entre quatre murs.
Chef Dix-Ours, de la tribu comanche, Medicine Lodge Creek, 1867.

L'eau montait en éventails d'argent du ruisseau qu'ils traversaient dans le matin éblouissant. La vallée riche en limon chatoyait après la pluie. Des Indiens travaillant dans leurs champs de courges, de haricots, de citrouilles mûrissantes, agitaient leur houe de fabrication artisanale pour les saluer. En aval, estompées maintenant par la brume, se dressaient les solides huttes en bois, couvertes de mottes herbeuses, devant lesquelles les marchands étaient passés sur le chemin du gué.

— Des Kansas, dit Pied-de-Bois, avec un geste en direction des Indiens cultivant leurs terres. On les appelle Kaws, aussi.

Il conduisit ses compagnons des eaux peu profondes du ruisseau à une prairie ondoyante d'herbe d'un pied de haut.

— Ils s'entendent bien avec presque tout le monde, poursuivit-il. C'était d'ailleurs sûrement comme ça pour toutes les tribus, dans le temps. Même pour les Cheyennes, quand ils vivaient dans le Minnesota ou je ne sais où. C'est plus vrai maintenant, et t'en verras bientôt la raison.

Ils se dirigeaient plein ouest lorsqu'ils découvrirent l'explication annoncée :

Des chariots d'immigrants, dont les bâches blanches se gonflaient et claquaient au vent d'automne. Une diligence de la Butterfield Overland Despatch soulevant un nuage de poussière sur la route de la Smoky Hill*. Un camp d'ouvriers du chemin de fer dont les voitures à impériale s'alignaient le long d'un épi se terminant au milieu d'un champ de chardons, de trèfle et de verges d'or fanées.

— C'est une terre tribale, ici, Charlie. Les Indiens avaient l'habitude d'aller où ça leur plaisait, comme les Arabes de l'aut' côté du monde. Aussi loin qu'on se souvienne, ils vivaient sur ce que le pays offrait en abondance. Les Kansas, par exemple, ont changé de mode de vie. Ils sont devenus sédentaires. Mais pas les Cheyennes. Alors tu peux pas leur voler leurs terres ou les mettre sur une ferme et

---

* Il s'agit d'une rivière. (N.d.t.)

t'attendre à ce qu'ils te baisent les pieds. C'est pourquoi certains d'entre eux tuent des gens. Vous avez pas fait pareil, vous aut', quand les soldats de l'Union ont envahi vot' pays ?

— Exactement, répondit Charles.

À Topeka, Jackson acheta un lot de marmites en fer.

— Les Indiennes préfèrent ça aux outres en peau brute et aux estomacs de bison cousus. Elles peuvent faire bouillir de l'eau sans en perdre la moitié sur les pierres brûlantes.

Les nouveaux articles requirent que Fen prenne sa part du fardeau et le colley tira un travois chargé des poteaux et de l'enveloppe du tipi. Il trottait des heures d'affilée, sans montrer d'autres signes d'effort qu'une langue pendante.

Un détachement de cavalerie leur apprit que la grande conférence de paix, celle dont Willa avait parlé, avait commencé sur le bord du Petit-Arkansas.

— Vous aurez peut-être un hiver calme, pour une fois, les gars, conclut le capitaine commandant le détachement.

— Pauv' idiot, marmonna Pied-de-Bois, après que les soldats se furent éloignés.

Le visage rouge, il transpirait de façon étonnante dans le vent d'automne.

— Un de plus qui comprend rien aux tribus, poursuivit-il. Il s'imagine que parce qu'un chef de paix comme le vieux Chaudron-Noir, qu'on va rencontrer, appose sa marque sur un traité, tout le monde dépose les armes et va faire la sieste. Ils sont sacrément rares, les soldats qui comprennent qu'aucun Indien parle pour tous les Indiens.

— J'ai l'impression que tu penses beaucoup de bien des Cheyennes du Sud.

— Oui, Charlie. C'est les meilleurs cavaliers du monde. Et j'ai vécu assez longtemps dans le coin pour les distinguer les uns des aut' et pas les voir comme une bande de sauvages tous pareils avec leur peau cuivrée. Si un membre de la société des Chiens viole la femme d'un fermier, tu peux êt' sûr que la cavalerie fusillera un vieux chef de paix, parce qu'elle sait pas faire la différence. Y a des bons et des mauvais Indiens, comme chez les aut' hommes. Y a quèques années, j'ai aimé une Indienne, assez pour en faire ma femme. Elle est morte en accouchant d'une petite fille, et le bébé est mort aussi une semaine après.

Pied-de-Bois toussa, se pencha en avant, mâchoires serrées, étreignant d'une main sa chemise. Charles dirigea Satan vers la gauche pour saisir le bras de son associé.

— Qu'est-ce qu'il y a ? Tu as mal ?

— C'est rien, fit le vieux marchand, retrouvant sa respiration. (Les yeux larmoyants, il déglutit.) Mon père avait une maladie de cœur, et il me l'a refilée. Te tracasse pas pour ça.

Les collines basses commencèrent à s'aplanir ; les saules, les peupliers devinrent rares. Ils chevauchaient à travers une prairie moins haute de bouteloue, sans autres habitations que les monticules de terre des chiens de prairie à queue noire. La lumière de l'automne inondait toute chose, donnant une beauté sauvage aux collines ouvertes par le vent, révélant des stries de craie blanche, jaune et orange. Charles ne pouvait pas dire qu'il était heureux mais chaque jour il pensait un peu moins à Augusta Barclay.

— Bon, Charlie, fit Pied-de-Bois lorsqu'ils passèrent la Smoky Hill à gué. C'est l'école qui commence pour toi.

— On sait jamais quand on aura besoin de faire vite, Charlie. Boy et moi, on s'est entraînés jusqu'à ce qu'on arrive à monter le tipi en dix minutes et à le défaire en cinq. Avec toi pour nous aider, ça devrait aller encore plus vite. T'as remarqué que l'ouverture ronde est toujours côté est ? Comme ça, t'es abrité des pluies et des tempêtes qui viennent de l'ouest et t'as le soleil le matin. Allez, au boulot, Charlie. En huit minutes si tu veux avoir à souper.

Le feu se reflétait sur le rouleau de fil de laiton avec lequel Pied-de-Bois entourait les tresses de ses longs cheveux. Charles mâchait du pemmican, viande de bison pilée puis durcie par l'addition de graisse et de baies.

— Si tu préfères ne pas t'embêter avec ça, je peux te couper les cheveux avec mon couteau, proposa-t-il.

— Oh ! non. Si tu coupes les cheveux d'un homme, tu le prives de vie dans l'au-delà, répondit Jackson. Si jamais un Cheyenne se fait couper les cheveux, sa femme brûle ce qu'on a coupé pour que personne puisse lui porter malheur avec.

Boy se leva d'un bond, tout excité.

— Route ! Route !

Charles suivit des yeux la direction indiquée par le doigt de l'adolescent, pointé vers le rideau d'étoiles déployé à travers le ciel.

— C'est la Voie lactée, Boy, expliqua-t-il.

— C'est la Route suspendue, Charlie. La piste qui mène les Cheyennes au monde des esprits.

Pied-de-Bois tapota le dos de son neveu pour le rassurer puis ouvrit son parflèche, sac en peau décoré de piquants de porc-épic et de dessins à la peinture. Il en tira un rouleau de peau souple et propre qu'il étala devant le feu. Il ouvrit ensuite de petits pots de peinture rouge et noire qu'il humidifia avec de la salive. A la surprise de Charles, il prit un pinceau et commença à peindre de grands traits noirs dans le coin supérieur gauche du parchemin : trois chevaux avec leurs cavaliers. Il termina son dessin fait de bâtons en y ajoutant une quatrième forme à quatre pattes, plus petite.

— Qu'est-ce que c'est ?

— Le début de notre compte d'hiver. Une sorte d'histoire en images d'une saison dans la vie d'un homme. Les chefs et les guerriers en dessinent, et je me suis dit que la Compagnie Jackson est assez importante pour y avoir droit c'te année.

Ils rencontrèrent un troupeau de bisons faisant sa migration saisonnière vers le sud. Au bord d'une rivière réduite à un filet d'eau, ils contemplèrent pendant plusieurs heures le passage du troupeau, long d'une dizaine de kilomètres et large de deux. Pied-de-Bois montra les vieux mâles conduisant les autres bêtes.

— Un des noms que les Indiens donnent au bison, c'est Oncle. Comme il leur fournit à peu près tout ce qu'ils mangent ou utilisent, ils pensent qu'il fait quasiment partie de la famille.

Sous un ciel gris et laid, veiné d'argent par les éclairs, Charles agrippait son chapeau et regardait, clignant des yeux dans la poussière soulevée par le vent, huit jeunes Indiens armés de lances et de carabines. Comme ils étaient à portée de voix, il les entendit clairement crier :

— Fils de la putain ! Fils de la putain !

Un « brave » se mit à genoux sur le dos de son cheval, montra ses fesses de sa main droite. Pied-de-Bois soupira.

— Ça, ils apprennent ce qu'on a de mieux à leur offrir.

Boy rapprocha son cheval de celui de son oncle ; Charles, la bouche sèche, appuya la Spencer contre sa jambe droite. Un éclair zébra le ciel d'est en ouest, le tonnerre roula au loin. Derrière les guerriers tournoyait un troupeau d'une cinquantaine de bêtes sauvages au moins, étalons, juments et poulains. Les Blancs s'étaient arrêtés lorsqu'ils avaient aperçu les Indiens menant les chevaux à travers des collines basses.

— C'est de l'argent sur pattes, les canassons, dit Jackson. La richesse de la tribu. Ils risqueront pas de les perdre pour nous tomber dessus. Ils attaquent rarement à moins d'être vraiment supérieurs en nombre, ou pris au piège, ou provoqués. En plus, ils sont assez près pour voir nos armes.

Il agita sa carabine au-dessus de sa tête ; les braves répondirent en brandissant le poing et en beuglant d'autres obscénités. Comme le vent fraîchissait et que la pluie se mettait à tomber, les Indiens repartirent avec leur troupeau. Il fallut une dizaine de minutes à Charles pour se calmer. Pendant la guerre, la peur ne l'avait jamais quitté, mais elle semblait cette fois plus aiguë, plus personnelle, probablement à cause de l'espace. Cet espace vide, solitaire, magnifique.

— Saute, Charlie ! cria Jackson. Saute et tire !

Les pieds hors des étriers, Charles se jeta sur la gauche. Pendant une seconde, tombant entre la selle de son cheval lancé au galop et l'herbe, il fut certain de se rompre le cou.

Il ne se le rompit point. Les jambes repliées contre le ventre, il passa la main gauche sous le cou de Satan, s'y accrocha et, protégé par le corps de la bête, essaya d'oublier la prairie qui filait sous lui.

— Tire ! brailla son professeur.

Il se souleva suffisamment pour tirer une balle par-dessus le garrot du cheval en pleine course.

— Encore ! réclama Pied-de-Bois, d'un ton approbateur.

Après cinq coups de feu, Charles lâcha prise et chuta, se souvint *in extremis* de se relâcher au moment de toucher le sol. Le choc le laissa haletant, à demi étourdi.

Fen tourna autour de lui en aboyant ; Boy sautilla, battit des mains ; Pied-de-Bois aida son associé à se relever, lui frappa le dos pour lui faire reprendre haleine.

— C'est bien, Charlie. C'est même très bien. T'as un don naturel pour l'art des Plaines.

— Tu crois que c'est important de savoir tirer abrité derrière son cheval ? demanda l'ancien éclaireur avec scepticisme.

Jackson haussa les épaules.

— Plus t'en sais, plus t'as de chances de sauver ton scalp si un Cheyenne furibard veut te le prendre. Les Indiens utilisent ce petit truc dans leurs joutes. Chaque cavalier a une lance au fer capitonné avec laquelle il essaie de faire tomber son adversaire. Quelqu'un a dû se dire un jour que c'était beaucoup moins dangereux de tirer aussi comme ça. Comment tu te sens ?

Satan s'approcha au petit trot, courba la tête, expira bruyamment. Couvert de poussière, Charles sourit.

— J'ai des bleus partout, mais à part ça, ça va.

— Bon. Je crois que tu devrais encore essayer. Après tout, t'es tombé...

Ce soir-là, Pied-de-Bois ajouta au compte d'hiver un dessin représentant Charles tirant à la carabine, suspendu au cou de son cheval. Le Sudiste fut envahi d'une bouffée de fierté quand le vieux négociant lui montra le dessin, et pour la première fois depuis des semaines, il dormit sans faire de rêves.

Ils continuaient à chevaucher vers le sud, toujours dans les rôles de l'élève et du maître.

— Ça, ça veut dire Cheyenne, fit Jackson. (De l'index droit, il traça rapidement sur le gauche plusieurs traits imaginaires.) En fait, ça signifie flèche rayée mais ça veut dire Cheyenne parce que les Cheyennes prennent des plumes de dindon rayées pour empenner leurs flèches.

Charles imita plusieurs fois le signe. Pied-de-Bois serra alors le poing, tendit l'index et le petit doigt.

— Cheval.

Puis il fit un V renversé en joignant le bout des doigts.

— Tipi.

Un poing contre chaque tempe, index tendu.

— Celui-là, tu peux le deviner, dit-il à Charles.

— Bison ?

— Bien, bien. Plus qu'un millier à apprendre, environ.

Les leçons portaient sur des sujets variés. Descendant une faible pente, Jackson fit décrire à son cheval une série de Z.

— Si t'es trop loin pour qu'un Indien voie ton visage ou puisse compter des armes, ça veut dire que t'es venu en paix.

Alors qu'ils regardaient un autre troupeau de chevaux sauvages filer vers le sud-est à l'horizon :

— Ce qu'il faut faire, ici, Charlie, c'est renverser toutes tes notions. Les règles et les valeurs des Blancs, ça a pas cours ici. Par exemple, si tu voles un cheval à Topeka, on te pend. Ici, détaler avec une vingtaine de bêtes appartenant à un autre village, c'est le plus courageux des actes. Si on avait appris à parler en termes indiens au lieu d'utiliser les nôtres, il y aurait peut-être vraiment la paix dans les Plaines.

Agenouillé près de traces sur le sol, dans le matin couleur d'acier :

— Tu lis quoi, Charlie ?

L'ancien confédéré examina la série d'empreintes presque identiques se chevauchant et s'effaçant en partie. Il regarda Fen, la poitrine haletante sous son harnais, puis la plaine déserte.

— Des travois. Un bon nombre, d'après les traces de poteau. Un village.

— C'est c' qu'on veut te faire croire. Mais regarde trois kilomètres plus bas, là où les traces commencent. Tu verras pas de merde de chien, juste du crottin de cheval. Pas de chiens, pas de village. Ces traces ont été faites par quelques guerriers, avec des poteaux alourdis par des pierres attachés à leur taille. En un clin d'œil, ils te font apparaître un village assez grand pour te flanquer la trouille. C'te bonne vieille peur est une puissante médecine. Elle peut te faire croire que tu vois ce que tu t'attends à voir, au lieu de la réalité. Regarde.

Pied-de-Bois se dressa sur ses étriers, une main tendue, l'autre retenant son chapeau dans le vent fort. Sur une hauteur s'élevant au sud-est, si loin que les silhouettes étaient minuscules, Charles découvrit quatre cavaliers.

— Le voilà, ton village, reprit le marchand. Si tu t'étais fié seulement aux traces, tu aurais fait un sacré détour pour l'éviter, hein ?

Charles se sentit stupide mais son associé lui assena une claque sur l'épaule en déclarant que ça faisait partie de son éducation.

Une heure environ avant l'aube, une envie familière l'éveilla. Trop bu de café, encore.

En faisant le moins de bruit possible, il roula hors de la peau de bison. Son haleine dessinait un panache dans la faible lueur des cendres rougeoyant au centre du tipi. Il dénoua les lanières de la porte, sortit en silence par l'ouverture ronde.

Il entendit les chevaux et les mules s'agiter autour de leur corde et se demanda pourquoi. La nuit froide, constellée, semblait paisible. Une chose était certaine : si une bête sauvage rôdait dans le coin, Fen ne donnerait pas l'alarme. C'était tout sauf un chien de garde.

Charles s'éloigna du tipi, déboutonna son pantalon puis son caleçon long. Il entendit une voix qui couvrait le bruit du jet.

Il se rajusta en toute hâte, porta machinalement la main à la hanche.

Le colt n'y était pas puisqu'il le posait près de sa tête pour dormir. Son coutelas était cependant dans son étui de ceinture.

Il retourna vers le tipi en rampant, vit des silhouettes projetées sur l'enveloppe de peau par la lueur du feu. Deux formes, assises, une troisième debout entre elles, un objet à la main.

Un revolver.

Charles passa la langue sur ses lèvres gercées, cligna des yeux pour chasser un reste de sommeil et s'approcha du tipi. L'intrus, qui devait s'être glissé à l'intérieur juste après qu'il l'eut quitté, lançait à Boy :

— Tiens-toi tranquille, crétin, sinon je fais éclater le crâne de ce vieil imbécile.

Pour appuyer ses dires, l'ombre de l'homme pressa l'ombre de l'arme contre l'ombre de la tête de Jackson.

— Tu vas me filer quelques-unes de tes marchandises, ordonna-t-il. Et tout l'argent que t'as.

— C'est un peu tôt dans la saison pour les *snowbirds**, non ? fit remarquer le marchand.

Charles le soupçonna d'être moins calme qu'il voulait le paraître.

— Je croyais que les oiseaux de ton genre bouffaient la nourriture de l'armée tout l'hiver et s'envolaient au printemps.

— Ferme-la, si tu veux pas que je descende cet abruti avec sa tête en forme de barrique.

— Non, répondit Pied-de-Bois d'une voix tranquille, je veux pas que tu fasses ça.

— Alors aboule les marchandises.

— Elles sont dans les sacs. Dehors.

L'homme enfonça le canon de son revolver dans l'épaule de Jackson.

— Allons-y.

14

Charles dégaina son coutelas, se précipita vers le tipi. Quelques longues foulées l'amenèrent près de l'ouverture ronde juste avant que Pied-de-Bois n'en sorte.

Le marchand sentit la présence de son associé, contre le tipi, mais se retint de tourner la tête. Il fut suivi par l'homme au revolver. A la lumière des étoiles, Charles aperçut un visage barbu, des manches portant des galons jaunes de caporal. Un déserteur.

— Bouge plus, vieux singe, maugréa l'homme en se redressant.

Trapu, il mesurait une tête de moins que Jackson, qui n'était déjà pas grand. Charles se demanda de quel fort il avait filé. Larned, peut-être, ou le nouveau, Fort Dodge.

S'apprêtant à frapper, Charles fit passer le poids de son corps sur une seule jambe mais le déserteur entendit ou sentit quelque chose. Il pivota, découvrit Charles, tira.

La balle écorcha la joue du Sudiste, troua l'enveloppe de peau du tipi. Charles enfonça son couteau dans la vareuse bleue du déserteur.

— Oh ! non, murmura l'homme, dressé sur la pointe des pieds. Non.

Sa main s'ouvrit, laissa tomber le revolver. Ses genoux fléchirent, et Charles supposa qu'il était mort, ou presque, quand il s'écroula, mou comme une poupée de chiffon, sur le sol baigné de clair de lune.

Charles essuya son coutelas dans l'herbe avant de demander :

— Qu'est-ce qu'on fait de lui ?

Pied-de-Bois haletait comme après une longue course.

— On le laisse... aux charognards. Mérite pas mieux.

* Vagabond qui passe l'hiver dans le Sud. Déserteur. (N.d.t.)

Fen s'approcha en gémissant, son maître le caressa pour le rassurer.

— T'as fait du beau boulot, Charlie. T'apprends vite.

Jackson souleva la tête du déserteur par le col de l'uniforme, regarda les yeux morts, que la lumière de la lune faisait briller comme des pièces de monnaie.

— Ou alors, tu savais déjà ?

Charles finit de nettoyer son couteau avec une poignée d'herbe, le remit adroitement dans sa gaine. C'était une réponse tout à fait suffisante.

Dans le tipi, Boy, recroquevillé sur lui-même, pleurait à chaudes larmes. Charles savait maintenant pourquoi l'adolescent réagissait de cette façon. Ce n'était pas seulement de la frayeur. Son pauvre cerveau débile comprenait parfois que son oncle se trouvait dans une situation périlleuse. Il voulait l'aider mais était incapable d'envoyer les ordres adéquats à ses mains, à ses pieds ou à toute autre partie de son corps. Deux fois déjà, Charles l'avait vu pleurer de rage et de frustration.

Jackson prit son neveu dans ses bras, lui tapota le dos pour le réconforter. Puis il tira sur le devant de sa propre chemise, et Charles remarqua à nouveau le teint cramoisi de son associé. Se sentant observé, Pied-de-Bois marmonna :

— C'est rien, je te l'ai dit.

L'ancien confédéré n'insista pas.

Au début du mois de novembre, la Compagnie Jackson croisa la route d'une demi-douzaine d'Arapahos allant vers le nord. Tous avaient les cheveux lourdement enduits de graisse mais l'un d'eux, plus sensible que les autres au soleil de l'été, avait une chevelure plus châtain doré que noire. Le cuir chevelu révélé par la raie était teint en rouge.

Pied-de-Bois s'adressa à eux dans un mélange de langage par signes, d'anglais rudimentaire et d'arapaho. Charles entendit plusieurs fois « Moketavato », nom cheyenne de Chaudron-Noir, le chef de paix que son associé admirait et respectait.

Il ne fallut au Sudiste aucune connaissance particulière des Indiens pour se rendre compte de l'animosité des Arapahos. Elle éclatait dans chacun de leurs mots, de leurs gestes brusques et de leurs regards farouches. Pourtant, ils continuèrent à discuter avec Pied-de-Bois pendant près d'une heure, accroupis en demi-cercle en face de lui.

— Je ne comprends pas, dit Charles après que les Arapahos se furent éloignés. Ils nous haïssent, non ?

— Bien sûr.

— Mais ils t'ont parlé.

— Ben, comme on avait rien fait pour les exciter, ils étaient obligés de nous traiter poliment. La plupart des Indiens sont comme ça. Mais pas tous, alors te laisse pas endormir.

— Tu leur as parlé de Chaudron-Noir.

Jackson acquiesça.

— Lui et le chef arapaho Petit-Corbeau ont signé le traité de paix du Petit-Arkansas il y a pas deux semaines. Ce traité trace les limites d'une nouvelle réserve, accorde un lopin de terre à chaque Cheyenne du Sud ou Arapaho disposé à y vivre, et porte sa superficie à cent soixante acres pour ceux qui ont perdu un parent ou un conjoint à Sand Creek. Le gouvernement est pas du tout content de ce qui s'est passé là-bas et il envoie Bill Bent, un type bien, dans les villages cet hiver pour veiller à ce que les soldats recommencent pas. Le seul ennui, c'est qu'il y avait seulement quatre-vingts bandes cheyennes représentées au Petit-Arkansas. Pour les deux cents autres qui rôdent dans les plaines, le traité a autant de valeur qu'un crachat dans le vent.

Charles gratta son menton orné d'une barbe naissante.

— Tu as appris où se trouve le camp de Chaudron-Noir ?

— Droit devant, au bord du Cimarron. Juste là où j'avais l'intention de le chercher. En route.

Jackson montra du doigt les ossements gisant au fond d'une fosse.

— Les Indiens poussent les bisons vers le bord, les bêtes se bousculent, se cassent les pattes, et c'est plus facile de les abattre, expliqua-t-il.

Deux jours s'étaient écoulés depuis la rencontre avec les Arapahos. De légers flocons de neige tombaient dans l'air immobile de l'après-midi, fondaient en touchant l'herbe tuée par le gel. Charles savourait la fumée chaude de son cigare et se demandait comment son fils réagirait en voyant de la neige pour la première fois...

— Chasser le bison comme ça; c'est pas tout à fait aussi glorieux qu'à la régulière, mais si l'hiver approche et qu'on a pas encore entassé suffisamment de carcasses, c'est un moyen rapide de...

Pied-de-Bois s'interrompit, tourna la tête.

— Attends.

Il se hissa hors de la fosse, s'agenouilla, les paumes contre le sol.

— Qu'est-ce qu'il y a ? demanda Charles.

— Des cavaliers qui rappliquent. Sacrément vite. Deux douzaines, au moins. J'ai l'impression qu'on a épuisé notre stock de chance avec le *snowbird*, Charlie.

Charles courut à son cheval, sortit la Spencer de la gaine de selle, mais son associé lui ordonna de la remettre en place.

— Pourquoi ?

— Parce qu'il faut d'abord voir qui c'est. Si tu veux te faire tuer à coup sûr, tire sur un Indien sans essayer d'abord de parlementer.

Les pouces glissés sous sa cartouchière, Pied-de-Bois se mit à marcher au bord de la fosse, avec une nonchalance indiquant une parfaite quiétude. Charles rengaina la carabine, rejoignit son associé ; Jackson appela son neveu près de lui au moment où des cavaliers montant à cru et formant une longue ligne courbe fondirent sur eux au galop.

Les Indiens portaient des jambières à franges. Certains avaient attaché des couvertures rouges autour de leur taille ; d'autres étaient parés de grandes coiffures en plumes d'aigle. Charles remarqua aussi, sans plaisir, trois vêtements de l'armée : deux vestes de treillis avec les parements bleu clair de l'infanterie, une vareuse d'artilleur ornée de deux médailles.

Un Indien mince à la peau sombre et lisse, âgé de vingt-cinq ans environ, portait une grande croix d'argent suspendue à son cou par une chaîne. Les manches et le devant de sa veste en peau étaient ornés de bandes mécheuses, noires pour la plupart, mais aussi jaunes ou grises.

— Des Cheyennes du Sud, murmura Pied-de-Bois. Et des membres de la Société des Chiens, en plus. Ils portent pas leurs insignes mais je reconnais celui de devant. Ça pouvait pas être pire.

— Qui est... ?

Le reste de la question sur le chef de la troupe fut couvert par le tintement des petites cloches rondes accrochées à la crinière des mustangs. Des cloches achetées à des Blancs, comme les carabines braquées sur le trio de la Compagnie Jackson. En plus de leurs armes à feu, les Indiens avaient des arcs et des flèches.

Fen tira sur le harnais de son travois en grognant ; Charles mordit son cigare ; Boy se cacha derrière son oncle.

L'Indien à la croix fendit l'air du bras et cria dans sa langue. Il avait un beau visage étroit, à l'expression grave. La peinture rouge qui décorait sa figure et ses mains avait été appliquée avec un soin particulier sur sa joue gauche. Deux larges bandes parallèles encadraient une longue cicatrice blanche courant de la pointe extérieure du sourcil à la ligne de la mâchoire, d'où elle remontait vers le coin de la bouche.

La neige tombait plus dru. Les Cheyennes lorgnaient les trois Blancs tandis que leur chef poursuivait sa harangue. De temps en temps, Charles saisissait un mot ou un signe — il commençait à assimiler les leçons de Pied-de-Bois. Mais il n'avait pas besoin de comprendre le langage par signes ou le cheyenne pour saisir que le discours du chef était hostile et véhément.

Sans jamais élever la voix, Jackson lui répondait régulièrement, ce qui n'incitait d'ailleurs pas l'Indien à s'interrompre. Lorsque Jackson prononça le nom de Chaudron-Noir, le jeune chef secoua la tête, éclata de rire, imité par ses compagnons.

Pied-de-Bois soupira, courba les épaules, tint la main droite levée pour réclamer un répit. Riant de plus belle, le chef aboya quelque chose que Charles prit pour un assentiment.

— Viens, Charlie, fit le marchand en entraînant le Sudiste le long du bord de la fosse. C'est dur à dire maintenant mais je me suis trompé. On aurait pas dû parler d'abord. C'est notre peau qu'ils veulent.

Les carabines des Indiens suivaient le mouvement des Blancs.

— Je croyais qu'ils n'attaquaient pas à moins d'être provoqués, rappela Charles.

— Y a toujours une exception. J'ai bien peur que le chef de cette bande en soit une.

Tout en surveillant l'Indien à la peau sombre du coin de l'œil, Pied-de-Bois poursuivit :

— C'est un chef de guerre, et drôlement jeune, en plus. Son nom cheyenne, c'est Homme-prêt-à-la-guerre, mais les Blancs l'appellent Balafre. Les soldats de Chivington ont tué sa mère à Sand Creek. Ils lui ont coupé les cheveux et arraché les poils. Là, fit Jackson. (Le dos tourné aux Indiens, il montra son bas-ventre.) Puis ils ont

114

accroché ce « scalp » avec d'autres au théâtre de Denver où Chivington a exhibé ses trophées. Je sais pas comment Balafre l'a appris — peut-être par des témoignages de troisième ou quatrième main. Il y a de vieux Indiens inoffensifs qui traînent autour de Denver et survivent en mendiant ou en chapardant. En tout cas, je sais de source sûre qu'il a appris la honte de sa mère, qu'il ne pardonnera pas et qu'il n'oubliera pas. A sa place, j'éprouverais la même chose, je crois bien. Mais comprendre ses raisons, ça nous avance pas à grand-chose.

— Et le traité ?

— Ça lui fait ni chaud ni froid. Je t'ai dit qu'il a été signé par les chefs de quatre-vingts bandes seulement.

— Il a beaucoup parlé. Qu'est-ce qu'il veut ?

— Nous emmener au village. Ensuite, ils décideront ce qu'ils feront de nous.

— C'est bien, non ? C'est le village de Chaudron-Noir, n'est-ce pas ?

— Oui, mais il est pas encore revenu. En son absence, Balafre parle haut et fort. Dans un certain sens, il ressemble beaucoup aux Blancs, qui savent pas reconnaître un ami d'un ennemi. Et en l'occurrence, il y tient pas.

— Alors qu'est-ce qu'on fait ? On se précipite sur nos armes ? demanda Charles.

Pied-de-Bois s'écarta pour lui permettre de voir son neveu. Les yeux écarquillés, l'adolescent étreignait sa poitrine de ses bras.

— Si on fait ça, c'est fini. Ce sera peut-être fini aussi au village, mais je préfère aller là-bas avant de claquer. Boy peut pas se défendre contre une bande pareille. Peut-être que certaines des femmes le prendront en pitié et empêcheront les hommes de le découper en morceaux...

Jackson poussa un soupir.

— C'est pas vraiment juste de te demander de jouer le coup comme ça avec moi, mais c'est ce que je fais, conclut-il.

Charles tira une dernière bouffée de son cigare avant de le jeter sur les os de bison. La fumée lui parut plus agréable encore que d'habitude, parce que c'était peut-être le dernier cigare qu'il fumait.

— Tu sais bien que je suis d'accord, répondit-il.

— Merci.

Les trois Blancs retournèrent près des Cheyennes d'un pas rapide et Jackson informa le chef de sa décision de les accompagner au village sans combattre. Les braves sourirent, Balafre poussa un jappement de chien, tira de son carquois un bâton long de trois pieds enveloppé de peau de daim teinte en rouge et décorée de piquants. Une des extrémités était ornée d'yeux peints, l'autre de plumes d'aigle. Des ergots arrachés à quelque animal et attachés au bâton firent un bruit de crécelle lorsque l'Indien le brandit en sautant de son cheval.

Il bondit en avant, agitant le bâton, et l'abattit sur la joue de Charles. Celui-ci jura, serra les poings. Pied-de-Bois le retint.

— Non, Charlie, fais pas ça. Il a seulement marqué sa victoire, un peu plus fort qu'il aurait dû.

Charles savait que les Indiens marquaient leur victoire en touchant un ennemi vaincu. Cela rehaussait leur réputation. Mais là encore, comprendre ce qu'il se passait ne rendait pas leur situation moins délicate et ne diminuait pas sa peur.

L'Indien renversa la tête en arrière, jappa, aboya ; d'autres Cheyennes l'imitèrent, ce qui incita Fen à faire de même. Voyant un des Indiens braquer sa carabine sur le chien, Jackson saisit l'animal par la peau du cou, se fit mordiller la main pour sa peine.

Charles demeurait immobile, furieux et terrifié à la fois. Boy se frottait contre lui, essayait d'enfouir sa pauvre tête difforme dans les replis du poncho. Trois Peaux-Rouges descendirent de cheval, se faufilèrent entre les mules, éventrèrent les sacs de toile. L'un d'eux mit la main sur un paquet de piquants de porc-épic, coupa la corde qui les retenait et les lança en l'air.

Un autre enfonça son couteau dans un sac d'où s'écoula une cascade de perles. Il plaça ses mains en coupe sous le flot, les remplit, courut parmi ses compagnons pour procéder à la distribution. Les dents serrées, Pied-de-Bois retenait son chien en murmurant :

— Bon Dieu de bon Dieu de bon Dieu...

Balafre s'approcha de lui, lui frappa l'épaule avec le bâton et se remit à aboyer de plus belle. La neige recouvrait les épaules et le bord du chapeau de Charles, fondait sur ses sourcils tandis qu'un étrange sentiment de fatalité s'abattait sur lui. Il avait éprouvé quelque chose de similaire à la veille des batailles, pendant la guerre, et ses prémonitions s'étaient toujours concrétisées par la mort de quelqu'un.

— Tu regrettes sûrement de m'avoir écouté, grommela Jackson.

— Qu'est-ce que tu veux dire ?

— Ben, je te répétais sans arrêt qu'il y a toujours des exceptions, mais j'ai pas profité de la leçon moi-même. Tu parles d'un professeur !

Avec plus de désinvolture qu'il n'en ressentait, Charles répondit :

— Même les professeurs peuvent se tromper.

— Ouais, mais dans not'cas, une seule erreur, c'est une de trop. Désolé, Charlie. J'espère qu'on prendra pas la Route suspendue avant la fin de la journée.

Journal de Madeline.

Novembre 1865. Pendant que je dormais, l'hiver frais de la Caroline a remplacé notre automne brumeux. Ce matin, les chênes verts se dressent au-dessus d'un épais brouillard blanc ; l'air sent la marée de la rivière salée. Parmi tant de beauté, tu me manques terriblement.

Comme je voudrais que la réalité fût aussi paisible que le paysage que je découvre aujourd'hui de ma fenêtre ! Reste très peu d'argent. Axe du chariot brisé. Jusqu'à ce qu'Andy le répare, nous ne pourrons transporter notre bois à Walterboro ou Charleston et n'aurons donc aucune rentrée d'argent. Ai écrit à Dawkins afin de demander quelques semaines de délai pour le paiement trimestriel. Pas encore reçu de réponse.

Pas non plus de nouvelles de Brett. Elle arrivera à terme avant Noël et je prie pour que son isolement, en Californie, ne soit pas trop dur.

L'école sera reconstruite dans un mois ou moins. En attendant, Prudence fait la classe sur la pelouse, devant la maison. Autre déconvenue : après l'incendie, Burl Otis, le père de Dorrie, a retiré sa fille de l'école. Il partage les idées des incendiaires ou il les craint — ou les deux. Suis allée le voir personnellement, il m'a traitée de « négresse », de « faiseuse d'histoires ».

On a vu deux fois dans le magasin de Gettys un homme aux cheveux roux qui serait le maître de danse de Charleston. On dit qu'il n'a pas d'élèves, qu'il est contraint de vivre frugalement, ce qui accroît son amertume. Mais qui, hormis quelques gredins, vit différemment de nos jours en Caroline ?

... Gettys se prend maintenant pour un journaliste. J'ai eu en main un exemplaire de son nouveau petit journal mal imprimé, qu'il appelle l'Éclair blanc. N'ai lu que quelques titres — LA CAUSE PERDUE NE L'EST PAS, MARIAGE D'UNE VEUVE BLANCHE AVEC UN BARBIER NOIR, etc. — avant de le brûler. Immonde torchon. D'autant plus immonde que Gettys prétend représenter les démocrates. S'il peut se permettre d'imprimer ces ordures, c'est que son magasin doit lui rapporter beaucoup. Un deuxième Dixie Store s'est ouvert sur la route Beaufort-Charleston et on dit qu'un troisième s'installera dans cette dernière ville. Gettys n'est pas lié à ces deux autres affaires. Ne puis imaginer qui, en Caroline du Sud, a les capitaux nécessaires pour construire et financer ces magasins...

L'exilé se rendit de Pennsylvanie à Washington, plus cynique et sûr de lui que jamais malgré ses revers de fortune du temps de guerre.

Simon Cameron qui, à la convention républicaine de 1860, avait échangé ses votes contre un poste ministériel, était un de ces ambitieux sans scrupules qui ne comprennent pas le mot défaite. Ministre de la Guerre, il avait fait scandale par son favoritisme dans l'attribution des contrats avec l'armée. Lincoln s'était débarrassé de lui en le nommant ambassadeur à la cour de Russie et la Chambre des représentants l'avait condamné pour corruption. Pourtant, il était rentré en 1863 et avait tenté de se faire élire au sénat de son État natal.

Ayant échoué, il s'était retiré en Pennsylvanie et avait entrepris de renforcer sa mainmise sur l'administration. « On ne me tiendra pas éternellement à l'écart du gouvernement », avait-il écrit à son émule et bailleur de fonds Stanley Hazard, pour annoncer sa venue à Washington.

Stanley avait invité le « Boss » au Concourse Club, auquel lui-même avait été récemment admis grâce à ses relations avec le sénateur Ben Wade et autres républicains influents. Dans le salon luxueux du premier étage, le maître et l'élève s'installèrent dans de profonds fauteuils près d'un buste en marbre de Socrate. De vieux Noirs formés à la servilité veillaient à satisfaire les désirs des membres du club. Dès que le serveur eut pris la commande de Stanley et se fut éclipsé sur la pointe des pieds, Cameron demanda de l'argent.

Stanley, qui s'y attendait, répondit en promettant de verser à nouveau vingt mille dollars. Dépourvu de talent, il en était réduit à acheter les amitiés et l'avancement.

Bien qu'il ne fût qu'onze heures et demie, il avait les yeux bouffis, l'air hagard.

— Je me sens un peu faible, expliqua-t-il.

Cameron ne fit pas de commentaires.

— Comment trouvez-vous votre travail au Bureau des affranchis ?

— Révoltant. Oliver Howard n'arrive pas à oublier qu'il est militaire : les seuls hommes du Bureau qu'ils écoutent sont d'anciens généraux. J'ai l'intention d'annoncer à Mr Stanton que je veux être relevé de mes fonctions. L'ennui, c'est que je ne sais pas où aller s'il accepte.

— Avez-vous envisagé une carrière politique ?

Stanley Hazard ouvrit la bouche toute grande.

— Je suis sérieux, continua Cameron. Vous seriez un atout précieux à la Chambre.

Cette fois, Stanley comprit : le Boss ne parlait pas de compétence. Stanley serait un atout parce qu'il versait au Parti de généreuses contributions et ne discutait jamais les ordres. Obéir lui était d'ailleurs nécessaire puisqu'il n'avait pas une seule idée originale en matière politique. Pourtant, ces limites admises, il trouvait la suggestion de Cameron fort intéressante. Et son imagination s'envolait déjà quand le Boss le ramena sur terre :

— Vous savez, mon garçon, votre carrière serait assurée si vous n'aviez un handicap.

— Vous voulez parler de George.

— Oh ! non. Votre frère est inoffensif. Les idéalistes sont toujours inoffensifs, parce qu'ils ont des scrupules. Dans une situation délicate, les scrupules enchaînent un homme et rendent ses réactions totalement prévisibles...

Le regard rusé du politicien se posa sur Stanley lorsqu'il murmura :

— Non, je faisais allusion à Isabel.

Stanley mit un moment à saisir.

— Ma femme, un han... ?

— Et de taille. Désolé, Stanley. Personne ne nie qu'elle soit intelligente, mais elle irrite les gens. Elle revendique une trop grande part dans votre réussite — attitude qui choque la plupart des hommes...

Cameron feignit de ne pas remarquer le visage empourpré de son élève.

— Elle manque de tact, poursuivit l'ancien ministre. Un politique habile cache ses inimitiés, il ne les affiche pas. Le plus grave, c'est qu'Isabel n'inspire plus aucune confiance dans cette ville. Personne ne croit à ses flatteries parce qu'elle déclare trop ouvertement ses ambitions en matière de position sociale et de pouvoir.

Après avoir jeté un rapide coup d'œil autour de lui pour détecter d'éventuelles oreilles indiscrètes, le Boss continua en baissant la voix :

— Mais si vous veniez à vous retrouver... disons, indépendant, sans qu'il y ait un scandale qui vous touche personnellement, je pourrais quasiment vous garantir la désignation comme candidat au siège de représentant de votre district. Et désignation équivaut à élection, nous y veillons.

Abasourdi et excité, Stanley répondit :

— Cela me plairait beaucoup, Simon. Je travaillerais dur. Mais je suis marié à Isabel depuis des années... Je la connais. C'est une personne très droite, d'une haute moralité. Je ne la vois pas avoir une, euh, liaison.

— Moi non plus, approuva Cameron en songeant à la laideur d'Isabel. Mais le scandale ne se réduit pas à l'adultère. J'ai entendu certaines rumeurs liant le nom d'Isabel à celui d'une fabrique de Lynn, dans le Massachusetts.

Le vieux pirate. Il savait très bien que Stanley et sa femme avaient ensemble profité de la guerre grâce à leur manufacture de chaussures pour l'armée. Le regard appuyé de Cameron laissait cependant entendre qu'il n'était pas indispensable de graver toute la vérité dans la pierre.

La perspective de rendre à Isabel le mépris et les humiliations dont elle le gratifiait journellement avait pour Stanley quelque chose d'enivrant. C'était elle qui avait exigé qu'il quitte sa maîtresse. Et le Boss lui offrait maintenant une carrière politique s'il se débarrassait d'elle !

Ne voulant pas paraître trop intéressé, il poussa un soupir.

— Désolé, Boss, je ne crois pas que ce soit possible. Mais si cela devait se produire, je vous en informerais immédiatement.

— Je le souhaite. Les hommes loyaux envers le Parti sont difficiles à trouver. Des femmes, il y en a partout. Réfléchissez-y, conclut Cameron.

Après le départ du Boss, Stanley eut peine à cacher son excitation. L'ancien ministre avait ouvert une porte qu'il brûlait d'envie de franchir, mais comment faire ?

Il refusa une invitation à dîner d'un autre membre du club afin de manger seul et de réfléchir. L'inspiration lui vint avec le dessert et il entrevit un moyen parfaitement sûr de frapper Isabel dans le dos et de provoquer sa chute.

En même temps, cette solution le tirerait d'une situation qui, bien que lucrative, l'angoissait beaucoup quand il songeait au risque d'être découvert. Il continuerait à amasser les profits une année encore, peut-être deux puis, au moment qu'il aurait choisi...

— Magnifique, murmura-t-il.

Avant même de quitter le club, il mit en branle son plan. Il était étonné de sa simplicité, ravi de l'ingéniosité dont il avait fait preuve en le trouvant. Peut-être s'était-il rabaissé trop longtemps ; peut-être n'était-il pas l'idiot que George, Billy, Virgilia et Isabel croyaient.

Il tendit un pli cacheté au vieil employé blanc de la réception.

— Veuillez le mettre dans son casier pour qu'il l'ait la prochaine fois qu'il passera.

— C'est urgent, Mr Hazard ?

— Oh, non, pas du tout, répondit Stanley en agitant sa canne d'un air désinvolte.

Pendant qu'il descendait les marches en sifflant, l'employé lut le nom écrit sur l'enveloppe. *J. Dills, Esq.* Puis il le glissa dans le casier correspondant en songeant qu'il n'avait pas vu Mr Hazard d'aussi belle humeur depuis un an ou deux.

Une lettre plutôt sèche de la Palmetto Bank. Leverett D. écrit que son conseil d'administration accordera un délai cette fois-ci mais que ce sera le dernier. Dans sa formule de politesse, il s'adresse à moi en m'appelant « Mrs Main », non en utilisant mon prénom, comme auparavant. Je suis sûre que c'est à cause de l'école. Nous sommes vraiment à la veille de l'hiver...

15

Le sergent de Fort Marcy partit à minuit.

Ashton toucha les draps froissés du lit. Encore chauds. Le dégoût puis la peine lui tordirent le visage. Elle s'assit, se tint la tête tandis que la tristesse la submergeait.

Assez, s'ordonna-t-elle. Tu es veule, stupide.

En vain. Avec chacun des clients de la soirée — un métèque dépourvu des bonnes manières de don Alfredo, un rustre conduisant des chariots à Saint Louis, le militaire — elle avait été sur le point de hurler sa frustration et sa rage. On était en novembre et elle était prête à s'enfuir, même si elle risquait de mourir de faim dans le désert ou d'être cruellement punie si le beau-frère de la señora la rattrapait.

Après avoir sangloté dix minutes, elle souffla la chandelle et parla à Tillet Main, ce qu'elle n'avait pas fait depuis qu'elle s'était rendue sur sa tombe, il y avait fort longtemps.

« Je voulais que tu sois fier de moi, papa. Parce que je suis une femme, ce fut plus difficile mais j'ai été bien près de réussir avec Lamar Powell. Bien près, ça ne suffit pas, n'est-ce pas ? Je suis désolée, papa. Sincèrement désolée... »

Des larmes encore. Et des torrents de haine. Dirigée contre elle-même, cet endroit, tout le monde.

On était mardi. Le vendredi, un homme venait et louait ses services pour toute la nuit.

Un très vieil homme. Elle avait touché le fond.

— Ferme cette damnée fenêtre, ma fille. Les vieux débris comme moi attrapent des engelures à cette période de l'année.

Il posa sur le sol une valise cabossée à cornières de cuivre jaune.

— J'espère que t'as le sang chaud. Je vais me blottir contre toi et passer une bonne nuit.

Seigneur, quel type écœurant ! pensa Ashton. Soixante ans au moins, des yeux bleus aimables, des cheveux gris trop longs dans le cou. Seule consolation, il avait l'air propre.

Le vieillard ôta sa redingote élimée, ses caoutchoucs, enleva chaussures et pantalon. Puis il ouvrit la valise, révélant une pile de feuilles imprimées ornées d'une femme boulotte assise devant un piano à queue. Il fouilla parmi les factures et le linge sale, ramena une bouteille de whisky.

— Pour mes fichus rhumatismes, expliqua-t-il.

Lorsqu'il s'assit sur le lit, ses articulations craquèrent comme des pétards.

— Je suis trop vieux pour traverser cet enfer, gémit-il.

Il avala une lampée d'alcool. Arborant son plus beau sourire professionnel, Ashton lui demanda :

— Comment tu t'appelles, chéri ?

— Willard P. Fenway. Appelle-moi Will.

— C'est mignon, gloussa-t-elle. Alors, prêt pour la bagatelle, Will ?

— Non. Je paie pour faire un brin de conversation, me réchauffer contre toi et piquer un bon roupillon.

Il regarda Ashton par-dessus la bouteille qu'il avait portée à ses lèvres.

— Pourtant, t'es drôlement chouette. Comme ta robe jaune.

— Will, tu ne veux vraiment pas... ?

— Baiser ? Non. Fais pas semblant de rougir, c'est un mot franc et net. Les gens qui condamnent le langage grossier font généralement bien pire eux-mêmes, mais ils se cachent.

Il s'étira, but à nouveau, plongea le regard dans le décolleté de la jeune femme.

— Et toi, comment tu t'appelles ?

Pour une raison qu'elle ne put s'expliquer, elle ne lui mentit pas.

— Ashton. Ashton Main.

— Sudiste, hein ?

— Oui, mais ne me demandez pas comment j'ai atterri dans un endroit pareil. J'entends ça vingt fois par semaine.

— Tu baises tant que ça ? Bon sang, c'est beau d'être jeune. Moi, ça fait tellement longtemps que j'ai presque oublié comment on fait.

Sincèrement amusée, Ashton éclata de rire. Elle trouvait le vieux bonhomme sympathique, et c'était peut-être pour cela qu'elle n'avait pas menti.

— Je me suis retrouvée veuve d'un seul coup, ici, à Santa Fe, dit-elle. Ce bouge abominable est le seul endroit où j'ai trouvé du travail.

— Et t'as pas l'intention d'y rester éternellement, je parie ?

— Non, alors, déclara Ashton. (Elle tourna les yeux vers la valise.) Vous êtes vendeur ?

— Commis-voyageur. Du genre crève-la-faim. Dans la poche de ma veste, il y a des cartes de visite gravées : Wommard P. Fenway, représentant pour les Territoires de l'Ouest des Pianos Hochstein, Chicago.

— Ah ! cela explique le dessin de la grosse dame. Les Hochstein que vous vendez sont de merveilleux instruments. J'en ai vu dans les meilleures maisons de Caroline du Sud — c'est là que j'ai grandi... Bon, si cela ne vous fait rien, je me prépare. Vous voulez que je mette une chemise de nuit ou rien du tout ?

— Rien du tout, si ça te dérange pas. Ça tient plus chaud.

Ashton entreprit de se déshabiller avec un plaisir inattendu.

— Faut que je rectifie ce que tu viens de dire, fit Fenway. Je vends pas des Hochstein, j'*essaie* d'en vendre. Mon patron m'a donné comme secteur tout ce qui se trouve à l'ouest du Mississippi, ce qui signifie que ma clientèle potentielle se compose de joueurs professionnels, de mineurs complètement fauchés, de soldats soûls, d'Indiens, de paysans, de métèques, de putains — sans vouloir t'offenser — et à l'occasion de femmes de gros fermiers un peu nigauds. Dis, tu te dépêches de venir me réchauffer ?

Elle éteignit la lampe, se glissa sous le couvre-lit et dans les bras du représentant. Tout vieux et osseux qu'il fût, il avait un corps ferme et sa peau sentait agréablement l'essence de Wintergreen.

— Vous pourriez sûrement faire une vente ici, dit Ashton. Peut-être pas un piano à queue mais une épinette. Les clients réclament toujours de la musique.

— En tout cas, ta patronne n'aura pas de Hochstein.

— Pourquoi ?

— Le vieux Hochstein est un bigot. Raide comme un balai en public, surtout en compagnie de la vieille toupie qu'il a épousée. En douce, il s'offre une fille chaque semaine, mais ses relations avec les dames de ta profession s'arrêtent là. Crois-moi, s'il m'y autorisait, je pourrais placer un Hochstein dans la moitié des maisons de l'Illinois et prendre ma retraite.

— Il y en a tant que ça ?

— Ajoute l'Indiana et l'Iowa et je vivrais comme un prince. Mais ni Hochstein, ni ses concurrents, d'ailleurs, ne veulent de la clientèle des bord... Hé, où tu vas ?

— Allumer. Il faut qu'on parle.

Une allumette craqua, une flamme éclaira la pièce. Ashton prit son peignoir bleu en soie, cadeau de la señora, qui avait récupéré la garde-robe d'une fille qu'elle avait mise à la porte.

Comme Fenway se plaignait d'avoir froid, elle remonta le couvre-lit sous son menton avec des paroles apaisantes et se rassit près de lui.

— Willard...

— Will, bon sang. J'ai horreur de Willard.

— Excusez-moi, Will. Vous venez d'avoir une merveilleuse idée sans vous en rendre compte. Vous voulez botter les fesses du vieux Mr Hochstein et gagner beaucoup d'argent par-dessus le marché ?

— Tu parles ! Vingt-deux ans que je me tue au travail pour lui. Mais...

— Vous seriez prêt à prendre des risques ?

Le commis-voyageur réfléchit.

— Oui, je crois. Ça dépend de la grandeur des risques et de ce que ça rapporte.

— Vous venez de dire que vous pourriez vivre comme un prince en vendant des pianos aux maisons de trois États. Et si vous en vendiez dans tout l'Ouest ?

Abasourdi, Fenway parvint à coasser :

— Ma fille, ce serait l'Eldorado.

— C'est bien ce que je pensais. Will, nous allons devenir associés.

— Associés ? Ça fait pas dix minutes que je suis ici et...

— Associés, répéta Ashton en hochant la tête avec énergie. Vous savez comment on fait un piano, non ?

— Bien sûr. Et ce que je connais pas, je peux le faire faire. Mais où trouver les quarante ou cinquante mille dollars nécessaires pour démarrer ? Dis-le-moi un peu.

— Nous les trouverons à Virginia City. Une fois que vous m'aurez aidée à m'échapper de ce maudit endroit.

Ashton se pencha en avant — ce qui tendit ses seins sur la soie du peignoir — et remarqua que Fenway avait parfumé son haleine en mâchant un clou de girofle, dont l'odeur se mêlait à celle du Wintergreen. Décidément, ce vieux type lui plaisait.

— Vous voyez, Will, mon mari possédait une mine à Virginia City. Elle m'appartient à présent. Tout ce que nous devons faire, c'est nous rendre là-bas.

— Oh ! oui, c'est rien. Juste un petit saut à Virginia City, ironisa Fenway. Non, je rêve ou quoi ?

— Vous ne rêvez absolument pas. A propos, avez-vous des attaches ?

— Une femme, tu veux dire ? Non. J'en ai usé deux ou trois — ou ce sont elles qui m'ont usé, va savoir. Bon, maintenant, soyons sérieux. Votre mari possédait vraiment une mine, Miss Ahston ? Au Nevada ?

— La Mine mexicaine.

— Oh, mais je la connais. C'est une mine importante.

— Je ne vous mentirai pas, Will. Je n'ai pas de papier prouvant qu'elle m'appartient, et j'ai laissé à Richmond la licence de mariage qui fait de moi Mrs Lamar Powell.

— A Frisco, je connais quelqu'un qui pourrait arranger l'affaire, côté papiers, déclara Fenway, qui commençait à voir des possibilités dans les propos de la jeune femme. Mais ça suffira peut-être pas...

Elle lui prit la main, la posa sur sa poitrine.

— Oh, j'ai des moyens de convaincre les récalcitrants.

— Continuez, Miss Ashton, continuez, fit le représentant, cramoisi.

— Le plus difficile, ce sera de sortir d'ici et de Santa Fe. La señora est mauvaise. Et Luis, son beau-frère, est encore pire. Vous avez un cheval ?

— Non, je voyage par la diligence.

— Vous pourriez peut-être acheter deux chevaux à Fort Marcy.

— Oui, je crois avoir assez pour ça.

— Et vous avez une arme ?

Le visage du vieillard retrouva sa pâleur.

— Parce qu'il faudra tirer ?

— Je ne sais pas. C'est possible. Il nous faut du sang-froid, des chevaux, et un pistolet chargé, à tout hasard.

Un bras aux veines saillantes se tendit vers la valise de commis-voyageur.

— Regarde sous les imprimés, tu trouveras un *pepperbox** Allen. Mais il est vieux, et de toute façon, c'est juste pour la frime, vu que j'ai pas de munitions.

— Alors il faudra en acheter.

Tandis que Fenway considérait la suggestion, un bruit de dispute éclata en bas. Un craquement laissa penser qu'une personne avait brisé un meuble sur la tête d'une autre. La bouche d'Ashton se tordit quand elle entendit Luis Brailler :

— *Vete, hijo de la chingada ¿ Gonsalvo, y dónde está el cuchillo ? Te voy a cortar los huevos.*

---

* Sorte d'ancêtre du revolver à six coups. (N.d.t.)

Un cri et des pas précipités signalèrent la fuite de la victime potentielle.

— C'était le beau-frère ? demanda Fenway, les yeux exorbités.

— Ne vous en faites pas. Nous en viendrons à bout — avec un pistolet chargé.

— Mais je suis un homme pacifique. Je ne sais pas me servir d'une arme.

— Moi, je sais, déclara Ashton avec un doux sourire. (Elle caressa la joue du vieil homme, hérissée de poils blancs.) A vous de choisir, mon cher. Vous préférez continuer à traîner dans l'Ouest, tranquille et pauvre, ou courir quelques risques et vivre riche jusqu'à la fin de vos jours ?

Fenway se mordilla la lèvre inférieure. Dans la *cantina*, Luis commentait d'une voix bourrue son récent triomphe sur le client qui s'était enfui. Le représentant regarda longuement Ashton, se dit que c'était vraiment une beauté. Il ne se faisait cependant aucune illusion sur son compte : elle lui avait quasiment déclaré qu'elle savait faire marcher les hommes à sa guise. Mais il était déjà entiché de cette louve au sourire enjôleur.

Elle déposa sur sa bouche un chaste baiser puis agaça sa lèvre inférieure de la pointe de la langue en lui chatouillant l'oreille d'un doigt.

— Alors, Will, dites-moi. La pauvreté ou les pianos ?

Le décolleté d'Ashton, la perspective de devenir riche — ou de mourir — firent battre plus vite le cœur du représentant.

— Allez, tant pis, essayons les pianos, décida-t-il. On est associés.

Deux jours plus tard, alors qu'une tempête d'hiver précoce noyait Santa Fe sous la pluie, Will Fenway revint avec sa valise à cornières, comme il l'avait fait la veille afin de dresser un plan avec Ashton. Les yeux écarquillés, il referma la porte de la chambre, s'appuya contre le panneau. Ashton lui prit la valise des mains, l'ouvrit sur le lit.

— Tu as payé pour toute la nuit ?

— Non. J'avais pas de quoi...

— Will, geignit-elle, irritée et nerveuse.

— Écoute, je commence à croire que c'est une idée insensée. J'ai dépensé jusqu'à mon dernier sou pour acheter des munitions, deux mauvais chevaux, et maintenant la señora et son beau-frère patibulaire jouent aux cartes dans une *cantina* vide de clients, à cause de la pluie. Ils nous entendront...

— Nous attendrons un peu.

Ashton prit le *pepperbox* Allen dans la valise, qui ne contenait rien d'autre, vérifia que les canons tournants étaient chargés, puis y mit ses quelques affaires. Elle n'avait pas de manteau de pluie, elle serait trempée.

— De combien de temps disposons-nous ? demanda-t-elle en plaçant sa boîte japonaise sur une robe.

— Une heure, c'est tout ce que j'ai pu payer.

— Bon, on se débrouillera. Nous descendrons par l'escalier de derrière, nous sortirons par la remise. Tu as... ?

— Oui, j'ai tout fait, répondit Fenway avec une sécheresse due à la peur. Les chevaux sont dans la petite cabane, derrière. Mais...

— Mais rien. Assieds-toi, Will. Nous attendrons qu'il y ait un peu plus de bruit. Luis se met à beugler quand il boit. Ça ira, fais-moi confiance.

De la poche de sa vieille redingote, le commis-voyageur sortit une montre en argent, l'ouvrit, la posa sur le lit. Neuf heures dix.

Les minutes s'écoulèrent sans qu'ils entendent d'autre bruit qu'un tintement de verre quand Luis se servait à boire. Puis la chance parut leur sourire quand il se mit à chanter faux et à tue-tête.

— *No me fastidies*, protesta la señora.

Mais le beau-frère continua à se donner la sérénade. Neuf minutes avant dix heures — l'heure à laquelle la maquerelle monterait pour dire à Fenway de partir — la pluie redoubla et le tonnerre se mit à gronder.

— C'est maintenant qu'il faut y aller, Will, décida Ashton.

Elle attacha sous son menton sa mantille en dentelle, qui ne la protégerait guère mais valait mieux que rien. La valise dans une main, le revolver dans l'autre, elle ouvrit la porte, inspecta le couloir humide et sombre, éclairé par un unique bout de chandelle planté sur un bougeoir en fer-blanc.

Le couloir donnait directement sur l'escalier de derrière, qui était désert. La respiration sifflante, Ashton avança, fit signe à Fenway de la suivre et lui murmura à l'oreille :

— Attention, le plancher grince par endroits.

Sur la pointe des pieds, ils passèrent devant une première porte fermée, derrière laquelle une fille ronflait, puis devant la porte d'une chambre silencieuse — celle de Rosa.

Ashton prit le risque d'accélérer l'allure, parvint à l'escalier, commença à descendre. Toujours pas de bruit. Derrière elle, Fenway posa le pied sur la première marche, qui gémit comme un chat à qui on tord la queue.

Rosa sortit de sa chambre, un pot de chambre à la main, tourna machinalement la tête en direction du bruit et les découvrit. Le cri qu'elle poussa s'entendit probablement jusqu'à Fort Marcy :

— ¡ Señora ! Señora ! La puta Brett, se huye !

— Vite ! fit Ashton en tirant Fenway par le revers de sa redingote.

Elle descendit les marches deux par deux, au risque de se rompre le cou, courut vers la remise. Rosa continua à hurler et au moment où les fugitifs commençaient à se frayer un chemin parmi les vieilles caisses, la voix de la señora s'éleva pour inciter Luis à agir.

La porte de la *cantina* s'ouvrit ; un rectangle de lumière se découpa sur le sol, révéla les deux silhouettes se ruant vers la porte de derrière.

Luis fonça vers eux, Ashton tira. A travers la fumée du *pepperbox*, elle vit le beau-frère tomber sur le côté puis la señora, dans la *cantina*, essuyer sa joue ensanglantée, sa joue entaillée par un éclat de bois : la balle avait touché l'encadrement de la porte. Luis s'était seulement jeté par terre pour se mettre à l'abri.

— Viens, Will ! cria Ashton.

Elle ouvrit la porte de derrière, se précipita dans la boue. Fenway, pantelant, courait dans son sillage. Il la rattrapa, la poussa vers la gauche, faillit la faire tomber, la retint par le coude.

— La petite cabane, là-bas, haleta-t-il. Nous y sommes presque.

Elle sentit et entendit les animaux effrayés. Luis apparut à la porte de derrière, déversa un torrent d'obscénités, se rua à la poursuite du couple, glissa dans la boue et s'effondra. A la façon dont il se mit à vagir, Ashton devina qu'il s'était brisé ou tordu quelque chose.

Couché sur le flanc, il se traîna vers les fuyards en s'aidant du coude gauche. De la *cantina*, la señora lui ordonna :

— *Levántate, Luis. Levántate y síguelos.*

— *No puedo, puta, me pasa algo à la pierna.*

— A cheval, pour l'amour de Dieu ! s'écria Fenway.

Il était déjà en selle, sa valise dans la main droite. Ashton s'attardait à contempler la scène qui se déroulait derrière la *cantina* : la señora demandant à son beau-frère de se lever, Luis se roulant sur le sol et répondant qu'il ne le pouvait pas. En quelques secondes, une cavalcade d'affronts, grands et petits, d'insultes et de mauvais traitements repassa dans l'esprit de la jeune femme. La señora et Luis étaient également coupables envers elle mais Luis était le plus proche. Elle fit deux pas vers lui, braqua le *pepperbox* dans sa direction, bras tendu, et lui tira une balle dans la tête.

Ils traversèrent au galop la *plaza* centrale déserte et luisante de pluie. Ashton chevauchait en tête, la jupe relevée entre les cuisses, la tête baissée.

Derrière elle, Fenway lui cria :

— Pourquoi t'as tiré sur cet homme ? C'était inutile.

— Je le haïssais ! cria-t-elle par-dessus son épaule.

Un éclair révéla l'effroi qui se lisait sur le visage ruisselant de pluie du vieillard. Il savait que la petite garce de Caroline avait un cœur de pierre mais il ne l'aurait jamais crue capable d'assassiner un homme sans défense. A quelle sorte de créature s'était-il associé ? Le cœur chaviré par la peur et les mouvements du cheval, il se sentait pris au piège.

Habituée à monter depuis l'enfance, Ashton se tenait bien en selle et filait comme si rien, devant elle, ne pouvait l'arrêter.

— Nous y arriverons ! lui lança-t-elle. Nous sèmerons ces métèques. En avant !

Fenway songeait que celle qu'il ne parviendrait jamais à semer, c'était elle. Il était trop tard, elle l'avait pris dans ses filets.

Et elle avait commis un meurtre.

Avec son aide.

Le marshal adjoint pour le territoire et le commandant de Fort Marcy interrogèrent ensemble la senora Vasquez-Reilly, qui leur déclara :

— Bien sûr que je peux vous dire qui a tué mon brave et gentil beau-frère. Je peux vous donner le signalement de cette fille, mais je me suis toujours demandé si elle m'avait donné son vrai nom.

16

A Richmond, un jeune médecin faisait le tour des salles de l'hospice, guidé par la surveillante en chef, Mrs Pember. C'était un nouveau, un volontaire, comme les autres docteurs s'occupant de ces pitoyables débris humains.

De temps en temps, un malade posait sur lui son regard vide mais la plupart ne lui prêtaient aucune attention. Un homme accroupi près de son lit explorait du bout des doigts un mur invisible ; un autre entretenait une conversation animée et silencieuse avec des interlocuteurs imaginaires ; un troisième, assis les bras croisés et comme attachés par une camisole de force, pleurait sans bruit.

Le médecin dictait des notes à l'infirmière en passant de lit en lit. Parvenu au bout de l'allée, il vit un homme assis sur une caisse, devant une fenêtre ouverte. Dehors, la fumée s'élevait encore des quartiers de la ville détruits par l'incendie et voilait un pâle soleil d'automne.

L'homme avait le regard tourné vers le cimetière juif de la ville, séparé de Shockoe Cemetery.

— On l'a trouvé inconscient devant le Parlement, murmura Mrs Pember. Il y a quelques semaines.

La peau de l'homme faisait des plis, ce qui indiquait qu'il avait autrefois souffert d'obésité et que les privations avaient fait fondre sa graisse, ne laissant qu'un ventre encore imposant. Il avait l'épaule gauche plus basse que la droite. Pieds nus, il portait une chemise de nuit en toile grossière de l'hospice sous un vieux peignoir en velours, et sur la tête, un haut-de-forme cabossé.

— Il prétend qu'il souffre constamment, ajouta la surveillante.

— Il en a l'air. On sait quelque chose à son sujet ?

— Uniquement ce qu'il veut bien nous raconter. Parfois il dit qu'il est tombé dans le James du haut d'une falaise ; parfois il prétend qu'il est tombé de cheval à Five Forks, après que les Yankees eurent enfoncé les lignes du général Eppa Hunton. Il aurait fait partie des renforts que le général Longstreet aurait envoyés de Richmond, trop tard pour sauver...

— Je sais comment Richmond est tombée, coupa le docteur avec humeur. A-t-il des papiers ?

— Combien de gens ont des papiers depuis que le gouvernement a tout brûlé avant de s'enfuir ?

Le médecin haussa les épaules, s'approcha du malade.

— Alors, monsieur, comment allons-nous, aujourd'hui ?

— Capitaine. Je suis capitaine.

— Capitaine comment ?

Après un long silence, l'homme répondit :

— Je ne me souviens plus.

Mrs Pember s'avança.

— La semaine dernière, il disait s'appeler Erasmus Bellingham, mais avant-hier, c'était Ezra Dayton.

Le malade posa sur elle d'étranges yeux marron où brillait une lueur mauvaise.

— Dites-moi comment vous vous sentez ce matin, capitaine, insista le docteur.

— Il me tarde de sortir d'ici.

— Cela viendra. Soyez au moins assez aimable envers Mrs Pember pour ôter ce vieux chapeau quand vous êtes à l'intérieur.

Le médecin tendit la main vers le haut-de-forme, la surveillante poussa un cri quand le malade se leva d'un bond et jeta la caisse sur le docteur. Celui-ci l'évita, appela à l'aide deux infirmiers qui maîtrisèrent l'homme et l'attachèrent sur son lit. Encore secoué, le médecin l'observa de l'allée et marmonna :

— Il est complètement fou.

— C'est probablement le cas le plus grave que nous ayons.

— Et d'une violence ! Il ne se remettra jamais.

— Cela fait pitié de voir ce que la guerre a fait de ces hommes, soupira la surveillante.

Irrité par l'agression qu'il venait de subir, le docteur répliqua :

— Nos salles sont trop bondées pour que la pitié y ait une place, Mrs Pember. Lorsqu'il sera calmé, donnez-lui de force du laudanum, et un puissant purgatif. Demain, vous le mettrez à la porte et vous le remplacerez par quelqu'un pour qui nous pouvons quelque chose.

L'incendie allumé pendant la fuite des plus hauts responsables du gouvernement confédéré, dans la nuit du 3 avril, s'était propagé de Capitol Square au fleuve, détruisant le quartier commercial de la ville — banques, magasins, entrepôts, imprimeries — un millier de bâtiments d'une vingtaine de pâtés de maisons. Même la vaste minoterie Gallego avait disparu, ainsi que les ponts à chevalets enjambant le James.

Peu de ceux qui traversèrent la zone ravagée par le feu dans les mois qui suivirent oublièrent ce qu'ils purent voir. C'était comme marcher à la surface d'une planète lointaine, un monde à la fois inconnu et familier, avec des tas de briques et de gravats en guise de collines, des poutres noircies faisant penser aux os calcinés de quelque bête étrange et gigantesque, des pans d'immeubles se dressant comme les pierres tombales d'une race étrangère.

Deux jours après l'incident de la caisse, le malade errait dans les ruines de l'entreprise Gallego, entre le bief du moulin et le canal Kanawha. Avant de le chasser de l'hospice, on lui avait donné des vêtements rapiécés et il s'en serait certainement pris à ceux qui lui en avaient fait cadeau si une proie plus importante n'avait réclamé son attention.

Ce soir, il jouissait d'une grande lucidité. Il se rappelait en détail sa rêverie de participation à la Grande Revue ; il se rappelait l'identité de ceux qui l'avaient empêché d'occuper la place qui lui revenait dans l'histoire militaire de son pays.

Orry Main. George Hazard.

Dieu, quelle revanche il avait à prendre sur ces deux-là ! Depuis l'époque où ils étaient tous trois cadets à West Point, ils conspiraient pour l'anéantir. Année après année, l'un ou l'autre avait surgi pour contrecarrer sa carrière et causer sa disgrâce. Ils étaient responsables du tort fait à sa réputation pendant la guerre du Mexique, des accusations de couardise portées contre lui à Shiloh Church, de sa mutation disciplinaire à La Nouvelle-Orléans, de sa fuite à Washington, de son échec dans la police secrète de Lafayette Baker et, finalement, de sa désertion pour le Sud, dont il avait toujours méprisé les hommes et les principes.

Tous ces malheurs étaient dus à Orry Main et George Hazard, à leur nature rancunière, aux campagnes de calomnie qu'ils avaient menées pour l'abattre.

Peu avant de se retrouver à l'hospice — mais combien de temps exactement avant, il ne pouvait se le rappeler — il avait enquêté à Richmond et appris que le colonel Orry Main était mort sur le front à Petersburg. Son autre ennemi, Hazard, était probablement vivant. De plus, chacun d'eux avait sans doute une famille. Il se souvenait d'avoir tenté de blesser l'un des Main avant la guerre, au Texas. Charles, c'était son nom. Il y avait certainement de nombreux autres parents...

Il chassa temporairement les deux hommes de son esprit pour se concentrer sur ses recherches dans les ruines de la minoterie. Au bout d'une heure, il pensa avoir trouvé l'endroit, s'agenouilla et se mit à creuser dans les gravats. Des débris de brique lui entaillaient les doigts et il eut bientôt les mains couvertes de sang et de poussière. Mais il retrouva ce qu'il avait enfoui — sa mémoire ne l'avait pas totalement abandonné.

Serrant contre lui le rouleau de toile, il gagna un coin éclairé par la lune. Comme il déroulait son trésor, la douleur lui tarauda le crâne, des petits points lumineux s'allumèrent dans sa tête.

Il se rappelait son nom.

Il le prononça à voix haute. Deux Noirs qui se réchauffaient à un feu de bois près d'un pan de mur encore debout tournèrent les yeux vers le bruit. L'un d'eux s'approcha, jeta un bref coup d'œil au visage du Blanc éclairé par la lune et déguerpit.

Avec plus de force et de confiance, il répéta son nom :

— *Elkanah Bent.*

Il baissa les yeux vers la toile qu'il venait de dérouler, essaya de se souvenir du visage qui y était peint.

Oui. Une putain quarteronne.

D'où tenait-il son portrait ?

Oui. D'une maison close de La Nouvelle-Orléans.

Ce souvenir en appela un autre, plus important encore, le but de son existence. Il se l'était fixé quelques semaines plus tôt puis l'avait oublié pendant sa période d'amnésie, à l'hospice.

Son but était de faire la guerre.

L'autre guerre, celle qu'on avait livrée pour libérer ces sales nègres et les hisser au niveau des Blancs, leurs supérieurs, était terminée et perdue. La sienne ne l'était pas. Il n'avait pas encore commencé à rassembler ses forces, à faire appel à sa science de la stratégie, à sa haute intelligence, pour faire la guerre aux membres survivants des familles de...

De...

Main.

Hazard.

Leur faire la guerre, et les faire souffrir en tuant ceux qui leur étaient chers, jeunes ou vieux, un par un. A travers une longue campagne d'anéantissement, à la lenteur délicieuse, menée par le Bonaparte américain.

— Bonaparte ! cria-t-il à la lune et aux décombres. Le chef-d'œuvre de Bonaparte !

Les deux Noirs abandonnèrent leur feu déchiré par le vent et se fondirent dans l'obscurité.

Bent tapota son haut-de-forme pour l'enfoncer sur sa tête, tira en arrière du mieux qu'il put son épaule déjetée, exécuta un demi-tour militaire parfait, comme un homme qui n'aurait jamais été malade. Puis il se dirigea vers l'ombre d'un autre grand pan de mur et disparut.

17

Entourée par Balafre et ses braves, la Compagnie Jackson se dirigeait vers le village de Chaudron-Noir. Lorsque les Indiens avaient voulu prendre les armes des Blancs, Charles s'y était refusé puis avait cédé aux arguments de Pied-de-Bois : « Leur donne pas un prétexte pour nous tuer, Charlie. »

Le jour déclinait. Le vent chargé de neige fouettait le visage de Charles, qui comprit soudain ce qu'étaient les franges mécheuses décorant la veste de Balafre.

— Ce sont des cheveux, dit-il à son associé. J'aurais dû les reconnaître, j'ai vu des scalps au Texas.

— Ouais. Un membre de la Société des Chiens a le droit de porter ce genre de décorations s'il a tué assez d'ennemis.

— Certaines franges sont jaunes — et il n'y a pas d'Indiens blonds...

— Je te l'ai dit, Charlie. On s'est fourrés dans le pétrin, cette fois-ci.

Sous le harnais du travois qu'il tirait, Fen se remit à aboyer. Deux Peaux-Rouges l'entourèrent, lance brandie.

— Faites pas ça ! s'écria Pied-de-Bois, le visage écarlate.

Ravis de sa réaction, les deux braves éclatèrent de rire et reprirent leur place dans la file. Les Cheyennes ne cessaient de tourmenter leurs prisonniers, s'approchaient d'eux, les touchaient de la main ou de leur bâton. Balafre, qui chevauchait près des mules, perça de sa lance un autre sac en toile, qui déversa sur la neige une pluie de perles. Charles leva le bras, Pied-de-Bois le retint.

— Tes cheveux valent plus que cette verroterie, argua Jackson. Faut juste les supporter jusqu'à ce qu'on trouve un moyen de filer.

Ils aperçurent d'abord huit adolescents vêtus de fourrure qui chassaient avec un arc et des flèches. Sur une hauteur, ils découvrirent ensuite le troupeau de la tribu, une centaine de chevaux gardés par d'autres jeunes garçons. Le sol descendait en pente douce jusqu'au Cimarron, dont les rives enneigées étaient bordées de tipis. Le vent soufflait vers eux une odeur de feu de bois.

Leur arrivée causa une grande agitation dans le village. Vieillards, mères portant un bébé sur leur dos, jeunes filles, enfants et chiens sortirent des tipis et les entourèrent, les désignèrent du doigt en babillant — sans la moindre hostilité, estima Charles. Balafre sauta de cheval, leur fit signe de l'imiter.

En descendant de sa monture, Charles remarqua des peaux de bison tendues par terre ou sur des cadres verticaux. Il inspecta le village, croisa les grands yeux pleins de curiosité d'une jeune Indienne. Elle avait des traits réguliers, délicats, même, et une chevelure noire au lustre profond. Elle doit avoir une quinzaine d'années, pensa-t-il. Il allait détourner le regard quand elle lui adressa un bref sourire, sans doute pour lui montrer que tous les habitants du village n'étaient pas ses ennemis.

Les guerriers de Balafre se rassemblèrent autour des prisonniers et Pied-de-Bois prit l'offensive en réclamant :

— Moketavato ! Je veux lui parler.

— Je te l'ai dit, Chaudron-Noir n'est pas là, répondit Balafre. Il n'y a plus de chefs de paix pour t'aider. Rien que des chefs de guerre. Prenez leurs affaires ! lança-t-il à ses hommes.

Un des Indiens vêtus d'une vareuse de l'armée entreprit d'éventrer les sacs de selle de Charles. L'ancien confédéré se précipita pour l'arrêter, entendit le cri d'avertissement de Jackson avant de recevoir sur la tête un coup de crosse qui fit rouler son chapeau à terre. Un second coup le fit tomber à genoux. La foule poussa un cri, Fen grogna, Balafre lui donna un coup de pied.

Les « Chiens » se ruèrent vers les mules, déchirèrent les sacs contenant les grattoirs, les fers de houe, les marmites. Balafre donna l'ordre de les distribuer à la foule. Femmes et enfants s'avancèrent en se bousculant, réclamant tel ou tel article. En se relevant, Charles remarqua que la jeune fille faisait partie des rares Indiens demeurés en arrière. Ici ou là, un visage condamnait d'une expression de reproche cet étalage de cupidité mais la plupart des habitants du village n'y prêtaient pas attention. Pied-de-Bois regardait autour de lui avec un air consterné, comme s'il n'avait jamais vu de tipis ou de Cheyennes auparavant.

— Ces Blancs sont des démons qui nous veulent du mal, déclara soudain Balafre. Leurs biens et leurs vies nous appartiennent.

— Balafre, ce n'est pas juste, protesta Jackson. Ce n'est pas la façon dont se conduit le Peuple.

— C'est la mienne, rétorqua l'Indien en carrant les épaules.

— Sale petite merde, grommela Pied-de-Bois, assez fort pour être entendu.

Balafre dut comprendre car il ordonna :

— Tuez-les.

Pied-de-Bois lança à Charles un regard appuyé, saisit la main de Boy, et se jeta en avant. Surprenant tout le monde, le marchand entraîna son neveu entre deux « Chiens » et s'écria :

— Cours, Charles ! Par ici !

Charles suivit le conseil.

Une hachette à lame de fer lancée par un Cheyenne lui frôla l'oreille. Femmes et vieillards s'exclamèrent. Charles se faufila entre deux vieilles Indiennes apeurées, passa de l'autre côté de la foule. Il ne comprenait pas cette manifestation soudaine de lâcheté chez son associé. A quoi bon fuir pour être repris ?

Pied-de-Bois tendit le bras vers un grand tipi lourdement décoré, situé à gauche au bout d'un sentier. Devant, un Indien corpulent au visage couturé, les cheveux gris saupoudrés de neige, se tenait les bras croisés. Jackson passa devant lui à toute allure, plongea à l'intérieur de la tente en entraînant Boy.

Charles courait, les hommes de Balafre sur ses talons. De plus en plus idiot, pensa-t-il. Se réfugier dans un tipi ! Son associé avait perdu la tête. Il fonça vers le vieux Cheyenne en s'attendant à ce que celui-ci lui barre le passage mais le Peau-Rouge jeta un coup d'œil au tipi et hocha la tête. Charles plongea à son tour par l'ouverture ovale de la tente devant laquelle l'Indien se campa aussitôt.

A l'intérieur, un petit feu allumé dans un trou peu profond dégageait une fumée âcre et une faible chaleur. Accroupi dans la pénombre froide, Charles ramassa un tomahawk posé sur le sol à côté de lui.

— Laisse ça, Charlie.

— Mais qu'est-ce qu'il te prend ? Ils sont là dehors.

Des éclats de voix furieux l'attestèrent. Balafre, le plus virulent, poussait de grands cris tandis que le vieil Indien parlait d'un ton calme.

— Pas besoin d'armes maintenant, reprit Pied-de-Bois en tendant le bras au-dessus de lui.

Charles découvrit, suspendue à un poteau du tipi, une coiffure faite avec une tête de bison, décorée de perles bleues, les cornes brillantes et ornées de dessins.

— C'est la Tête-de-Bison, expliqua Jackson. Sacrée, comme les Quatre-Flèches-Médecine. Elle éloigne la maladie, et si jamais un pauv' imbécile la volait, les bisons partiraient pour toujours. Le vieux qui se tient dehors la garde nuit et jour. Celui qui se réfugie sous la Tête-de-Bison peut pas être attaqué.

— Tu veux dire que c'est une sorte de sanctuaire, comme une église ?

— Ouais. Balafre peut pas nous toucher.

— Écoute, la guerre m'a fait passer l'envie de me battre, fit Charles, agacé. Mais quand une bagarre éclate, je n'aime pas beaucoup m'enfuir.

— Tu trouves ça lâche d'être venu ici ?

— Eh bien...

Dehors, le vieux Cheyenne continuait à discuter avec les « Chiens ».

— Je t'ai pas dit de renverser toutes tes valeurs en venant ici ? rappela Pied-de-Bois. Pourquoi Balafre est tellement en rogne, à ton avis ? On vient d'accomplir le plus grand des exploits pour un membre de la Société des Chiens : se débiner, au moment où on va se faire tuer. Ça, c'est le plus beau coup que tu puisses faire.

Le gardien de la Tête-de-Bison se courba, pénétra dans le tipi et adressa à Charles un sourire amical, admiratif. Le Sudiste commença à croire aux propos de son associé. L'Indien et Jackson se saluèrent d'un signe puis le négociant déclara en cheyenne :

— Demi-Ours, voici mon associé, Charlie, et tu connais mon neveu, Boy. Tu sais que Balafre n'a pas dit la vérité. Nous venons toujours en paix, pour faire du commerce.

— Je sais.

— Quand Chaudron-Noir revient-il ?

Le vieil Indien haussa les épaules.

— Aujourd'hui. Demain. Reste ici. Mange. Sois en sécurité.

— Ça me va, Demi-Ours.

Pied-de-Bois tapota l'épaule de Boy, qui sourit. Charles fit de son mieux pour réviser ses valeurs d'homme blanc, comme Jackson le lui avait conseillé.

— Mon chien est encore harnaché au travois, Demi-Ours.

— Je te l'amène.

— Ils nous ont pris nos armes...

— Je les trouverai aussi.

Le Cheyenne sortit. Bientôt Fen s'allongea près du feu et se roula joyeusement dans la poussière.

Charles avait peine à croire qu'il s'était couvert de gloire en s'enfuyant et continuait à ruminer la question tandis que Demi-Ours leur servait des baies et des bandes de viande de bison fumée. Après le repas, le Cheyenne étendit sur le sol des peaux de bison et disposa des repose-tête pour que les Blancs puissent se coucher.

Tôt le lendemain matin, Chaudron-Noir arriva à cheval avec une douzaine de braves. Les membres de la Compagnie Jackson, qui avaient empuanti l'intérieur de la tente pour soulager des besoins naturels, purent enfin en sortir.

Sous le soleil qui avait succédé à la neige, des Cheyennes de tous âges les entourèrent de nouveau. Charles remarqua la jolie fille de la veille mais ne vit pas trace de Balafre. Les Indiens lui sourirent, lui tapèrent dans le dos, le saluèrent par des « Hoh ! » sonores qu'il interpréta comme un signe d'approbation.

Pied-de-Bois se rengorgeait comme un acteur que le public couvre d'applaudissements et souriait à tout le monde.

— Y a pas, Charlie, on est des héros.

Avec le retour du beau temps, le village se remit à vivre dehors. Des bandes de jeunes garçons tiraient des flèches émoussées sur des lapins, se préparant ainsi aux grandes chasses de leur maturité. Femmes et jeunes filles vaquaient à leurs tâches traditionnelles, grattaient les peaux, les tendaient sur des cadres et les séchaient à la fumée.

Chaudron-Noir invita un soir les trois Blancs dans sa tente. A travers ses conversations avec Pied-de-Bois, Charles avait appris que les Cheyennes comptaient un certain nombre de chefs de paix, hommes d'un courage et d'une sagesse avérés, qui conseillaient la tribu quand elle n'était pas en guerre. Comme Jackson le souligna, les Blancs voulaient toujours traiter avec *le* chef, mais un tel homme n'existait pas. Il y avait des chefs de paix et des chefs de guerre, ainsi qu'un chef pour chaque campement — titre que détenait aussi Chaudron-Noir dans son village — et pour chaque société guerrière. Tous ensemble, ils gouvernaient la tribu, qui avait toujours compté mille membres environ, aussi loin que remontât la mémoire des Indiens. Si sa population n'avait jamais crû, elle n'avait pas non plus été réduite par les catastrophes naturelles, la famine, les combats contre les ennemis, et le respect de Charles pour ces hommes monta d'un cran lorsqu'il songea à ce fait.

Le chef de paix Moketavato était un Indien bien découplé d'une soixantaine d'années aux tresses entourées de lanières de peau de loutre. Il avait un regard solennel, un visage animé, intelligent. Il portait les jambières, la bande-culotte, la chemise en daim traditionnelles, toutes trois lourdement décorées, et sur les cheveux, une coiffure en plumes d'aigle et trois pièces d'argent martelé attachées à une lanière. Après que les Blancs se furent assis, il leur passa un long calumet dont quelques bouffées seulement suffirent à faire tourner la tête de Charles. L'esprit envahi de couleurs et de formes fantasques, il se demanda quelle sorte d'herbe brûlait dans le fourneau de la pipe.

La femme du chef de paix, silencieuse et effacée, servit aux invités de la soupe de tortue puis un savoureux ragoût. Pendant le repas, Chaudron-Noir s'excusa pour la conduite de Balafre.

— La perte de sa mère l'a privé de raison et a perverti sa nature. Nous essayons de le refréner mais c'est difficile. En tout cas, vos marchandises et vos bêtes sont maintenant en sécurité.

Tandis que Jackson exprimait ses remerciements, Charles fourra dans sa bouche un autre morceau de viande chaude — avec ses doigts pour respecter la coutume.

— Délicieux, fit-il.

L'Indien répondit au compliment par un sourire.

— C'est ce que nous offrons aux invités de marque, dit-il.

— Du jeune chiot, précisa Pied-de-Bois.

Charles faillit vomir. Les mâchoires serrées, il s'efforça de garder un visage impassible pendant que le morceau de viande passait péniblement par sa gorge. Il finit par descendre mais ne fut pas très bien accueilli dans l'estomac et Charles cessa de manger.

— J'espère que le traité que tu as signé apportera une longue paix, reprit Pied-de-Bois.

— C'est aussi mon espoir, déclara le Cheyenne. Dans le Peuple, beaucoup pensent qu'il vaudrait mieux faire la guerre, que seule la guerre sauvera nos terres.

Il se tourna légèrement, pour inclure Charles dans la conversation, et parla plus lentement afin qu'il puisse comprendre.

— J'ai toujours pensé que la paix était le meilleur chemin et je me suis efforcé de croire aux promesses de l'homme blanc. C'est encore ma façon de voir, bien que de moins en moins d'hommes me suivent depuis Sand Creek. J'avais emmené le Peuple là-bas parce que le chef-soldat de Fort Lyon avait promis qu'il ne nous serait fait aucun mal si nous nous y installions pacifiquement. C'est ce que nous avons fait, et Chevington est venu. Ainsi, je n'ai plus désormais de raison de croire aux promesses, excepté mon désir ardent de paix. Si j'ai de nouveau apposé ma marque, c'est par espoir, non par confiance.

— Je comprends, dit Charles.

Le Sudiste avait de la sympathie pour le Cheyenne et sentait qu'elle était partagée.

Dehors, à la lumière d'un feu de bois, les Indiens jouaient de la musique de fête. Boy sourit, marqua la cadence de son doigt.

— C'est une flûte ? demanda Charles.

— La flûte d'amour, répondit Chaudron-Noir. On en joue dans le tipi voisin, celui de Balafre. Il ne s'intéresse pas seulement à la guerre, heureusement pour nous. Allons voir.

Ils sortirent et virent le jeune Indien jouant d'une flûte en bois de fabrication artisanale devant sa tente. Chaudron-Noir lui fit un signe, Balafre allait lui rendre son salut quand il découvrit les Blancs. Il joua quelques notes suraiguës avant de reprendre la mélodie.

Montrant la touffe de poils blancs attachée par une lanière au poignet de Balafre, Pied-de-Bois expliqua :

— Daim à queue blanche. Puissante amulette d'amour.

Un chien jaune passa en aboyant, Fen se lança à sa poursuite. Du tipi vers lequel Balafre était tourné sortit une jeune Indienne, celle-là même que Charles avait remarquée le jour de son arrivée. Une main émergea de la tente, poussa la jeune fille dans le dos. Manifestement, ses parents la forçaient à se montrer pour répondre à la sérénade de son soupirant.

— C'est l'enfant de ma sœur, Femme-de-l'Herbe-Verte, dit Chaudron-Noir. Elle a quinze hivers. Balafre la courtise depuis deux ans et devra continuer deux ans encore avant qu'elle ne puisse devenir une de ses épouses.

Le doux renflement de la poitrine de la jeune fille prouvait qu'elle méritait d'être appelée Femme. Elle portait des jambières, une sorte de longue chemise descendant jusqu'au bas-ventre et retroussée, devant et derrière, par une corde passée entre les jambes. Cette même corde lui entourant le corps de la taille aux genoux, elle clopinait plutôt qu'elle ne marchait.

Chaudron-Noir remarqua l'expression intriguée de Charles.

— Ce n'est plus une enfant mais elle n'est pas encore mariée, expliqua-t-il. Jusqu'à ce qu'elle épouse Balafre, son père attache la corde la nuit pour protéger sa vertu.

Femme-de-l'Herbe-Verte tenta de sourire à Balafre mais de toute évidence, le cœur n'y était pas. Puis elle remarqua la présence de Charles et eut une réaction soudaine et transparente.

Celle de l'ancien éclaireur ne le fut pas moins. La raideur de son entrejambe l'embarrassait tout autant que le fait d'être excité par une fille aussi jeune. Il se tourna sur le côté, soulagea sa conscience en se disant que c'était uniquement la beauté de la fille et une abstinence relativement longue qui avaient causé sa réaction.

Chaudron-Noir observa l'échange de regards, gloussa.

— Il paraît que Femme-de-l'Herbe-Verte te considère d'un œil favorable, Charles.

Balafre l'avait remarqué, lui aussi. L'air furieux, il s'interposa entre les Blancs et la jeune fille, à qui il adressa quelques mots d'un ton rapide. Elle lui répondit sur le même ton, avec une causticité qui l'irrita. Comme il plaidait sa cause en faisant pleuvoir sur elle un déluge d'arguments, elle tourna la tête, agrippa les bords de l'ouverture du tipi et recula d'un pas. Avant de disparaître, elle gratifia Charles d'un nouveau regard éperdu d'amour.

Le visage de Balafre se tordit en un masque noir et cuivré sous la lumière du feu de bois. Serrant sa flûte, il s'éloigna à grands pas.

Fen reparut, poursuivi par le chien jaune. Un bébé vagit, Pied-de-Bois soupira.

— Je sais que c'est pas de ta faute, Charlie, mais maintenant, ce bravache a une raison de plus de pas pouvoir nous sentir.

Le lendemain, on commença à faire du commerce. Pied-de-Bois s'occupait seul du marchandage tandis que Charles allait chercher les articles, les montrait, soignait les chevaux donnés en échange. En découvrant la complexité de la culture cheyenne, il apprit à respecter de plus en plus la tribu. A certains égards, les Indiens demeuraient primitifs : on se souciait peu d'hygiène dans le village, où restes de nourriture, souillures de la nuit jonchaient le sol. Dans d'autres domaines, Charles trouvait les Cheyennes admirables — l'éducation des jeunes, par exemple.

Les Indiens considéraient l'accession à l'âge d'homme non seulement comme un événement inévitable mais aussi comme un privilège impliquant une grande responsabilité. Le soir, on relevait les côtés d'un tipi, les membres d'une société guerrière se réunissaient autour du feu, le visage peint, porteurs des insignes de leur société. Une foule de jeunes garçons se rassemblait autour des hommes, les regardait parler, danser, observait leurs rites les moins secrets.

Charles ne vit jamais un enfant se faire gronder mais un après-midi, tous furent mandés à la tente de Chaudron-Noir, où un homme ayant volé une peau de bison devait être puni. Sous les yeux des garçons et des filles, on apporta les biens du coupable, on fit venir son épouse en larmes. Leurs couvertures furent réduites en lambeaux, leurs poteries brisées, leur tipi dévasté et incendié.

Deux « Contraires » vivaient dans le village de Chaudron-Noir. Comme l'exigeait leur honorable état, ils étaient célibataires. Distingués pour leur bravoure exceptionnelle, leur capacité à réfléchir sur les coutumes de la tribu, ils habitaient des tipis peints en rouge et portaient de longues lances de combat. Leur statut particulier réclamait d'eux une conduite fort délicate. Ainsi, ils marchaient à reculons, restaient debout quand on les conviait à s'asseoir. Le premier Contraire à qui Charles parla lui déclara : « Quand tu auras fini tes affaires, tu ne partiras pas » — ce qui, expliqua Pied-de-Bois, signifiait qu'il partirait. Les Contraires formaient un ordre étrange et mystique dont les membres, peu nombreux, étaient hautement respectés.

La Compagnie Jackson continua à faire de bonnes affaires pendant huit jours. Le matin de la neuvième journée, Charles découvrit en se levant à l'aube que la pluie menaçait. Pied-de-Bois voulant quand même partir, ils démontèrent et chargèrent leur tipi en six minutes, battant leur propre record. Après une heure de tout un rituel d'adieux à Chaudron-Noir et aux Anciens du village, le trio partit pour le sud en poussant devant lui un troupeau de quatorze chevaux.

Le vent avait une odeur chaude et humide. Bien installé sur Satan, Charles songeait à Femme-de-l'Herbe-Verte, qu'il avait souvent croisée dans le petit village. A chacune de leurs rencontres, le joli visage de l'Indienne n'avait rien caché de ses sentiments : elle était amoureuse. Cela flattait la vanité de Charles mais rendait aussi sa vie d'ermite plus dure à supporter. Peut-être que, à Saint Louis, Willa Parker...

— Attention, Charlie.

L'avertissement de Jackson le tira de sa rêverie. Il dégaina son colt au moment où un Indien surgissait à cheval d'un bosquet de peupliers poussant au bord d'un ruisseau serpentant devant eux. Charles s'attendait à voir toute une bande dans son sillage mais aucun autre cavalier n'accompagnait l'Indien.

Le guerrier solitaire s'approcha ; Charles reconnut Balafre.

— J'ai des paroles à dire, déclara-t-il, fixant Charles de ses yeux sombres.

— Ça, on se doute que tu n'es pas venu ici pour te baigner, marmonna Pied-de-Bois d'un air chagriné.

Le sarcasme échappa au Cheyenne, qui sauta de cheval et se campa devant les Blancs.

— Descends, Charlie, dit Jackson. Faut respecter les usages, bon sang de bois.

Lorsque les deux marchands eurent mis pied à terre, l'Indien leur lança :

— Vous m'avez couvert de honte devant mon peuple.

— Oh ! merde, soupira Pied-de-Bois. Tu t'es couvert de honte tout seul. Nous n'avions rien fait pour mériter la mort. Tu le sais, Chaudron-Noir le savait, et si c'est de ça que tu te plains, pourquoi... ?

Furieux, Balafre saisit Jackson par la chemise.

— Tu vas prendre la Route suspendue, cracha-t-il. Et toi aussi, ajouta-t-il en se tournant vers Charles.

— Lâche-moi, fit Pied-de-Bois, le visage cramoisi.

L'Indien tordit un peu plus la chemise ; le marchand saisit la lanière de la bande-culotte de son adversaire, tira. Balafre sauta en arrière, comme si un serpent l'avait piqué.

— Hé, qu'est-ce que c'est que ça ? gloussa Jackson en montrant les parties génitales dénudées. Sûrement pas un homme.

Le Cheyenne poussa un cri, se jeta sur Pied-de-Bois.

— Bouge pas, ordonna Charles, revolver à la main.

Balafre s'immobilisa, les doigts à quelques centimètres du cou du Blanc.

— Ça va être dur pour toi de faire la cour aux jeunes filles sans ça, dit Pied-de-Bois en fourrant la bande-culotte sous sa ceinture.

Le Peau-Rouge mourait visiblement d'envie d'étrangler Jackson mais l'arme de Charles braquée sur son crâne l'empêchait de faire un mouvement.

— Maintenant, file, ajouta le marchand. Avant que mon associé te loge une balle là où il y avait tes couilles.

Où il y *avait ?* Charles ne comprenait rien à ce qu'il se passait. Ni à l'attitude de Pied-de-Bois ni à celle de Balafre. Soudain, l'Indien agrippa la crinière de son cheval, sauta sur son dos et partit au galop.

— Il va falloir que tu m'expliques, dit Charles à son associé.

— Tu te souviens de ce que je t'ai raconté sur les cheveux des Indiens ? C'est un peu pareil. Tu piques la culotte d'un type, c'est comme s'il perdait ses choses. Il est plus un homme.

Charles suivit des yeux le Cheyenne galopant vers le nord.

— Maintenant, nous sommes à égalité, dit-il. Tu lui as donné une raison de te haïr, toi aussi.

— C'est vrai, reconnut le marchand, dont le visage retrouvait une couleur normale. C'est pas malin, je suppose. (Il renifla). Mais j'ai passé un bon moment.

— Moi aussi, assura Charles.

Les deux hommes sourirent. Jackson donna une tape sur l'épaule de son associé, tendit la paume vers le ciel.

— Va bientôt pleuvoir, annonça-t-il. En route, Boy.

En montant à cheval, il ajouta sur un ton plutôt sérieux :

— Je crois que c'est pas la dernière fois qu'on voit ce saligaud. Alors, accroche-toi à ton scalp, Charlie.

Journal de Madeline.

Décembre 1865. Pas de nouvelles de Brett. Et un meurtre dans le district.

Avant-hier soir, Tom, ancien esclave d'Edward Woodville, a été retrouvé sur la route de la rivière, après Summerton, le corps percé de trois balles. Le colonel Munro, du Bureau des affranchis, est venu de Charleston avec un petit détachement pour mener l'enquête. Sans résultat. Si des gens du district connaissent le coupable, ils le cachent. Une tragédie, vraiment. Tom nous avait rendu visite la semaine dernière, encore tout à la joie d'être délivré de Woodville, un mauvais maître.

Munro et ses hommes ont campé la nuit dernière sur le domaine. Le colonel a inspecté la nouvelle école, noté le peu que j'avais à déclarer sur l'incendie. Il a pour instructions d'adresser à ses supérieurs de Washington des rapports sur de tels « outrages », pour reprendre son expression. Il les informera également de l'assassinat de Tom. Il a proposé de nous laisser deux soldats pour protéger l'école pendant quelque temps. J'ai refusé, en ajoutant toutefois que je ferais appel à lui si nous avions de nouveaux ennuis...

... Un tournoi annoncé pour samedi prochain à Six Oaks. Je n'irai pas, et j'ai dissuadé Prudence de le faire après une longue discussion. Avant la guerre, j'ai assisté à quelques tournois avec Justin — ou plutôt, je m'y suis laissé traîner — et j'ai trouvé cela ridicule et prétentieux. Ces jeunes gens à cheval, affublés d'habits en satin et de chapeaux à plumes, essayant de passer la pointe d'une lance dans un anneau ! Et ces noms moyenâgeux qu'ils se donnent tous : Chevalier de ceci, Sire de cela. Avec leurs étendards, leurs grandes tentes rayées et leurs festins, ces tournois symbolisent un peu trop la société que la guerre a balayée. Si l'esclavage était une institution charitable — argument tacitement avancé par cette société — ceux qui le pratiquaient devaient se montrer au-dessus de tout reproche, ce qui se traduisait bientôt en exagération romanesque : prédilection pour les romans de Walter Scott, interminables discours sur la chevalerie sudiste, et les tournois.

Et où trouveront-ils leurs jeunes chevaliers maintenant que tant sont tombés, comme toi, mon amour, dans les bois et les champs de Virginie ?...

Une cinquantaine de dames et de messieurs du district s'étaient rassemblés dans la clairière de Six Oaks, près de la rivière. Les spectateurs blancs occupaient les deux tiers de l'espace découvert, tandis que la berge humide était réservée aux cochers et aux serviteurs noirs, qui avaient probablement tous passé un contrat de travail avec leur maître.

C'était une tiède journée d'hiver. De longs rayons de lumière poussiéreuse tachetaient le sol où trois cavaliers d'âge mûr galopaient de front, la lance pointée vers les petits anneaux de bois pendant à des branches d'arbre.

Le premier cavalier manqua tous les anneaux, le deuxième de même. Le troisième, portant barbe grise, en enfila un puis un autre. Un vieux bugle sonna comme une trompette de héraut ; la foule récompensa le vainqueur par des applaudissements décousus.

Tandis que deux autres cavaliers se préparaient, une femme obèse, qui remplissait totalement l'un des sièges d'une calèche minable, se plaignit à l'homme qui se tenait près du véhicule.

— Je vous répète simplement ce que j'ai écrit au cousin Desmond dans ma dernière lettre, Randall. Cela tient en un mot : quand ?

Ses lèvres bariolées de rouge avaient enveloppé la question de postillons. Mrs Asia LaMotte, l'une des innombrables cousines de Francis et Justin, transpirait abondamment malgré la douceur du temps et aurait eu grand besoin de prendre un bain. Dans les rides et les plis de son cou gras, la sueur avait durci la poudre en petites plaques. Randall Gettys trouvait que c'était une vieille toupie antipathique mais ne montrait jamais son sentiment à cause de la position sociale des LaMotte et de son amitié pour Des. Pauvre Desmond, réduit à faire le docker, un travail de nègre, sur les quais de Charleston, pour subvenir à ses besoins.

Gettys s'assura que personne d'autre ne pouvait l'entendre avant de répondre :

— Asia, nous ne pouvons pas tout bonnement marcher sur Mont Royal en plein jour. Bien sûr, nous voulons tous détruire cette école diabolique et châtier la catin, mais nous ne tenons pas à aller en prison. Ces damnés Yankees du Bureau des affranchis fouinent dans le coin à cause du meurtre.

Asia LaMotte n'était pas convaincue.

— Vous n'êtes que des couards. Ce qu'il faut, c'est un homme courageux.

— Je vous demande pardon : nous avons du courage — et je parle aussi bien pour votre cousin Des que pour moi. Ce qu'il nous faut, c'est un homme qui n'a rien à perdre. Nous devons le trouver, l'engager, le laisser courir les risques. Cela signifie que nous reportons simplement notre projet, pas que nous l'abandonnons. Desmond désire plus que jamais se débarrasser de Mrs Main.

— Alors qu'il le montre en agissant, répliqua Asia d'un ton méprisant.

— Je vous l'ai dit, ce qu'il nous faut...

Il n'acheva pas. Un Blanc avait attaché son cheval près de la route et se dirigeait à pas lents vers les spectateurs noirs. Jeune, l'allure d'une brute, il avait le visage ombré d'une barbe sombre bien qu'il fût rasé de près, et une balafre au front. Malgré ses vêtements râpés, ses vieilles bottes et son chapeau de l'armée, il avait un air suffisant.

Sous la ceinture de son pantalon, il portait une paire de revolvers Leech & Rigdon de calibre 36.

Souriant, il s'arrêta devant un Noir portant un bonnet sur ses cheveux gris : le vieux Poke, cocher de Mrs Asia LaMotte. L'inconnu dégaina ses revolvers, les braqua sur le domestique.

— J'aime pas voir les nègres manquer de respect envers ceux qui leur sont supérieurs. Enlève ce bonnet, mon gars.

Les voisins de Poke reculèrent, laissant le vieillard seul et effrayé. Fascinés par la scène comme tous les spectateurs, les deux nouveaux concurrents du tournoi retenaient leurs chevaux.

L'inconnu, qui avait l'air de s'amuser beaucoup, arma les deux Leech & Rigdon.

— J'ai dit « Enlève ce bonnet ».

Tremblant, le Noir obéit.

— Bon, maintenant, montre que t'es vraiment respectueux. A genoux.

— Je suis un homme libre..., commença Poke.

Le Blanc appuya le canon d'une de ses armes contre le front du serviteur.

— Libre de se retrouver en enfer quand j'aurai compté jusqu'à cinq. Un. Deux. Trois...

Lorsque l'inconnu compta quatre, Poke était à genoux.

L'homme éclata de rire, rengaina ses revolvers, tapota la tête du Noir, hocha la tête en direction des spectateurs qui l'applaudissaient puis s'approcha nonchalamment d'un vieillard aux vêtements élimés. Une lueur de surprise s'alluma dans le regard de Randall Gettys quand les deux hommes engagèrent la conversation.

— Je parie que c'est lui, murmura le boutiquier.

— Qui, lui ? demanda Asia avec irritation.

— L'homme de main qu'Edward Woodville a engagé. Regardez comme ils ont l'air de bien s'entendre.

Gettys avait raison : l'inconnu bavardait d'un ton aimable, la main posée sur l'épaule du vieux fermier.

— Tout le monde savait que Tom refuserait de continuer à travailler pour Edward parce que le Bureau n'avait pas approuvé le contrat. Alors Edward a juré qu'il donnerait cinquante dollars à quiconque punirait le nègre. Je reviens.

Gettys s'éloigna rapidement sous le regard médusé d'Asia et se dirigea vers les deux hommes. En le voyant approcher, l'inconnu se tut, glissa le pouce de sa main droite sous sa ceinture, près d'un des revolvers, et lança à Gettys un regard qui lui glaça la bile.

Le front inondé de sueur, le boutiquier bredouilla :

— Je voulais juste vous saluer, monsieur. Bienvenue dans notre district. Je suis Randall Gettys. Je tiens le magasin du croisement et je publie notre petit journal, *l'Éclair blanc*.

— Vous pouvez faire confiance à Randall, déclara Woodville. C'est un gars bien.

L'inconnu serra la main moite de Gettys, essuya la sienne à son pantalon avant de se présenter :

— Capitaine Jack Jolly. Anciennement du bataillon de cavalerie du général Forrest.

Les deux « chevaliers » lancèrent leur monture vers les anneaux suspendus ; des acclamations montèrent de la foule mais Gettys n'avait d'yeux que pour le capitaine.

— Le général Nathan Bedford...

— Forrest. Vous êtes dur d'oreille ou quoi ?

Le commerçant eut un geste d'excuse.

— Ce diable de Forrest, comme l'appelaient les Yankees, poursuivit le capitaine Jolly. J'ai tué des nègres pour lui à Fort Pillow et j'ai fait le reste de la guerre à ses côtés. Le meilleur officier de la Confédération, selon Joe Johnston.

Gettys était en proie à une excitation croissante.

— Et vous avez de la famille dans la région, capitaine ?

— Non. Mes frères et moi, on voyage, on gagne de l'argent là où on peut, répondit Jolly.

Il sourit à Woodville, qui fixait le sol, sourire aux lèvres lui aussi.

— C'est un merveilleux district, assura Gettys. Qui regorge de possibilités pour des hommes ayant du courage et des principes. Peut-être aimeriez-vous passer prendre un verre au magasin après le tournoi, je vous en dirais davantage. Nous avons besoin d'hommes de votre trempe pour nous aider à résister à la troupe, au Bureau et aux *scalawags** qui se rangent dans le camp yankee.

— Si vous en connaissez, des *scalawags,* je peux m'occuper d'eux rapidement, déclara Jolly en touchant la crosse d'un de ses revolvers.

Pantelant, Randall Gettys retourna à la calèche d'Asia LaMotte.

— Il faut que j'écrive à Desmond. Vous voyez cet homme, avec Edward ? Je dois le persuader de rester ici. Il est capable de faire ce dont nous discutions.

La vieille obèse regarda Gettys comme s'il parlait russe. La trompette retentit à nouveau.

— Vous ne comprenez pas ? murmura le boutiquier. Dieu nous a envoyé l'instrument de notre délivrance.

Un message télégraphique de George ! Apporté de Charleston. L'enfant de Billy et de Brett est né à San Francisco, le 2 décembre. C'est un garçon, prénommé George William. Quel beau cadeau de fin d'année !

Autre cadeau, le calme qui règne dans le district. On ne s'en prend aucunement à nous, on ne nous prête même aucune attention. Prudence assure maintenant l'éducation de deux femmes et d'un homme en plus de six enfants. Ceux qui haïssent l'école doivent savoir que nous pouvons à tout moment faire appel aux soldats du Bureau.

Je pense que nous sommes hors de danger et j'en remercie le ciel. Je suis lasse, je souhaite qu'on me laisse poursuivre mon rêve en paix...

---

* Brebis galeuse, traître, collaborateur. (N.d.t.)

18

Jaspers Dills, Esquire, eut soixante-quatorze ans le vendredi 22 décembre, quatre jours après que Seward, le secrétaire d'État, eut annoncé la ratification du 13ᵉ Amendement*. Sans enfant, veuf depuis quinze ans, Dills n'avait aucun parent avec qui célébrer son anniversaire ou les fêtes de fin d'année. Il n'en avait cure. Peu de choses comptaient pour lui en dehors de sa profession d'avocat, de sa position de représentant à Washington de certains milieux financiers new-yorkais, et de la quête incessante du pouvoir aux postes de commande de la nation.

Toutefois, dans les mois qui avaient suivi Appomattox**, il avait constaté une baisse de ses activités. Une partie de sa clientèle new-yorkaise avait confié ses intérêts à des hommes plus jeunes, et les affaires qu'on venait lui confier dans son cabinet de la 7ᵉ Rue, tapissé de livres, semblaient devenir de plus en plus anodines. Par bonheur, il continuait à toucher l'allocation de Bent, qui l'aidait à régler ses cotisations à divers clubs et la bouteille de Mumm qui accompagnait parfois ses dîners au restaurant.

Depuis longtemps, Dills ne laissait plus sa conscience le tourmenter au sujet de cette allocation. Trois ou quatre fois l'an, il écrivait à la mère d'Elkanah Bent une lettre faisant croire que son fils illégitime était encore en vie. Selon la dernière fiction épistolaire de l'avocat, Bent avait réussi dans la culture du coton, au Texas.

La mère n'exigeait jamais de preuves étayant de tels rapports. Dills avait accumulé un capital de confiance depuis qu'il l'avait rencontrée pour la dernière fois, bien des années plus tôt, et il y puisait à présent car il ne savait absolument pas ce qu'était devenu Bent après que le colonel Lafayette Baker, chef de la police secrète du gouvernement, l'avait congédié pour brutalité excessive au cours d'une arrestation. Elkanah Bent avait disparu en Virginie, probablement après avoir déserté chez les Sudistes.

Si la mère de Bent venait à apprendre cette disparition — ou toute autre partie de la vérité — l'allocation prendrait fin, et cette simple pensée alarmait l'avocat. Par ailleurs, il ne se sentait nullement affligé de ne plus rencontrer Elkanah Bent, obèse souffrant d'un complexe de persécution, qui attribuait toujours ses échecs à d'autres. Cela n'avait rien de surprenant : le père d'Elkanah, maintenant décédé, avait choisi pour assurer sa descendance une femme instable, issue d'une grande famille des *border states* comptant en son sein plusieurs malades mentaux.

La mère de Bent n'avait jamais reconnu son fils, qui tenait son nom du couple de fermiers de l'Ohio qui l'avaient élevé. Elkanah avait quitté l'Ohio pour se rendre à West Point et entamer une longue série d'échecs. Sa mère était à présent sénile (comme tous les vieux, Dills pensait qu'il était simplement d'âge mûr) mais cela importait peu. Rien ne comptait tant qu'elle acceptait ses mensonges et lui envoyait régulièrement des chèques.

* Qui abolit l'esclavage. (N.d.t.)
** Lieu de la reddition sudiste. (N.d.t.)

Pour soutenir son train de vie, l'avocat se livrait depuis quelque temps à certaines autres activités : il était l'intermédiaire grâce auquel cinq cents ou mille dollars parvenaient à tel ou tel sénateur disposé à user de son influence pour assurer la réintégration dans l'armée d'un ancien officier. Dills prélevait une commission pour éviter au politicien de rencontrer personnellement un ancien colonel ou général du temps de guerre cherchant désespérément un emploi.

L'avocat s'était également fait courtier en grâces. Toutes sortes de Washingtoniens s'étaient lancés dans cette activité, y compris des femmes ne possédant d'autres atouts que leurs faveurs amoureuses. Grâce à sa formation de juriste, Dills s'était hissé au premier rang de ces marchands d'amnistie et il avait actuellement sur son bureau trente-neuf demandes de pardon.

Quelques mois plus tôt, il avait soumis au président Johnson une requête provenant de Charleston et concernant un homme dont le nom, Main, l'avait intrigué. C'était le nom de famille d'un de ceux que Bent tenait pour responsables de ses difficultés diverses, à commencer par son renvoi de West Point. Si le prénom du demandeur était Cooper, et celui de l'ennemi de Bent, Orry, ils étaient tous deux de Caroline du Sud et Dills les supposait parents.

Pour l'anniversaire de Dills, la nature avait prévu une chute de neige fondue, garantie supplémentaire d'un bureau déserté par les clients. Aussi ferma-t-il son cabinet pour se rendre dans les salons silencieux de son club favori, le Concourse. Il les parcourut au hasard jusqu'à trouver quelqu'un qu'il connaissait assez bien, un parlementaire républicain.

— Bonjour, Wadsworth. Vous prenez un whisky avec moi ? proposa-t-il.

— C'est un peu tôt pour moi, Jasper. Mais asseyez-vous donc.

Le représentant du Kentucky posa l'exemplaire du *Star* qu'il lisait, fit signe à un serveur d'approcher un fauteuil. Dills était un homme tout petit, avec des mains et des pieds menus. Assis dans l'énorme siège, il avait l'air d'un enfant.

Le whisky arriva ; l'avocat leva son verre en direction de Wadsworth avant de boire une gorgée.

— Quel genre de session aurons-nous ? demanda-t-il.

Il parlait du Congrès, dont les travaux devaient reprendre au début du mois.

— Orageuse, répondit le parlementaire. Des questions qui remontent à la loi Wade-Davis demeurent sans solution, et la direction de notre Parti est résolue à les régler.

La « Wade-Davis », loi déposée en réponse au plan modéré de Reconstruction de Lincoln, fixait des conditions beaucoup plus dures à la réadmission des États confédérés dans l'Union. Le président l'avait enterrée par le système de la « poche restante* », ce qui avait incité ses auteurs, Wade et Davis, à exposer à nouveau leurs arguments dans un cinglant manifeste affirmant l'autorité du Congrès sur le processus de Reconstruction. Ce texte, publié dans le *New York Tribune* farouchement républicain de Greeley, traçait les grandes lignes de la bataille annoncée par Wadsworth.

* *Pocket veto* : le président « oublie » de signer une loi dans les délais légaux, ce qui équivaut à un veto implicite. (N.d.t.)

— Orageuse, dites-vous ? fit l'avocat. Un terme plutôt mélodramatique.

— Mais tout à fait approprié, rétorqua l'homme politique. Considérez les forces déjà en mouvement. Tant à la Chambre qu'au Sénat, nous sommes parvenus à priver de leurs sièges les représentants élus des États traîtres. L'acceptation par ces États des quelques conditions du président ne suffit pas à racheter le crime de rébellion, loin s'en faut. En deuxième lieu, nous avons formé le Comité interparlementaire sur la Reconstruction...

— Le Comité des Quinze. Un affront direct à Mr Johnson. Mais le concevez-vous réellement comme un organisme radical ? La plupart de ses membres sont modérés, ou conservateurs. Le sénateur Fessenden, son président, est loin d'avoir des opinions radicales.

— Voyons, Jasper. Avec Thad Stevens et Sam Stout au comité, doutez-vous de la direction qu'il puisse prendre ? Troisièmement — je continue — Lyman Trumbull rédige déjà un projet de loi visant à proroger le Bureau des affranchis. Si cela n'est pas une provocation envers M. l'Accidentel*...

— Je vous l'accorde, approuva Dills.

L'opposition de Johnson au Bureau, accusé de s'ingérer dans les droits des États, était à l'origine d'une des grandes batailles de son gouvernement. Dills connaissait assez bien le Bureau par un de ses clients, un politicaillon fortuné nommé Stanley Hazard, frère de George Hazard, l'autre ennemi déclaré d'Elkanah Bent. Stanley s'était adressé à Dills pour certaines questions juridiques concernant des biens hautement controversables qui lui appartenaient en secret.

— Un de mes amis, proche du Bureau, raconte que toutes sortes d'histoires horribles leur parviennent du Sud : on aurait abusé des Noirs pour leur faire signer des contrats de travail qui constituent quasiment un retour à l'esclavage.

— Oui, précisément, approuva Wadsworth. En novembre, le Mississippi a adopté un Code noir qui stipule, entre autres choses, qu'un Noir peut être arrêté, et même battu, pour vagabondage. Et qui définira ce délit ? Vagabonder, est-ce simplement traverser une ville ? marcher sur le même trottoir qu'un Blanc ? Il semble que chacune de nos brebis égarées ait l'intention de promulguer des codes similaires afin de s'assurer une main-d'œuvre docile. Il y a là-bas, mon cher Jasper, des imbéciles arrogants à qui la guerre n'a rien appris. Nous devons nous charger de leur instruction.

— Johnson continuera à faire des difficultés.

— Bien sûr. En parlant de lui, vous soulevez la question fondamentale à laquelle toutes les autres sont liées : qui détient la souveraineté politique ? Selon moi, ni le président ni son armée. C'est au Congrès qu'il appartient d'administrer les conquêtes militaires des États-Unis, qu'elles soient faites à l'étranger ou dans le pays. J'ai cette conviction, Thad Stevens et Ben Wade aussi. Et nous disposons d'une majorité d'un contre trois au Congrès pour faire prévaloir notre point de vue. Par-dessus le cadavre de la carrière politique de Mr Johnson, au besoin, conclut Wadsworth avec un sourire suffisant.

— Alors le terme « orageux » n'est peut-être pas assez fort. Que diriez-vous de « cataclysmique » ?

* Johnson, devenu président à la mort de Lincoln. (N.d.t.)

— Appelez cela comme vous voudrez, répondit le parlementaire avec un haussement d'épaules. Andrew Johnson court au désastre.

Considérant le sujet épuisé, Wadsworth se leva.

— Au revoir, Jasper. Oh ! j'ai vu sur le tableau du club que c'est votre anniversaire. Bon anniversaire, donc.

En le regardant s'éloigner, l'avocat songea que personne d'autre ne lui souhaiterait quoi que ce soit cette année. Aucune importance. Il se contentait de ses clubs, de son whisky, de l'allocation versée par la mère de Bent — et du poste d'observation privilégié qu'il occupait pour la bataille à venir.

« Cataclysmique » n'est peut-être pas exagéré, pensa-t-il. Comme Wadsworth l'avait fait remarquer, il suffisait de considérer les forces en présence et les enjeux. Énormes. Rien de moins que le contrôle des votes et des parlements du Sud, donc des terres et des richesses sudistes. Ce rustaud de Stanley Hazard, son client, lui avait montré des chiffres illustrant de façon saisissante l'ampleur des profits réalisés.

L'imagination stimulée par un deuxième verre, Dills s'efforça de prévoir les événements. A coup sûr, la question du Bureau des affranchis pouvait déclencher une nouvelle guerre civile, mais les pauvres lourdauds du Tennessee ne sauraient rivaliser avec des maîtres tacticiens comme Stevens, Wade, Stout, Sumner. Johnson désirait seulement être équitable, dans le respect de la Constitution, alors que ces hommes voulaient utiliser les votes noirs pour faire d'un parti minoritaire un parti dirigeant. Johnson se battait pour des principes, comme d'ailleurs certains radicaux. Mais en tant que groupe, les radicaux luttaient pour une cause bien plus exaltante : leur propre appétit de pouvoir.

Bien que l'issue ne fût pas douteuse, le combat méritait d'être observé. Dills se promit d'expédier son travail de « courtier en grâces », ses traficotages sur les nominations d'officiers, et ses lettres dotant Elkanah Bent d'une vie imaginaire. Il aurait ainsi l'esprit parfaitement libre pour assister au combat sanglant qui se déroulerait prochainement dans l'arène de Washington.

19

La voix portait jusqu'aux travées les plus hautes de la Chambre et même jusqu'à la galerie bondée, où Virgilia Hazard était assise au premier rang, en ce matin du 8 janvier 1866.

Bien qu'elle l'eût déjà entendu maintes fois, l'orateur avait le pouvoir de déclencher en elle des frissons qui lui parcouraient l'échine. Quant à ceux qui écoutaient pour la première fois Sam Stout, représentant républicain de l'Indiana, ils s'étonnaient qu'un organe aussi merveilleux pût appartenir à un corps aussi surprenant. Stout avait le dos rond, le teint pâle d'une jeune fille fuyant le soleil. Ses sourcils épais, ses cheveux pommadés n'en paraissaient que plus noirs, par contraste.

Stout était l'amant de Virgilia, qu'il avait installée dans une petite maison de la 13e Rue, il y avait quelque temps déjà. Il refusait de faire plus pour elle, par exemple se montrer en sa compagnie, parce qu'il était marié à un laideron à poitrine plate nommé Emily et qu'il était dévoré d'ambition. Ce jour-là, il s'apprêtait à faire un grand pas en avant avec ce discours qui ne laisserait aucun doute sur ses capacités.

Au cours des dix premières minutes de son intervention, il avait réaffirmé les positions radicales : le Sud avait bel et bien fait sécession, Lincoln s'était trompé en déclarant l'acte impossible d'un point de vue constitutionnel. En brisant l'Union, les États confédérés s'étaient « suicidés » ; ils devaient être considérés comme des « provinces conquises » et administrés comme tels.

— Un fossé philosophique sépare donc cette assemblée du chef de l'exécutif, conclut Stout. Un fossé si large, si profond qu'on ne peut pas — et qu'on ne doit pas, peut-être — le combler. Le point de vue de notre adversaire à l'égard de la Constitution et du processus politique qui en découle résume ce que nous rejetons — tout particulièrement la faiblesse envers ceux-là mêmes qui ont failli anéantir notre République.

Stout attendait une réaction à cet endroit et l'obtint. Installés à la tribune, plusieurs sénateurs déclenchèrent les applaudissements. Virgilia remarqua parmi eux l'aristocratique Charles Sumner, du Massachusetts, rossé à coups de canne avant la guerre par un élu de Caroline du Sud à la tête chaude. Si différent de Sumner et de Thad Stevens à certains égards, Sam Stout leur ressemblait sur un point essentiel : il croyait à la justesse morale de l'égalité des Noirs, pas seulement à l'exploitation politique qu'on pouvait en faire.

Lorsque les applaudissements moururent, il reprit :

— Je vois pour ce pays un avenir qui, je le crains, n'est pas celui que souhaite le chef de l'exécutif. Un avenir où les arrogants, les obstinés seront réduits à l'impuissance et à l'humilité, où leur société corrompue sera bouleversée de fond en comble, tandis que d'autres, toute une race, seront arrachés à une inégalité imposée pour devenir des citoyens à part entière. Voilà l'avenir que ce Congrès doit assurer et qu'il assurera, en précipitant la disgrâce et la ruine de tous ceux, groupe ou individu, qui oseraient s'y opposer.

Parcourant son auditoire de ses yeux sombres, Stout poursuivit :

— Le chef de l'exécutif a mis le calendrier à profit pour circonvenir les élus du peuple. Pendant l'intersession parlementaire, il a appliqué son propre programme illégal. De tels actes ne peuvent être passés sous silence, ni pardonnés. Nous jetons donc le gant. Que Dieu favorise la noble croisade de notre Congrès et nous accorde la victoire. Merci.

Virgilia se leva au milieu d'un tonnerre d'applaudissements. Au comble de l'excitation, elle brûlait d'impatience de féliciter Sam pour son discours, devenu plus ouvertement hostile à Johnson que le brouillon qu'il lui avait lu le samedi précédent. Elle battait des mains à s'en faire mal.

Agée de quarante et un ans, la sœur de George avait la silhouette épanouie, à la poitrine rebondie, qu'une majorité d'hommes trouvent idéale. Si l'allocation mensuelle que lui versait son amant lui permettait de bien s'habiller, elle évitait d'attirer l'attention par une élégance voyante. Elle avait aussi appris à se servir de maquillage pour dissimuler les traces qu'une variole enfantine avait laissées sur son visage.

Une vague d'admirateurs en redingote menaçait d'engloutir Stout, demeuré à la tribune. En le regardant, Virgilia ressentit un désir ardent et familier. Elle l'aimait, elle voulait devenir sa femme et lui donner des enfants, même si son âge, même si l'ambition de Sam rendaient ce rêve sans espoir. Pire, elle avait récemment entendu des rumeurs selon lesquelles il avait une autre maîtresse.

Le président de l'assemblée suspendit la séance d'un coup de marteau ; Virgilia se faufila en bas, où elle échangea des propos enthousiastes avec le sénateur Sumner.

— Remarquable, déclara-t-il. Exactement ce qu'il fallait dire.

Comme toujours, son ton ne souffrait aucune contradiction.

Stout franchit les portes entouré de collègues, de journalistes et d'admirateurs. Virgilia se précipita elle aussi vers lui mais se figea soudain. Le regard de Sam avait croisé le sien pour s'en détourner aussitôt. Serrant l'une contre l'autre ses mains gantées, elle vit son amant disparaître dans la foule.

Une voix proche la fit sursauter :

— N'était-ce pas le tocsin, Virgilia ? L'appel à la guerre ?

Elle se retourna, se contraignit à sourire.

— Tout à fait, Thad. Comment allez-vous ?

— Beaucoup mieux depuis que j'ai entendu Sam. La rupture avec le Congrès est maintenant publique. Johnson sera bientôt aux abois.

Virgilia avait fait la connaissance de Thad Stevens au printemps, pendant une cérémonie officielle. Il connaissait sa famille et leurs idéaux communs les avaient rapidement rapprochés. Thad était devenu le confident de Virgilia, la seule personne à qui elle eût parlé de sa liaison avec Stout, et de celle qu'elle avait eue auparavant avec Grady, un esclave en fuite. On employait à présent le terme de mariage « mixte » pour désigner ce genre d'union mais il ne s'appliquait pas à Virgilia puisque Grady et elle avaient vécu en concubinage. Stevens s'était montré fort compréhensif, tant à cause de ses principes qu'en raison de son attachement profond à sa gouvernante mulâtre, Lydia Smith.

Il conduisit Virgilia dehors, sous le soleil pâle et froid baignant la colline. A l'autre bout du mail bourbeux se dressait le monument inachevé à George Washington.

— Le gouverneur Morton s'est montré sage en nommant Sam, dit le parlementaire.

Le visage de Virgilia rayonna de joie.

— Parce que c'est fait ?

— Cela le sera ce soir. Sam devra quitter le Comité des Quinze parce qu'il nous faut neuf membres de la Chambre, mais il continuera à guider nos activités en coulisse.

— Je suis impatiente de le féliciter, dit Virgilia, à qui Stout avait promis de dîner avec elle.

— Oui, c'est-à-dire que..., commença Stevens, l'air curieusement mal à l'aise. Il vaut mieux ne pas trop compter sur lui en ce moment. Avec ses nouvelles fonctions, il sera débordé.

Virgilia entendit l'avertissement mais était trop excitée, trop ardemment éprise de son amant, pour lui prêter attention.

Lorsque la guerre avait éclaté, Virgilia était à la dérive, totalement anéantie sur le plan émotif. Le chagrin d'avoir perdu Grady, conjugué à près de vingt années de militantisme en faveur de l'abolition de l'esclavage, l'avait épuisée. Au cours de ces deux décennies, elle s'était fréquemment querellée avec d'autres membres de la famille Hazard (en particulier George) au sujet de leur amitié avec les Main, un clan de Sudistes propriétaires d'esclaves. Ses positions tranchées l'avaient finalement incitée à rompre avec sa famille et à devenir la maîtresse de Grady, qui avait appartenu au mari d'Ashton Main avant que Virgilia ne l'aide à s'enfuir. Grady et elle avaient rejoint la petite bande de militants abolitionnistes de John Brown et avaient participé avec eux à l'attaque de Harper's Ferry en 1859. C'est là qu'une balle de l'armée avait mis fin à la vie de Grady.

Peu après le début du conflit, Virgilia était entrée chez les infirmières de l'Union. Envoyée dans un hôpital de campagne, elle avait laissé un blessé confédéré saigner à mort afin de venger Grady. Seule l'intervention discrète de Sam Stout lui avait épargné d'être arrêtée et très probablement emprisonnée. Après quoi, ils étaient devenus amants.

A l'époque, Virgilia avait trouvé son acte parfaitement justifié : elle se considérait comme un soldat en guerre, non comme une meurtrière. Ces derniers temps, toutefois, elle avait été prise de remords et regrettait à présent de ne pouvoir réparer le mal qu'elle avait fait, de ne pouvoir rendre la vie au soldat confédéré.

Elle ne méprisait plus son frère George pour son amitié avec Orry Main, ni son frère Billy pour son mariage avec Brett. Elle n'éprouvait pas, comme Sam et d'autres républicains, le désir de châtier le Sud. Transformer simplement en loi quelques-uns des principes républicains suffirait à le punir.

Virgilia se faisait ces réflexions en surveillant la cuisson d'un rôti sur la cuisinière en fonte de sa petite maison. Une pluie fine et froide avait commencé à tomber au crépuscule, quand l'horloge de la cheminée avait sonné la demie de cinq heures. Il était maintenant sept heures moins le quart et Sam n'était toujours pas rentré.

Attendre. Couvrant le bruit de la pluie, des roues grincèrent, un cheval frappa la boue de ses sabots. Elle courut à la porte de derrière, écarta le rideau, regarda le buggy couvert de Sam se garer dans la remise, à l'abri des regards des passants de la 13e Rue. Un instant plus tard, le parlementaire apparut et se dirigea à grands pas vers la maison. Le sourire de Virgilia s'évanouit : il n'avait pas dételé le cheval.

Elle ouvrit la porte alors qu'il cherchait encore sa clef.

— Entre, chéri. Donne-moi ton chapeau. Quel temps épouvantable !

Il entra sans la regarder. Elle referma la porte, fit tomber les gouttes d'eau accrochées au haut-de-forme.

— Ôte ta cape. Le dîner sera prêt dans...

— Ne te dérange pas, répondit-il, évitant toujours le regard de Virgilia. J'ai un rendez-vous urgent avec Ben Butler.

Il traversa la petite salle à manger pour se rendre dans la pièce de devant.

— Ce soir ? Qu'est-ce qu'il peut bien y avoir d'aussi urgent ?

Stout se chauffa les mains devant l'âtre du salon.

— Mes nouvelles responsabilités, répliqua-t-il d'un ton irrité. Puisque des raisons de santé empêchent le sénateur Ivey de remplir son mandat jusqu'à son terme, le gouverneur Morton m'a désigné pour le remplacer. Dans deux ans, je demanderai au Parti de me présenter comme candidat pour un mandat complet, cette fois. Entre-temps, je serai en mesure de faire appliquer notre programme et de mettre à genoux ce maudit tailleur du Tennessee*.

Virgilia prit son amant par les épaules.

— Sénateur Stout ! s'exclama-t-elle. Oh ! Sam, je suis si fière de toi.

— C'est un grand honneur. Et une grande responsabilité.

Elle se pressa contre lui, savoura le contact du corps ferme lui écrasant les seins. Elle lui enlaça la taille, le sentit se raidir. La voix magnifique de l'orateur baissa d'un ton pour annoncer :

— Cela exigera certains changements dans ma vie privée.

Virgilia laissa ses bras retomber lentement.

— Quel genre de changements ? demanda-t-elle.

Il toussota, regarda les flammes.

— Aie au moins le courage de me regarder, Sam.

Il obtempéra, et dans les yeux où le feu faisait scintiller des paillettes, elle vit monter de la colère.

— La fin de nos rencontres, pour commencer. Les gens en ont eu vent, ne me demande pas comment. C'était probablement inévitable. Les ragots sont le passe-temps favori des habitants de cette ville. En tout cas, puisque, au-delà du Sénat, j'aspire à de plus hautes fonctions — ambition que je n'ai jamais cachée, je te le rappelle...

— Continue, Sam, murmura Virgilia. Achève.

— Pour ma carrière, je dois consolider le côté public de mon existence. Me montrer plus souvent avec Emily, aussi désagréable cela...

— Tu es sûr qu'il s'agit bien d'Emily ? Moi aussi j'ai entendu des ragots.

— Cette remarque est indigne de toi.

— Peut-être. Je n'y puis rien si je me sens blessée.

D'une voix dure, Stout rétorqua :

— Je n'ai pas à te rendre de comptes, c'est convenu entre nous. Je m'abstiens donc de répondre à ta question.

Virgilia entendit le rôti grésiller sur la cuisinière, sentit une odeur de brûlé et n'y accorda aucune attention. Les mots tombèrent, durs et froids, de la bouche de Stout :

— Je m'attendais un peu à ce genre de réaction de ta part. C'est pourquoi j'ai décidé d'écourter la rupture. Je déposerai sur ton compte en banque l'équivalent de six mensualités. Ensuite, tu devras pourvoir toi-même à tes besoins.

Comme il se dirigeait vers la porte, Virgilia parvint à sortir de sa stupeur et lui lança :

* Avant d'entamer une carrière politique, Johnson avait été tailleur. (N.d.t.)

149

— Alors, c'est ainsi que cela se termine ? Quelques phrases et adieu ?

Sam continua, traversa la fumée s'échappant de la marmite où brûlait le rôti. Virgilia passa une main dans sa chevelure brune, défit des épingles qui libérèrent de lourdes mèches sans qu'elle s'en avise.

— C'est ainsi que tu traites quelqu'un qui t'a aidé et conseillé ? Quelqu'un qui s'est occupé de toi ?

Arrivé devant la porte, chapeau à la main, il se retourna et répondit avec une hostilité non déguisée :

— Je suis à présent sénateur des États-Unis. D'autres personnes ont des droits plus importants sur moi.

— Qui ? Cette garce de music-hall dont les gens parlent ? C'est elle que tu vas voir ? Miss Canary ? Réponds-moi, Sam.

Elle se jeta sur lui en hurlant, le poing brandi. Il lui saisit le poignet, la contraignit à baisser le bras.

— Je ne connais pas la personne dont tu parles, déclara-t-il. Et bien que cela ne te regarde pas, sache que je passe *vraiment* la soirée avec Butler et d'autres messieurs. Ordre du jour de la réunion : comment venir à bout de Johnson.

Il ouvrit la porte. La pluie, qui tombait plus dru, dissimulait presque la remise au fond de la cour.

— Maintenant, si tu veux bien me laisser partir, Virgilia... Je ne voulais pas rompre de cette manière mais tu m'y as contraint.

Il enfonça son chapeau sur sa tête, descendit le perron.

— Sam ! s'écria-t-elle. Sam !

Il lança le buggy dans l'allée. Les sabots du cheval éclaboussèrent de boue la joue de la femme en larmes, accrochée au poteau soutenant l'avant-toit. L'attelage tourna à droite, disparut.

— *Sam...*

Elle enlaça le poteau comme s'il se fût agi d'une créature vivante. La pluie trempait ses cheveux, lavait son visage maculé où la boue coulait telles des larmes noires.

Le lendemain après-midi, Virgilia se rendit à sa banque, s'enquit de sa position, découvrit que six mensualités avaient été versées sur son compte. Hébétée, elle ressortit, trébucha sous le soleil froid de l'hiver et retourna chez elle, écrasée par le poids de la certitude : elle ne reverrait plus Samuel G. Stout, sénateur républicain de l'Indiana.

Journal de Madeline.
Février 1866. Reçu un autre paquet de vieux Courier *aujourd'hui. C'est une gentillesse de Judith — et mon seul lien avec le monde. Je ne suis pas sûre de ne pas préférer qu'il soit rompu : les nouvelles sont si mauvaises, querelles et esprit de vengeance partout, même au plus haut niveau. Il y a quelques jours, un groupe est venu donner la sérénade à la Maison-Blanche, Mr Johnson est sorti pour le remercier et a fait une déclaration impromptue — pratique dangereuse pour lui. Il a dit que Stevens, Sumner et l'abolitionniste Wendell Phillips sont ses ennemis jurés. De tels propos inconsidérés peuvent-ils susciter autre chose qu'une animosité accrue ?...*

Mars 1866. Toujours beaucoup de troubles dans le district et de monde sur les routes, en particulier le premier lundi du mois, jour où les terres confisquées sont mises aux enchères et où des affranchis parcourent des kilomètres dans l'espoir que le Bureau distribuera chaussures, vêtements, rations de maïs. Ils repartent les mains vides si l'officier de service n'a plus rien à donner, ou s'il juge la foule trop importante, ou trop peu nombreuse pour qu'on s'occupe d'elle.

Trois sortes de gens se déplacent les jours de distribution. La première catégorie se compose principalement de vieux Noirs trop faibles pour travailler et subvenir à leurs besoins. L'oncle Katanga en fournit un bon exemple : il marche en s'appuyant sur deux cannes, et c'est une espèce de figure car il peut se vanter d'être né en Afrique. Un homme orgueilleux, mais qui a faim. Des Noires dont les maris sont partis, pour une raison ou une autre, forment avec leurs enfants la deuxième catégorie. La troisième, celle qui motive le plus souvent le refus de certains officiers du Bureau, rassemble ceux qu'on appelle les « déchus », « les pauv' blancs » — des incapables, en général, immanquablement aigris par l'émancipation des nègres, et trop paresseux pour trouver un moyen honnête de subsister. Nous en avons une bande dans le district, une pitoyable famille nommée Jolly. J'ai vu leurs tentes déchirées et leurs feux de camp dans les bois voisins de Summerton, les rares fois où la nécessité m'a contrainte à me rendre au magasin de Gettys...

Le capitaine Jack Jolly et les siens s'étaient établis dans un bosquet de chênes verts, près du *Dixie Store*. La famille se composait d'un patriarche, des deux frères mariés du jeune Jack, âgés de vingt et de vingt et un ans mais ayant déjà une grande expérience dans l'art de survivre sans travailler. La femme de l'aîné était une ancienne prostituée ; l'épouse du cadet, qui comptait quinze années de plus que son mari, venait de Bohême, ne parlait pas anglais et avait des bras de bûcheron. Le campement abritait en outre trois bébés crasseux dont nul ne savait au juste qui était le père, et quelques chiens à demi sauvages errant parmi les détritus.

Les tentes des Jolly étaient faites de couvertures volées, sous la menace des armes, à des affranchis. Ils possédaient aussi une mule et un chariot, « acquis » de la même façon. Quant au ravitaillement, ils y pourvoyaient tout simplement en allant chez Gettys.

Le capitaine Jolly se rendait au magasin, un jour de mars, à la tombée de la nuit, quand il fut rattrapé par une voiture se dirigeant vers Charleston. Il s'écarta du chemin, souleva son vieux chapeau de l'armée pour saluer une belle femme à la poitrine haute. Alléché par la silhouette prise dans une robe ajustée, il s'inclina et l'invita de manière explicite à le laisser lui donner du plaisir. L'inconnue le fusilla du regard, poursuivit sa route.

Chez Gettys, Jolly trouva ce qu'il voulait, une lampe à pétrole toute neuve.

— Jolly, tu vas me ruiner, protesta le boutiquier. Elle coûte quatre dollars.

— Pas pour moi, répondit le capitaine en dégainant un de ses revolvers. Pas vrai ?

Gettys se réfugia derrière le comptoir. Il avait commis une erreur stupide en conviant Jolly et sa misérable famille à s'installer au bord de l'Ashley. L'homme était dangereux comme un chien enragé, et à peu près aussi raisonnable. Lui et les siens vivaient de rapines ou se nourrissaient de maïs distribué à Charleston par le Bureau. L'une des femmes de la bande disait la bonne aventure, l'autre vendait ses charmes, à ce que Randall avait entendu dire.

— Bon, soupira le marchand, les lunettes embuées de sueur. Mais je le marque sur ton compte, en attendant que tu me rendes le petit service dont je t'ai parlé...

Le sourire de Jolly découvrit des chicots bruns.

— Je demande que ça, mais tu m'as toujours pas dit de qui j'dois m'occuper.

— Elle vient de passer en calèche. Tu l'as peut-être vue sur la route.

— C'te belle brune ? Bon Dieu, Gettys, pour elle, ce sera gratuit. A condition que tu me laisses passer une heure avec elle, tranquille, avant d'y régler son compte.

Gettys s'épongea le visage avec son mouchoir.

— Desmond insiste pour qu'on attende d'avoir un prétexte, expliqua-t-il. Un bon, un solide. Nous ne tenons pas à ce que les soldats du Bureau fassent une enquête et envoient un rapport à Washington, comme pour le meurtre de Tom.

— Me parle pas de ça, j'ai rien à voir là-dedans, répliqua Jolly, qui ne souriait plus. Si tu me casses encore les pieds avec tes histoires de meurtre, c'est toi qui y auras droit.

Il se gratta l'entrejambe avant de poursuivre :

— Pour l'autre affaire, dis-moi seulement quand. Je ferai ça proprement, sans laisser de traces. Et j'en profiterai pour me payer du bon temps.

A. Johnson a fait usage de son droit de veto pour rejeter ce que le Congrès appelle sa « loi sur les droits civiques ». Si j'ai bien compris, cette loi accorde des droits égaux aux Noirs et autorise les tribunaux fédéraux à juger des cas de violation de tels droits. Ai lu dans un numéro du Courier *certaines des objections du président, qui défend les droits sacrés des États aussi farouchement que Jason Huntoon avant la rébellion...*

Et toujours autant de gens sur les routes. Des hommes, des femmes, séparés de leur conjoint vendu par le maître, errent dans tout l'État à la recherche de l'être aimé. Des familles brisées veulent retrouver des frères, des sœurs, des cousins. Le flot noir coule nuit et jour.

Il a apporté à Mont Royal une nouvelle tragédie. Un homme nommé Foote s'est présenté hier au domaine. C'est lui, et non Nemo, le mari de Cassandra. Foote avait été vendu à un planteur de Greenville en 58, et Cassandra avait perdu espoir de le revoir.

Mais son petit garçon est bien de Nemo, et quand Foote l'a appris, il a sorti un couteau et a essayé de lui taillader le visage. Andy l'a maîtrisé, m'a fait appeler. Je leur ai dit de régler l'affaire pacifiquement. Ce matin, Nemo est parti, Foote s'est installé à sa place, et Cassandra fait peine à voir. N'y aura-t-il pas de fin aux souffrances causées par « l'institution particulière* » ?

* Euphémisme pour esclavage. (N.d.t.)

Avril 1866. Événement historique à Washington, disent les jour-
naux. Le Congrès a passé outre au veto du président. Jamais une loi
n'avait été adoptée de cette façon ; jamais un président en exercice
n'avait été ainsi humilié.

... Nous récoltons la moisson de la haine du Blanc pour le Noir.
La ville de Memphis a connu trois jours d'émeutes déclenchées par
des affrontements entre soldats fédéraux de couleur et policiers blancs
en colère. Au moins quarante morts, bien plus de blessés, et le calme
n'est pas encore rétabli...

... Les émeutes sont enfin terminées. Suis sûre que le Comité des
Quinze procédera à une enquête. Le colonel Munro s'est rendu à
Washington avec un Noir de la région pour témoigner devant le
Comité...

— Je sais que cela vous est difficile, dit Thaddeus Stevens. Veuillez rassembler vos esprits et ne reprendre que lorsque vous serez tout à fait prêt.

Elihu Washburne, représentant de l'Illinois, émit un grognement pour protester contre le ton pathétique de Stevens. Le parlementaire de Pennsylvanie était en effet capable de transformer une audience en mélodrame, et c'était précisément ce qu'il s'employait à faire avec le Noir pauvrement vêtu assis en face des membres du comité. Derrière, sur l'un des fauteuils réservés aux observateurs, le sénateur Sam Stout se promit d'informer la direction du Parti de l'attitude déplacée de Washburne.

Le témoin s'essuya les joues de la main, poursuivit péniblement sa déposition :

— Y a pas grand-chose d'aut' à dire, m'sieur. Mon p'tit frère Tom, il a refusé le contrat de Mr Woodville. Il avait peur de le faire, mais à Charleston, le colonel Munro, il lui avait dit que c'était un mauvais contrat. Tom aurait pas eu le droit de quitter la ferme sans la permission de Mr Woodville. Il aurait dû être bien poli tout le temps, et respectueux, sinon pas de paie. Et pas le droit d'avoir des chiens. Tom aimait la chasse, il avait deux beaux chiens.

En écoutant, Stout sentait l'accablement le gagner. Les témoins se succédaient pour dénoncer des contrats de travail révoltants rédigés par des fermiers du Sud qui voulaient qu'on continue à les appeler maître. Le sénateur attribuait en partie cette situation à l'ignorance, favorisée par l'isolement du Sud. Des hommes tels que ceux qui avaient tenté de prendre sous contrat le défunt avaient grandi au sein d'un système agricole fondé sur l'intimidation, la peur, l'asservissement. Comme ils ne pouvaient probablement pas en imaginer d'autre, ils avaient rédigé ces maudits contrats.

Le témoin tourna les yeux vers Stevens, qui l'incita à poursuivre avec douceur :

— Continuez, monsieur, si vous le pouvez.

— Ben, comme j'ai dit, le colonel, il a conseillé à Tom de pas signer le contrat. Et le lendemain, Tom a répondu non au vieux Mr Woodville. Le soir, il est rentré dîner, et c'est la dernière fois que je l'ai vu. Il a raconté que Woodville était sacrément en colère contre lui. Deux jours plus tard, on l'a retrouvé...

La voix du témoin se brisa.

— On l'a retrouvé mort, parvint-il à achever.

Assis sur la chaise voisine, Orpha Munro passa un bras autour des épaules du Noir secoué de sanglots. Stevens déclara au greffier :

— Que le procès-verbal montre clairement le meurtre comme une conséquence du refus de Tom de travailler dans des conditions équivalant à de l'esclavage.

— Je demande pardon à mon collègue, intervint sèchement le sénateur Reverdy Johnson, du Maryland. Je compatis à la perte du témoin, mais il n'a apporté aucune preuve établissant de manière concluante une relation entre cette regrettable mort et les événements qui l'ont précédée.

Stout considéra d'un œil indigné le parlementaire démocratique, homme politique distingué qui n'en faisait pas moins obstruction aux travaux du comité. Stevens avait l'air furieux, lui aussi.

— Souhaitez-vous que votre remarque figure au procès-verbal ? demanda-t-il.

— Absolument.

— Qu'il en soit ainsi.

— Je remercie le sénateur de Pennsylvanie, dit Johnson, l'air satisfait.

Peu importe, pensa Stout, refrénant sa colère. Stevens, lui-même et le groupe de républicains idéalistes du Congrès étaient fort contents de l'ensemble des témoignages que le comité avait recueillis. Noirs et officiers du Bureau de tous les États avaient dénoncé les brutalités et les abus de pouvoir dont les affranchis étaient victimes — le président se contentant de répéter que le Congrès n'avait pas le droit d'intervenir.

Mais le tailleur du Tennessee était aux abois, tandis que des événements comme les émeutes de Memphis favorisaient la cause républicaine. De plus, pour riposter à une éventuelle décision déclarant non constitutionnelle la loi sur les droits civiques, on préparait déjà un 14e Amendement qui en réitérerait les dispositions essentielles : citoyenneté à part entière des Noirs, non-représentation de tout État refusant le droit de vote aux hommes éligibles de plus de vingt et un ans.

Le Comité interparlementaire sur la Reconstruction serait bientôt en mesure de rédiger son rapport, qui mettrait en lumière les tentatives sudistes de restreindre les libertés, notamment par la mise en vigueur de Codes noirs. Ce rapport s'appuierait sur un nombre considérable de preuves et réaffirmerait la suprématie du Congrès en la matière. Et si cela n'achevait pas de perdre Johnson aux yeux de l'opinion, Stout et ses amis radicaux déposeraient un deuxième projet de loi visant à proroger le Bureau des affranchis. Johnson opposerait un nouveau veto, le Congrès passerait outre une fois de plus. L'armée de la liberté était en marche, et Sam Stout faisait partie de ses officiers.

De nouveau effondré, le témoin sanglotait malgré les efforts de Munro pour le réconforter. Stevens quitta la table, Stout se leva. Les deux hommes échangèrent un regard tandis que Stevens posait une main consolatrice sur l'épaule du vieux Noir.

Au fond de la salle d'audience, les journalistes griffonnaient hâtivement. Parfait, songea Stout en se dirigeant silencieusement vers la porte. On pouvait s'attendre à avoir le lendemain dans les journaux amis des articles félicitant Stevens — et à travers lui tous les républicains — de continuer à défendre les opprimés.

Juin 1866. Nouvelles émeutes, à La Nouvelle-Orléans cette fois. Le Courier *parle de deux cents morts au moins.*

A. Johnson a opposé son veto à la loi sur le maintien du Bureau des affranchis, mais on dit que ce veto sera tourné et que le président cherchera un moyen de riposter...

Il l'a trouvé. J. a dénoncé le 14e Amendement, il a appelé notre État et tous ceux du Sud à ne pas le ratifier. Pourtant le Tennessee s'est empressé de le faire et le gouverneur Brownlow — le « Pasteur » — en a informé Washington en ces termes :«Transmettez mes respects au sale individu de la Maison-Blanche. »

Et maintenant ?

20

Les congères commençaient à fondre lorsqu'un Blanc pénétra à cheval dans le village cheyenne où la compagnie Jackson avait passé l'hiver. Il fut accueilli par des acclamations, de larges sourires, et les mères soulevèrent leurs bébés pour leur faire toucher la soutane noire qui dépassait d'une peau de bison. Pied-de-Bois présenta Charles au missionnaire jésuite, figure légendaire des Plaines.

Âgé de soixante-cinq ans, le père Pierre-Jean DeSmet était né en Belgique et avait émigré en Amérique dans sa jeunesse. En 1823, il avait quitté le noviciat catholique proche de Saint Louis pour commencer sa remarquable carrière, évangélisant les Indiens et épousant aussi leur cause. Certains de ses voyages l'entraînèrent jusqu'à la vallée de la Willamette. Pour les Sioux, les Pieds-Noirs, les Cheyennes et autres tribus, il était « Robe-Noire », confesseur, médiateur, porte-parole des Indiens aux conseils des Blancs — en un mot, un ami.

Devant le feu allumé pour le soir, DeSmet montra de la bonne humeur et une vaste connaissance des Indiens. Sa loyauté à leur égard ne faisait aucun doute :

— Je puis vous dire, Mr Main, que si les Indiens pèchent envers les Blancs, c'est uniquement parce que les Blancs ont gravement péché envers eux. S'ils sont en colère, c'est parce que les Blancs les ont provoqués. Je n'accepte aucune autre explication. Ce n'est que lorsque Washington n'aura plus la brutalité pour politique officielle que la paix régnera dans les Plaines.

— Pensez-vous qu'il y a une chance pour que cela arrive, Mon Père ? demanda Charles.

— Elle est fort mince. La cupidité triomphe trop souvent des élans charitables. Mais cela ne me décourage pas. Je m'efforcerai de bâtir un royaume pacifique jusqu'à ce que Dieu me rappelle à lui.

Trois routes se partageaient l'essentiel de la circulation à l'ouest du Missouri. La vieille piste de l'Oregon suivait la vallée de la Platte, avec un embranchement plus récent, la piste de Bozeman, bifurquant vers les gisements aurifères du Montana. La piste de Santa Fe courait au sud-ouest en direction du Nouveau-Mexique et, entre les deux, la route de la Smoky Hill longeait la rivière, vers les mines du Colorado, à l'ouest.

En mai 1866, la compagnie Jackson rencontra un autre Blanc alors qu'elle se trouvait encore à une cinquantaine de kilomètres au sud de la Smoky Hill. L'homme conduisait un chariot bâché. Il avait des nattes et, au-dessus du front, des cheveux coupés à la chien et enduits de graisse pour les faire tenir droits. Il était adipeux, avec un visage de Père Noël qui aurait fait la noce pendant une semaine. Il salua le trio, l'invita à partager son campement pour la nuit.

— Non, merci. Nous sommes pressés, Glyn, répondit Pied-de-Bois sans sourire, avant de faire signe à ses compagnons de poursuivre leur route.

Lorsqu'ils eurent croisé le chariot, Charles regarda par-dessus son épaule et découvrit avec surprise, assise à l'arrière, une jeune Indienne d'une quinzaine d'années qui les observait à la dérobée. Elle avait le triple menton d'une femme mûre et donnait une impression de joliesse gâchée par la goinfrerie.

— Tu n'aimes pas beaucoup ce type, on dirait, dit-il à son associé. C'est un concurrent ?

— Pas pour nous. Il vend de l'alcool et des armes. Il s'appelle Septimus Glyn et il a travaillé un moment pour le Bureau des affaires indiennes de l'Arkansas supérieur. Mais même au Bureau on pouvait pas le sentir. Il traîne dans le secteur à vendre des marchandises interdites, et chaque année, à peu près, il se trouve une jeune Indienne, lui raconte des tas de promesses, la fait picoler jusqu'à ce qu'elle aime ça et l'emmène. Quand elle est plus bonne qu'à faire la putain, il la vend.

— J'ai vu une fille dans le chariot.

— M'étonne pas, fit Pied-de-Bois d'un air écœuré, sans même se retourner pour vérifier. C'est sûrement une Crow, il s'est coupé les cheveux à la crow. Ils sont beaux, les Crows, mais il rendra cette fille horrible avant d'en avoir fini avec elle, le sale maquereau.

Ils parvinrent à la route de la Smoky Hill avec leurs quarante-six chevaux indiens : ils n'avaient plus aucune marchandise, et Jackson ne cessait de répéter que son nouvel associé lui portait chance.

Au sud de la Smoky Hill, ils n'avaient rencontré aucun autre Blanc que Glyn, mais sur la piste même, ils durent remonter le flot d'un convoi de chariots d'émigrants escortés par des soldats de la cavalerie. Comme les véhicules roulaient à deux de front et que leurs conducteurs refusaient de céder le passage, le trio dut faire passer mules et chevaux entre les chariots, en avalant une quantité considérable de poussière. Par deux fois, Fen faillit se faire piétiner par des bœufs, et deux précieux mustangs s'enfuirent.

Après avoir croisé la caravane, Charles et Pied-de-Bois s'arrêtèrent, le visage couvert d'une couche de farine jaune qui faisait paraître leurs yeux plus grands et plus clairs.

— Parole, Charlie, j'ai jamais vu autant de chariots de blancs-becs si tôt dans l'année.

— Et ça ne va sûrement pas plaire aux Sioux et aux Cheyennes, hein ?

— Tout juste.

Charles regarda les bâches blanches s'éloigner vers l'ouest en se balançant.

— Tu sais, dit-il, quand ils n'ont pas voulu nous laisser passer, j'ai compris d'un seul coup ce que les Indiens doivent ressentir.

A une cinquantaine de kilomètres de Fort Riley, ils découvrirent les premiers jalons marquant l'itinéraire de la future voie ferrée. Tous les deux kilomètres environ, ils passèrent devant une pile de poteaux télégraphiques attendant d'être plantés. Lorsqu'ils arrivèrent à une pile dont il ne restait que des cendres et du bois calciné, Jackson déclara :

— Les tribus aiment à peu près autant le « fil qui parle » que les colons.

Ils poursuivirent leur route. Brûlé par le soleil, endurci par le retour à une vie en plein air, Charles se sentait en forme, en harmonie avec son environnement. Son sentiment d'épuisement, de dégoût, cédait la place à une énergie nouvelle et à un désir de vivre. S'il n'était pas encore guéri, la convalescence avait commencé.

La matinée était chaude. Il ôta son poncho, releva les manches de son maillot de corps et, en allumant un cigare, avisa huit autres chariots se dirigeant vers eux à travers la prairie. C'étaient des ambulances de l'armée, tirées chacune par deux chevaux et entourées par un cercle mouvant de cavaliers.

— Qu'est-ce que c'est que ça, bon Dieu ? grommela Pied-de-Bois.

Ils arrêtèrent leurs mules et leurs mustangs, attendirent. Les ambulances stoppèrent ; un colonel sauta de cheval, les salua ; un autre officier descendit du chariot de tête. C'était un homme filiforme aux cheveux roux mêlés de gris, dont le visage d'oiseau de proie stupéfia davantage Charles que ses trois étoiles.

— Bonjour, dit le général. D'où venez-vous, messieurs ?

— Du Territoire indien, répondit Jackson.

— Nous avons passé l'hiver chez les Cheyennes du Sud, ajouta Charles.

— Je suis en tournée d'inspection. Dans quelles dispositions sont-ils ?

— Ben, commença prudemment Jackson, je dirais qu'ils sont d'humeur méfiante. Chaudron-Noir, le chef de paix, sait pas combien de temps encore il pourra retenir ses jeunes.

— Ah ! oui ? fit le général, l'air courroucé. Je vais lui parler, à ce Peau-Rouge. Si y a encore un Blanc de scalpé dans la région, je ne pourrai pas tenir mes hommes, moi non plus.

L'officier parut se calmer et examina attentivement Charles, qui rejetait un panache de fumée bleue.

— Il m'a semblé déceler dans votre voix une trace d'accent sudiste, non ?

— Plus qu'une trace, général. J'ai servi sous les ordres de Wade Hampton.

— Un bon soldat. Vous aimez le cigare ? Moi aussi. Je vous en offrirai volontiers un des miens pendant que nous préparerons à manger.

— Non, merci, général. Je suis impatient de revoir mon fils.

— Alors, bon voyage.

L'officier filiforme salua avec désinvolture, remonta dans l'ambulance. Dès que le convoi fut reparti, Pied-de-Bois demanda à son associé :

— Tu connais ce galonné ?

— Bien sûr. Enfin, j'ai vu des photos de lui. Ses bonshommes ont incendié la moitié de mon État natal.

— Seigneur, tu veux pas dire que c'est Billy Sherman ?

— Si. Je me demande ce qu'il fait dans le coin.

Ils eurent la réponse à Riley. Sherman avait pris le commandement de la Région du Mississippi peu après le passage de Charles à Chicago. Il avait transféré son quartier général à Saint Louis puis, en mars, avait persuadé Grant de créer un Secteur de la Platte, pour réduire la superficie de celui du Missouri, trop étendu, et assurer une meilleure administration des deux nouveaux secteurs au sein de la Région. La décision avait naturellement déplu à John Pope, commandant du Secteur du Missouri.

Ces faits s'accompagnaient d'inévitables rumeurs : le Secteur du Missouri serait bientôt rebaptisé Région du Missouri. Sherman trouvait Saint George Cooke, commandant du Secteur de la Platte, trop vieux, et voulait remplacer Pope par Winfield Hancock, Hancock « le Magnifique », de Gettysburg. Il voulait aussi que le Congrès constitue de nouveaux régiments d'infanterie et de cavalerie, qu'il en affecte plusieurs dans les plaines, bien qu'il fût déjà trop tard pour escorter les émigrants de la saison.

Charles eut l'impression que Sherman avait une opinion fortement négative des Indiens mais ne tenait pas à se retrouver mêlé à l'élaboration d'une politique les concernant. « Shérifs de la nation » — c'était ainsi qu'il concevait le rôle des militaires. Plus engagé, Pope insistait pour que les convois d'émigrants s'organisent avant de quitter des postes comme Leavenworth. Sinon, ses régiments ne sauraient être tenus pour responsables de leur sort.

A la cantine, Charles récupéra une lettre de Duncan.

— Il s'est rapproché, dit-il à Jackson. On l'a muté à Fort Leavenworth en janvier. Vite, on selle les chevaux.

Le 1er juin, toutes les bêtes avaient été vendues, ce qui avait rapporté un peu plus de deux mille dollars à la compagnie Jackson. Le trio repartit vers l'est, déposa son argent dans une banque de Topeka, chacun gardant cinquante dollars pour ses dépenses personnelles. Puis les deux associés se serrèrent la main en se donnant rendez-vous le 1er septembre. Avec un regard malicieux, Pied-de-Bois demanda :

— Tu vas où à part Leavenworth ? Au cas où j'aurais besoin de toi...

— Oh, je sais pas, fit Charles en montant Satan. Peut-être Saint Louis. Pour aller chez le barbier, ajouta-t-il en caressant sa barbe, longue et fournie. Voir un spectacle. J'ai rencontré une actrice, tu te souviens ?

— Mmm, c'est vrai. J'avais complètement oublié.

Le mensonge arracha un sourire à Charles.

— Une petite effrontée qui se fiche pas mal qu'on jase parce qu'elle invite les messieurs à dîner, continua Pied-de-Bois.

— Oui, c'est elle.

— A te voir si impatient de partir, je me doutais bien que t'avais quelque chose en tête. Alors, c'est cette Augusta ?

Soudain blême, Charles répliqua :

— Augusta était la mère de mon fils. Elle est morte. Je n'ai jamais prononcé son nom.

— Pas dans la journée. Mais tu parles en dormant, Charlie. Excuse-moi, je pensais que c'était des rêves agréables.

— Ce n'est pas grave.

— Je veux que tu sois content. T'es mon ami. J'ai eu un sacré coup de pot de te rencontrer à Jefferson.

— Je pense la même chose.

— Embrasse ton fils et te fais pas tuer en te battant dans les tavernes.

— Ça ne risque pas, répondit Charles avant de s'éloigner.

Trottant vers le nord sur la route reliant Leavenworth City au camp de l'armée, Charles passa devant des champs tracés au cordeau et le vaste terrain de la firme Russell, Majors & Waddell, encombré de chariots, de piles de marchandises et de parcs à bestiaux. A droite, le fleuve coulait à perte de vue au pied d'une haute falaise.

D'une superficie de quinze kilomètres carrés, le poste de Leavenworth comprenait le quartier général du secteur, des baraquements et autres installations pouvant accueillir six compagnies, ainsi qu'un grand dépôt ravitaillant les forts situés plus à l'ouest. Le colonel Henry Leavenworth avait établi ce cantonnement en 1827, sur la rive droite du Missouri, près de son confluent avec la Kaw.

Les quartiers de Jack Duncan étaient typiques des postes militaires de l'Ouest : des pièces spartiates, meublées d'un vieux poêle et de ce que leur occupant avait apporté, acheté ou fabriqué avec des caisses et du bois de charpente. Normalement, le général aurait dû vivre dans un logement plus petit — dans l'« Old Bedlam », quartier des officiers célibataires — mais profitant de son grade supérieur, il avait fait déménager un capitaine marié et sa famille pour s'installer à sa place avec Maureen et le petit Gus.

Charles était stupéfait de voir comme son fils avait grandi depuis l'automne. Le bambin traversait le salon si rapidement, en vacillant sur ses jambes, que son père était constamment prêt à plonger pour le rattraper. Cela amusait Duncan.

— Inutile, dit le militaire. Il se tient bien debout.

Charles ne tarda pas à le constater.

— Il ne me connaît pas, Jack.

— Bien sûr. Gus, viens voir ton oncle.

Duncan ouvrit les bras, l'enfant grimpa sur ses genoux sans hésiter.

— C'est ton papa, dit l'officier en montrant le visiteur. Tu vas voir ton papa ?

Charles tendit les bras vers Gus, qui se mit à crier.

— Je crois que c'est votre barbe, expliqua Duncan.

Après une heure d'efforts, le père réussit à attirer son fils et le fit rire aux éclats en le faisant sauter sur ses genoux. Maureen sortit de la cuisine, l'air désapprobateur, mais Charles n'arrêta pas pour autant.

Duncan se renversa dans son fauteuil, alluma une pipe.

— Vous avez l'air d'aller bien, Charles, remarqua-t-il.

— Augusta me manque, elle me manquera toujours. Mais cela mis à part, je n'ai jamais été plus heureux.

— Cet Adolphus Jackson doit être un excellent homme.

— Le meilleur qu'on puisse trouver, assura Charles. (Il s'éclaircit la voix.) A propos d'Augusta..., ou plutôt d'une femme dont j'ai fait la connaissance à Saint Louis. Vous serez peut-être choqué...

— Pas le moins du monde, je comprends. Et vous pourrez partir pour Saint Louis dès que vous le voudrez.

— Merci, Jack. La vie est merveilleuse, finalement, déclara Charles en contemplant son fils.

— Je suis heureux de vous l'entendre dire, fit Duncan, souriant. Nous avons tous pensé le contraire suffisamment longtemps pendant « le récent désaccord ».

Le rideau se leva, les acteurs se prirent par la main et s'avancèrent. Trump ôta son bonnet de bûcheron, l'agita pour remercier le public de ses applaudissements — et attirer toute l'attention sur lui. Il décrocha de sa tunique grossière un chrysanthème porte-bonheur, plus brun que blanc, et le jeta vers les spectateurs. Un obèse l'attrapa, l'examina, le laissa tomber.

La troupe salua à nouveau puis Trump s'avança seul pour un troisième salut. La comédienne qui jouait sa femme échangea un regard excédé avec Willa, joliment vêtue d'une robe à taille haute pour son rôle de jeune première. Selon les affiches placardées dehors, la pièce — le Médecin malgré lui — avait été « augmentée et transformée par Mr Trump ». Charles, qui applaudissait à tout rompre dans la loge où il se tenait debout, avait eu l'impression que la farce proprement dite — un bûcheron qui se fait passer pour un grand docteur — avait été interrompue quatre fois au moins pour permettre à Sam Trump de débiter des monologues comiques tranchant avec le reste de la pièce. Dans l'un d'eux, l'acteur décrivait des hôtels aux curieux noms français et le public, en majorité masculin, rugissait de rire à ce qui devait être une allusion à quelque établissement local.

Charles ne se souciait pas vraiment que Trump eût réécrit Molière. Comme la plupart des autres spectateurs, il était séduit par la présence de Willa Parker qui, à sa première entrée en scène, avait captivé le public. Non par l'attrait d'une beauté classique mais par quelque charme indéfinissable qui attirait les regards et les retenait. Les grandes comédiennes possédaient peut-être toutes ce pouvoir.

Comme il passait les bras par-dessus la balustrade, sans cesser d'applaudir, le mouvement attira l'attention de Willa vers la loge. Il s'était offert un bain, une coupe de barbe, et avait acheté une veste marron bon marché avec un pantalon assorti. L'actrice le reconnut, parut surprise puis ravie. Charles sourit, hocha la tête. Soudain les yeux de la comédienne se portèrent de l'autre côté de la salle, vers une loge maintenant vide mais dont le rideau, encore en mouvement, indiquait que son occupant venait de la quitter.

Les applaudissements moururent. Le public — essentiellement des hommes et quelques rares dames accompagnées — commença à gagner la sortie, cependant que Charles s'interrogeait sur l'expression anxieuse qu'avait prise le visage de Willa Parker lorsqu'elle avait tourné les yeux.

Impatient, d'une nervosité surprenante, il se hâta de faire le tour du théâtre jusqu'à l'entrée des artistes où, l'année précédente, il avait empêché un cocher de brutaliser un cheval. Il glissa un demi-dollar au concierge, se sentit poussé par d'autres messieurs aussi impatients que lui de pénétrer dans les coulisses.

Il découvrit Sam Trump planté à l'entrée d'un couloir conduisant aux loges, si bien que pour aller voir n'importe quel comédien, il fallait passer devant lui et le féliciter. Charles ne manqua pas de le faire et l'acteur, les yeux pétillants de joie, répondit :

— Merci, mon garçon, merci. (Une goutte de teinture noire tomba de ses cheveux.) Votre visage m'est familier. Boston ? Non, j'y suis : Cincinnati !

— Saint Louis. J'ai une barbe maintenant. Charles Main.

— Mais oui, je me souviens, à présent, mentit Trump. Ravi que vous ayez pu venir ce soir. Demain, nous jouerons sans doute à guichets fermés.

Le regard de Trump cherchait déjà par-dessus l'épaule de Charles l'admirateur suivant. Le Sudiste passa devant lui, sentit une odeur de transpiration mais pas d'alcool. Apparemment, Willa avait réussi à le mettre au régime sec.

Toutes les portes des loges étaient ouvertes sauf la dernière à droite, qui devait être celle de Willa puisqu'un homme de petite taille, tiré à quatre épingles, en faisait déjà le siège.

A l'approche de Charles, l'homme se retourna. Charles reconnut aussitôt la posture guindée, le bouc soigneusement taillé et les moustaches en pointe, les chaussures impeccablement cirées, les vêtements sans un pli.

L'admirateur de Willa était l'homme qui lui avait de nouveau interdit l'armée, le capitaine Harry Venable.

21

Les nerfs tendus, Charles s'approcha de Harry Venable. Apparemment, le pimpant officier ne le reconnut pas mais dut deviner ses intentions puisque, lorsque l'ancien confédéré voulut frapper à la porte de la loge, il s'interposa.

— Excusez-moi. Mrs Parker est prise.

Charles baissa les yeux vers le petit homme, inclina la tête pour souligner la différence de taille.

— Je préfère qu'elle me le dise elle-même, répliqua-t-il.

Il tendit le bras par-dessus l'épaule de Venable, frappa à la porte. L'officier devint écarlate. Dans la loge, la comédienne réclama quelques instants de patience.

— Qu'est-ce qui vous fait sourire ? lança Venable à Charles.

— Le beau Harry Venable, promotion de 59 à West Point...

Déconcerté, le militaire s'efforçait de reconnaître l'intrus.

— La dernière fois que nous nous sommes rencontrés, reprit Charles, vous aviez de l'aide. Ce n'est plus le cas maintenant, et si un différend venait à surgir entre nous, nous pourrions le régler à la loyale cette fois.

Les dents de Charles brillaient dans sa barbe mais le sourire n'avait rien d'amical.

La porte s'ouvrit. Willa se précipita vers lui, le prit dans ses bras.

— Charles ! Je n'y ai pas cru quand je vous ai vu dans cette loge...

Elle recula, l'examina en lui tenant les mains. Elle portait un peignoir pastel fait d'un tissu transparent orné de papillons sur un fond de satin. Bien que soigneusement fermé à la taille, le vêtement ne cachait pas tout à fait le haut de la poitrine. Un reste de cold-cream brillait sur son nez. Avec ses mèches blondes tombant sur son front, elle avait l'air un peu négligé — et absolument adorable.

— Entrez, pendant que je finis de me démaquiller...

Elle se tourna vers Venable qui demeurait planté devant la porte, incapable de cacher sa fureur, et en bonne actrice qu'elle était, lui déclara aimablement :

— Colonel, désolée de devoir refuser encore une fois. Mr Main et moi avions rendez-vous depuis très longtemps. Je suis sûre que vous comprendrez.

— J'ai aussi rendez-vous depuis très longtemps avec ce petit crapaud. Pour lui casser la figure. C'est lui qui m'a reconnu, au camp Jefferson.

— Il y est encore, dit Willa en épinglant ses cheveux. Il a vu la pièce il y a quatre jours et ne cesse de m'importuner depuis. Oh ! Charles, vous êtes resté absent si longtemps !

— C'est loin, le Territoire indien.

Il se surprit à fixer les yeux bleus de la jeune femme avec plus d'insistance qu'il ne l'aurait voulu.

— Je pensais que vous ne reviendriez jamais, soupira-t-elle.

Elle se hissa sur la pointe des pieds pour l'embrasser sur la joue, le prit à nouveau dans ses bras. Son corps était doux et tiède sous les papillons.

— On dîne ensemble ? proposa-t-elle.

— Absolument. Mais pas d'escargots, cette fois, dit-il avec un grand sourire.

— Attendez-moi dans le foyer, je serai prête dans deux minutes, promit Willa, sans parvenir à masquer son excitation.

Au foyer, Charles constata que Venable avait disparu et en fut soulagé : il se sentait trop bien pour gâcher la soirée par une bagarre.

Juste avant de quitter le théâtre avec Charles, Willa adressa un signe de la main à Sam Trump, qui se tenait dans les coulisses,

Prosperity dans les bras. Le directeur de la troupe interrompit sa conversation avec un machiniste pour les saluer, considéra Charles de curieuse façon puis regarda le couple sortir par la porte d'Olive Street.

Sur le trottoir, Charles se figea.

— Qu'y a-t-il ? demanda l'actrice. Oh !

Elle aussi vit l'importun de l'autre côté de la rue, dans l'ombre d'un chef indien en bois servant d'enseigne au marchand de tabac. Découvert, Venable exécuta un demi-tour et fila vers le coin de la rue.

— Quel homme étrange, dit Willa en frissonnant.

— Il ne reviendra peut-être plus maintenant que je suis là.

— Tout à l'heure, devant la loge, j'ai eu l'impression qu'il vous aurait volontiers tué.

— Il a déjà essayé, dit Charles. Bon, pensons au dîner. *New Planter House ?*

— Pourquoi pas ? J'y ai emménagé. Oui, je ne dors plus au théâtre.

Ils se mirent à marcher bras dessus, bras dessous dans la nuit.

— Depuis février, nous faisons des bénéfices, expliqua Willa. Pas grand-chose, mais nous gagnons de l'argent. La troupe s'est fait un nom et la direction de l'hôtel nous a proposé des chambres à prix réduit. On s'arrache Mr Trump et Mrs Parker, maintenant.

Il sourit. La pointe de cynisme des propos lui rappela que Willa avait une grande maturité d'esprit. Il lui en fit la remarque au restaurant, devant un plat de chevreuil. Cette fois, c'était lui qui avait commandé.

— Vous me flattez, répondit-elle.

— Non, je suis sincère. Non seulement vous êtes très mûre pour quelqu'un de votre âge mais vous êtes aussi plus intelligente que la plupart des hommes que je connais.

D'un geste, elle balaya le compliment.

— Si c'est vrai, et j'en doute, c'est peut-être parce que j'ai grandi dans un théâtre. Connaître des pièces m'a donné envie d'en lire d'autres, puis de lire d'autres livres. Et mon père avait un point de vue progressiste sur l'éducation des filles.

La conversation se porta sur ce qui était arrivé à Willa depuis leur dernière rencontre. Le *Saint Louis Playhouse* s'était doté d'une troupe permanente.

— Les comédiens sont maintenant prêts à signer pour toute une saison parce que je les ai convaincus que Sam ne boira pas les bénéfices, expliqua-t-elle.

La troupe avait quatre pièces à son répertoire et envisageait de partir en tournée.

— Savez-vous qu'il n'y a pas un seul théâtre digne de ce nom d'ici à Salt Lake City ? J'imagine que toutes ces villes nouvelles qui poussent le long de la voie ferrée seraient l'idéal pour une troupe voyageant avec son propre chapiteau.

— Sans oublier les postes militaires.

Un garçon leur servit un café noir et parfumé dans une cafetière en argent.

— Vous aimez la vie, n'est-ce pas ? demanda Charles.

— Oui, beaucoup, répondit-elle. Mais... (Elle rougit en le regardant.) J'ai souvent pensé à vous cet hiver.

Le regard de Willa alluma quelque chose en lui. Il savait qu'il aurait dû battre en retraite, en était incapable.

— Moi aussi j'ai pensé à vous, Willa.

Elle laissa ses mains tomber sur ses genoux et dit à voix basse :

— Je tremble comme une ingénue à sa première entrée sur scène. Je ne peux pas boire ce café, je ne veux rien d'autre...

Après un silence, elle ajouta :

— Voulez-vous m'accompagner à ma chambre ?

Et cela arriva bien plus tôt qu'il ne l'avait prévu, dans la petite chambre éclairée par les lampes à gaz du salon voisin. Elle gémit faiblement, impatiente, tandis que leurs mains s'affairaient, jetant leurs vêtements n'importe où. Elle ôta les épingles de sa chevelure d'un blond argenté, la secoua. Charles posa doucement la main sur un sein ferme puis sur l'autre.

— Oh ! je suis si heureuse qu'il y ait toi, dans ce monde, murmura-t-elle.

Elle se glissa sous lui, l'attira, promena une main sur sa poitrine, lui embrassa le cou, chercha sa bouche.

— Je ne suis pas vraiment une femme de mauvaise vie, chuchota-t-elle. Il n'y a eu qu'un autre homme, avant, et seulement deux fois, par curiosité. Un four, les deux fois. Alors, je n'ai pas d'expérience et j'espère que...

— Chut, fit-il en l'embrassant. Chut.

Elle était douce et chaude lorsqu'il la pénétra. Elle se cambra tandis que, ensemble, ils cherchaient leur rythme. Elle s'agrippa à lui des chevilles, des mollets, et il cessa de s'inquiéter des liaisons trop profondes et de leurs conséquences. Il ne pensait qu'à l'ardeur accueillante de cette jeune femme singulière et passionnée qui l'incitait à aimer de tout son corps et de toute son âme.

Il se réveilla en sursaut, ne sut pas où il était. Il battit des jambes, se tourna dans le lit, vit par la porte à demi ouverte le salon faiblement éclairé. Le mouvement tira Willa de son sommeil.

— Ça va ? demanda-t-elle.

— Je rêvais.

Tendrement, elle pressa son corps nu contre son flanc, lui embrassa l'épaule.

— Un mauvais rêve ?

— Je crois. Je ne m'en souviens déjà plus.

Après un silence, elle reprit :

— Tu as crié plusieurs fois. Un nom. (Nouveau silence.) Pas le mien.

Troublé, il se redressa en s'appuyant sur le coude.

— Non, non, fit-elle, tout va bien. Tu as besoin d'en parler, c'est tout. Moi aussi j'ai quelque chose à te dire. Demain, murmura-t-elle.

Elle l'attira contre sa poitrine, lui ferma les yeux et les caressa doucement.

Au petit matin, par souci des convenances, Charles s'habilla et quitta l'hôtel, prit une chambre dans un établissement moins cher. Vers la fin de la matinée, il alla chercher Willa avec un buggy de location. Elle avait préparé un panier de pique-nique et ils sortirent de la ville, remontèrent le fleuve jusqu'à un ravissant petit bois d'ormes et de sycomores autour desquels s'enroulait de la vigne de Judée sauvage. L'endroit sentait la menthe. Au nord, dans un pré baigné de soleil, des reines-marguerites et des sanguinaires poussaient entre des îlots d'ortie et de sumac vénéneux.

— Une question embarrassante, dit Charles en sortant les victuailles du panier. Hier soir, est-ce que ma barbe... ?

— M'a piquée ? C'était horrible, répondit Willa, taquine. Tu as remarqué toute cette poudre que j'ai dû mettre sur les joues ? Tu as laissé des traces ineffaçables de ta conduite scandaleuse.

Elle se pencha vers lui, lui donna un léger baiser.

— Conduite qui m'a ravie et que je ne regrette absolument pas, ajouta-t-elle.

Elle étendit une nappe à carreaux à l'ombre, non loin du cheval du buggy qui agitait la queue pour chasser les mouches. Un imposant *stern-wheeler** apparut au nord, en direction de Saint Louis.

— Je veux te dire quelque chose, pour que nous n'ayons pas de secrets, reprit Willa. Je ne suis pas venue à Saint Louis de mon plein gré, bien que je sois très contente maintenant de l'avoir fait. Je fuyais un homme nommé Claudius Wood.

Elle lui parla de New York, de la dague de *Macbeth,* de la gentillesse d'Edwin Booth. Cette confiance mit Charles suffisamment à l'aise pour qu'il puisse évoquer sa liaison avec Augusta Barclay, dire qu'ils avaient été amants mais ne s'étaient pas mariés. Il écourta la fin de l'histoire en déclarant simplement que la guerre les avait séparés avant qu'Augusta ne meure, sans préciser que c'était lui qui avait pris l'initiative de la séparation, pour épargner de la peine à Augusta au cas où il serait tué. Ironie du sort, c'était lui qui s'était retrouvé seul et affligé, hésitant désormais à s'engager avec une femme.

Et pourtant il était là...

Le sillage du bateau à aubes avait disparu, le Mississippi s'écoulait à nouveau paisiblement. Après le déjeuner, la chaleur devint plus forte et Willa invita Charles à poser la tête sur ses genoux et à se reposer. Il sollicita la permission de fumer, alluma un cigare et demanda :

— Dis-moi qui tu es vraiment, Willa. Dis-moi ce que tu aimes et ce que tu n'aimes pas.

Elle réfléchit un moment en lui caressant la barbe.

— J'aime le petit matin. J'aime la sensation que j'éprouve après avoir frotté mon visage pour le laver. J'aime voir un enfant dormir, et j'aime le goût des baies sauvages. Les poèmes d'Edgar Poe et les acteurs shakespeariens. Les défilés militaires. La mer. Et j'ai une passion éhontée pour les applaudissements.

Elle se baissa pour l'embrasser sur le front, continua :

— Je viens de découvrir que j'aime dormir en tenant un homme dans mes bras — pas n'importe quel homme, toutefois. Quant à ce

---

* Bateau propulsé par une roue à aubes à l'arrière. (N.d.t.)

que je n'aime pas... Eh bien, la stupidité. La méchanceté inutile dans un monde déjà suffisamment dur. La prétention. Les gens riches qui pensent que seul l'argent a de la valeur. Mais surtout... (Nouveau baiser léger.) Je t'aime beaucoup. Je crois même que je t'aime. Voilà, j'ai ôté le masque que mon père m'avait appris à garder pour recevoir moins de blessures de la vie. Je crois que je suis tombée amoureuse de toi dès que je t'ai vu.

Les yeux sur le fleuve, Charles ne dit rien. Il avait l'impression de chanceler au bord d'un abîme. Ils s'embrassèrent, échangèrent des murmures et des caresses jusqu'à ce que, haletante, elle lui dît à l'oreille :

— Aime-moi, Charles. Ici, tout de suite.

— Willa, une fois ce n'est pas trop risqué, mais... si je te fais un enfant ?

— Quel homme étrange tu es ! Tant d'autres n'auraient même pas ce souci. De toute façon, je ne te prendrai pas au piège avec un bébé. Ça te tracasse ?

— Ça me fait peur. Je ne pourrais supporter de perdre à nouveau quelqu'un que j'aime. Une fois m'a suffi.

— Alors, il vaut mieux ne pas aimer ?

— Je n'ai pas dit ça.

— Ne te sens pas coupable. Occupons-nous seulement du présent.

Elle l'embrassa à nouveau. En la couchant doucement sur le matelas d'herbe jaunie et de feuilles mortes, il songea cependant qu'ils étaient déjà allés trop loin pour que l'un ou l'autre puisse s'en tirer indemne.

Excepté lorsqu'elle répéta ou joua, ils passèrent ensemble chacune des heures des quatre jours suivants. Charles lui raconta ses expériences avec la compagnie Jackson, ce qu'il avait appris des Cheyennes du Sud, comment il en était venu à les respecter, à admirer des chefs comme Chaudron-Noir. Willa était ravie qu'il ait rejeté la brutalité typique des Blancs, attitude due à la cupidité, à la méfiance et, soupçonnait-elle, à une ignorance générale de ce qu'étaient les Indiens.

— On a toujours peur de ce qu'on ne comprend pas, dit-elle.

Ils entrèrent chez un photographe, prirent la pose. Willa gloussa quand « l'artiste » chichiteux resserra la pince qui lui tenait la tête derrière le canapé de velours.

— L'air aimable — aimable ! s'écria-t-il sous le drap noir de l'appareil.

Debout près du canapé, Charles posa la main sur l'épaule de la comédienne et prit une expression sévère. Elle continua à rire nerveusement, d'excitation et de joie, et le photographe dut attendre dix minutes pour qu'elle retrouve son calme.

Elle voulut savoir elle aussi qui il était vraiment, ce qu'il aimait. Allongé près d'elle un samedi soir, après une représentation de *Richard III*, il réfléchit et répondit :

— J'aime les chevaux, les bons cigares, le soleil couchant avec un verre de whisky. Le bleu du ciel de la Caroline du Sud — aucun peintre n'a jamais mis un tel bleu sur une toile. J'aime l'air pur du Texas après l'averse. En fait, j'aime tout ce que je connais de l'Ouest... J'aime la force qu'on trouve chez la plupart des Noirs. Ce sont des survivants, des battants. Les Yankees ne croiraient jamais qu'un Sudiste puisse dire cela... J'aime ma famille. J'aime mon fils. J'aime mon meilleur ami Billy, parti pour la Californie avec sa femme, ma cousine... J'ai haï les deux dernières années de guerre et ce qu'elles ont fait aux gens, moi compris. Je hais les politiciens et les patriotes de salon qui ont multiplié les discours ronflants jusqu'à ce que les combats commencent. Eux n'ont jamais dû se battre pendant des jours et des nuits d'affilée, marcher à découvert vers les tranchées ennemies en voyant leurs camarades tomber autour d'eux et pisser de peur dans leur pantalon — excuse-moi.

Elle l'embrassa au coin des lèvres.

— Ce n'est pas grave. J'aimerais voir ton fils. Tu me laisserais venir à Fort Leavenworth ? Je pourrais prendre un vapeur remontant le Mississippi, au mois d'août par exemple. C'est la morte-saison pour le théâtre. Je suis sûre que Sam accepterait de me remplacer par une doublure.

Craignant de s'engager encore davantage, Charles répondit cependant :

— Cela me ferait plaisir.

Le lendemain, il l'embrassa devant l'entrée des artistes avant de monter Satan. Le « plus-grand-acteur-d'Amérique » apparut soudain et tira Willa à l'intérieur du théâtre pour pouvoir parler à Charles seul à seul.

— Ce que j'ai à vous dire est simple, monsieur, annonça-t-il en s'approchant du fringant cheval pie. Parce que je suis comédien, vous me prenez peut-être pour un avorton efféminé. C'est tout le contraire. Je suis costaud, dans la force de l'âge.

Il plia le bras pour faire saillir ses biceps et Charles aurait éclaté de rire si l'expression de l'acteur n'avait été aussi grave. Mâchoires serrées, Trump saisit le licou de Satan.

— Willa a de l'inclination pour vous, Mr Main. Une statue de marbre s'en apercevrait. Fort bien. C'est une fille merveilleuse, et que j'aime comme ma propre fille. Alors si vous jouez avec elle, si vous lui faites de la peine, de quelque manière que ce soit...

Trump serra le poing, le brandit en direction du cavalier.

— Je vous écraserai, monsieur, menaça-t-il. Je vous retrouverai et je vous écraserai.

— Je n'ai pas l'intention de lui faire de la peine, Mr Trump.

Le comédien lâcha le licou.

— Dans ce cas, bon voyage. Partez avec ma bénédiction.

Il faudra que je lui fasse de la peine, songea Charles en galopant vers l'ouest. Il était amoureux d'elle, en pleine confusion, vaguement fâché d'avoir laissé les choses aller aussi loin, satisfait en même temps d'en être là. Mais il fallait faire machine arrière, et vite.

22

A son arrivée à Fort Leavenworth, Charles apprit de Duncan que Johnson avait signé en juillet une loi portant le nombre de régiments d'infanterie de dix-neuf à quarante-cinq et — décision plus appropriée aux Plaines, où les distances étaient longues — celui des régiments de cavalerie de six à dix.

Le général, vêtu à présent de l'uniforme vert olive de l'officier-trésorier du secteur, se montra fort excité par la nouvelle :

— Cela signifie que, l'année prochaine, nous pourrons gratifier les tribus hostiles d'une démonstration de force.

Charles mâchonna un cigare non allumé, garda le silence. Comme Sherman, Duncan pensait qu'il faudrait inévitablement parquer les Indiens dans des réserves pour faire de l'Ouest un territoire sûr et ouvert au commerce. Il ne voyait rien de choquant dans l'appropriation des terres indiennes par les colons blancs, et Charles, conscient qu'il ne parviendrait pas à le faire changer d'avis, ne se donna pas la peine d'essayer. Au lieu de discuter, il lui annonça la prochaine visite de Willa.

— Ah ! fit Duncan, souriant.

— Qu'est-ce que ça veut dire « Ah ! » ? Elle ne vient pas uniquement pour me voir. Elle cherche des salles que sa troupe pourrait louer pour une tournée.

— Oui, bien sûr, fit l'officier d'un air sérieux.

Il était ravi de voir Charles réagir avec vivacité à ses taquineries. Peut-être le père de Gus se remettait-il enfin de l'accablement qui l'avait si longtemps hanté.

Willa arriva à la fin du mois d'août. Elle s'était déjà rendue à City of Kansas — que certains appelaient Kansas City — sur la rive opposée du Missouri, et assurait que le *Frank's Hall* offrirait une salle idéale.

La maison en bois de Duncan, située dans l'allée des officiers, au nord du terrain d'exercice, avait une chambre supplémentaire où Maureen dormait avec le petit Gus, installé dans un berceau de fabrication maison. La gouvernante proposa à Willa de partager son lit, ce que la jeune actrice accepta sans hésitation. Maureen apprécia que la comédienne sût s'adapter aussi facilement et, de fait, Willa trouva rapidement sa place chez le général. Elle parlait avec aisance de Sam Trump et du théâtre, écoutait attentivement les conversations sur la vie militaire et le problème indien. Elle ne cacha pas qu'elle se rangeait du côté des Peaux-Rouges, contre la grande majorité des colons et des soldats de métier. Duncan n'en parut d'ailleurs pas aussi irrité que Charles l'aurait cru. Le général discutait avec la jeune femme mais la considérait manifestement comme une adversaire intelligente et digne de respect.

Le premier soir, après que les femmes se furent retirées, Duncan servit le whisky dans le salon. La fenêtre ouverte laissait entrer une odeur forte et douceâtre de levure provenant de la boulangerie du poste, toute proche. Pendant quelques minutes, Duncan se plaignit de ses fonctions de trésorier. C'était un travail ingrat. L'officier qui galopait de fort en fort avec la solde de la troupe n'allait jamais assez vite au gré des soldats.

Soudain, il changea de sujet de conversation :

— C'est une jeune femme charmante. Un peu trop libre dans ses opinions, certes, mais qui ferait une excellente...

— Amie, compléta Charles.

— Exactement.

Duncan décida de ne pas plaider davantage la cause de Willa pour le moment. Charles semblait furieux. Peut-être n'était-il pas aussi prêt à reprendre la vie normale que Duncan l'avait cru.

Le dernier jour de la visite de Willa, Charles l'emmena faire une promenade là où chênes et peupliers ombrageaient la falaise surplombant le débarcadère du fort. Juché sur les épaules de son père, Gus explorait joyeusement le monde. Des bruits agréables égayaient l'après-midi dominical : cris et acclamations de soldats jouant au base-ball ; halètement de la machine à vapeur du fort pompant de l'eau.

Willa était nerveuse, un peu malheureuse. Au poste, Charles se montrait moins démonstratif qu'à Saint Louis. Elle était amoureuse de lui — c'était indéniable — mais elle savait qu'il valait mieux ne pas le lui déclarer trop souvent. L'expression morne, abattue qui se lisait parfois dans ses yeux indiquait qu'il n'était pas encore disposé à s'engager sur le plan sentimental.

Elle ne pouvait toutefois se résoudre à feindre l'indifférence et, sous le feuillage jaunissant agité par la brise, elle prit le fils de Charles dans ses bras. L'enfant s'y nicha avec plaisir et regarda pardessus l'épaule de la jeune femme des écureuils courant le long des branches ou ramassant des noix vertes tombées au cœur de l'été et commençant à pourrir.

— C'est un merveilleux bébé, dit-elle. Sa mère et toi avez mis au monde un splendide garçon.

— Merci, marmonna Charles.

Les mains dans les poches, il contemplait le fleuve miroitant à cinquante mètres sous eux. Le bon sens conseillait à Willa de ne pas insister, mais elle l'aimait tellement...

— C'était vraiment formidable, ce séjour. J'espère que je serai encore invitée.

— Certainement, si cela t'arrange.

Gus posa la tête sur l'épaule de Willa, mit son pouce dans sa bouche. Ses yeux se fermèrent, son visage se détendit, prit une expression béate.

— Tu me traites comme si nous venions juste de faire connaissance, reprocha l'actrice.

Charles fronça les sourcils.

— Je ne le fais pas exprès, Willa. Seulement, j'ai l'impression que Jack et Maureen... eh bien, qu'ils nous poussent dans les bras l'un de l'autre. Ce n'est pas bien. Dans deux semaines, je rejoindrai Pied-de-Bois à Fort Riley. Je te l'ai dit, le métier de marchand n'est pas très sûr, même si la plupart des Cheyennes sont les amis de mon associé. Je ne veux pas m'engager. Suppose que je parte pour le Territoire indien et que je ne revienne pas...

Les yeux bleus de la comédienne étincelèrent.

— Voyons, Charles, la vie est pleine de risques de ce genre. Qui cherches-tu vraiment à épargner ? Moi ou toi ?

Il se tourna vers elle.

— D'accord. C'est *moi* que je protège. Je ne veux pas repasser par ce que j'ai vécu.

— Tu me crois fragile ? Tu penses que je vais m'écrouler demain et que tu me perdras ? A propos, je ne suis pas enceinte. J'ai l'intention de vivre encore longtemps, alors tes prétextes ne tiennent pas.

— Je n'y peux rien.

— Et dire que les femmes passent pour inconstantes !

Il ne répondit pas. Agacée par son mutisme, elle reprit :

— Nous pouvons être amis — amants à l'occasion — mais rien d'autre, c'est ça ?

— C'est ça.

— Je ne suis pas sûre que cela me convienne, répliqua Willa. Je te donnerai ma réponse lorsque tu rentreras de ton prochain voyage. Maintenant, si tu n'y vois pas d'inconvénient, j'aimerais retourner chez le général. Il commence à faire frais.

Elle souleva Gus, le donna à son père, s'éloigna.

Willa savait qu'une manifestation d'humeur éloignerait probablement Charles mais elle ne pouvait se maîtriser. Elle en voulait à un ennemi intouchable : la douleur causée par la mort de la mère de Gus. La raison, ou même l'affection, ne parviendrait peut-être jamais à guérir une blessure aussi profonde. Comment pouvait-elle se battre ? Uniquement en tenant bon. En faisant la preuve que Charles pouvait l'aimer sans rien craindre — mais non sans s'engager, toutefois.

Au moment du départ, au débarcadère du vapeur, il l'embrassa sur la joue, très loin des lèvres. Il ne parla pas de venir à Saint Louis au printemps et se contenta de la remercier de sa visite. Quand elle monta à bord du *stern wheeler,* le petit Gus agita longuement la main en signe d'adieu.

Lorsque le mois d'août toucha à sa fin, Charles devint impatient de partir. Il se mit en route un jour plus tôt que prévu, sans rien regretter de ce qu'il quittait, excepté Gus. L'enfant l'appelait maintenant « Pa » et venait de lui-même se faire câliner. Son père songeait avec tristesse que l'enfant devrait à nouveau apprendre à le connaître au printemps prochain. Quant à Willa, il s'efforçait de rejeter ses sentiments pour elle et espérait lui avoir fait comprendre qu'il lui était impossible de s'engager davantage avec elle.

Un après-midi ensoleillé, il dit au revoir au général et à Maureen, qui eut en guise d'adieu une déclaration aigrelette :

— Vous devriez épouser cette fille, monsieur Charles. C'est une femme formidable.

D'un ton plutôt abrupt, il répliqua :

— Les marchands qui commercent avec les Indiens ne font pas de bons maris.

Le premier jour, il n'alla pas aussi loin qu'il l'avait prévu. En milieu d'après-midi, alors qu'il traversait Salt Creek Valley, à Kickapoo, Satan perdit un fer. Le temps de le faire remplacer par un maréchal-ferrant local, le soleil se couchait. Charles prit une chambre au *Golden Rule House,* établissement dont Duncan lui avait parlé avec enthousiasme : « Il est ouvert depuis peu de temps mais déjà très connu en amont et en aval du fleuve. Son propriétaire est un jeune homme généreux. Il vous consentira une réduction sur les repas et fera couler le whisky à ses frais s'il a bu un peu lui-même. S'il continue comme ça, il se ruinera, mais tant que cela dure, c'est merveilleux. »

Merveilleux, en effet. L'atmosphère, dans la maison transformée en hôtel, était bruyante et conviviale. Le patron, bien qu'âgé de vingt ans seulement, était un de ces personnages qui donnaient à l'Ouest sa saveur. Déjà bien éméché à six heures du soir, le jeune Kansan gratifiait ses clients d'une longue histoire de diligence attaquée par une formidable bande de Sioux. Il prétendait les avoir repoussés par une combinaison de menaces et de coups de feu, sauvant ainsi les voyageurs et la voiture qu'il conduisait.

Charles partageait la table d'un aimable colosse de son âge, qui se présenta sous le nom de Henry Griffenstein. L'homme précisa qu'il était originaire d'une des colonies allemandes installées dans la partie du Missouri surnommée la Petite-Rhénanie.

— C'est pourquoi mes amis m'appellent Dutch Henry. Pour le moment, je conduis des chariots tirés par des bœufs à Santa Fe. Qui sait ce que je ferai l'année prochaine ?

Charles mâcha un morceau de viande de bison, pointa sa fourchette vers le jeune homme disert s'occupant du bar.

— Je ne crois pas trop à ce qu'il dit — en particulier au nombre de Sioux qu'il a descendus — mais c'est un sacré raconteur d'histoires.

— Un sacré conducteur de diligence aussi, ajouta Dutch Henry. Il a aussi conduit des chariots de marchandises et fait l'éclaireur pour l'armée. A ce qu'il prétend, il aurait travaillé pour le Pony Express à l'âge de quatorze ans.

— Comment il s'est retrouvé dans l'hôtellerie ?

— Louisa et lui ont ouvert l'établissement après s'être mariés, en janvier. Je ne crois pas qu'il tiendra longtemps enfermé entre quatre murs. Il a trop la bougeotte.

— Approchez, les gars ! cria le jeune homme. Je vais vous raconter comment j'ai fait la guerre dans le 7e de cavalerie du Kansas. Les Irréguliers de Jennison. Pas des enfants de chœur. On était — attendez, je vous ressers à boire, d'abord.

Il remplit les verres de son auditoire en titubant visiblement. En le voyant engloutir son whisky, Charles se dit que l'homme lui-même n'avait rien d'un enfant de chœur.

— Comment m'avez-vous dit qu'il s'appelle ? demanda-t-il à Dutch Henry.

— Cody. Will F. Cody*.

La compagnie Jackson chevauchait dans la prairie, vers les terres situées au-delà de l'horizon d'un bleu brumeux, au sud. Suivis par leurs mules formant une longue file, les deux hommes et l'adolescent longeaient la piste de bisons défoncée qu'ils avaient empruntée l'année

* Surnommé Buffalo Bill. (N.d.t.)

précédente pour se rendre en Territoire indien. Au nord-ouest, des nuages sombres roulaient dans le ciel, soudain éclairés de l'intérieur par une lumière blanche.

Au-dessus du trio, un faucon se laissait porter par les courants aériens. Queue rouge, corps gris cendré, il piquait et remontait en décrivant de grandes spirales, les ailes déployées.

Soudain l'oiseau vira vers le nord et Charles se demanda si quelque chose l'avait effrayé.

La terre ondulait à présent et le paysage déroulait devant eux une série continue de minuscules collines, hautes de guère plus de deux mètres. L'après-midi touchait à sa fin. Deux jours plus tôt, à peu près à la même heure, ils avaient traversé la route de la Smoky Hill, sur laquelle des chariots continuaient à rouler vers l'ouest en grinçant, aussi vite que l'osaient leurs conducteurs, qui sentaient déjà l'hiver dans l'air vif de septembre. A Fort Riley, un officier leur apprit qu'une centaine de milliers de chariots d'émigrants avaient emprunté cette route en été.

Là où ils se trouvaient à présent, on ne l'aurait jamais cru. La veille, au crépuscule, ils étaient passés devant une ferme isolée, d'où deux enfants leur avaient fait signe. Depuis, ils n'avaient vu aucun être humain.

Le vent se leva, agita le bouteloue desséché et cassant qui montait jusqu'aux genoux de Satan. Charles eut l'impression que l'animal était nerveux, de même que les autres bêtes, Fen compris. Le colley courait en rond devant eux sans cesser d'aboyer. Il dévala la pente d'une hauteur, disparut dans l'herbe, dont seul le mouvement trahissait sa présence. Charles examina de nouveau le ciel.

— Je me demande pourquoi le faucon a tout d'un coup...

Il s'interrompit en voyant l'herbe bouger devant lui, comme si un homme invisible se précipitait vers eux.

— C'est Fen, dit Pied-de-Bois par-dessus le sifflement du vent. Qu'est-ce qu'il a ? (Il tendit la main vers sa carabine.) Boy, ne t'éloigne pas.

L'adolescent colla son cheval contre celui de son oncle.

— Je vais voir, décida Charles, donnant à Satan un léger coup de talon.

Le cheval trotta jusqu'au sommet de la colline.

En bas, neuf cavaliers indiens disposés en ligne attendaient.

Au centre, Balafre leva les yeux vers Charles. Comme ses compagnons, le Cheyenne avait le visage, les bras et la poitrine ornés de bandes de peinture rouge. Chacun d'eux portait la coiffure de la Société des Chiens, avec un étroit bandeau emperlé, des plumes d'aigle et de corbeau fixées de manière à demeurer verticales. Chaque guerrier avait un sifflet en os d'aigle attaché autour du cou par une lanière, un arc et des flèches, une carabine ou un mousquet. Une véritable panoplie de guerre.

Balafre vit l'expression soucieuse de Charles, sourit, brandit sa carabine. Les autres Cheyennes aboyèrent et hurlèrent au moment où Jackson et son neveu rejoignaient Charles.

— Bon Dieu, ce coup-ci, ça y est, fit Pied-de-Bois. Ils sont pas là par hasard. J'aurais pas dû lui arracher sa culotte. Il nous a attendus tout l'été. Il savait qu'on passerait sûrement par ici.

Charles faillit demander à son associé s'il fallait d'abord parlementer mais le claquement sec d'une carabine indienne rendit la question tout à fait stupide.

Journal de Madeline.

Septembre 1865. Pride, le garçon de Sim, m'a apporté un autre de ces cailloux malodorants, trouvé sur sa propre terre, cette fois. Lui ai dit que j'ignore ce que c'est. Demanderai à Cooper, s'il daigne nous rendre encore visite...

Reçu aujourd'hui Judith et Marie Louise. Comme cette chère M. L. s'épanouit ! Elle est déjà plus ronde que sa mère. Judith dit qu'elle s'est entichée d'un garçon de Charleston mais C. la trouve trop jeune, n'autorise pas le garçon à la voir ou à lui envoyer de petits cadeaux. Quand M. L. sera un peu plus âgée et s'affirmera, elle se disputera peut-être avec son père à propos de ses soupirants.

Judith dit que Cooper fait l'éloge du président depuis que celui-ci a décidé de riposter à ses défaites parlementaires en plaidant sa cause auprès du peuple. Présentement, Johnson effectue ce qu'il appelle un « tour de piste », avec Grant et d'autres généraux et dignitaires dans son sillage.

Andrew Johnson et sa suite envahirent l'Ohio, État natal de Ben Wade, puissant ami et — parfois — protecteur de Stanley Hazard. A Cleveland, étape importante, une foule nombreuse et chaleureuse se rassembla à la gare pour accueillir le président. Dehors, un arc enjambant la rue, érigé pour l'occasion, portait ces mots : WASHINGTON A ÉTABLI LA CONSTITUTION, LINCOLN L'A DÉFENDUE, JOHNSON LA PROTÉGERA.

Le président fut satisfait. A partir de là, les choses commencèrent à mal tourner.

En fin de journée, le *Boy General* descendait le couloir de l'hôtel Kennard de Cleveland en compagnie du secrétaire d'État Seward. L'homme politique portait encore au cou les cicatrices rouges faites par le couteau d'un des complices de John Wilkes Booth, qui avait agressé Seward le soir même où Lincoln était abattu.

Le *Boy General* se sentait nerveux. Cleveland était le fief de Ben Wade, en pays radical. Le président avait pris le train dans le but avoué de poser la première pierre d'un monument à la mémoire de Stephen Douglas, à Chicago. En fait, il s'arrêtait en route pour attaquer les républicains.

Cette stratégie aurait pu se révéler gagnante si une troupe nombreuse de journalistes, notamment Mr Gobright, d'*Associated Press,* n'avait décidé d'accompagner le président. Ces reporters voulaient expédier une nouvelle dépêche à chaque étape, et Johnson, faute d'un nombre suffisant de discours rédigés d'avance, en était réduit à faire ce qu'il faisait très mal : improviser.

La nervosité du *Boy General* se reflétait dans sa démarche sautillante et l'éclat de ses yeux bleus. Mince, dégageant une impression de vitalité et d'énergie, George Armstrong Custer portait un costume civil ajusté mettant en valeur sa sveltesse. Sur ses bottes étincelantes tintaient de petits éperons d'or que Libbie le pressait de porter pour rappeler aux gens ses exploits guerriers.

Ces hauts faits lui avaient valu un temps d'être l'homme dont tout le pays parlait : un général de cavalerie audacieux, ayant un talent remarquable pour la victoire. La chance de Custer, avait dit quelqu'un. Comme une poudre magique, elle l'avait recouvert pendant toute la guerre, lui apportant le succès sur le champ de bataille et la gloire dans la presse.

Puis vinrent la paix, la réduction des effectifs de l'armée et le retour dans l'obscurité. Quelques mois plus tôt, il avait été affecté au Texas avec le grade de capitaine.

Il entamait maintenant une lente remontée vers la célébrité. Au cours d'une rencontre décisive avec Stanton, ministre de la Guerre, Custer avait obtenu le grade de capitaine pour son frère Tom et, pour lui-même, des galons de lieutenant-colonel dans un des nouveaux régiments des Plaines. Bientôt il reprendrait du service actif avec le 7e de Cavalerie.

Custer voyait dans cette affectation une occasion magnifique car le général Andrew Jackson Smith, qui commandait le 7e de cavalerie, était un homme vieux et fatigué, d'une vanité extrême. Smith étant aussi responsable de tout le district de l'Arkansas Supérieur, Custer supposait que le commandement effectif du régiment lui reviendrait.

Le 7e n'était cependant pas son objectif final. Les politiciens préparaient déjà la candidature de Grant à la présidence et Libbie Custer avait attiré l'attention de son mari sur ces hautes fonctions. Cette perspective fascinait Custer mais Libbie et lui estimaient néanmoins qu'il lui fallait d'abord signer quelque exploit militaire qui le propulserait à nouveau vers les sommets. En attendant, il pouvait soigner sa réputation en faisant cette tournée avec Johnson. Ou du moins l'avait-il cru au début, car le voyage tournait à présent à la catastrophe.

Les longues boucles de Custer dansaient sur ses épaules tandis qu'il se dirigeait vers les portes ouvertes d'un salon où il apercevait le ministre Welles, l'amiral Farragut et autres personnages officiels. Prétextant une indisposition, Grant s'était hâté de gagner Detroit, mais Custer attribuait cette maladie à l'alcool — ou aux rumeurs de troubles à Cleveland.

L'officier de vingt-sept ans espérait que ces rumeurs étaient fausses. L'Ohio était son État natal, et il avait suivi Johnson parce qu'il avait toujours aimé les Sudistes, même lorsqu'il les combattait. Il avait refusé tout net le commandement d'un des nouveaux régiments « de couleur », le 9e, et pensait que le Parti républicain mourrait s'il ne bénéficiait que des votes des anciens esclaves.

En approchant des portes du salon, Custer demanda à Seward :

— Croyez-vous qu'il faille de nouveau mettre en garde le président ? Lui rappeler les avertissements du sénateur Doolittle ?

Dans un rapport confidentiel, Doolittle avait souligné que les adversaires de Johnson n'exploitaient jamais ses déclarations écrites mais uniquement ses réponses improvisées aux questions ou aux interpellations qu'on lui faisait.

— Oui, George, dit Seward. Je m'en charge.

Ils pénétrèrent dans la pièce où des hommes, des femmes élégamment vêtus entouraient le président et une jeune personne qui lui ressemblait : Mrs Martha Patterson, sa fille. Elle remplaçait auprès du président son épouse Eliza, qui était invalide.

Tandis que Seward se frayait un chemin vers le président, Custer contourna le groupe pour se rendre aux portes-fenêtres. Il regarda la foule massée en bas. Trois cents personnes, estima-t-il. Bruyantes, mais pas particulièrement joyeuses. A la gare, les gens avaient beaucoup ri.

Il s'avança sur le balcon et, comme il s'y attendait, provoqua une réaction.

— *Voilà Custer !*

Il y eut quelques acclamations, des applaudissements, et Custer s'apprêtait à saluer la foule quand il entendit des huées. Son visage hâlé s'assombrit ; il battit en retraite dans le salon. Peut-être aurait-il dû quitter la ville, comme Grant.

Libbie entra dans la pièce, attirant les regards, comme toujours. Quelle ravissante créature j'ai épousée, pensa-t-il en la rejoignant. Des yeux noirs éclatants, une poitrine épanouie, une taille mince que lui enviaient les autres femmes. Elle lui prit le bras, demanda dans un murmure :

— Comment est la foule, Autie ?

— Pas très amicale. S'il ne se contente pas de la remercier, c'est un imbécile.

Souriant, il conduisit sa femme vers le groupe de Johnson.

— Monsieur le président, bonsoir, dit-il avec chaleur.

La foule assemblée dans Saint Clair Street devenait impatiente. Des lanternes vénitiennes accrochées devant l'hôtel Kennard jetaient une lumière pâle, maladive, sur les visages levés vers le balcon. Derrière, un homme portant un paletot élimé et un képi de l'armée orné des canons croisés de l'artillerie observait attentivement les gens. Un autre homme s'approcha de lui et lui glissa :

— Tout le monde est en place.

— Bon. J'espère qu'ils savent ce qu'ils ont à faire.

— Je le leur ai répété avant de les payer.

Seward apparut sur le balcon, présenta le président. Andrew Johnson, courtaud et basané, s'avança et leva les bras pour répondre aux maigres applaudissements.

— Mes amis, merci de votre généreux accueil à Cleveland. Il n'est pas dans mes intentions de faire un discours.

L'idiot, pensa l'homme au képi avec un sourire méprisant. Il commence toujours comme ça, en tendant aux gens une énorme perche. Un des hommes qu'il avait engagés ne manqua pas de la saisir :

— *Alors, n'en fais pas !*

Rires. Applaudissements. Johnson saisit la balustrade du balcon.

— J'ai l'impression que les mêmes contradicteurs me suivent partout. Vous pourriez au moins avoir la courtoisie de...

— Où est Grant ?

— Je regrette que le général Grant ne puisse être avec moi. Il...

Le brouhaha couvrit le reste.

— Pourquoi vous voulez pas laisser voter les Noirs, dans le Sud ? cria quelqu'un.

Seward toucha le bras de Johnson pour le mettre en garde mais le président se dégagea.

— Enlevez la paille de vos propres yeux avant de vous occuper de votre prochain, répliqua-t-il. Laissez les Noirs voter, ici, dans l'Ohio, avant de faire campagne pour l'extension du droit de vote dans le Sud.

Des voix s'élevèrent çà et là dans la foule :

— T'es qu'un mou !

— La prison, c'est trop bon pour Jeff Davis !

— Ouais, qu'on le pende !

Johnson explosa :

— Pourquoi ne pas pendre aussi Ben Wade, Wendell Phillips et Thad Stevens, pendant que vous y êtes ? J'ai combattu les traîtres dans le Sud, je suis prêt à les combattre dans le Nord.

— C'est toi, le traître, vociféra quelqu'un par-dessus les huées. Toi et ton Parti d'Union nationale. Sales traîtres !

L'injure mit en fureur le président, qui agita le doigt en direction de la foule.

— Qu'il se montre, celui qui a dit cela ! Non, bien sûr, il se cache. Quand il tire, c'est dans le dos !

La réplique provoqua un tumulte que Johnson, perdant totalement son sang-froid, essaya de couvrir :

— C'est le Congrès qui est responsable. C'est le Congrès qui vous a montés contre moi sans rien faire de son côté pour rétablir l'Union. Il a au contraire divisé le peuple américain, vainqueurs contre vaincus, républicains contre démocrates, Noirs contre Blancs. Si Abraham Lincoln était encore en vie, il serait lui aussi en butte aux attaques de la clique radicale assoiffée de pouvoir...

Affolé, Seward tenta de faire rentrer Johnson, qui continuait à tonner :

— ... les marchands de haine qui manipulent la Chambre et le Sénat, qui cherchent à l'intimider et à me manipuler !

— Menteur !

Les lèvres du président remuèrent mais nul ne put l'entendre par-dessus le grondement de plus en plus fort de la foule. Il agita le poing, ses adversaires se mirent à scander :

— Men-teur ! Men-teur !

Au dernier rang, l'homme au képi, qui avait engagé et placé les contradicteurs sur les instructions d'un intermédiaire, se permit un sourire. Le plan avait fonctionné à la perfection. Johnson était furieux, les journalistes relateraient ses moindres propos. Si le président était assez bête pour croire qu'il pouvait s'en prendre impunément à Wade... L'homme au képi était certain que le sénateur était l'instigateur du chahut, bien que, naturellement, on ne pût le prouver. C'est à cela que servaient les intermédiaires.

— Men-teur, men-teur !

Les braillements étaient doux à son oreille, ils signifiaient qu'il toucherait une coquette prime. L'homme au képi quitta la foule, se rendit à la gare, prit un formulaire de télégramme et commença à rédiger le message annonçant son succès à l'intermédiaire qui l'avait embauché. Sur la première ligne, il écrivit le nom du destinataire : Mr S. HAZARD, WASHINGTON...

Il semble que le « tour de piste » de Mr Johnson s'achève en désastre. Comme il est triste et curieux que cette région ravagée fasse l'objet d'une lutte aussi féroce ! Une guerre chasse l'autre.

Nouvelle tentative contre l'école la nuit dernière. Par mauvais temps, les fenêtres sont fermées par des volets. Nous n'avons pas les moyens d'installer des carreaux. La nuit était silencieuse et le bruit des volets forcés porta jusqu'à la cabane d'Andy. Il accourut, saisit un homme dans le noir mais celui-ci se dégagea, roua Andy de coups et s'enfuit sans avoir montré son visage.

Ne sais qui soupçonner. Les pauvres squatters blancs installés près de Summerton ? Mr Gettys, le boutiquier maniéré ? Le maître de danse qui se prend pour un aristocrate ? Il semble que toutes les classes de Blancs soient représentées parmi les suspects possibles...

Des pins de Caroline du Sud, on tirait la térébenthine, expédiée en barils par bateau à Charleston. La plupart des dockers noirs n'en portaient qu'un à la fois pour monter la passerelle conduisant au vapeur qu'ils chargeraient. Des LaMotte, réduit à leur niveau parce qu'il n'y avait pas encore de familles riches pour faire appel à ses services, en portait deux.

Il travaillait vêtu de culottes en lin de planteur, salies et déchirées. Il détestait ce métier, et tous les négrophiles anonymes et sans visage du Nord qui l'avaient contraint à l'exercer. Pourtant il tirait une certaine fierté démente à faire plus, à porter davantage que le Noir le plus robuste. Et ce colosse blanc aux biceps proéminents, à la barbiche soigneusement taillée de riche planteur, devint bientôt une figure notoire sur les quais de Charleston.

Desmond LaMotte se refusait à parler aux dockers noirs à moins que son travail ne l'exigeât. Le deuxième jour, il avait failli assommer un nègre qui lui avait proposé de devenir membre d'une nouvelle Mutuelle des dockers. L'homme avait commencé par lui expliquer le fonctionnement de la caisse décès : un versement de tant par semaine pour couvrir les frais d'enterrement à la mort de l'adhérent.

En entendant ces propos, Des avait eu l'impression que son esprit était entré en ébullition. Qu'est-ce que cet Africain ignorant pouvait comprendre de son amour pour sa femme Sally Sue, de son affection pour son commandant, Ferris Brixham ? C'étaient les seules funérailles dont Desmond se souciait — des funérailles enchâssées dans sa mémoire.

L'incident l'avait profondément ébranlé car il avait été sur le point de tuer le docker. Combien de temps s'écoulerait-il avant qu'il ne s'en prenne vraiment à l'un d'eux ? Il s'était rendu compte qu'en travaillant parmi les nègres affranchis, il jouait un jeu dangereux pour sa propre vie. D'une certaine façon, cela lui était égal.

Sous le soleil brûlant d'un automne carolinien qui ressemblait plutôt à un été, il suait sang et eau en montant péniblement la passerelle du vapeur côtier *Sequoiah,* les muscles tordus comme des cordes sous sa peau à vif. Pourtant, il ne laissait rien voir de sa souffrance.

Ce n'était ni la douleur ni les minuscules moustiques du Bas-Pays qui le tourmentaient le plus ce matin-là. Il avait reçu un message de Gettys disant que le capitaine Jolly, le vaurien qu'ils avaient l'intention d'utiliser contre Madeline Main, s'était soûlé avec du whisky de maïs volé puis avait tenté de démolir l'école.

L'imbécile, pensa Des, furieux. Il chargea un baril sur son épaule droite, un autre sur la gauche, fléchit légèrement les genoux sous le poids.

Si Des LaMotte brûlait plus que jamais d'abattre les Main, en commençant par la veuve du colonel Orry, il ne tenait pas à être pendu. Et Mr Cooper Main, de Tradd Street, qui ne fréquentait pas les soldats de l'armée d'occupation, jouissait cependant d'une influence assez grande pour les lancer aux trousses de Desmond s'il venait à être soupçonné.

Aussi se tenait-il tranquille depuis des semaines, attendant une occasion propice. LaMotte croyait l'insurrection noire inéluctable. Par une nuit torride, les affranchis excités par l'alcool et les agents du gouvernement yankee donneraient libre cours à leur sauvagerie. Et cette explosion lui fournirait le paravent dont il avait besoin.

Seulement, Jolly avait attiré l'attention sur lui, et sur Mont Royal. Il avait l'habitude de faire ce que bon lui semblait, de terroriser Blancs et nègres du district de l'Ashley. En tout cas, il n'en ferait pas à sa tête pour la veuve Main, et Des avait déjà envoyé à Gettys une lettre exigeant que Jolly se tienne tranquille jusqu'à nouvel ordre.

Grognant, suant, Desmond gravissait lentement la passerelle, le dos courbé. Un trio de jeunes élégantes, dont une — Miss Leamington, de Leamington Hall — avait été son élève, vint faire sa promenade sur le quai encombré, ombrelle à la main. Leurs robes élimées trahissaient leur pauvreté mais l'aisance arrogante de leur classe se révélait dans les regards amusés qu'elles portaient sur les dockers et dans leur bavardages animés.

Miss Leamington s'arrêta tout à coup.

— Mon Dieu ! Est-ce que ce n'est pas… ? s'exclama-t-elle. (Desmond tenta de dissimuler son visage derrière un baril.) Non, impossible.

— Qu'est-ce qui est impossible, Felicity ?

— Tu vois ce Blanc qui peine comme un nègre ? Un moment, j'ai cru que c'était mon ancien professeur de danse, Mr LaMotte. Mais Mr LaMotte est un Blanc qui se respecte. Il ne s'abaisserait jamais à ça.

Les trois demoiselles passèrent sans se retourner. Pourquoi accorder plus d'attention à une épave ?

On était vendredi. Toute la nuit, le souvenir de la remarque méprisante de Miss Leamington avait tenu Desmond éveillé. A l'aube, il sombra dans le sommeil sur sa couverture humide et se leva avec plusieurs heures de retard pour aller au travail. Il s'habilla sans manger, prit hâtivement la direction des docks. Lorsqu'il arriva dans Meeting Street, il découvrit des nègres marchant au pas derrière une fanfare. Chaque homme portait une redingote de flanelle blanche avec des parements bleu foncé et un pantalon blanc assorti. D'humeur joyeuse, ils saluaient, bavardaient avec les gens, Noirs et Blancs, qui

s'étaient arrêtés pour les regarder. En tête du défilé, deux hommes portaient une banderole :
POMPIERS BÉNÉVOLES DE CHARLESTOWNE
Brigade n° 2
« Opale noire »
Derrière, des chevaux décorés de fleurs tiraient deux voitures-pompes dont les garde-corps en cuivre bruni étaient ornés de petits drapeaux américains. Toutes ces peaux noires, ces drapeaux yankees — c'était plus que Desmond ne pouvait supporter.

Un grand gaillard aux joues luisantes fit un signe à quelqu'un dans la foule et lança :

— Comment ça va, Miss Sally ? Une belle journée, hein ?

Le nom résonna dans la tête de Des LaMotte, y éveilla des échos puissants. Il se retourna, vit une fille grosse et sale agitant un foulard en direction du pompier, qui la regardait comme s'il allait se jeter sur elle et soulever sa jupe.

Miss Sally était blanche. En répondant aux invites du nègre, elle se rabaissait, elle rabaissait sa race. Desmond avait l'impression que son sang allait faire éclater ses tempes. Quand la fanfare entonna *Hail Columbia,* la catin adressa un sourire enjôleur au noiraud, qui lui envoya un baiser.

Des LaMotte écarta la foule, se précipita vers la chaussée. Puis son esprit s'embrasa et il perdit conscience de ce qu'il faisait.

Visite du colonel Munro, qui a inspecté l'école et s'est plaint des rapports en deux et trois exemplaires qu'il doit rédiger pour chaque « outrage ». Il a chargé deux caporaux, charmants jeunes gens venus du Maine, de garder l'école pendant quelques jours. L'un d'eux veut s'établir en Caroline, dont il trouve le climat et les habitants très agréables.

Avant son départ, Munro m'a adressé une mise en garde inquiétante, que je reproduis aussi fidèlement que je puis : « J'ai maintenant passé assez de temps dans l'État du Palmier nain pour comprendre un peu les sentiments des Sudistes. Autant que j'ai pu en juger, ils ne sont pas hostiles au Noir en tant que tel et lui témoignent même de l'affection dans la plupart des cas. Mais lorsqu'il les menace en tant qu'égal politique et social potentiel, il va trop loin. Le problème, ce n'est pas la liberté mais l'égalité. Toute personne, toute institution encourageant cette égalité est l'ennemi à abattre. »

« Peut-être, ai-je répondu. Mais Prudence et moi garderons l'école ouverte. »

« Alors vous continuerez à avoir des ennuis. Et ils finiront par être trop graves pour que la chance ou le courage puisse en venir à bout. »

... Cooper m'écrit que D. LaMotte est en prison. Samedi, il a agressé un pompier noir sans raison apparente et les autorités l'ont arrêté. C. n'est plus aussi sceptique sur la volonté de LaMotte de mettre ses menaces à exécution. Mais cet emprisonnement nous offre « un certain répit », pour reprendre ses termes. »

23

La balle du Cheyenne arracha l'œil gauche du cheval de Pied-de-Bois. Dans le sang et les hennissements, le marchand bascula dans l'herbe fouettée par le vent. Charles, qui avait déjà sauté à terre, dégaina sa Spencer et éloigna Satan d'une tape. Terrorisé, Boy demeurait sur sa monture et tentait vainement de retenir les mules.

— Descends ! lui cria Charles.

Les Indiens lancèrent leurs chevaux vers le sommet de la colline. Une balle transperça le bord du chapeau de Charles, qui s'envola. Il cria de nouveau à Boy de descendre mais les hurlements des Cheyennes et le braiment des mules couvrirent sa voix. Après quelques secondes, l'adolescent finit cependant par comprendre l'expression du Sudiste et sauta maladroitement à terre.

Jackson s'agenouilla, tira sur les Indiens approchant du sommet, manqua sa cible. Charles fit feu au moment où le guerrier placé à la droite de Balafre jetait une lance ornée de plumes. Charles esquiva, l'Indien reçut la balle dans la poitrine, tomba de cheval.

A l'ouest, un éclair jaillit des nuages, frappa la prairie sèche. L'herbe se mit à fumer.

Boy poussa un cri, chancela, étreignit sa manche ensanglantée. Une lance l'avait égratigné. Des larmes de souffrance et de stupeur roulèrent sur son visage.

— Derrière toi, Charlie ! avertit Jackson, qui fit feu presque en même temps.

Charles pivota, vit un cavalier cheyenne s'apprêtant à le frapper avec une massue en bois alourdie par une pierre. Il tira vers le visage orné de peinture rouge mais pas assez vite pour arrêter le coup. La massue le toucha à l'épaule avec une force qui le fit tomber sur le côté. Le Cheyenne s'effondra, le visage masqué par un rideau de sang.

Les nuages noirs parvinrent au-dessus de la colline, comme un couvercle se refermant sur le monde. Le tonnerre gronda, un éclair déchira le ciel. Le vent soufflant de l'ouest porta une odeur de fumée aux narines de Charles, qui vit Balafre charger en direction de Jackson, lance au poing.

Les Indiens continuaient à monter à l'assaut, avec moins d'ardeur, toutefois, maintenant que deux d'entre eux étaient tombés. Pied-de-Bois sauta en arrière pour éviter la lance de Balafre, qui revint à la charge. La figure écarlate, le marchand saisit sa carabine à deux mains pour parer le coup.

Charles arma la Spencer, visa Balafre, appuya sur la détente. Un autre Indien fonça vers lui, enfonça sa lance dans son bras droit. Un flot de sang jaillit après la douleur brûlante. Charles lâcha la carabine, dégaina son coutelas et plongea la lame dans le flanc du Cheyenne, qui s'écroula sur le cou de sa monture. L'animal partit au galop, emportant le guerrier et l'arme plantée dans son corps.

Résolu à en finir avec Pied-de-Bois, Balafre lança de nouveau son mustang sur lui mais le Blanc parait adroitement les coups avec sa carabine. Le combat semblait toutefois éprouver Jackson, qui avait les joues violacées.

Charles se retrouva soudain sans adversaire et comprit pourquoi : trois Cheyennes fonçaient vers Boy et les mules. En larmes, le jeune garçon se débattait faiblement, comme s'il écartait des mouches. Un brave sauta à terre, agrippa l'adolescent ; Fen bondit de l'herbe où il était caché, referma ses mâchoires sur l'avant-bras de l'Indien. Un autre Peau-Rouge donna un coup de crosse à l'animal.

Par-dessus le vacarme du vent, Pied-de-Bois poussa un curieux cri étranglé. Charles dégaina son colt, para l'attaque d'un Cheyenne, vit son associé basculer lentement vers l'herbe, la bouche grande ouverte, comme s'il ne parvenait plus à respirer. Balafre se rua sur lui, hachette brandie.

Charles tira, manqua sa cible, se plaça devant Pied-de-Bois pour faire feu de nouveau. Balafre redescendit la colline, courbé sur son cheval.

Le sang continuait à couler de la blessure de Charles, qui poussa un cri de rage et de désarroi, parce qu'il ne savait plus à qui porter secours : à Jackson qui, tirant à deux mains sur sa chemise, tentait d'emplir d'air ses poumons ; à Boy, que trois Cheyennes entraînaient de l'autre côté de la colline. Fen les poursuivait, la gueule écumante.

Pied-de-Bois chancela, Charles le retint du bras gauche tout en tirant sur l'Indien le plus proche. Gêné par sa blessure, qui faisait trembler sa main, il manqua de nouveau sa cible. Il s'accroupit, glissa un genou derrière le dos de son associé pour le soutenir. Le marchand se laissa aller en arrière, les yeux écarquillés ; ses mains lâchèrent sa chemise, tombèrent mollement sur le sol. Impuissant, Charles vit le visage de Jackson perdre toute couleur.

Pied-de-Bois reconnut son ami, tenta de le toucher mais n'eut pas la force de lever le bras. De l'autre côté de la hauteur, Fen cessa soudain d'aboyer puis jappa une seule fois.

Charles colla l'oreille à la bouche de Jackson, crut l'entendre murmurer :

— Merci pour tout...

Un éclair inonda la scène d'une lumière aveuglante. Quand Charles recouvra la vue, il faillit se mettre à pleurer. Les yeux de Pied-de-Bois étaient encore ouverts mais plus aucune vie n'y brillait.

Les trois Cheyennes réapparurent, reprirent leurs chevaux et rejoignirent Balafre, qui les attendait en bas de la colline.

Charles se précipita vers l'endroit où Boy avait disparu. Voyant le Blanc s'éloigner du cadavre de Pied-de-Bois, Balafre fit signe au reste de sa troupe de se diriger vers le corps.

L'ancien confédéré passa devant deux mules se vidant de leur sang. Nouvel éclair. Le sol trembla sous ses pieds. Il sentit plutôt qu'il ne vit une barrière de feu s'élever derrière lui, à l'endroit où la foudre avait touché le sol.

— Boy ! cria-t-il, les jambes flageolantes. Boy, réponds !

Un éclair s'abattit sur la prairie ; l'herbe prit une lueur orange puis se mit soudain à flamber. Seigneur Dieu ! La fin du monde, pensa Charles. Titubant, il descendit la pente vers le lit d'un ruisseau asséché. Sur la rive la plus proche, l'herbe piétinée brillait, humide et noire. Une forme vague gisait dans une flaque de sang.

Derrière Charles, des flammes hautes de deux mètres élevaient un rempart écarlate et blanc qui ne cessait de s'élargir. Charles avait vu au Texas un feu de prairie semblable, qui avait brûlé soixante kilomètres carrés d'herbe.

Il s'approcha de la chose informe, baissa les yeux. Boy était étendu sur le sol, sa tête hypertrophiée reposant sur le lit à sec. Une lame l'avait éventré de la gorge à l'entrejambe. De la cage thoracique, déjà grouillante de mouches, dépassaient les restes de Fen : une patte, dont l'os avait traversé le pelage, une partie du crâne et du museau de l'animal auquel s'accrochait encore un œil. D'autres morceaux de la bête dépecée jonchaient l'herbe luisante de sang.

Charles contempla cette boucherie quelques secondes, fit demi-tour et remonta la colline derrière laquelle se dressait le rideau de feu. Pied-de-Bois mort, Boy aussi, pensait-il. Je serai le prochain mais j'emmènerai avec moi ce salaud balafré.

Du sommet, il vit Balafre et cinq autres Indiens montés sur leurs chevaux, à quelque distance derrière la fumée. Les Cheyennes s'étaient légèrement déplacés vers le sud, et malgré la fumée, Charles découvrit sur leur visage quelque chose de nouveau : de l'appréhension, ou tout au moins un doute. Le feu avait gravi près de la moitié du promontoire sur lequel la Compagnie Jackson avait vainement livré bataille.

La face dégouttant de sueur, Charles regagna en vacillant l'endroit où il avait laissé Pied-de-Bois. C'est Sharpsburg qui recommence, se dit-il.

Derrière la fumée, Balafre sourit, et Charles comprit pourquoi quand il arriva près du cadavre de son ami. Entre les jambes du corps dénudé, un trou rouge ; en haut, dans la bouche, les parties génitales.

— Sauvages ! cria Charles. Vous n'êtes que des bêtes !

Balafre cessa de sourire. Charles braqua son colt vers le Cheyenne, visa à deux mains. La fumée s'épaissit, masquant le chef et sa bande. Charles tira une balle, une autre, une autre encore, jusqu'à ce que le barillet soit vide.

Le mur de feu dissimulait maintenant complètement les Cheyennes, qui auraient un grand détour à faire pour passer de l'autre côté. Une rafale de vent coucha les flammes et Charles constata que ses balles n'avaient touché aucun des Indiens. Balafre leur fit signe d'avancer.

Tour à tour les guerriers refusèrent. Ils n'avaient pas le courage d'attaquer ce Blanc qui hurlait comme un fou et tirait, protégé par un rideau de feu et de fumée. S'ils ne connaissaient pas sa langue, ils comprenaient le sens de ses cris.

— Allez, venez, montrez comme vous êtes courageux ! Vous avez tué un vieillard, un gosse et un chien. Voyons ce que vous serez capables de faire avec moi !

Balafre saisit le bras du dernier de ses guerriers à lui opposer un refus. L'homme se dégagea, fit faire demi-tour à sa monture et partit. Les quatre autres l'imitèrent et Balafre, demeuré seul, lança un regard méprisant au Blanc avant de les suivre.

— Revenez, bon Dieu ! brailla Charles. Revenez, bande de salauds ! Vous méritez d'être balayés de la terre, vous et toute votre tribu ! Je trouverai un moyen de le faire, vous pouvez y compter.

Y compter... y compter.

Il se retourna, s'éloigna du brasier. De son bras blessé, il essaya de rengainer son colt, n'y parvint pas, déchira son pantalon et s'écorcha la jambe avec le guidon, sans s'en apercevoir. A sa main gauche pendait le parflèche de Jackson, qu'il ne se souvenait plus d'avoir pris sur le cheval mort de son ami.

L'orage poursuivit sa route vers l'est. Il tomba une pluie fine, pas assez forte pour éteindre l'incendie. Charles erra parmi les mules mortes pour voir ce qu'il pouvait sauver du désastre. Deux bêtes étaient encore vivantes, indemnes. Il prit leur licou dans la main gauche, remonta la colline, fut arrêté par le feu qui avait totalement gagné le promontoire où gisait le corps de Pied-de-Bois.

Je ne peux même pas l'enterrer, pensa-t-il, avec des larmes **de rage.**

Par un coup de chance — le seul de la journée — **Charles** retrouva son cheval à deux ou trois kilomètres au nord-est du brasier. Monté sur une des mules, tenant l'autre par la bride, il serrait contre son flanc son bras blessé, dont il avait arrêté l'hémorragie avec un garrot fait d'un morceau de tissu arraché à son pantalon et d'un bâton. La blessure, douloureuse, exigerait des soins mais n'était pas mortelle.

Parvenu près de Satan, qui se tenait tête baissée, immobile comme une statue si l'on exceptait les mouvements de ses yeux, Charles changea de monture et prit la direction du nord. A la tombée de la nuit, il s'arrêta, alluma un feu de bouse séchée, mastiqua un peu de pemmican retrouvé dans son parflèche. A la deuxième bouchée, il eut mal au ventre. A la quatrième, il vomit.

Après l'orage, le ciel s'éclaircit. Recroquevillé sur lui-même dans le vent froid, Charles songeait à ce qu'il venait de vivre. Les Cheyennes étaient inhumains. Ils haïssaient tous les Blancs, et peu importait qu'il y eût des raisons à cela. Rien ne pouvait justifier la barbarie dont ils avaient fait preuve. Non, ils haïssaient les Blancs, tout simplement, comme lui-même haïssait maintenant les Indiens, jusqu'au dernier.

LIVRE TROIS

LES BANDITS

*Je viens de rentrer de Fort Wallace par la
ligne de l'Union Pacific Division Est. Tout
le long de la voie ferrée, les Indiens livrent
une guerre féroce. Samedi, trois de nos
hommes ont été tués et scalpés à moins de
trente kilomètres de Fort Harker. Que faire
pour mettre fin à ces atrocités ?*
> John D. Perry, président de l'Union
> Pacific Division Est, au gouverneur du
> Kansas, 1867.

*Les Chefs ont signé pour la forme, sans
qu'on leur dise un mot du traité... Si la
guerre... éclate, qui faudra-t-il blâmer ? Les
membres de la Commission.*
> Henry M. Stanley, *New York Tribune*,
> après Medicine Lodge Creek, 1867.

*Les hommes de la Frontière déclarent les
Indiens en guerre ; les responsables des Affaires indiennes affirment qu'ils sont en paix,
et nous restons assis entre deux chaises,
trompés par les deux parties.*
> Rapport annuel du général William
> T. Sherman, 1867.

24

La pluie tambourinait sur le toit. Jack Duncan versa un verre de whisky que Charles accepta sans prononcer un mot. Le général n'aimait ni ce silence, ni l'aspect sale de son visiteur inattendu, ni les cernes entourant ses yeux égarés. Charles avait étonné Duncan d'abord en arrivant à une heure et demie du matin, ensuite en annonçant qu'il désirait s'engager dans l'armée.

— Je croyais que vous en aviez assez.

— Non.

Charles renversa la tête en arrière, engloutit le verre d'alcool.

— En tout cas, ni Charles Main ni Charles May ne peuvent s'enrôler.

— J'utiliserai un autre nom.

— Charles, calmez-vous. Vous êtes dans un état qui frôle le délire. Que s'est-il passé ?

Il reposa bruyamment son verre sur la caisse servant de table.

— Adolphus Jackson m'avait tiré d'une des plus sombres périodes de ma vie. Il m'avait appris à vivre dans les plaines. Je châtierai les sauvages qui l'ont massacré.

Le visage du général, bouffi de fatigue, exprima sa désapprobation. Il resserra la ceinture de son vieux peignoir, passa devant le poêle froid.

— Je ne puis vous reprocher de garder rancune aux Cheyennes mais ce n'est pas une motivation idéale pour...

— C'est ce que je ressens, répliqua Charles. Dites-moi simplement si j'ai une chance.

Sa voix éveilla Maureen qui, de l'autre côté de la porte de sa chambre, s'enquit de ce qui se passait. Avec la douceur d'un époux prévenant, le général répondit :

— Rendormez-vous, ce n'est rien.

Charles contempla la porte close, se rappela que Willa avait couché dans cette pièce.

— Une faible chance, pas davantage, répondit Duncan. Grierson, ça vous dit quelque chose ?

— Je connais le Grierson qui commandait le 6ᵉ de cavalerie de l'Illinois. Ses hommes ont parcouru près de mille kilomètres en seize jours à l'intérieur de la Confédération pour éloigner Pemberton tandis que Grant traversait le Mississippi en amont de Vicksburg. Une chevauchée digne de Jeb Stuart ou de Wade Hampton. Si c'est le même Grierson, il aurait mérité d'être des nôtres.

Duncan se réjouit de voir Charles encore capable de se montrer sarcastique.

— C'est le même Grierson. C'est devenu un remarquable cavalier pour un professeur de musique de province qui avait peur des chevaux.

— Peur des... ?

— Oui. Un poney lui a donné un coup de sabot quand il avait huit ans. Il porte encore la cicatrice, dit l'officier en se touchant la joue droite. Il est arrivé avant-hier pour attendre les recrues de son nouveau régiment — un de ceux dont le Congrès a autorisé la constitution en juillet. Grierson cherche désespérément de bons officiers capables de former et de diriger ses hommes mais personne ne veut servir dans le 10ᵉ de cavalerie. Ses futurs cavaliers sont recrutés à New York, Philadelphie, Boston, parmi la lie de la population urbaine. Ils sont analphabètes, pour la plupart.

— L'armée est pleine d'analphabètes.

— Pas comme ceux-là. Les hommes de Grierson seront tous noirs.

Charles demeura un moment silencieux, se servit un autre whisky, réfléchit. Duncan expliqua qu'un 9ᵉ régiment était levé dans la Région du Golfe, commandée par Phil Sheridan, et que le 10ᵉ ferait partie de la Division de Sherman.

— Grierson m'a confié que ses recruteurs n'ont réussi jusqu'à présent qu'à faire signer un seul homme, un simple soldat. Le ministère de la Guerre insiste pour avoir des officiers blancs, compétents, mais les anciens combattants de l'Union prêts à devenir officiers ne veulent pas d'une affectation au 10ᵉ. Vous connaissez George Custer ?

— Oui. Je l'ai affronté rien qu'une minute à Brandy Station. On dit que c'est un paon assoiffé de gloire, mais il gagne des batailles.

— Quoique impatient de rendosser l'uniforme, Custer n'accepterait jamais d'être nommé au 9ᵉ. C'est un cas typique : les soldats de l'Union se sont battus pour les Noirs, du moins je le suppose, mais d'une manière générale, ils ne les aiment pas et ne veulent pas avoir affaire à eux. Grierson est une exception. Un idéaliste.

— Que faudrait-il que je fasse pour être incorporé au 10ᵉ ?

— Ah ! il ne suffit pas de le vouloir. Il faut avoir combattu pendant la guerre, passer devant une commission spéciale d'examen, et obtenir la grâce présidentielle. Sans vous présenter comme Charles Main, diplômé de West Point. Mais je m'étonne qu'un homme comme vous souhaite commander des Noirs.

— Si ce sont de bons soldats, pourquoi pas ? Je connais des Noirs bien meilleurs que la plupart des Yankees.

— Ce seront des Noirs du Nord. Ils reconnaîtront tout de suite votre accent et cela ne leur plaira pas.

— Ça, je m'en charge.

— Réfléchissez bien avant de dire une chose pareille. Vous ne pourrez pas changer d'avis plus tard.

— Bon Dieu, je commanderais des hommes à la peau bleue pourvu qu'ils soient capables de tuer des Indiens. Quelles sont mes chances ?

Duncan contempla un moment la pluie à travers la vitre fêlée de sa fenêtre avant de répondre :

— Vous avez une chance sur deux. Si Grierson veut de vous, il pourra vous faciliter les choses en parlant au général Hancock, à la Division. Je pourrais également intervenir.

— Et pour obtenir une grâce ?

— Il faudra cacher votre grade chez les éclaireurs de Hampton. Vous présenter comme un irrégulier. Existe-t-il des archives prouvant le contraire ?

— Probablement pas. La plupart ont brûlé à Richmond, paraît-il.

— Alors, ça devrait aller. Vous devrez prendre un nom d'emprunt, faire appel aux services d'un courtier en grâces. Cela coûte environ cinq cents dollars.

Découragé, Charles proféra une obscénité et se renversa sur sa chaise, le visage éclairé d'un seul côté par la flamme mourante d'une lampe à pétrole presque vide.

— J'avancerai l'argent, dit le général. Je connais également un excellent courtier en grâces, un avocat de Washington nommé Dills.

Après une pause, Duncan reprit :

— J'ai quand même des réserves, Charles. Je sais que vous êtes un bon officier, mais vous voulez réintégrer l'armée pour de mauvaises raisons.

— Quand pourrai-je voir Grierson ?

— Demain, je présume, répondit le général. (Il s'éclaircit la voix, eut un reniflement sur lequel on ne pouvait se méprendre.) Lorsque vous aurez pris un bain.

Au loin, l'orage continuait à gronder. Charles eut un sourire qui rappela à Duncan la grimace d'une tête de mort dépourvue de chair.

Le 10e de cavalerie occupait des bureaux provisoires dans l'un des bâtiments en bois abritant le quartier général du Secteur du Missouri, à droite du terrain d'exercice. Un capitaine d'âge mûr y était penché au-dessus d'une table, avec l'expression méfiante d'un homme défendant une fortification. Des moustaches en pointe de dragon, presque totalement blanches, s'abaissaient au-dessus d'une grande bouche, incurvée vers le bas.

— On peut le voir, Ike ? demanda Duncan.

— Je crois que oui, général.

Le capitaine frappa à la porte de la pièce voisine, entra.

— Ike est dans l'armée régulière depuis vingt ans, chuchota Duncan à l'intention de Charles. C'est un coriace. En 64, à Sabine Crossroads, il a aidé à débarrasser la route d'un convoi de chariots qui barrait la retraite de Dick Taylor. Il a été décoré. Deux mois plus tard, il combattait sous les ordres d'A.J. Smith quand ce vieux Smitty a repoussé Forrest à Tupelo. C'est ce qui lui a valu ses galons.

Le capitaine revint, laissa la porte ouverte.

— Voici mon beau-fils Charles, dit Duncan. Capitaine Isaac Newton Barnes, major du régiment.

— Faisant fonction de major, corrigea Barnes.

Tandis que Duncan passait dans l'autre pièce et refermait la porte, Charles assurait :

— Enchanté, capitaine.

Cela payait de se montrer respectueux envers l'adjudant-major, qui détenait généralement plus de pouvoir que le commandant du régiment.

Ike Barnes jeta un regard renfrogné au tas d'ordres et de rapports encombrant son bureau. De profil, il ressemblait à un S : épaules rondes, bas du dos concave, ventre proéminent.

— J'ai horreur de ce boulot, grommela-t-il en s'asseyant. Je suis un cavalier, pas un foutu gratte-papier. J'obtiendrai le commandement de la compagnie C dès que le colonel trouvera quelqu'un d'assez bête pour se retrouver coincé ici, à trier cette paperasse.

Un sergent entra dans le bureau, hors d'haleine.

— Capitaine ! Deux gars de couleur au débarcadère du vapeur. Ils sont pour vous.

— Bon sang, sergent, vous devriez savoir qu'il vaut mieux pas prononcer les mots « de couleur » à moins d'un kilomètre de ce bureau. Le colonel ne tolérera pas qu'on donne à son régiment la même appellation que pendant la guerre. Ce n'est pas le 10e Régiment *de couleur,* c'est le 10e régiment de cavalerie, point. Excusez-moi, lança Barnes à Charles en sortant avec le sous-officier.

Sa formidable panse semblait avancer indépendamment de lui, comme une espèce de garde d'honneur, et le spectacle arracha un sourire à Charles.

Dix minutes plus tard, Duncan revint en annonçant :

— Il est intéressé. Cette fois, dites la vérité et voyez si vous pouvez arranger les choses. Bonne chance.

Le colonel Benjamin F. Grierson avait une longue barbe et un nez fort qui lui donnaient un air de pirate, accusé par une cicatrice à la joue. Après avoir invité Charles à s'asseoir, il posa une feuille de papier vierge sur son bureau, près d'un petit coffret en or orné d'un ambrotype placé dans un médaillon ovale. Sa femme, présuma Charles.

— Je serai direct, Mr Main. Votre intérêt pour le 10e pose plus d'un problème. Avant de les examiner, j'aimerais savoir pourquoi vous êtes ici. Jack vous a certainement dit que nombre d'officiers capables de notre armée sont contre les régiments noirs.

— Il l'a fait. Je suis ici parce que je suis un soldat, et rien d'autre. Il y a deux mois, les Cheyennes ont tué mon associé et son neveu.

— Oui, Jack m'a raconté. Désolé.

— Merci. Je veux venger leur...

— Pas dans mon régiment, Mr Main, répliqua Grierson avec une pointe de colère. La mission que le général Sherman nous a confiée consiste à renforcer la présence militaire dans les Plaines. Elle est donc purement défensive. Nous protégerons les colons, les routes, les équipes construisant le chemin de fer. Nous n'attaquerons que si nous sommes *d'abord* attaqués.

— Colonel, excusez-moi, je...

— Écoutez-moi jusqu'au bout, Mr Main. Avant de pouvoir remplir notre mission, nous devrons apprendre à des citadins à marcher au pas, monter à cheval, tirer, se comporter en soldats. Je parle d'illettrés, Mr Main — porteurs, serveurs, cochers. Des Noirs qui n'ont jamais eu auparavant la chance de faire une carrière honorable. J'ai l'intention de les transformer en excellents soldats, que n'importe quel officier serait fier de commander. J'utiliserai pour cela la même méthode qu'avec les élèves auxquels j'apprenais la musique, dans l'Illinois. Stricte discipline, exercice sans relâche. Ce sera la responsabilité de mes officiers, et ils n'auront pas de temps pour les vendettas personnelles.

— Je regrette ma remarque, colonel. Je comprends parfaitement ce que vous dites.

— Bien. Sinon, je ne perdrais pas mon temps avec vous.

Grierson examina Charles d'un œil pensif puis ajouta :

— Non, je ne suis pas honnête. Je ne vous accorde pas cet entretien parce que je le juge bon mais plutôt à cause du manque de candidats que j'évoquais tout à l'heure. J'avoue répugner quelque peu à recruter un Sudiste.

Malgré un accès de ressentiment, Charles garda le silence.

— Voyez-vous, Mr Main, j'ai une conception particulière de l'avenir de ce pays. Particulière en ce sens qu'elle n'est apparemment pas partagée par les milliers de colonels et de généraux honoraires courant après quelques rares postes subalternes. Je crois, selon les termes exacts de la Déclaration de Mr Jefferson, que tous les hommes naissent égaux, sinon en qualités intellectuelles ou physiques, du moins en possibilités. Je crois que nous avons combattu, consciemment ou non, pour étendre cette conception à la race noire. Je sais que ce n'est pas une idée bien accueillie. Nombre de mes collègues officiers m'accusent — je reprends leur expression — de les « ennégrer » à mort. Soit. Je crois que cette conception doit prévaloir avant tout dans ce nouveau régiment. S'il n'est pas viable, alors ni l'armée ni l'Amérique ne le sont. Mes officiers devront donc porter avec joie le fardeau supplémentaire de se tenir entre leurs hommes et l'hostilité, les préjugés qui se déchaînent dans l'armée.

Le regard résolu, Barnes poursuivit :

— Vous êtes de Caroline du Sud. Je n'en ai cure, *à moins* que cela ne signifie que vous ne puissiez vous conformer à mes règles. Si c'est le cas, je ne veux pas de vous.

Tendu à présent, craignant d'être rejeté, Charles répondit :

— Je le peux, colonel.

— Vous êtes capable de traiter honnêtement, équitablement des soldats noirs ?

— Je m'entendais parfaitement avec les Noirs de la plantation où j'ai grandi.

A nouveau fausse route. Et Grierson agita la main d'un air dédaigneux.

— Des hommes asservis, Mr Main, des esclaves. Rien à voir.

Charles durcit légèrement le ton :

— Laissez-moi m'expliquer d'une autre manière. Non, je ne m'entendrai pas avec *tous* les hommes du régiment, jusqu'au dernier. De même que je ne m'entendrais pas avec tous les Blancs de la légion de Wade Hampton ou du 2e de cavalerie, au Texas. Chaque unité a sa part d'imbéciles et de filous. J'avertissais toujours ce genre d'individu, mais seulement une fois. S'il insistait, je le mettais en prison. S'il continuait encore, je le chassais du régiment. Je me conduirai de la même manière au 10e.

Il regarda Grierson dans les yeux et ajouta :

— En soldat de métier.

Le colonel le fixa longuement en silence puis un sourire apparut entre barbe et moustache.

— C'est une bonne réponse. Une réponse d'officier. Les hommes du 10e seront jugés sur leurs mérites, exclusivement.

— Oui, colonel, dit Charles, que cette approbation hâtive mettait cependant un peu mal à l'aise.

Il s'était empressé d'approuver Barnes parce qu'il voulait être affecté dans un régiment — n'importe quel régiment — et le 10e avait désespérément besoin d'officiers. Mais il avait des doutes sur la capacité des Noirs des villes à devenir de bons soldats — exactement les mêmes doutes qu'envers les pitoyables Blancs qu'il avait trouvés à Jefferson. Ce parti pris venait probablement de sa formation à West Point mais n'en existait pas moins.

Grierson se pencha en avant.

— Mr Main, je déteste les menteurs, les tricheurs, et je m'apprête à entrer délibérément dans ces deux catégories. Vous serez contraint de faire de même lorsque vous passerez devant la Commission spéciale d'examen. Un de ses membres au moins, le capitaine Krug, vous tarabustera. Il hait tous ceux qui ont porté l'uniforme gris des Confédérés. Son jeune frère est mort à la prison d'Andersonville.

Charles hocha la tête, nota mentalement le nom.

— Bien. Passons maintenant aux détails, décida Grierson en trempant sa plume dans l'encre. Vous avez fait une demande de grâce ?

— La lettre partira aujourd'hui.

— Je suis au courant de votre mésaventure à Jefferson. Quel nom utiliserez-vous cette fois ?

— Un nom qui me soit familier, pour que je réagisse naturellement en l'entendant. Charles August. August a pour moi des réminiscences familiales.

— August, donc, marmonna Barnes, en faisant crisser sa plume. Votre grade le plus élevé chez les éclaireurs de Hampton ?

— Major.

Simple soldat, irrégulier (éclaireur), écrivit le colonel.

— Il vaut mieux oublier votre passage à West Point. Combien d'anciens de l'École pourraient vous reconnaître maintenant, à votre avis ?

— Tous ceux qui s'y trouvaient en même temps que moi, je présume. C'est comme cela que j'ai été découvert à Jefferson.

— Par qui ?

— Un certain capitaine Venable.

— Harry Venable ? Je le connais. Un excellent officier de cavalerie mais un petit monstre de vanité. Bon, en ce qui concerne les camarades de promotion que vous pourriez rencontrer, ce sera un risque à courir. Point suivant, mes officiers sont censés avoir deux ans d'expérience.

— C'est mon cas. J'ai servi avec le 2e de cavalerie au Texas.

— C'était avant que vous ne changiez de camp, répliqua sèchement Grierson. Oublions le Texas, cela pourrait permettre de remonter jusqu'à West Point.

Charles regarda la plume gratter le papier. *Expér. antér. : 4 ans chez les vol.*

A la fin de l'entretien, qui se prolongea une heure encore, Grierson connaissait beaucoup d'aspects de la vie personnelle de Charles : Orry, qui avait servi de père à son jeune cousin ; les ennuis avec Elkanah Bent ; l'impression d'horreur laissée par Sharpsburg ; la mort d'Augusta Barclay, la recherche désespérée de son fils. Finalement, le colonel poussa ses notes sur le côté et serra la main du candidat, d'une façon plus cérémonieuse qu'amicale, selon Charles. Grierson réservait son jugement.

— Mon adjudant-major vous expliquera comment vous préparer pour l'examen écrit, qui ne devrait pas vous poser de problème. La Commission spéciale, c'est une autre affaire.

Grierson accompagna Charles à la porte en se lissant la barbe.

— Changez votre apparence, recommanda-t-il. Elle ne parle pas en votre faveur. Entretenez votre barbe ou rasez-la.

— Oui, colonel.

Charles porta la main droite à son front pour gratifier le colonel de son meilleur salut de cadet de West Point. Grierson salua à son tour, lui fit signe qu'il pouvait disposer.

Après que la porte se fut refermée, l'officier retourna à son bureau, contempla un moment le portrait ornant le coffret en or puis commença une lettre.

Très chère Alice,
J'en ai peut-être trouvé un bon aujourd'hui. Un ancien rebelle, qui veut exterminer les tribus hostiles. Si je parviens à le faire triompher des examinateurs, et à juguler ses envies vengeresses, le régiment pourrait en tirer profit, car je n'ai pas encore rencontré d'officier de qualité qui ne fût poussé par quelque démon...

Dans le miroir de poche que Duncan lui avait prêté, Charles regardait son visage couvert de savon. Cela faisait des mois qu'il ne s'était pas rasé. Le fil qu'il avait donné au rasoir du général lui tirailla la peau quand il s'attaqua à sa barbe.

Il songea à l'avertissement de Grierson concernant la Commission spéciale en maniant le rasoir avec une hâte téméraire. A chaque coup, des paquets de poils tombaient sur la cuvette ; un visage nouveau, presque inconnu apparaissait. Davantage de rides. De marques du temps.

— Ahh !

Il saisit une serviette, la pressa contre son menton entaillé. Quand la coupure saigna un peu moins, il lâcha la serviette, entreprit de raser l'autre moitié de son visage. Pensant à Pied-de-Bois, à Boy, à Fen, il se fit une deuxième estafilade, qu'il sentit à peine cette fois.

25

Le général Duncan télégraphia la demande de grâce à l'avocat Dills et transféra des fonds à une banque de Washington. Il envoya également au général Sherman, au quartier général de la Division, une lettre aux mots soigneusement pesés dans laquelle il soulignait le besoin d'officiers compétents de Grierson et les éminentes qualités d'un certain Charles August. Celui-ci se demandait comment Sherman réagirait s'il apprenait qu'« August » était le marchand malpropre qu'il avait rencontré dans la prairie.

Charles prit une chambre à Leavenworth City mais retourna chaque jour au fort pour tenter de refaire connaissance avec le petit Gus. Le bambin aurait deux ans en décembre. Il marchait, parlait par phrases rudimentaires et montrait encore une certaine réserve en présence de l'homme grand et maigre qui l'emmenait en promenade et se faisait appeler Papa.

Maureen les accompagnait généralement. Elle continuait à ne pas approuver que Charles s'occupe de l'enfant — parce que, entre autres choses, ce n'était qu'un homme — et avait découvert, depuis son retour, un nouvel aspect déplaisant de sa personnalité. Un jour qu'ils revenaient d'une promenade, ils rencontrèrent aux abords du poste un groupe de ces Indiens traînant autour des forts, vivant de charité et de petits travaux. Ils dépensaient leur argent en whisky et laissaient les Blancs les affubler de noms méprisants comme Nez-en-Saucisse, Feignant, Grosse-Femme.

Grosse-Femme, un Sioux obèse vêtu d'un vieux pantalon d'uniforme et d'une veste vareuse, s'approcha de Charles et de son fils, s'arrêta, cligna des yeux, tendit la main pour chatouiller le menton de l'enfant souriant. Charles l'étendit d'un coup de poing.

L'Indien s'enfuit à quatre pattes en glapissant ; Gus jeta à son père un regard apeuré. Maureen ne put garder le silence :

— Ce pauvre homme sans défense ne lui voulait aucun mal, Mr Main.

— Je ne veux pas que la racaille rouge touche mon fils, répliqua Charles.

Plus tard, quand il eut repris le chemin de la ville, la gouvernante parla de l'incident à Duncan, qui prenait son bain dans une bassine en zinc.

— Son humeur est changeante comme le temps, conclut-elle. Il y a une sorte de démon en lui.

— Il a traversé une horrible épreuve, argua l'officier. Frotte donc un peu plus bas, s'il te plaît. Oui, là...

— Je le comprends, général, répondit Maureen. (Même au lit, elle s'adressait à lui de manière cérémonieuse.) Mais s'il ne s'en remet pas, son fils ne tardera pas à le mépriser. Augustus est déjà quasiment terrifié par son père.

— Je l'ai remarqué, soupira Duncan. Et je ne sais que faire.

La pièce du quartier général donnait à l'ouest, sur le terrain d'exercice, et la table de Charles était placée face aux fenêtres aux rideaux grands ouverts. Un choix qui ne doit rien au hasard, se dit Charles. Comme celui de l'heure — cinq heures et demie d'après la pendule au bruyant tic-tac. Une lumière aveuglante l'empêchait presque de voir les cinq hommes assis devant lui, le dos aux fenêtres.

Le général Winfield Scott Hancock, promotion 1844 de West Point, commandant du Secteur du Missouri, présidait la commission. Grand, bel homme, calme, il avait accueilli cordialement Charles à la porte et lui avait souhaité bonne chance. Étrange, pensa le candidat, de serrer la main d'un homme qui avait probablement serré celle du cousin Orry.

A la gauche de Hancock était assis le général William Hoffman, commandant du 3e d'infanterie ainsi que de Fort Leavenworth. D'après Duncan, il était tout à fait hostile aux régiments noirs.

A gauche de Hoffman, l'officier que Charles craignait le plus, le capitaine Waldo Krug, homme frêle au visage sévère, chauve, bien qu'il ne fût pas beaucoup plus âgé que Charles. Attaché à l'état-major de Hoffman, Krug portait l'étoile d'argent de général de brigade et on lui donnait ce grade quand on s'adressait à lui. Il détaillait le candidat avec une hostilité non déguisée.

A la droite de Hancock, le capitaine I.N. Barnes et, terminant la rangée, un major nommé Coulter, homme aux allures de maître d'école portant des lunettes ovales. A la gauche de Charles, on avait installé des chaises pour le public mais seuls Duncan et Grierson avaient choisi d'assister à l'examen.

Hancock regarda autour de lui pour réclamer le silence.

— Messieurs, nous examinons la candidature de Charles August, qui a passé l'examen écrit avec succès. Et d'excellentes notes, ajouterai-je.

Krug attaqua aussitôt :

— Général, je propose l'ajournement. Le candidat ne peut être reçu puisqu'il a servi antérieurement dans l'armée confédérée.

D'un ton renfrogné, Hoffman déclara :

— Je soutiens la proposition.

Sorti de West Point en 1829 — la promotion de Lee — c'était un vieux briscard qui avait combattu dans les guerres contre les Séminoles et le Mexique.

Hancock rejeta la motion et argua que le candidat avait prouvé sa bonne foi en signant le serment de loyauté et en demandant sa grâce, comme le général Lee. Krug explosa :

— Robert Lee ne sera *jamais* grâcié. C'est le sort que méritent ceux qui ont trahi leur pays, et j'inclus le candidat dans cette catégorie.

Coulter repoussa ses lunettes sur son nez et dit d'un ton tranquille :

— J'avais l'impression que les hostilités avaient cessé il y a un an, que nous étions tous à nouveau des Américains. Je pense que nous devrions oublier la guerre et...

— Non, major, coupa Krug. Je n'oublierai jamais que mon frère est mort de faim à la prison d'Andersonville.

Hancock tapa sur la table pour rétablir le calme.

— Wiz, son directeur, a payé ses crimes de guerre sur l'échafaud, rappela-t-il. C'est et ce sera probablement le seul officier confédéré puni de la sorte.

— Moi, je serais partisan d'en pendre beaucoup plus, dit Krug, le regard sur Charles.

— Capitaine, ou vous retirez vos propos ou vous vous excluez vous-même de cette commission. Nous poursuivrons cet examen sur la base des compétences du candidat.

Krug marmonna une phrase incompréhensible ; Hancock s'éclaircit la voix et ouvrit le dossier de Charles.

Bien que ce fût l'automne, la lumière lui faisait terriblement mal aux yeux. Charles se sentait aussi nerveux qu'à la veille d'une bataille, certain qu'il serait pris en défaut d'une manière ou d'une autre. Il se força à penser à Pied-de-Bois, se redressa sur sa chaise.

— Votre nom, demanda Hancock.

— Charles August.

— J'ai sous les yeux le rapport du colonel Grierson, qui déclare que vous avez servi quatre ans dans l'armée confédérée. Veuillez préciser votre unité et votre grade.

— Corps des éclaireurs de la légion de Wade Hampton. Cette unité fut ensuite incorporée à des divisions de cavalerie plus importantes lors de réorganisations successives de l'armée. Mais les éclaireurs demeurèrent des irréguliers, sans aucun grade, mentit Charles avec aisance.

— Y a-t-il des documents pour le prouver ? voulut savoir Barnes.

— Oui, je suppose. A Richmond.

— Pour l'amour du ciel ! s'exclama Krug. Richmond ! Tout le monde sait que les rebelles n'ont pas laissé un seul document à Richmond. Ils ont tout brûlé. Nous ne savons même pas combien de traîtres ont servi sous leur drapeau, et nous ne le saurons jamais.

— Capitaine, intervint sèchement Hancock.

— Désolé, général. Mais je suis contre cette candidature. Tout à fait contre.

Hoffman leva la main, le président lui donna la parole.

— Puisque nous ne pouvons examiner le dossier de ce monsieur, fit-il d'un ton mordant, il devra nous fournir quelques informations. J'aimerais connaître ses opinions politiques.

Charles ne s'attendait pas à cette question.

— Eh bien, je suis démocrate, général.

— Démocrate, répéta Hoffman avec un sourire. Naturellement. Tout rebelle impénitent se dit démocrate. Tout garde-chiourme ayant assassiné des prisonniers nordistes se dit démocrate. Tout traître ayant mélangé des composés dangereux pour faire sauter les villes du Nord, ou inventé des procédés diaboliques pour répandre la fièvre jaune dans ces cités est devenu aujourd'hui un *démocrate*.

Amusé, Coulter constata :

— Le général connaît parfaitement les arguments oratoires du gouverneur Morton, de l'Indiana, à ce que je vois. Mais les discours électoraux que vous venez de citer étaient destinés à des civils. Doivent-ils influencer nos débats ?

Pris en flagrant délit de plagiat, Hoffman écumait.

— Non, répondit Hancock. Je pense pour ma part que Mr August fait preuve d'une grande franchise. Nous savons que des centaines d'anciens Confédérés se sont enrôlés dans l'armée des États-Unis sous un nom d'emprunt...

Duncan sursauta si fort que sa chaise grinça ; Grierson contempla le plafond.

— Je voudrais demander au candidat s'il a eu une expérience militaire avant la guerre, continua Hancock. Je ne vois rien dans le dossier.

La gorge de Charles se noua. Voyait-on la sueur sur son front ? Le soleil éclairant son visage révélait-il la supercherie ? L'intérêt du colonel Grierson se porta sur la pointe soigneusement cirée de ses bottes. Le président de la commission fronça les sourcils.

— Mr August, notre temps est précieux. Répondez promptement, je vous prie. Avez-vous servi dans l'armée avant la guerre ?

Charles mit en balance deux meurtres et un second mensonge.

— Non, déclara-t-il.

L'examen se poursuivit pendant une demi-heure, interrompu de temps à autre par une objection rageuse de Krug ou une question de Hoffman se transformant rapidement en boniment républicain. Charles était fatigué, inondé de sueur quand Hancock l'autorisa à se retirer. L'ancien confédéré sortit avec Duncan et Grierson, ferma la porte derrière lui.

— Ils vous prendront, prédit le colonel.

— Non. J'ai tout gâché.

— Au contraire. Vous vous en êtes très bien tiré. Il faut cependant que je vous répète ce que j'ai déjà dit à Duncan : si l'on vous découvre, je ne pourrai pas vous aider. Le régiment passe avant tout, je ne veux pas qu'il soit compromis. Mais sinon, soyez assuré que vous me trouverez à vos côtés en toute autre circonstance.

— Merci, colonel. Je ne crois pas que vous aurez à vous tracasser pour...

La porte s'ouvrit. Ike Barnes, le moins élevé en grade, sortit de la salle.

— Trois voix contre deux en faveur de votre acceptation. A condition, bien sûr, que vous obteniez votre grâce et l'approbation du ministère de la Guerre.

Avec un sourire radieux, Barnes tendit la main et conclut :

— Bienvenue au régiment, Mr August.

Charles traversa le Missouri avec le bac puis se rendit à Saint Louis en diligence, prenant son temps, respirant avec plaisir l'air vif, admirant le pourpre et l'or des feuilles. Le calendrier empêcha Willa de donner un caractère physique à leurs retrouvailles mais ils dormirent dans les bras l'un de l'autre dans le lit de la jeune femme au *New Planter House*.

Quand vint le matin, ils s'embrassèrent, murmurèrent des mots tendres. Avant de s'habiller, il enduisit son visage de savon pour raser sa barbe de la veille et sifflota en aiguisant son rasoir.

— C'est très joli, cria Willa, de sa coiffeuse. Qu'est-ce que c'est ?

— Ça ? Juste un petit air qui m'est venu dans la tête l'année dernière. Chaque fois que je pense à Mont Royal, à tout ce que j'aimais avant la guerre, je l'entends.

— Il y a un piano au théâtre. Tu le chantonneras quand nous y serons pour que je puisse le noter pour toi ?

— Oui, bien sûr.

Et c'est ce qu'elle fit.

— C'est mon air ? demanda Charles en regardant les notes qui ne signifiaient rien pour lui.

Willa acquiesça de la tête.

— Si tu le dis, reprit-il. Ça me fera un souvenir. (Il plia soigneusement la feuille.) Peut-être puis-je maintenant cesser de penser au passé. J'ai trouvé quelque chose de mieux pour le remplacer.

Il se pencha, embrassa l'actrice sur le front. Elle ferma les yeux, lui serra le bras.

Pendant qu'elle s'occupait du théâtre, Charles se promena dans les rues animées de la ville. Il ne s'inquiétait plus du danger de trop s'engager sentimentalement tant il était excité par sa réintégration dans l'armée — une excitation que Willa partagea jusqu'à ce qu'il lui explique la raison de sa décision. En lui épargnant les détails par trop horribles, il lui raconta la fin de la Compagnie Jackson et décrivit la haine qu'elle avait fait naître en lui.

La comédienne eut une réaction négative qu'elle garda pour elle, plaçant ses sentiments pour Charles au-dessus de ses opinions. C'était la première fois qu'elle agissait ainsi, du moins, aussi loin que remontaient ses souvenirs.

Le soir, dans sa chambre, elle lui montra ce qu'elle appela sa récompense : une grande photo d'eux encadrée, prise l'année précédente — Willa assise sur le sofa, la tête maintenue par une pince invisible, la main de Charles sur son épaule. Amusé, il déclara qu'ils avaient l'air de mannequins de cire et Willa, en représailles, répliqua qu'elle lui en offrirait une copie. Il répondit, à demi sincère, qu'il serait ravi du cadeau.

Pendant le petit déjeuner, il apprit que l'anniversaire de Willa tombait le 25 décembre.

— C'est facile à retenir mais dur à fêter avec tout ce qui se passe ce jour-là. Je suis très mauvaise cuisinière mais je sais quand même faire un gâteau tout simple et le glacer. La plupart du temps, il faut aussi que j'achète les bougies moi-même.

Charles resta à Saint Louis trois jours de plus, assista chaque soir à une représentation. Puis il reçut un télégramme de Duncan annonçant que sa grâce avait été accordée.

Willa pleura lorsqu'ils se dirent au revoir. Elle promit de profiter d'une tournée qu'elle et Sam entreprendraient bientôt pour retrouver Charles. Et l'aimer totalement, ce qu'elle n'avait pu faire cette fois.

Une pluie fine se mit à tomber lorsque Willa quitta l'hôtel pour se rendre au théâtre, l'esprit si plein de Charles qu'elle faillit oublier d'ouvrir son parapluie. Elle le connaissait à la fois si bien et si peu. Elle devinait en lui une colère rentrée, un sentiment tout à fait différent de l'accablement de l'année dernière, dû à la guerre. A présent, il avait un ennemi. Aussi ne lui avait-elle rien dit de l'initiative qu'elle avait prise en fondant une section locale de la Société d'amitié avec les Indiens.

Cette section comptait six membres : un couple quaker, un prédicateur unitarien, la vieille directrice d'une école privée fréquentée par les enfants de riches commerçants allemands, le jeune premier vieillissant de la troupe, Tim Trueblood, et elle-même. Charles n'aurait certainement pas apprécié la pétition qu'ils avaient déjà envoyée au Congrès et au ministère de l'Intérieur.

En arrivant au théâtre, elle trouva la scène déserte mais entendit la voix de Sam. Elle referma son parapluie, le posa sur la table du souffleur. Le régisseur surgit de derrière un décor en s'écriant :

— Pas là ! Pas là ! S'il le voit, il sera furieux.

— C'est vrai, j'oubliais. Pas de parapluie sur la table du souffleur ! Qu'est-ce qu'il fait ?

— Il se comporte un peu bizarrement. Il s'est baladé un moment avec la gamelle de Prosperity, et maintenant, il répète dans le foyer.

— Il tient vraiment à monter *Hamlet,* soupira Willa.

La comédienne échangea avec le régisseur un regard tolérant puis se dirigea vers l'endroit où la voix tonitruante de Trump proclamait la drôlerie infinie et l'imagination fertile de Yorick. Elle faillit trébucher sur un bol en faïence empli de lait auquel la chatte, enroulée sur elle-même à proximité, ne paraissait pas s'intéresser. Willa fronça les sourcils, se pencha, renifla : le bol avait une curieuse odeur.

Elle se redressa, emporta le récipient dans le foyer et interrompit la tirade de Sam, qui répétait devant un long miroir. Malgré son corset serré, ses collants noirs ne pouvaient cacher sa corpulence. Il avait l'air ridicule dans ce costume, et plus encore avec un chrysanthème fané piqué sur la poitrine.

— Chère enfant..., commença-t-il, un pouce passé dans l'orbite d'un crâne de plâtre.

Il pâlit en voyant le bol que Willa portait à bout de bras.

— Désormais, c'est moi qui nourrirai la chatte, Sam, dit-elle. Tu as dû te tromper de bol, elle refuse de toucher à celui-ci. Les chats n'aiment pas le whisky.

Trump faillit tomber dans sa hâte pour récupérer le récipient.

— Ce n'est rien. Juste une petite goutte pour me donner du cœur à l'ouvrage aujourd'hui.

— Et tous les jours de la semaine. Je me demandais pourquoi tu étais si joyeux le matin.

La comédienne posa le bol sur la table en disant avec douceur :

— N'y touche pas.

Sam se frappa la poitrine d'un air affligé.

— Oui, ma chérie.

Il la regarda par-dessous ses sourcils, posa le crâne, passa un bras paternel autour de ses épaules.

— Tu parais malheureuse. C'est à cause de moi ? demanda-t-il.

— Pas vraiment.

— Charles est parti, alors.

— C'est autre chose que son départ, Sam. Il a obtenu sa réintégration dans l'armée.

— Il a fait le bon choix. L'armée, c'est la seule chose qu'il connaisse.

— Le bon choix mais pour une mauvaise raison.

En quelques phrases, Willa expliqua ce qui était arrivé à Jackson et à Boy.

— Il veut se venger, conclut-elle. Lorsqu'il en parle, il est habité d'une véritable fureur.

— Alors, c'est fini, vous deux ? demanda Trump, timidement.

— Oh, non, répondit-elle en haussant tristement les épaules. Je devrais rompre mais c'est trop tard. Je l'aime. Je sais que j'en souffrirai peut-être, et je n'y peux rien. Mr Congreve a raison lorsqu'il dit que l'amour est une faiblesse de l'esprit.

Willa s'efforça de sourire et éclata en sanglots. Sam la prit dans ses bras, la serra contre lui en lui tapotant doucement le dos.

26

— Lieutenant August ? Venez vite.

Charles se leva précipitamment du bureau.

— Quelqu'un de blessé ?

— Non, mon lieutenant, mais ils démontent les tentes que vous nous avez dit de monter il y a une heure, expliqua la recrue.

— Quel est l'imbécile de sous-off... ?

— C'est un général. Krig ?

— Krug. Bon sang, grommela Charles en prenant son chapeau.

Sa troisième journée sous l'uniforme commençait mal.

— Qu'est-ce qu'il se passe, mon capitaine ?

Les yeux gris de Krug foudroyèrent Charles.

— Appelez-moi général.

Dans un terrain herbeux situé à huit cents mètres de l'entrée principale du camp, cinq recrues noires ne portant pas encore l'uniforme peinaient sur deux armatures en A, dont les piquets déjà défaits disparaissaient sous une grande toile. Le visage cramoisi, Charles tendit le bras vers les hommes.

— Pourquoi démontent-ils ces tentes ?

Le vent froid de l'automne souleva la cape recouvrant le haut du manteau de Krug.

— Parce que j'en ai donné l'ordre. Ils s'installeront à côté de la pompe à vapeur.

— Mais c'est détrempé, là-bas, protesta Charles.

— Changez de ton, mon petit monsieur, sinon je vous colle un rapport. Les trois quarts des soldats de ce poste aimeraient vous voir partir.

Y compris la plupart de mes hommes, pensa Charles. Les cinq Noirs le regardaient comme s'il était Salem Jones, le vieux régisseur de Mont Royal avant la guerre. A travers ses dents serrées, le nouveau sous-lieutenant répliqua :

— Le baraquement qui nous a été alloué, mon *général,* est infesté de rats, de chauves-souris, de punaises. C'est un vrai zoo. Pendant qu'on le désinfecte par fumigation, ces hommes ont besoin d'un abri provisoire. Pourquoi les chasser d'ici ?

— Parce que le général Hoffman est passé devant ces tentes ce matin et qu'il n'aime pas voir des nègres quand il se rend à Leavenworth ou qu'il en revient. Est-ce assez clair ?

Charles se rappela la mise en garde de Grierson sur l'intolérance des militaires.

— Général, si vous tenez absolument à les déloger, il faudra poser des planches pour...

— Pas de planches. Ils dormiront sur le sol. Ce sont des soldats, non ? Du moins c'est ce qu'on a voulu nous faire croire.

— Pourquoi vous m'en voulez à ce point, Krug ?

— Pour deux raisons, cher monsieur. D'abord parce que je vous considère comme un traître. Ensuite, parce que le Nord a combattu pour préserver l'Union, non pour glorifier les nègres. Le général Hoffman partage cet avis. Maintenant, faites partir ces hommes.

Krug remonta à cheval, se dirigea vers la sortie. Charles s'approcha des Noirs, qui le regardaient avec des expressions allant du stoïque au renfrogné.

— Désolé, les gars. Il va falloir décamper. J'essaierai de trouver des planches quelque part.

Un costaud à la peau café-au-lait s'avança. Potiphar Williams, ancien cuisinier dans un hôtel de Pittsburgh, sachant lire et écrire. Il avait appris à l'âge adulte, afin de comprendre les recettes et de préparer les menus. Charles voyait en lui un élément prometteur.

— On cherchera du bois nous-mêmes, mon lieutenant, dit Williams.

— Il est de ma responsabilité de...

— On veut pas de faveurs d'un Blanc qui s'est battu avec les rebs*.

Charles se raidit.

— Écoutez-moi bien, dit-il. Je n'ai pas fait la guerre pour maintenir l'esclavage ou la Confédération. J'ai combattu pour défendre ma maison, en Caroline du Sud.

— Oh, oui, lieutenant, fit Williams. Mon frère et sa famille, en Caroline du Nord, tout ce qu'ils avaient à défendre, c'était la case d'esclaves où ils vivaient.

Tournant le dos à l'officier, il lança aux autres recrues :

— Allez, on démonte et on va où le Blanc nous dit d'aller.

Ike Barnes, que ses hémorroïdes rendaient déjà de mauvaise humeur, jura comme un charretier quand Charles lui rapporta l'incident. Grierson alla trouver Hoffman, qui refusa de revenir sur son ordre. Deux des recrues couchant sur le sol humide attrapèrent une pneumonie et furent conduits à l'infirmerie du poste, ce qui amena trois malades blancs à la quitter en signe de protestation.

La semaine suivante, une joyeuse troupe de voyageurs en route pour Fort Riley s'arrêta au poste. Elle se composait de deux femmes blanches, d'une ancienne esclave chargée de faire la cuisine, d'un petit jockey noir texan, de quatre chevaux, dont un ambleur et une

---

* Pour rebelles. (N.d.t.)

jument de course, et de plusieurs chiens : un lévrier, un bouledogue, des chiens de chasse.

— C'est un cirque ou c'est l'armée ? maugréa Barnes. En tout cas, c'est une honte.

— Tout à fait d'accord, approuva Grierson. Mais vous remarquerez que nous sommes venus voir, nous aussi.

Les deux hommes et Charles avaient en effet rejoint la vingtaine de curieux qui s'étaient rassemblés pour admirer l'élégant jeune officier qui commandait la troupe. Tout en surveillant le chargement de son poulain dans un wagon spécial, sur l'épi de chemin de fer du poste, George Custer déployait une gaieté tapageuse à l'intention de la foule.

Charles retrouva le dandy qu'il avait brièvement rencontré pendant la guerre : chevelure flottante, moustaches de morse, foulard écarlate, éperons d'or.

— Je l'ai combattu à Brandy Station, glissa Charles à Barnes. Je sais qu'il se bat pour gagner mais il est trop téméraire à mon goût. Heureusement, je ne servirai jamais sous ses ordres.

L'automne vit une victoire écrasante des républicains aux élections, tant au niveau fédéral qu'à celui des États. Le désastreux « tour de piste » de Johnson avait travaillé contre le président et pour les radicaux. Lorsque le Congrès se réunirait, le processus de la Reconstruction serait plus que jamais aux mains des républicains.

Pendant ce temps, à Fort Leavenworth, malgré les ennuis qu'il avait avec les Blancs à cause de leurs préjugés, et avec les Noirs à cause de son passé, Charles commençait à apprécier de nouveau la vie militaire. Il aimait les journées réglées par les sonneries du bugle et du clairon, les fifres et les tambours. Depuis West Point, cette vie faisait partie de sa chair et de son sang. Dans son alcôve monastique du quartier des officiers célibataires, un réveil intérieur le tirait chaque matin de son sommeil à quatre heures et demie, quinze minutes avant qu'on ne sonne le rassemblement.

Il aimait toutes les sonneries — la diane, la garde, la soupe, l'exercice, l'extinction des feux, précédée d'un défilé par beau temps — mais préférait quand même celle du rassemblement aux écuries, à quatre heures et demie de l'après-midi. Il supervisait alors la façon dont les nouveaux soldats — dont un grand nombre avaient peur des chevaux — s'occupaient de leur monture. Tout en s'efforçant de les familiariser avec les bêtes, Charles en profitait pour passer quelques agréables minutes à soigner Satan.

Venait ensuite la musique la plus douce à l'oreille de la journée : le gong et le triangle annonçant le repas du soir. Généralement, cette musique était plus agréable que le menu même : hachis ou rata, haricots à la sauce tomate ou bœuf de couleur et d'odeur douteuses.

Chaque compagnie du 10e était censée se composer de quatre-vingt-dix-neuf hommes, mais les recrues arrivaient si lentement que Charles se demandait si Grierson aurait un jour un régiment au complet. La réputation du 10e ne s'améliora pas quand une recrue déserta, et la nouvelle parvint à Leavenworth que des troubles avaient éclaté au 9e de cavalerie de San Antonio, composé uniquement de Noirs. Les recrues s'étaient heurtées à la police locale, avaient déclenché une émeute, et un grand nombre d'entre elles avaient été emprisonnées.

— Parfait, grommela Grierson en apprenant les événements. Exactement ce dont Hoffman avait besoin pour confirmer son opinion.

Charles reconnut de lui-même une part de responsabilité dans la désertion d'un de ses hommes. Hargneux, le Noir avait maltraité un des chevaux, Charles était intervenu et lui avait infligé une corvée.

— Bien sûr, avait riposté l'homme, tu prends le parti d'un canasson contre un nègre, fumier de Sudiste !

Et il avait frappé Charles, qui s'était jeté sur lui, et qu'il avait fallu maîtriser pour l'empêcher de tuer le soldat à coups de poing. Deux jours plus tard, le Noir avait déserté. Repris à City of Kansas, il avait été chassé de l'armée avec un blâme.

Lorsque la compagnie C fut constituée, Ike Barnes en prit le commandement, avec pour lieutenant Floyd Hook, jeune naïf aux allures d'adolescent, et Charles comme sous-lieutenant. Parfois, le capitaine laissait l'un de ses subordonnés accueillir une nouvelle recrue, et le sous-lieutenant August avait mis au point pour la circonstance un petit discours qui n'était pas entièrement facétieux.

« Bienvenue dans votre nouvelle maison, qu'on appelle parfois la "maison de redressement" du gouvernement. En plus d'apprendre à devenir un bon cavalier, vous aurez la joie de porter des briques, peindre des murs, couper du bois. C'est ce qu'on appelle les corvées. »

Cette allocution ne faisait jamais sourire les soldats noirs, et ce n'était pas seulement le mot corvée qui les refroidissait, Charles le savait. C'était son accent.

Patiemment, il montrait aux bleus comment glisser une paire de chaussettes roulées sous leur chemise pour éviter des hématomes à l'épaule pendant le maniement d'armes. Il assistait à leurs premières tentatives pour seller et monter un cheval. Dès qu'ils ne tombaient plus, il leur apprenait à tirer au revolver et à la carabine, leur criait de prendre leur temps, de tenir leur arme d'une main ferme lorsqu'ils prenaient pour cible une pile de caisses, d'abord sur une bête au pas, puis au trot, enfin au galop.

— La main ferme ! Ferme ! répétait-il. Vous ne vous battrez sans doute pas plus d'une fois au cours de votre carrière dans l'armée, mais ce jour-là, votre vie dépendra de ce que vous aurez appris à l'exercice.

Substituts parentaux, les officiers protégeaient de leur mieux les bleus des brimades des anciens — un « ancien » étant une recrue arrivée une semaine plus tôt. Un jeune Noir craqua, fondit en larmes.

— Y m'ont dit, va chercher ton allocation-beurre à la cantine. Attention, le cuistot essayera de la garder pour dépenser le fric lui-même. Alors je suis allé le trouver, j'y ai dit, donne-moi l'argent du beurre, et pas d'histoires. Mais l'allocation de beurre, ça n'existe pas.

— Non, c'est un vieux truc, répondit Charles. Écoute, tous les bleus se font avoir, ce n'est pas grave.

— Mais maintenant, les autres m'appellent Motte-de-Beurre.

— S'ils te donnent un surnom, c'est qu'ils t'aiment bien.

— C'est vrai ? renifla la recrue en s'essuyant les yeux.

— C'est vrai.

Charles songea en souriant aux sobriquets des deux autres officiers de la compagnie, Cul-d'Acier et l'Ami-Floyd.

— Et c'est quoi, le vôt', capitaine ?

Le sourire se figea.

— C'est lieutenant. Je n'en ai pas.

Un des avantages de servir dans le 10e, c'était la possibilité de voir souvent le petit Gus, et Charles s'arrangeait pour le retrouver brièvement presque chaque jour. L'enfant se montrait plus affectueux avec son père, dont le comportement, moins rude, ne l'effrayait plus.

Noël approchait. Charles se refusait à acheter comme cadeaux les objets artisanaux fabriqués par les Indiens vivant autour du fort, bien que les articles ornés de perles ou de piquants de porc-épic fussent jolis et bon marché. Il décida plutôt de se rendre à Leavenworth City, acheta une série de brosses pour Duncan, du parfum pour Maureen et Willa, un cheval de bois pour son fils.

Quatre jours avant Noël, le 21 décembre 1866, l'armée reçut un présent dont elle n'avait aucune envie.

Fort Phil Kearny protégeait la piste Bozeman, conduisant aux gisements aurifères du Montana. La simple existence de ce poste constituait une provocation pour les Sioux et les Cheyennes du Nord, qui revendiquaient les terres avoisinantes. Des chefs de guerre au nom célèbre dans les Plaines — Nuage-Rouge pour les Sioux, Nez-Busqué pour les Cheyennes — marchèrent sur le fort avec deux mille braves.

La forfanterie prenant le pas sur le bon sens, un certain capitaine William Fetterman prétendit pouvoir écraser les assaillants avec quatre-vingts hommes. Il emmena donc ses soldats escorter des chariots rapportant du bois au fort, et l'armée reçut en cadeau de Noël le massacre Fetterman. Pas un seul des quatre-vingts hommes ne survécut.

Ce qu'il y avait en Charles d'implacable se réjouit de la mauvaise nouvelle. Après le massacre, et les clameurs qu'il avait suscitées, l'armée s'en prendrait peut-être aux tribus du Sud.

Pour Noël, Willa lui envoya un petit ambrotype encadré — leur photographie — et une édition reliée cuir de *Macbeth,* avec une phrase romantique sur la pièce réputée porter malheur et qui lui avait porté bonheur puisqu'elle les avait fait se rencontrer. Aux cadeaux était jointe une lettre pleine de mots doux.

Mon Charles chéri,
Je m'efforcerai de me souvenir que ton tout nouveau nom de famille est August, et je fais serment de ne jamais prononcer le vrai à voix haute, bien qu'il me soit très cher...

La lettre se poursuivait sur le même ton à travers plusieurs paragraphes — un ton qui plaisait à Charles et lui chauffait le cœur malgré sa crainte inchangée de trop s'engager. Il avait raison de demeurer sur ses gardes, comme la suite allait le lui prouver.

On parle beaucoup de la tragédie Fetterman et je prie pour qu'elle ne provoque pas des représailles générales. Je ne puis plus longtemps te dissimuler que j'ai adhéré à la section locale de la Société d'amitié avec les Indiens, qui s'efforce d'obtenir justice pour ces êtres longtemps victimes de la cupidité et de la duplicité des Blancs. Tu trouveras ci-joint une petite brochure de la Société qui, je l'espère...

Parvenu à cet endroit, Charles jeta la lettre dans le poêle en fonte de Duncan, sans lire le reste.

Le jour de Noël, il s'aperçut qu'il avait oublié le vingt et unième anniversaire de Willa.

27

Afin de réparer sa gaffe, Charles s'adressa à l'épouse d'Ike Barnes, Lovetta, un petit bout de femme qui pouvait au besoin donner à sa voix la puissance d'un sifflet de locomotive. Lovetta accepta l'argent de Charles, promit de trouver quelque chose qui plairait à une jeune femme. Deux jours plus tard, elle lui apporta un sac indien avec une lanière pour l'accrocher à l'épaule et un rabat orné de perles. La vue de l'objet le mit en rage mais il remercia Lovetta et envoya le cadeau à Saint Louis, avec un mot d'excuse.

Peu après le Nouvel An, tout le monde, à Leavenworth, commença à dire que le général Hancock partirait en campagne au printemps pour faire aux Indiens une démonstration de force, peut-être même punir les auteurs du massacre Fetterman. Grierson, pendant ce temps, désespérait de donner à son régiment des effectifs opérationnels : pour le moment, le 10e ne comptait que quatre-vingts hommes.

Presque tous devaient suivre les cours spéciaux de l'aumônier Grimes pour apprendre à lire, écrire, compter. Le bas niveau d'instruction des recrues constituait un fardeau supplémentaire pour les officiers, qui s'occupaient de toute la paperasse dont se chargeaient normalement les sous-officiers.

Pourtant, Charles reconnaissait de mauvaise grâce que ces citadins faisaient plus que compenser leur manque d'instruction par leur enthousiasme et leur application. A quelques exceptions près, ils se conduisaient bien. S'il y avait des cas d'insubordination, d'ivrognerie, de vol, ils étaient bien moins nombreux que chez les soldats blancs. Charles pensait que la motivation de ses hommes y était pour beaucoup : ils voulaient réussir ; ils avaient choisi l'armée.

Ni cette motivation ni le bon comportement des soldats noirs n'impressionnait le général Hoffman, qui ordonnait des inspections surprises des baraquements du 10e et punissait les hommes pour la poussière du plancher, les taches sur les murs. La poussière pénétrait dans les chambrées parce que portes et fenêtres fermaient mal ; les taches étaient dues aux toits qui fuyaient. Hoffman rejetait les explications comme les demandes de matériaux pour réparer les baraquements.

La campagne du commandant contre ce qu'il appelait la « lie nègre » était incessante. Si l'un des officiers de Grierson tentait de confier quelque responsabilité à une recrue sachant lire et écrire, le quartier général renvoyait les rapports du Noir avec la mention *mal écrit* ou *incorrect*. Sur ordre de Hoffman, le 10e devait se tenir à quinze mètres au moins des unités blanches pour la revue.

Les montures allouées au régiment noir étaient de vieux canassons rescapés de la guerre, dont certains avaient douze ans. Quand Grierson protesta, Hoffman haussa les épaules :

— Le budget de l'armée est serré, colonel. On nous demande d'utiliser les armes, les munitions et les montures dont nous disposons déjà. Et de toute façon, je dirai que ces rosses sont assez bonnes pour des nègres.

— Général, je vous prie respectueusement de ne pas traiter mes hommes de...

— Vos hommes ne seraient même pas ici si ce satané Congrès ne dorlotait pas les moricauds. Moi je n'ai aucune raison de le faire. Vous pouvez disposer.

Au mess, Grierson déclara à ses officiers :

— Nous devons absolument terminer l'instruction de ce régiment et quitter ce poste. Sinon, il se passera des choses graves. Je ne suis ni violent ni impie mais si nous restons trop longtemps, Hoffman est mort. Je tuerai moi-même ce con fanatique.

Charles éclata de rire, joignit ses applaudissements à ceux des autres officiers.

— Si Alice savait l'effet qu'a Hoffman sur mon vocabulaire, ajouta Grierson, elle demanderait le divorce.

Barnes — ou « le Vieux », comme on l'appelait souvent — parlait fréquemment aux hommes de la compagnie C de questions pratiques que n'abordait pas le manuel. Se promenant dans les rangs, précédé de sa bedaine, il leur dit un jour :

— Les gars, vous vous êtes enrôlés pour être fiers de votre uniforme, et c'est très bien tant que nous restons au fort.

Son regard inspecta les visages attentifs, ébène et acajou, ambre et tabac.

— Je veux cependant que chacun de vous ait une autre tenue quand nous sortirons. Je me fiche de l'allure que ça vous donne tant que c'est chaud, ample, facile à enlever si le soleil chauffe. Pour le genre de combat que nous aurons peut-être à livrer, il ne faut pas être alourdi par de l'équipement inutile ni gêné par ses nippes. Alors dégottez-vous une autre tenue : chemise, pantalon, veste, chapeau. Achetez-la, troquez-la. Si vous la volez, ne vous faites pas pincer.

Il prit le temps de caresser les deux extrémités de ses moustaches avant de conclure :

— Moins je verrai de bleu marine dans cette tenue, plus je serai satisfait.

Parfois, quand Charles avait une heure à perdre, il se rendait à cheval à Leavenworth City. Le saloon du *Chien-de-Prairie,* dans la

Grand-Rue, servait du casse-pattes bien meilleur que la gnôle allongée d'eau du mess des officiers. Un samedi ensoleillé, il se dirigeait vers la ville quand il entendit des coups de feu. Il découvrit bientôt un civil à la mise cossue qui avait attaché son cheval au bord de la route et s'en était écarté pour s'entraîner à tirer. Charles s'arrêta, regarda l'inconnu abattre une rangée de douze bouteilles avec deux colts 44 à double effet. Par-dessus l'écho des détonations, l'officier commenta :

— Bien tiré.

L'homme s'approcha d'un pas tranquille. Approximativement du même âge que Charles, il avait de longs cheveux et une moustache rappelant celle de Custer, une lèvre supérieure protubérante qui déparait quelque peu son visage. Il portait un habit à queue-de-pie couleur fauve, un gilet de soie verte et de luxueuses bottes en cuir repoussé.

— Merci, dit-il. C'est une trace d'accent du Sud que j'entends dans votre voix ?

Le ton de la question étant mordant, Charles répondit :

— *Border state.*

— Ah ! un partisan de l'Union. Bien. Je suis de Troy Grove, dans l'Illinois. Comté de La Salle. Une région abolitionniste.

L'inconnu tendit la main, Charles se pencha pour la serrer.

— Pour le moment, je gagne la coquette somme de soixante dollars par mois à porter le courrier de l'armée. J'espère devenir éclaireur pour le général Hancock au printemps.

— Vous vous entraînez beaucoup ?

— Trois, quatre heures par jour. Il n'y a pas de secret pour tuer quelqu'un qui cherche à vous abattre. C'est surtout une question de précision, plus quelques petits trucs. Toujours viser la tête, jamais la poitrine. Un homme touché à la poitrine peut continuer à tirer assez longtemps pour vous avoir.

— Je m'en souviendrai, Mr...

— Jim, dit l'inconnu. Jim tout court.

Au *Chien-de-Prairie,* Charles parla du tireur à la tenue de dandy.

— Vous l'avez pas insulté, au moins ? fit le barman. Non. Sinon vous seriez pas ici.

— Pourquoi ? Il m'a fait l'impression d'un type aimable...

— Traitez-le de ballot et vous verrez comme il est aimable. Un homme s'y est risqué, il l'a descendu. Il s'appelle J.B. Hickok, votre tireur.

Charles connaissait ce nom — tout le monde connaissait le nom de ce tueur redouté.

— Il m'a dit qu'il porte le courrier de l'armée.

— Ouais, lui et un jeune vantard nommé Will Cody.

Charles poussa un long soupir : il avait échangé des amabilités avec l'un des hommes les plus dangereux de la Frontière. Quant à Cody, il avait suivi le chemin prédit par Henry Griffenstein. La *Golden Rule House* du jeune Kansan n'avait pas duré longtemps.

Dans l'obscurité humide, Charles courait vers le groupe de lanternes, le pan de sa chemise de nuit dépassant de son pantalon. Les cheveux en bataille, les yeux encore pleins de sommeil, la bouche sèche de frayeur, il tourna à droite de l'armurerie en direction des hommes du prévôt.

C'était l'un d'eux qui l'avait éveillé en frappant à sa porte. Impossible de trouver Grierson. Le nouvel adjudant-major, un officier nommé Woodward, n'arriverait pas avant la semaine suivante ; Barnes avait emmené Lovetta passer quelques jours de vacances à Saint Louis et Floyd Hook avait la grippe.

Précédé par le panache de son haleine, Charles rejoignit la demi-douzaine de soldats qui se tenaient à quelque distance des piles d'un pont enjambant le Missouri. La lumière de leurs lanternes faisait luire le métal de leurs revolvers et de leurs carabines.

— Le noiraud, c'est un des vôtres, mon lieutenant, dit un caporal après un salut nonchalant. Il veut pas se rendre, va falloir le descendre.

Au bord du cercle de lumière, Shem Wallis, une des nouvelles recrues, était accroupi derrière une pile dont ne dépassait qu'un œil blanc et un morceau de visage noir.

— Laissez-moi lui parler, caporal.

— Lieutenant, blanc ou nègre, si un troufion fait le Grand Saut et résiste quand il est repris, on a ordre de...

— Je veux lui parler.

Charles abaissa la carabine du caporal, s'éloigna du groupe d'hommes marmonnant.

En s'approchant, il découvrit d'autres parties de Wallis, notamment des doigts noirs serrés sur un Allin Conversion, un de ces fusils redistribués à l'armée en 1865. Un modèle dépassé, à un coup, mais dont la balle pouvait encore abattre un homme.

— Lieutenant, avancez pas, cria Wallis. Je l'ai dit aux aut' Blancs : le premier qui essaie de me sauter dessus, je le descends.

— Écoute, Shem, tu n'aurais pas dû assommer la sentinelle et essayer de déserter. Mais ce sera encore pire si...

— J'me suis engagé pour êt' fier de ce que je faisais ! Pas pour continuer à trimer comme un esclave. Je passe tout le samedi à peindre la clôture d'un officier, et pis il s'amène, il dit qu'un âne aurait fait mieux.

Charles fit un pas, un autre.

— Ce genre de corvée, c'est un des mauvais côtés de l'armée. Je croyais te l'avoir expliqué, Shem.

— Ouais, vous l'avez fait, mais moi, je veux plus de corvées.

A deux mètres de la pile, Charles tendit le bras, sans cesser d'avancer.

— Donne-moi ton arme, Shem. Je sais ce qui ne va pas. L'hiver est trop long. Tout le monde le sent.

Le vieux Springfield se braqua vers la poitrine de l'officier.

— J'vais vous tirer dessus, lieutenant.

Charles s'arrêta à un mètre de la pile.

— D'accord, et après, tu n'auras plus de balles, et les gars qui sont derrière te tueront. Laisse tomber, Shem. Tu passeras un moment au poste de police mais ça vaut mieux que finir au cimetière. Ensuite tu reprendras la place qui t'appartient. Tu as l'étoffe d'un bon soldat, je te le dis sincèrement.

La main tendue, Charles recommença à avancer. Wallis épaula, visa.

Charles marcha vers le canon de l'arme, dont l'orifice devenait plus grand à mesure qu'il approchait.

Plus grand.

Plus grand...

Wallis fit un mouvement, Charles se jeta sur le côté, conscient qu'il était trop tard pour éviter la balle.

Le Springfield tomba par terre. Avec un gémissement, Wallis se couvrit les yeux. Puis il se redressa, sortit de sa cachette en levant des mains encore tachées de peinture blanche.

Hancock annonça effectivement son intention de partir en campagne dès que le temps s'améliorerait. Un soir de la dernière semaine de février, il informa ses officiers que les troupes de Leavenworth recevraient en renfort des unités du 7e régiment de cavalerie de A.J. Smith et partiraient ensuite de Fort Riley pour se rendre en pays indien.

— Certains d'entre vous, messieurs, m'accompagneront. Les autres resteront ici. Tous doivent cependant bien comprendre l'objectif de cette expédition. Le général Sherman m'a donné l'ordre d'en imposer aux Indiens, de rencontrer les chefs importants pour leur dire de se tenir à l'écart de la voie ferrée et de la route des chariots cet été. S'ils répondent par une attitude provocante, belliqueuse, nous leur ferons la guerre. Aucune insolence ne sera tolérée. C'est désormais la politique du gouvernement.

Dans la lettre qu'il écrivit ensuite à Willa, Charles ne dit rien de cette politique, dont il soupçonnait qu'elle entendrait parler bientôt.

— Asseyez-vous, soldat, proposa Charles à Potiphar Williams après l'échange de saluts.

Méfiant, l'ancien cuisinier s'installa sur la chaise réservée aux visiteurs.

— La compagnie C a besoin d'un sergent. Le lieutenant Hook et moi-même avons fait campagne pour vous, le capitaine Barnes est d'accord, et je suis heureux de pouvoir vous apprendre que le colonel Grierson a approuvé nos recommandations. Vous obtenez ces galons non seulement parce que vous savez lire et écrire mais aussi parce que vous vous êtes révélé bon soldat.

Après un éclair de fierté, le visage du Noir retrouva son habituelle expression hostile à peine voilée.

— J'apprécie l'offre, mon lieutenant, mais je peux pas l'accepter.

— Ne soyez pas si têtu, sacredieu. Je sais que vous ne m'aimez pas, cela n'a aucune importance. Pendant la guerre, j'ai servi sous les ordres de quantité d'hommes que je n'aimais pas.

Williams se gratta la gorge.

— Attendez, dit Charles. C'est seulement à cause de moi ou il y a autre chose ?

— C'est... mes yeux.

— Quoi ?

— J'ai des problèmes avec mes yeux. Au tir, je me débrouille. Je vois la lettre sur le guidon quand elle est loin. Mais de près... C'est aussi pour ça, à ma main, que j'ai quitté mon boulot de cuisinier, j'avais un mal de chien à éplucher les légumes, couper la viande.

Potiphar Williams montrait, à l'endroit où le pouce et l'index se rejoignaient, une longue cicatrice pâle que Charles n'avait jamais remarquée.

— Pour les yeux, le remède est facile. Le major vous examinera et vous prescrira des lunettes.

Nouveau silence gêné.

— Euh, mon lieutenant, j'ai pas les moyens. J'envoie toute ma solde à mes quatre frères et sœurs, à Pittsburgh.

— Je vous prêterai l'argent, bon sang, et ne discutez pas.

Après avoir longuement scruté le visage de Charles, Williams demanda :

— Les officiers blancs, ils veulent vraiment que je sois sergent ?

— Oui.

— Vous aussi ?

— Décision unanime.

— Vous êtes pas si mauvais que je croyais, marmonna l'ancien cuisinier en détournant les yeux. Ce que vous avez fait pour aider Shem Wallis, c'était chouette. Je vous rembourserai dès que possible.

— Très bien. Un petit avertissement. On vous surnommera Binoclard ou Quat-Zyeux. Tous les trouf... tous les soldats qui portent des lunettes sont surnommés Binoclard ou Quat-Zyeux.

— Ben, c'est mieux que celui que j'ai déjà, dit Williams. Les gars ont transformé Potiphar en Pot-de-Pisse.

Charles éclata de rire, Williams l'imita.

— C'est une nette amélioration. Félicitations, dit Charles en tendant la main. Sergent.

Williams pressa ses lèvres l'une contre l'autre, regarda la paume et les doigts blancs, hocha la tête et serra la main offerte.

Le 1er mars 1867, le général Winfield Scott Hancock, digne et plein d'allure, quitta Fort Leavenworth.

C'était une matinée humide et froide. Charles se tenait parmi les soldats, les épouses et les commerçants du poste assistant au départ, tandis que la fanfare jouait la plus rebattue et cependant la plus émouvante des marches : *The Girl I Left Behind Me**.

Après les drapeaux de la nation, de la division et du secteur, les compagnies d'infanterie passèrent d'un pas lent. Des affûts tirés par des chevaux portaient des obusiers de campagne de douze livres, légers et sûrs. Derrière, les bâches des chariots de ravitaillement se gonflaient comme des voiles de navire.

La colonne n'était pas uniquement composée d'uniformes bleu marine puisqu'elle comprenait aussi des guides osages et delawares au visage impassible ainsi que quelques civils, notamment Mr Hickok, vêtu de culottes en daim ajustées et d'une veste de zouave d'un orange criard, les deux revolvers à crosse d'ivoire bien en évidence. Sa jument, Black Nell, trottait joyeusement tandis qu'il saluait la foule en fendant l'air de son chapeau. Lorsqu'il remarqua Charles, il lui adressa un geste amical et les soldats de la compagnie C

* La fille que j'ai laissée au pays. (N.d.t.)

regardèrent tout à coup leur sous-lieutenant comme s'il était entouré d'une aura sacrée.

Une ambulance cahotante transportait Mr Davis, qui écrivait pour *Harper's Monthly,* et Mr Henry Stanley, qui représentait le *New York Herald Tribune* et d'autres journaux. Les généraux Hancock et Sherman voulaient des articles favorables dans la presse.

Le « Vieux » cracha un jet de salive entre ses dents et dit à Charles :

— Savez ce qu'il y a dans un des chariots ? Des pontons, nom de Dieu.

— Des pontons ? Pour quoi faire ?

— Pour passer les rivières, tiens ! Si Hancock repère des Indiens de l'autre côté de la flotte, ils attendront gentiment une demi-journée environ que Hancock place ses pontons et traverse pour leur mettre une raclée.

Barnes cracha à nouveau avant d'ajouter :

— Ça vous donne une idée de ce que le vieux Magnifique connaît de la guerre dans les Plaines. Ça s'annonce mal, Charlie.

— Je regrette quand même que nous ne partions pas.

— Vous voulez des scalps, hein ?

— Oui.

Ike Barnes dévisagea son sous-lieutenant et dit, sans cacher sa désapprobation :

— Vous aurez l'occasion d'en avoir.

28

Charles était l'officier de jour quand arriva une nouvelle recrue. C'était un homme qui de prime abord n'avait rien de remarquable, un Noir solide à la figure ronde de vingt-huit ou vingt-neuf ans qui portait tout ce qui lui appartenait dans un baluchon. Un mouchoir en soie noire dépassait de la poche de poitrine de sa vieille redingote noire trouée aux coudes. La pointe de sa chaussure gauche était percée.

— Mettez-vous au garde-à-vous pendant que je vous interroge, ordonna Charles, qui pensait qu'il fallait mater d'emblée les nouveaux. Vous vous appelez Magee ?

— Oui, général, fit l'homme, découvrant la plus éclatante denture que Charles eût jamais vue. Wendell Phillips Magee. M'man m'a donné le nom...

— De l'abolitionniste, je sais, coupa Charles. (Il consulta à nouveau le dossier du « bleu ».) Vous vous êtes engagé à Chicago...

L'Illinois doit être un État sinistre, pensa-t-il. Tout le monde le quitte : Hickok, et deux autres artistes du revolver nommés Earp et Masterson, dont Floyd Hook lui avait parlé.

— Qu'est-ce que vous faisiez à Chicago, Magee ?

— Portier de saloon. Je balayais le plancher, je vidais les crachoirs, répondit le Noir.

Il semblait sans amertume, se contentant d'énoncer des faits.

— Je me faisais aussi rosser par les clients, parce que je suis un nègre. Quand ma tante Flomella est morte — c'était la sœur de m'man, ma seule parente — j'ai lu dans le journal...

— Vous savez lire ?

— Oui, mon général.

— Je suis sous-lieutenant.

— Oui, pardon. Je sais écrire aussi. Et faire des additions.

Magee avait un air gai et franc, aucunement ébranlé par les critiques. Sa façon de parler enjouée, son sourire éclatant étaient probablement des défenses contre les mauvais traitements qu'il avait évoqués.

— Et ce journal disait : « Jeunes gens de couleur, mettez donc l'uniforme bleu... »

D'un coup sec, il tira le mouchoir en soie noire de sa pochette, l'introduisit dans son poing gauche en poussant de l'index droit.

— Alors, je me suis dit, Magee, c'est une bonne occasion, non ? continua-t-il. (La soie disparut rapidement.) Change de vie, passe du noir... au bleu.

Il tira de l'autre côté de son poing un long tortillon en soie bleue.

Charles se mit à rire. Ravi, Magee agita le mouchoir de la main droite tout en montrant la gauche — vide.

— Du noir au bleu, répéta-t-il avec son merveilleux sourire. Une vie toute nouvelle.

— Tu connais d'autres tours comme celui-là ? demanda Charles.

— Oh ! oui, mon général. J'ai appris mes premiers avec un barman, quand j'ai commencé à travailler, à neuf ans, à peu près. Puis j'en ai appris plein d'autres. Avec des pièces, des cartes, des balles. J'ai lu des livres, aussi. Vous savez qu'il y avait des magiciens du temps des chevaliers en armure ? Et les Chinois en avaient aussi il y a deux mille ans. Ça donne l'impression de faire partie d'une vieille famille, conclut Magee avec un autre sourire éblouissant.

Charles pensa à Hickok et à ses revolvers.

— Tu dois t'entraîner souvent, dit-il.

— Tous les jours. Ça m'aide drôlement, la magie. Je fais des tours pour ces sal... — pour ces messieurs du saloon et ils me filent une pièce ou deux, au lieu de me taper dessus parce que je suis un nègre.

Le sourire demeura, quoique un peu figé.

— Tu sais monter à cheval ?

— Non, mon général, mais j'apprendrai. Je suis fier d'être dans l'armée américaine, et je veux être un bon soldat.

— J'y compte bien, dit Charles, tendant le bras pour la poignée de main traditionnelle. Bienvenue au 10e de cavalerie, Magee.

La recrue se révéla studieuse, de bonne compagnie et d'une gaieté inaltérable. Trois jours après son arrivée au régiment, Grierson se rendit au baraquement pour l'appel du soir — en fait, uniquement pour voir Magee faire un de ses tours. Accédant à la demande du colonel, le soldat sortit de sa poche un morceau de ficelle.

— Ça marche mieux avec une corde mais on peut pas en acheter avec une paie de portier, expliqua-t-il.

— Tu pourras pas non plus avec ta solde, avertit le sergent Williams, dit Quat-Zyeux.

Sous les rires, Magee fit une boucle, la coupa en son milieu, prit les deux morceaux et les noua, tint la ficelle tendue au-dessus de sa tête pour montrer le nœud. Puis il l'enroula autour de son poing gauche, la tapota, la tendit à nouveau. Le nœud avait disparu, la ficelle était entière.

Grierson applaudit.

— Bravo, soldat. Comment faites-vous ?

— Mon général, si je vous le disais, les copains m'appelleraient plus Magee Magie.

— C'est déjà son surnom ? murmura Floyd Hook à Charles.

— Tu t'attendais à quoi ? répondit le sous-lieutenant.

Des flaques de neige fondue, une journée particulièrement douce annonçaient la fin de l'hiver. Le 10e continuait à grossir ses rangs. Barnes, Hook et Charles entraînaient les hommes, interrompaient les rixes, descendaient la nuit dans les baraquements où l'on jouait, confisquaient cartes ou dés, écrivaient les lettres des hommes, les écoutaient raconter leurs problèmes de cœur ou leurs histoires de famille, et priaient pour qu'arrive enfin le jour du départ vers l'Ouest.

Des courriers apportaient au quartier général de la région des rapports sur la campagne de Hancock. Celui-ci avait pris la direction du sud-ouest jusqu'à Fort Larned, situé au bord de la Pawnee, et y avait établi son camp avec mille quatre cents hommes du 7e de cavalerie, du 37e d'infanterie et du 4e d'artillerie. Puis il avait envoyé le lieutenant-colonel Edward Wynkoop — ancien commandant de Fort Lyon devenu responsable des affaires indiennes du Sud au ministère de l'Intérieur — porter un avertissement aux Peaux-Rouges. Il s'agissait de Cheyennes et de quelques Sioux Oglalas vivant ensemble dans un grand village à une cinquantaine de kilomètres en amont du confluent de la Pawnee avec l'Arkansas. Le résultat des pourparlers ferait l'objet des rapports suivants.

La compagnie C devant bientôt partir, Barnes proposa à Charles de se rendre à Saint Louis s'il le souhaitait. Lorsque avril commença à s'adoucir, Charles prit un bateau descendant le Missouri. Willa et lui firent l'amour avec passion quand il arriva, en fin d'après-midi, un peu avant qu'elle ne joue Ophélie.

— Je ne me souviendrai jamais de mon texte, fit-elle en riant. Mais au moins, j'ai les cheveux suffisamment en désordre pour la scène de folie.

Elle promit de l'emmener souper avec d'autres membres de la troupe après le spectacle. Les cinq actes de *Hamlet* parurent interminables à Charles. Sam Trump déclama avec extravagance les monologues du prince et s'agita tellement pour le duel final qu'il tomba à deux reprises, provoquant des huées.

Massant un genou endolori, le comédien demanda à être excusé, ce qui réduisit les convives à Charles, Willa, Finley, le jeune régisseur-souffleur et Trueblood, qui ne pouvait jouer les jeunes premiers sans le secours de généreuses quantités de fard. Finley arriva en retard à la brasserie où les autres buvaient déjà joyeusement des chopes de bière brune allemande et troubla l'atmosphère de la fête en montrant le titre du *Missouri Gazette* du jour.

— Hancock a brûlé un village indien.

— Quoi ? fit Willa, dont les yeux pâles perdirent leur gaieté.

— C'est là, dit Finley en tapotant le journal. Les chefs n'avaient pas voulu venir parlementer. Les menaces de Hancock les avaient peut-être effrayés, parce qu'ils s'étaient enfuis avec femmes et enfants. Custer les a poursuivis, a découvert un relais de diligences incendié. Alors Hancock a brûlé les tentes vides — deux cent cinquante. Tout est là, conclut le régisseur en s'asseyant.

— Quand est-ce arrivé ? demanda Trueblood, indigné.

Willa lissa le journal de la main.

— Le 19. Mon Dieu, près de mille peaux de bison détruites, tout ce que les Indiens avaient laissé derrière eux. Quelle cruauté ! Quelle honte !

— Hancock était allé montrer aux chefs qu'ils feraient mieux de se tenir tranquilles cet été, expliqua Charles.

— Et maintenant, il peut être sûr du contraire, répliqua l'actrice en lui jetant le journal. Lis toi-même. Aucun rapport entre le relais incendié et le village que Hancock a détruit.

— Aucun rapport, sauf que les deux événements font partie du même problème. Les chefs auraient dû venir parlementer.

— Alors que Hancock avait employé un ton aussi comminatoire ? J'ai lu ses déclarations, Charles. Menaçantes, agressives...

— Écoute, j'en ai assez d'entendre ça. Tu sais comment les Cheyennes ont tué mon associé. Un brave type qui était leur ami...

— Et c'est une raison pour que l'armée se montre aussi féroce ? La violence engendre la violence, Charles. Elle rabaisse l'armée au rang des quelques rares Indiens qui en usent.

— Il ne s'agit pas seulement de « quelques rares Indiens », rétorqua Charles.

— En tout cas, Washington entendra parler de notre société, déclara Trueblood.

Il prit le journal, relut la dépêche avec des grognements d'indignation.

— Tout Indien est un tueur en puissance, reprit Charles. Cela fait partie de leur vie, Willa. Comme découper leurs victimes après les...

— Je t'en prie, fit la comédienne d'un ton cassant.

Elle lança à son amant un regard de dégoût, se leva.

— Je rentre, dit-elle.

Ils quittèrent un Finley embarrassé, un Trueblood préoccupé. Dehors, quand Charles voulut prendre Willa par le bras, elle se dégagea. Sur le chemin de l'hôtel, chaque fois qu'il essaya d'entamer la conversation, elle secoua la tête, répondit non et même :

— S'il te plaît. Je suis écœurée de tes discours sanguinaires.

Au lit, ils ne firent pas l'amour et ne se touchèrent pas après un baiser de pure forme. Charles dormit mal. Le lendemain matin, ils s'excusèrent tous deux de leur mauvais caractère, sans aborder le fond du problème.

Le bateau de Charles partait à cinq heures. Après la répétition de la matinée, Willa invoqua un mal de tête et voulut retourner à l'hôtel. Charles l'entraîna dans un coin tranquille des coulisses et lui dit :

— Nous ne nous reverrons peut-être pas de sitôt. Grierson envoie la compagnie C en campagne.

Avec des larmes de rage dans les yeux, elle lui lança :

— J'espère que tu auras tout le sang que tu souhaites.

— Willa, je t'ai expliqué...

— Très bien, Charles. Très bien. C'est d'ailleurs une bonne chose que tu ne voies pas ton petit garçon pendant un moment. Il est trop jeune pour apprendre à haïr.

Charles lui saisit le poignet.

— J'ai une très bonne raison de...

— Il n'y a jamais de bonne raison à la barbarie, riposta la jeune femme. (Elle recula, se débattit jusqu'à ce qu'il la lâche.) Ni pour ceux qui ont tué tes amis, ni pour toi. Adieu, Charles.

Interdit, il la regarda faire brusquement demi-tour et partir, entendit claquer la lourde porte donnant sur Olive Street.

Envahi par une colère mêlée de remords, il frottait une allumette sur la semelle de sa botte quand Trump s'avança en se dandinant, une serviette tachée sur son épaule nue et pâle.

— J'ai entendu la fin de la scène, fit-il. Encore la question indienne.

— Elle ne veut absolument pas comprendre que...

— Elle a ses opinions, c'est très sérieux pour elle. Vous le savez depuis des mois. Vous l'avez poussée dans ses retranchements, pour la contraindre à choisir. Mais elle n'a pas fait le choix que vous espériez, hein ?

Le vieil acteur essuya une trace de poudre sur sa joue.

— Au moins, je n'ai pas à vous flanquer une correction. Vous lui avez fait de la peine mais vous êtes puni.

— Ne dites pas d'idioties, Sam. Je l'aime.

— Vraiment ? Alors pourquoi l'avez-vous éloignée de vous ?

Trump jeta à Charles un regard interrogateur puis s'en alla.

Appuyé au bastingage, il regardait les lumières de Saint Louis disparaître dans le couchant, tandis que l'eau ruisselait bruyamment de la roue à aubes.

Trump avait raison, il avait délibérément éloigné Willa de lui.

Pourquoi ? Par peur de s'engager ? Parce qu'il était vraiment obsédé par sa haine des Cheyennes ? Il n'en savait rien.

Il songea aux yeux et aux cheveux de Willa, à son ardeur et à sa tendresse, à son intelligence, son idéalisme. A sa façon personnelle, elle était aussi merveilleuse qu'Augusta Barclay, qu'il avait aussi éloignée de lui. Il se vit répétant les mêmes erreurs, se le reprocha puis s'efforça d'atténuer son sentiment de culpabilité en évoquant le souvenir de Pied-de-Bois, de Boy, de Fen.

J'ai raison, bon Dieu. Elle n'est pas réaliste, elle ne le sera jamais.
Et pourtant une partie de lui-même souffrait.

———

Hancock fit surveiller le village. Peu après neuf heures... on découvrit que les Indiens l'abandon-

naient... Custer reçut l'ordre d'encercler le village avec
son unité — six cents hommes du 7ᵉ de cavalerie
— mais sans y pénétrer ni attaquer les Indiens. L'encer-
clement s'effectua avec célérité. On n'entendait aucun
bruit dans le village, dont un examen plus attentif
révéla que les Indiens l'avaient abandonné pour prendre
la direction de la Smoky Hill, au nord... Custer reçut
l'ordre de préparer son unité à partir à l'aube afin de
rattraper les Indiens et de les forcer à revenir. Se
déplaçant rapidement, il parvint à Lookout Station,
qu'il trouva en feu. Parmi les cendres, il découvrit les
corps à demi consumés des employés du relais... Il
envoya aussitôt un messager à Hancock pour l'avertir,
et celui-ci, dès réception du message, ordonna à Smith
d'incendier le village indien.

Theodore Davis, *Un Été dans les Plaines*
— Harper's Magazine, 1868.

29

— Espèce de salaud, grinça Ike Barnes en pénétrant dans le bureau d'un pas lourd.

— Moi ? fit Charles, qui releva la tête du *Harper's Monthly.*

C'était un numéro qui avait fait tout le tour de Fort Leavenworth à cause d'un article de G.W. Nichols sur Hickok. Le journaliste racontait les exploits du grand homme qu'il peignait en éclaireur du général Sam Curtis dans le Sud-Ouest, en soldat de l'Union à Wilson's Creek et Pea Ridge, ainsi qu'en tireur sans égal. Il attribuait à *Wild Bill,* comme il l'appelait, la mort d'une dizaine d'hommes au moins. Bien que personne ne sût d'où venait ce surnom*, Charles ne doutait pas, après avoir lu l'article, qu'il serait bientôt connu dans toute l'Amérique.

— Non, non, pas vous. Essayez pas d'être drôle, grommela le « Vieux ». Le salaud dont je parle, c'est ce salaud de Hoffman. Quand nous partirons pour Riley, demain, nous ne pourrons pas emmener nos blanchisseuses.

L'explication tira de son assoupissement Floyd Hook, qui était d'une coquetterie méticuleuse.

— Pourquoi, capitaine ?

— Hoffman ne veut pas, voilà pourquoi. Ordre aux femmes de ne pas quitter le poste dans les chariots de la compagnie C.

Charles se gratta le menton, réfléchit.

— Bon, si c'est l'ordre de Hoffman, on obéira, dit-il. Demandons à ces dames de nous retrouver dehors.

Barnes cligna des yeux.

— Bon Dieu, Charlie, vous êtes mauvais comme un chien enragé depuis votre retour de Saint Louis, mais je suis content quand même de vous avoir gardé dans le coin.

_____

* Bill le Sauvage. (N.d.t.)

Charles passa la soirée avec le général Duncan et le petit Gus. Il joua et lutta avec son fils, qui gloussa de plaisir et se blottit longuement contre son père avant d'aller se coucher.

Duncan demanda des nouvelles de Willa et fit remarquer :

— Vous n'avez pas prononcé son nom de la soirée.

— Elle va bien. Elle s'occupe d'une nouvelle cause, répondit Charles, qui en resta là.

Le lendemain à l'aube, les soixante-douze soldats, trois officiers et deux femmes de la compagnie C se préparèrent à quitter le fort. Grierson serra la main de chaque officier et dit :

— Je suis fier de cette compagnie et de ce régiment. J'espère tenir le coup assez longtemps pour vous conduire en campagne. Si je suis encore sous les ordres de Hoffman en automne, je fais le Grand Saut.

— Surtout pas, mon colonel, répondit Hook. Nous enverrons le lieutenant August descendre Hoffman pour vous. Il est d'humeur à tuer quelqu'un. N'importe qui.

Charles ne le contredit pas.

La compagnie s'ébranla. Debout à côté de Satan, Charles regarda les soldats faire avancer leur cheval au pas en colonne par quatre. Ils avaient manifestement suivi les conseils du « Vieux » sur la tenue de campagne puisque le sous-lieutenant vit passer une série de chemises en coton gris délavé, en créseau jaune, en soie verte, des culottes de cheval, des pantalons en toile, des jambières indiennes, des képis, des toques de fourrure, des chapeaux de paille et même un sombrero mexicain.

Charles lui-même portait un pantalon à rayures jaunes et noires, une chemise en daim souple. Il avait fourré son uniforme bleu dans un coffre de voyage avec son poncho et une veste d'hiver en peau de mouton.

Magee Magie passa, coiffé d'un melon noir orné d'une plume de dinde sauvage. Il salua Charles dans les règles mais au moment où sa main touchait son front, la dame de carreau apparut entre son index et son majeur. Avec un sourire épanoui, il la glissa sous son bras gauche, où elle disparut.

Un cavalier surgit dans le nuage de poussière soulevé par le chariot transportant Lovetta Barnes, Dolores, la jeune épouse de Floyd Hook, et leur petite fille. Charles se raidit, posa la main sur la Spencer glissée dans l'étui de selle.

Waldo Krug arrêta son cheval.

— Où est Barnes ?

— En tête de la colonne, mon général.

— Vous pouvez lui dire que j'ai découvert son stratagème.

Charles feignit l'innocence :

— Quel stratagème ?

— Ne prenez pas cet air ingénu. Vous savez parfaitement que les blanchisseuses ne devaient pas quitter le fort avec la compagnie C.

— Elles ne l'ont pas fait. Je crois savoir qu'elles sont parties il y a une heure. Voudriez-vous dire que l'armée verrait une objection si nous les rencontrions sur la route et leur proposions courtoisement de monter dans un chariot ?

— Jusqu'à Fort Riley, hein ? fit Krug, les joues écarlates. Vous me le paierez, salaud.

— Écoutez, Krug. Je suis un militaire, exactement comme...

— Non. Vous êtes un traître, vous faites honte à l'uniforme que vous refusez d'ailleurs de porter. Si Grierson ne vous protégeait pas, je vous collerais un motif pour ça. A vous et à cette bande de nègres, débraillés comme une troupe de bandits siciliens.

— Au revoir, mon général, marmonna Charles en mettant le pied à l'étrier.

A Leavenworth City, la compagnie C fit monter les blanchisseuses dans un chariot. Après la ville, elle traversa un secteur de fermes dont les terres noires et fertiles montraient déjà des pousses vertes. Les maisons et les dépendances blanchies à la chaux avaient l'air d'être là depuis toujours, bien qu'aucune d'entre elles, probablement, n'eût plus de dix ans.

La compagnie préféra s'éloigner de la voie ferrée et de la ligne parallèle de poteaux télégraphiques. Le vent se leva, agita les branches des noyers et des platanes, des saules et des ormes. A travers de douces collines cachées par des milliers de tournesols se balançant au vent, sous la voûte du ciel, la compagnie C chevauchait vers l'ouest.

Journal de Madeline.

Avril 1867. Le Congrès a pris les commandes. La loi sur la Reconstruction, adoptée le mois dernier, découpe les dix États impénitents en cinq districts militaires — dont le 2ᵉ est constitué des deux Carolines. C'est Stanton qui désigne les gouverneurs militaires. Le nôtre, à Charleston, est le pauvre vieux général Sickles. Nous ne réintégrerons pas l'Union avant qu'une nouvelle convention ne soit élue par les Noirs et les Blancs, qu'un nouveau gouvernement de l'État n'assure le droit de vote des Noirs et l'adoption du 14ᵉ Amendement.

Ces événements semblent très éloignés de la vie quotidienne à Mont Royal. Les deux bonnes récoltes de riz de l'année dernière ont donné un mince profit, que j'ai presque totalement versé à la banque de Dawkins pour réduire notre dette. Plus question désormais de paiements en retard.

Les spéculateurs yankees s'abattent sur nous comme les sauterelles de la Bible. Ils émettent des obligations pour des lignes de chemin de fer qui ne seront jamais construites, accaparent les terres vendues aux enchères, lancent de nouvelles entreprises sur les ruines de celles qui faisaient vivre naguère les gens de la région. Lettre inattendue de Cooper, brève et sèche, m'avertissant de ne pas investir dans de telles affaires, qu'il soupçonne d'être malhonnêtes pour la plupart.

L'affranchi Steven m'a prévenue aujourd'hui qu'il partait, avec sa femme et ses trois enfants. Dommage, c'est un bon travailleur, digne de confiance. Mais l'agent d'émigration dont le chariot est arrêté devant le magasin de Gettys l'a séduit en lui promettant 12 dollars par mois garantis, plus une cabane, un lopin de terre, une ration hebdomadaire de bacon, de mélasse et de bois de chauffage s'il s'installe en Floride. Ces agents venus d'autres États sont un autre fléau. Ils viennent ici en sachant que nos affranchis gardent encore le souvenir de la cruelle rumeur de 65 leur promettant « 40 acres et une mule ». Quand j'ai demandé à Steven de rester, il m'a répondu par une question tout à fait juste : puis-je lui donner un vrai salaire au lieu d'inscrire simplement une somme à son crédit dans mon registre ?

Je n'ai pas pu lui mentir ; il est parti.

... Dispute de Mrs Annie Weeks et de Cassandra au carrefour de Summerton. De sang mêlé, Annie a la peau très claire, des traits délicats, tandis que Cassandra est de pur sang noir. La première s'est jetée sur la seconde pour quelque affront imaginaire. J'avais déjà entendu parler de ce genre d'animosité. Un mulâtre peut parfois « passer de l'autre côté » et refuse donc de fréquenter les vrais Noirs, qui, eux, lui reprochent ses manières « hautaines ». La rancœur causée par la guerre s'éteindra-t-elle un jour ?

Les squatters du clan Jolly sont restés. De temps à autre, on entend parler d'une mule, d'un plat de maïs ou d'une femme que le « capitaine » Jack et ses rustres de frères se sont appropriés sous la menace des armes. Chez eux, pas de discrimination : ils pillent également les deux races. Suis terrifiée par ces individus, en particulier par l'aîné, qui se vante d'avoir « tué des nègres pour le plaisir » lors du massacre de Fort Pillow, dans le Tennessee.

Prudence s'est lamentée hier soir sur l'état de l'école...

— Madeline, j'ai maintenant quatorze élèves qui apprennent l'alphabet et travaillent avec le premier livre de lecture, deux autres qui sont presque prêts à passer au second, et Pride qui attaque le deuxième niveau d'arithmétique. Je voudrais lui acheter un manuel de géographie, et des ardoises pour tous.

La tête baissée, l'air pensif, Madeline marchait au bord de l'Ashley en compagnie de la maîtresse d'école. Le soir tombait, brumeux et traversé de cris aigus d'oiseaux de nuit. D'ordinaire, la vue familière de l'eau piquée d'étoiles l'apaisait mais ce soir-là, c'était différent.

— Je ne puis vous donner d'autre réponse que celle que je vous ai déjà faite, dit-elle. Il n'y a pas d'argent.

Pour une fois, la robuste institutrice perdit sa patience de bonne chrétienne.

— Votre ami George Hazard en a de reste.

Madeline s'arrêta, répliqua d'un ton sec :

— Prudence, je ne solliciterai pas le meilleur ami d'Orry. Si nous ne réussissons pas à survivre par nous-mêmes, nous méritons d'échouer.

— Noble sentiment, mais qui ne contribue guère à l'instruction de nos élèves.

— Désolée que vous soyez fâchée. Je ferai tout mon possible pour vous fournir ce dont vous avez besoin dès que nous aurons vendu la première récolte de riz.

— Je ne vois pas ce qu'il y a de mal à demander un petit don à un homme très riche qui...

— Non, trancha Madeline. Nous trouverons un autre moyen, c'est promis.

Prudence jeta à Madeline un regard maussade ; les deux femmes regagnèrent en silence la maison blanchie à la chaux. Moins d'une heure plus tard, elles s'étaient réconciliées. Madeline avait fait le premier pas, et Prudence tenait autant qu'elle à dissiper leur brouille. La veuve d'Orry n'en mesura pas moins la vanité de sa promesse lorsqu'elle se retrouva seule dans son lit, incapable de dormir.

Contrairement à Prudence, elle ne faisait pas partie de ceux « qui, contre toute espérance, ont cru à l'espérance ».

30

Un samedi pluvieux d'avril, un fiacre déposa Virgilia devant une petite maison en briques de la rue B Sud, derrière le Capitole. Dans le jardin de devant, les pétales neigeux de deux cornouillers en fleur tombaient sur des jonquilles d'un jaune profond. Un seringa répandait une odeur suave appropriée à une saison d'espoir renaissant.

Virgilia avait les traits tirés, presque sévères. Elle sonna, embrassa chaleureusement Lydia Smith, la gouvernante, puis la suivit dans le salon, où le thé était servi.

— Thad..., fit-elle.

Il lui parut beaucoup plus vieux que la dernière fois qu'elle l'avait vu, quelques mois plus tôt, et il se leva de son fauteuil au prix d'un grand effort. Lydia ouvrit les doubles rideaux pour faire entrer un peu de lumière grise mais cela n'améliora en rien l'aspect de Stevens. La gouvernante se retira, le parlementaire se rassit. Par-dessus le crépitement de la pluie, elle l'entendit respirer avec difficulté.

— Désolée d'avoir tant tardé à accepter votre invitation, dit-elle. Normalement, je travaille tous les samedis. Aujourd'hui le neveu de Miss Tiverton est venu la voir de Baltimore et m'a donné mon après-midi.

— Comment va la vieille demoiselle ? Vous êtes sa dame de compagnie depuis... ?

— Dix mois. Elle aura quatre-vingt-dix ans mardi prochain. Physiquement, elle a une vigueur incroyable. Mais la tête...

— En quoi consiste votre travail ?

— A rester auprès d'elle, essentiellement. A la tenir propre, la laver quand il le faut...

En réponse à la grimace de Stevens, Virgilia précisa :

— Ce n'est pas si terrible. J'ai connu pire dans les hôpitaux de campagne pendant la guerre.

— Vous faites bonne figure. Maintenant, dites-moi ce que vous en pensez vraiment.

— Je déteste ce travail, soupira-t-elle. C'est affreusement monotone. Dans le corps des infirmières, j'aidais les gens à guérir mais Miss Tiverton ne guérira jamais. Je suis juste une garde-malade. Enfin, je ne puis me montrer trop exigeante : les emplois pour femme seule sont rares. C'est tout ce que j'ai pu trouver.

— Nous pourrons peut-être faire quelque chose pour vous, murmura Stevens.

Il allait ajouter quelque chose quand sa cuiller lui échappa des doigts. Il se pencha pour la ramasser, porta soudain une main à son dos et se redressa lentement.

— Mon Dieu, Virgilia, c'est terrible de vieillir.

— Je ne vous trouve pas bonne mine, Thad.

— Le climat de cette ville aggrave mon asthme. J'ai peine à respirer, et presque tout le temps mal à la tête. Nul doute qu'une partie de ces maux de tête provient de la campagne que je mène contre cet imbécile de la Maison-Blanche.

Virgilia suivait cette lutte dans le *Star* mais s'en sentait bien loin dans la vaste demeure silencieuse de Miss Tiverton, à Georgetown.

La perruque légèrement de guingois, comme à l'ordinaire, le politicien se pencha vers son amie et ils se mirent à discuter des récents événements. Virgilia parla en termes méprisants de la décision insensée du ministre Seward : l'achat à la Russie pour sept millions de dollars du territoire de l'Alaska, couvert de glace et sans aucune valeur. Stevens ne put confirmer ni démentir les rumeurs selon lesquelles Jefferson Davis sortirait bientôt de la forteresse Monroe après versement d'une énorme caution, en attendant d'être jugé.

La conversation revint sur l'affrontement entre les républicains du Congrès et le président. Pour limiter davantage encore le pouvoir de Mr Johnson, les parlementaires avaient adopté une loi lui interdisant de commander directement l'armée. Tout ordre devait désormais être transmis au général Grant, qui montrait plus de sympathie pour les radicaux. D'aucuns assuraient même qu'il serait leur candidat à la présidence dans un an. Une autre loi sur la nomination des fonctionnaires civils défiait encore plus ouvertement le président puisqu'il ne pouvait plus congédier personne sans le consentement du Sénat.

— Notre problème le plus pressant reste le Sud, continua Stevens. Ces damnés aristocrates des parlements du Dixieland refusent de convoquer les conventions exigées par la loi sur la Reconstruction. Nous avons promulgué un décret complémentaire autorisant les commandants des districts militaires à procéder à l'inscription des électeurs pour que nous puissions faire avancer les choses. Johnson discute et se dérobe, essaie de nous barrer la route à chaque pas. Il ne comprend pas quelle est la question fondamentale.

— A savoir ?

— L'égalité. L'égalité ! La loi qui condamne ou acquitte un Noir doit condamner ou acquitter pareillement un Blanc. Mais les Sudistes répugnent à cette idée, et Johnson la réfute. Il est pourtant censé être de notre côté ! Je vous assure, Virgilia, fit Stevens avec force, si agité qu'il renversa un peu de thé de la tasse qu'il tenait, cet homme me pousse au désespoir. Il fait de l'obstruction au point d'en être criminel. Il n'y a qu'un remède.

— Lequel ?

— Le renverser.

— Vous voulez dire le mettre en accusation ?

— Oui.

— Pour quel motif ?

Le vieux visage aquilin s'éclaira enfin d'un sourire.

— Oh ! nous trouverons bien. Ben Butler et d'autres sont en train de chercher. Il n'est que temps. Andrew Johnson est le président le plus dangereux de l'histoire de notre République.

Dangereux, ou simplement obstiné dans son refus d'abandonner le pouvoir au Congrès ? Virgilia ne posa pas la question à son ami. Elle se sentait étonnamment étrangère à toute cette affaire. Recluse dans la grande maison de Georgetown où elle s'occupait de Miss Tiverton, elle ne se sentait plus concernée par aucune grande cause.

— Tous les sénateurs d'une influence déterminante sont pour la mise en accusation, poursuivit Stevens. Sam Stout est d'accord...

La phrase resta en suspens : Stevens jetait une sonde.

— Je n'en sais rien, Thad. Je ne le vois plus, fit Virgilia d'une voix calme.

— C'est ce que j'ai entendu dire... Il pense jouir maintenant d'une base électorale suffisamment sûre pour divorcer et épouser une grue quelconque.

— Elle s'appelle Canary, précisa Virgilia.

Elle avait employé un ton de conversation banale mais ses mains tremblaient. La nouvelle l'avait stupéfiée.

— Je lui souhaite d'être heureux, ajouta-t-elle.

Elle lui souhaitait en réalité l'enfer.

Stevens la considéra attentivement.

— Vous n'êtes pas satisfaite de votre situation actuelle, n'est-ce pas ?

— Non. Je ne suis plus la militante enthousiaste d'il y a dix ans, et je me sens terriblement isolée, inutile, maintenant que je m'occupe d'une unique vieille malade dont l'état ne s'améliorera jamais.

— Avez-vous des contacts avec votre famille ?

Virgilia détourna le regard.

— Non. J'ai peur que... qu'ils ne le souhaitent pas.

Parfois, la nuit, elle le regrettait si profondément que des larmes lui montaient aux yeux. C'était probablement dû à l'âge, au ramollissement.

— Je ne vous ai pas invitée seulement pour vous voir mais aussi pour discuter avec vous d'un éventuel changement d'emploi. Un métier que vous trouveriez peut-être plus satisfaisant parce que vous aideriez les victimes les plus innocentes de ces maudits rebelles. Des enfants.

Pour la seconde fois, elle fut sidérée.

— De quels enfants voulez-vous parler ?

— Laissez-moi vous les montrer. Êtes-vous prise demain ?

— Non, j'ai mon dimanche. Généralement, je n'ai rien à faire, dit-elle avec un sourire mélancolique.

— Pouvez-vous être prête à deux heures ? Bien. Je viendrai vous prendre à Georgetown.

Au bout d'une allée creusée d'ornières quittant la 10e Rue pour s'enfoncer entre les taudis de Negro Hill, Stevens et Virgilia parvinrent à une maison blanche bien entretenue. Deux ou trois vastes pièces semblaient y avoir été ajoutées récemment et le raccordement n'était pas encore complètement peint.

Lorsque la voiture s'arrêta, Stevens n'ouvrit pas immédiatement la portière.

— Ce que vous regardez est un orphelinat pour enfants noirs sans foyer, dit-il. On les accueille, on leur donne des rudiments d'instruction jusqu'à ce qu'ils puissent être confiés à des parents adoptifs. C'est un nommé Scipio Brown qui a fondé cet établissement et qui l'a dirigé personnellement avant de s'enrôler dans un régiment noir. A sa démobilisation, il est revenu ici et a trouvé plus de gosses abandonnés que jamais, essentiellement les enfants de Noirs passés clandestinement dans le Nord et qui ont été séparés de leur famille pour une raison ou une autre. Le mois dernier, l'assistante de Brown, une jeune Blanche chargée de faire la classe aux enfants, l'a quitté pour se marier et s'établir dans l'Ouest. Il...

Voyant que Virgilia avait quelque chose à dire, Stevens s'interrompit.

— Thad, je connais Scipio Brown.

— Vraiment ? Je pensais que c'était possible...

— Je l'ai rencontré à Belvedere pendant la guerre. Mon frère George et sa femme s'occupaient d'une sorte d'annexe de l'orphelinat. Ils accueillaient tous les enfants dont Brown ne pouvait se charger ici à Washington.

— Alors vous connaissez bien ce qu'il fait. Cette place vous intéresse ?

— Peut-être.

— Votre réponse n'est guère enthousiaste.

— Je suis désolée. J'ai répondu franchement.

Comment pouvait-elle expliquer que, abandonnée par Stout, devenue étrangère à sa famille, elle ne ressentait d'enthousiasme pour rien ?

Le parlementaire ouvrit la portière en suggérant :

— Une brève visite ne vous engage à rien.

Marchant lentement à l'aide d'une canne, il la conduisit à l'intérieur et la présenta aux Denton, un couple de Noirs d'une quarantaine d'années qui vivaient à l'orphelinat, faisaient la cuisine et le ménage pour les vingt-deux enfants qui s'y trouvaient en ce moment.

Sept d'entre eux, une bande joyeuse et bruyante, étaient des adolescents ; l'âge des autres s'étageait de douze à quatre ans. Stevens connaissait chacun d'eux par son prénom :

— Bonjour, Micah. Salut, Mary Todd. Liberty, Jenny, Joseph...

Il riait, s'empressait auprès d'eux, leur touchait la main, leur embrassait la joue, les prenait dans ses bras comme s'ils eussent été ses petits-enfants. Une fois de plus Virgilia se rendit compte que Thad Stevens n'était pas un de ces radicaux prônant l'égalité pour des motifs politiques.

— Voilà un bon ami à moi ! s'exclama-t-il en soulevant un gamin de six ans à la peau marron clair, vêtu d'une chemise et d'une combinaison raccommodées mais propres. Tad, je te présente Miss Hazard. Tu lui dis bonjour ?

L'enfant tendit la main en assurant d'un air solennel :

— Enchanté, Miss Hazard.

— Je...

Grand Dieu, elle ne pouvait dire un mot. La ressemblance n'était pas extraordinaire mais assez forte cependant pour faire naître en elle une souffrance exquise. Le gamin aurait pu être le fils de son amant assassiné, Grady. Elle dut faire un gros effort pour surmonter le choc et bredouiller :

— Moi de même.

Le gamin sourit, déguerpit dès que Stevens l'eut reposé par terre. Le parlementaire tourna la tête vers la cuisine, huma l'agréable odeur qui s'en échappait.

— Qu'est-ce qui mijote, Mrs Denton ?

— Du gombo, Mr Stevens.

Ils se retournèrent en entendant s'ouvrir la porte de devant. Un homme de grande taille à la peau couleur d'ambre entra, secoua la pluie de son chapeau. Il avait des épaules de docker, une taille de jeune fille. Virgilia estima qu'il devait avoir trente-cinq ans environ maintenant. Immédiatement, il lui tendit la main.

— Comment allez-vous, Miss Hazard ? Je suis content de vous revoir.

— Mr Brown.

Elle sourit en se rappelant qu'elle avait été attirée autrefois par sa sveltesse. Il était toujours beau mais il avait mûri.

— Je regrette que nous ne nous soyons vus qu'une seule fois à Lehig Station, déclara-t-il avec une cordialité pleine d'aisance qui charma Virgilia. J'ai souvent entendu parler de vous par la suite.

— Pas de façon élogieuse, j'imagine.

— Je ne dirai pas cela, fit-il en souriant. Thad m'a dit que cela vous intéresserait peut-être de nous aider à éduquer ces enfants.

— Eh bien...

— C'est du gombo, Mrs Denton ? J'ai sauté le repas de midi. Vous vous joignez à moi, Miss Hazard ? Thad ?

— Il fait humide dehors, et le gombo me réchauffe toujours, répondit Stevens. J'en prendrai volontiers une ou deux cuillerées. Et vous, Virgilia ?

Elle ne savait comment refuser, et s'aperçut qu'elle n'en avait pas envie. Tout le monde s'installa devant un bol de soupe savoureuse, et tout en bavardant avec Brown et Stevens, Virgilia laissa souvent son regard se porter sur l'enfant rieur qui lui rappelait tant Grady. La vue de son visage innocent, encore intouché par les cruautés que la couleur de sa peau inspirerait, l'amena de nouveau au bord des larmes. Et soudain elle comprit qu'elle avait vraiment perdu Sam. Même au début de leur liaison, elle savait qu'elle ne pourrait probablement pas le garder toujours. Le moment était peut-être venu d'oublier rancœur et affliction, de se consacrer à quelqu'un à qui l'amour apporterait quelque chose, ce qui n'était pas le cas de la vieille Miss Tiverton.

Elle vit, comme une apparition, le soldat sudiste mort à l'hôpital de campagne, baissa les yeux vers ses mains, dont elle seule savait qu'elles étaient tachées de sang. Un sang qu'elle ne parviendrait jamais à laver mais qu'elle pouvait commencer à expier.

En finissant sa soupe, Stevens déclara qu'il avait une réunion du Comité des Quinze en fin de journée. Scipio Brown n'exigea pas une réponse immédiate de Virgilia mais déclara qu'il serait très heureux de l'avoir à l'orphelinat et lui serra chaleureusement la main pour lui dire au revoir. Il avait des manières franches, de la fierté dans le regard et dans le maintien. Il lui plaisait.

Dans la voiture cahotant vers le centre de la ville, Stevens gardait les mains sur le pommeau de sa canne. Un lion, pensa Virgilia. Un vieux lion mais poussé encore par l'instinct de la chasse.

— Ces pauvres enfants refont ma conquête à chaque fois que je viens les voir, dit-il.

— Je le comprends. Ils sont adorables.

— Que pensez-vous de la place ?

Elle contempla les taudis faits de vieilles planches et de toile. Dans les allées boueuses, aux fenêtres sans vitres ni volets, des visages sombres regardaient passer le bel attelage. Une vieille femme accroupie sous la pluie, une pipe de maïs aux lèvres, s'efforçait de faire cuire son repas sur une boîte de conserve renversée posée sur des copeaux rougeoyants. Immobile, elle suivit la voiture des yeux. Des yeux qui avaient probablement vu des fers, des champs brûlés par le soleil, des cases envahies de saleté, des êtres chers enlevés et vendus...

— Virgilia ? Je vous ai demandé...

— J'ai une opinion favorable, Thad. Très favorable.

Le vieil homme lui pressa la main.

— Vous leur apporteriez beaucoup, dit-il. Et je crois qu'ils vous apporteraient quelque chose aussi. Je sais que vous étiez très attachée à Sam, mais il appartient maintenant au passé.

Pleurant enfin, Virgilia ne put que hocher la tête et détourner les yeux.

A Georgetown, ce soir-là, elle prévint courtoisement mais fermement le neveu de Miss Tiverton qu'elle avait l'intention de partir.

31

Ashton s'avança sous le soleil de juin comme une reine sortant de son palais. L'immeuble n'était pas exactement une résidence princière mais une pension de famille située dans Jackson Street, juste à la lisière d'un des quartiers les plus durs de Chicago, une zone de taudis appelée Conley's Patch. Depuis des mois, elle y vivait enfermée dans une unique pièce crasseuse, avec Will Fenway et ses piles de plans, d'estimations de coût, de propositions de fournisseurs, de documents nécessaires pour obtenir un prêt. Elle haïssait cet endroit.

Plus encore, elle haïssait l'anonymat que Will lui imposait depuis qu'ils avaient quitté Santa Fe. Lorsqu'elle avait voulu qu'ils se fassent prendre en photo, tous les deux, il avait refusé : et si la señora de Santa Fe faisait toujours rechercher le meurtrier de son beau-frère ? Chaque fois que Will parlait du meurtre, une étrange lueur s'allumait dans ses yeux bleus larmoyants — une lueur qu'Ashton ne comprenait pas.

Ce matin-là, elle ressemblait, sinon à une reine, du moins à une dame de haute condition et jouissant d'importants revenus. Rien que pour la jupe de sa robe en soie rouge vif, il avait fallu douze mètres de tissu. Dessous, maintenue par une ceinture en toile entourant la taille, une tournure formée de six fils de fer recourbés comme des ressorts relevait l'arrière du vêtement de manière provocante. Cet accessoire, dernier cri de la mode, était extrêmement pénible à mettre et à porter mais Ashton aimait la façon dont il « rehaussait » son charme sensuel.

Malheureusement, aux abords de Conley's Patch, ce charme faisait effet sur des indésirables. Une espèce de voyou minable aux yeux chassieux sortit d'une ruelle séparant des cabanes faites avec des planches de caisse et se dirigea vers elle en titubant.

— Salut, mignonne.

Puant comme une distillerie, il bloquait le trottoir en bois.

— A voir ta robe, t'es une professionnelle. Combien ?

Ashton serra les lèvres. Une main délicate gantée de rouge abattit une ombrelle de même couleur sur la joue de l'ivrogne.

— Sale vaurien ! Je suis une respectable femme mariée.

— Pour moi, t'as l'air d'une pute, grogna l'homme en essayant de l'empoigner.

Elle lui enfonça la pointe de l'ombrelle dans le bas-ventre, avec force. Il chancela, la main entre les cuisses. Deux messieurs bien vêtus s'interposèrent entre Ashton et l'épave.

— Merci beaucoup, fit-elle de sa voix la plus suave.

Et elle repartit d'une démarche altière en direction du pont de Van Buren Street. Aucun doute, elle était en retard, et elle n'aurait certes pas voulu l'être en ce jour important, pour ne pas dire décisif.

En se hâtant, elle songeait à l'assaut maladroit de l'ivrogne, qui prouvait au moins que, à l'âge de trente et un ans, elle n'avait rien perdu de ses attraits. Elle pensait que le temps les avait au contraire renforcés. En revanche, il n'avait pas amélioré grand-chose d'autre. Ashton détestait la vie presque misérable qu'elle menait. Souvent, elle n'arrivait pas à croire qu'elle avait parcouru tant de chemin avec le vieil homme parfois bourru qui était devenu son associé. Santa Fe, San Francisco, Virginia City et enfin Chicago.

Tant de plans échafaudés, tant d'efforts. Tant de dessins que Will faisait et refaisait, des dizaines de fois, noircissant du papier-calque jusqu'à trois heures du matin, cherchant dans sa propre expérience et dans d'obscurs livres allemands ou français le moyen de réduire de quelques centimes ici, de quelques sous là, la fabrication d'un piano.

Tout devait se conclure aujourd'hui. Tout. L'argent rapporté de Virginia City dans une sacoche — un peu plus de cent mille dollars. Les deux prêts négociés à Chicago pour payer le loyer, les salaires des quatre ouvriers de Will et celui du commis voyageur qu'il avait enlevé à Hochstein. Pour obtenir ces prêts, Ashton avait dû passer la nuit avec un banquier, un affreux bonhomme au ventre de porc qui s'était agité sur elle pendant des heures sans jamais parvenir à avoir une érection.

Oh ! elle en avait fait des choses pour Will Fenway et pour leur projet. D'abord elle avait séduit un employé de l'état civil de San Francisco, un homme laid mais viril — cela n'avait pas été trop pénible. Il ne lui avait fallu qu'une semaine pour obtenir de lui un faux certificat de mariage prouvant qu'elle avait épousé Mr Lamar Powell le 1er février 1864.

Bien que, pour plus de commodité, elle se fît maintenant appeler Mrs Willard P. Fenway, elle était en fait mariée à un homme qui, à sa connaissance, vivait toujours à Virginia City, dans le Nevada. Ezra Leaming était un veuf sans enfants au teint rougeaud et aux yeux tristes quand Ashton avait jeté son dévolu sur lui. Comme il était timide, emprunté avec les femmes, elle avait arrangé une rencontre apparemment fortuite — un petit malaise dans la rue — et feint d'être timide elle-même, totalement désemparée depuis la mort de son mari.

Au lit, Leaming s'était révélé raisonnablement entreprenant. Beaucoup plus en tout cas que ce bon vieux Will, qui avait fait une seule tentative à San Francisco et avait soupiré au bout d'une demi-heure : « J'abandonne. J'aime dormir avec toi parce que ça me tient chaud mais je suis trop vieux pour le reste. On sera seulement associés — qu'est-ce que t'en penses ? »

Ashton ajouta à sa collection un bouton de braguette d'Ezra Leaming, qui usa assez souvent des charmes de son épouse pendant leurs huit mois de mariage. Directeur du bureau local des concessions, il fut naturellement tout disposé à aider sa chère femme à établir ses droits sur la Mine mexicaine, propriété de son défunt mari. Elle avait un certificat de mariage, non ?

Ashton engagea des hommes pour rouvrir la mine, qui parut d'abord pleine de promesses. Toutefois, le minerai argentifère ne rapporta que cent trois mille dollars avant que le filon ne soit épuisé. Ashton retira discrètement l'argent de la banque et un soir, tandis qu'Ezra Leaming ronflait, elle s'enfuit en diligence avec Will Fenway, qui avait passé les huit mois caché dans une chambre sordide, dessinant fébrilement des plans de piano.

Ashton avait découvert en lui un homme de sa trempe. Tout vieux et voûté qu'il fût, il ne se laissait impressionner ni par sa beauté ni par ses airs hautains. Lorsqu'elle dépassa les bornes, il la gifla, juste une fois mais assez fort pour la faire tomber sur le lit. Puis il la menaça :

— Continue. J'ai mis toute mon énergie et tout mon argent dans ce projet. Si tu abandonnes, si tu ne veux pas rentrer riche en Californie du Sud et te venger, tu peux franchir cette porte. Je retirerai de la banque tout le fric qu'on a gagné et je me trouverai une autre femme.

Frappée de stupeur, Ashton le supplia, s'humilia jusqu'à ce qu'il accepte une réconciliation. Depuis, elle n'avait plus jamais osé le défier.

De l'autre côté du pont Van Buren, Chicago devenait une ville sans charme envahie de bars, d'entrepôts de bois, de scieries et d'immeubles sordides où s'entassaient Irlandais, Suédois et Bohémiens. Dans Canal Street, un escalier sombre s'élevait sous une main grossièrement dessinée indiquant la COMPAGNIE DES PIANOS FENWAY.

Ashton monta quatre à quatre, se précipita, haletante, dans l'atelier encombré : cadres métalliques, bobines de corde de divers diamètres, caisses non assemblées provenant de chez Schoenbaum, dans le New Jersey, mécanismes de la maison Seavern, dans le Massachusetts. Rien dans le piano Fenway n'était l'œuvre de Will, excepté la conception.

— Excuse-moi, dit Ashton en courant vers lui.

Les quatre ouvriers en tablier de cuir, le représentant Norvil Watless, homme corpulent au visage de lune, sourirent et la saluèrent tandis qu'elle prenait Will par le cou et l'embrassait.

— Il y avait une file de chariots sur le pont, j'ai dû attendre dix minutes avant de pouvoir traverser, plaida-t-elle.

— Moi aussi j'ai attendu, riposta Fenway, irrité, en tambourinant des doigts sur l'objet recouvert d'un drap placé au centre de l'atelier. Bon, puisqu'on est tous là, maintenant, allons-y.

Elle remarqua le tremblement de sa main quand il saisit le drap, les bords rougis de ses yeux (il avait besoin de lunettes et ne voulait pas en acheter). Mais il carra les épaules avant de tirer sur le drap. Les ouvriers applaudirent.

— Sacré bon sang, quelle merveille ! s'exclama Norvil Watless d'une voix sifflante.

Même Ashton ouvrit grand la bouche. L'objet de leur admiration était un piano droit, modèle très prisé en France parce qu'il était facile à placer dans les nouveaux petits appartements parisiens. La caisse était en bois sombre et brillant, avec dans le grain des veines de couleur rouille. Au-dessus du clavier, le nom Fenway était inscrit dans une couronne de feuilles d'or.

— C'est une merveilleuse caisse en bois de rose..., commença Watless.

— Jacaranda du Brésil, corrigea Will. Meilleur marché. Mais dis quand même que c'est du bois de rose.

Il caressa le dessus lisse, brillant, et sa fatigue sembla s'évanouir quand il expliqua à Ashton :

— On ne peut pas faire mieux pour ce prix-là. Cadre entièrement métallique, cordes croisées...

— Mécanisme français, s'extasia Watless.

— Non, je l'ai acheté aux États-Unis, rectifia Will. Mais le prospectus indique « mécanisme à la française », alors fais croire aux gens qu'il vient de Paris. Après tout, tu t'adresseras pas à des clients d'une honnêteté scrupuleuse.

— Tu dois être fier, Will, dit Ashton, pour faire plaisir à son associé.

— Fier mais complètement ruiné si elle se vend pas, marmonna-t-il. Oui, je dis « elle » parce que je l'ai baptisée Ashton.

Elle gloussa, ravie, le serra à nouveau contre elle et sentit la mollesse et la fatigue de son vieux corps.

— Essaie-le, Norvil.

Le commis voyageur tira un tabouret à lui, plia les doigts, se lança dans un *Camptown Races* hésitant.

— Plus fort, Norvil, réclama Fenway.

Watless joua plus fort.

— Plus vite.

Le représentant accéléra le tempo. Les notes semblaient jaillir à travers le dessus refermé de l'instrument avec un bruit retentissant, légèrement métallique. Quand il enchaîna avec *Marching Through Georgia*, on crut presque entendre les bugles et les claquements de pied.

Un des ouvriers ébaucha une petite gigue en criant :

— Ça, c'est du piano droit !

— Exact, approuva Will. Dans une maison close, on se fiche pas mal des tons délicats. On veut du bruit. Du bruit, Norvil !

Watless obtempéra en jouant le chœur des Forgerons de Verdi. Radieuse, Ashton applaudit de ses petits gants rouges. Will lui lança un regard étrange, grave, et dit :

— Je peux en fabriquer autant que tu en vendras, Norvil, mais si tu n'en places aucun, tu viendras me voir à l'hospice — si les fournisseurs m'ont pas battu à mort. Bon, je crois qu'on peut déboucher la bouteille de whisky, maintenant.

Soudain un peu grave, elle aussi, Ashton songea qu'elle n'avait jamais entendu une invitation à célébrer faite avec aussi peu d'entrain.

Lorsque Norvil et les ouvriers eurent vidé la bouteille, Will leur donna congé pour le reste de la journée et ferma l'atelier.

— Les dés sont jetés, fit le vieil homme. Autant dépenser notre dernier dollar au restaurant du coin.

Ashton fut d'accord. Ni l'un ni l'autre ne parlèrent guère avant de s'asseoir parmi les fougères en pot d'une salle enfumée, pleine d'une clientèle exclusivement masculine. La main gantée de rouge se posa sur celle de Fenway.

— Will, qu'est-ce qui te tracasse ?

— T'as pas besoin de le savoir, répondit-il, évitant son regard.

— Si, fit-elle avec une moue. Si !

Les yeux las et bordés de rouge se posèrent sur elle.

— Je t'en ai jamais parlé parce que j'étais pas sûr qu'on irait si loin. Ça me ronge, Ashton.

— Quoi ? fit-elle. (La moue avait maintenant quelque chose de forcé.) Quoi ?

— Santa Fe.

— Je te demande pardon ?

— Santa Fe. L'homme que t'as tué sans aucune raison.

Ashton s'empourpra. Il lui saisit le poignet et elle sentit la force cachée dans le vieux corps décrépit.

— Laisse-moi terminer, dit-il. Je fais des cauchemars au sujet de cet homme. Dieu sait pourtant que je suis pas un modèle de vertu. Et je t'aime bien, vraiment. J'aime ton air mutin, ton allure, ton cran, ton ambition, que tu caches pas derrière un tas de boniments à l'eau de rose. Mais il y a en toi un côté que ton père aurait dû corriger avec une baguette de saule. Un côté mauvais. C'est ce qui t'a poussée à abattre un homme sans défense. Que les pianos Fenway soient un désastre ou un filon d'or...

Le reste sortit d'une traite, comme s'il se libérait d'un fardeau.

— J'ai décidé que si tu commets encore quelque chose d'aussi bas, c'est fini, nous deux. Non, ne discute pas. Pas d'excuses. Tu l'as assassiné.

Il dégagea sa main et répéta :

— Si tu recommences, c'est fini. Compris ?

La première réaction d'Ashton fut une bouffée de rage. Huntoon, son premier mari, lui avait tenu un jour de pareils propos et elle l'avait nargué, avant de l'insulter. Elle ouvrit ses lèvres rouges et humides pour faire subir à Will le même traitement — et en fut incapable. Elle frissonna, examina hâtivement les choix qui s'offraient à elle, baissa la tête.

— Compris, murmura-t-elle.

Il sourit, lui tapota la main.

— Bon, je me sens mieux. Allez, on commande. On se soûle, même. Ou c'est foutu ou ça commence. J'ai tout mis dans ce projet, et toi aussi.

Leurs regards se croisèrent, en un moment étrange et tranquille de compréhension. Pourquoi admirait-elle ce vieil homme frêle ? Parce qu'il était fait d'acier ? Parce qu'il pouvait donner un ordre et la contraindre à l'exécuter ? Inopinément, ses yeux s'embuèrent.

— Oui, nous avons tout mis, acquiesça-t-elle. Buvons comme des rois et allons nous coucher.

— Je serai probablement bon qu'à dormir.

— Ça ne fait rien. Je te tiendrai chaud.

Il se redressa et montra même quelque gaieté en claquant des doigts pour appeler le serveur.

— Tout dépend de Norvil, maintenant, conclut-il. De Norvil et des patrons de bordel des grands États-Unis !

32

Quelqu'un lui toucha le pied.

Instantanément éveillé, Charles releva son chapeau de son visage tandis que sa main droite saisissait son colt. Le revolver jaillit du cuir au moment où il reconnaissait le caporal Magee, dont la figure sombre se découpait dans la lumière du jour tombant entre les feuilles desséchées des peupliers.

Le cœur de Charles battit moins rapidement.

— Quand je dors, crie pour me réveiller, dit-il. Ne me touche pas si tu ne veux pas recevoir une balle.

— Désolé, lieutenant. On a repéré de la fumée.

Magee tendit le bras vers le sud-ouest, où la Smoky Hill étincelait au soleil de midi comme une bande de fer-blanc. Une mince colonne noire s'élevait dans le ciel blanc. Charles se leva d'un bond, courut chercher son guide.

Avec un détachement de dix hommes, le sous-lieutenant August patrouillait le long d'un tronçon de quarante kilomètres de la route des diligences, au sud et à l'ouest de Fort Harker. C'était là que la Smoky Hill, bras de la Kaw, s'écartait de la voie ferrée de l'Union Pacific Division Est. Les soldats avaient cherché à se protéger de la chaleur de juillet sous les arbres bordant la rivière et n'y avaient guère trouvé de fraîcheur. Le foulard rouge noué autour du cou de

Charles ressemblait à un chiffon humide ; sa poitrine nue luisait de sueur.

Il trouva le guide assis sur le sol, fouillant parmi les racines, les pointes de flèches, les silex et les balles de son sac à médecine, sorte de bourse contenant traditionnellement une série d'objets choisis pour augmenter la force, éloigner la maladie et les ennemis, ainsi que rappeler à son possesseur d'importants aspects de sa religion.

Le « traqueur » était un Kiowa nommé Bras-Puissant que Barnes avait affecté à Charles. Homme de belle allure, c'était un cavalier hors pair mais bourru. Selon le « Vieux », il venait d'une bande kiowa du nord du Texas et avait commis l'erreur suprême quelques années plus tôt pendant une chasse au bison. Impatient, il s'était précipité avant les autres chasseurs, avait fait fuir le troupeau et personne n'avait réussi à abattre une bête. On lui prit ses biens, on les réduisit en miettes, on le mit en quarantaine. Bras-Puissant tint deux hivers puis, par rancune, passa au service des Blancs.

— Qu'est-ce que c'est, à ton avis ? lui demanda Charles d'un ton inconsciemment agressif.

Il détestait le Kiowa, qui ne condescendait à parler qu'en cas d'absolue nécessité. En l'occurrence, l'Indien répondit par un de ses haussements d'épaules laconiques, tira de sous sa ceinture une lunette d'approche en cuivre. Comme il commençait à l'ouvrir, Charles fit tomber l'instrument.

— Combien de fois il faut que je te le dise ? Ce truc brille comme un miroir. Qu'est-ce qui brûle ? Le prochain relais de la diligence ?

Bras-Puissant secoua la tête d'un air renfrogné.

— Trop près, maugréa-t-il. Sûrement nouvelle ferme. Pas encore là dernière fois que j'ai traversé la rivière.

Pour lui, c'était presque un long discours.

Alarmé, Charles cria :

— Wallis ! Rassemblement.

Ayant purgé sa peine en salle de police, Shem Wallis avait repris sa place dans la compagnie et montré un certain talent pour le clairon. Il exécuta la sonnerie avec des notes aiguës, pressantes, et les soldats noirs se mirent debout en râlant : il ne leur avait pas fallu longtemps pour apprendre cette petite tradition de l'armée. Charles affecta deux de ses hommes à la garde du chariot de ravitaillement et courut vers l'endroit où son cheval pie était attaché.

Malgré la chaleur torride, il alluma un cigare. Question de nerfs. La sueur coulait le long de sa poitrine et de son dos tandis qu'il s'éloignait des arbres au petit trot, à la tête de huit cavaliers en colonne par deux.

La maison tenait encore debout. C'était la carcasse d'un chariot qui fumait. Charles ordonna à ses hommes de se déployer puis les fit avancer, prêts à tirer. Sous le bord du chapeau noir qui barrait son visage d'une ombre diagonale, ses yeux inspectaient la ferme. Soudain, il sentit une odeur écœurante.

— Qu'est-ce que c'est, bon Dieu ?

Évidemment, Bras-Puissant le savait.

— Mauvais, lâcha-t-il.

La ligne de cavaliers s'arrêta au bord de la cour marquée d'empreintes de sabots. De son cheval, Charles lut les signes imprimés dans le sol et dans l'herbe couchée, le long d'un petit potager desséché.

— Je compte huit chevaux, peut-être neuf, dit-il.

Le Kiowa approuva d'un grognement.

— Comment il sait ça ? murmura un soldat derrière eux.

Préférant impressionner ses hommes par sa science des Plaines, Charles n'expliquait jamais que Jackson Pied-de-Bois lui avait tout appris, et qu'il ne se passait guère de jour sans qu'il se rappelle et mette à profit une de ses leçons.

Il envoya trois équipes de deux hommes inspecter à pied les environs puis emmena Magee, Bras-Puissant et un autre soldat faire le tour de la maison carrée, construite en briques de terre et couverte de mottes de gazon.

La puanteur devint plus forte.

— Ça sent la viande brûlée, marmonna le soldat.

En parvenant sur le derrière de la ferme, ils découvrirent les restes de son propriétaire, cloué au sol par des piquets. Charles s'essuya la bouche.

— Ils ont allumé des feux sur son corps.

Magee, qui n'était pas impressionnable, eut une grimace de stupeur et de dégoût.

— Le dernier sur sa poitrine, murmura-t-il.

L'autre soldat courut vers l'herbe haute, se mit à vomir.

Charles poussa Magee.

— Bon, on retourne chercher une pelle.

Ni l'un ni l'autre ne tenaient à s'attarder. Revenus devant, ils virent le Kiowa se diriger vers la porte de la maison.

— Va pas là-dedans avant qu'on soit sûr...

Bras-Puissant fit un pas à l'intérieur. Un coup de feu retentit ; projeté en arrière, le Kiowa retomba sur le dos, la poitrine transpercée.

Charles se précipita contre le mur, près de la porte.

— Nous sommes des soldats ! cria-t-il. De l'armée des États-Unis. Ne tirez plus.

Il écouta, entendit une respiration bruyante, une plainte. Une ombre passa sur le sol à ses pieds : un vautour, décrivant un cercle dans le ciel.

— Ne tirez pas, répéta Charles. J'entre.

Sous les yeux de ses hommes, le sous-lieutenant prit une profonde inspiration, s'avança sur le seuil.

— Des soldats, dit-il en pénétrant dans l'ombre.

L'épouse du fermier, une toute jeune femme aux cheveux auburn, gisait dans un coin au milieu de débris de meubles et de lambeaux de vêtements. D'une main, elle tenta de cacher sa nudité tandis que l'autre tremblait sous le poids d'un gros pistolet. Charles ne jeta qu'un coup d'œil à ses cuisses humides mais ce fut assez pour qu'elle se sente humiliée. Il n'eut pas à lui demander ce qu'on lui avait fait subir. Des larmes montèrent à ses yeux violets.

— Eulus m'avait donné le pistolet, dit-elle. Je devais garder la dernière balle pour moi mais ils me l'ont pris avant de, avant... Eulus est vivant ?

— Non, répondit Charles, qui aurait voulu disparaître dans le sol. Une sorte de souffrance démente envahit les yeux violets. Elle porta la main à ses cuisses, comme pour en essuyer les souillures honteuses.

— Allongez-vous, dit-il. Je vais chercher une couverture. Ensuite, nous amènerons le chariot pour vous — *non !*

Il se précipita vers la jeune femme, trop tard. Sa main était encore à un mètre d'elle quand elle appuya sur la détente de l'arme dont elle avait fourré le canon dans sa bouche.

Magee Magie toucha le corps de Bras-Puissant de la pointe de son mocassin orné de perles.

— Je suis qu'un gars de la ville, lieutenant, mais j'ai l'impression que ce guide, là, il connaissait pas très bien son boulot.

Charles contemplait l'horizon blanc en mordant son cigare éteint.

— Foutu con. Foutus sauvages. Foutu Hancock.

A Shem Wallis, qui avait les larmes aux yeux, Magee murmura :

— L'été va être drôlement long.

La guerre de Hancock, écrivait la presse de l'expédition du printemps, récemment terminée. La démonstration de force du belliqueux général devait favoriser la paix ; l'incendie du village indien assura la guerre. Les tribus des Plaines virent dans la destruction des tipis, des peaux de bison et autres objets personnels un nouveau Sand Creek et la violation du traité du Petit-Arkansas.

Et elles exercèrent des représailles.

Des bandes de jeunes Sioux et de jeunes Cheyennes menées par des guerriers fougueux comme Balafre ou Tueur-de-Pawnies déferlèrent sur le Kansas, attaquant les fermes, incendiant les relais de la diligence, décimant les équipes d'ouvriers sans armes de l'Union Pacific Division Est. Entre Fort Harker, terminus provisoire de la ligne, et Fort Hays, poste encore plus sommaire situé à une centaine de kilomètres à l'ouest, les poseurs de rails refusaient de travailler sans la protection de gardes armés.

Du quartier général de la division, Sherman envoya des ordres affectant des unités de cavalerie et d'infanterie à la protection des ouvriers. Les propres services de sécurité de l'U.P.D.E., dirigés par un ancien agent de chez Pinkerton nommé J.O. Hartree, complétaient les détachements de l'armée. Hartree avait une réputation de tueur mais cela ne suffisait pas à mettre fin aux raids, et la direction de la compagnie réclamait à grands cris plus d'hommes, plus de fusils.

Crawford, le gouverneur du Kansas, réclama quant à lui la protection de ses concitoyens et entreprit de lever un régiment spécial de cavalerie relevant de son État. Sherman voulait lâcher l'armée dans les Plaines : *Nous ne devons pas rester sur la défensive. Nous devons poursuivre les Indiens à chaque occasion, les chasser de la région s'étendant entre la Platte et l'Arkansas.*

C'était compter sans la réaction des « Rameaux d'olivier », parlementaires, fonctionnaires, prédicateurs, journalistes qui prenaient le parti des Indiens et expliquaient leurs exactions par celles que les Blancs avaient commises auparavant. Du haut des chaires de Boston, dans les salles de rédaction de New York, ils parlaient avec force, et de manière convaincante. Ils traitaient l'incendie du village indien d'acte lâche et provocateur, imprimaient des tracts, organisaient des rassemblements et des défilés au flambeau, faisaient signer de nombreuses pétitions envoyées au président Johnson. Une des organisations les plus puissantes de ce mouvement était la Société d'amitié avec les Indiens de Willa — fait auquel Charles s'efforçait de ne pas penser.

Avant l'épisode de la ferme, il avait emmené son détachement en patrouille sans se faire de soucis. Longer la Smoky Hill à la recherche d'Indiens valait beaucoup mieux que vivre dans les misérables huttes en terre infestées de rats de Fort Harker. Toutefois, il ne tarda pas à se rendre compte qu'un faible détachement comme le sien n'avait pas la puissance de feu nécessaire pour poursuivre et anéantir de grandes bandes guerrières. Qui plus est, il n'en avait pas le droit : il n'était pas censé attaquer, seulement se défendre. A mesure qu'il en prenait conscience, son amertume croissait, si bien qu'au milieu de l'été, il redevint d'humeur aussi sanguinaire que lorsqu'il avait découvert les cadavres de Boy et de Jackson.

Charles et ses hommes avaient enterré les fermiers, cherché dans leurs rares affaires personnelles quelque chose qui permît de les identifier. Ils avaient trouvé une Bible mais elle ne portait aucune inscription. Tout ce qu'ils avaient, c'était un prénom, Eulus. Ironie du sort, ce fut au moment où de tels massacres étaient perpétrés que les Rameaux d'olivier prirent provisoirement le pouvoir. Le sénateur Henderson, du Missouri, membre influent du lobby pacifiste, proposa une loi visant à établir une commission de plus pour négocier une paix permanente avec les Indiens des Plaines.

Comme tant d'autres hommes en uniforme, Charles se sentait pris au piège, empêché de gagner une guerre qui faisait régulièrement d'innocentes victimes, tels le fermier Eulus et sa femme. Charles pensait cependant que la faction pacifiste ne garderait pas longtemps le pouvoir et que, de toute façon, elle n'atteindrait pas son objectif même si elle se maintenait un moment encore aux commandes. Finalement, il faudrait lâcher l'armée dans les Plaines, avec la permission de se battre pour remporter la victoire. Charles aurait alors l'occasion d'accomplir le vœu de vengeance qu'il avait prononcé sur les cadavres mutilés de Pied-de-Bois et de Boy.

En regagnant Fort Harker avec le cadavre du Kiowa, Charles songeait qu'il n'avait pas à se plaindre. Même si ses soldats noirs étaient méprisés par leurs camarades blancs, il aurait pu tomber plus mal. Au 7e de cavalerie, par exemple.

C'était un régiment déchiré par les dissensions et agité de troubles. Custer avait pris part à l'expédition de Hancock et, plus tard, avait remonté la Republican River pour chasser l'Indien. Une série de marches forcées dont il avait donné l'ordre avait suscité des désertions en masse. Une nuit, trente-cinq hommes s'étaient enfuis. Furieux, Custer avait envoyé à leur poursuite son frère Tom, adjudant, et un certain major Elliott, avec l'ordre de fusiller tout déserteur qui serait repris.

Ils rattrapèrent cinq fuyards, dont trois qu'ils blessèrent et auxquels Custer refusa un moment d'accorder des soins. L'un d'eux mourut à

Fort Wallace et Charles entendit dire que Custer s'était vanté de ce que, grâce à lui, les « oiseaux migrateurs » réfléchiraient avant de s'envoler une seconde fois. Tous les supérieurs du *Boy general* n'appréciaient pas ses méthodes disciplinaires.

Juste avant de partir en patrouille, Charles avait appris autre chose au sujet de Custer. Apparemment, il avait quitté Fort Wallace sans autorisation pour retrouver sa femme, dont la santé et la sécurité l'inquiétaient. En plus du problème indien, il y avait la menace d'une épidémie de choléra dans les Plaines.

— Lieutenant August, voici votre nouveau guide, Hibou-Gris, annonça Barnes en montrant un Indien vigoureux.

Charles le regarda, consterné. Comparé à ce spécimen de chien battu, Bras-Puissant avait une personnalité étincelante. Âgé d'une quarantaine d'années, enveloppé d'une peau de bison malgré la chaleur, l'Indien avait de larges joues sombres, un nez ressemblant à un fer de hache émoussé. Hormis les lanières peintes retenant ses cheveux tressés, Charles ne remarqua aucun dessin, aucune marque permettant d'identifier sa tribu. Il n'était à coup sûr ni delaware ni osage. Sioux, alors ? Très intrigant, car les Sioux étaient en guerre.

Devant l'air perplexe de Charles, le « Vieux » précisa :

— C'est un Cheyenne du Sud. Il est guide pour l'armée depuis que je suis ici, au moins.

— Ça, c'est trop fort, fit Charles. Ne me dites pas qu'il a fait détaler un troupeau de bisons, lui aussi.

— Non. Il prétend qu'il n'aime pas son peuple mais il n'explique pas pourquoi.

Charles se sentit un peu gêné de discuter de l'Indien comme s'il n'était pas là.

— Bon, viens, Hibou-Gris. Je vais te présenter aux hommes.

— Oui, merci, répondit le Cheyenne.

Charles faillit tomber à la renverse : l'Indien parlait un anglais tout à fait clair, presque sans accent. Il avait dû vivre longtemps parmi les Blancs. Finalement, il se révéla meilleur que Bras-Puissant à plus d'un égard. Il répondait quand on lui adressait la parole, et pas seulement par monosyllabes. Cependant Hibou-Gris avait un autre problème : il n'était pas renfrogné mais se refusait absolument à sourire.

— Tu comprends, Magee, disait Charles à son caporal, je ne peux pas le rendre efficace si je ne parviens pas à entrer en contact avec lui. Pour cela, il faut que je sache quelque chose sur lui. Ce qu'il veut, ce qu'il aime, qui il est vraiment. Deux fois je lui ai demandé pourquoi il s'est retourné contre sa tribu. Il a refusé de répondre. Nous sommes en train de former un bon détachement. Je ne veux pas qu'il gâche tout comme Bras-Puissant. Il faut percer sa carapace, en commençant par son masque de pierre. Et j'ai l'impression que tu es l'homme qu'il nous faut.

— Je veux te raconter une petite histoire, dit Magee. Mais d'abord, je dois vérifier quelque chose. Si j'ai bien compris, tu traînes autour des forts depuis un moment, hein ?

Hibou-Gris acquiesça de la tête. Assis en tailleur, enveloppé de sa peau de bison, il montrait autant d'émotion qu'un roc au fond d'un cours d'eau. Le soir d'été apportait un peu de soulagement, une légère fraîcheur dans le vent qui soufflait du nord-ouest, où des nuages pourpres hâtaient la venue de la nuit. La brise attisait le feu de camp, en faisait jaillir des étincelles. Charles et ses hommes avaient, d'un commun accord, planté leurs tentes dans la prairie, entre le fort et la rivière, pour éviter de dormir dans les huttes sombres et grossières, sur de vieilles paillasses humides abritant des poux, des fourmis et Dieu sait quoi d'autre.

— Alors, tu sais peut-être ce que c'est, ça ? poursuivit Magee en sortant de sa poche un vieux paquet de cartes. T'as dû voir des soldats jouer aux cartes, le soir ?

Nouvel acquiescement.

— Mais tu sais ce qu'il y a dans un jeu de cartes ? Les figures, les couleurs ? Par exemple, il y a quatre rois, de quatre couleurs diffé...

— Je sais, répondit Hibou-Gris, une trace d'ennui dans le regard.

— Très bien ! Je voulais juste vérifier pour être sûr que tu comprendras le sens de mon histoire. C'est une belle histoire, parce qu'elle montre jusqu'où on peut grimper dans cette armée quand on a de l'ambition. En fait, le nom de l'histoire, c'est « le Sous-Off ambitieux ».

Magee s'agenouilla à côté du Cheyenne et continua :

— Ce sous-off, c'était un jeune gars salement rapide nommé Jack*.

Le caporal retourna la première carte du paquet : le valet de carreau. Wallis et un autre soldat s'approchèrent pour regarder.

— Jack était ambitieux comme le diable, poursuivit Magee. Il voulait passer sergent-chef et il obtint vite ses galons.

Magee montra la carte aux soldats et à Charles, qui venait de les rejoindre.

— L'ennui, avec Jack, c'est qu'il avait la langue trop bien pendue. Un jour, il a fait le mariole avec un officier et il a perdu ses galons...

Le caporal déploya le jeu devant Charles.

— Mon lieutenant, vous voulez bien remettre Jack avec la troupe, n'importe où.

Charles prit le valet, le glissa au milieu du paquet. Magee posa le paquet sur sa main, l'égalisa.

— Mais ce vieux Jack était toujours aussi ambitieux. Alors il a bossé dur, et il est redevenu sergent.

Le caporal retourna la carte du dessus : valet de carreau.

Les yeux de Hibou-Gris se fermèrent en un lent clignement reptilien. Cela stimula Magee.

— Malgré son ambition, le pauvre Jack avait le problème de tous les soldats. Il aimait boire le coup, et un soir qu'il avait pris un verre de trop, il s'est retrouvé de nouveau simple soldat.

Répondant à un signe de tête de Magee, Wallis prit le valet de carreau, le remit dans le paquet. Après avoir égalisé les cartes, le caporal retourna celle du dessus : valet de carreau.

---

* Valet en anglais. (N.d.t.)

— Jack aimait aussi les dames. Il fit à la femme du général une remarque innocente qu'elle jugea effrontée et adieu les galons encore une fois ! Mais comme il était ambitieux...

Magee répéta le manège, arrachant cette fois plusieurs battements de cils au guide.

— Le sergent Jack, il avait perdu et regagné si souvent ses galons que c'était devenu une sorte de légende dans les Plaines. Tout le monde voulait faire comme lui...

L'ancien cuisinier retourna la carte du dessus — pas de surprise, c'était ce bon vieux Jack — puis la remit en place.

— Même les guides...

Il tendit au Cheyenne le paquet avec le valet de carreau sur le dessus, fit signe à l'Indien de prendre la carte et de la replacer dans le paquet. Le front plissé, Hibou-Gris saisit la carte, la regarda un moment puis la glissa avec soin dans la partie inférieure du paquet. Magee prit les cartes, les garda bien en vue des spectateurs et, d'une pichenette, retourna la première.

Charles applaudit, Wallis émit un long sifflement. Incrédule, Hibou-Gris ramassa le valet de carreau, l'examina des deux côtés, le mordit avec ses dents de devant, le plia, l'agita, le gratta avec un ongle. Magee attendit.

L'Indien lui rendit la carte.

Et sourit.

Un soldat alimenta le feu avec de la bouse de bison séchée. La réserve de Hibou-Gris parut fondre à la chaleur de sa fascination pour Magee.

— Les shamans de mon peuple t'honoreraient, déclara le Cheyenne.

— Shamans ? répéta le Noir, qui ignorait ce nom. Tu veux dire que les Indiens font des tours de passe-passe ?

Hibou-Gris ne connaissait pas le « passe-passe ».

— De la magie ? Oui, répondit-il. Ils ont des médecines puissantes. Je les ai vus changer des plumes en pierres. J'ai vu le corps d'un shaman passer sans qu'on le voie d'un tipi à un autre distant de cinquante pas.

— Un tunnel, fit Magee. Ils utilisent forcément un tunnel...

— Et même couper la tête d'un homme et la recoller, ajouta le Peau-Rouge. Chez les Cheyennes, tu serais un grand homme. Respecté. Craint.

Comme Magee regardait son paquet de cartes d'un air pensif, Charles lui lança :

— Ça te servira peut-être un jour à sauver tes cheveux.

Pendant la semaine que le détachement passa à Fort Harker pour se ravitailler et réparer le harnachement des chevaux, Charles attendit chaque jour une lettre de Willa. Il n'en reçut aucune, en commença deux lui-même, n'aima pas le ton d'excuse qui s'y était glissé et les déchira. A la place, il envoya un mot au général Duncan, avec une plume d'aigle pour le petit Gus.

Le détachement repartit pour les Plaines où les sociétés guerrières poursuivaient leurs raids. Hibou-Gris parlait maintenant à Charles et souriait même de temps en temps. C'était un excellent guide, bien supérieur à Bras-Puissant, et qui exécutait les ordres sans discuter.

Néanmoins, Charles ne savait rien de plus sur la raison qui l'avait poussé à abandonner son peuple.

Trois Indiens croisèrent leur chemin, se plaignirent d'un nouveau ranch à whisky qui venait de s'ouvrir, à une demi-journée de cheval vers le sud. Les propriétaires, des frères métis, vendaient des armes et un mauvais alcool qui avait failli tuer un des Peaux-Rouges.

Charles décida d'aller vérifier et le détachement prit la direction du sud. Les ranches à whisky étaient de simples saloons bâtis dans le désert par des hommes sans scrupules cherchant à s'enrichir en armant et en soûlant les Indiens. Les soldats trouvèrent le ranch parmi des collines sablonneuses, s'en emparèrent en tirant quelques coups de feu et emmenèrent les propriétaires sans difficulté.

Les armes que les métis vendaient dans leur établissement — peut-être une ancienne ferme — étaient des Hawkens rouillés à canon court et gros calibre, fabriqués à Saint Louis par une entreprise familiale. A leur état, Charles estima qu'ils devaient remonter aux premiers essais de la firme, dans les années 1820. Le whisky était un breuvage marron foncé, probablement de l'alcool de céréales additionné de poivre rouge, de jus de tabac et autres ingrédients... du même tonneau.

Les deux commerçants cupides vendaient aussi les charmes d'une Comanche boulotte et triste qui confia à Hibou-Gris qu'elle avait été enlevée à son mari, au Texas.

Lorsque Charles annonça son intention d'emmener les métis à Fort Harker pour que le Bureau des affaires indiennes s'occupe d'eux, l'aîné se lança dans un discours exprimant sa peur d'aller en prison et plongea soudain la main droite sous sa veste. Charles lui logea une balle dans chaque jambe avant que la main ne réapparaisse.

Magee s'agenouilla, souleva le revers de la veste avec précaution, prit à l'homme évanoui ce qu'il tenait dans sa main : un rouleau de billets de banque. Il le tendit à son lieutenant, qui l'examina.

— Il voulait me graisser la patte, dit Charles. Avec de l'argent confédéré, l'imbécile.

Il jeta les billets en l'air, le vent de la prairie les entraîna.

— On ne peut jamais savoir ce qu'un homme cache sous sa veste, ajouta-t-il en jetant un coup d'œil au métis perdant son sang.

Il libéra la Comanche, chargea deux soldats de conduire les frères à Fort Harker. Le détachement mit le feu au ranch à whisky le 28 juillet, le jour où George A. Custer était mis aux arrêts pour avoir quitté Fort Wallace sans permission.

Le feu de la guerre ravageant le sud des Plaines se propagea au nord. Le 1er août, dans un pré proche de Fort C.F. Smith, sur la piste Bozeman, trente-deux soldats et civils repoussèrent l'attaque de plusieurs centaines de Cheyennes. Le lendemain, au cours d'un autre affrontement, un petit détachement de Fort Phil Kearny dispersa une bande de Sioux menée par le chef Nuage-Rouge.

Avec une fierté compréhensible, l'armée porta le nombre des assaillants cheyennes à huit cents, celui des Sioux à mille. Ces escarmouches inspirèrent une confiance nouvelle : les tribus des Plaines n'étaient pas invincibles. De retour à Fort Harker, Charles apprit les événements et maudit la malchance qui l'en avait tenu écarté.

Le 1er août fut aussi un jour très important pour le 10e de cavalerie. Le capitaine Armes et trente-deux hommes de la compagnie F avaient poursuivi des Cheyennes le long de la Saline, les avaient rattrapés et avaient dû ensuite se tirer du guêpier où ils s'étaient fourrés en se frayant un chemin à coups de fusil. Bill Christy, ancien fermier de Pennsylvanie très aimé de ses camarades, avait été tué d'une balle dans la tête. Lovetta Barnes découpa un grand morceau de tissu teint en noir, le « Vieux » procéda à la distribution et chaque soldat de la compagnie C porta un crêpe au bras gauche. Le 10e portait le deuil du premier des siens tombé au combat.

L'annonce du transfert imminent du quartier général de Grierson à Fort Riley constituait une bien meilleure nouvelle. Enfin le colonel et ses hommes échapperaient au fanatique général Hoffman.

Malgré la poursuite des attaques indiennes contre la voie ferrée, la route des diligences et les fermes isolées, Charles voyait s'éloigner les occasions de se battre. Les Rameaux d'olivier avaient pris le dessus à Washington : une commission de paix avait été formée et on prévoyait pour l'automne une grande expédition ayant pour objectif la signature d'un traité.

Un matin que Charles s'apprêtait à repartir en patrouille avec son détachement, Barnes lui tendit un prospectus imprimé en grosses lettres racoleuses sur du papier lavande et lui conseilla :

— Arrangez-vous pour revenir à temps.

UNIQUE TOURNÉE DANS L'OUEST
DE LA SAISON !
Mr SAMUEL TRUMP, Esq.
« Le plus grand acteur d'Amérique »
dans une série de scènes divertissantes et émouvantes
tirées de SHAKESPEARE
Avec l'aimable participation de *Mrs Parker*
et autres membres de la troupe du Théâtre de Saint Louis
de renommée mondiale
Prix des places : 50 cents.
Le spectacle convient aux
femmes et aux enfants.

Charles remarqua avec amusement que le nom de Sam Trump était deux fois plus gros que celui de Shakespeare et qu'il aurait presque fallu une loupe pour lire celui de Willa.

— C'est elle, non ? dit le « Vieux ». Celle dont vous m'aviez parlé il y a un bout de temps ?

— Oui, répondit Charles, dont le sourire disparut.

— Bon, je vous autorise à ramener le détachement la veille du spectacle, sauf si vous êtes dans le pétrin.

En bas du prospectus, on avait rajouté à la main : *Fort Harker le 3 nov. — Ellsworth City le 4.*

Journal de Madeline.

Août 1867. Le général D. Sickles est devenu l'homme le plus haï de l'État. Il impose la présence de Noirs dans les jurys des tribunaux, dans les transports en commun, mais ce qui est plus grave, dit-on, il inscrit les affranchis sur les listes électorales des 109 circonscriptions que comporte désormais la Caroline du Sud. Sickles ne restera peut-être pas longtemps en poste. On dit que A. Johnson le trouve trop radical.

... Un autre envahisseur Yankee ! Un nommé Klawdell est venu dans le district fonder une Ligue pour l'Union. Je crois savoir que cette ligue s'est constituée au Nord, pendant la guerre, pour apporter un soutien patriotique à Lincoln et à ses généraux. Le patriotisme a fait place à la politique puisque la Ligue a désormais pour objectif d'instruire les Noirs sur les questions électorales, civiques, etc. Apparemment, une noble entreprise, mais parlera-t-on autant aux affranchis du Parti démocrate que du Parti républicain ? J'en doute.

Andy m'a demandé mon avis sur sa participation à une réunion de cette ligue. Lui ai rappelé qu'il n'avait pas besoin de ma permission mais l'ai averti que cette nouvelle ingérence des radicaux ne manquerait pas d'inciter la canaille blanche à redoubler de violence...

La réaction de Randall Gettys fut exactement celle que Madeline avait prédite : un accès de colère. Une colère telle qu'il eut peine à se concentrer sur le bilan mensuel du magasin qu'il envoyait à une adresse de Washington, comme les gérants des quarante-trois autres *Dixie Stores* installés en Caroline du Sud.

La firme à laquelle Gettys adressait les bilans, les bons de commande et les chèques — le magasin faisait d'énormes bénéfices — s'appelait Mercantile Enterprises. Il ne savait rien des Yankees qui se cachaient derrière et qui, à deux reprises, lui avaient communiqué leurs instructions par l'intermédiaire d'un avocat nommé J. Dills.

Gettys ferma l'enveloppe, jeta un coup d'œil machinal au calendrier mural mal imprimé portant l'écusson de la compagnie de chemin de fer Charleston & Savannah, récemment réorganisée. Comme on était samedi, il s'attendait à vendre pas mal de whisky de maïs au capitaine Jolly et à d'autres Blancs du district, et il y aurait peut-être même un peu de distraction si un noiraud était assez bête pour se risquer au croisement de Summerton le jour où les Blancs cherchaient à s'amuser.

En bas du calendrier, Gettys avait écrit : *Des sort 1er oct.* La première chose qu'il ferait, quand son ami serait libéré, ce serait de lui parler de ce nouveau scandale, le club pour nègres ouvert par le type de la Ligue. En attendant, il devait s'occuper du courrier qui s'accumulait depuis deux semaines. Il jeta à la corbeille une lettre d'un cousin demandant un prêt pour une opération de l'œil, deux prospectus de brocanteurs allemands de Charleston proposant *des meubles de grande qualité, la bibliothèque complète de bonnes familles de Caroline à des prix sacrifiés.*

En bas de la pile, il trouva une enveloppe en papier mural portant l'adresse de Sitwell Gettys, un autre cousin. C'était un démocrate bon teint maître d'école dans le comté de York, peut-être la région la plus ardemment sudiste de l'État. Il avait joint à sa lettre un article découpé dans le *Pulaski Citizen* dont il pensait qu'il pourrait intéresser Gettys.

Ce fut le cas. Plusieurs brefs paragraphes décrivaient un club de Blancs fondé quelques mois plus tôt à Pulaski par des anciens combattants. Ce qui éveillait l'intérêt du boutiquier, c'était que ses membres sortaient la nuit vêtus de costumes bizarres et de cagoules cachant leur visage. Ils se rendaient chez les affranchis jugés prétentieux, se faisaient passer pour des Confédérés ressuscités et n'avaient naturellement aucun mal à les terrifier.

Le club avait un nom curieux. Si Randall gardait quelques souvenirs de ses humanités, le mot grec *kuklos* signifiait cercle, et le nom de l'association en dérivait manifestement. Il relut la coupure de journal une seconde puis une troisième fois avec une excitation croissante et la ficha sur le clou servant à conserver divers papiers. Lorsque Des sortirait de prison, il lui parlerait de ce Ku Klux Klan, qui offrait une solution étonnamment simple à leur propre problème : garder l'anonymat.

Suis allée à Charleston. Ai trouvé Judith chez elle. Marie Louise était partie avec son père inspecter la ligne Charleston & Savannah : Cooper fait partie d'un groupe d'investisseurs qui ont acheté des obligations hypothécaires de la compagnie en faillite. Même au prix de 30 000 dollars, ce n'est pas une affaire. La ligne est en ruine ; elle couvre une centaine de kilomètres jusqu'à Coosawhatchie, et à Charleston, il faut traverser en ferry : le pont de l'Ashley n'est pas encore reconstruit.

Il en va de même pour une grande partie de cette charmante vieille ville, qui compte encore un grand nombre d'immeubles éventrés et sans fenêtres. Partout traînent des Noirs déguenillés ; des Blancs désœuvrés chiquent devant Hibernian Hall et accostent les femmes avec des propos égrillards. J'en ai giflé un. S'il avait connu mon « statut racial », j'aurais eu de graves ennuis.

Tradd Street reste une oasis de propreté et de calme, bien que la puanteur des chariots ramassant les excréments pénètre jusque dans la cuisine de Judith. Nous avons parlé de Sickles, ce qui a amené J. à avouer que la rigidité des positions de Cooper la désespère totalement...

La cloche sonna. Sous un manteau de nuages sombres, Cooper aida Marie Louise à monter les marches métalliques de l'unique voiture de voyageurs.

Il n'avait aucune envie de remonter dans cette voiture, le voyage aller lui avait suffi : la moitié des sièges et toutes les vitres avaient disparu. Jusqu'à la gare de Coosawhatchie, ils avaient été quasiment seuls mais toutes les places étaient maintenant occupées par des militaires ou des civils. Au bout du couloir, une gigantesque Noire portant un baluchon à la main se tenait sous un trou du plafond et coulait des regards timides en direction des sièges. Grâce à ce damné Sickles, il lui était désormais possible de monter avec les Blancs mais aucun homme ne se leva pour lui offrir sa place.

Un grondement de tonnerre annonça que les nuages déverseraient bientôt leur eau. Avec un couinement de ses roues rouillées et une embardée, la locomotive s'ébranla. Les épais sous-bois de la forêt dense du Bas-Pays défilèrent lentement devant les fenêtres sans vitre, par lesquelles pénétraient papillons et moustiques.

— Appuie-toi ici, contre cet endroit de la cloison, conseilla Cooper à sa fille. C'est moins sale qu'ailleurs.

Marie Louise le remercia de ses yeux sombres et s'apprêtait à changer de position quand un jeune civil au visage enfantin, les yeux bleus et les cheveux blonds d'un Allemand ou d'un Scandinave, se leva et fit signe à la Noire de prendre sa place.

Par-dessus le gémissement des roues, Cooper entendit marmonner d'autres passagers. La Noire secoua la tête ; le jeune homme sourit, insista. Serrant son baluchon, elle s'approcha d'un pas hésitant, s'assit. Aussitôt le voyageur occupant la place voisine se leva d'un bond, lança au jeune homme un regard furieux. Un passager assis de l'autre côté de l'allée porta la main au poignard glissé à sa ceinture ; sa femme arrêta son geste. Le jeune civil salua le couple d'un air moqueur, gagna l'avant de la voiture et s'adossa à la cloison, bras croisés, l'air satisfait.

Il remarqua alors Marie Louise et l'intérêt qu'il lui montra fit rougir la jeune fille.

Après un nouveau coup de tonnerre, la pluie se mit à tomber dru par les trous du toit.

— Approche-toi, dit Cooper en ouvrant le parapluie qu'il avait emporté pour ce genre d'urgence.

Tandis que la plupart des passagers se faisaient tremper, le train de la compagnie Charleston & Savannah remontait péniblement vers le nord. Indigné, Cooper fixait le dos de la Noire. Et quoi ensuite ? Des mariages mixtes ? Sickles et les radicaux étaient résolus à anéantir la civilisation sudiste.

Il n'oublia pas le jeune homme courtois. Marie Louise non plus, mais pour des raisons totalement différentes.

Sickles rappelé prochainement à Washington. C'est peut-être une bonne chose : nous avons déjà assez de prétextes à la violence.

33

C'était la saison du changement. L'herbe de la prairie jaunissait, les feuilles des ormes et des plaqueminiers commençaient à s'embraser de couleurs.

Changement aussi dans le commandement. Johnson, par l'intermédiaire de Grant, avait ordonné aux généraux Hancock et Sheridan d'échanger leurs responsabilités. Hancock payait l'incendie du village indien, Sheridan son application trop énergique de la Reconstruction dans le 5e district militaire de La Nouvelle-Orléans. Il était certes apprécié des radicaux mais de peu d'autres hommes politiques de Washington.

Sheridan se rendit dans les Plaines pour une rapide inspection des troupes bien qu'un long congé l'attendît et qu'il ne dût prendre véritablement son commandement qu'à la fin de l'hiver. Charles connaissait quelques détails sur ce Yankee sorti de West Point en 1853. Petit, d'origine irlandaise, jurant avec constance et esprit d'invention, il avait l'habitude de faire la guerre et d'être vainqueur. Charles se demandait comment ce changement de commandement s'intégrerait dans l'initiative de paix de l'automne, que nombre de militaires traitaient avec mépris de « politique *quaker* ».

Changement encore dans le destin de grandes entreprises. A l'évidence, l'Union Pacific du Nebraska atteindrait la première le centième méridien — probablement en octobre. L'Union Pacific Division Est avait perdu, et Charles entendit dire que douze cents personnes risquaient d'être licenciées. Ce nombre n'incluait pas les hommes des services de sécurité de J.O. Hartree, à la détente facile, qui assuraient la protection de tous les trains de voyageurs. Charles entendit également dire que la compagnie prendrait peut-être un nom qui la distinguerait mieux de sa rivale — Kansas Pacific, par exemple.

Des changements importants affectèrent le 7e de cavalerie, magnifique régiment mais déchiré par les querelles. Custer fut envoyé en détention à Leavenworth où il attendit de passer en cour martiale pour répondre d'accusations portées par un de ses capitaines mécontents, Bob West, et par son propre commandant, A.J. Smith. On lui reprochait, entre autres, d'avoir abandonné son poste à Fort Wallace — lorsqu'il était parti précipitamment pour l'Est afin de retrouver Libbie — et d'avoir abattu les déserteurs. Le *Boy General* était confiant en l'issue du procès, disait-on, et parlait beaucoup de sa nature profondément religieuse. Ces propos laissaient Charles sceptique : une fois pris, les vauriens se drapent souvent dans la bannière nationale ou proclament leur soudaine conversion chrétienne.

C'était, avant tout, une saison riche en possibilités de changement pour l'armée des Plaines. On la cantonnait dans les patrouilles tandis que la grande Commission de paix, qui n'avait même pas réussi à avoir une réunion couronnée de succès avec les Sioux du Nord, traversait maintenant le Kansas automnal pour tenter sa chance avec les tribus du Sud.

Le ciel était couleur de bronze le jour où la colonne quitta Harker. Fifres et tambours entraînèrent cent cinquante soldats du 7e hors du fort au son de la marche qui les faisait partout reconnaître, *Garry Owen*. Suivirent un détachement d'infanterie puis la batterie B du 4e d'artillerie, tirant deux des nouvelles mitrailleuses Gatling. Charles se demandait si ces engins pouvaient vraiment cracher cent cinquante balles à la minute de leurs dix canons tournants. Ike Barnes disait qu'ils chauffaient rapidement, et s'enrayaient. Le 7e n'en avait pas essayé : Custer les traitait de jouets inutiles et A.J. Smith avait refusé de fournir des munitions pour procéder à un essai, de peur que le ministère de la Guerre ne retienne le prix des balles sur sa solde.

Des ambulances bâchées à hautes roues transportaient les sept membres de la Commission : le sénateur J.B. Henderson, du Missouri, qui avait présenté la loi proposant cette initiative ; le commissaire aux Affaires indiennes N.G. Taylor ; le colonel Sam Tappan, premier officier à réclamer énergiquement une enquête sur le massacre de Sand Creek ; le général John Sanborn, un des auteurs du traité du Petit-Arkansas ; l'exigeant général Alfred Terry, commandant le secteur des Dakotas, et le général C.C. Augur, du secteur de la Platte, qui avait remplacé Sherman après que celui-ci eut violemment critiqué la Commission et se fut fait rappeler à Washington pour rendre des comptes à Grant. La Commission était présidée par le général William Harney, homme massif à barbe blanche jouissant d'une impressionnante réputation de combattant des guerres indiennes. Une belle brochette d'officiers martiaux pour éteindre le feu dans les Plaines, songea Charles en regardant la colonne partir pour le sud en direction de Fort Larned.

Le gouverneur Crawford et le sénateur Ross faisaient également partie de l'expédition, ainsi que onze journalistes et un photographe, dispersés dans les ambulances et les chariots de ravitaillement, au nombre de soixante-cinq. La Commission emportait des marchandises, notamment couteaux et verroterie, des uniformes, des surplus de l'armée, des képis, des bottes et trois mille quatre cents vieux clairons — une idée remarquablement stupide du général Sanborn.

Les chariots transportaient également des cadeaux moins pacifiques : barils de poudre noire, caisses de carabines, amorces, papier à cartouches. Civils et militaires se querellaient déjà au sujet de la distribution de ces présents. Les Rameaux d'olivier déclaraient qu'on armait les tribus pour une nouvelle guerre. D'autres, notamment le général Terry, faisaient observer qu'on ne pouvait trouver cadeau plus chargé de sens et plus nécessaire pour des populations nomades vivant de chasse. C'était le débat classique, que Charles avait déjà entendu maintes fois et pour lequel il n'avait que mépris. Le seul instrument de paix qui fût sûr, c'était un fusil dans les mains d'un soldat des États-Unis.

Il s'appelait Rêveur-de-Pierre ; il était frêle — quatre-vingts hivers. Il avait perdu toutes ses dents, et ses cheveux ressemblaient à de fins brins de laine grise. Cependant, son regard demeurait fier, et sa raison ne l'avait pas déserté, comme c'est souvent le cas pour les vieillards.

On l'appelait Rêveur-de-Pierre à cause de la vision qu'il avait eue dans sa jeunesse. Lorsqu'il avait fait retraite, jeûnant et priant le Créateur de toutes choses, sa vue s'était troublée brièvement puis les pierres qui l'entouraient s'étaient élevées, étaient restées suspendues devant lui et avaient parlé tour à tour de questions importantes, profondes.

Comme tant d'autres objets naturels, les pierres étaient sacrées pour les Cheyennes. Elles symbolisaient la permanence des choses, les vérités immuables de la vie, la terre éternelle et Celui qui l'avait modelée à partir du néant. La vision de Rêveur-de-Pierre lui avait appris que comparés à ces choses, l'ambition, l'amour, la haine d'un mortel n'étaient que brins d'herbe emportés par le vent.

Lorsqu'il revint du désert, il raconta sa vision au conseil des Anciens, qui fut impressionné. Manifestement, ce jeune homme était promis à un destin particulier. On fit son éducation pour qu'il devienne une « Corde d'arc », membre d'une société de guerriers courageux, purs et célibataires, aussi experts à tuer les ennemis au combat qu'à philosopher sur les problèmes de la paix et de la vie de la tribu.

Il devint donc membre de cette société et en gravit les échelons. Simple Corde, chef de la société, chef de village quand il fut trop vieux pour combattre, chef de paix quand il fut plus vieux encore. En octobre 1867, il planta son tipi et deux cent cinquante autres abritant quinze cents Cheyennes environ à l'extrémité ouest du bassin naturel de la Medicine Lodge Valley. C'était à trois jours de cheval du terrain de la danse du Soleil, qui serait utilisé par le grand convoi de chefs blancs venus du Nord avec des fusils pour faire la paix avec les cinq tribus du Sud.

Près de trois mille Comanches, Kiowas et Arapahos avaient établi leurs camps à une trentaine de kilomètres de l'endroit où serait signé le traité. Ils attendaient avec impatience les savons, clochettes, gobelets et marmites, couvertures et coupons de calicot qui leur seraient offerts, ainsi que les armes décrites par Murphy, responsable aux Affaires indiennes, qui avait parcouru le sud du Kansas en tous sens pour convaincre les tribus de venir.

Les pourparlers de paix s'engagèrent à l'endroit prévu, un peu au-dessus de la ligne de démarcation séparant le Kansas du Territoire indien. Un émissaire fut envoyé aux Cheyennes, demeurés à l'écart, pour les persuader de rencontrer eux aussi les chefs blancs. Les Anciens furent consultés et Rêveur-de-Pierre donna son avis :

« Nous devons y aller, mais pas pour les présents. Nous devons y aller parce que c'est folie de faire une guerre qu'on ne peut gagner. Les Blancs sont trop nombreux. Si nous ne vivons pas en harmonie avec eux, ils nous piétineront, nous anéantiront. »

Certains Anciens, dont son ami le chef de paix Chaudron-Noir, approuvèrent ses paroles, mais d'autres, dont le chef de guerre Nez-Busqué, au courage indéniable, ne le soutinrent pas. Il n'obtint pas non plus l'approbation de la plupart des jeunes hommes, en particulier ceux qui s'élevaient dans la hiérarchie des sociétés guerrières. L'un des plus craints et des plus admirés de ces jeunes braves — indéniablement courageux, lui aussi, mais inutilement cruel selon Rêveur-de-Pierre — jura qu'il ne se soumettrait jamais aux chefs blancs tant qu'il lui resterait un souffle de vie.

Les propos d'Homme-prêt-à-la-guerre et d'autres jeunes Indiens aussi fougueux que lui furent plus convaincants que les arguments d'un vieillard comme Rêveur-de-Pierre, et les Cheyennes demeurèrent à l'écart dans la vallée de la Medicine Lodge Creek, tandis que d'autres grands chefs indiens — le fragile Satank, qui arborait fièrement une médaille portant gravé le profil de James Buchanan* ; le solide Santana, trapu comme un ours, autre Kiowa redouté qui aimait se vêtir d'une veste d'officier d'artillerie — conduisaient leur délégation au lieu de rencontre, écoutaient les paroles apaisantes des chefs blancs, apposaient leur marque sur un traité qui leur enlevait de nouvelles terres puis se voyaient récompensés par une distribution de marchandises et d'armes.

---

* Quinzième président des États-Unis. (N.d.t.)

Les ombres d'octobre s'allongèrent et devinrent plus fraîches. La veille du jour où les chefs blancs devaient repartir avec leurs chariots, un messager apporta aux Cheyennes lourdement armés un dernier appel à se joindre aux autres Indiens. Pendant presque toute la nuit, Rêveur-de-Pierre parla en faveur de cet appel et, finalement, quatre cents Indiens prêts à braver le mépris et la colère du reste de la tribu acceptèrent d'aller voir les Blancs, puisque quinze cents Arapahos l'avaient déjà fait. Rêveur-de-Pierre reprit courage.

Il se rendit au lieu de la négociation avec une troupe de cavaliers comprenant son ami plein de sagesse, Chaudron-Noir, et un groupe d'hommes de la Société des Chiens qui s'étaient décidés à la dernière minute. Pourquoi ? Rêveur-de-Pierre se le demandait — à moins que ce ne fût pour se réapprovisionner en armes ou, plus probablement, pour faire du grabuge.

Rêveur-de-Pierre portait ses plus beaux vêtements tribaux tandis que Chaudron-Noir était vêtu d'une longue robe bleue et coiffé d'un képi de dragon. C'était, aux yeux du vieux Cheyenne, moins offensant que les vestes de soldat dont s'étaient affublés plusieurs Chiens. On voyait sur ces vareuses prises à l'ennemi les trous faits par la balle ou la pointe de lance qui avait tué leur propriétaire originel. Certains jeunes guerriers aggravaient encore les choses avec les médailles volées qu'ils y accrochaient ou avec les croix chrétiennes qu'ils portaient au cou.

Dans la lumière pâle et mélancolique d'un jour agonisant, les Cheyennes parvinrent à la rivière, virent les tentes et les chariots, les uniformes bleus des membres de la Commission. Aussitôt les Chiens se mirent à hurler en brandissant lances et fusils. Plusieurs galopèrent même vers l'eau de manière menaçante. Le chef à barbe blanche de la Commission leva la main pour retenir ses hommes. Rêveur-de-Pierre vit briller de nombreux fusils dans les rangs des Blancs tandis que les jeunes braves traversaient la rivière en criant, faisaient demi-tour au dernier moment et éclataient de rire.

Après une soirée passée à festoyer, les Cheyennes installèrent leur camp près de celui des Arapahos, beaucoup plus nombreux. Le lendemain matin, les chefs indiens s'assirent en demi-cercle devant la principale tente de la Commission. Les chefs blancs prirent place à leur tour, entourés d'hommes étranges dessinant sur des tablettes et d'une nombreuse troupe de soldats dont les boutons de cuivre étincelaient autant que leurs carabines et leurs revolvers.

Aidés d'un interprète, les Blancs présentèrent leur message — un message très raisonnable, pensa Rêveur-de-Pierre.

— Nous avons parmi nous des hommes mauvais qui tirent profit des malheurs de nos deux camps et qui cherchent continuellement la guerre. Nous pensons maintenant que ces hommes ont dit des mensonges au général Hancock, au printemps dernier.

Les paroles conciliantes des Blancs renfermaient aussi d'amères vérités :

— Certains de vos jeunes braves, qui ont plus d'ardeur que de cervelle, s'opposeront peut-être à ce que vous fassiez la paix. Il faut les rejeter, car ils vous mèneraient à la mort. Une longue guerre ne se terminerait que par l'anéantissement total des Indiens, parce qu'ils sont moins nombreux.

Rêveur-de-Pierre se tourna vers Chaudron-Noir, qui approuva de la tête. Puis les chefs blancs abordèrent en termes sages la question la plus irritante pour les Indiens :

— Tant que le bison parcourra les Plaines, vous pourrez le chasser librement, à condition que vous respectiez le traité du Petit-Arkansas. Mais les troupeaux sont plus rares et plus petits chaque année...

Rêveur-de-Pierre interrompit avec colère :

— A qui la faute ? Nos jeunes disent que les Blancs chassent maintenant le bison pour le plaisir. Vous n'avez pas besoin des bisons pour vivre, comme nous. Que deviendrons-nous si vous nous les prenez ?

Les chefs blancs eurent une réponse attristante :

— Vous aurez à la place des troupeaux de bœufs et de moutons, comme l'homme blanc.

Chef-des-Bisons, un Cheyenne, rétorqua avec humeur :

— Nous ne sommes pas des fermiers. Nous sommes nés de la prairie, c'est elle qui nous fait vivre. Vous pensez faire beaucoup pour nous en nous donnant des cadeaux et pourtant je dis que vous auriez beau nous donner bien d'autres choses encore, nous préférerions quand même continuer à vivre libres comme avant.

Et lorsque les chefs blancs soulevèrent la question des raids contre les fermes isolées et le chemin de fer, Petit-Corbeau, des Arapahos, était prêt :

— C'est vous qui devriez rappeler leur devoir à vos jeunes gens des forts. Ce sont des enfants, pour la plupart. Vous devez les empêcher de se conduire comme des fous. C'est cela qui provoque la guerre.

Les soldats vêtus de bleu n'aimèrent pas ces paroles, et plusieurs firent avec leurs armes des gestes menaçants. Les chefs blancs les calmèrent et au fil des heures, l'agressivité des Indiens diminua tandis que croissait leur désir de cadeaux. Pour les tenter, les chefs blancs présentèrent leurs conditions :

Les Arapahos et les Cheyennes devaient se retirer du Kansas, et s'établir avec les trois autres tribus du Sud sur une réserve spéciale de quatre-vingt-dix mille kilomètres carrés délimitée en Territoire indien. Les cinq tribus vivraient sur ces terres, avec des agents spéciaux qui leur serviraient d'intercesseurs. On construirait des bâtiments pouvant accueillir un docteur, un meunier, un maître d'école, un forgeron, un agronome et les autres Blancs nécessaires pour transformer une race de nomades en fermiers.

En échange, les Indiens devaient promettre de cesser d'attaquer les chariots et les trains, de rester hors du Kansas, tout en conservant le droit de chasser le bison sur les terres situées sous l'Arkansas aussi longtemps qu'il y aurait des troupeaux. Leur chasse ne devait cependant pas les amener à s'aventurer à moins de quinze kilomètres des routes et des forts.

Rêveur-de-Pierre soupira. Comment une délégation aussi réduite pouvait-elle accepter au nom de tous des conditions aussi importantes ? Il manquait en effet beaucoup de grands chefs : Grand-Taureau, Flèches-Médecine, Grosse-Tête, Nez-Busqué, et bien d'autres.

Pourtant les quelques chefs présents finirent par signer, avec des regrets mêlés de réalisme amer, un document qui ne leur fut ni lu ni traduit. La journée touchait à sa fin et Rêveur-de-Pierre entendait les siens commencer à parler des cadeaux avec excitation quand le chef blanc Terry se leva et tendit le bras.

Une traînée de poussière à l'ouest annonçait un cavalier galopant vers le camp le long de la rivière. Il fut bientôt assez près pour que Rêveur-de-Pierre, avec un serrement de cœur, reconnaisse Homme-prêt-à-la-guerre.

Porteur de tous ses attributs de chef, il avait dans la main droite sa lance de huit pieds à pointe d'acier, dans l'autre un grelot où cliquetaient des ergots d'antilope. Il s'était peint le visage avec une teinture rouge mélangée à de la graisse de bison, ne laissant à nu qu'une longue cicatrice courbe.

Tandis que les soldats entourant la tente levaient leurs armes, Balafre sauta de son poney et s'avança vers la table du traité. Il lança un regard méprisant aux autres membres de sa société qui se serraient l'un contre l'autre, l'air honteux. Puis il baissa les yeux vers les documents, les plumes et l'encrier d'argent.

— Ce traité est l'œuvre de démons qui trahissent le Peuple, dit-il avec passion, aussitôt traduit par l'interprète. Que vaut la promesse d'un Blanc ? Et que valent les marques apposées sur ce papier par les faibles vieillards édentés assis ici ? Comment peuvent-ils avoir la présomption de céder des terres que le Grand Esprit a données à tous ? Ils ne le peuvent pas et nous, les Chiens, nous ne le permettrons pas. Nous poursuivrons la guerre jusqu'à ce que tous les démons blancs, leurs femmes et leurs enfants, soient morts.

Les membres de la Commission se dressèrent en poussant des exclamations, ce qui provoqua le rire de Balafre. Avant qu'on ne puisse l'en empêcher, il glissa l'extrémité de sa lance sous la table et la fit tomber.

Les documents s'envolèrent, l'encre se renversa. Quelqu'un tira un coup de feu, un vieil Arapaho se jeta à plat ventre. Continuant à rire, Homme-prêt-à-la-guerre retourna vers son cheval d'une démarche altière. Il sauta sur sa monture, lança un coup d'œil dédaigneux aux membres de la Commission, qui n'avaient pas le courage de riposter, et partit au galop vers le nuage lumineux suspendu au-dessus des collines, à l'ouest.

Honteux, furieux, Chaudron-Noir se cacha le visage des deux mains ; Rêveur-de-Pierre sentit monter à ses yeux des larmes qu'il ne put retenir. Les autres chefs avaient l'air malheureux, inquiet. L'un des Blancs, Taylor, ordonna aux hommes dessinant sur les tablettes :

— Rayez ce discours de vos notes. Tout reporter dont le journal le publiera sera *persona non grata* à l'ouest du Mississippi. C'est une négociation couronnée de succès, présentez-la comme telle.

C'était la saison du changement. Les Cheyennes du Sud se retirèrent dans leurs villages, le long du Cimarron, pour passer l'hiver pacifiquement en attendant le transfert dans leur nouvelle réserve. Charles eut vent de l'intervention de Balafre lorsque les cavaliers du 7e rentrèrent à Fort Harker. Il apprit aussi que quatre à cinq cents Cheyennes seulement avaient représenté les trois mille membres de la tribu. Autant dire que la tribu n'était pas représentée. « Bien », fit-il, une lueur dans le regard.

Les prospectus annonçant la venue de la troupe de Trump montraient eux aussi un changement : la représentation à Fort Harker avait été annulée.

— Il paraît que c'est à cause de votre amie, expliqua Barnes au sous-lieutenant. Elle a appris que les pontes refusaient de laisser des hommes de couleur pénétrer dans la même salle que des Blancs. S'agissait des nôtres, naturellement. Alors votre amie a envoyé une lettre disant qu'elle en avait discuté avec Trump, et que les militaires de Fort Harker pouvaient aller se faire cuire un œuf. Si vous voulez la voir, il faudra vous taper la balade jusqu'à Ellsworth.

C'est bien d'elle, pensa Charles. Toujours en croisade. C'était une des raisons — mais pas la principale — pour lesquelles il s'exhortait continuellement à demeurer loin d'elle. Et puis il se rappelait ses cheveux blonds aux reflets d'argent, ses yeux vifs et gais, la sensation qu'il éprouvait quand il la prenait dans ses bras...

Il savait qu'il se « taperait la balade » d'Ellsworth, quelles que puissent être les conséquences.

Saint Louis, vendredi 1ᵉʳ novembre
A l'honorable O.H. Browning, ministre de l'Intérieur :
Veuillez féliciter le président et le pays du succès total que la Commission de paix a remporté. Le 28 octobre, elle a conclu un traité avec les Cheyennes du Sud, l'unique tribu qui était en guerre dans cette région. Plus de deux mille d'entre eux étaient présents...
(Signé)
N.G. Taylor
Commissaire aux Affaires indiennes et président de la Commission de paix

---

34

La troupe de Sam Trump donna une représentation au *Frank's Hall* de City of Kansas puis traversa le fleuve pour en donner une autre dans la salle de Fort Leavenworth le lendemain soir. En plus de Sam, Willa et Trueblood, la compagnie comptait une actrice au caractère énergique nommée Miss Suplee. Un grand coffre suffisait à contenir leurs costumes et quelques accessoires simples car Willa avait persuadé Sam de ne plus s'encombrer de « véritables » bagues de diamant et autre pacotille que nombre de troupes en tournée distribuaient le samedi soir.

Le général Duncan assista à la soirée shakespearienne et invita Willa à demeurer chez lui jusqu'à ce que son train parte pour Fort Riley, le lendemain après-midi à cinq heures.

— J'imagine que vous êtes impatiente de voir mon petit-neveu, dit-il.

L'actrice assura qu'elle l'était.

— Comme il a grandi, fit-elle le lendemain au déjeuner.

Duncan, qui avait délaissé pour l'occasion le mess des officiers, venait de rentrer chez lui. Avec bonhomie mais fermeté, il ordonna au petit Gus de remonter sur la chaise dont il ne cessait de descendre.

— Il aura trois ans à la fin de l'année, dit l'officier en servant la soupe à la tortue que Maureen avait préparée.

Incapable de rester longtemps en place, l'enfant quitta de nouveau son siège, s'approcha de la comédienne, lui tira le bras.

— Encore une promenade, tante Willa ?

Sous le regard appuyé de Duncan, elle devint écarlate.

— Tout à l'heure, répondit-elle à Gus. Après ta sieste.

Maureen le souleva, l'emmena au lit.

— Tante Willa, répéta le général, tête penchée, avec un sourire approbateur.

— Je ne lui ai pas appris à dire cela. C'est venu de lui-même.

Par-dessus le bruit de sabots d'un groupe de cavaliers se rendant au terrain d'exercice, Duncan reprit :

— Si vous étiez plus que sa tante, ce serait excellent pour lui. Et pour son père.

Un peu mal à l'aise, elle haussa les épaules.

— Je ne sais comment Charles réagirait. C'est un homme merveilleux mais il y a en lui un côté étrange.

— La guerre, expliqua Duncan. Elle a eu cet effet sur beaucoup de soldats. En plus, Charles a assisté au massacre d'un homme qui l'avait pris en amitié.

— Je comprends, murmura Willa. Mais combien de temps peut-on invoquer le passé pour excuser sa conduite présente ?

— Jusqu'à ce que la patience des autres soit épuisée. La patience et l'amour aussi.

D'un air concentré, elle replia sa serviette.

— L'amour, jamais, dit-elle. Mais ma patience est parfois mise à rude épreuve. Je refuse d'abandonner toutes mes convictions juste pour lui faire plaisir.

— Charles a une forte personnalité, comme vous. A tort ou à raison, il ne renoncera pas à se venger des Indiens.

— Je hais ce désir de vengeance. Pour ce qu'il est, et pour ce qu'il a fait de Charles.

Après un silence, elle ajouta :

— J'ai presque peur de le voir à Ellsworth.

Le vieil officier posa sa grosse main sur la sienne. La pression de ses doigts puissants disait qu'il comprenait ses craintes ; son regard indiquait qu'elles étaient en partie justifiées.

Le détachement de Charles rentra au fort la veille de la représentation. Le sous-lieutenant retrouva Ike Barnes et Floyd Hook en train de discuter de la création d'un club de la compagnie C prenant pour modèle l'Ordre international des Templiers de Dieu, société encourageant la tempérance qui comptait de nombreuses sections dans les postes militaires de l'Ouest. Comme l'expliqua le « Vieux », l'épidémie d'ivrognerie ravageant l'armée n'avait pas touché ses hommes, et le club contribuerait à les en protéger. Le sergent-chef

Williams, dit Quat-Zyeux, serait chargé de convoquer la première réunion.

Rendu nerveux — et impatient — par la perspective de revoir Willa, Charles se rasa, revêtit un uniforme propre avec un grand foulard jaune et un chapeau réglementaire. Ayant mis Satan à l'écurie afin qu'il se repose, il prit un autre cheval de la compagnie pour longer la Smoky Hill sur huit kilomètres et se rendre à ce qu'on appelait officiellement l'Extension d'Ellsworth. En chevauchant, il sifflotait l'air dont Willa avait inscrit les notes sur une partition — son petit air de la Caroline, comme il l'appelait.

Une grande partie du site original dont la Compagnie de la ville d'Ellsworth avait tracé les plans avait été détruit en juin quand la Smoky Hill, d'ordinaire paisible, était sortie de son lit pour submerger maisons et magasins. A peine avaient-ils disparu que les promoteurs de la ville avaient acheté de nouvelles terres, plus élevées, au nord-ouest. Ils avaient déposé un nouveau plan à Salina afin de créer l'Extension, qui semblait devoir devenir la *vraie* ville d'Ellsworth. Elle possédait déjà sa propre gare, à laquelle le premier train de voyageurs venant de l'Est s'était arrêté le 1er juillet.

Ellsworth possédait aussi des parcs et des couloirs à bestiaux, preuve que les promoteurs étaient convaincus que la ville deviendrait un point d'embarquement pour les troupeaux remontant la piste de Chisholm depuis le Texas. Les partisans d'Ellsworth se moquaient d'Abilene, situé à une centaine de kilomètres à l'est, et de son promoteur Joe McCoy, qui avait pourtant accueilli son premier grand troupeau en septembre.

La nuit de novembre était claire et froide. Emmitouflé dans son manteau de bison, Charles se faufilait parmi les chariots et les chevaux encombrant la rue principale de l'Extension lorsqu'il vit approcher un petit convoi d'une demi-douzaine de chariots aux bâches tachées de rouge, aux châssis couverts de larges traînées de sang séché. En tête chevauchait un homme jeune que Charles reconnut, et dont le compagnon reconnut Charles :

— Salut. Vous êtes Main, non ? On s'est rencontré au *Golden Rule House*.

— Oui, je m'en souviens. Griffenstein, c'est ça ?

Charles ôta son gant, se pencha pour la poignée de main.

— Je vous présente mon patron, Mr Cody.

Charles serra également la main du jeune homme et dit :

— Griffenstein avait prédit que vous ne resteriez pas longtemps dans l'hôtellerie. Vous chassez pour le chemin de fer ?

— Pour les frères Goddard, les fournisseurs de viande de la Compagnie, répondit Cody. La paie est de cinq cents dollars par mois, et moi et mes gars, on leur garantit toute la viande de bison dont ils ont besoin pour nourrir leurs ouvriers. On abat les bêtes rapidement pour que ce soit rentable.

La remarque amusa Henry Griffenstein, surnommé Dutch :

— Vous pouvez pas savoir ce que rapidement veut dire avant d'avoir vu Buffalo Billy à l'œuvre. Il descend onze, douze bestiaux le temps qu'on recharge une Winchester.

— Drôlement rasoir, n'empêche, grommela Cody. Je redeviendrais bien éclaireur. Bon, grouillons-nous, les gars.

Au moment où les chariots repartaient, Dutch Henry proposa avec un sourire :

— Si un jour vous en avez marre de faire le soldat, venez nous trouver, Main.

Lorsque le convoi se fut éloigné, Charles inspecta rapidement la rue dans les deux sens pour voir si quelqu'un avait pu entendre son vrai nom.

Nos divertissements sont finis. Nos acteurs se sont évanouis.

D'un ton grandiloquent, Sam Trump dit adieu au public en reprenant les mots de Prospero, emprunt qu'il était sûr que personne ne remarquerait.

Un demi-cercle de lampes à pétrole éclairait la scène de fortune où des couvertures tendues sur une corde faisaient office de rideau, dans le restaurant de l'hôtel Drovertown, inachevé, et sentant fortement le bois de charpente.

Arrivé trop tard pour prendre place sur un des bancs installés pour la soirée, Charles resta debout au fond de la salle avec quelques autres officiers célibataires. Devant étaient assis les officiers mariés, leurs épouses, des habitants de la ville habillés sans recherche — mais pas un seul soldat noir.

Par-dessus la tête des spectateurs, Willa l'aperçut presque aussitôt après son arrivée et s'emmêla dans le texte de Juliette. Elle jouait la scène du balcon avec un Roméo qui suscitait des ricanements : non seulement Trump était trop âgé, trop ventripotent pour le rôle, mais il se frappait le cœur des deux mains chaque fois qu'il évoquait son amour.

Affamé de distractions, le public appréciait cependant ces scènes choisies de Shakespeare et écouta attentivement pendant deux heures. Seul un cocher ivre troubla quelque peu la représentation et fut expulsé.

Nous sommes de l'étoffe dont sont faits les rêves, et notre petite vie est enveloppée dans un somme. Prenant juste le temps d'une inspiration, Trump sauta à l'épilogue de *la Tempête,* détachant chaque syllabe pour exprimer tout le suc du texte : *Sinon, mon projet, qui était de vous plaire, est manqué...*

Charles se balançait d'un pied sur l'autre tandis que le comédien mendiait presque les applaudissements du public.

Pour que vos péchés vous soient pardonnés, puisse votre indulgence m'absoudre !

Trump conclut sa tirade en s'inclinant bien bas, dans l'attente d'une ovation qu'il obtint. Willa, Trueblood et la robuste Miss Suplee surgirent de derrière les couvertures, se donnèrent la main et saluèrent. La femme d'Ike Barnes se leva en criant « Bravo, bravo ! », ce qui incita Trump à s'avancer pour saluer seul. Il renversa une lampe ; un soldat assis au premier rang se précipita pour éteindre le pétrole répandu, empêchant une catastrophe ; Trump ne se rendit compte de rien.

Chaque fois que Willa s'inclinait, elle gardait les yeux rivés sur Charles, qui levait les bras pour qu'elle pût le voir applaudir. Dieu ! qu'elle était jolie, et comme elle lui réchauffait le cœur ! Un moment, il se sentit serein, délivré du passé — de toute sa souffrance.

Tandis que le public quittait la salle, il s'avança, avec d'autres spectateurs, pour féliciter les comédiens. Trump le repéra et se précipita vers lui, main tendue.

— Mon cher garçon ! C'est formidable que vous ayez pu venir. Cette tournée est un triomphe, on en parle déjà dans l'Est, j'en suis sûr.

Et il passa soudain à un autre admirateur. Charles s'approcha de Willa, la prit par les bras et l'embrassa sur le front.

— Tu as été merveilleuse.

Elle glissa une main dans le dos de Charles, le serra contre elle.

— Et toi, tu me fais m'embrouiller dans mon texte. On s'en va ?

— Tout de suite, approuva Charles en lui prenant la main.

— J'aimerais faire une promenade, suggéra-t-elle.

Comme il lui rappelait qu'il faisait froid, elle répondit :

— J'ai un vieux manteau de laine, très lourd, et un manchon.

Ils quittèrent donc l'hôtel Drovertown inachevé, firent quelques pas et se retrouvèrent tout à coup devant une prairie noire ondoyante, au-dessus de laquelle scintillaient des étoiles blanches et jaunes.

— Tu ne veux pas souper ? s'étonna-t-il. Tu ne meurs pas de faim après tant d'efforts ?

— Plus tard. Je veux d'abord que tu me parles de toi, répondit-elle pleine de gaieté. Tu vas bien ?

— Je vais bien.

Elle le prit par le bras, il la félicita d'avoir refusé de jouer à Fort Harker.

— D'après Sam, votre tournée est un triomphe, mais tu peux me dire la vérité.

Elle s'esclaffa.

— A Fort Riley, c'était comme ci, comme ça. Le public n'était pas concentré, ou c'était de notre faute. J'ai surpris Sam essayant de filer au mess juste avant le rideau.

— Vous avez joué à Leavenworth ?

— Oui. Là, le public était excellent.

— Tu as pu voir mon fils ?

— Oui. Il est merveilleux, Charles. Le général dit qu'il a du mal à se faire obéir mais c'est parce qu'il l'adore et qu'il le gâte. Il lui montre ta photo tout le temps. Gus sait qui tu es. Tu lui manques... A moi aussi, tu me manques. Invite-moi à souper, offre-moi un peu de vin et je te montrerai à quel point.

Elle se planta devant lui, le prit par le cou et l'embrassa. Il lui passa les bras autour de la taille, sentit ses lèvres froides devenir chaudes. Ils restèrent enlacés, silencieux, puis quelque chose en Charles commença à l'éloigner d'elle.

— Je t'aime, Charles, je n'y puis rien.

Elle ne marqua pas de pause pour lui permettre de faire le même aveu : elle ne voulait pas le pousser dans ses retranchements.

— Tu verras peut-être Gus plus souvent, maintenant, enchaîna-t-elle. La paix semble s'installer dans les Plaines.

Ils reprirent leur promenade, gravirent une petite colline arrondie en faisant craquer l'herbe gelée sous leurs pas. En haut, ils s'arrêtèrent, impressionnés par la gigantesque voûte étoilée.

— Les Plaines sont toujours paisibles en hiver, finit-il par répondre.

— Oui, mais ce que je veux dire, c'est que le traité de Medicine Lodge devrait favoriser...

— Willa, ne commençons pas. Tu sais que cette discussion gâche toujours tout entre nous.

Était-ce ce qu'il cherchait ? Était-ce la raison pour laquelle il mettait une certaine opiniâtreté dans son ton ? Willa la remarqua et en fut irritée.

— Pourquoi n'en discuterions-nous pas ? C'est un traité qui a une grande signification.

— Allons ! Aucun traité n'a de signification, et Medicine Lodge moins que les autres parce qu'une poignée de chefs seulement l'ont signé. Tu as lu les dépêches de Mr Stanley dans le *New York Tribune* ? Les membres de la Commission n'ont même pas lu le traité à Chaudron-Noir et aux autres. Les chefs voulaient faire plaisir aux Blancs, pour avoir les cadeaux et les armes, alors ils ont signé.

Willa avait dégagé son bras de celui de Charles lorsqu'il poursuivit :

— Dès qu'ils se rendront compte de ce qu'ils ont cédé, ils dénonceront le traité — si les guerriers de la Société des Chiens ne les tuent pas avant.

— Et c'est ce que tu souhaites, je suppose ?

— Je veux seulement la peau de ceux qui ont tué mes amis. Et j'aurais préféré que tu n'abordes pas cette question.

— Je l'ai abordée parce que je tiens à toi.

— Bon Dieu ! fit-il en détournant la tête.

— Tu veux que le traité soit un échec, répliqua-t-elle d'une voix tendue.

Elle perdait son sang-froid, ce qui était inhabituel chez elle.

— Ce que je veux, je viens de te le dire. Quant au reste, tu te crois encore sur scène. Tu rêves ! Les Cheyennes ne renonceront qu'une fois parqués comme du bétail, ou morts. Ça n'est peut-être pas joli, joli, ça ne plaît peut-être ni à toi ni à tes amis quakers dont le cœur saigne pour une bande de sauvages qu'ils n'ont jamais vus de près, mais c'est comme ça, et tu ferais bien de te réveiller.

— Je suis éveillée, merci. Je pensais que tu avais changé un peu. Non, tu ne veux rien faire pour que ce traité réussisse.

— Parce que c'est inutile ! Henry Stanley l'a dit, le général Sherman le répète depuis deux ans.

— Et que se passera-t-il si vos prédictions se réalisent ? Vous ne pourriez pas prédire la paix, pour changer ?

— Bon Dieu, tu es totalement irréaliste, aveugle...

— C'est toi qui es aveugle, Charles. Tu ne vois pas ce que tu deviens : une sorte de... créature pleine de haine qui vit pour tuer. Je ne veux pas d'un homme comme ça.

— Ne te tracasse pas, tu ne m'as pas encore — même si tu t'es donné du mal pour...

— Salaud !

Elle essaya de le gifler, il para le coup, recula, et fut sidéré de la voir pleurer. Planté comme une souche, il la regarda courir vers les lumières de l'Extension.

— Willa, attends. Ce n'est pas un endroit sûr pour une femme seule...

— Tais-toi ! cria-t-elle par-dessus son épaule. (Elle s'arrêta, lui fit face.) Tu ne sais pas te conduire en être humain, tu éloignes tout le monde de toi. C'est à cause de la guerre, dit Duncan. La guerre, la guerre — j'en ai marre de la guerre, marre de toi !

Elle se retourna, se remit à courir. Il l'entendit pleurer puis le bruit s'estompa et sa silhouette filant le long des formes noires des bâtiments de la nouvelle ville disparut.

Charles longea d'un pas lent le côté gauche du Drovertown Hotel pour regagner l'endroit où il avait attaché son cheval, devant la façade. Il mettait le pied à l'étrier quand un homme surgit de l'ombre. Charles sauta en arrière, momentanément pris de panique car il avait laissé son arme au fort. Lorsque son assaillant s'avança dans la lumière d'un saloon voisin, il vit le chrysanthème épinglé au revers, sentit l'odeur de gin.

— Vile canaille !

Sam Trump avait le visage congestionné de colère, les tempes noircies par la teinture qui avait coulé de ses cheveux. Il leva le poing pour frapper Charles, qui lui saisit l'avant-bras et le bloqua sans difficulté.

— Lâchez-moi, Main ! Je vais vous donner la correction que je vous avais promise si vous faisiez de la peine à cette merveilleuse jeune femme.

— Je ne lui ai pas fait de peine. Nous avons juste eu une discussion.

— Elle est rentrée en sanglots. Jamais je ne l'avais vue dans cet état.

Le comédien tenta de donner un coup de genou dans le bas-ventre de l'officier à travers l'épais manteau fourré. Charles le déséquilibra facilement ; Sam poussa un cri et tomba sur le derrière. La respiration sifflante, il se redressa maladroitement, comme s'il s'était tordu quelque chose.

— Cela vous fait plaisir de frapper les plus faibles ! Vous n'êtes pas meilleur que ces sauvages que vous prétendez haïr. Disparaissez de ma vue !

Charles ramena un pied en arrière, prêt à décocher une ruade au vieil imbécile, puis la raison reprit le dessus. Il sauta en selle, remonta rapidement la rue, tremblant de colère et de haine de soi. S'il restait, avant l'incident, quoi que ce soit entre Willa Parker et lui, c'était terminé maintenant.

Journal de Madeline.

Novembre 1867. Impossible de faire des achats chez Gettys. Il continue à faire crédit à un intérêt de 70 %, plus une partie de la récolte. Telles sont les conditions pour les Blancs — les Noirs, il les met à la porte.

Les gens sont quelque peu rassérénés par la nomination du général E. Canby à la tête du district militaire. C'est un Kentuckian, moins rude que le vieux Sickles. Le général Scott, responsable du Bureau des affranchis pour l'État, nourrirait l'ambition d'être le prochain gouverneur. Très curieux pour un homme qui vint pour la première fois en Caroline comme prisonnier de guerre. Les opinions sont partagées à son sujet. D'aucuns l'accusent d'être un opportuniste, de vouloir gouverner l'État pour mieux le piller...

Nous continuons à flirter avec la ruine. Une tempête d'arrière-saison a fait remonter des courants d'eau salée loin dans l'Ashley, détruisant les plants de riz. La vieille scie à vapeur pour l'achat de laquelle j'avais eu tant de mal à économiser s'est cassée le deuxième jour de son installation. Pour payer les réparations, fort coûteuses, je devrai réduire le prochain versement à la banque de Dawkins, ce qui ne lui plaira sûrement pas.

Quelques miettes de bonnes nouvelles, cependant. Brett a enfin écrit. Son petit garçon, G.W., pousse comme un champignon sous le climat de San Francisco. Après une année difficile, la firme de Billy a obtenu un contrat pour l'installation de l'eau, du gaz et d'un ascenseur dans un nouvel hôtel.

Quand j'entends parler de réussites comme la leur, je suis parfois tentée d'abandonner cet endroit et de repartir de zéro moi aussi. Seule la promesse que je t'ai faite — rebâtir Mont Royal — me retient ici, Orry. Mais chaque jour semble repousser plus loin la réalisation de ce rêve...

... Élection spéciale bientôt, pour décider si nous aurons une convention constitutionnelle. L'armée continue à inscrire tous les citoyens mâles sur les listes électorales. Lorsqu'ils sont noirs, le club de la Ligue pour l'Union leur apprend comment exercer leur droit de vote...

Dans le jour déclinant, Andy Sherman traversait à pas pressés le hameau de Summerton. Un soldat, un de ceux chargés des registres électoraux, amenait le drapeau américain accroché devant la cabane abandonnée récupérée par l'armée. A proximité, un caporal bavardait avec une jeune Blanche aux pieds nus enroulant une mèche de cheveux autour de son doigt. Andy s'étonna : à certains égards, on pouvait croire que la guerre n'avait jamais eu lieu.

A d'autres égards, elle demeurait une dure réalité. De la galerie obscure du *Dixie Store,* quelqu'un le regarda passer, le suivit des yeux en tournant la tête. La lumière du crépuscule se refléta sur des verres de lunettes ovales. Andy pouvait presque sentir l'hostilité émanant de l'homme assis dans un fauteuil à bascule.

Après avoir parcouru un kilomètre de plus, il quitta la route de la rivière pour prendre un étroit sentier bordé de palmiers nains et de figuiers de Barbarie. La lune s'était levée, cercle blanc rutilant suspendu au-dessus des arbres. Un jeune Noir aux dents gâtées montait la garde avec un vieux fusil. Andy lui adressa un signe de tête, voulut passer mais l'adolescent lui barra la route avec son arme.

— Le mot de passe, Sherman, réclama-t-il timidement.

Andy trouvait cela puéril, voire insultant, mais malheureusement, ce genre de choses plaisait à la plupart des membres du club.

— Liberté, dit-il. Lincoln. Ligue.

— Dieu bénisse le général Grant. Passe, frère.

Il pénétra dans la cabane après avoir subi l'inspection de Wesley, un Noir à tête ronde armé d'un pistolet glissé sous sa ceinture. Sa tâche lui convenait à merveille : c'était une brute.

Après que les deux hommes eurent échangé un regard d'inimitié, Andy s'assit sur un banc du fond, nota une vingtaine de présents, jeunes et vieux. L'organisateur du club, qui se tenait à l'autre bout de la pièce, sous un portrait de Lincoln entouré de guirlandes sales, le salua d'un signe de tête.

Rien, chez Lyman Klawdell, n'impressionnait Andy. Ni ses habits râpés, ni ses dents saillantes, ni sa voix pleurnicharde de Yankee, ni son colt porté bas sur la cuisse. L'organisateur demanda qu'on éteigne la lanterne, ce qui ne laissa plus dans la cabane qu'une unique bougie brûlant sur une caisse sous le portrait. Elle éclairait par-dessous le menton et le long nez de Klawdell, faisait briller ses yeux dans les trous sombres des orbites. L'atmosphère étrange suscita quelques rires nerveux.

Klawdell abattit un marteau sur une caisse et déclara :

— La réunion du club de la Ligue pour le district de l'Ashley est ouverte. Loués soient Dieu, la liberté et le Parti républicain.

— Amen, répondit en chœur l'auditoire.

Andy garda le silence : fallait-il réciter bêtement pour être un homme libre ?

— Les enfants, commença Klawdell — et personne ne parut trouver le mot condescendant — nous approchons d'un jour décisif pour la Caroline du Sud. Je veux parler de l'élection spéciale en vue de la convention constitutionnelle qui mettra enfin cet État dans le droit chemin. Nous devons avoir une convention pour renverser l'Accidentel, Mr Johnson... (huées, ricanements) qui a fait la preuve qu'il n'est pas l'ami des Noirs. Il continue ses manigances contre le Congrès qui s'efforce de garantir vos droits...

Andy remarqua l'expression ahurie de nombreux visages, résultat du vocabulaire employé par Klawdell.

— ... et a commis récemment un outrage plus grave encore en relevant de ses fonctions l'un de vos meilleurs amis, l'honorable E.M. Stanton, ministre de la Guerre et fidèle partisan de notre bien-aimé président Lincoln. Johnson veut empêcher Stanton de faire son travail parce qu'il le fait trop bien. C'est Mr Stanton qui a envoyé des troupes pour vous protéger. Johnson veut aussi mettre à l'épreuve une excellente loi que le Congrès a adoptée, précisément pour prévenir ce genre d'ingérence. Savez-vous ce qu'il va arriver à Mr Johnson ?

— Non, répondirent plusieurs Noirs.

Andy fit la grimace, Klawdell abattit son marteau.

— Vos amis républicains lui tordront la queue, et le chasseront peut-être même de son fauteuil.

L'auditoire applaudit, tapa des pieds.

— Bon, du calme, ordonna Klawdell. Ici aussi nous avons des choses importantes à faire. Combien d'entre vous sont allés s'inscrire à Summerton pour voter en faveur de la convention ?

Toutes les mains se levèrent, sauf celle d'Andy et d'un vieillard. Klawdell, qui n'aimait pas Andy, pointa son marteau vers lui en exigeant :

— Explique-toi, Sherman.

Offensé, le jeune Noir se leva d'un bond.

— Je travaille toute la journée pour survivre, et on ne peut pas s'inscrire le soir, le seul moment où j'ai du temps libre.

— Allons, dis la vérité. Cette femme qui dirige Mont Royal t'empêche de t'inscrire. Elle prétend être l'amie des Noirs mais c'est faux. Pourquoi ne la dénonces-tu pas, comme tu le devrais ?

— Parce qu'elle *est* l'amie des Noirs, et que je ne veux pas mentir.

Klawdell s'humecta les lèvres avant de reprendre :

— Sherman, plusieurs gars, ici, ont pensé un moment la même chose de leurs maîtres. Tu sais ce qu'il leur est arrivé ?

— Oui, répondit Andy. (Il se tourna vers Rafe Hicks, un jeune affranchi à la peau marron clair portant une bande sale autour de la tête.) On leur a sauté dessus un soir, pour leur donner une correction.

— Alors, que ça te serve de leçon. Dénonce-la.

— Non. Si c'est ça que vous voulez, je quitte le club, déclara Andy.

Comme il se dirigeait rapidement vers la porte, Wesley lui barra la route, prêt à saisir son pistolet. Le jeune affranchi s'arrêta, serra les poings, toisa Wesley et dit à voix basse :

— Si tu essaies de m'empêcher de sortir, gare à tes os.

Wesley jura, porta la main à son arme. Klawdell dégaina son revolver, frappa de la crosse sur la caisse.

— Bon, bon, tout le monde se calme. Pas de bagarre ici. Sherman, si tu veux vraiment t'inscrire...

— Je *veux* m'inscrire. Il faut juste que je trouve le temps.

— Alors, on oublie le reste.

Andy lança à l'organisateur le même regard dur qu'à Wesley et retourna s'asseoir, satisfait mais amer aussi. Des hommes de la Ligue affluaient dans le Sud — pour instruire les affranchis, disaient-ils. Mais cette instruction consistait-elle à leur apprendre la méfiance, voire la haine, envers leurs amis blancs ? Pour Andy, Madeline demeurait en effet une Blanche.

— La convention sera une grande chose, les enfants, reprit Klawdell. Mais elle ne se réunira que si une majorité d'électeurs de Caroline du Sud en décide ainsi. Sherman et Newton ont jusqu'au 19 novembre pour s'inscrire.

— Mais faut l'faire à Summerton, patron, argua Newton, le vieux Noir. Gettys et ses amis, comme le capitaine Jolly, ils nous disent : « T'arrête pas à Summerton, négro. File. »

— Pourquoi crois-tu qu'il y a deux soldats au croisement, Newton ? Pas seulement pour t'inscrire mais pour veiller à ce que personne ne t'en empêche. Dis à Gettys et à ses copains d'aller se faire voir.

Tandis qu'éclataient rires et applaudissements, Andy fit de nouveau la grimace. On traitait ses amis, ses voisins, comme des enfants. Il faillit se lever, partir pour de bon, et seul l'objectif général du club, plus important que l'attitude de Klawdell, le retint. Remarquant le mécontentement du jeune Noir, l'organisateur changea de ton.

— Chaque vote est important. Nous avons besoin de toutes les voix. Alors, Sherman et Newton, faites-vous inscrire. S'il vous plaît.

C'était mieux.

— Ne vous inquiétez pas, je le ferai, assura Andy.

— Loué soit Dieu ! s'exclama Klawdell. (Il rengaina son revolver, reprit le marteau.) Bon, allons-y. (*Bam,* fit le maillet sur la caisse.) Quel est le bon parti pour l'homme de couleur ?

— Républicain, répondirent tous les Noirs, Andy excepté.

Bam.

— Qui sont vos ennemis ?

— Johnson. Les démocrates.

Bam, bam.

— Qui vous reprendrait les droits qu'Abe Lincoln est mort pour vous donner ?

— Les démocrates !

— Maintenant dites-moi le nom de vos vrais amis.

— Les ré-pu-bli-cains !

— Qui va remporter la victoire dans cet État ? demanda Klawdell, qui criait à présent. Qui va gagner dans tout le pays ?

— Les ré-pu-bli-cains ! Les ré-pu-bli-cains ! répondaient les Noirs.

Ils frappaient le sol de leurs pieds avec une telle ardeur que la cabane en tremblait. Lèvres closes, bras croisés, Andy gardait ses grosses chaussures l'une contre l'autre, sans bouger. Pas question de se comporter comme un chien dressé.

Le lendemain, une heure avant le coucher du soleil, Andy apparut au croisement de Summerton. Marchant d'un pas rapide, il approcha de la cabane au drapeau. Le caporal en sortit, lui serra la main, le fit entrer.

Randall Gettys observait la scène de la fenêtre de son magasin, et lorsqu'Andy ressortit, dix minutes plus tard, l'air satisfait, le boutiquier écrivit aussitôt une lettre à Des, à Charleston :

Elle a maintenant fait inscrire tous ses nègres. Jusqu'ici, je conseillais la prudence mais nous ne pouvons attendre plus longtemps. Tu ferais bien de venir ici qu'on puisse en parler.

Puis il écrivit à son cousin Sitwell, là-haut dans le comté d'York.

L'abominable Ligue républicaine excite tous les hommes de couleur locaux. Ils sont plus nombreux que nous, leurs voix seront plus nombreuses que les nôtres ce mois-ci. Nous cherchons désespérément un moyen sûr de les anéantir. As-tu d'autres renseignements sur cette société secrète du Tennessee ?

Journal de Madeline.
La proposition de convoquer une convention a été approuvée par une écrasante majorité d'électeurs. Quatre-vingt mille affranchis se sont inscrits sur les listes électorales ainsi que près de quarante mille Blancs.
Les militaires ont persuadé Andy de se porter candidat à la délégation, ce qu'il a fait. Il se rendra à Charleston en janvier.
C'est la seule bonne nouvelle. Deux mauvaises récoltes cette année, la scie à vapeur qui n'est toujours pas réparée, Dawkins qui exige le versement trimestriel — nous frôlons plus que jamais la ruine. Hier soir, Prudence et moi avons de nouveau discuté de l'opportunité de faire appel à George. Mon avis a prévalu mais je m'interroge : ne vaudrait-il pas mieux mendier que tout perdre ? Comme j'aimerais que tu sois là pour me conseiller !

35

Charles, Hibou-Gris et le détachement de dix hommes recommencèrent à patrouiller le long de la voie ferrée, à l'est de Fort Harker. Sur cette partie de la ligne, les attaques indiennes n'étaient pas aussi fréquentes qu'entre Harker et Fort Hays, plus à l'ouest, mais elles n'étaient pas non plus totalement inconnues.

Depuis quelque temps, la région subissait une vague de chaleur inhabituelle. L'air étouffant miroitait au-dessus des Plaines, créant au loin des lacs d'argent qui disparaissaient bien avant qu'on y parvienne. Un matin ensoleillé, les soldats avançaient au pas en colonne par deux, au nord d'un alignement de collines basses et ondoyantes. De l'autre côté, la voie ferrée et la ligne télégraphique couraient parallèlement aux coteaux.

Charles était content de bouger de nouveau, cela l'aidait à oublier la tristesse et la colère qu'il éprouvait au sujet de Willa. Ce côté de sa vie mis à part, il se sentait bien. Il avait un excellent cheval, particulièrement rapide et résistant, que les coups de feu n'effrayaient pas.

Il était également satisfait de ses hommes. Se laissant glisser à l'arrière du détachement, où se trouvait Hibou-Gris, il les inspecta : tous montaient bien à cheval et quelques-uns, dont Magee, avaient révélé de véritables talents de cavalier. Ceux qui avaient gardé leur pantalon réglementaire l'avaient renforcé aux fesses et aux cuisses par des morceaux de toile. Des chapeaux de paille, des casquettes de chasseur protégeaient leurs yeux de la lumière. Un rouleau de couchage et des vêtements de rechange pendaient devant la selle de chaque homme, à laquelle étaient également accrochés un lasso, une gourde et une écuelle. Contre le genou droit, un étui contenait la carabine. Sur le conseil de Charles, les soldats avaient laissé au fort leur baïonnette généralement inutile.

Ils passèrent devant leur officier deux par deux, poignard à la hanche gauche, revolver, crosse vers l'avant, sur la droite. Un seul d'entre eux portait encore à la ceinture la cartouchière réglementaire. Les autres gardaient leurs balles dans une bandoulière ou une ceinture qu'ils avaient cousue eux-mêmes. Pour d'anciens gars de la ville, ils avaient l'air féroce et ressemblaient vraiment à des bandits prêts à tout.

Charles entendit Shem Wallis se plaindre à Magee Magie :

— Bon Dieu qu'il fait chaud ! On se croirait jamais en novembre. Quand c'est qu'on mange ?

— Bientôt, répondit le caporal.

— Nous nous arrêterons là-bas, cria Charles en montrant un bosquet d'arbres dénudés, à quelque distance sur la gauche.

Les arbres poussant généralement dans les cuvettes humides, ils trouveraient peut-être un ruisseau, et de l'écorce de peuplier pour nourrir les chevaux.

Charles attendit Hibou-Gris, qui fermait la marche. Comme le guide avait l'air détendu et de bonne humeur, il décida d'essayer de nouveau d'en savoir plus sur son compte.

— Hibou-Gris, puisque tu me sers de « traqueur », j'aimerais mieux te connaître. Parle-moi de ta famille.

L'Indien arrondit le dos sous sa robe de bison. Malgré la chaleur, son visage ridé ne montrait aucune trace de sueur. Il réfléchit un moment avant de répondre :

— Mon père était un grand chef de guerre nommé Dos-Tordu, ma mère une femme blanche qu'il avait capturée. On dit qu'elle avait la peau claire, les cheveux blonds. Elle est morte depuis longtemps.

Cette révélation incita Charles à poursuivre :

— Pas d'autres parents ?

— Non. Il y a huit hivers, ma sœur a pris la Route suspendue, et mon frère l'a suivie il y a cinq hivers. Ils ont été emportés tous deux par la maladie que ton peuple nous a apportée.

— La variole ?

— Oui.

Charles s'éclaircit la voix.

— Ce que j'aimerais vraiment savoir, c'est pourquoi tu as accepté d'être guide pour l'armée.

— Quand j'étais jeune, j'ai quitté le village pour avoir ma vision afin de devenir un guerrier et de trouver le but de ma vie. Dans la « tente de transpiration »*, j'ai chassé de mon corps les poisons du doute, de la haine et de l'égoïsme obstiné. J'ai peint mon visage en blanc pour le purifier et je suis parti, comme doivent le faire ceux qui cherchent une vision, vers un endroit dangereux. Un endroit solitaire, avec de l'herbe si haute et si sèche que la moindre étincelle aurait allumé un feu qui m'eût consumé.

Charles retint sa respiration : il allait savoir.

— Trois jours et trois nuits je suis resté étendu dans l'herbe, attendant ma vision, sans rien manger ni boire. Je fus récompensé. Le Grand Esprit parla depuis les nuages, les cailloux d'un ruisseau, depuis un serpent passant par là. Je me vis vide et lisse comme un roseau desséché, prêt à être rempli...

L'Indien s'interrompit, reprit aussitôt :

— Alors Dieu bougea. L'herbe se coucha, chaque brin pointant au nord, vers la vieille Montagne sacrée. Dans le ciel vide un aigle apparut. Il piqua, passa au-dessus de ma tête et continua vers l'ouest. Puis, du centre du soleil descendit un grand hibou qui parla un moment. Ensuite, le soleil m'aveugla.

— Le hibou est devenu ton totem ?

Le Cheyenne fut étonné : l'officier en savait plus sur les coutumes de la tribu qu'il ne le soupçonnait.

— Oui. Je garde toujours sur moi une serre de hibou, dit l'Indien en tapotant la bourse accrochée à sa ceinture. Le hibou et l'aigle m'ont montré le but de ma vie.

— Quel est ce but ?

— C'était d'aider le Peuple à trouver la voie. Le conduire aux campements d'hiver, aux lieux des cérémonies pour les grandes fêtes de l'été. Suivre les traces du bison au sud quand il neige, au nord quand l'herbe est verte.

— Mais c'est *nous* que tu conduis, maintenant. Pourquoi ?

Le visage de l'Indien se figea.

* Tente basse servant de sauna. (N.d.t.)

— Le Peuple s'est tellement écarté du bon chemin que pas même Dieu ne pourrait l'y ramener... C'est l'heure de s'arrêter. J'inspecte ces arbres, là devant ?

C'était comme si le rideau était tombé sur les comédiens de Sam Trump. Frustré, Charles acquiesça de la tête.

A une quinzaine de kilomètres à l'est, un train de voyageurs à destination de l'ouest quitta le hameau de Solomon et passa dans le comté de Saline. Dans le wagon de marchandises, deux hommes astiquaient leur arme tandis que deux autres jouaient aux cartes.

Dans la voiture de 2e classe, une jeune femme partie rejoindre son mari, sergent à Fort Harker, contemplait par la fenêtre le paysage désolé. Juste devant elle, un officier de cavalerie était plongé dans un manuel de tactique. Au bout du wagon, le contrôleur comptait ses tickets. Les autres passagers bavardaient ou somnolaient ; personne ne regardait en direction du sud où, à un kilomètre environ de la voie, une vingtaine de cavaliers descendus d'une colline galopaient vers le train.

En attendant le retour de Hibou-Gris, Magee tira de sa poche le morceau de ficelle avec lequel il s'exerçait, le tendit au soldat George Jubilee, puis croisa les poignets et demanda au deuxième classe de l'attacher. Le père de Jubilee, un réfugié slave, avait choisi ce nom après son arrivée à Boston.

— Serre bien, recommanda Magee.

Concentré sur la corde, Jubilee ne remarqua pas la soudaine apparition de veines sur le dos des mains sombres du caporal. Fier de ses nœuds, le soldat se redressa. Magee commença à tourner les mains en sens inverse l'une de l'autre, les narines dilatées. Il émit un grognement et soudain libéra un de ses poignets, sous le regard ébahi du soldat, relativement nouveau dans la troupe et peu au fait des tours du caporal.

Hibou-Gris revint dix minutes plus tard, plus pâle que Charles ne l'avait jamais vu.

— Des Blancs sont passés, dit-il avec une colère contenue. Il y a des hommes et des chevaux morts parmi les arbres. Les cadavres ont été dépouillés.

Charles prit la tête de la colonne, la dirigea vers les arbres. Bien avant d'y parvenir, il aperçut le ruisseau attendu, mince ruban d'eau jaune serpentant au nord du bosquet.

Une odeur écœurante s'élevait des arbres sans feuilles : la puanteur que Charles avait respirée à Sharpsburg et à Brandy Station. Un des soldats les plus jeunes se pencha sur le côté, secoué par un haut-le-cœur.

Charles sortit son sabre du fourreau, le leva pour ordonner de faire halte.

— Je vais voir, dit-il. Vous, faites boire les chevaux.

Il descendit de sa monture, fit passer le sabre dans sa main gauche, dégaina son colt, marcha prudemment vers les arbres. Sans y avoir été autorisé, Hibou-Gris le suivit, et Charles s'en rendit compte en voyant une ombre avancer sur l'herbe desséchée, à sa gauche.

Parvenu à la lisière du bosquet, il découvrit un cheval mort, puis deux autres. Des chevaux de guerrier, qu'on laissait généralement en vie pour que leurs propriétaires aient une bonne monture au paradis. Cela signifiait probablement que le massacre n'était pas l'œuvre d'Indiens.

Il avala sa salive, fit quelques pas encore et repéra trois corps en décomposition. Dénudés, ils gisaient au milieu de débris de plates-formes en bois, auparavant soutenues par des piliers verticaux qui se dressaient encore au centre du bosquet. Charles se força à approcher des cadavres, près desquels il remarqua les morceaux de plusieurs flèches brisées aux couleurs vives. Tout le reste avait été pillé.

— Tu sais ce qu'il s'est passé ? demanda Hibou-Gris.

— Oui. C'est la coutume de ton peuple de placer les morts sur ces plates-formes funéraires, en hiver, quand le sol est trop dur pour qu'on puisse creuser. Ceux-là étaient des hommes importants — chefs de guerre, chefs de village, peut-être chefs de sociétés guerrières — parce qu'on les a placés sur une plate-forme alors que le sol n'est pas gelé.

Les Cheyennes avaient également coutume d'entourer le mort d'objets personnels et de lui laisser sa monture favorite pour qu'il ne manque de rien dans l'au-delà. Malgré sa haine des Cheyennes, Charles se sentit curieusement révolté par cette profanation.

— Regarde de plus près, dit Hibou-Gris, bredouillant presque de rage. *Approche* !

Charles fit un pas, s'immobilisa à nouveau. Non seulement les vêtements funéraires avaient disparu mais aussi des morceaux de chair découpés dans les bras, les jambes, la poitrine. Les cavités, de la grosseur d'un poing, grouillaient d'asticots.

— Seigneur, murmura-t-il. Pour quoi faire ?

— Des appâts ! cria le Cheyenne. Pour la pêche, ajouta-t-il en tendant la main vers le cours d'eau. J'ai entendu un soldat du 7e se vanter de l'avoir fait.

Un moment, Charles craignit que l'Indien ne tire son couteau pour le poignarder.

— L'homme blanc est pourriture, reprit Hibou-Gris. Il s'en prend même aux morts.

— Mais les tiens aussi…, commença Charles, pensant à Pied-de-Bois et à Boy, à la jeune femme aux yeux violets dans la maison au toit de mottes.

Il s'interrompit, parce que ces atrocités ne pouvaient effacer ce qu'il venait de voir.

Un long huhulement rompit le silence. Un train, filant vers l'ouest.

Hibou-Gris se retourna, quitta le bosquet. En ce moment, il nous hait, moi et tous les autres Blancs, songea Charles. Alors pourquoi accepte-t-il de nous servir de guide ?

Au loin à l'est, il entendit des coups de feu. Il se rua hors du bosquet, cria à ses hommes :

— En selle. On se bat, là-bas.

Les vingt Indiens se divisèrent, la moitié d'entre eux chargeant l'arrière du train de l'Union Pacific, le reste fonçant vers l'avant en deux colonnes parallèles, pour attaquer des deux côtés.

Dans la voiture de 2ᵉ classe, la femme du sergent regarda par la fenêtre, vit des cavaliers à la peau brune brandir des carabines ou des arcs, les cheveux noirs flottant au vent. A l'avant, une passagère plus âgée se leva d'un bond et s'évanouit.

— Mon Dieu, Lester, des Cheyennes ! cria un homme à son compagnon de voyage.

— Des Arapahos, corrigea l'officier de cavalerie assis devant l'épouse du sergent. On les reconnaît à leurs cheveux non tressés.

Il dégaina son revolver, brisa la vitre d'un coup de coude et fit feu. Manqué.

La femme du sergent fixait avec incrédulité un visage féroce couvert de peintures qui avait surgi à moins d'un mètre d'elle. Ce n'était pas un homme mais un adolescent de seize ou dix-sept ans, pas plus. Serrant des genoux le flanc de son cheval lancé au galop, il mit un mousquet en joue. Séparés uniquement par la vitre et le canon de l'arme, le jeune Indien et la femme blanche se regardèrent.

— Couchez-vous ! cria l'officier à barbe rousse.

Il se leva, braqua son revolver sur l'Indien, mais le jeune brave le vit et tira le premier. Le corps du colonel tressauta, ses yeux roulèrent dans leurs orbites et il s'effondra sur le plancher.

— Nous allons tous crever ! gémit un passager.

— Sûrement pas, répondit le contrôleur. Y a des gars de la compagnie cachés dans le train.

Dans le wagon de marchandises, J.O. Hartree avait souri à ses trois compagnons en entendant les bruits de sabots, les cris aigus, les premiers coups de feu. C'était un homme grassouillet, encore jeune, d'une beauté un peu molle, avec des cheveux ondulés et une longue moustache aux pointes cirées.

— Turk, derrière moi, ordonna-t-il en enfilant rapidement des gants de cuir brillant.

Il remonta les manches de sa chemise de soie blanche, fléchit les jambes pour suivre plus facilement les oscillations du train : il ne pourrait pas se servir de ses mains pour garder l'équilibre une fois entré en action.

Depuis des semaines, Hartree et les tireurs qu'il avait engagés voyageaient dans ce train en espérant ce genre d'occasion. Tout l'été, les tribus avaient attaqué les chantiers de la compagnie, terrorisant les ouvriers et massacrant ceux qui avaient eu la bêtise de s'en éloigner seuls. Hartree avait reçu l'ordre de montrer à ces damnés hommes rouges qu'ils ne pouvaient s'en prendre impunément au chemin de fer, et c'était une mission qui lui procurait un vif plaisir.

Il lissa le devant de son gilet de satin vert où se cabraient deux antilopes brodées et lança à l'un de ses hommes :

— Red, quand je te le dirai, fais glisser la portière. Ensuite tu aides Wingo à recharger.

Il baissa les yeux vers les huit carabines Sharps de calibre 45 posées sur le plancher — quatre pour chaque tireur. J.O. Hartree dressait ses plans avec soin.

Deux balles frappèrent la cloison avec un bruit sourd. Par-dessus les détonations, Hartree entendit un fracas de verre brisé : les

Peaux-Rouges étaient en pleine action. Eh bien, il leur réservait une surprise.

— Passe-nous les deux premières carabines, Red. Arme le chien et relève la détente arrière. Turk, si tu tires avant mon ordre, la première balle est pour toi.

Charles et son détachement escaladèrent la colline en formation déployée puis chargèrent. De la fumée ondoyait au-dessus du train, le long duquel des Indiens galopaient en hurlant. Lorsqu'ils aperçurent les soldats, ils eurent une réaction de surprise et de confusion.

Charles dégaina sa Spencer, mit en joue à quatre cents mètres du train, conscient toutefois qu'il avait peu de chances de faire mouche secoué comme il l'était par Satan. Un Indien banda son arc, visa Magee, qui chargeait à la gauche de Charles. L'officier se pencha vers le caporal, le frappa à l'épaule du plat de la main. Magee bascula en avant, s'accrocha à l'encolure de son cheval. La flèche passa en sifflant à l'endroit où se trouvait la gorge du Noir l'instant d'avant.

Magee Magie se redressa, lança à son chef un regard reconnaissant. Shem Wallis braqua son arme sur le Peau-Rouge, l'abattit. Les Indiens semblaient hésiter : ils étaient plus nombreux que les soldats mais avaient une puissance de feu inférieure. Sur l'ordre de Charles, la moitié des hommes se détacha du reste de la troupe pour contourner le train par l'arrière et attaquer les Indiens aperçus de l'autre côté.

Quand il fut à proximité du train, Charles leva de nouveau sa Spencer mais il se produisit alors quelque chose à quoi il ne s'attendait absolument pas.

J.O. Hartree promena la main sur la canon de la Sharps en comptant silencieusement jusqu'à dix.

— Ouvre, ordonna-t-il.

La porte du wagon glissa avec un grincement ; le soleil matinal fit miroiter les carabines à deux détentes. Un Arapaho roula de grands yeux devant la soudaine apparition des hommes de la compagnie.

— Descends-les, Turk, dit Hartree, les yeux brillants.

La détente arrière ayant été relevée, celle de devant était devenue extrêmement sensible et il suffisait d'une infime pression du doigt pour tirer. Fracas et fumée s'échappèrent par la porte du wagon. L'Arapaho bascula de son cheval, fut piétiné par les mustangs de deux autres Indiens qui ne purent l'éviter.

Chose incroyable, Hartree découvrit derrière les Peaux-Rouges un groupe de nègres de la cavalerie aux allures de bandits. Les soldats et leur officier blanc, qui galopaient eux aussi à côté du train, crièrent aux hommes de la compagnie de cesser le feu : ils se trouvaient dans leur ligne de tir. Ne tenant aucun compte de leurs avertissements, Hartree échangea son fusil contre un autre. Son second coup manqua sa cible mais fit voler le chapeau de paille d'un noiraud qui se coucha aussitôt sur son cheval.

— Ces imbéciles, dans le train, vont finir par nous tuer ! lança Charles à Magee, qui galopait à côté de lui.

Agitant sa Spencer au-dessus de sa tête, il s'écria :

— Cessez le feu ! C'est un ordre ! Cessez le...

Le tireur au gilet vert fit de nouveau feu. Les Indiens, pris entre les hommes de la compagnie et les soldats, ralentirent l'allure et se retrouvèrent bientôt derrière le train. L'un d'eux leva les bras et tomba de cheval, la poitrine ensanglantée ; les autres s'enfuirent vers le sud.

Tout s'était déroulé en moins de deux minutes. Charles écumait de rage : l'occasion de venger Pied-de-Bois était presque perdue et il n'avait pas abattu un seul Indien.

— Vous voulez qu'on les poursuive, lieutenant ? demanda un de ses hommes.

Charles aurait voulu répondre par l'affirmative mais il devait d'abord s'occuper du train et des passagers blessés — il supposait qu'il y en avait. Aucun visage ne se montrait aux fenêtres de la voiture.

— Non, grommela-t-il. Non, je ne veux pas.

Furieux de l'intervention des soldats, J.O. Hartree ordonna :

— Red, tire le signal d'alarme, arrête le train. Je veux des prisonniers.

Le train trembla, ralentit, trembla de nouveau. Charles et ses hommes s'approchèrent des wagons hérissés de flèches peintes. Quand la locomotive Rogers s'immobilisa, des nuages de vapeur s'élevèrent, se mêlèrent à la poussière qui retombait. Charles vit l'homme au gilet vert sauter du wagon de marchandises et s'avancer en bombant le torse. Un coup d'œil à son visage suffit à lui faire comprendre qu'il allait y avoir des histoires.

36

Le sous-lieutenant August remit sa Spencer dans son étui, se dirigea au petit trot vers le wagon dont trois autres civils venaient de descendre : de la racaille. Dont l'homme rondelet aux gants luisants et au gilet de satin était manifestement le chef.

— J.O. Hartree, annonça-t-il, comme si ce nom devait dire quelque chose à Charles.

Dans la voiture, les passagers traumatisés se mirent à parler d'une voix excitée. Mécontent de ne pas être reconnu, Hartree ajouta :

— Chef du service de sécurité de la compagnie.

— Sous-lieutenant August, du 10e de cavalerie. Vous nous avez pris de vitesse, nous n'avons quasiment pas eu le temps de tirer, fit Charles d'un ton de regret.

— Ça fait un moment qu'on les attendait, ces salauds. Vous avez vu comme ils sont lâches !

— Vous vous trompez, Mr Hartree. Un de mes vieux amis m'a dit un jour qu'il faut totalement revoir ses valeurs dans les Plaines. Si mon détachement perd un homme, l'armée en enverra un autre dans un mois. Si les Indiens perdent un homme, il faudra attendre cinq ans, dix ans avant qu'un jeune garçon puisse le remplacer. Ils ne sont pas lâches, simplement prudents.

Clouer le bec de l'homme au gilet calma quelque peu la colère de Charles, mais ses propos ne furent pas du goût de Hartree.

— Je n'ai pas besoin que vous me fassiez la leçon, grogna-t-il.

Une femme échevelée passa la tête par une des fenêtres aux vitres brisées, découvrit les soldats noirs et se recula, l'air horrifié. La main en visière, Hartree cligna des yeux dans le soleil et regarda vers l'est, à travers la poussière qui volait encore derrière le train.

— Les gars, j'en vois au moins un de vivant, là-bas. Amenez-le-moi, on va faire un exemple.

— De quoi parlez-vous ? demanda Charles.

Hartree feignit de ne pas avoir entendu. L'air mauvais, Magee débossela son chapeau d'un coup de poing.

— Nous avons un blessé, cria le contrôleur de la plate-forme de la voiture.

— Grave ? s'enquit Charles.

— Juste un muscle. Il est conscient.

— Laissez-moi d'abord voir s'il y en a parmi mes hommes.

A peine terminait-il sa phrase que Wallis apparaissait à l'arrière du train, agitant son képi.

— Lieutenant, Toby est touché. Une flèche dans la jambe... Y a un Indien, aussi.

— Va le chercher, ordonna Hartree à Red.

Charles confia son cheval à l'un de ses soldats, marcha vers Hartree, dont les hommes s'étaient approchés d'un Arapaho tombé près du fourgon. Red donna un coup de pied au corps inerte, le retourna, secoua la tête et continua en direction d'un autre Indien qui se tenait à quatre pattes, l'épaule ensanglantée. Voyant les Blancs s'avancer, il se redressa, tituba, essaya de s'enfuir. Red le rattrapa et le tira en arrière, tandis que ses deux compagnons passaient de l'autre côté du train pour chercher un autre brave.

Deux voyageurs montrèrent leur visage aux fenêtres de la voiture. Charles entendit un bruit de gifle, suivi d'une voix inquiète :

— Réveille-toi, May Belle. C'est rien. Juste des nègres en uniforme.

Poussé par Red, l'Arapaho blessé se dirigeait vers Charles. Du sang coulait le long du bras de l'Indien, tombait de ses doigts. Un des hommes de Hartree réapparut, un Peau-Rouge sur le dos.

— Blessé à la jambe ! cria-t-il. Peut pas marcher.

— Et alors ? T'es pas son infirmière, répondit Hartree. Laisse-le tomber.

L'homme lâcha l'Arapaho, qui gémit en heurtant le sol.

— Écoutez, Hartree, intervint Charles. Que les choses soient claires : c'est à l'armée qu'il incombe de ramener les prisonniers à Fort Harker.

— Vous avez rien à voir là-dedans, cher monsieur. Cette racaille s'en est prise à la compagnie, déclara Hartree. (Il saisit la longue chevelure lustrée de l'Indien, la tordit.) Et c'est la compagnie qui s'occupera d'eux. (Il s'accroupit, essuya son gant dans l'herbe jaunie.) Ils suintent la graisse, ces salauds.

Ses yeux allèrent du prisonnier blessé à l'Indien gisant sur le dos à l'arrière du train. Lissant sa moustache, il prit soudain une décision :

— Celui-ci est en meilleur état. On le laissera repartir quand on se sera occupé de son copain. Je veux que ce jeune voie ce qu'on fait aux Peaux-Rouges qui s'en prennent aux biens du chemin de fer. Je veux qu'il le raconte aux autres. Turk, va chercher les piquets dans mon sac.

Le nommé Turk remonta dans le wagon de marchandises, en redescendit peu après avec deux piquets métalliques utilisés pour attacher les chevaux. Lentement, sans attirer l'attention, Charles rejoignit Magee, qui avait sauté de cheval. Hartree prit les piquets, les lança en l'air et les rattrapa devant l'Arapaho blessé. Charles se pencha vers le caporal, lui murmura quelque chose à l'oreille.

— D'accord, lieutenant, fit Magee à voix haute. Je vais voir s'il y a des blessés.

Et il partit en direction du train avec sa carabine Springfield. Aux passagers qui descendaient de voiture, Hartree lança :

— Messieurs — et surtout vous, mesdames — je vous demande respectueusement de rester dans le train pendant que je m'occupe de ces sauvages. J'ai l'intention de leur infliger un traitement comparable à celui qu'ils font subir à leurs prisonniers blancs.

— Pas question, intervint Charles. Je vous le répète, c'est l'armée qui est responsable de ces Indiens.

Deux des hommes de Hartree levèrent leur fusil.

— Non, lieutenant, c'est l'affaire de la compagnie. Et ne vous en mêlez pas si vous ne voulez pas avoir à expliquer la mort de deux ou trois de vos nègres à votre commandant.

Un soldat saisit son arme, Hibou-Gris lui posa la main sur le bras. Charles jeta un coup d'œil en direction de la cabine de la locomotive : Magee avait disparu. Hartree rendit les piquets à Turk en lui disant :

— Retourne auprès de l'autre et attache-le, bras et jambes écartés. Enfonce-lui les piquets dans les parties.

Charles pâlit ; le contrôleur agrippa la rampe du marchepied et marmonna :

— C'est trop, Mr Hart...

— Ferme-la ou on garde un piquet pour toi ! Turk ?

L'homme trottant vers l'arrière du train se retourna.

— Arrache-lui sa bande-culotte, d'abord. Toi, Red, amène l'autre là-bas, qu'il en profite.

Red poussa devant lui l'Arapaho blessé, qui semblait sur le point de s'évanouir. Charles avala péniblement sa salive. Hibou-Gris, qui regardait le train, ouvrit soudain la bouche en voyant pointer au-dessus du toit du wagon de marchandises une plume de dinde sauvage puis un chapeau melon noir. Magee apparut, porta lentement sa Springfield à l'épaule et visa le dos du gilet de satin vert. A l'arrière du train, un des hommes de Hartree repéra le caporal et poussa un cri, au moment même où Charles commençait à parler :

— Retournez-vous, Mr Hartree. Si vous crucifiez cet Indien, ça vous coûtera la vie.

Le chef du service de sécurité se retourna, découvrit Magee, serra les poings. Il jeta un coup d'œil à ses hommes, trop éloignés pour lui venir en aide. Charles dégaina son colt de l'armée, releva le percuteur.

— Salaud, éructa Hartree. La compagnie aura ta peau.

— Mettez-les tous les trois dans le wagon, ordonna Charles à ses soldats. Les Indiens iront dans le fourgon.

Magee fit signe à Hibou-Gris d'approcher, lui lança sa carabine, se suspendit au toit du wagon et sauta.

— Bien joué, le félicita Charles.

— C'est rien du tout, assura le caporal.

Charles fut ému. Jusqu'alors il ne s'était pas tout à fait rendu compte que ces Noirs étaient devenus de bons soldats, capables de réagir rapidement, d'obéir aux ordres et de faire bien plus que tirer simplement sur l'ennemi. Il sentit une bouffée de fierté monter en lui.

Magee se chargea de faire monter Hartree et ses hommes dans le wagon, ferma la porte et affecta deux soldats à leur garde. A l'intérieur, le chef du service de sécurité pestait et donnait des coups de pied dans la cloison. Le contrôleur rappela qu'il y avait un blessé dans la voiture.

— Il va mal ? demanda Charles.

— Non, mais...

— Alors je m'occupe d'abord de mes hommes, bougonna Charles.

Il montrait de la mauvaise humeur parce qu'il faisait des choses qu'il n'avait pas envie de faire : juguler des civils à la détente facile, sauver des Indiens blessés. Il monta sur la plate-forme de la voiture sans remarquer le regard plein d'un respect nouveau que lui lança Hibou-Gris.

Le deuxième classe Washington Toby, mulâtre efflanqué de Philadelphie, était allongé près du fourgon, une flèche brisée plantée dans la cuisse. Jurant, pleurant de douleur, il se redressa, étreignit sa jambe.

— Non, lâche-la, dit Charles en s'efforçant de masquer son inquiétude. Étends-toi.

Il s'agenouilla, tira son coutelas de sa gaine et fendit le pantalon en daim sur une trentaine de centimètres. Depuis que les Indiens avaient remplacé les éclats de pierre par des pointes en fer, les blessures par flèche étaient terriblement dangereuses. Si la pointe touchait l'os, elle se repliait souvent, et l'arracher devenait extrêmement douloureux.

Charles ordonna à l'un des Noirs se pressant autour du blessé :

— Va chercher une carotte de tabac dans mon sac de selle... Doucement, Toby. Tu as de la chance, tu sais, mentit-il. Une flèche dans la jambe, ce n'est rien. En revanche, si tu la reçois dans le ventre ou la poitrine, on joue la marche funèbre avant que tu tombes de cheval.

Le visage inondé de sueur, le jeune mulâtre grimaça un sourire. Charles écarta la peau de daim de la blessure, l'examina.

— Prends-moi le bras gauche. Serre fort.

Le soldat revint avec la carotte de tabac ; Charles ouvrit la bouche, le Noir y glissa une chique que son officier se mit à mastiquer tout en tirant doucement sur la flèche. Elle ne vint pas. Charles la poussa vers la droite puis vers la gauche, recommença en appuyant plus fort. Les yeux exorbités, Toby enfonçait presque ses ongles dans la chemise de son chef.

— Doucement, doucement, répétait Charles sans cesser de mâcher. Toby grogna, souleva les épaules.

— Maintenez-le allongé, ordonna Charles.

Il continua à remuer la flèche dans la plaie, sentit que la pointe était dégagée et dit, pour détourner l'attention du blessé :

— Bon, on va y aller. Dans deux petites minutes, ce sera fini. Tiens le coup encore deux minutes et...

Il tira. Washington Toby poussa un cri, perdit conscience.

Les épaules de Charles s'affaissèrent. Il regarda la pointe ensanglantée de la flèche, juste un peu recourbée. Toby rouvrit les yeux, se mit à sangloter.

— Vas-y, pleure, approuva le sous-lieutenant August. Je sais que ça fait mal. Ce que je vais faire maintenant t'aidera à tenir jusqu'à ce qu'on rentre au fort. Le tabac, c'est un vieux médicament des Plaines.

Il cracha plusieurs fois, aspergeant la blessure d'un jus marron, puis rapprocha les lèvres de la plaie pour que la salive brune se mêle au sang. Il fabriqua ensuite un garrot, ordonna à ses hommes de porter Toby à bord du train et de l'envelopper de couvertures. Un des Noirs, un jeune gars timide nommé Collet, lança à Charles un regard plein d'admiration et bredouilla :

— Vous êtes un bon officier, m'sieur August.

Lorsque Charles passa de l'autre côté du train, Hibou-Gris annonça :

— Il y a un Arapaho mort. On le laisse ici ?

L'ancien confédéré s'essuya la bouche. Sur le point de répondre oui, il changea soudain d'avis.

— Si tu peux réparer une des plates-formes mortuaires, mets-le dessus. On peut bien lui donner ça maintenant qu'il est mort.

Le guide cheyenne le regarda avec insistance puis fit demi-tour et s'éloigna.

— Lieutenant, fit le contrôleur d'un ton de reproche, il faut que vous preniez le temps d'examiner mon blessé. Je pense qu'il n'a pas grand-chose mais je ne suis pas docteur.

Charles hocha la tête, monta d'un pas lent le marchepied métallique. Les civils reculèrent pour lui laisser le passage. Des bottes et un pantalon d'uniforme à rayure jaune dépassaient de la banquette où le blessé était allongé, le dos contre la cloison, le bras droit pendant le long du flanc.

Pendant un moment, Charles ne s'intéressa qu'à la blessure, un trou humide et rouge dans la partie supérieure de la manche. Puis il regarda l'homme, vit un visage aux traits fins, des yeux bleus glacials, une moustache et une barbe rousses. Il ne le reconnut pas aussitôt, parce qu'il s'était passé beaucoup de choses depuis leur dernière rencontre, mais la mémoire lui revint tout à coup au moment où il s'agenouillait.

— Main, dit l'homme. Ou May, peut-être ?

— Je m'appelle..., commença Charles.

Il s'interrompit. A quoi bon ?

Dans l'allée, le contrôleur crut bon d'intervenir :

— August. C'est le lieutenant August.

— Certainement pas, fit le blessé.

— Je vais jeter un coup d'œil à votre blessure, dit l'ancien éclaireur de Wade Hampton.

— Ne me touchez pas, répliqua le capitaine Harry Venable. Vous êtes aux arrêts.

37

Le général de division Philip Henry Sheridan, commandant du Secteur du Missouri, convoqua Grierson à Leavenworth et les deux hommes se rencontrèrent la veille du départ de Sheridan pour un long congé.

Au moment où Grierson entra dans le bureau, le général s'entretenait encore avec son aide de camp, le colonel Crosby. Célibataire de trente-six ans, Sheridan avait une tête d'Irlandais, un air dur qu'accusaient encore une moustache de Mongol et des cheveux gominés. Il intimidait Grierson, et cela non pas seulement à cause de son grade ou de l'ascendant que les anciens de West Point exerçaient généralement sur les officiers qui n'étaient pas passés par l'Académie. Sheridan avait la réputation d'être obstiné et implacable.

— Je termine à l'instant le rapport sur l'attaque du train, dit-il en rendant à Grierson son salut. Asseyez-vous...

Il tendit une liasse de papiers à son adjoint et grommela :

— Télégraphiez à la compagnie pour demander qu'on expulse du Kansas ce connard de Hartree. Je ne tolérerai pas que des *vigilantes** se mêlent des affaires de l'armée des États-Unis.

Crosby s'éclaircit la gorge.

— Oui, général. C'est un peu délicat, cependant. Les actionnaires du chemin de fer demeurent très préoccupés par la menace indienne.

— Sacredieu, Sam Grant et Cump Sherman m'ont envoyé ici pour m'occuper de ces enfants de putain d'Indiens, et je le ferai. Je n'ai aucune sympathie pour eux. Les seuls bons Indiens que j'aie jamais vus étaient des Indiens morts. Suivez mes instructions : Hartree fiche le camp.

Le colonel salua, se retira. Quand la porte se referma, Sheridan alla se chauffer les mains au poêle de fonte. C'était une journée grise et morne de fin novembre.

— Grierson, je ne peux absolument rien faire pour Charles Main. Harry Venable a rejoint l'état-major du secteur au printemps dernier pour servir sous les ordres de Winnie Hancock. Je n'aime pas ce petit merdeux mais c'est un bon officier.

— Main est un *remarquable* officier.

— Oui, mais c'est aussi un rebelle non gracié qui a menti sur ses états de service pendant la guerre et son passage à l'Académie. Deux fois.

* Citoyens de bonne volonté offrant leurs services à une police débordée. (N.d.t.)

— La seconde fois, je l'y ai encouragé. J'avais l'impression que c'était un soldat de premier ordre et je le voulais pour le régiment. Je suis autant à blâmer que...

— Pas un mot de plus, bordel. Et je n'ai pas entendu le début de votre phrase. Je connais parfaitement les capacités de Main. Bob Lee, qui dirigeait l'École quand il y était, estimait que c'était le meilleur cavalier du corps des cadets. Mais il doit quitter l'armée.

— Custer a été seulement suspendu pendant un an, malgré toutes les charges retenues contre...

— Colonel, je ne veux plus en entendre parler, trancha le petit général, en s'appuyant contre son bureau. Custer a combattu pour l'Union, lui. Et il est l'idole de ses hommes. Ils se couperaient mutuellement la gorge pour être sous ses ordres.

— *Certains* d'entre eux, corrigea Grierson. Pas ceux qui ont témoigné contre lui. Ni son commandant...

— Vous allez la fermer, bon Dieu de merde ? Je ne peux pas sauver Main en invoquant le sort réservé à Custer. D'ailleurs, je ramènerai le Bouclé ici par la peau du cul dès que possible. Je le veux sous mes ordres, parce que cette saloperie de traître ne tiendra jamais. Maintenant, retournez voir Main et dites-lui que je suis désolé mais qu'il peut quand même me remercier de l'avoir tiré de la merde avec un simple renvoi de l'armée au lieu d'une peine de trois ans de travaux forcés, avec un boulet et une chaîne pour lui tenir compagnie.

Grierson se leva, le visage tendu.

— Oui, général. C'est tout ?

L'air radouci, Sheridan marmonna :

— Ça ne vous suffit pas ? Vous pouvez disposer.

Le lendemain à Harker, le colonel transmit le verdict à son sous-lieutenant, qui l'attendait avec un silence stoïque.

— Charles, je vous avais prévenu que je ne pourrais rien pour vous si vous vous faisiez prendre. J'ai essayé, pourtant. Malgré vos origines, vous étiez le plus farouche partisan de nos soldats noirs.

— En toute impartialité : à quelques exceptions près, ce sont d'excellents soldats. Ils montrent plus de zèle que la plupart des autres.

— C'est vrai. Au cours de cette première année, nous avons eu le taux de désertions et de délits disciplinaires le plus bas de toute l'armée. Je vous avais exposé ce que je rêvais de faire du 10e, et vous m'y avez aidé. Je suis profondément navré que les choses aient mal tourné pour vous.

— Je crois qu'on peut presque tout pardonner à un homme, ces temps-ci, excepté d'être sudiste.

— Je comprends votre amertume, dit Grierson.

Il se tut. Dans le silence, Charles regarda la nuit descendre sur le fort. Des flocons de neige commençaient à tomber.

— Qu'allez-vous faire ? reprit le colonel.

— Je ne sais pas. Me soûler. Trouver du travail. Tuer quelques Cheyennes.

— Vous n'avez pas renoncé à ça ?

— Je n'y renoncerai jamais.

— Mais vous avez sauvé les prisonniers arapahos, pourtant.

L'un d'eux était mort le lendemain de son incarcération à Fort Harker ; l'autre, soigné à l'infirmerie, refusait de manger.

— J'ai dit « tuer », colonel. Pas torturer. Il y a une différence.

Grierson considéra les yeux furieux du sous-lieutenant, son ton presque menaçant. Dans son cas, la différence est mince, songea-t-il. Il s'abstint toutefois de le dire et, caressant sa longue barbe, demanda :

— Et votre fils ?

— Il devra profiter un peu plus de la générosité de Jack Duncan.

— Restez en contact avec votre enfant. Un homme peut perdre beaucoup de choses, mais pas ceux qu'il aime.

Charles haussa les épaules.

— C'est peut-être déjà trop tard. Dieu sait que j'ai perdu tout le reste.

Il y eut un autre silence, que Grierson eut de la peine à supporter. Évitant le regard de son officier, il déclara :

— Vous devez normalement quitter le fort avant demain matin, mais personne ne trouvera rien à redire si vous restez un peu plus longtemps pour faire vos adieux.

— Inutile, colonel. Il vaut toujours mieux abréger les séparations.

— Charles...

— Puis-je disposer, mon colonel ?

Grierson hocha la tête, salua, regarda le sous-lieutenant faire demi-tour, sortir et fermer la porte. Puis il se laissa tomber dans son fauteuil, contempla la photo de sa femme et soupira :

— Alice, il y a des jours où ce monde me dégoûte.

La neige tombait plus dru. Après avoir rangé ses quelques affaires, Charles entreprit sa tournée d'adieux. Les sentinelles montant la garde dans la nuit glaciale le saluèrent comme si de rien n'était — peut-être même avec plus de respect que jamais.

Au quartier des officiers célibataires, il dit au revoir à Floyd Hook, qui ne s'était pas rasé et avait les cheveux en bataille. Rentré de patrouille une semaine avant Charles, le lieutenant avait découvert que sa femme était partie avec le cocher de la diligence, en emmenant avec elle sa petite fille de trois ans. Charles avait entendu dire que Dolores Hook avait tenté de se suicider en avalant des médicaments, un an plus tôt. Certaines épouses de militaire craquaient sous le poids des soucis et de la solitude. Floyd avait l'air sur le point de craquer, lui aussi. Il empestait la bière. Pendant une dizaine de minutes, Charles essaya de le réconforter. Peine perdue.

Il alla ensuite dire adieu à Barnes et à la frêle Loretta, qui le serra contre elle en pleurant, comme une mère. Le « Vieux », moins loquace que jamais, pressa longuement le bras de Charles en détournant la tête.

L'ex-sous-lieutenant August trouva Hibou-Gris endormi sous l'avant-toit de la cantine. Assis en tailleur, le guide était enveloppé de plusieurs peaux de bison, dont une lui couvrait la tête comme un capuchon de moine.

— Tu vas mourir de froid, prévint l'officier après avoir tiré l'Indien de son sommeil.

— Non. Je peux supporter n'importe quel temps, sauf le blizzard, déclara Hibou-Gris. (Il se leva, posa une main sur l'épaule de Charles et le regarda dans les yeux.) Tu es un homme bon. Ce que tu as fait — sauver les prisonniers malgré ta haine — c'était bien.

Charles haussa les épaules avec lassitude. Quand le « traqueur » lui posa la même question que Grierson, il répondit :

— Je ne sais ni ce que je ferai ni où j'irai. Je me retrouverai seul, probablement. Le colonel m'a autorisé à garder Satan et ma Spencer.

— Nous sommes pareils, dit le Cheyenne. J'ai quitté le Peuple quand il s'est égaré.

Regardant les flocons emportés par le vent, il poursuivit :

— Comme mon père, j'avais pris pour femme une prisonnière blanche. Je la traitais bien, je l'aimais tendrement. Il y a trois hivers, tandis que je guidais les guerriers vers les bisons pour la dernière chasse de l'année, des squaws jalouses tourmentèrent ma femme avec des bâtons pointus. Elle perdit son sang et mourut mais personne ne voulut punir les *squaws* de leur cruauté. Le frère de celle qui entraîna les autres, un homme plein de haine nommé Balafre, fit au contraire leur éloge. Je compris que le Peuple s'était trop écarté du droit chemin pour que je puisse l'y ramener. Alors je me suis détourné de lui, à jamais. Mais si un jour tu te perds, Charles, et si je peux te conduire en lieu sûr, je le ferai.

— Merci, murmura l'ancien officier.

Il serra l'Indien contre lui, lui dit adieu, s'éloigna. Après avoir fait quelques pas, il se retourna, vit que le guide avait repris sa place contre le mur de la cantine. Les épaules et le capuchon saupoudrés de neige, il ressemblait à quelque étrange arbuste rabougri tué par l'hiver.

Par ce temps, les hommes du 10e n'avaient d'autre ressource que de se terrer dans les huttes exiguës et puantes servant de baraquements à Fort Harker. En s'approchant, Charles entendit la voix de Magee Magie à travers les planches. Il fit passer son manteau en peau de bison et son chapeau à rabats en rat musqué sur son bras gauche, ouvrit la porte de quelques centimètres. A la lumière de lampes à pétrole, il découvrit le caporal agenouillé sur la terre battue.

— Maintenant, les gars, vous remarquerez que ce sont trois gobelets tout à fait ordinaires, disait-il. Comme ceux que vous utilisez tous les jours. Sergent Williams, vous voulez pas vous pousser un peu ? J'ai besoin de place.

Souriant pour la première fois depuis quelques jours, Charles vit Magee aligner les trois récipients sur le sol et les retourner d'un mouvement vif du poignet.

— Ce que je vais vous montrer, c'est un des plus vieux mystères du monde. A Chicago, quelqu'un m'a raconté qu'on a trouvé dans des tombeaux égyptiens des dessins de magicien faisant ce même tour de la balle et des gobelets. Voici la balle : une petite sphère de liège, tout à fait ordinaire elle aussi.

Il la plaça entre l'index et le majeur de sa main droite, la fit passer dans la gauche. La balle disparut.

— Où elle est, Shem ?

— Partie, répondit Wallis.

— Où ?

— Sais pas.

— Elle est partie en voyage, voyons.

Magee souleva le premier gobelet, sous lequel se trouvait la balle en liège. Il la prit, la fit de nouveau disparaître puis réapparaître sous le deuxième gobelet. Charles avait vu le tour assez souvent pour connaître le truc : une balle placée à l'avance dans chaque gobelet, et que la rapidité des gestes du caporal empêchait de tomber quand il les retournait, plus une quatrième balle dans la main.

Magee reprit son boniment mais Williams, sentant un courant d'air, se retourna vers la porte entrouverte et demanda :

— Il y a quelqu'un ?

Charles entra.

— Ce n'est que moi, je regardais le spectacle, dit-il. Je pars. Je vous ai apporté ce manteau et ce chapeau. Vous pourrez les vendre et mettre l'argent dans la caisse de la compagnie.

Un ou deux soldats marmonnèrent un merci puis le silence se fit. Charles se sentait mal à l'aise, les hommes aussi.

— Je... Je voulais juste vous dire..., commença-t-il. Vous êtes de bons soldats. Tout officier serait... (il s'éclaircit la voix) ... serait fier de vous avoir sous ses ordres.

— Nous, on est fiers de vous avoir eu comme chef, déclara Shem Wallis.

Quat-Zyeux se leva, s'essuya la bouche du dos de la main.

— Puisque j'ai été quasiment le premier à vous débiner, dit Williams, c'est moi qui dois rectifier le tir. Pour un Sudiste, vous êtes un Blanc de première.

Le racisme inconscient du compliment fit s'esclaffer les soldats et sourire l'ancien officier. Gêné, le sergent tendit la main.

— Vous nous manquerez, C.C.

— Quoi ? fit Charles.

— Il a dit C.C., répondit Washington Toby, dont la jambe était encore bandée.

— Ça veut dire Cheyenne Charlie, expliqua Magee. Cheyenne, parce que vous les aimez tant.

— Cheyenne Charlie, répéta Charles. Oui, je crois que ça me va. Merci.

Il se retourna, se dirigea vers la porte mais Williams le rappela :

— Lieutenant ? J'avais oublié. (Le sergent glissa la main sous l'une des deux chemises en flanelle qu'il portait par-dessus sa chemise réglementaire et son maillot de corps.) C'est resté une semaine sur mon bureau. Ça a dû arriver pendant qu'on s'occupait du train.

Charles prit l'enveloppe gris pâle portant une écriture familière, la tint entre le pouce et le bout des doigts, la considéra pensivement.

— Merci, dit-il enfin. Bonne nuit, les gars.

En refermant la porte, il entendit Magee lui crier :

— Hé ! lieutenant, oubliez pas que j'ai une dette envers vous. Vous m'avez sauvé la vie.

La sentinelle postée près de l'écurie avait allumé un feu pour lutter contre le froid glacial, et Charles s'approcha des flammes couchées par le vent de la prairie. Il avait enfilé ses gants et tenait sa Spencer dans la main gauche, la crosse sur l'épaule. Pressé de partir, il marchait d'un pas vif en faisant crisser la neige sous ses bottes.

Lorsqu'il passa devant la sentinelle, il jeta dans le feu la lettre de Willa, qu'il n'avait pas décachetée.

Journal de Madeline.
Décembre 1867. Noël approche et nous sommes plus que jamais au bord de la faillite. Bientôt il faudra que je prévienne tout le monde : Prudence, les Sherman, les autres affranchis demeurés fidèles. Pour chaque cent que nous gagnons, je dois en payer deux. A moins de m'abaisser à faire appel à George, je ne vois pas d'autre solution que de reconnaître mon échec et d'informer Cooper que je ne suis pas capable de diriger Mont Royal.

Si je choisis de renoncer, c'est Andy que cette abdication touchera le plus durement, je crois. Il est fier et tout excité d'être envoyé à Charleston comme délégué à la convention. Il en parle sans cesse...

Desmond LaMotte en parlait aussi, avec Gettys et le capitaine Jolly, dans la cabane de ce dernier.

C'était une journée grise et pluvieuse, deux semaines avant Noël. LaMotte était amaigri par les mois passés en prison tandis que Jolly semblait en pleine forme. Vêtu d'un manteau léger qu'il avait volé à un voyageur, il frottait avec un chiffon gras le canon d'un de ses Leech & Rigdon.

— Il faut faire autre chose que parler, déclara Desmond.

Gettys remarqua l'expression blessée du regard de son ami. Des ne disait presque rien de son séjour derrière les barreaux mais de toute évidence, l'expérience avait été éprouvante.

Jolly cracha sur le canon de son arme, le fit reluire avec le chiffon.

— On fait que ça, parler, maugréa-t-il. Et pendant ce temps-là, elle envoie son négro à la convention. J'en ai marre, moi. Tu veux te débarrasser d'elle, oui ou non ?

— Oui, tu le sais bien.

— Alors, on le fait. Sinon t'es qu'un chien qui aboie tout le temps mais qui mord pas.

Le maître de danse tendit un de ses longs bras vers la gorge de Jolly, qui appuya le canon de son revolver contre la paume de LaMotte.

— Vas-y, fit le capitaine avec un grand sourire. Essaie de m'étrangler. Je te loge une balle dans le crâne à travers la main.

La face écarlate, Desmond baissa la main.

— Tu ne comprends rien. Je veux la tuer, mais pas aller en prison. J'en sors... Il s'y passe des choses terribles pour un homme intelligent et sensible. Des choses... dégradantes, que même la force physique ne peut empêcher.

Gettys jugea le moment venu d'intervenir :

— Si vous voulez bien arrêter de vous chamailler, tous les deux, je crois que j'ai la solution. Mon cousin Sitwell s'est rendu à Nashville pour un cénacle secret...

Devant l'expression perplexe de Jolly, il expliqua d'un air supérieur :

— Une réunion, une assemblée... Et il a rapporté ceci.

Le boutiquier montra une feuille imprimée portant en titre : LE TIGRE DU TENNESSEE. Un dessin représentait le tigre en question accroupi devant le drapeau sudiste.

— Lis le poème, demanda Gettys à son ami.

LaMotte s'exécuta :

— *Décampez, nègres et membres de la Ligue. Nous sommes nés de la nuit...* On laisse publier ça au Tennessee ?

— Et d'autres choses semblables ailleurs, m'a dit Sitwell. Tu ne vois aucun nom, n'est-ce pas ? Continue.

— *... nés de la nuit et nous disparaissons le jour. Notre seule nourriture, c'est la chair humaine. Et c'est celle des nègres que nous aimons le plus... Le Ku Klux Klan.*

— C'est une association créée pour faire des farces aux noirauds, les effrayer, mais d'après Sitwell, elle se transforme en ligue pour la défense des Blancs. Des klavernes se forment dans tout le Sud.

— Qu'est-ce que c'est que ça ? demanda Jolly.

— Une klaverne ? C'est une branche locale du Klan. L'association a un règlement, appelé *les Préceptes*, et toute une série de titres et de rites bizarres. De longues robes, Jolly, avec des cagoules pour couvrir le visage des membres. Et sais-tu qui parcourt le Sud pour aider à établir des klavernes ? Qui est le chef du klan, son Sorcier impérial ? Ton vieil ami Forrest.

— Bedford lui-même ? s'exclama le capitaine, plein de respect.

Son passage dans la cavalerie de Forrest demeurait le point culminant de sa vie, et pendant un moment il songea au passé, à la guerre qu'il avait menée pour la cause de la race blanche. Il revit son chef sur son grand cheval, King Philip. Et les nègres, les nègres terrifiés et gémissants de Fort Pillow...

C'était en 64 que Jolly avait participé au siège du fort situé à soixante-cinq kilomètres au nord de Memphis. Après la victoire, Forrest avait laissé ses hommes s'occuper des prisonniers. Au sabre, au fusil. Jolly avait personnellement poussé six soldats noirs dans une tente sous la menace d'une arme puis avait ordonné à son sergent d'y mettre le feu. Encore maintenant, il entendait les hurlements des nègres, et ce souvenir le faisait sourire.

Dans le Nord, on avait crié au massacre, à la boucherie. Forrest avait fait valoir qu'il n'avait pas ordonné la tuerie, qu'il se trouvait ailleurs quand elle avait eu lieu. Mais il n'avait pas non plus cherché à calmer ses hommes.

Baissant la voix, Gettys reprit :

— Des amis du cousin Sitwell dans le comté d'York ont invité Forrest à les aider à créer une klaverne. Selon moi, il nous en faudrait une ici aussi.

Les cheveux roux de LaMotte flamboyaient à la lumière de la lampe à pétrole se trouvant derrière lui.

— Pouvons-nous faire venir Forrest ? demanda-t-il. En lui envoyant un télégramme, par exemple.

— Oui, approuva Gettys. Je prendrai l'argent sur les bénéfices du magasin — ce n'est pas cela qui manque. Mais où l'adresser ?

Jolly promena le canon de son arme le long de la cicatrice qui le défigurait. C'était un cadeau que lui avait fait un nègre de Fort Pillow juste avant de recevoir une balle dans l'œil.

— Dans le Mississippi, répondit-il. Sunflower Landing. C'est la plantation du général dans le comté de Coahoma. Aux dernières nouvelles, il essayait d'la relancer. Mets mon nom sur le télégramme, Gettys... La ferme, fais ce que j'te dis. Signe capitaine Jackson Jerome Jolly. Le général viendra pour un de ses officiers, j'te le promets.

Ai décidé de révéler la situation de Mont Royal une semaine avant Noël, au plus tard. On a fait à Lambs, non loin d'ici en aval de la rivière, une découverte géologique qui met tout le district en émoi. Essaierai de savoir pourquoi.

38

Le train de nuit remontait péniblement la Lehig Valley sous l'orage. Près de Bethlehem, Jupiter Smith, l'avocat de George Hazard, s'assoupit, laissant son client contempler la pluie par la fenêtre.

Les deux hommes voyageaient dans un wagon privé accroché à l'arrière du train. Construit sur les indications de George, il avait des banquettes de peluche rouge, des lambris de bois précieux et des panneaux de verre biseauté pour isoler la table où l'on prenait les repas. Des années plus tôt, Stanley avait acheté pour l'usine une voiture semblable, qui avait été détruite dans un accident. A l'époque, George avait condamné cette dépense inutile mais il avait récemment commencé à en comprendre l'avantage. Pittsburgh devenait rapidement le centre métallurgique de l'État et George s'attendait à devoir s'y rendre fréquemment s'il voulait prendre sa part de cette expansion. Travaillant dur, il méritait de voyager confortablement.

Avec un bâillement, il appuya la tête contre la vitre et songea à sa femme, qui devait être au chaud dans leur lit, à Belvedere...

Constance entendit un bruit étrange.

Elle posa sa brosse sur la coiffeuse, se leva, alla à la lucarne la plus proche du grand lit à baldaquin. Ce bruit l'étonnait car les enfants étaient tous deux absents à cause de leurs études, et mis à part les domestiques dormant dans une aile éloignée, la grande maison était déserte.

Le front plissé, elle entrouvrit la fenêtre. Des gouttes de pluie mouillèrent son visage et le devant du déshabillé en soie qu'elle avait mis ce soir-là pour le retour de George, après quatre jours d'absence. Elle laissa retomber le panneau de verre et retourna s'asseoir en se disant que c'était sans doute une branche arrachée par le vent qui avait cogné contre la vitre.

Par-dessus le crépitement des gouttes, elle entendit un sifflet lointain et sourit : le train de George. Dans une demi-heure, il serait au lit avec elle. C'était un homme affectueux, généreux, qui aimait lui faire des cadeaux, même lorsqu'il n'y avait rien à fêter. L'écrin de velours posé parmi les épingles, les pots de crème et les brosses contenait le dernier : une paire de boucles d'oreilles.

Elle en sortit une — grosse perle enchâssée dans une monture d'or et ressemblant à une larme — l'approcha de son oreille. Absorbée dans la contemplation de son reflet, elle ne vit pas la lucarne se relever lentement.

Une silhouette déjetée s'était accrochée au rebord de la lucarne quand Constance, alertée par un bruit curieux, l'avait ouverte. Immobile sous l'averse, la forme ressemblait à une gargouille de cathédrale.

En bas, parmi les lumières voilées de la ville, au pied de la colline, un train avait sifflé en pénétrant dans la gare. L'homme perché sur le toit ne lui avait accordé aucune attention : il ne songeait qu'à ce qui allait se passer. Ce soir verrait la fin d'années d'attente, de mois d'errance et de recherches. Ce soir, celui qui lui avait fait tant de mal commencerait à payer.

Il lui avait fallu près d'une demi-heure pour grimper sur le toit en s'accrochant aux gouttières, aux appuis de fenêtres et aux ornements de la façade. La pluie ne lui avait pas facilité la tâche, et le souvenir de sa chute dans le James avait suscité en lui, pendant l'escalade, une frayeur qu'il était fier d'avoir surmontée.

Il jeta un coup d'œil dans la chambre, vit une femme assise devant une coiffeuse, essayant des boucles d'oreille.

Il ouvrit la lucarne, passa une jambe tordue dans l'ouverture et sauta dans la pièce.

Des cheminots munis de lanternes décrochèrent le wagon privé. Au-delà des lumières de la ville, George vit les fenêtres éclairées de Belvedere, juchée sur sa terrasse. A gauche, le ciel rougeoyait : les équipes de nuit des hauts fourneaux étaient au travail. L'usine fonctionnait vingt-quatre heures sur vingt-quatre, produisant toutes sortes d'articles, des rails aux grilles en fer forgé — en passant par des cadres métalliques pour un fabricant de pianos de Chicago en pleine expansion, Fenway.

La prospérité de l'usine reflétait celle du Nord tout entier. Après quatre années de carnage et de privations, les Américains montraient un farouche désir de gagner de l'argent : le phénix industriel renaissait de ses cendres.

George ne portait pas cette situation au crédit des hommes politiques et remerciait Dieu d'avoir quitté Washington avant la fin de la guerre : il n'aurait pu supporter plus longtemps les intrigues sordides, les querelles partisanes. Certaines conversations qu'il avait eues à Pittsburgh laissaient penser que beaucoup d'autres que lui étaient las de la guerre politique. Las des beaux discours de Johnson sur la Constitution, des manœuvres des radicaux pour le mettre en accusation et, hélas, de la question des droits des Noirs.

Comme toujours, les politiciens n'avaient pas perçu le changement de climat ou avaient préféré ne pas le voir. Pourtant les signes annonciateurs étaient clairs. Aux élections de l'automne, les républicains avaient été battus à New York, en Pennsylvanie ; leur majorité avait fondu dans l'Ohio, le Maine et le Massachusetts. Dans le

Kansas, le Minnesota et l'Ohio, États passant pour éclairés, les électeurs consultés par référendum avaient refusé le droit de vote aux Noirs.

Malgré leur affaiblissement électoral, les radicaux maintenaient leurs positions étroites. Johnson demeurait pour eux le « Grand Apostat », le « Grand Démon », comme l'appelait Mr Boutwell, de la Commission judiciaire de la Chambre. Cette instance avait voté, par cinq voix contre quatre, la mise en accusation de Johnson, bien que plusieurs républicains modérés — dont George approuvait les vues — eussent refusé de participer à la mise à mort. La Chambre dans son ensemble adopta d'ailleurs la même position puisqu'elle rejeta la mise en accusation par cent huit voix contre cinquante-sept.

Malheureusement, cet échec ne découragea pas les radicaux : ils trouveraient d'autres armes contre Johnson. Wade, ami et protecteur de Stanley, occupait déjà la présidence du Sénat et le Congrès pourrait bien le nommer président des États-Unis si Johnson était destitué.

Thad Stevens, l'ami de Virgilia, voulait la perte de l'ancien tailleur, et d'aucuns disaient même que seul ce désir maintenait en vie le vieux radical. Stevens et sa clique entendaient faire passer Johnson en jugement pour « abus de pouvoir », et une défaite à la Chambre n'arrêterait pas leur offensive. Dieu, que certains hommes devenaient mauvais quand ils se laissaient guider par un dogme !

— Enfin, grogna Jupe Smith.

Il remonta du pouce la partie supérieure de son dentier, prit son sac et son parapluie, souhaita bonne nuit au cuisinier noir et au serveur gallois qui s'étaient occupés d'eux. Quelques pas seulement séparaient le quai couvert du fiacre qui les attendait.

— Désolé d'être en retard, Bud, dit George en montant dans le véhicule. Un arbre tombé sur la voie nous a bloqués pendant une heure. Merci d'avoir attendu.

— De rien, répondit le cocher par l'ouverture du toit. Dites, Mr Hazard, y a un type qui a posé des questions sur vous en ville, ces derniers jours.

George se serra contre la cloison pour faire de la place à l'avocat qui ronchonnait.

— Qui ça ?

— M'a pas dit son nom. Un drôle d'oiseau. Mutilé de guerre, apparemment. Leon, l'employé de l'hôtel, lui a répondu que vous étiez absent pour quelques jours. Oh, c'est sûrement juste un gars qui veut vous vendre quelque chose.

— Dieu sait que ça ne manque pas.

— Si cette captivante conversation est terminée, j'aimerais aller me coucher, marmonna Smith. Je suis un vieil homme.

— Vous n'êtes pas le seul, Jupe.

George se sentait courbaturé. Avait-il attrapé l'influenza ? Il fit signe au cocher, qui lança le fiacre dans les rues quasi désertes.

L'image d'un homme apparut soudain dans le miroir de Constance qui se leva d'un bond, si terrifiée qu'elle lâcha la boucle qu'elle tenait à la main gauche. L'autre larme de nacre et d'or dansait au lobe de son oreille droite.

L'inconnu se rua sur elle, plaqua une main sur sa bouche et lui enfonça un genou dans le dos, la forçant à se rasseoir.

— Taisez-vous, ordonna-t-il. Un mot et je vous tue.

Pour démontrer ses intentions, il pressa un peu plus son genou contre le dos de Constance. Frappée de stupeur, la femme de George regarda l'image dans le miroir. Qui était cette espèce de gobelin ventru et mal rasé aux vêtements trempés ? Il avait des yeux sombres, égarés. Les ongles de la main qu'il maintenait sur sa bouche étaient noirs de saleté et il sentait la crasse.

— Vous ne savez pas qui je suis ? Un vieil ami, gloussa-t-il.

Un filet de salive coula sur son menton, tomba, fit une tache sur l'épaule du déshabillé.

— Un très vieil ami de votre mari, continua-t-il. Au Mexique, lui et son copain Main, le lèche-bottes, m'appelaient le Boucher. Bent le Boucher.

Constance poussa un cri étouffé par la main de l'homme. Elle connaissait ce nom. George croyait qu'Elkanah Bent était mort, ou qu'il avait disparu, mais il était là, dans la glace, ricanant tandis que sa main droite se glissait sous sa veste tachée, à laquelle manquaient tous les boutons.

— Les bouchers, ça tue les vaches, attention.

Il ouvrit un rasoir droit, dont la lame miroita à la lumière de la lampe à gaz. Constance crut s'évanouir. Il ne fallait pas. *George ! Les enfants !* cria-t-elle mentalement.

Non, ils n'étaient pas là, ils ne pouvaient pas la secourir.

Lentement, Bent fit descendre le rasoir des yeux à la gorge de Constance. Soudain, il le pressa contre la chair et elle poussa un autre cri étouffé avant de se rendre compte qu'il avait retourné la lame au dernier moment.

— Je vais vous lâcher, dit-il. J'ai quelques questions à vous poser. Mais si vous criez, vous êtes morte. Compris ? Clignez des yeux si vous avez compris.

Constance battit plusieurs fois des cils. L'homme éloigna le rasoir puis ôta sa main malodorante.

— Je vous en prie, ne me faites pas de mal, gémit-elle.

D'un ton presque affable, il répondit :

— Je ne vous ferai rien si vous me dites ce que je veux savoir, je vous le promets.

Honteuse de sa peur, incapable de la surmonter, elle se retourna pour lui faire face.

— Je peux vous faire confiance ?

Il eut un petit rire.

— Vous n'avez pas le choix, non ? Oui, vous pouvez me faire confiance. Je veux seulement des renseignements. Sur ceux qui ont causé ma perte. Sur leur famille. Commencez donc par Orry Main, le grand ami de votre mari. Il est vraiment mort à Petersburg ?

Les mains entre les genoux, Constance enfonçait ses ongles dans ses paumes sans sentir la douleur ni voir le filet de sang coulant sur son peignoir.

— Oui, murmura-t-elle.

— Il avait une femme...

Pas question de mettre Madeline ou quiconque d'autre en danger. La bouche grande ouverte, elle le regarda fixement en silence. Bent la saisit par les cheveux.

— Nous avons conclu un marché, rappela-t-il. Pas de réponses... (il agita le rasoir à quelques centimètres des yeux de Constance)... et c'est fini.

— D'accord, d'accord.

— A la bonne heure, reprit-il en éloignant le rasoir. Je ne tiens pas à faire du mal à une femme innocente. Parlez-moi de la veuve de Main. Où est-elle ?

— A la plantation de Mont Royal, près de Charleston.

Il émit un grognement.

— Et votre mari ?

Sur le chemin de Belvedere en ce moment même, se rappela Constance. Il fallait poursuivre la conversation, retenir Bent jusqu'à l'arrivée de George. Il ne tarderait plus — elle avait entendu le train... Et s'il l'avait manqué ? *Mon Dieu, s'il...*

— Mrs Hazard, je n'ai pas une patience infinie.

— George..., commença-t-elle. (Elle humecta ses lèvres sèches.) George est à Pittsburgh, pour affaires.

— Vous avez des enfants.

Nouvel accès de terreur. Elle n'avait pas imaginé...

— Des enfants, répéta-t-il d'un ton dur.

— Partis, pour leurs études. Tous les deux.

— Je crois que votre mari a un frère.

Lequel ? Stanley ou Billy ? Il valait mieux parler de celui qui se trouvait le plus loin.

— En Californie, répondit-elle. Avec sa femme et son fils.

La ruse de Constance paya : l'air déçu, l'homme ne réclama pas d'autres détails.

— Il y avait aussi un parent d'Orry Main. Un militaire que j'ai rencontré au Texas. Il s'appelait Charles. Où est-il ?

— Autant que je sache, il a réintégré l'armée...

Elle avait tellement peur, elle cherchait si désespérément à le satisfaire pour être épargnée qu'elle en oublia presque toute prudence.

— Il est parti au Kansas après la guerre, ajouta-t-elle. Avec son petit garçon.

Le Boucher sourit.

— Ah ! Il a un enfant, maintenant. Et dans quelle arme sert-il ?

— La cavalerie, je crois. Je ne sais pas exactement où.

— Le Kansas, ça me suffit. Cela en fait, des enfants. Je n'avais pas envisagé cette possibilité. C'est intéressant.

Constance fut prise d'un tremblement incontrôlable. A son étonnement, l'homme aux vêtements trempés et sales se recula et déclara :

— Je crois que vous m'avez dit tout ce que je voulais savoir. Vous m'avez été fort utile.

Au bord de l'hystérie, elle s'écria :

— Merci. Oh, mon Dieu, merci.

— Vous pouvez vous lever, si vous voulez.

— Merci, merci beaucoup.

Elle se mit debout en chancelant, versa des larmes de soulagement.

— Attention, vous allez tomber, dit-il avec un sourire.

Il fit un pas vers elle, la prit par le coude. Une haleine puante sortait de sa bouche, où le sourire s'épanouit.

— Grosse vache.

D'un coup de rasoir, il lui trancha la gorge.

Immobile, il regardait le sang couler, une main sur son sexe durci. Il jeta le rasoir, remarqua la boucle d'oreille qu'elle avait laissée tomber, la ramassa, la trempa dans le sang et la tint devant ses yeux, souriant. En moins d'une minute, il fit ce qu'il venait de décider puis repartit par où il était venu.

George ouvrit la porte d'entrée tandis que le fiacre redescendait la colline dans un bruit de sabots.

Il monta le grand escalier quatre à quatre, en fredonnant. Rayonnant de plaisir anticipé, il se mit à chanter plus fort dans le couloir du premier étage, éclairé par des lampes mises en veilleuse. Une pluie drue tambourinait sur Belvedere. Il tourna la poignée de la porte de la chambre, s'avança en disant :

— Constance, je...

Il lâcha son sac, se précipita vers sa femme, se baissa pour la relever, certain qu'elle n'était qu'évanouie. Il refusait d'admettre la signification du sang répandu sur le tapis, de la plaie béante à la gorge.

Il nota la lucarne ouverte, la pluie pénétrant dans la chambre. Il vit l'une des boucles d'oreille qu'il avait offertes à Constance, pas l'autre.

Son attention fut attirée par le miroir, sur lequel on avait tracé quatre lettres de sang.

B E N T

Le regard de George alla du miroir à la lucarne ouverte, au corps inerte de sa femme, revint à la glace. Le bas de la lettre T se gonfla en une grosse goutte qui finit par crever. Un filet de sang coula de la barre verticale du T, qui ne cessait de s'allonger.

— Je croyais qu'il était mort, dit George, sans se rendre compte qu'il criait.

LIVRE QUATRE

L'ANNÉE
DES SAUTERELLES

*L'intelligence, la vertu et le patriotisme céde-
raient la place, dans toutes les élections, à
l'ignorance, à la stupidité et au vice. La race
supérieure serait asservie à la race inférieure...
Ceux qui ne possèdent rien lèveraient les
impôts et décideraient de l'affectation des
crédits... Les crédits pour l'éducation des
enfants noirs, pour l'accueil des vieux Noirs
dans les asiles, ainsi que pour une armée
permanente de soldats noirs, seraient énormes
et ruineux... Les Blancs de notre État ne se
laisseront pas soumettre en silence.*
    Protestation de la Caroline du Sud
    envoyée au Congrès, 1868.

*Tout va bien. La Constitution sera défendue
et le « Grand Apostat » chassé de la Maison-
Blanche avant la fin de la semaine.*
    Télégramme à la convention républi-
    caine du New Hampshire, 1868.

39

Cette nuit-là, la pluie se changea en grésil. Au matin, la température tomba ; un froid glacial saisit la vallée, sous un ciel lugubre cachant le soleil.

Jupiter Smith prit les dispositions pour l'enterrement car George en était incapable. Même aux pires moments de la guerre, il n'avait pas été aussi abattu. Il n'avait plus d'appétit, vomissait les bouillons qu'il se forçait à prendre et souffrait d'une diarrhée comparable à celle qui avait fait tant de morts dans les deux camps durant le conflit.

Il oscillait entre des moments où il ne croyait pas à la disparition de Constance et des accès de chagrin si violents qu'il devait s'enfermer dans une chambre — pas celle qu'ils avaient partagée, il n'aurait pu le supporter — jusqu'à ce que la crise soit apaisée.

Les habitants de Lehig Station s'apprêtaient à célébrer Noël, avec moins d'exubérance toutefois que d'habitude à cause du terrible événement survenu dans la grande maison de la colline. George voyait dans la ferveur religieuse de cette période de fêtes une abominable plaisanterie.

Le jour de Noël fut sombre, brumeux et, à Belvedere, sans joie. Patricia joua un noël sur le grand Steinway étincelant ; William, à qui un trimestre d'aviron à Yale avait donné des muscles et des couleurs, se tint auprès d'elle pour chanter un verset de *Dieu vous accorde le repos* d'une voix de baryton nouée par l'émotion. Il s'interrompit quand son père se leva du fauteuil où il était assis, silencieux, et quitta la pièce.

En fin d'après-midi, Jupe Smith leur rendit visite et informa George que tous les télégrammes avaient été envoyés aux parents et amis. Il mentionna particulièrement Patrick Flynn, le père de Constance, qui était d'un âge avancé.

— J'ai parlé de crise cardiaque. Je ne voyais pas l'utilité de dire à un vieillard que sa fille a été, euh...

— Égorgée ?

L'avocat contempla le plancher. George eut un geste pour condamner le mensonge et, l'air apathique, retourna au buffet, fourragea parmi les carafes en verre taillé, en renversa une. Il essayait de se soûler au bourbon mais son estomac avait rejeté l'alcool tout l'après-midi. Il releva la carafe, répandit du whisky sur les lattes cirées.

— Où avez-vous envoyé le télégramme à Charles Main ?

— Aux bons soins du général Duncan, à Fort Leavenworth.

— Et Billy ? Virgilia ? Madeline ? Avez-vous... ?

— Oui. Je les ai tous mis en garde, exactement comme vous me l'aviez demandé. Je les ai prévenus que tout membre des deux familles pourrait devenir la cible de ce Bent, quoique je me demande si c'est vraisemblable.

— Vraisemblable ou pas, c'est possible. Et la boucle d'oreille ?

— J'en ai donné la description à chacun : une perle, avec une monture en or lui donnant la forme d'une larme. Je ne vois pas bien pourquoi...

— Je veux qu'ils sachent tout. Y compris l'aspect physique de Bent tel que j'en ai gardé le souvenir — tout.

— Je m'en suis occupé.

George se versa à boire. Ses vêtements empestaient, ses propos étaient entrecoupés de longs silences, ses yeux marron, habituellement calmes, avaient une lueur sauvage. Jupe décida de s'en aller.

— Il est malade, Mr Smith, murmura Patricia en raccompagnant l'avocat. Je ne l'avais jamais vu se comporter de manière aussi étrange.

Il alla un peu mieux pour les funérailles, qui eurent lieu deux jours avant le Nouvel An.

Madeline, qui était venue de Caroline du Sud, se sentait mal à l'aise, curieusement intimidée. Âgée de quarante-deux ans, elle avait des cheveux gris qu'elle se refusait à teindre. Son manteau, sa robe de deuil en soie noire étaient vieux, élimés. Lorsqu'il la revit, George l'accueillit avec chaleur et tint un moment sa joue humide contre la sienne. Apparemment, il ne remarqua pas la pauvreté de sa mise et elle en fut soulagée.

Virgilia fit le voyage de Washington. En sa présence, George se sentit petit et faible comme un jeune frère, bien qu'un an seulement les séparât. Sa nouvelle vie l'avait purgée d'une grande partie de sa rage ancienne et elle put serrer son frère dans ses bras avec une émotion sincère, exprimer une tristesse qu'elle éprouvait réellement. Le changement stupéfia nombre d'habitants de la ville, qui se rappelaient la mégère d'autrefois.

Environ trois cents hommes et femmes de l'usine et de la ville assistèrent avec la famille à la messe donnée en l'église de Saint-Margaret-in-the-Vale puis, à pied ou en voiture, gagnèrent le cimetière situé au flanc de la colline. Le Père Toone, confesseur de Constance, récita une prière en latin près de la tombe ouverte puis fit le signe de croix. Les fossoyeurs commencèrent à descendre le cercueil argenté. L'air mal à l'aise, Stanley et Isabel regardaient partout sauf en direction du mari affligé. Bien qu'il ne fût pas encore deux heures de l'après-midi, Stanley était manifestement soûl.

Lorsque la foule commença à se disperser, le prêtre s'approcha de George et des deux enfants en pleurs.

— Je sais que c'est un jour d'affliction, dit-il, mais nous devons garder notre confiance en Dieu. Ses desseins...

Pâle, les joues creuses, George ressemblait aux photos de Poe, frappé de démence, dans les derniers mois de sa vie.

— Excusez-moi, mon Père, fit-il d'un ton glacial.

L'après-midi, les Hazard ouvrirent les portes de Belvedere aux parents et amis. Les gâteaux, jambons, rôtis, tourtes aux huîtres, qui auraient dus être préparés pour Noël, furent servis après l'enterrement. L'alcool délia les langues et bientôt, des groupes bavardaient bruyamment, riaient même, dans tout le rez-de-chaussée.

Ne pouvant le supporter, George se réfugia dans la bibliothèque, où il se trouvait depuis une vingtaine de minutes quand Virgilia et Madeline vinrent le rejoindre.

— Comment te sens-tu ? demanda la sœur de George.

La cravate dénouée, il regarda fixement les deux femmes.

— Je ne sais pas, Jilly.

Virgilia fut stupéfaite : il n'avait pas utilisé ce diminutif depuis leur enfance.

— Ce qui lui est arrivé défie la raison, continua-t-il en se levant.

— *Tout* ce qui se passe dans le monde défie la raison, soupira Virgilia. Chaque jour de notre vie s'accompagne de malchances stupides, de drames, de souffrances inutiles. Nous tâchons de l'oublier en nous plongeant dans l'art, la philosophie, la religion — ou l'alcool, comme ce pauvre Stanley. Mais le malheur est toujours là, tout proche, comme une misérable bête difforme cachée derrière le plus mince des rideaux. De temps en temps, le rideau se déchire et nous sommes contraints de regarder. Tu le sais. Tu as fait la guerre.

— Deux fois. Je pensais avoir eu ma part.

— La vie n'est pas logique, George. Certains ne voient jamais la bête, d'autres ne cessent de la contempler, et il n'y a apparemment aucune raison à cela.

Tête baissée, George se tenait devant la table de la bibliothèque. Près du fragment de météorite et de la branche de laurier, il y avait un bonnet de castor, trouvé sur la pelouse sous la lucarne par laquelle Bent était entré. La main de George balaya l'air, fit tomber le bonnet et la branche de laurier.

— Je ne peux pas, Jilly. Je ne peux pas.

Le cœur de Madeline se serra. Elle aurait voulu prendre George dans ses bras, le réconforter. La force de ses sentiments pour l'homme qui avait été le meilleur ami de son mari la surprit et la gêna quelque peu. Elle dissimula son émotion en tournant la tête et en se tamponnant les yeux de son mouchoir.

— Jilly, reprit George, plus calme, maintenant. Pourrais-tu demander à Christopher Wotherspoon de venir ? Je veux commencer à prendre des dispositions pour mon voyage.

— Cet après-midi ? s'étonna Virgilia.

— Pourquoi pas ? Tu ne penses quand même pas que j'irai boire et plaisanter avec les autres ?

— George, ces gens sont tes amis. Ils...

— Pas de sermon, je t'en prie. Wotherspoon aura beaucoup à faire pour diriger l'usine en mon absence. Smith et lui devront aussi s'occuper de la fonderie que je viens de racheter à Pittsburgh.

— J'ignorais que vous partiez, dit Madeline.

— J'ai des affaires à régler à Washington. Ensuite — je ne sais pas. Un voyage en Europe, peut-être.

— Et les enfants ?

— Ils finiront l'année scolaire avant de me rejoindre.

— Où ? demanda Virgilia.

— Où je serai.

Madeline et Virgilia échangèrent un regard inquiet tandis que George ramassait la branche de laurier, la considérait d'un air sarcastique et la jetait dans la cheminée froide.

Cette nuit-là, George s'éveilla, très tard. Il se sentait comme un enfant, plein de frayeur et de colère.

— Pourquoi m'as-tu fait ça, Constance ? Pourquoi m'as-tu laissé seul ?

Il frappa l'oreiller, éclata en sanglots et pleura jusqu'à l'aube.

Tous les shérifs, tous les inspecteurs de Pennsylvanie cherchèrent Elkanah Bent, qui demeura introuvable. Le deuxième jour de la nouvelle année, George fit venir Jupe Smith et lui demanda de mettre en vente son wagon privé. Puis il prépara une valise, dit au revoir aux domestiques et à ses enfants. Patricia et William se sentaient abandonnés : cet homme froid, au regard vide, pouvait-il être leur père ?

George prit le train de midi pour Philadelphie, s'installa dans le compartiment sans adresser la parole à quiconque.

Au ministère de la Guerre, un capitaine nommé Malcolm lui témoigna sa sympathie avant de demander :

— Pas de traces de ce fou ?

— Aucune, il a disparu. Je l'aurais attrapé si ce maudit train n'avait pas été en retard...

George s'interrompit, desserra sa main crispée sur l'accoudoir de son fauteuil. Lentement, les doigts reprirent leur couleur normale. Comment chasser de son esprit tous ces « si » qui le déchiraient ? Impossible. La bête dont Virgilia avait parlé était en train de le détruire.

Voyant l'état de son visiteur, le capitaine garda le silence. Lui-même était soumis depuis quelque temps à de fortes tensions, comme tous les autres officiers d'état-major ayant eu la malchance d'être affectés à Washington. Le ministère était en ébullition depuis que Johnson avait suspendu Stanton de ses fonctions, en août dernier. Cette décision étant expressément interdite par la *Tenure of Office Act**, le ministre, radical et juriste habile, en contestait la validité.

Le président avait suspendu Stanton pour défier les radicaux, qui multipliaient les attaques contre lui. Début décembre, ils avaient proposé à la Chambre la mise en accusation de Johnson et, selon Malcolm, ne se laisseraient pas décourager par un nouvel échec. Le capitaine croyait savoir que le Sénat s'apprêtait à condamner officiellement la suspension de Stanton, ce qui pouvait déclencher

---

* Loi sur la nomination des fonctionnaires civils et membres du gouvernement. (N.d.t.)

une nouvelle tentative pour chasser le ministre de la Guerre. Tout ceci rendait la vie difficile au ministère. Malcolm n'osait même plus échanger avec ses collègues une plaisanterie ou une remarque anodine. Au moins, l'homme accablé assis en face de lui n'était pas partie prenante dans le conflit.

— J'ai fait appel à l'agence Pinkerton, dit George, et j'aimerais lui communiquer toutes les informations disponibles.

— J'ai chargé un de mes collaborateurs de consulter les dossiers personnels de la maison. Je vais voir où il en est.

Après une absence d'une vingtaine de minutes, Malcolm revint avec une chemise qu'il posa sur son bureau.

— Nous n'avons pas grand-chose, j'en ai peur. Bent a été inculpé de couardise à Shiloh, alors qu'il commandait temporairement une autre unité que la sienne. Malgré l'absence de preuves formelles, le général Sherman a ordonné que les charges soient portées dans le dossier de Bent et l'a expédié à La Nouvelle-Orléans. Bent y est resté jusqu'au départ du général Butler.

— Quoi d'autre ?

Le capitaine parcourut rapidement les documents contenus dans la chemise.

— Esclandre dans une maison de tolérance tenue par une certaine Mrs Conti... Surpris en train de voler un tableau appartenant à cette dame. Cette fois, il a déserté avant de passer en jugement... Un dernier élément : un an plus tard, un homme répondant au signalement de Bent a travaillé brièvement pour les services du colonel Baker.

George connaissait les activités de Lafayette Baker, qui avait notamment jeté en prison des journalistes désapprouvant la guerre ou critiquant la politique de Lincoln et de ses ministres.

— Vous voulez parler de la police secrète de Mr Stanton.

Malcolm perdit toute cordialité.

— De Mr Stanton ? Je ne possède aucune information allant dans ce sens.

— Naturellement, grommela George. C'est tout ce que contient le dossier ?

— Presque. La dernière fois que l'on a vu Bent, c'était à Port Tobacco, où il cherchait sans doute à passer clandestinement au Sud. Ensuite, nous perdons sa trace.

— Merci, capitaine. Je transmettrai ces renseignements à l'agence.

Il serra la main de l'officier, quitta le bureau. Il sentait son ventre gargouiller et n'eut que le temps d'arriver au *Willard* avant d'être pris de violentes coliques.

Virgilia fit venir un médecin qui prescrivit un composé opiacé. Le remède calma les douleurs au ventre mais fut impuissant contre les crises de larmes qui se déclenchaient aux moments les plus inopportuns. George fut victime d'un de ces accès alors qu'il accompagnait sa sœur au restaurant du *Willard* pour un dîner d'adieu.

Par un effort de volonté, il parvint à se ressaisir. Pendant tout le repas, Virgilia essaya de distraire George de son chagrin en parlant de son travail auprès des orphelins noirs de Scipio Brown, des attaques frénétiques des radicaux contre Johnson. George ne l'écoutait guère — et il n'entendit plus rien quand, cachant son visage dans ses mains, il se remit à pleurer. Mort de honte, il ne pouvait s'arrêter.

Dans la suite qu'il avait réservée, Virgilia serra son frère contre elle, l'embrassa sur la joue tendrement.

— Fais-nous savoir où tu es, George. Et prends soin de toi.

— Pourquoi ? demanda-t-il.

Elle le quitta sans répondre.

A New York, il retint une cabine de première classe à bord du *Grand Turk,* en partance pour Southampton. Il avait pris contact avec un agent immobilier de Londres qui lui avait recommandé Lausanne, où de nombreux millionnaires américains avaient recouvré la santé. George avait précisé qu'il cherchait avant tout la tranquillité.

Dans l'air froid et humide de janvier, il se tenait près du bastingage, parmi les passagers agitant le bras et bavardant joyeusement. Un steward lui tendit une coupe de champagne, qu'il accepta avec un grognement mais qu'il ne but pas. Le désespoir l'étreignait encore. Il avait perdu dix kilos, ce qui était considérable pour un homme de petite taille comme lui.

Traînant derrière lui un panache de fumée, le vapeur quitta le quai dans un mugissement de sirène et descendit l'Hudson. La main de George pendait par-dessus le bastingage. Le léger tangage du bateau répandit un peu de champagne, dont les gouttelettes n'étaient déjà plus visibles lorsqu'elles atteignirent l'eau noire et huileuse.

Comme cela ressemblait à la vie de la pauvre Constance et à celle de son ami Orry ! Un pétillement, un accident, et plus rien.

Col de fourrure relevé, il gagna l'arrière du navire et regarda de ses yeux morts l'Amérique disparaître derrière lui. Il comptait ne plus jamais la revoir.

Journal de Madeline.

Janvier 1868. Rentrée de Lehig Station. Triste voyage. George n'est plus lui-même. Virgilia, qui retrouve sa famille après une longue séparation — son caractère s'est beaucoup adouci — m'a confié en particulier qu'elle craint pour l'équilibre mental de son frère. Smith, l'avocat de G., nous a avertis que Bent, le meurtrier, pourrait s'en prendre à n'importe lequel d'entre nous. C'est trop monstrueux pour qu'on y croie, et pourtant le sort de la pauvre Constance nous enjoint de ne pas écarter cette possibilité.

Ai découvert avec surprise que le Charleston Courier *a publié un petit article sur le meurtre — Judith l'a envoyé à Prudence pendant mon absence. Ai aussi trouvé à mon retour une lettre d'un avocat de Beaufort qui propose de me rencontrer prochainement. La découverte de Lambs, qui fait encore sensation, nous apportera le salut, prétend-il...*

Écrit le 12. Andy part demain à pied pour Charleston où il participera à la « Grande Convention du Peuple de Caroline du Sud » — que la misérable feuille de chou de Gettys qualifie de « rassemblement des moricauds ». Bien que je ne puisse me le permettre, j'ai dépensé un dollar chez le nouveau fripier de Summerton pour acheter un pantalon et une redingote élimée mais portable, couleur orange, qui firent autrefois la fierté de quelque planteur blanc. J'en ai fait cadeau à Andy. Jane a cousu d'autres vêtements pour son mari afin qu'il n'ait pas honte de sa mise.

Prudence a trouvé et offert à Andy une vieille édition en quatre volumes des Commentaires de Kent sur la législation américaine, que les étudiants utilisent maintenant à la place du Blackstone. A. brûle d'étudier et de comprendre le droit, dans lequel il voit une protection pour sa race.

Il l'étudiera pour sa seule satisfaction personnelle car il sait que même sous le plus libéral des régimes, aucun homme de couleur ne pourra gagner sa vie avec un cabinet d'avocat en Caroline. De fait, sa présence à la convention avec d'autres hommes de sa race est un affront pour des individus comme Gettys...

Le 13 janvier à minuit passé, Judith porta une bougie au bureau de son mari, dans la maison de Tradd Street. Elle le découvrit au milieu d'une litière de journaux, les lunettes sur le nez, un livre sur les genoux — un livre qu'elle ne l'avait pas vu ouvrir depuis des années.

— La Bible ? s'étonna-t-elle.

Les longs doigts blancs de Cooper tapotèrent la page de papier de riz.

— L'Exode, répondit-il. Je lisais le passage sur les sept plaies d'Égypte. Lecture appropriée, ces temps-ci, tu ne penses pas ? Après les grenouilles et la vermine, les furoncles, les moustiques et la peste du bétail, Moïse étendit à nouveau son bâton, un vent d'est souffla toute la nuit, apportant les sauterelles.

Alarmée par tant de ferveur, Judith posa la bougie, croisa les bras sur sa chemise de nuit.

— Elles mangèrent toute l'herbe du pays et tous les fruits des arbres restés après la grêle, lut Cooper à voix haute. Il ne resta rien de vert sur les arbres et dans les prairies de tout le pays d'Égypte.

Il ôta ses lunettes, poursuivit :

— Nous, c'est un vent du nord qui nous apporte une nuée de renégats sudistes, d'aventuriers yankees, de Noirs illettrés, qui vont tous participer demain à la convention. Quel spectacle ! Le radicalisme m'as-tu-vu dans toute sa gloire !

— La convention doit se réunir. Une nouvelle constitution est le prix à payer pour réintégrer l'Union.

— Et l'établissement d'un nouvel ordre social ? Est-ce aussi le prix à payer ? répliqua Cooper. (Il ramassa un numéro du Daily News.) Le démagogue dirigerait les masses, lut-il, le vice et l'ignorance mettraient la main sur les intérêts en jeu. Les délégués noirs pourraient fort bien provoquer un chahut. Je suis de cet avis, approuva-t-il en jetant le journal.

— Mais si je me rappelle la Bible, un vent d'ouest se lève et emporte les sauterelles vers la mer Rouge.

— Tu te souviens aussi de ce qui suit ? Le fléau des ténèbres, celui de la mort.

Prise de l'envie de pleurer, Judith ne pouvait croire que cet homme aigri et usé était celui qu'elle avait épousé. Au prix d'un énorme effort de volonté, elle parvint à cacher son émotion.

— As-tu l'intention d'assister aux séances ? demanda-t-elle.

— Plutôt regarder des animaux sauvages. Plutôt me pendre.

Le lendemain matin, Cooper partit de bonne heure pour les bureaux de la Compagnie Maritime de Caroline, laissant Judith triste et désemparée. Il lui était vraiment devenu étranger.

Pour des raisons différentes, Marie Louise ne lui offrait guère une meilleure compagnie. Judith trouva sa fille assise à la table de la salle à manger, devant un petit déjeuner auquel elle n'avait pas touché. Le menton dans les mains, elle fixait rêveusement quelque paysage lointain et invisible. La jeune fille négligeait ses études, ne parlait que de garçons et admirait particulièrement certains soldats de l'armée d'occupation du général Canby. Quelles que puissent être par ailleurs ses conséquences, la Reconstruction privait Judith de sa famille.

Sur les cent vingt-quatre délégués qui se réunirent le 14 janvier, soixante-seize étaient noirs. Vingt-trois délégués blancs seulement étaient nés en Caroline mais un bon nombre d'entre eux étaient d'anciens sudistes fervents. Joe Crews avait fait la traite des esclaves ; J.M. Rutland avait collecté de l'argent pour offrir une nouvelle canne à Preston Brooks, après que celui-ci eut brisé la sienne sur la tête de Charles Sumner, qu'il avait failli tuer ; Franklin Moses avait aidé à amener le drapeau américain après la reddition de Fort Sumter.

Andy siégeait parmi les délégués dans sa redingote orange, le premier volume des *Commentaires* de James Kent sur les genoux. Il se tenait très droit, fier d'être là mais intimidé, aussi : beaucoup de délégués noirs étaient plus instruits que lui. Alonzo Ransier, affranchi de Caroline, lui avait longuement parlé de la vague de bouleversements sociaux que la convention ferait naître. Le Noir le plus impressionnant était un grand et bel homme nommé Francis Cardozo. Bien que sa peau eût la couleur du vieil ivoire, ce mulâtre né libre siégeait fièrement parmi les délégués noirs. Diplômé de l'université de Glasgow, il avait occupé une chaire presbytérienne à New Haven, dans le Connecticut.

Pour surmonter son sentiment d'infériorité, Andy se répétait les mots pleins de ferveur que Jane avait prononcés lorsqu'ils s'étaient dit au revoir. « Tu vaux n'importe lequel d'entre eux. Aux yeux de Dieu, nous naissons tous égaux. Mr Jefferson l'a déclaré, et c'était, pendant la guerre, le fond du problème. »

Le « chahut » annoncé ne se produisit pas, même si des spectateurs noirs enthousiastes de la galerie durent être appelés au calme par le président temporaire, T.J. Robertson, homme d'affaires respecté d'opinion modérée. En fait, la partie la plus bruyante de la salle était celle des journalistes, pour la plupart yankees. Beaucoup portaient des costumes écossais, des cravates aux couleurs criardes, et Andy vit même l'un d'eux cracher un jet de jus de chique sur le plancher.

— Avant de donner la présidence à notre grand ami le Dr Mackey, dit Robertson, j'aimerais vous rappeler notre noble objectif. Nous sommes rassemblés ici pour doter l'État du Palmier nain d'une constitution juste et libérale, qui garantira des droits égaux à tous et nous vaudra notre réadmission dans l'Union.

Le public manifesta son approbation et Robertson abattit à nouveau son marteau pour le rappeler à l'ordre avant de poursuivre :

— Nous ne prétendons pas à la prééminence en matière de sagesse ou de vertu. Nous affirmons cependant que nous suivons l'esprit de progrès de notre époque, et que nous serons assez hardis, assez honnêtes, assez sages, pour fouler au pied des lois et des coutumes obsolètes, indignes, pour créer un nouvel ordre plus juste en Caroline du Sud. Que chaque délégué consacre ses pensées, et ses propos, à cet unique objectif.

C'est de *mes* pensées qu'il parle, se dit Andy. Bon, il prendrait la parole, et s'il se trompait, il apprendrait. Il se redressa sur son siège, tenant fermement son manuel de droit, avec une confiance et un courage nouveaux.

— Non, madame, dit Mr Edisto Topper, de Beaufort. C'est pour cela que j'ai demandé d'urgence à vous rencontrer.

Debout près de Madeline sous le pâle soleil de janvier éclairant le champ en jachère, le petit avocat tiré à quatre épingles écrasa la motte d'argile gris-bleu. La veuve d'Orry se recula en sentant la puanteur habituelle.

— J'appelais ça notre terre empoisonnée, dit-elle.

Topper laissa tomber les morceaux d'argile en s'esclaffant :

— Empoisonnée de richesses, Mrs Main.

Il se tourna vers son jeune clerc et lui ordonna :

— Ramasse plusieurs nodules et met-les dans le sac. Il faudra faire une analyse.

Le front de Madeline luisait de sueur. Quand la calèche de Topper avait remonté l'allée de Mont Royal, elle était occupée à passer à la chaux la maison en pin. De petites taches blanches maculaient ses mains et le devant de sa robe délavée.

— J'ai peine à vous croire, Mr Topper, quoique j'aimerais beaucoup que vous ayez raison.

— Les rumeurs sont fondées, ma bonne dame. Il y a un trésor caché le long de l'Ashley et de la Stono ainsi que dans le lit des deux rivières. Votre terre « empoisonnée » contient du phosphate.

— Mais ces cailloux sont là depuis des années.

— Et personne ne s'était rendu compte de ce qu'ils valaient avant que le Dr Ravenel, de Charleston, ait procédé à une analyse de nodules prélevés à Lambs, l'automne dernier.

Montrant les rizières d'un geste théâtral, Topper ajouta :

— Mont Royal pourrait contenir jusqu'à sept ou huit cents tonnes de marne par acre. Une marne à haute teneur : soixante pour cent de phosphate tricalcique, dix pour cent de carbonate de chaux — bien plus riche que celle de Virginie.

— C'est une nouvelle très agréable, mais qui donne un peu le vertige.

L'avocat eut un nouveau rire, se frotta les mains.

— Cela se comprend, chère madame. Après la défaite et les privations, nous allons connaître une renaissance économique de cette région de l'État. Elle est là, dans ces nodules puants. Leur odeur est celle de l'engrais, celle de l'argent !

Ils retournèrent s'asseoir dans les fauteuils en bois grossier disposés sur la pelouse devant la maison chaulée. De son sac, Topper sortit des rapports, des études, des comptes rendus d'analyse qu'il invita Madeline à lire attentivement.

— On se rue déjà pour acheter aux propriétaires des terrains le droit d'exploiter le minerai. Personnellement, je représente un groupe d'investisseurs qui ont fondé la Compagnie des Phosphates de Beaufort. Tous des *gentlemen* du Sud, nés en Caroline comme moi. Je suis certain que cela vous mettra en confiance lorsque nous traiterons.

Madeline releva une mèche de cheveux grisonnants.

— *Si* nous traitons, Mr Topper. Si...

— Mais vous avez tout intérêt à le faire ! C'est notre capital qui risquera d'être perdu, tandis que vous, vous ne céderez que l'usage temporaire de votre terre. Nous nous occupons de tout : creuser les puits, construire un tramway pour les bennes tirées par des chevaux, installer des machines à vapeur pour séparer le sable et l'argile. Nous nous chargeons également de transporter le minerai lavé à la sècherie puis de négocier un bon prix de vente. Mr Lewis et Mr Klett ont déjà investi dans une usine concassant le minerai pour le transformer en engrais commercial. Des firmes concurrentes ne manqueront pas d'apparaître bientôt mais nous occuperons une excellente position.

C'était trop parfait, et Madeline s'obstinait à chercher des défauts.

— Et les hommes qui extrairont le minerai ?

— Nous nous en chargeons également. Nous embaucherons tous les nèg — euh, tous les affranchis disponibles. Soixante-quinze *cents* par mètre creusé, enlèvement des nodules compris.

L'expression désapprobatrice de Madeline étonna l'avocat.

— Quelque chose qui ne va pas ?

— Certainement, Mr Topper. Des familles noires meurent de faim dans les plantations de l'Ashley, Mont Royal compris. Si vous voulez exploiter mes terres, vous devrez créer des emplois qui en valent la peine. Disons un dollar et demi par mètre creusé ?

Topper pâlit.

— Un dollar et demi ? Je ne suis pas sûr que...

— Dans ce cas, il vaut peut-être mieux que je négocie avec quelqu'un d'autre. Vous avez parlé de concurrence...

L'homme de loi se tortilla sur son siège.

— Nous allons nous arranger, chère madame, j'en suis persuadé. Tenez, j'ai apporté un formulaire d'option. J'aimerais obtenir votre signature ce matin, en attendant l'établissement d'un contrat satisfaisant pour les deux parties.

Topper prit des mains de son collaborateur une épaisse feuille de papier pliée et fermée par un ruban vert, l'agita comme si c'était le plan de la route menant à l'Eldorado.

En s'efforçant de cacher son excitation, Madeline parcourut les paragraphes rédigés dans une langue torturée, rendue plus obscure encore par des expressions latines. Elle eut l'impression d'en comprendre le sens général.

— Demandez à votre employé d'ajouter une phrase sur les salaires des mineurs et je signerai, dit-elle.

— Je crois savoir qu'une seconde signature sera nécessaire.

— Non, j'ai pouvoir de signer pour Cooper Main.

Ce qu'elle fit, d'une main tremblante.

Orry, Orry ! Quelle joie ! Nous sommes sauvés ! Pour célébrer l'événement, j'ai invité tout le monde à venir manger un riz au safran. Jane a apporté une cruche de vin de mûres qu'elle gardait pour une grande occasion, et nous avons ri, chanté et dansé comme des païens tandis que la lune montait dans le ciel.

La rivière brille telle une coulée de feu tandis que j'écris ces mots. J'ai rarement eu aussi chaud en janvier. Notre hiver de désespoir est peut-être enfin terminé. Et surtout, si le sous-sol de Mont Royal contient bien des richesses, je pourrai réaliser mon rêve : reconstruire la maison.

Madeline fut éveillée par le bruit d'un cheval remontant l'allée. Elle enfila son vieux peignoir, se précipita dehors pour voir qui lui rendait visite. Fait incroyable, c'était Cooper, qui sauta d'un bai couvert d'écume.

— On ne parle que de cela à Charleston depuis hier soir, dit-il. Nous sommes la risée de la ville.

— De quoi s'agit-il ? fit-elle d'une voix endormie.

— De votre fichu contrat avec les Phosphates de Beaufort. Apparemment, vous êtes la dernière à apprendre qui se cache derrière la compagnie.

— Des hommes de la région, m'a dit l'avocat.

— Il a menti, ce *scalawag*. C'est le seul Carolinien de l'opération. Le principal actionnaire de la firme est un sénateur radical, Sam Stout. Vous nous avez vendus à un homme qui nous fouette d'une main et nous saigne de l'autre.

Je n'ai rien pu faire pour l'apaiser. Il m'a couverte d'invectives, a refusé mon invitation à manger, a traité grossièrement Prudence et m'a ordonné de refuser de signer le contrat définitif, quelles que soient les conséquences légales. J'ai répondu que je signerais un pacte avec le diable si cela pouvait sauver le domaine des Main et donner à manger à nos affranchis. Il m'a maudite, est remonté sur son cheval fourbu et est reparti. Je crois qu'il me hait maintenant plus que jamais, même s'il tirera avantage de mon erreur.

Février 1868. La convention devrait durer près de deux mois. Andy ne garde qu'un dollar sur les onze qu'il reçoit comme indemnité journalière et envoie le reste à sa femme. Il travaille la nuit au Mills House et donne une somme symbolique à la famille noire qui l'accueille dans sa cabane. Jane m'a montré sa dernière lettre, écrite en phrases simples mais dans un anglais qui est un modèle de clarté. Quelle chose prodigieuse que l'esprit de l'homme quand on le laisse se développer...

Andy Sherman avait l'impression de n'avoir jamais tant fait travailler sa tête, ni autant appris, excepté lorsque Jane avait été son professeur, pendant la guerre. Chaque matin, quand il s'habillait pour faire son travail de délégué, il avait le corps endolori par les heures passées à frotter les planchers de l'hôtel ou à porter des jarres d'excréments aux charrettes. Quelques heures de sommeil et un repas par jour lui suffisaient car il tirait sa nourriture de ce qu'il faisait à la convention.

Chaque fois qu'il ne saisissait pas un mot, une phrase, une idée, il interrogeait le président ou les membres de sa sous-commission. Et quand il avait compris les explications qu'on lui donnait, il se sentait comme un adolescent sans souci s'éveillant un matin d'été.

Par manque d'audace ou par opportunisme, certains délégués tentaient de modifier ce qui devait être la pierre angulaire de la future constitution : le droit de vote. Ils proposaient une taxe d'un dollar, des restrictions liées au niveau d'instruction : tout homme atteignant sa majorité après 1875 sans savoir lire et écrire n'aurait pas le droit de vote.

Pendant les débats animés portant sur ces amendements, Andy entendit plusieurs délégués noirs réciter la doctrine de la Ligue pour l'Union. Toutefois, la majorité des Noirs demeuraient trop effrayés par leurs collègues blancs, ou simplement trop timides, trop peu sûrs d'eux, pour prendre la parole. Andy tenta de convaincre deux ou trois d'entre eux de participer à la discussion et eut droit à des réponses évasives.

Il parla du problème à Cardozo, dont il continuait à admirer la vivacité d'esprit et le talent oratoire.

— Vous avez raison, Sherman. Nous sommes, en tant que race, trop taciturnes. Seule l'instruction remédiera à ce défaut. Étant donné l'histoire de cet État, je pense toutefois qu'un système d'enseignement public adéquat ne pourra être mis en place pour 1875. Je voterai donc contre l'amendement.

Andy prit la parole contre la proposition. Debout pour la première fois dans la grande salle, il lut d'une voix nerveuse mais avec conviction la petite déclaration qu'il avait écrite et récrite sur des bouts de papier avant d'en être satisfait :

— Messieurs, je crois que le droit de vote doit appartenir aux sages comme aux ignorants, aux débauchés comme aux vertueux, sinon le suffrage universel en tant que principe n'aura aucun sens.

Ransier fut le premier debout pour applaudir.

L'amendement fut rejeté par cent sept voix contre deux, et la taxe d'un dollar, que Cardozo qualifia de premier pas vers une restitution du pouvoir à l'aristocratie, fut repoussée par quatre-vingt-une voix contre vingt et une.

Le travail a commencé ! Tout le district grouille d'ouvriers, de promoteurs, d'hommes venus des nouvelles usines de traitement récemment créées. Après près de trois ans de chaos et de pauvreté, la région redevient pleine d'énergie et d'espoir. Ces perspectives d'amélioration me dictent de me rendre prochainement à Charleston — pour préparer la réduction du fardeau de notre dette...

Les Noirs de Mont Royal se montraient aussi protecteurs envers Madeline que si elle avait été une enfant. Comme ils insistaient à nouveau pour que l'un d'eux la conduise à la ville, elle finit par céder et choisit Fred.

Par une fraîche matinée de février, ils arrêtèrent le chariot peu après avoir pris la route de la rivière. Dans un champ défriché, derrière une barrière, une trentaine de Noirs creusaient le sol à la pelle. Des piquets surmontés de drapeaux délimitaient le tracé d'une tranchée qui serait creusée autour du champ pour le drainer. Six hommes tiraient avec des cordes une énorme poutre pour niveler un sentier au milieu du champ. C'était le chemin qu'emprunteraient plus tard les bennes transportant le minerai.

Madeline considérait le chantier avec fierté quand une lumière vive, comme reflétée par un miroir, attira son attention. Elle tourna la tête, vit un cavalier sur la route, à cinq cents mètres en descendant vers Summerton. A sa corpulence et à la lumière reflétée par ses lunettes, elle reconnut Gettys.

Le boutiquier demeura un moment immobile, comme s'il la regardait, puis il tira la bride de son cheval d'un geste méprisant, fit demi-tour et partit au trot pour Summerton.

Madeline frissonna. D'une certaine façon, la journée était gâchée.

Cela ne fit qu'empirer. A la Palmetto Bank de Broad Street, un employé chauve nommé Crow l'informa que Mr Dawkins ne serait pas visible de la journée.

— Mais je lui ai écrit pour annoncer ma visite, protesta Madeline. Il faut que je lui parle.

— A quel sujet ? demanda Crow d'un ton froid.

— Je désire rembourser mon hypothèque avant le délai prévu par la banque. Comme on exploite le phosphate de Mont Royal, nous devrions jouir bientôt de revenus substantiels. J'en ai parlé à Leverett dans ma lettre.

— Mr Dawkins a reçu votre lettre, confirma l'employé, en insistant sur le *Mr* pour critiquer implicitement la familiarité de Madeline. J'ai été chargé de vous dire que le conseil d'administration de la banque n'est pas favorable à un remboursement anticipé. Selon les conditions de l'hypothèque, nous sommes en droit d'exiger que vous continuiez à rembourser tous les trimestres comme prévu.

— Pendant combien de temps ?

— Jusqu'à expiration.

— Cela représente des années. Si c'est une question d'intérêts, je les paierai volontiers.

Crow recula d'un pas, l'air dédaigneux.

— C'est une question de politique bancaire, Mrs Main.

— Quelle politique ? Vous voulez me garder attachée à une laisse que vous pourrez couper quand vous voudrez ?

— Voulez-vous parler de saisie ?

— Oui. C'est aussi une question de politique bancaire, ça ?

— Veuillez parler moins fort, je vous prie. Pourquoi la banque saisirait-elle Mont Royal ? C'est un domaine de prix, avec des perspectives de rapport qui viennent de s'améliorer considérablement. Vous soulevez une question qui n'a rien à voir.

Crow réfléchit puis ajouta :

— Certes, la saisie demeure une possibilité pour la banque au cas où vous manqueriez à vos engagements. Mais alors la personne qui en pâtirait serait le propriétaire, Mr Main. Je suis persuadé que vous n'aimeriez pas placer votre parent dans une telle situation...

Les points avaient été mis sur les i — la menace avait été exprimée. Mais quelle maladresse, quel manque de subtilité dans leur volonté farouche de la tenir à merci ! La question de *l'africanisation* suscitait-elle encore des réactions insensées dans tout l'État, tout le Sud ? On ne devait quand même plus craindre d'improbables complots, soulèvements, atteintes à la propriété, viols de femmes blanches...

Tout à coup, une intuition lui révéla la véritable cause de ce comportement : la convention. La convention qui se mêlait du droit de vote et des impôts, qui menaçait de toucher l'argent des Blancs. Leverett Dawkins connaissait-il les rapports qu'elle avait avec un délégué noir ? Oui, forcément.

Énervée par l'attitude de Crow et les regards méprisants du caissier, Madeline s'approcha de la petite porte ménagée dans le comptoir de chêne.

— Mr Crow, je suis une bonne cliente de cette banque. Je ne suis satisfaite ni de vos explications ni de votre grossièreté. Je vais en parler à Leverett, qu'il soit occupé ou non.

Crow se précipita pour bloquer la porte.

— Madame, vous n'en ferez rien. Et je vous prie de sortir. Mr Dawkins vous rappelle que les personnes de couleur ne sont pas les bienvenues dans cet établissement.

Des larmes de rage aux yeux, Madeline quitta la banque.

... Je suis en partie remise du choc de ma mésaventure à la banque. Mais l'humiliation — et la colère — demeurent entières.

Mars 1868. Quelle confusion, quel mélodrame ! Il y a deux mois, le Sénat, réuni à huis clos, a refusé d'approuver la suspension de Mr Stanton, tandis que le général Grant donnait sa démission pour permettre à Stanton de retrouver son bureau au ministère de la Guerre. Là-dessus, Johnson nomme immédiatement le général Lorenzo Thomas à la place de Grant et Thomas clame qu'il chassera Stanton par la force au besoin. Lequel Stanton se barricade littéralement dans son ministère et obtient un mandat d'arrestation contre Thomas. Mandat délivré au cours d'un bal masqué ! Tout cela ferait un livret d'opéra-comique parfait si les passions se cachant derrière n'étaient profondes et mortelles.

Les loups lancés à la poursuite de Johnson l'ont enfin acculé. Le 24, la Chambre a décidé, à une forte majorité, la mise en accusation du président. C'est un événement sans précédent dans l'histoire de notre pays, et qui rend enragés les partisans des deux camps. Stout et sa clique, qui traitent Johnson de « Grand Apostat », déclarent qu'il a trahi Lincoln, la Constitution, la nation, etc. Les partisans du président soutiennent que, jugeant anticonstitutionnelle la Tenure of Office Act, il n'a eu d'autre solution que de la mettre à l'épreuve dans les faits. Les radicaux sont bien résolus à le faire passer en jugement mais je n'arrive pas à croire que le chef de l'exécutif subira une telle humiliation. Pourtant, beaucoup se réjouissent de cette perspective...

Retour d'Andy hier soir. La convention a clos ses travaux après cinquante-trois jours de débat. Elle a décidé de tenir des élections spéciales en avril pour ratifier la nouvelle constitution, élire des représentants au niveau de l'État et de la nation...

Topper est venu m'apporter les résultats des analyses et je l'ai accusé de m'avoir caché que sa compagnie appartenait en fait à Stout. Avec l'arrogance froide que j'ai notée chez certains hommes de petite taille, et chez nombre d'avocats, il a écarté mes accusations en me montrant une estimation des profits reposant sur les analyses. Les sommes sont fabuleuses...

Grande activité dans le district. Cavaliers sur les routes à toute heure, lanternes brillant tard dans la nuit le long des marais. J'en vois la cause soit dans la campagne électorale, soit dans l'afflux de géomètres, de techniciens des mines, etc. Mais ni l'un ni l'autre n'explique un curieux changement chez les affranchis. Ils sourient peu, s'alarment pour un rien, se parlent fréquemment en gullah* *pour ne pas être compris...*

J'en suis convaincue maintenant : ils ont peur. Prudence l'a remarqué elle aussi. Peur de quoi ?

Le Sorcier Impérial arriva la nuit.

Dans un bois de grands chênes écarté, à un kilomètre de Summerton, ils plantèrent et allumèrent des torches, disposées en cercle. Les femmes, les petites amies avaient cousu les robes selon les instructions envoyées par lettre. L'Empire Invisible ne prescrivait aucune couleur particulière et les initiés, sur l'insistance de Des, avaient choisi le rouge. C'est Gettys qui avait payé le tissu sur ses coquets appointements au *Dixie Store.*

Haut de deux mètres, solidement bâti, le général Nathan Bedford Forrest avait le teint basané, des yeux bleus, la barbiche et les cheveux bruns semés de gris. Il fit aux initiés l'impression d'un homme qu'il valait mieux ne pas défier, et lorsqu'il leur distribua un exemplaire des *Préceptes* — règlement de l'association — en précisant qu'il leur en coûterait dix dollars, personne n'émit d'objection.

Les torches fumaient et grésillaient autour des initiés qui se tenaient sur une ligne. Le dos bien droit, Forrest passa devant chaque homme, l'examina de ses yeux clairs. Des avait la tête qui tournait presque d'excitation ; Jack Jolly prenait un air suffisant : Forrest était son ancien chef ; Gettys transpirait, moins cependant que le Père Lovewell, qui ne cessait de lancer des regards inquiets vers l'obscurité bruissante d'insectes, au-delà du cercle de torches. Un des deux fermiers complétant le groupe reconnut le prêtre qu'il voyait chaque dimanche à l'église.

Forrest commença l'initiation.

— Le Klan est une association humanitaire et patriotique dont les principes contiennent tout ce qu'il y a de chevaleresque, de noble, d'héroïque. Sachant que vous avez déjà exprimé votre adhésion à ces valeurs, je vais, sur ordre du Grand Dragon du Royaume de Caroline, vous poser dix questions.

Son regard sévère passa d'un homme à l'autre.

* Patois des Noirs de la côte des États de Géorgie et de Caroline du Sud. (N.d.t.)

— Avez-vous appartenu au Parti républicain radical, à la Ligue pour l'Union ou à l'Armée de la République ?

Tous en chœur :

— *Non.*

— Vous opposez-vous à l'égalité des Noirs, tant sociale que politique ?

— *Oui.*

— Êtes-vous partisan d'un gouvernement de Blancs ?

— *Oui.*

— Préférez-vous les libertés constitutionnelles et des lois équitables à un gouvernement de violence et d'oppression ?

— *Oui !*

L'initiation se poursuivit ainsi pendant près d'une heure. Le dogme :

— Nous protégeons les faibles, les innocents, les sans-défense, contre l'anarchie, la convoitise des violents, des brutes, des détraqués... Nous servons les opprimés, les déshérités, les malheureux, en accordant la priorité aux veuves et aux orphelins des morts confédérés.

Le règlement :

— Les rites, codes ou mots de passe, desseins, mystères et autres secrets propres à l'organisation ne doivent pas être révélés. Jamais le nom de l'association ne doit être écrit par l'un quelconque de ses membres. En cas de déclaration publique, elle se présentera toujours et seulement par un, deux ou trois astérisques.

L'admission :

Forrest ramassa par terre une robe et une cagoule de satinette chatoyante et les tendit solennellement à Des.

— Je vous confère le titre, les droits et privilèges de Grand Cyclope de la klaverne, ainsi que la responsabilité de Grand Titan du district...

A Jolly :

— Je vous octroie le titre, les droits et privilèges de Grand Turc et vous charge d'assister le Cyclope dans toutes ses tâches en qualité de loyal second.

— Oui, mon général, fit le capitaine, les yeux débordants de plaisir anticipé.

Grande Sentinelle, Grand Enseigne, Grand Scribe, Grand Trésorier, chacun eut sa fonction. Avec solennité et un sentiment de patriotisme absent de sa vie depuis qu'il avait quitté les *Palmetto Rifles,* Des revêtit la robe et la cagoule rouges. Les autres l'imitèrent.

Le général Forrest inspecta la « tanière* » encapuchonnée, eut un sourire satisfait :

— Vous êtes les nouveaux chevaliers de notre grande croisade. Commencez l'épuration ici, sur votre sol natal, où le visage de l'ennemi vous est connu. Unis de klaverne en klaverne à travers notre vaste Empire Invisible, nous balaierons le gouvernement corrompu de certains Blancs malfaisants de cette terre que nous aimons.

Desmond LaMotte s'humecta les lèvres sous la cagoule qui lui couvrait la face et crut à nouveau sentir le poids de son compagnon Ferris Brixham mort, inerte dans ses bras. Jolly entendit les hurlements des mourants de Fort Pillow. Et Gettys eut une érection sous sa robe

---

* Nom donné aux structures locales du Klan. (N.d.t.)

en imaginant la veuve d'Orry Main privée de sa soudaine richesse, enlevée et conduite dans une clairière comme celle-ci, dénudée pour recevoir le châtiment qu'ils jugeraient bon de lui infliger.

Curieusement, Des devina ses pensées.

— Certains hommes blancs, murmura-t-il. Et une certaine femme aussi.

———

L'esclavage et l'emprisonnement pour dettes sont à jamais interdits.

Le duel est proscrit.

Le divorce est autorisé. Les biens d'une femme mariée ne peuvent plus être saisis ou mis en vente pour payer les dettes du mari.

Les districts porteront désormais le nom de comtés.

Il sera établi un système d'écoles publiques ouvertes à tous et financées par un impôt uniforme sur les biens immobiliers et personnels.

De même, des voies ferrées et des asiles seront construits avec l'argent des impôts dont la collecte par les municipalités, comtés et districts scolaires est autorisée par le présent document.

Il n'y aura pas de ségrégation raciale dans la milice de l'État.

Le droit de vote est garanti à tout homme majeur, quelles que soient sa race ou sa condition antérieures.

Nul ne peut être privé de droits civiques pour un délit commis alors qu'il était esclave.

La discrimination raciale sera interdite en quelque domaine que ce soit et toutes les classes de citoyens jouiront des mêmes droits publics, juridiques et politiques.

Quelques dispositions des quarante et un articles de la Constitution de Caroline du Sud de 1868.

———

40

Marie Louise Main entra dans le printemps de sa quinzième année avec un certain nombre de problèmes.

La nuit, elle rêvait qu'elle valsait avec une succession de beaux jeunes gens qui la tenaient fermement par la taille et la courtisaient avec un accent yankee qu'elle trouvait abominablement séduisant. Chacun avait un visage différent ; tous portaient l'uniforme bleu d'officier avec des boutons dorés. A la fin de chaque rêve, le cavalier de Marie Louise l'entraînait en dansant vers un balcon, une allée obscure et se penchait pour l'embrasser avec audace...

Elle se réveillait invariablement à ce moment-là. Elle savait pourquoi : elle ignorait totalement ce qui venait après le baiser.

Oh ! elle en avait une idée générale. Elle avait vu des animaux et... bon, elle savait. Mais elle n'avait pas la moindre idée de ce qu'on ressentait, de la façon dont il fallait se comporter. Maman avait fourni des informations élémentaires mais s'était dérobée aux questions plus précises : « Nous en parlerons quand tu seras fiancée, et ce ne sera pas avant quelques années encore. » Naturellement, la jeune fille n'abordait jamais le sujet avec son père.

Elle s'inquiétait aussi de ce qu'elle percevait comme une infériorité quand elle se comparait à ses camarades, les cinq autres jeunes demoiselles de sa classe à l'Institution de Mrs Allwick. Tandis qu'elle traduisait des passages choisis d'Horace ou de *l'Énéide,* les autres filles se passaient des billets, échangeaient des confidences sur leurs soupirants. Chacune d'elles en avait plusieurs, ou du moins l'affirmait. Marie Louise n'en avait pas. Papa était tellement sinistre et préoccupé qu'il ne lui donnait jamais le moindre encouragement concernant les garçons. Non pas que cela eût de l'importance, d'ailleurs, puisqu'elle ne connaissait même pas un seul jeune homme disposé à lui faire sa cour avec les visites et les petits présents traditionnels.

Marie Louise se demandait si son aspect physique contribuait à cette triste situation. Elle devait se faire à sa haute taille et à sa maigreur : ses parents étaient tous deux filiformes. Elle avait hérité de maman des boucles châtain clair et une grande bouche, avec de bonnes dents. Mais sa petite poitrine lui venait mystérieusement de Papa, pensait-elle, parce que Maman était plate.

Quand elle se sentait bien, elle se trouvait assez jolie ; lorsqu'elle était abattue pour quelque raison — généralement le manque de garçons dans sa vie — elle se traitait d'affreuse jument. Objectivement, c'était une jeune fille attirante, avec un joli visage fait pour sourire et une chaleur naturelle qui inspirait l'amitié, bien qu'elle fût certes un peu trop grande et un peu trop maigre pour être considérée comme une beauté.

Elle était également préoccupée par son père, qui ne souriait jamais, et dont la présence austère la mettait mal à l'aise. Maman, mal à l'aise elle aussi, ne pouvait recevoir tante Madeline que dans la journée, lorsque Marie Louise était en classe. Papa refusait que la veuve d'Orry dîne dans la maison de Tradd Street ou y pénètre quand il s'y trouvait. Il n'expliquait jamais cette attitude intolérante qui peinait la jeune fille car elle aimait beaucoup sa tante par alliance.

Papa s'en moquait. Il n'était plus l'homme qu'elle avait connu dans sa petite enfance. Pris par toutes sortes d'activités, il se rendait deux fois par mois à Columbia pour les réunions du conseil d'administration de l'ancien *South Carolina College,* dont il était l'un des trente-huit membres. Devenu université d'État, l'établissement accueillait vingt-deux étudiants. « Si les radicaux et le général Canby nous laissent tranquilles, nous en ferons quelque chose. » Ce que son père voulait en faire exactement, Marie Louise l'ignorait, mais il se montrait farouchement attaché à l'université et à son poste au conseil d'administration.

Papa prononçait aux repas de petits sermons courroucés dans lesquels revenait le plus souvent la question des écoles publiques prévues dans la nouvelle constitution. « *L'Éclair* est un torchon, dit-il un soir en agitant une feuille mal imprimée. Mais en l'occurrence, son rédacteur en chef a raison. Un impôt sur les biens au taux de neuf millièmes par dollar serait du vol. Ce projet d'écoles est une idée d'indigents élaborée par une soixantaine de Noirs, pour la plupart ignorants, et une cinquantaine de Blancs qui sont des épaves nordistes ou des renégats sudistes. Leur tripatouillage de l'ordre social ruinera cet État sur le plan moral et financier. »

Enfin, Marie Louise se tourmentait pour un spectacle de fin de trimestre qui la mettait en rivalité avec les autres élèves de l'institution où elle apprenait le latin et le grec (tout à fait rasoir), l'algèbre (un mystère) et les bonne manières (utiles avec les soupirants, du moins le lui avait-on dit). Pour cette petite fête, Mrs Allwick prévoyait plusieurs numéros de danse sous la direction de Mr LaMotte, professeur à temps partiel à l'institut, homme étrange au corps dégingandé, d'une grâce quasi féminine, et dont Marie Louise trouvait le regard troublant.

Pour ouvrir le programme, il y aurait un grand tableau vivant dans lequel une des six filles de la classe serait choisie pour incarner l'Éternel Féminin sudiste, et Marie Louise avait décidé que ce rôle était la chose plus importante dans sa vie, après les garçons. Elle craignait que le choix de Mrs Allwick se porte sur une espèce de truie nommée Sarah Jane Oberdof, qui prétendait être courtisée par sept jeunes gens. Oui, beaucoup de problèmes...

Un matin de début avril, Marie Louise découvrit en quittant l'école, à quatre heures et demie, qu'il pleuvait avec une telle violence qu'elle ne pouvait voir Fort Sumter, dans le port. Ses camarades coururent vers les parents ou les domestiques venus les chercher en calèche. Serrant contre elle son Virgile, Marie Louise s'apprêtait à regagner Tradd Street sous l'averse quand un buggy familier surgit de South Battery. La jeune fille découvrit son père, agitant sa canne à pommeau d'or.

— J'étais à une réunion du comité, chez Ravenel, dit-il. Quand j'ai vu qu'il allait pleuvoir, j'ai décidé de passer te prendre pour t'éviter d'être trempée. Monte. Je dois passer au *Mills House* déposer des papiers puis nous rentrerons à la maison.

Marie Louise prit place dans le buggy en posant sur le visage pâle et fatigué de Cooper des yeux plein d'adoration. C'était la première fois depuis des mois qu'il lui témoignait autant d'attention.

Un grand nombre de chevaux d'attelage et de selle étaient attachés le long de la façade de l'hôtel, dans Meeting Street. Cooper trouva un endroit où garer le buggy, demanda à sa fille d'attendre.

Les nuages sombres filèrent vers la mer, le soleil réapparut. Marie Louise remarqua un petit groupe d'hommes et de femmes écoutant un orateur sur les marches de l'Hibernian Hall. Non loin de là, d'autres hommes portaient des pancartes proclamant : LES RÉPUBLICAINS SOUTIENNENT L'ÉCOLE PUBLIQUE.

Lasse d'attendre, l'adolescente descendit du buggy, s'approcha nonchalamment de l'orateur à la voix rauque — un mulâtre, peut-être — qui pressait son auditoire de voter en faveur de la nouvelle constitution de l'État. Elle s'arrêta près de deux hommes mal rasés qui la dévisagèrent d'un air soupçonneux. Soudain elle avisa sur sa gauche un jeune homme vêtu d'une veste et de culottes tabac qui la regardait avec insistance.

Elle faillit s'évanouir en reconnaissant la figure pâle, les cheveux blonds, la moustache aux pointes relevées et les yeux bleus pétillants.

C'était le jeune civil qui avait offert sa place à la Noire dans le train de Coosawhatchie. Il lui sourit, souleva son chapeau ; Marie Louise rendit le sourire, en songeant qu'elle devait être écarlate.

— ... et il incombe à chaque citoyen ayant une conscience de soutenir le projet d'écoles publiques pour la Caroline du Sud en votant oui, dans une semaine...

— Un moment.

Des têtes se tournèrent ; Marie Louise fit volte-face en reconnaissant la voix de son père.

— Je suis un citoyen qui a une conscience, déclara Cooper en fendant la foule. J'aimerais poser une question.

— Certainement, Mr Main. Vous voyez, je vous ai reconnu, dit l'orateur un brin sardonique et sur la défensive. Mesdames, messieurs, ce gentleman possède une compagnie maritime. C'est un démocrate.

Comme il fallait s'y attendre, la foule gronda.

— Qu'il aille au diable ! cria même quelqu'un.

Marie Louise eut une réaction de colère : comment ces gens osaient-ils être aussi grossiers avec son père ?

Parvenu en bas des marches de l'Hibernian Hall, Cooper reprit :

— J'ai écouté les platitudes de ce monsieur, elles font partie du boniment républicain habituel. Mais je me demande si quelqu'un ici en connaît le véritable prix.

— Faites-le taire ! beugla un des voisins mal rasés de Marie Louise.

— Non, je suis sûr que vous l'ignorez, continua Cooper. Aussi rappellerai-je aux idéalistes que vous êtes qu'avant le « récent désaccord », quand la Caroline du Sud pouvait prétendre à la prospérité, les impôts perçus pour l'école publique s'élevaient seulement à soixante-quinze mille dollars par an, dont la plus grande partie provenait des taxes sur les esclaves noirs...

L'orateur fit signe à deux musiciens en haillons qui se mirent à jouer à leur fifre *The Battle Hymn of the Republic*.

— Je parlerai quand même ! cria Cooper par-dessus la musique.

— Faites-le taire ! brailla le voisin de Marie Louise.

La jeune fille en fut si indignée qu'elle ne vit pas le jeune homme du train contourner la foule pour s'approcher d'elle.

— Ce projet ahurissant et mal conçu d'écoles publiques coûterait près d'un million de dollars par an ! poursuivit Cooper. Et cette somme ne pourrait qu'être prise sur les impôts. Si vous votez pour la constitution d'inspiration républicaine, vous ferez peser sur l'État un fardeau insupportable. La Caroline du Sud est à genoux, ce projet l'empêcherait à jamais de se relever.

Dans la foule, une femme agita son ombrelle en direction de Cooper.

— C'est pas les impôts que vous aimez pas, c'est les Noirs !

— Descends de là ou on te vire ! menaça un des fermiers mal rasés.

Sans réfléchir, Marie Louise abattit son Virgile sur le crâne du grossier personnage.

— Laissez-le tranquille. Il a autant le droit de parler que vous.

L'homme se retourna, son compagnon également ; l'adolescente fut pétrifiée de terreur. Celui qui avait crié avait un œil blanchâtre, une boucle d'or à l'oreille droite. Lorgnant la poitrine de la jeune fille, il s'exclama avec un fort accent yankee :

— Ils les prennent jeunes, leurs gonzesses, à Charleston, hein ?

— Surveillez votre langage, monsieur, fit une voix derrière Marie Louise.

Elle tourna la tête, découvrit le jeune homme aux yeux bleus, qui affrontait les deux individus plus âgés sans montrer la moindre inquiétude.

— Je crois que le gentleman qu'elle défend est de sa famille, poursuivit-il. Vous lui devez des excuses.

— Sûrement que j'vais faire des excuses à une Sudiste ! Pourquoi que tu prends son parti, fiston ? T'es du Nord, à t'entendre.

— De Chicago, approuva le jeune homme du train. Je prends son parti parce que vous vous conduisez comme un malotru. Le Sud n'a pas de leçon à recevoir en ce qui concerne l'attitude à l'égard des dames.

— Petit merdeux !

L'homme à l'œil blanchâtre ramena le poing en arrière. Une femme poussa un cri. Avec un sifflement, la canne de Cooper s'abattit sur le bras levé. Le père de Marie Louise frappa une seconde fois avec le lourd pommeau d'or tandis que le jeune homme prenait la jeune fille par la taille, la soulevait et la dirigeait vers le bord du trottoir, à l'écart de la foule.

Respirant rapidement, il se mit en garde, dans une posture quelque peu affectée mais qui n'en impressionna pas moins l'adolescente. Le borgne essayait d'agripper Cooper, qui le repoussait de la pointe de sa canne. Le reste de la foule, quoique d'opinion républicaine, se retourna rapidement contre les deux personnages patibulaires et tenta de les maîtriser. D'un dernier coup de canne, Cooper éloigna l'homme à l'œil crevé ; le jeune homme blond baissa sa garde.

— Merci, monsieur, lui dit Cooper. (Il brossa de la main le revers de sa veste, examina le jeune visage, fronça les sourcils.) Nous nous connaissons, je crois.

— De vue, seulement, monsieur. Nous nous sommes rencontrés dans le train de Coosawhatchie, il y a quelque temps.

— Ah, oui, fit Cooper, glacial.

La foule commença à se disperser ; l'orateur et les musiciens s'éloignèrent au son des fifres, improvisant dans Meeting Street un défilé auquel plusieurs autres se joignirent. Immobile, l'homme à l'œil blanchâtre fixa la jeune fille et ses deux protecteurs jusqu'à ce que son compagnon le persuade de partir.

— Cooper Main, dit le père de Marie Louise en s'inclinant. Votre serviteur.

— Theo German. Enchanté. Je trouve déplorable que la liberté de contradiction n'ait pas été respectée aujourd'hui.

Cooper haussa les épaules d'un air peu amène et Marie Louise se rappela la colère de son père quand le jeune Nordiste avait proposé sa place à la femme noire.

— La nouvelle constitution est une question capitale, Mr German. Notre survie dépend de son rejet.

— J'en suis cependant partisan.

— J'ai cru comprendre que vous n'êtes pas Carolinien ?

— Non. Je ne suis ici que provisoirement, pour mon, euh, travail. J'ai une chambre chez Mrs Petrie, dans Chalmers Street.

Par-dessus l'épaule de son père, Marie Louise regarda les yeux bleus de Theo German. Elle devinait pourquoi le jeune homme avait donné son adresse — et Cooper le soupçonnait également.

— Papa, tu ne m'as pas présentée.

— Ma fille, Marie Louise Main, que vous avez eu la bonté de secourir, dit Cooper d'un ton froid. J'ai une dette envers vous.

Prenant l'adolescente par le bras, il ajouta :

— Bon, nous partons.

— Mr Main, avec votre permission..., commença Theo German.

Oh ! oui ! s'exclama intérieurement Marie Louise, étourdie de bonheur.

Sans laisser au jeune homme le temps de poursuivre, Cooper entraîna sa fille vers le *Mills House*.

— Au revoir, Mr German.

Dans le buggy, Marie Louise martela rageusement sa jupe de ses poings gantés.

— Papa, comment as-tu pu ? Il allait te demander la permission de venir chez nous !

— C'est ce que je me suis dit. Nous n'avons pas besoin d'aventuriers yankees dans Tradd Street. C'est probablement un organisateur de la Ligue, ou pire encore. Il s'est conduit en gentleman, je te l'accorde, mais cela ne suffit pas pour avoir le droit de courtiser ma fille. Lorsque tu seras en âge d'avoir des soupirants, je t'en informerai.

— Papa, implora la jeune fille, au bord des larmes.

Sourd à ses supplications, Cooper tira sur les guides, lança l'attelage dans Meeting Street. Lorsqu'ils passèrent devant le jeune homme, encore planté devant l'Hibernian Hall, Marie Louise eut envie de lui faire signe mais n'osa pas. Chalmers Street, Chalmers Street, se répétait-elle. Mrs Petrie, Chalmers Street.

Marie Louise passa deux jours à écrire, sur du papier lavande, le billet dans lequel elle remerciait Theo German avec effusion d'avoir « protégé son honneur ». Puis, après avoir longuement pesé les conséquences de son acte, elle ajouta un paragraphe l'invitant à assister au spectacle de fin de trimestre de l'institution de Mrs Allwick. « Veuillez m'écrire à l'école si vous avez l'obligeance de me répondre », conclut-elle, avant de parfumer sa lettre.

L'affranchi qui servait d'homme à tout faire à l'institution prit le billet sans poser de question. Le lendemain, Marie Louise reçut en réponse une note brève et audacieuse :

Ce sera pour moi un honneur et un privilège que d'accepter votre invitation.

Votre serviteur,
capitaine Theo German

« Capitaine ! » s'exclama Marie Louise, serrant la lettre contre sa poitrine. Alors c'était bien un aventurier yankee, probablement un de ces anciens soldats venus mettre le Sud à sac, comme disait papa.

Marie Louise compta les jours la séparant de la fête, qui aurait lieu une semaine après les élections. Le général Canby envoya des troupes dans tout l'État pour garder les bureaux de vote et empêcher tout incident avec les électeurs noirs. Lorsque la nouvelle constitution fut adoptée, par soixante-dix mille voix contre vingt mille, on aurait pu croire qu'un ouragan avait frappé Tradd Street.

— Six démocrates seulement sur trente et un sièges au sénat de l'État ! Et quatre représentants démocrates face à cent dix républicains noirs, bon Dieu !

— Cooper, ne jure pas devant ta fille, s'il te plaît, dit Judith.

— Nous sommes fichus. La Caroline sera ruinée avant un an, reprit Cooper, qui ne décoléra pas jusqu'au soir de la fête.

Dans le salon suranné de Mrs Allwick, éclairé par une profusion de lampes et de bougies, un double rideau de gaze et de calicot pendait à l'entrée de la salle à manger. Derrière, des jeunes filles portant un drap de lit en guise de toge et coiffées de couronnes de lierre prenaient place en gloussant autour de Sara Jane Oberdof, choisie pour incarner l'Éternel Féminin sudiste.

Marie Louise s'en moquait, elle pensait à tout autre chose. Si ce qu'elle éprouvait n'était pas de l'amour, c'était un sentiment aussi grisant, aussi délicieux. Mrs Allwick réclama le silence, le rideau se leva. Immobile comme les autres élèves servant de suivantes à Sara Jane, Marie Louise inspecta le public et crut défaillir. Comme elle avait été idiote !

Toutes les chaises étant occupées par les parents vêtus de leurs plus beaux habits, Theo German se tenait debout au fond de la salle, dans son uniforme bleu. Ce n'était pas un *ancien* soldat, il *était* capitaine.

Assis au second rang, papa avait l'air furieux : manifestement, il comprenait que sa fille l'avait défié. Et pour un officier de l'Union !

Perdant l'équilibre, Marie Louise fit tomber Sara Jane de la caisse sur laquelle elle était juchée. L'Éternel Féminin sudiste s'effondra parmi ses suivantes, qu'elle abattit comme autant de quilles. Dans le public, des enfants éclatèrent de rire. Le premier tableau s'achevait en catastrophe... et la soirée ne faisait que commencer.

Le programme se termina par un savant quadrille dansé par les jeunes demoiselles. Aussitôt, quelques parents bondirent de leur chaise pour applaudir et toute la salle les imita. Le rideau se rouvrit, les élèves de Mrs Allwick saluèrent sous les ovations.

Tandis que le public commençait à partir, Judith toucha le bras de son mari pour attirer son attention. Debout près de la porte, vêtu d'un habit vert à courtes basques, de culottes et de bas, Desmond LaMotte fixait Cooper Main tout en marmonnant des remerciements aux parents qui le félicitaient.

— N'est-ce pas celui qui... ?

— Lui-même, dit Cooper. Vaines menaces, ai-je décidé.

— Je n'en suis pas sûre. Il te regarde comme s'il avait envie de te crucifier.

Cooper tourna les yeux vers Desmond, qui soutint un moment son regard avant de s'incliner pour baiser la main d'une de ses admiratrices.

— Nous partons, lança Cooper à Marie Louise, perdue au milieu d'une foule d'enfants et de parents massés près du rideau. Va prendre ton châle et ton bonnet.

— Papa, s'il te plaît, il faut que je parle à quelqu'un.

— Je l'ai vu. Nous n'avons rien à faire avec les mercenaires de Canby.

Judith intervint :

— Je crois qu'il serait injuste de lui refuser quelques minutes d'innocente conversation.

— C'est moi qui juge de ce qui est innocent et de ce qui ne l'est pas, répliqua Cooper en saisissant le poignet de sa fille. Où sont tes affaires ?

Marie Louise devint cramoisie. Elle aurait voulu mourir sur-le-champ. A travers les larmes embuant ses yeux, elle vit le capitaine German se diriger vers eux, s'arrêter soudain. Elle tenta de se libérer mais son père la retint.

Renonçant à discuter, Judith alla chercher les affaires de sa fille. Quelques instants plus tard, Cooper poussa une Marie Louise en sanglots vers la porte.

41

C'est trop pour un homme de soixante-seize ans, pensait Jasper Dills. Le voyage sur la ligne Baltimore & Ohio avait été un cauchemar de cahots et d'embardées, sans parler des escarbilles et de la saleté. Même en première classe, il se retrouva compressé avec la racaille : commis voyageurs empestant la sueur, mères se rengorgeant au milieu de leur marmaille pleurnicharde, beaux messieurs cherchant des pigeons à plumer aux cartes. Horrible, insupportable.

Pourtant, il le supportait. Parce qu'il redoutait les conséquences qu'il risquait de subir s'il n'obéissait pas à l'ordre impérieux du télégramme.

Le train arriva en début de soirée — une douce soirée de printemps, avec des arbres en fleurs tout le long du chemin menant aux quartiers chics de la ville. Dieu, comme c'était pénible d'être éloigné de Washington au moment où le rideau allait se lever sur le dernier acte du mélodrame opposant Johnson aux radicaux : la comparution du chef de l'exécutif devant le Sénat pour répondre de onze chefs d'accusation. Jamais auparavant dans l'histoire de la République, il n'avait été donné d'assister au renversement d'un président en exercice.

Ce drame était lointain, toutefois, alors que l'entretien qu'il allait avoir concernait peut-être son existence même. Pendant tout le voyage à travers l'obscurité montagneuse de la Virginie Occidentale, Dills s'était efforcé d'imaginer à la convocation d'autres raisons que celle qu'il redoutait.

La fragrance du printemps de l'Ohio ne parvenait guère à chasser les odeurs désagréables de la ville. Même dans ce quartier riche et paisible de rues en pente bordées d'immenses vieilles bâtisses, l'air sentait le fleuve, les brasseries allemandes et les abattoirs. En descendant du train, l'avocat avait failli suffoquer tant la puanteur était forte. Un voyageur européen avait vu dans Cincinnati une « gigantesque porcherie » et l'avait surnommée Porcopolis. Dans le *Tribune*, le vieux Greeley la saluait au contraire comme la « reine de l'Ouest », ce qui ne faisait que confirmer son dérangement mental. Lorsque Mr Dickens visita l'Amérique, en 1842, que put-il bien trouver d'intéressant à cette ville ?

Le fiacre monta péniblement une colline, s'engagea dans un cul-de-sac, s'arrêta. Entre la ruelle et le fleuve, une immense maison néogothique se détachait sur le ciel maussade, menaçante comme un château, dont elle avait d'ailleurs l'apparence avec ses trois tours octogonales côté fleuve. Les pierres brutes, noircies par le temps, étaient couvertes de lierre à l'abandon, à moitié mort. Une grande partie des fenêtres du rez-de-chaussée étaient condamnées par des planches ; d'autres montraient de nombreuses cassures dans leurs petits carreaux de verre coloré.

Derrière une grille en fer forgé rouillée, un jardin envahi de mauvaises herbes montait vers une entrée renfoncée. Dills y aperçut une silhouette remuant dans l'ombre. Ce n'est quand même pas le même gardien après vingt-cinq ans, songea-t-il en descendant, le sac à la main. Il régla le cocher, ajouta un bon pourboire avec une mauvaise grâce bien dissimulée.

— Revenez me prendre dans une heure et vous en aurez le double, promit-il.

Il entendit un gazouillis lointain mais pas un oiseau ne volait ou ne sautillait à proximité de la grande maison gothique, qui faisait irrésistiblement penser à la mort.

— Bien, m'sieur, répondit le cocher. J'savais pas qu'il y avait encore quelqu'un dans cette ruine.

Et le fiacre repartit, laissant Dills devant la grille. Il entendit des pas traînants dans l'allée, découvrit le même gardien que vingt-cinq ans plus tôt. L'homme était voûté, grossièrement vêtu, d'un âge impossible à deviner car c'était un albinos à la peau aussi blanche que ses cheveux.

Les gonds grincèrent quand il ouvrit la grille, fixant le visiteur de ses yeux rouges sous une casquette crasseuse. Dills s'avança, le serviteur referma la grille dans un concert de bruits discordants. Parvenu à mi-chemin de l'allée, l'avocat sursauta violemment quand la voix du gardien s'éleva derrière lui :

— Elle vous a découvert.

La chambre de la vieille femme se trouvait au sommet de la plus haute tour, auquel Dills accéda par un escalier gémissant. Hors d'haleine, il passa sous une sorte de voûte pour pénétrer dans la pièce, respira un air humide et renfermé, se dirigea, en traînant les pieds sur le sol dallé, vers la forme assise dans un énorme fauteuil en bois sculpté.

Un rouet brisé gisait sur le flanc, parmi des écheveaux de laine qui avaient pourri depuis longtemps. Dans des bols et des soucoupes disposés par terre, tout autour de la pièce, brûlaient une douzaine de grosses bougies sans doute fabriquées par le gardien. Derrière l'occupante du fauteuil, deux fenêtres aux vitres cassées offraient une vue impressionnante sur l'Ohio et la côte bleu sombre du Kentucky.

— Je n'ai pas de siège pour vous, Mr Dills, dit-elle, d'un ton suggérant que c'était une punition.

— Aucune importance. Je... je suis venu dès que j'ai reçu votre message.

— Cela ne me surprend pas. Vous êtes accouru pour protéger votre allocation mal acquise.

Elle tendit le bras vers le sol ; Dills entendit un tintement de verre suivi d'un raclement.

— Vous m'avez trompée. De temps en temps, mon majordome rapporte un journal, et il a découvert que vous m'avez trompée.

— Laissez-moi m'expliquer...

— Vous m'aviez dit qu'Elkanah vivait au Texas, que c'était un planteur riche et respecté. Pendant des années, je vous ai payé, je vous ai fait confiance. Et vous m'avez montré votre gratitude en m'envoyant ces lettres truffées de mensonges ?

Dills posa son sac, cligna des yeux et balbutia :

— Je peux voir ce journal dont vous parlez ?

— Vous savez déjà ce qu'il y a dedans.

De grosses veines bleues apparurent sur le dos de sa main quand elle lui tendit le journal. Il le prit, parcourut la première page, découvrit un article intitulé : ÉTRANGE MEURTRE EN PENNSYL-VANIE. Il lut rapidement les premiers paragraphes, tomba, sans surprise, sur le nom d'Elkanah Bent, arrêta sa lecture et rendit le journal d'une main tremblante.

La femme le tint un moment puis le jeta. Dills savait que logiquement, il n'avait pas grand-chose à redouter d'une aussi vieille créature, et pourtant il avait peur.

Cela tenait en partie à la pièce — aux bougies plantées dans des flaques graisseuses de suif fondu — en partie à la femme. Une cinquantaine de kilos, tout au plus, et si ravagée par l'âge et les émotions indevinables qui avaient agité son esprit malade pendant tant d'années qu'elle paraissait à peine humaine. Elle faisait plutôt penser à un personnage en cire, une effrayante figure de musée présentant une étrange ressemblance avec le domestique albinos. Elle avait le visage, les cheveux, les mains poudrés, couverts d'une épaisse couche blanche formant comme une croûte autour de ses vieux yeux jaunes. Le temps avait usé ses sourcils, dont l'arc osseux poussait la peau presque transparente, comme si le crâne se frayait un chemin vers la lumière.

Au loin sur le fleuve, la cloche d'un navire tinta.

— Mon fils a commis un crime horrible. Pourquoi ?

— Je ne sais pas, mentit Dills.

A quoi bon essayer d'expliquer la haine de Bent pour les Main et les Hazard ? L'avocat lui-même n'avait jamais pu la comprendre en termes rationnels. Il humecta ses lèvres sèches, entendit des rats détaler quelque part sous ses pieds.

— Vous disiez qu'Elkanah vivait au Texas. Dans toutes vos lettres...

— J'ai voulu vous cacher une pénible vérité.

Les lèvres parcheminées s'ouvrirent sur des dents jaunies.

— Vous vouliez garder l'allocation, oui !

— Non, non..., commença Dills.

Troublé par le regard dément, inquisiteur de la vieille femme, il renonça à mentir.

— Oui, c'est vrai, reconnut-il.

Elle soupira, parut rapetisser encore sous son épaisse robe gris argent dont le bord en dentelle portait des taches de moisissure. Le décolleté, profond, béait à quelques centimètres du sternum, couvert lui aussi de poudre. Haussant l'un de ses sourcils dénudés, elle lui lança :

— C'est peut-être votre première déclaration sincère de la soirée. Vous m'avez cruellement abusée, Dills. En contrepartie de l'allocation, vous deviez surveiller Elkanah avec le plus grand soin.

— Mais je l'ai fait, répliqua l'avocat, réussissant enfin à prendre un air indigné. Je l'ai fait jusqu'à en être empêché par sa... — il ravala le mot « folie » — sa conduite extravagante.

— C'était une condition essentielle de notre accord.

— J'aimerais que vous me parliez un peu moins rudement. J'ai répondu à votre télégramme par considération pour vous, et...

— Par peur, cracha la vieille femme. Dans l'espoir imbécile que vous pourriez conserver l'allocation. Eh bien n'y comptez pas. L'article dit que mon pauvre Elkanah a tué une malheureuse femme, et personne ne sait pourquoi, ni où il se cache, parce qu'il avait disparu depuis des années. Cela, vous le saviez.

Bien que toujours effrayé, Dills commençait à se ressaisir.

— Je comprends votre colère, fit-il.

— Je l'aimais. J'aimais mon fils, mon pauvre Elkanah. Même quand il se trouvait à des centaines de kilomètres de moi, même si j'ignorais à quoi il ressemblait, quelle voix il avait...

Elle passa sur son front une main aux doigts disparaissant presque sous des bagues d'or et d'argent incrustées de saleté, dont plusieurs n'avaient plus de pierre. C'était un geste curieux, comme si elle faisait tomber une des nombreuses toiles d'araignée recouvrant tous les objets de la pièce.

— Enfin, soupira-t-elle. Il vaut mieux que je sache la vérité. Mon fils n'a pas fait fortune au Texas, n'est-ce pas ?

— Non.

— Où se cache-t-il, Dills ?

— Je n'en ai pas la moindre idée.

— Depuis combien de temps avez-vous perdu sa trace ?

— Depuis sa désertion de l'armée de l'Union, un peu avant la fin de la guerre.

— Mon pauvre enfant.

La vieille femme se pencha, amena à la lumière une bouteille poussiéreuse et un gobelet en verre de plomb si sale qu'il en était presque translucide. Elle y versa un liquide sombre, porto ou xérès, et Dills sentit une odeur rance de vin piqué.

— J'aimerais me retirer, maintenant, sollicita-t-il. Le voyage était épuisant.

Un filet brunâtre coula du coin des vieilles lèvres, descendit le long du menton tel un fleuve boueux à travers la neige.

— Vous n'imaginez pas combien je l'aimais, combien je voulais qu'il réussisse. Lui qui avait pris un départ si terrible dans la vie...

Que disait-elle ? Les yeux jaunes cherchèrent ceux de l'avocat, presque pitoyables dans leur quête soudaine de compréhension.

— Vous connaissez ma famille, Mr Dills.

— Un peu. De réputation seulement.

— Elle souffre d'une tendance au déséquilibre mental qui remonte fort loin.

Jusqu'à la résidence présidentielle, songea Dills.

— Elle a affecté mon père, poursuivit la vieille femme. Après la mort de ma mère, lorsque Heyward Starkwether commença à me faire la cour, Papa devint jaloux. J'étais sa préférée. Heyward me demanda en mariage et quand j'informai mon père que j'étais prête à accepter, il se mit dans une rage incroyable. Il avait bu. Il était d'une grande force physique...

Dills eut l'impression d'être autorisé à fouiner dans un endroit souterrain où quelque chose pourrissait depuis des dizaines d'années.

— Laissez-moi deviner la suite, madame. Vous deviez absolument vous marier, n'est-ce pas ? Vous portiez déjà l'enfant de Starkwether, qui prit par la suite le nom du couple qui l'éleva, Bent. Vous révélâtes votre état à votre père, qui vous battit.

La main décharnée se posa sur l'accoudoir sculpté du fauteuil, lâcha le gobelet, qui se brisa. La vieille femme ne parut pas s'en apercevoir.

— Ah ! s'exclama-t-elle. Si c'était aussi simple ! Mon père fit en effet usage de violence le soir où je lui annonçai mon désir de me marier. Quant au reste, vous vous trompez...

Dills était perdu.

— Plus tard, je voulus me débarrasser de l'enfant avant sa naissance mais mon père menaça de me tuer si je le faisais. Ensemble — il m'y força, comprenez-vous — nous convainquîmes Starkwether qu'il était responsable. Coupable, si vous préférez. Le pauvre, je crois qu'il a porté le fardeau de cette prétendue faute jusqu'à sa mort.

Dills frissonna. La lumière éclairait le souterrain où pourrissait la chose.

— Dois-je comprendre que vous avez trompé Heyward Starkwether, madame ?

— Oui.

— Mon défunt client, protecteur et père déclaré d'Elkanah Bent, n'avait aucun lien avec l'enfant ?

— Heyward croyait être le père d'Elkanah. Nous l'en avions persuadé.

— Mais il ne l'était pas ?

— Non.

— En d'autres termes, pendant toutes ces années, mon client a été contraint d'aider et de subvenir aux...

— Pas contraint, Mr Dills. Une fois convaincu qu'Elkanah était son fils, Heyward lui est volontiers venu en aide, comme tout père l'aurait fait.

— Mais qui était le vrai père de Bent ?

Les yeux jaunes, larmoyants et fous, reflétaient les bougies disposées autour de la pièce.

— Voyons, Mr Dills, gloussa la vieille femme, vous le savez sûrement. J'ai dit qu'il avait fait usage de violence...

— Doux Jésus ! Le père d'Elkanah était...

— Le mien, Mr Dills. Le mien.

L'avocat eut l'impression que les dalles jonchées de paille s'inclinaient et tremblaient sous ses pieds. Les fondations rationnelles de son monde menaçaient de s'écrouler.

— Au revoir, dit-il, saisissant son sac. Au revoir, Miss Todd.

42

Au nord de Washington, sur la route prolongeant la 7e Rue, des fermiers du Maryland installaient une fois par semaine étals et chariots pour un grand marché en plein air. Le dernier samedi de mars, deux jours avant que ne s'ouvre le procès du président devant le Sénat, Virgilia et Scipio Brown s'y rendirent afin d'acheter des provisions pour l'orphelinat. Le Noir conduisait le buggy et ne semblait pas préoccupé par les regards qu'ils attiraient parce qu'elle était blanche et qu'il ne l'était pas.

En se faufilant dans les allées encombrées, entre les poules rouspétant dans leur caisse et les porcelets couinant dans leur enclos de fortune, ils discutaient du sujet qui agitait la capitale depuis quelques jours.

— Il a usurpé le pouvoir, Virgilia. Et pour compliquer les choses, il a accédé à la présidence à cause d'un assassinat, non par la volonté du peuple.

— Il faudra être plus précis que cela pour le condamner.

— Seigneur ! On a retenu contre lui onze chefs d'inculpation.

— Les neuf premiers concernent tous la *Tenure of Office Act*. Le dixième, présenté par Ben Butler, reproche à Johnson d'avoir critiqué le Congrès dans ses discours. Est-ce un crime de parler librement ? Quant au onzième, il ne tient pas debout.

— Il émane pourtant de votre bon ami Mr Stevens.

— Il n'empêche, répondit Virgilia.

Ils parvinrent au croisement de deux allées, virent approcher une charrette chargée de caisses de lapins.

— Je maintiens mon opinion, ajouta-t-elle.

La charrette roula dans une ornière, s'inclina sur le côté. La corde arrimant le chargement se rompit, la pile de caisses bascula vers Virgilia et Scipio. Il la saisit par la taille, l'éloigna de l'endroit où les caisses heurtèrent le sol. Plusieurs se fracassèrent ; des lapins détalèrent en tous sens.

Virgilia prit soudain conscience de la pression des mains du mulâtre sur sa taille, et de l'intensité étrange de son regard. Elle avait plusieurs fois remarqué cette même lueur dans ses yeux sombres ces derniers temps.

— Nous ferions mieux d'acheter des œufs et d'oublier la politique, Scipio. Je ne voudrais pas qu'elle gâche notre amitié.

— Moi non plus, dit-il en souriant.

Il la lâcha mais le bref contact avait éveillé en elle un trouble qui l'étonnait.

Le lendemain, à midi, Virgilia tournait une spatule en bois dans une marmite fumante de soupe aux pois. Thad Stevens était assis à l'autre bout de la cuisine, un jeune enfant noir somnolant sur ses genoux, le pouce dans la bouche. Le parlementaire avait le teint pâle, l'air fatigué.

— Vous viendrez demain pour l'ouverture du procès ? demanda-t-il.

— Oui. Et les jours suivants aussi si mon travail me le permet.

— Vous souhaitez qu'il soit condamné, je présume.

— Non, pas vraiment, répondit Virgilia. Il nie tous les crimes qu'on lui reproche.

— Sa conduite passée contredit ses dénégations. Il a bien chargé Thomas de remplacer Stanton, non ?

— Comme Thomas n'a pas réussi à prendre la place de Stanton, il s'agit seulement d'une tentative.

— Vous sombrez dans le juridisme, ma chère.

Stevens semblait oublier que toute l'affaire Stanton n'était que subtilités juridiques. Même Grant se retrouvait pris dans l'écheveau puisque son retrait du poste de ministre de la Guerre par intérim avait suscité une série d'échanges amers avec Johnson. Dans sa dernière lettre, Grant accusait le président d'avoir cherché à « détruire (son) image dans le pays ». Ce reproche acheva de l'éloigner de Johnson et persuada de nombreuses personnes que le général était finalement radical. Auparavant, nul n'en était tout à fait sûr. Les détracteurs du vainqueur de Lee le traitèrent aussitôt d'opportuniste, de caméléon politique et — vieux ragot — d'ivrogne. Aucune importance : Grant s'était lavé de toute tache aux yeux des dirigeants radicaux, et les cyniques assuraient que fin mai, lorsque les républicains se réuniraient à Chicago pour choisir leur candidat à la présidence, le général serait « confirmé comme nouveau membre de l'église radicale » et désigné comme candidat.

— Juridisme, Thad ? Non, j'essaie simplement de considérer les faits avec équité.

— Au diable l'équité ! Je veux la destitution de Johnson. Je m'acharnerai sur lui jusqu'à ce qu'on le chasse.

Virgilia posa la spatule sur le bord de la marmite. Dans le jardin où le soleil tiède de mars passait entre les branches nues de deux cerisiers, Scipio luttait en riant avec plusieurs enfants.

— Qu'il soit coupable ou non ? demanda-t-elle.

Elle lut la réponse dans l'éclat du regard de Stevens avant qu'il ouvre la bouche.

— Nous éliminons non seulement l'homme mais aussi ce qu'il représente, Virgilia : l'indulgence à l'égard de toute une classe, les manigances d'hommes impénitents qui conspirent toujours pour ramener le pays trente ans en arrière, lorsque toute une population noire était enchaînée et que Mr Calhoun menaçait avec arrogance de faire sécession si quelqu'un y trouvait à redire. Nous sommes sept à nous occuper de la mise en accusation de Johnson. Avez-vous une idée des pressions énormes qui s'exercent déjà sur nous ? Lettres, menaces...

Dérangeant l'enfant blotti contre lui, le parlementaire tira de sa poche une feuille de papier pelure jaune et chiffonnée.

— Cela vient de Louisiane, c'est tout ce que je sais.

Virgilia lissa la feuille avant de lire :

STEVENS, PRÉPARE-TOI A COMPARAITRE DEVANT TON DIEU. LE VENGEUR EST SUR TES TRACES. L'ENFER SERA TON LOT. K.K.K.

Les joues cireuses de Stevens retrouvèrent quelque couleur lorsqu'il déclara :

— Le vengeur est aussi sur les traces de Mr Johnson. Et son lot sera un verdict de culpabilité.

Scipio courait au soleil en poussant des cris joyeux qui contrastaient avec le regard furieux de l'homme politique. Le dogme avait conduit Stevens bien loin sur une route que Virgilia avait abandonnée. Il n'y avait plus guère de haine en elle, la guerre continuait à faire rage en lui.

Le lundi 30 mars, arrivée avec une heure d'avance, Virgilia dut se frayer un chemin parmi la foule qui monta vers la galerie en se bousculant lorsque s'ouvrirent les portes. Il n'y avait plus une place libre ni même une marche inoccupée quand le juge Salmon P. Chase déclara l'audience ouverte.

Quelques jours plus tôt, Chase avait fait prêter serment aux sénateurs afin qu'ils se constituent en tribunal, et les cinquante-quatre élus représentant les vingt-sept États étaient présents dans la salle. Virgilia remarqua parmi eux un Sam Stout calme et souriant, dont la presse avait largement reproduit les propos confiants quant à l'issue du procès : il ne doutait pas qu'on obtiendrait sans problème les trente-six voix nécessaires pour condamner Johnson sur un ou plusieurs chefs d'inculpation.

Le public était bruyant, démonstratif, divisé. Des spectateurs applaudirent lorsque les responsables de la mise en accusation, sept membres de la Chambre — dont le vieux Thad, la perruque de guingois — prirent place à la table encombrée de livres et de documents située à la gauche du juge. Les cinq éminents avocats du président Johnson leur faisaient face. Tous les sénateurs s'entassèrent sur les deux premières rangées pour laisser les suivantes aux représentants, tandis que les journalistes s'installaient au fond de la salle, le long du mur et devant les portes.

Le procès s'ouvrit par un discours de trois heures du représentant Ben Butler, chef des responsables de la mise en accusation, qui fut vivement acclamé lorsqu'il déclara Johnson coupable d'avoir renvoyé Stanton au mépris du Congrès, alors que celui-ci était en session.

Assise parmi la foule, Virgilia baissa les yeux vers Sam Stout et ne ressentit pas une grande souffrance, juste une impression de vide. Le temps la changeait, la rendait moins dure. Elle se surprit plusieurs fois à oublier la scène qu'elle avait sous les yeux pour repenser aux mains de Scipio Brown entourant sa taille, au marché. C'était un souvenir agréable.

Le 9 avril, les responsables de la mise en accusation avaient conclu leur réquisitoire, dont le point culminant fut peut-être le moment où Butler agita un vêtement taché de rouge, la chemise d'un membre du Bureau des affranchis de l'Ohio fouetté par des hommes du Ku Klux Klan. Le lendemain, Washington ajoutait une nouvelle expression à son lexique politique : on attisait les sentiments antisudistes en « agitant la chemise sanglante »*.

Les avocats de Johnson plaidèrent l'acquittement. Du fait d'une épidémie de rougeole à l'orphelinat, Virgilia manqua un grand nombre de ces audiences d'avril mais ne le regretta aucunement lorsqu'elle en lut le compte rendu dans les journaux. Le juridisme, les subtiles interprétations du texte de la Constitution et les discours-fleuves semblaient assommants.

Virgilia s'interrogeait d'ailleurs sur la nécessité de ces longs discours. L'affaire semblait claire : l'autorité de Johnson avait été mise en cause par les diverses lois sur la Reconstruction, notamment la *Tenure of Office Act*, qui ôtait effectivement au chef de l'exécutif le pouvoir de renvoyer des membres du Cabinet dont la nomination avait été approuvée par le Sénat. Sur ce point, Johnson avait choisi l'épreuve de force, et Virgilia estimait qu'il avait bien fait.

En outre, Edwin Stanton avait été choisi non par Johnson mais par Lincoln, et c'était pendant le mandat de ce dernier que le Sénat avait approuvé sa désignation. Virgilia y voyait un argument de poids prouvant que Stanton n'était en fait pas concerné par la *Tenure of Office*.

Virgilia entendit la longue plaidoirie de William S. Groesbeck, éloquent avocat de Cincinnati, qui parla du caractère de Johnson :

— C'est un patriote. Il a peut-être commis nombre d'erreurs mais il aime son pays. J'ai souvent dit que ceux qui vivaient dans le Nord, loin de la guerre, savaient peu de chose sur elle. Nous qui vivions à la frontière, nous en savons plus... Notre horizon demeura embrasé à tout instant, et les flammes brûlèrent parfois si près de nous que nous en sentions la chaleur sur nos mains tendues. Homme du Tennessee, Andrew Johnson se retrouva au cœur du conflit... dans le brasier même de la guerre... et sa force de caractère le fit rester fidèle à l'Union... inaccessible à la trahison. Alors comment pourrait-il soudain se transformer en Grand Démon, pour reprendre les termes du gentleman du Massachusetts, Mr Boutwell ? C'est grotesque.

A la table des responsables de la mise en accusation, George S. Boutwell lançait des regards furibonds.

Les orateurs se succédaient, accusant, défendant, interprétant, théorisant. Parfois une rixe éclatait dans le public et il fallait suspendre l'audience pendant que des huissiers évacuaient les combattants. Dans l'amphithéâtre de marbre, l'atmosphère se fit de plus en plus tendue, au point que Virgilia commença à croire qu'elle ne se trouvait plus aux États-Unis mais dans une arène romaine. A cette différence près

_____

* L'expression a effectivement été conservée et signifie maintenant : raviver de vieilles querelles. (N.d.t.)

que la victime promise au sacrifice n'avait pas fait une seule apparition : Johnson avait organisé une équipe de messagers pour le tenir au courant du déroulement du procès.

La comparaison avec Rome se révéla particulièrement fondée le jour où L'Honorable Mr Williams, représentant de Pennsylvanie, l'un des sept responsables de la mise en accusation, s'en prit à l'inculpé :

— Si vous l'acquittez, vous consentez à toutes ses prétentions impériales, vous décidez qu'aucune usurpation de pouvoir ne sera jamais assez grave pour faire comparaître en justice le premier magistrat du pays. Ce sera une victoire remportée sur vous tous qui êtes rassemblés ici. Une victoire célébrant l'entrée triomphale d'Andrew Johnson au Capitole, traînant derrière son char non des rois captifs mais un Sénat asservi.

Dans la galerie, des hommes se levèrent d'un bond, certains pour applaudir, d'autres pour protester, et il fallut quatre minutes au juge Chase pour rétablir l'ordre. Virgilia vit des visages rouges d'indignation, d'autres qui la firent penser à des prédateurs — des fauves se repaissant de n'importe quelle accusation, aussi scandaleuse fût-elle.

Soudain elle découvrit à l'autre bout de la galerie deux figures qu'elle n'avait pas encore remarquées, celles de son frère Stanley et de sa femme Isabel.

Virgilia n'avait plus de contacts avec eux. Pas d'invitations à dîner Rue I, pas de cartes d'anniversaire, rien. Elle entendait souvent prononcer le nom de Stanley dans la ville, parfois de façon peu flatteuse.

Isabel jeta un coup d'œil à Virgilia sans la reconnaître ; Stanley contemplait le plancher. Comme il est bouffi ! pensa sa sœur. Comme il paraît plus que ses quarante-cinq ans ! Sa peau avait une couleur jaunâtre, maladive.

Williams promena le regard sur la galerie où le silence se faisait et reprit en haussant la voix :

— Si le scélérat rentre en triomphateur, je puis prédire ce qui suivra. Un retour des notables rebelles qu'il protège, une agitation générale qui libérera leurs États de vos lois sur la Reconstruction et ramènera l'anarchie, l'injustice et la ruine sur tout le théâtre de l'ancien conflit.

Des hommes se levèrent à nouveau dans la foule, crièrent en agitant des mouchoirs. Virgilia demeurait assise et silencieuse. Selon elle, les sept responsables n'avaient rien prouvé si ce n'est qu'ils voulaient la peau de Johnson, qu'il soit ou non coupable.

L'audience fut suspendue. Dans l'escalier bondé, Virgilia rencontra Stanley appuyé contre le mur et épongeant sa face bilieuse à l'aide d'un grand mouchoir. Elle s'arrêta, essaya de le protéger de la foule qui les ballottait.

— Stanley ? fit-elle par-dessus le brouhaha. (Elle le secoua.) Ça va ?

— Virgilia... Oui, ça va parfaitement, répondit-il, l'air lointain, regardant les gens qui bousculaient sa sœur en descendant les marches. Et toi ?

— Ça va. Mais je me fais du souci pour toi, Stanley. On raconte des choses à ton sujet...

— Des choses ? Quelles choses ?

— Que tu bois...

— Mensonge ! rétorqua-t-il. (Bouche ouverte, il colla son front moite contre le marbre.) Fichu mensonge.

— Je l'espère. Tu as réussi, tu es riche, influent...

— Je ne le mérite peut-être pas. Et si je n'étais pas fier de ce que je suis ? Tu as déjà pensé à ça ?

Les mots bredouillés abasourdirent l'ancienne infirmière. Stanley rongé par un sentiment de culpabilité ? Pourquoi ?

Quelqu'un derrière elle la saisit par l'épaule, faillit la faire tomber. A moins de dix centimètres du nez de Virgilia, le long visage chevalin d'Isabel semblait s'enfler de rage.

— Laissez-le, espèce de catin ! Stanley est fatigué, voilà tout. Nous n'avons rien à vous dire. Écartez-vous.

Isabel prit son mari par le bras, l'entraîna vers le bas de l'escalier. Stanley jeta à sa sœur un bref regard d'excuse, disparut dans la foule avec sa femme.

Les débats s'achevèrent au cours de la première semaine de mai, dans une capitale complètement transformée par le procès. Certains parlaient du solennel travail de la justice, d'autres de mascarade, de cirque. La police interrompait chaque jour des bagarres ayant éclaté à propos du procès. Des joueurs professionnels affluaient dans la ville, prenaient des paris sur le verdict. Lorsque le juge Chase ordonna la fermeture des portes du Sénat, le lundi 11 mai, pour que la Cour se réunisse à huis clos, les pronostics penchaient en faveur de l'acquittement.

Dans le *Star* et autres journaux, Sam Stout avait annoncé que les joueurs se trompaient, qu'il y avait trente et une voix sûres pour la condamnation sur au moins un des chefs d'inculpation, et que six autres s'y ajouteraient avant la fin de la semaine.

Le jeudi, Stevens chercha refuge à l'orphelinat.

— Ces maudits journalistes ne me laissent pas tranquille, soupira-t-il. Et mes électeurs non plus.

— Où en est-on ? interrogea Virgilia.

Elle lui servit une tasse de tisane qu'il souleva d'une main tremblante, semée de taches de vieillesse.

— Trente-cinq voix certaines, répondit-il. Tout dépend d'un homme.

— Qui ?

— Le sénateur Ross.

— Edmund Ross, du Kansas ? C'est un abolitionniste fervent.

— *C'était*, corrigea Stevens avec une moue de dégoût. Ross proclame qu'il votera selon sa conscience, malgré le déluge de télégrammes du Kansas disant qu'il est fini s'il vote l'acquittement. Le sénateur Pomeroy le harcèle, et le Comité interparlementaire pour l'Union également.

Cet organisme composé de sénateurs et de représentants radicaux avait été créé pour envoyer aux instances locales du Parti des messages les exhortant à exercer des pressions sur les sénateurs indécis.

— Ross a même reçu des menaces de mort, ajouta Stevens. Et il n'est pas le seul.

Posant sur son amie un regard las, il poursuivit :

— Nous devons convaincre Ross. Il le faut absolument, sinon tout notre travail aura été vain et les « Bourbons » reprendront possession du Sud.

— Ne prenez pas le verdict trop au sérieux, Thad. Votre vie n'en dépend pas.

— Mais si, Virgilia. Si nous échouons, je suis fichu. Je n'aurai ni le cœur ni la force de recommencer une telle bataille.

Le samedi 16 mars, quatre jours avant la convention républicaine, Virgilia s'éveilla à l'aube, incapable de dormir plus longtemps. Elle s'habilla, quitta la maison où Sam Stout l'avait installée. Elle avait envisagé de déménager pour balayer les souvenirs que l'endroit évoquait, mais la maison était confortable, elle s'y sentait chez elle et gagnait assez pour se permettre d'y vivre.

Parvenue à l'orphelinat, elle découvrit avec surprise que la porte d'entrée n'était pas fermée à clef et sentit une odeur de café en pénétrant dans la cuisine. Il était assis à la table.

— Scipio ? Pourquoi êtes-vous déjà debout ?

— Pouvais pas dormir. Je suis content que vous soyez ici, je dois vous parler. Ce matin, je conduis Lewis chez ses parents adoptifs, à Hagerstown.

— Oui, je m'en souviens.

Elle accepta le bol de café qu'il lui tendait. Lorsque sa main couleur ambre frôla celle de Virgilia, il sursauta comme s'il s'était brûlé.

— Je serais plus tranquille si vous renonciez à aller au Capitole, dit-il.

— Je veux entendre le verdict.

— Cela pourrait être dangereux. Il y aura une foule énorme, une émeute, peut-être.

— Merci de vous inquiéter pour moi mais ça ira. Vous ne devez pas vous faire de souci.

— Mais je m'en fais, répondit-il. Plus que vous ne croyez.

Leurs regards se croisèrent. Profondément troublée, Virgilia reposa brusquement son bol et sortit de la cuisine.

— Ça fait trente-quatre, murmura l'inconnu à la gauche de Virgilia. J'ai mis « probable » pour Waitman Willey, de Virginie Occidentale, alors tout dépend de Ross.

Les protestations des voisins réduisirent l'homme au silence et il recommença à griffonner, à compter sur un morceau de papier. Avant le vote par appel nominal, George Williams, de l'Oregon, avait proposé qu'on se prononce sur le dernier chef d'inculpation, le « fourre-tout », en arguant que s'il était approuvé, les autres le seraient aussi. La proposition fut acceptée.

— Monsieur le sénateur Ross, dit le juge Chase, votre verdict ? Le défendeur, Andrew Johnson, président des États-Unis, est-il coupable ou non coupable ?

L'homme peu avenant du Kansas demeura un moment silencieux. Ancien combattant de l'Union, abolitionniste de longue date, il menait campagne pour que les tribus indiennes soient chassées de leurs terres par la force. Il s'éclaircit la voix.

— Votre verdict ? répéta Chase.

— Non coupable.

Rugissement dans la galerie. Applaudissements frénétiques, huées, mouchoirs agités joyeusement. A la table des sept responsables, Stevens s'affala contre le dossier de son fauteuil, les yeux clos, un bras pendant par-dessus l'accoudoir du siège.

Virgilia savait que ce vote faisait tout basculer. Le Congrès avait tenté d'affirmer sa primauté sur l'exécutif et venait d'échouer. Quoi qu'il pût advenir maintenant, la Reconstruction radicale était terminée, et le corps de Stevens, affaissé dans le fauteuil, en apportait une confirmation sans équivoque.

Sur les marches du Capitole, les gens braillaient, dansaient, se donnaient l'accolade. Un costaud coiffé d'un chapeau melon prit Virgilia par le bras et bredouilla :

— Ce vieil Andy leur a tordu la queue. Ça vaut bien un p'tit baiser, non ?

L'homme se pencha vers elle, lèvres tendues, posa une main sur sa poitrine. Les gens criant autour d'eux ne leur prêtaient aucune attention. Virgilia tenta de se dégager mais n'y parvint pas.

— T'es pas pour Andy ? grogna l'homme, en la tirant vers lui.

— Espèce d'ivrogne, laisse cette femme tranquille.

Le costaud riposta :

— C'est pas un foutu nègre qui me dira...

La main de Scipio Brown saisit le soûlard à la gorge, serra jusqu'à ce qu'il suffoque. La foule continuait à crier, à danser sur les marches. Scipio lâcha le pochard, qui s'enfuit.

— Et Hagerstown ? demanda Virgilia par-dessus le vacarme.

— J'ai remis le voyage. Je ne pouvais vous laisser prendre le risque de vous retrouver seule dans cette foule. Cette idée m'empêchait de dormir, de manger...

Derrière lui, des gens tibubaient, se poussaient. Une bousculade le précipita vers Virgilia, qui tendit les mains pour se protéger et se retrouva contre lui, les bras autour de sa poitrine. Une Blanche, un mulâtre. Dans la cohue, personne ne s'en souciait.

Il approcha sa bouche de l'oreille de Virgilia.

— L'endroit est bien choisi pour vous dire que je vous admire, maintenant. Je vous ai observée, j'ai vu comment vous vous comportez avec les enfants. Vous êtes une femme douce, aimante. Intelligente, honnête...

Elle aurait voulu lui parler de tout ce qu'elle avait fait de mal dans le passé mais quelque chose de plus fort anéantit cette impulsion. *Les gens peuvent changer.*

— Belle, aussi, ajouta Scipio Brown.

Elle protesta avec un rire nerveux qui l'amusa.

— Cela vous surprend vraiment beaucoup ? dit-il.

— Je l'avais deviné à certains de vos regards... Mais trop de choses s'y opposent, Scipio, à commencer par la couleur de notre peau. Et puis il y a mon âge, ajouta-t-elle, portant une main à ses cheveux grisonnants. J'ai dix ans de plus que vous.

— Cela vous dérange ? Moi, cela m'est égal. Je vous aime, Virgilia. Le buggy nous attend, venez.

— Où ?

Un moment, il parut moins sûr de lui qu'à l'ordinaire et sembla timide, hésitant.

— J'avais pensé... si vous étiez d'accord... que nous pourrions aller chez vous...

Les yeux de Virgilia s'embuèrent. L'idée que quelqu'un pût l'aimer d'amour la confondait. Et pourtant elle savait qu'un sentiment similaire grandissait en elle depuis quelque temps, même si elle n'avait pas osé le reconnaître, le nommer avant aujourd'hui.

— Virgilia ?

— Oui, j'aimerais beaucoup, répondit-elle doucement.

A cause du tumulte, il ne put entendre les mots mais comprit quand même.

43

Trois semaines après la fête à l'institution de Mrs Allwick, le trimestre se termina. Pour la dernière fois avant l'automne, la troupe joyeuse des élèves sortit à quatre heures et demie par un après-midi de juin resplendissant. Plusieurs soupirants attendaient sur la galerie large et fraîche, notamment un des chevaliers servants de Sara Jane Oberdof.

La jeune fille n'avait pas pardonné à Marie Louise la tragédie du premier tableau vivant et lui glissa en passant devant elle :

— Toujours personne pour toi ? Peut-être quand tu seras grande, dans quelques années...

Désolée, Marie Louise serra ses livres contre sa poitrine et descendit les marches métalliques, tête baissée.

— Miss Main...

Elle leva les yeux, laissa tomber ses manuels.

Theo German s'inclina, ôta son chapeau de paille de planteur. Il était de nouveau en civil.

— Avec votre permission...

Il se pencha pour ramasser les livres.

— Je croyais..., commença l'adolescente.

Ressaisis-toi, idiote !

— Je pensais que vous ne m'adresseriez plus jamais la parole après cette affreuse soirée, dit-elle. Vous avez dû croire que je vous battais froid.

— Pas du tout. Je me suis rendu compte que c'était à cause de votre père, dit Theo.

Il se redressa, lui offrit son bras et suggéra :

— Avez-vous le temps de faire une promenade ?

Si je suis en retard, maman m'interrogera, et si papa l'apprend...

Mais l'attitude de Cooper le soir de la fête avait allumé chez sa fille les feux de la révolte et renforcé son attirance pour le jeune officier.

— Oh ! oui, répondit-elle.

Lorsque sa poitrine frôla la manche du capitaine, elle fut comme foudroyée. Theo nota qu'elle avait rougi et sourit. Lui aussi avait les joues empourprées.

D'éblouissantes aiguilles de soleil dansaient à la surface de l'eau du port. Plus loin, le drapeau de l'Union flottait au-dessus des ruines de Fort Sumter.

— Sortez-vous souvent sans uniforme ? demanda Marie Louise.

Elle s'efforçait désespérément de se rappeler les leçons de conversation de Mrs Allwick mais son esprit était une masse gélatineuse.

— Oui, dit Theo. Le général Canby n'y voit pas d'objection et il m'est ainsi plus facile de faire parler les gens. Je recueille de précieuses indications sur les sentiments de la population. Naturellement, il y a certaines personnes qui refusent de m'adresser la parole une fois qu'elles m'ont entendu.

— A cause de votre accent.

Il s'esclaffa :

— Mais je n'ai pas d'accent. C'est vous qui en avez un — charmant, d'ailleurs.

— Mr German — capitaine..., dit Marie Louise.

— Appelez-moi Theo, proposa-t-il, la gratifiant de la chaleur innocente de ses yeux bleus.

La jeune fille se sentit soudain amoureuse au point de mourir d'extase.

— D'accord, mais vous devez m'appeler Marie Louise.

— Avec plaisir.

Des mouettes poussaient leur cri rauque derrière un chalutier rentrant de l'océan. Lorsque les deux jeunes gens furent parvenus sous les arbres majestueux bordant le quai, Theo dit à Marie Louise qu'il avait vingt-quatre ans — elle savait depuis leur première rencontre que c'était un homme mûr qui connaissait le monde — et était attaché à l'état-major de Canby.

— L'autre jour, dans le train, j'étais parti admirer le paysage, poursuivit-il. Mais ce que j'ai vu de plus joli se trouvait dans la voiture.

— Papa est entré en fureur lorsque vous avez offert votre place à la femme de couleur. Il fait encore la guerre, soupira Marie Louise.

— Lui et la moitié de Charleston. Mais l'autre moitié m'enchante. Je n'avais jamais rencontré de Sudistes auparavant, excepté un grand nombre de prisonniers qui, naturellement, n'étaient pas bien disposés à mon égard. Je trouve les Sudistes charmants, chaleureux, et la Caroline a un climat formidable en dehors de l'été.

— Quand avez-vous rencontré ces prisonniers ?

Il expliqua qu'il avait reçu ses galons la dernière année de la guerre et qu'il avait été affecté à Camp Douglas, l'immense prison située au sud de Chicago.

— Nous avions des milliers de détenus mais je n'ai entendu tirer qu'une seule fois, quand une demi-douzaine d'entre eux essayèrent de s'échapper. Lorsque le camp fut fermé, un an plus tard, je décidai de rester dans l'armée et de voir du pays. Je n'avais jamais quitté l'Illinois auparavant.

Il sourit, pressa légèrement la main gantée posée sur son bras.

— J'ai eu de la chance d'être envoyé en Caroline du Sud. J'aimerais m'installer ici pour échapper à jamais à la neige et au froid.

— Resterez-vous toujours dans l'armée ?

— Je ne le pense pas. J'étudiais le droit quand je me suis enrôlé. J'aimerais terminer mes études, ouvrir un cabinet.

D'autres jeunes couples se promenaient à l'ombre des arbres. Dans une des allées empierrées d'écailles d'huître, un vieux Noir avançait en agitant un chasse-mouche et en poussant une charrette à deux roues.

— Achetez du melon ! chantonnait-il. Du bon melon sucré.

— Vous en voulez une tranche ? dit Theo.

Trop énervée pour répondre, Marie Louise rit en hochant la tête. Theo posa les livres de la jeune fille sur un banc de fer, rapporta deux tranches de melon. Marie Louise mordit avec précaution dans la chair pulpeuse, sentit du jus couler sur son menton et en fut mortifiée. Le jeune homme sortit un mouchoir.

— Si vous le permettez...

Il lui tamponna le menton en tout bien tout honneur mais elle sentit son corps palpiter à chaque pression du mouchoir.

— J'espère que vous ne me jugez pas trop hardi, Miss Main.

— Oh ! non. Mais vous devez me trouver stupide. Je ne sais faire que glousser, dire des âneries... C'est parce que...

Oserait-elle ? Oui, il valait mieux parler que risquer de le perdre.

— Je n'ai pas l'habitude des garçons. Je n'ai jamais eu de petit ami.

Du jus de melon coula des doigts de Theo. Il se pencha vers elle.

— Puis-je exprimer le vœu que vous n'en aurez jamais d'autre ?

Marie Louise crut défaillir et perdit tout à fait la tête lorsqu'il s'approcha soudain de son visage et déposa un léger baiser au coin de ses lèvres.

Un grand silence enveloppa la jeune fille, qui n'entendait plus le marchand, les mouettes, ni même les battements désordonnés de son cœur. Toute sa gêne disparut ; debout près de lui, le contemplant, elle se sentit irrévocablement changée. L'adolescence était finie.

Se contraignant à revenir à la réalité, elle remarqua que le soleil éclairait à présent de rayons obliques les grandes maisons à pignon du quai. Il était tard.

— Je dois retourner chez moi, déclara-t-elle.

— Puis-je vous raccompagner ?

— Certainement.

Cette fois, ce fut sans gaucherie qu'elle passa son bras sous le sien. Elle se sentait parfaitement à l'aise, devenue femme. Personne ne leur prêta attention lorsqu'ils remontèrent Church Street dans une douce lumière printanière.

— J'aimerais que vous rencontriez ma famille, dit Theo.

— Volontiers.

— J'ai onze frères et sœurs.

— Doux Jésus !

— Je les adore mais ça faisait beaucoup de monde à la maison, et des portions congrues dans les assiettes. Le salaire de mon père ne suffisait pas à nourrir autant de bouches. Il est pasteur luthérien.

— Oh ! mon Dieu. Pas abolitionniste, en plus ?

— Si.

— Et républicain ?

— Je crains que oui. Comme j'étais l'avant-dernier, je couchais par terre. Nous n'avions pas assez de lits. C'est la raison pour laquelle je me suis engagé : pour avoir un lit à moi et des repas normaux. Les soldats se plaignent de la nourriture et des mauvais matelas. Pour moi, c'est une vie de prince.

Voyant que l'intersection de Tradd Street n'était plus distante que d'une centaine de mètres, Marie Louise osa avouer :

— Moi aussi je suis très contente que l'armée vous ait envoyé ici.

Ils continuèrent à marcher et elle lui parla de la mort de son jeune frère au large de la côte de la Caroline du Nord, des moments terrifiants où elle avait cru qu'ils se noieraient tous.

— Papa était beaucoup moins sévère avant la disparition de Judah. Il ne s'en est jamais remis.

— C'est tragique. Et cela explique son comportement envers moi. J'espère cependant que ce n'est pas un obstacle insurmontable.

A l'ombre d'un haut mur de briques, il se tourna vers elle et lui prit la main.

— Je veux vous faire la cour dans les règles, déclara-t-il. Pourquoi froncez-vous les sourcils ?

— Eh bien... ce serait beaucoup plus facile si vous n'étiez pas... ce que vous êtes.

— Comme dans la pièce de Mr Shakespeare ? *Roméo, Roméo, pourquoi es-tu Roméo ?* Autrement dit, un Montaigu, un ennemi. Est-ce que cela change vraiment quelque chose ?

Marie Louise plongea dans les lacs bleus des yeux de Theo, s'abandonna à des émotions si violentes qu'elle s'étonnait de pouvoir les supporter.

— Non, déclara-t-elle, soudain tout à fait sûre de ce qu'elle voulait. Non, cela ne change rien.

— Votre père...

— Non, répéta-t-elle, pleine de confiance.

Il la laissa à la grille de la maison de Tradd Street en promettant de revenir le lendemain après-midi pour une visite officielle.

— Non ! s'écria Cooper en frappant de sa cuiller son bol de ragoût. Je ne tolérerai pas qu'un pillard yankee rende visite à ma fille.

Marie Louise éclata en sanglots ; Judith lui prit la main et dit à son mari :

— C'est une demande tout à fait raisonnable.

— Elle le serait si c'était un Sudiste.

— Tante Brett a épousé un officier nordiste..., argua la jeune fille.

— Sans que notre civilisation s'effondre, ajouta sa mère.

— Je refuse qu'un des chiens bâtards de Canby vienne renifler autour de ma famille.

— Tu présentes les choses sous un jour grossier et vulgaire, répliqua Marie Louise en pleurant. Ce n'est pas du tout comme cela.

— Réfléchis, je t'en prie, Cooper, plaida Judith.

Il repoussa sa chaise, se leva.

— Laisser ma fille se faire courtiser par un galonné yankee dont le père est un évangéliste de carrefour ? un républicain ? Plutôt accueillir ce LaMotte dans ma maison. Ma décision est prise. Je vais travailler au jardin tant qu'il fait jour.

Il quitta la pièce d'un pas rapide qui résonna sur le parquet ciré. Judith, qui s'attendait à un nouveau flot de larmes, fut surprise de ce qu'elle vit dans les yeux de Marie Louise : une rage silencieuse, tout à fait inattendue chez une fille aussi jeune.

Après la tombée de la nuit, Judith se rendit sur la terrasse du jardin, où une lampe à pétrole brûlait sur une table en rotin. Gilet déboutonné, cravate dénouée, Cooper s'était endormi dans son fauteuil. Elle s'approcha, marcha sur des feuilles de papier couvertes de chiffres, se pencha pour l'embrasser sur le front. Il se réveilla en sursaut, se demanda brièvement où il se trouvait.

— Il est près de dix heures, Cooper. Marie Louise est montée dans sa chambre après le repas et je ne l'ai pas entendue depuis. Je crois que tu devrais aller la voir pour faire la paix, si c'est possible.

— Je ne suis coupable de rien. Pourquoi devrais-je..., commença Cooper.

Le regard de sa femme le fit taire. Il se leva, se frotta les yeux.

— Bon, d'accord.

Elle l'entendit monter lentement l'escalier, frapper à la porte.

— Marie Louise ?

Judith contemplait le jardin obscur quand il redescendit précipitamment en criant :

— Elle est partie !

— Qu'est-ce que tu dis ?

— Elle doit avoir pris l'escalier de service. Sa chambre est vide, il manque la moitié de ses affaires. Elle est partie.

Pour la première fois, Judith se permit un accès de colère :

— C'est de ta faute. Elle est partie à cause de toi.

— Mais c'est encore une enfant...

— Une enfant en âge de se marier, je te le rappelle. En Caroline du Sud, il y a des mères de quatorze ans. Tu as sous-estimé son attachement pour ce jeune homme.

Madeline leva lentement la tête, tenta d'interpréter les bruits étouffés qui avaient percé les brumes de son sommeil. Elle entendit Prudence Chaffee bouger dans l'autre chambre puis à nouveau les coups frappés à la porte, plus fort.

— Ouvrez, s'il vous plaît.

Une voix de femme, que Madeline trouva familière. L'épouse d'un des affranchis ? Prudence alluma sa lampe, l'approcha de la porte de la chambre de Madeline. Son visage ingrat avait une expression inquiète.

— Vous croyez que c'est encore l'école ?

— Je ne sais pas, dit Madeline. (Pieds nus, elle alla à la porte d'entrée.) C'est le milieu de la nuit.

C'était en fait le matin, comme elle le découvrit en ouvrant. Entre les grands arbres, le ciel avait une couleur orange, sur laquelle se découpait une silhouette échevelée.

— Marie Louise ! Qu'est-ce que tu fais ici ?

— Laissez-moi entrer, je vous l'expliquerai. J'ai marché toute la nuit.

— Vous êtes venue de Charleston à pied ? s'exclama Prudence. Trente kilomètres, seule dans le noir ?

Madeline pensa aussitôt qu'il était arrivé quelque chose de grave. Un décès ? Quelque acte violent ? Puis elle vit le sac de voyage de sa nièce. On ne s'encombre pas d'un sac pour annoncer un drame.

— Voilà, il y a ce garçon. Papa refuse qu'il me fasse la cour. Je l'aime, tante Madeline. Je l'aime et papa le hait. Je peux rester, tante Madeline ? De toute façon, je ne retournerai pas à la maison.

Cela ne manquera pas de faire des histoires avec Cooper, se dit Madeline. Mais elle ne pouvait renvoyer sa nièce.

— Entre, fit-elle en s'écartant pour laisser passer la fugitive hors d'haleine.

HOMMES BLANCS, AUX ARMES !
Aujourd'hui l'Assemblée bâtarde se réunit à Columbia. La révolution la plus folle, la plus infâme de notre histoire a arraché le pouvoir des mains de la race qui a fondé ce pays, pour le donner à ses anciens esclaves, race ignorante et corrompue.
Cette Assemblée illégale et illégitime jettera les plus beaux et les plus nobles États de notre grande confrérie sous les sabots fourchus de sauvages africains et de brigands galonnés. Des millions d'hommes et de femmes nés libres tomberont sous le joug de barbares simiesques, infestés de vermine, venus des jungles du Dahomey, et de boucaniers errants surgis du Cape Cod, de Boston et de l'Enfer.
Il n'est que temps. Notre vie même est en jeu ; notre seul recours est la force des armes.
                    Numéro spécial de l'Éclair de l'Ashley,
                    le 6 juillet 1868.

Journal de Madeline.
Juin 1868. Cooper à Mont Royal moins de vingt-quatre heures après que nous avons accueilli sa fille. Terrible scène...

— Où est-elle ? J'exige que vous la fassiez venir.

Le père de Marie Louise affrontait Madeline devant la maison blanchie à la chaux. Près de la rivière, la machine à vapeur de la scierie soufflait. Une lame gémit en entamant un tronc de chêne vert.

— Elle est à la plantation, en sécurité. Elle désire rester un moment parmi nous et en tout cas, elle ne veut plus subir l'épreuve de pénibles discussions avec vous.

— Dieu du ciel ! D'abord, vous faites des affaires avec des *carpetbaggers**, et maintenant vous montez ma fille contre moi.

---

* Aventurier politique nordiste venu dans le Sud pour s'enrichir. (N.d.t.)

— Marie Louise est amoureuse de ce garçon, Cooper. Moi, je chercherais plutôt dans Tradd Street la cause de sa révolte.

— Faites-la venir !

— Non. C'est elle qui décidera si elle veut partir ou non.

— Jusqu'à ce qu'elle soit majeure, j'ai le droit, selon la loi...

— Selon la loi, peut-être. Mais pas sur le plan moral. Marie Louise a presque seize ans. Beaucoup de filles du Sud sont mariées et mères à cet âge. Maintenant, si c'est tout ce que vous vouliez...

— Non, ce n'est pas tout. Ignorez-vous qu'il y a une « tanière » du Ku Klux dans le district ?

— J'ai entendu des rumeurs. Je n'ai vu aucune preuve.

— Je le sais de bonne source. La « tanière » tient un « Livre des Morts », contenant les noms de tous ceux qui ont offensé le Klan. Devinez celui qui est inscrit en haut de la première page ? Le vôtre.

— Cela ne me surprend pas, dit Madeline.

Le calme qu'elle s'imposait dissimula tout signe de la vive douleur qu'elle éprouva soudain dans la poitrine.

— Je vous préviens, ces hommes sont dangereux. S'ils viennent ici, s'ils font du mal à ma fille à cause de vous, je ne laisserai pas les tribunaux vous punir, je le ferai personnellement.

Madeline essaya une dernière fois de lui faire entendre raison :

— Cooper, ne nous querellons pas. Les choses s'arrangeront avec Marie Louise. Attendez donc une semaine ou deux. Orry vous aurait dit...

— Ne parlez pas de lui. Il est mort, et vous, vous restez pour la famille ce que vous avez toujours été : une intruse.

Elle se recula, grimaçant comme s'il lui avait cinglé le visage.

— Je maudis le jour où je me suis persuadé que je pouvais vous faire confiance, poursuivit Cooper avec une rage qu'il ne contrôlait plus. Que je vous devais l'usufruit de Mont Royal en souvenir d'Orry. Parce qu'il souhaitait que vous y viviez. Comme je voudrais pouvoir effacer ce jour, annuler notre accord et vous jeter dehors ! Parce que je le ferais, Madeline. Je le ferais ! Vous n'avez pas le droit de vous tenir dans l'ombre de mon frère. Orry était un Blanc.

Il enfonça son chapeau sur sa tête, marcha à grands pas vers son cheval et partit, le visage tordu par la haine.

Orry, je ne peux oublier ce qu'il a dit ni en surmonter les effets. Je sais que je ne dois pas m'étendre sur cette scène, m'embourber dans l'apitoiement sur moi-même, mais la blessure est profonde...

La mine tourne à plein régime. Enfin un peu d'argent !...

Mr Jacob Lee, de Savannah, a voyagé toute la nuit pour me rencontrer ce matin. Il est jeune, enthousiaste, et l'on m'a vanté ses talents d'architecte. Élevé à Atlanta, où ses parents ont tout perdu dans l'incendie allumé par Sherman, il ne sait pas grand-chose du Bas-Pays ni de moi. C'est précisément pourquoi j'ai fait appel à lui...

Petit et plein d'énergie, Lee dessinait d'une main rapide à l'aide d'un fusain. S'excusant de son ignorance des termes architecturaux, Madeline avait fait une description des colonnes de Mont Royal telles qu'elles demeuraient dans son souvenir. Ce fut suffisant.

— Ordre toscan, déclara Lee. Les piliers sont moins chargés d'ornements que dans les ordres grecs. Chapiteau et entablement sobres, nets — c'est cela ?

— Oui, murmura Madeline, les mains pressées l'une contre l'autre.

— Et derrière ? Comme cela ? demanda l'architecte en traçant des lignes horizontales.

Elle acquiesça de la tête.

— De hautes fenêtres, Mr Lee. Ma taille, à peu près, ou même légèrement plus hautes.

— Comme ceci ?

— Oh ! oui.

Elle ne put retenir ses larmes en voyant enfin, née de quelques coups de fusain et de son imagination, la nouvelle maison de Mont Royal...

La maison dans laquelle je suis une intruse, dit Cooper.

Juin 1868. Nous faisons à nouveau partie de l'Union ! Le Congrès a accepté la nouvelle Constitution, l'assemblée de l'État l'a ratifiée et nous avons été réadmis le 9. L'événement aurait dû être célébré mais ne donna pourtant lieu à aucune réjouissance...

Ratification du 14e Amendement. Très fier, Andy déclare : « Je suis un citoyen, maintenant. Je me battrai contre quiconque me déniera ce droit... »

Visite de Theo German hier. Quel merveilleux jeune homme ! Il est venu en uniforme, seul — acte courageux étant donné l'humeur du voisinage — et a passé toute la matinée à l'école où M.L. aide Prudence. A moins que je ne sache plus juger de telles choses, ils sont véritablement amoureux l'un de l'autre...

Temps étranges. La diversité des hommes qui commandent notre existence ne saurait être mieux représentée que par nos délégués au Congrès. Les sénateurs sont Mr Robertson (délégué à la convention, un des premiers hommes influents de l'État à se rallier aux républicains) et Mr Sawyer, du Mass., venu prendre la direction de l'École Normale de Charleston. En ce qui concerne les quatre représentants, Corley et Goss sont des Caroliniens qui n'ont ni détracteurs ni fervents partisans. Whittemore est un pasteur méthodiste épiscopalien de la Nouvelle-Angleterre qui possède une magnifique voix de basse. On dit que la puissance avec laquelle il chante les hymnes religieuses l'a aidé à gagner les suffrages des Noirs. Enfin, il y a l'admirable Christopher Columbus Bowen, organisateur du Parti républicain pour l'État, ancien croupier et joueur de pharaon. L'armée confédérée l'avait traduit en cour martiale, et au moment de la capitulation, il était en prison à Charleston sous l'inculpation de meurtre de son commandant.

Le général Canby affirme que la réorganisation de l'État selon les lois sur la Reconstruction est terminée : l'armée remet le pouvoir aux autorités civiles élues. Le général Scott, du Bureau des affranchis, a réalisé son ambition puisqu'il est gouverneur ; Mr Cardozo, le mulâtre, est secrétaire d'État et Mr Chamberlain, ancien combattant de l'Union, républicain froid et raffiné, ministre de la Justice. Il apporte dans ses fonctions des connaissances acquises à Yale et Harvard, ainsi qu'un souverain mépris de tous les démocrates.

Ce qui est le plus remarquable, ou le plus révoltant, selon le point de vue politique, c'est la nouvelle assemblée...

Cooper se tenait près de Wade Hampton contre la balustrade de la galerie. Venu à Columbia pour s'entretenir avec des dirigeants du Parti démocrate, Cooper avait accepté la proposition de Hampton de se rendre au parlement pour voir de ses propres yeux ceux qui dirigeaient à présent la Caroline du Sud. En franchissant les portes du bâtiment toujours inachevé, il avait été interdit.

De la saleté, des débris jonchaient les couloirs. L'entrée de la Chambre était gardée par un Noir au visage luisant, vautré sur une chaise cannée inclinée contre le mur. En montant à la galerie, Cooper avait découvert sur les marches en marbre de l'escalier ce qui ressemblait à une grande tache de sang séché.

Il étreignait à présent la balustrade, à nouveau abasourdi. Il savait que soixante-quinze représentants sur cent vingt-quatre étaient noirs mais les voir dans la grande salle causait un choc bien plus profond. Le président de la Chambre avait la peau noire, l'huissier aussi. Les jeunes garçons blancs qui remplissaient autrefois les fonctions de groom avaient été remplacés par...

— Des négrillons ! Incroyable.

Certains élus avaient une tenue correcte mais Cooper remarqua aussi de nombreuses redingotes achetées chez le fripier, des vestes courtes et de grands chapeaux mous râpés comme en portent les hommes de peine, des pantalons déchirés, de lourdes chaussures de laboureur, de vieux châles maintenus avec une épingle.

Il reconnut un grand nombre de parlementaires blancs. Anciens propriétaires d'esclaves et de grands domaines, ils constituaient une minorité réduite au silence parmi les Noirs qui auraient pu naguère leur appartenir. Quant aux nègres, Cooper les soupçonnait d'avoir pour seules connaissances en matière politique les boniments de la Ligue pour l'Union. Il leur faudrait des années pour acquérir l'art subtil de gouverner, et l'État serait ruiné bien avant cela.

— Vous en avez vu assez ? demanda Hampton, l'air affligé.

— Oui, général.

Les deux hommes montèrent les marches conduisant aux portes de la galerie.

— La vieille prédiction s'est réalisée, n'est-ce pas ? dit Cooper. Le dessous du panier se retrouve dessus.

Hampton s'arrêta dans le couloir pour déclarer :

— Ce qui se passe ici est à la fois une mascarade et une tragédie. Nous devons reprendre la Caroline du Sud à de tels hommes ou voir disparaître toutes nos valeurs.

— Je suis de votre avis, approuva Cooper. Et quoi qu'il en coûte, je suis prêt à agir.

Août 1868. Le vieux Stevens est mort à soixante-seize ans. Il fut l'objet d'une profonde haine en Caroline, mais je ne puis partager ce sentiment. Il repose sur un lit de parade, entouré d'une garde d'honneur de zouaves noirs. L'endroit où il sera enterré provoque déjà un tollé...

Virgilia vit son vieil ami trois heures avant la fin. Elle demeura assise à son chevet, lui tenant la main, sous le regard de sœur Loretta et sœur Geneviève, deux religieuses d'une des institutions charitables auxquelles le vieillard aimait donner, l'Hôpital Protestant pour personnes de couleur.

Scipio et elle prirent le train pour Lancaster afin d'assister aux funérailles et durent supporter pendant le voyage les regards furieux ainsi que les remarques insultantes d'autres passagers. Lorsqu'ils arrivèrent à destination, Virgilia s'efforça de contenir son chagrin et y parvint jusqu'au cimetière où son ami devait reposer.

Stevens avait longuement réfléchi au lieu où il voulait être enterré. Aucun des grands cimetières de Lancaster n'acceptant les dépouilles des Noirs, il avait choisi un petit cimetière misérable de gens de couleur et ordonné qu'on grave sur sa tombe la raison de cette décision :

J'ai choisi ce lieu pour
illustrer dans la mort
les principes que j'ai défendus
au fil d'une longue vie :
TOUS LES HOMMES SONT ÉGAUX
DEVANT LEUR CRÉATEUR

En découvrant cette épitaphe, Virgilia éclata en sanglots, des pleurs aussi violents que ceux qui l'avaient secouée lorsqu'elle s'était rendue sur la tombe de Grady, près de Harper's Ferry. Scipio l'entoura de son bras pour la réconforter.

— Rares sont ceux qui peuvent prétendre être morts comme ils ont vécu, en témoignant devant le monde, dit-il d'une voix calme.

Comme ils sont impudents, ces hommes du « Klan » ! L'Éclair de Gettys publie une annonce selon laquelle ils se montreront vendredi soir à Summerton au cours d'un défilé. Tous ceux qui s'opposent à eux sont avertis de se tenir à l'écart s'ils ne veulent pas encourir de châtiment.

Andy m'a fait part de son intention d'aller les voir mais j'ai refusé. Il a répondu que je ne prenais pas ses décisions pour lui. J'ai dit que je m'inquiétais de sa sécurité et l'ai supplié de me promettre de rester à M.R. J'ai pris son silence pour un acquiescement.

La nuit moite de l'été du Bas-Pays sapait les énergies et rendait irritable. Assise à la vieille table de la maison de torchis, Jane tendit le bras vers le journal qu'Andy lissait nerveusement de la main en se mordillant la lèvre.

— C'est écrit là, argua-t-elle. *Que les Blancs traîtres à leur race et les membres de la Ligue passent leur chemin.* Qu'as-tu à gagner à aller là-bas ?

— Je veux les voir. Pendant la guerre, les généraux des deux camps procédaient toujours à des reconnaissances en territoire ennemi.

— Tu as donné ta parole à Madeline.

— Non, j'ai gardé le silence. Je ferai attention, promis.

Il l'embrassa et sortit. Elle se toucha la joue : comme ses lèvres lui avaient paru froides ! Elle baissa les yeux vers le journal posé près de la bougie qui attirait un tourbillon de minuscules moucherons. Dans l'annonce bordée de noir, trois astérisques remplaçaient le nom de l'organisation chaque fois qu'il aurait dû apparaître. C'était bien le seul point sur lequel les membres du Klan se montraient discrets. Pour le reste, ils affichaient leur haine et leurs menaces dans la publication de Mr Gettys.

Jane joignit les mains, les pressa contre sa bouche, ferma les yeux.

— Andy, Andy, murmura-t-elle.

Pour se rendre à Summerton, il fit un grand détour à travers les marais, en se fiant à sa mémoire pour retrouver les sentiers praticables. Une seule fois il s'enfonça jusqu'aux genoux dans l'eau salée. La nuit était sans nuage, sans vent. Une brume épaisse estompait la lune ; l'air grouillait de moustiques et d'insectes plus petits. En approchant de Summerton par l'arrière du magasin de Gettys, il entendit des voix et des rires.

Accroupi dans les broussailles, il distingua, au bout de la véranda, plusieurs femmes blanches mal soignées qui tenaient à voix haute des propos grossiers. L'une d'elles, dépoitraillée, donnait le sein à un bébé décharné.

De l'autre côté de la route en terre battue, Andy vit des enfants assis dans la poussière, à côté de deux pauvres fermiers du district. Soudain, le silence se fit ; les Blancs tournèrent leur attention vers quelque chose que le magasin lui cachait.

Inondé de sueur, il décida de se poster plus près, derrière un gros chêne vert planté à trois mètres de la véranda. Pour l'atteindre, il devait traverser le terrain découvert s'étendant devant lui, en se faufilant à travers des yuccas aux feuilles pointues comme des lances. Le voisinage du magasin était éclairé par une rangée de lanternes disposées le long de la véranda et la torche que tenait le fils d'un fermier, mais tout le monde regardait dans l'autre sens, en direction de la route.

Andy courut pieds nus parmi les yuccas. Sur la véranda, une femme l'entendit mais avant qu'elle se soit retournée, il se plaquait contre le tronc de l'arbre.

— Une bête, sûrement, grommela-t-elle.

Après un moment de silence, il perçut un bruit sourd et rythmé : des chevaux ou des mules descendant la route.

— Les voilà ! cria quelqu'un.

Andy risqua un œil hors de sa cachette, aperçut le croisement brillamment éclairé maintenant : la moitié des nouveaux arrivants portaient des torches.

Bien qu'il sût que ce n'étaient que des hommes vêtus de robe, le visage masqué par une cagoule, il éprouva un choc en les voyant. L'étoffe couleur sang de leur costume chatoyait à la lueur des torches. Collé contre l'arbre, Andy retint sa respiration.

Les membres du Klan s'avancèrent sur une file jusqu'au croisement. Le cavalier de tête avait relevé le pan droit de sa robe et l'avait glissé sous une ceinture où brillaient des cartouches métalliques, au-dessus de la crosse d'un pistolet. Sur les autres cavaliers, Andy Sherman remarqua de vieux fusils de chasse, un esponton et même un ou deux sabres.

De la poussière s'élevait là où retombaient les sabots des chevaux qui tournaient en rond dans la clairière. Leurs cavaliers avaient l'air d'autant plus inquiétants qu'ils gardaient le silence et même les souillons et les pauvres fermiers semblaient effrayés. Lorsque l'homme de tête arrêta sa monture devant le *Dixie Store*, Andy remarqua que le cavalier suivant portait en travers de sa selle une sorte de caisse en pin rectangulaire d'une soixantaine de centimètres de long, partiellement cachée par sa robe.

Le chef de la troupe approcha de ses lèvres un vieux cornet acoustique, parla d'une voix que l'appareil rendait aiguë et rocailleuse, légèrement déformée.

— Les chevaliers de l'Empire Invisible se rassemblent. Ennemis de la chevalerie blanche, prenez garde. Vos jours sont comptés, votre mort certaine.

C'était, pensa Andy, une mascarade grotesque, puérile. Mais à défaut de connaître le visage des cavaliers, il connaissait leur cœur et savait qu'il débordait de haine.

— Voici la première que frappera notre courroux ! beugla le chef dans le cornet acoustique.

Le deuxième cavalier laissa la caisse tomber sur le sol. Le couvercle s'ouvrit, révélant à l'intérieur une espèce de poupée. Sur un signe du chef, la file des cavaliers se remit en mouvement. Décidant qu'il en avait vu assez, Andy repartit vers les sous-bois mais commit l'erreur de se retourner pour regarder une dernière fois les membres du Klan. Il passa trop près d'un yucca dont une longue feuille lui piqua la jambe, poussa un cri de douleur, assez fort pour attirer l'attention des cavaliers de la nuit. Quelqu'un brailla, les fusils se braquèrent vers le bois, les pistolets jaillirent des gaines. Le chef de la « tanière » lança ses troupes aux trousses du Noir filant vers les arbres.

Deux cavaliers encagoulés rattrapèrent Andy au milieu des yuccas. Pantelant, il courut plus vite mais une crosse de mousquet s'abattit sur son crâne et il tomba à genoux. Les deux hommes descendirent de cheval, le traînèrent devant la véranda. Une des femmes blanches se pencha pour lui cracher sur la tête. On l'empoigna par les oreilles et les épaules, on le poussa vers le cheval du chef.

— Nous avions prévenu les nègres de se tenir à l'écart, tonna-t-il dans le cornet. Les nègres qui défient l'Empire Invisible auront ce qu'ils méritent.

Un autre membre du Klan dégaina un long couteau de chasse dont la lame étincela lorsqu'il l'agita.

— Enlevez-lui son pantalon, dit-il. T'es foutu, mon gars. On va s'faire du bouillon de couilles de nègre.

— Non, intervint le chef. Qu'il raconte ce qu'il a vu ici ce soir. Montrez-lui le cercueil.

Un homme tourna brutalement la tête d'Andy afin qu'il puisse voir la caisse ouverte et la poupée de son, dont une balle avait troué la robe de velours. Le chef tendit la main vers les lettres tracées au fer rouge dans le couvercle du petit cercueil.

— Qu'on lui lise l'inscription.

— Je le connais, ce noiraud, dit un autre membre du Klan. C'est un nègre de Mont Royal, il sait lire.

Bien que l'homme eût cherché à déguiser sa voix, Andy reconnut Gettys. Le Noir éprouvait une telle frayeur que des larmes lui montaient aux yeux et qu'il devait serrer les cuisses pour ne pas uriner.

— Bon, fit le chef. Tu diras à cette femme ce que tu as vu et ce que tu as lu, moricaud.

Il adressa un signe à ses hommes, qui lâchèrent Andy et l'expédièrent vers le bois d'un coup de pied. Le Noir partit en titubant. Quatre détonations retentirent ; à chacune d'elles, il sursauta violemment, sûr d'être touché. Il continua à courir à travers les yuccas, parvint aux arbres, jeta un coup d'œil par-dessus son épaule, vit de la fumée bleue s'élever au-dessus des cagoules. Les membres du Klan éclatèrent de rire tandis qu'Andy disparaissait dans la nuit.

Impossible de dormir. Andy a vu les hommes du Klan et ce qu'ils avaient tracé sur le cercueil de la poupée représentant leur future victime. Il l'a écrit pour moi d'une main tremblante, des gouttes de sueur tombant de son front sur le vieux papier brun :

Morte la Maudite négresse
MAIN

44

Ce jour-là, Charles s'éveilla une heure plus tard que d'habitude — à cinq heures de l'après-midi. Il passa la main sous le lit, saisit la bouteille et but une première lampée avant même de se lever. C'était comme cela qu'il commençait sa journée.

On était au milieu du mois d'août et dans la remise où il dormait, derrière son lieu de travail, il faisait une chaleur étouffante. C'était bruyant en plus. Les cow-boys texans braillaient et martelaient du pied la piste de danse de la grande salle tandis que le Professeur jouait une polka sur le piano droit Fenway flambant neuf de l'établissement.

Après une deuxième rasade, Charles se leva à contrecœur. Comme il dormait tout habillé, il était prêt à prendre son travail : videur au *Trooper Nell's*, un dancing avec chambres à l'étage pour les putains et leurs clients, dans Texas Street, entre l'*Applejack* et le *Pearl*, au sud de la voie ferrée. En tendant l'oreille, il pouvait entendre les chevaux et les carrioles amenant les cow-boys, paie en poche, dans ce quartier peu respectable d'Abilene.

Le *Trooper Nell's* ne fermait jamais car Abilene, en pleine expansion, devenait la principale gare du Kansas pour le bétail. Joe McCoy, modeste garçon de ferme de l'Illinois doté d'un sens aigu des affaires, avait gagné son pari. L'année précédente, pour leur première saison, ses deux cent cinquante acres de parcs à bestiaux avaient accueilli trente-cinq mille bêtes du Texas, chargées ensuite dans les wagons de l'Union Pacific Division Est. Et la seconde saison devait doubler ce nombre, puisque, en dépit des troubles causés tout l'été par les Indiens, les troupeaux continuaient à affluer vers la ville et à traverser la Smoky Hill au gué de Humbarger. Presque chaque nuit, Charles avait son lot de vachers en goguette à calmer. Le shérif du comté de Dickinson ne faisait pas grand-chose. Épicier de profession, il n'avait aucun talent pour s'occuper des ivrognes et des bagarreurs.

Charles peigna sa longue barbe de ses doigts, prit sur une chaise branlante un étui en toile qu'il avait cousu lui-même après avoir vu dans un vieux numéro de *Leslie's* un dessin représentant un guerrier japonais. Ce samouraï portait son long sabre sur le dos dans un étui semblable, la poignée dépassant de l'épaule gauche. Charles fixa la gaine de toile dans son dos, y fourra sa Spencer. Avec le colt pendant à sa ceinture, cela suffisait généralement à refroidir les esprits échauffés. Il prenait pour exemple Wild Bill Hickok, devenu un personnage légendaire au Kansas, et qui portait parfois jusqu'à cinq revolvers plus un couteau. « Le Sauvage » intimidait ainsi ses adversaires et n'avait pas à les tuer. Charles avait entendu dire qu'il servait à présent de courrier à l'armée.

L'ancien confédéré n'avait pas eu cette chance. En fait, il n'avait pas vu l'ombre d'un Indien depuis qu'il avait été renvoyé du 10e. Et c'était pourtant une bonne année pour la chasse à l'Indien. Les tribus s'étaient montrées plutôt pacifiques pendant l'hiver mais les politiciens de Washington n'étaient pas parvenus à se mettre d'accord sur le montant des annuités dues aux Peaux-Rouges selon les clauses du traité de Medicine Lodge Creek, et les vivres, les armes, les munitions n'avaient pas été livrés non plus. Au printemps, les Comanches, furieux, avaient pris le sentier de la guerre. Puis les Cheyennes, conduits par Grand-Taureau, Balafre et d'autres chefs de guerre, avaient déferlé sur le Kansas, en principe pour attaquer leurs ennemis héréditaires, les Pawnies, mais n'avaient pas tardé à tourner leur hostilité vers les Blancs.

Les colons établis le long de la Saline, de la Solomon et de la Republican connurent bientôt la fureur indienne. Quinze hommes tués, cinq femmes violées en quelques semaines. Août avait été le mois le plus noir, avec un convoi de chariots attaqué et presque anéanti à Fort Dodge, trois bûcherons massacrés près de Fort Wallace, la diligence de Denver poursuivie pendant quatre heures par une bande d'Indiens auxquels conducteur et passagers n'avaient échappé que de justesse.

Wynkoop, agent aux affaires indiennes, parvenait à calmer les chefs de paix mais pas les jeunes guerriers, et Sheridan était dans une situation délicate puisqu'il ne disposait que de deux mille six cents hommes pour mettre fin aux attaques indiennes. Il avait envoyé deux éclaireurs chevronnés, Comstock et Grover, tenter de rétablir la paix avec les Cheyennes. Un groupe commandé par Patte-de-Dindon avait réservé un bon accueil aux deux hommes avant de les assaillir sans crier gare, tuant Comstock et blessant gravement Grover avant qu'il ne réussisse à s'enfuir. Cette perfidie n'avait pas étonné Charles.

Frustré d'être écarté des combats, il ne connaissait aucune unité qui l'accepterait dans ses rangs et n'était pas assez fou pour partir seul, en vengeur solitaire. Il faisait donc le videur à Abilene et buvait pour noyer sa rage.

Un dernier coup de gnôle puis il sortit de la remise, traversa d'un pas lourd la cour jonchée de détritus pour se diriger vers la maison à deux étages. Il avait dormi d'un sommeil profond mais peuplé de cauchemars. D'habitude, il refaisait le même rêve de bois en flammes, de chevaux agonisants et assistait à sa propre mort en suffocation, mais cette nuit, il avait vu Elkanah Bent agiter une boucle d'oreille devant lui en le piquant avec un long couteau.

Quelques mois plus tôt, un télégramme adressé aux bons soins de Jack Duncan avait informé Charles du meurtre de la femme de George Hazard. La longue vendetta de Bent contre les deux familles n'avait fait que renforcer la conviction de Charles que le monde et la plupart de ceux qui l'habitaient ne valaient rien. Il ne supposait cependant pas que Bent tenterait un jour de s'en prendre à lui car il l'avait profondément effrayé avant la guerre, au Texas.

Depuis janvier, Charles n'était retourné que deux fois à Leavenworth, où Duncan l'avait traité avec une courtoisie pleine de raideur et sans chaleur. Le général lui avait fait comprendre qu'il n'approuvait pas le nombre de verres qu'il prenait chaque jour. Charles avait essayé de jouer avec son fils, de lui parler, mais l'enfant n'aimait pas rester seul avec son père et demandait toujours à retourner auprès de Maureen ou de Duncan.

Il n'avait pas écrit à Willa et n'avait pas trouvé de lettres d'elle l'attendant au fort.

Charles était d'humeur morose et vindicative, comme toujours, lorsqu'il poussa la porte de derrière et traversa la salle obscure pour se mettre au travail. Le Professeur martelait les touches du Fenway ; deux cow-boys dansaient avec des prostituées ; trois tables accueillaient des groupes de buveurs sales et bruyants. L'ancien officier remarqua qu'un des vachers le suivait des yeux tandis qu'il gagnait l'extrémité du comptoir rutilant orné de cuivre jaune.

— A boire, Lem.

Le barman lui versa un double bourbon que Charles avala sans voir un des cow-boys attablés murmurer quelque chose à l'oreille de son voisin, un jeune blondinet bouclé. Celui-ci lança à Charles un regard méprisant.

L'établissement sentait le crachat et la sciure, la fumée et la poussière de la piste, la bouse de vache collée aux semelles. Depuis cinq heures et demie, les affaires marchaient, sans que la clientèle soit plus tapageuse que d'ordinaire. Nellie Slingerhand, la propriétaire, descendit d'un escalier situé en face du bar. Petite, âgée d'une quarantaine d'années, elle portait invariablement des robes boutonnées jusqu'au cou et avait la poitrine la plus volumineuse que Charles eût jamais vue sur une femme aussi menue. Elle avait des yeux brillants, calculateurs, des joues marquées par une maladie enfantine. Le tarif de Nellie était double de celui des autres filles mais pour Charles, c'était gratuit. Ils couchaient ensemble une ou deux fois par semaine, généralement dans la journée, après que Charles fut sérieusement imbibé. « Amène-toi, beau mâle », disait-elle, et il la montait à l'étage, bras tendus. Elle criait et se tortillait mais ne fermait pas les yeux et son visage ne perdait jamais son étrange expression grimaçante.

En faisant l'amour, Charles essayait de croire que c'était Willa qui s'agitait sous lui mais ça ne marchait jamais.

— Comment tu vas, beau gosse ? demanda Nellie.

Elle s'approcha de lui en faisant claquer sur le plancher ses bottes luxueuses en cuir repoussé. On l'avait surnommée Trooper Nell* parce qu'elle refusait d'ôter ses bottes pour qui que ce soit, Charles compris. Abilene colportait de nombreuses rumeurs sur son compte : elle aurait été institutrice, aurait empoisonné son fermier de mari pour son argent, préférait les femmes.

— Ça irait mieux s'il faisait moins chaud, répondit Charles.

Il détestait se faire appeler « beau gosse », comme un vulgaire garçon de ferme, mais Nellie le payait ; il devait le supporter.

— T'as l'air assez en rogne pour bouffer des briques, fit-elle remarquer.

— J'ai mal dormi.

— C'est pas nouveau, ça, dit Nellie. (Elle tendit la main vers la limonade que le barman venait de lui servir. Elle ne buvait jamais d'alcool.) T'es un bon videur, beau gosse, mais tu fais pas mystère que t'aimes pas ce boulot. Je commence à croire que ta place est pas ici.

Elle but une gorgée en inspectant la clientèle, s'attarda sur la table où le blondinet faisait du tapage.

— Surveille cette bande-là, recommanda-t-elle à Charles. C'est toujours les jeunots qui causent le plus d'ennuis.

Il hocha la tête et demeura adossé au bar, la crosse de la Spencer dépassant de son épaule gauche. Le blondinet gagna en titubant la piste de danse, écarta brutalement Jo-dents-de-lapin et son client pour s'approcher du Professeur. Le cow-boy demanda quelque chose au pianiste, qui sembla hésiter. Le blondinet lança quelques pièces d'or sur le dessus du piano droit, l'air agressif ; le Professeur coula un regard à sa patronne avant d'attaquer *Dixie*.

Le cow-boy poussa un grand cri en agitant son chapeau, monta sur sa chaise puis sur la table autour de laquelle ses compagnons étaient assis. De la tête, Nellie fit à son videur un signe voulant dire : « Arrête-moi ça. »

Pour la première fois depuis son réveil, Charles ressentit une impression agréable. A ce moment précis, un grand barbu vêtu d'une veste en daim à franges poussa la porte d'entrée, croisa le regard de l'ancien officier et sourit. Son visage parut familier à Charles mais il avait d'autres préoccupations.

Après avoir vidé le fond de whisky laissé par un client, il tira la Spencer de son étui, marcha vers la table sur laquelle dansait le cow-boy. Les compagnons du blondinet cessèrent de parler, repoussèrent leur chaise.

— Le prix du verre ne donne pas le droit de casser le mobilier, dit Charles en s'efforçant de garder un ton anodin.

— J'aime danser, répondit le blondinet. J'aime cet air.

Il n'était pas texan. Son accent prononcé provenait du Sud profond, de l'Alabama, peut-être.

— Tu peux l'écouter en restant assis. Descends de cette table.

---

* Trooper : soldat de la cavalerie. (N.d.t.)

— Quand j'aurai fini, soldat.

Charles fronça les sourcils ; le cow-boy sourit d'un air provocateur.

— J'ai entendu parler de toi dans une autre boîte de la rue, soldat. T'es un ancien de la cavalerie de Hampton mais t'es retourné dans l'armée de l'Union, après. A Mobile, ça te vaudrait le goudron et les plumes.

A bout de patience, Charles le saisit par la jambe.

— Descends.

Le blondinet se dégagea, expédia son pied dans l'épaule de Charles, qui perdit l'équilibre. Un cow-boy s'empara de la carabine de Charles, deux autres l'empoignèrent par les bras. L'homme de Mobile sauta à terre, frappa le videur au ventre. Le coup catapulta Charles en arrière, le libérant de ceux qui le tenaient. Il tomba, glissa sur le plancher, à deux mètres de l'endroit où l'un des cow-boys avait jeté sa Spencer.

— Arrêtez ce dingue ! cria Nellie quand le blondinet dégaina son revolver.

Au lieu d'intervenir, ses amis s'écartèrent, la piste de danse se vida. Le cow-boy tira au moment où Charles roulait sur le côté ; la balle fit voler des éclats de bois et de la poussière.

— Ce plancher m'a coûté trois cents dollars, espèce de fils de pute ! vociféra la patronne.

Le blondinet visa à nouveau ; quelque chose glissa sur le plancher vers la main droite de Charles : la Spencer, poussée par l'homme à la veste en daim. Avant que le cow-boy puisse à nouveau tirer, Charles lui logea une balle dans l'estomac. L'homme du Sud profond, projeté en arrière, atterrit sur la table, qu'il brisa. Charles se releva, s'appuya précautionneusement sur son pied gauche, qu'il s'était tordu. Une fille hurla ; Jo-dents-de-lapin s'évanouit. Dans le silence qui suivit, Nellie commença :

— Bon, je crois que...

Elle n'alla pas plus loin : Charles tira une deuxième fois sur le cow-boy étendu par terre, dont le corps tressauta. Il fit feu une troisième fois, Nellie lui saisit le bras.

— Arrête.

— Légitime défense, Nellie, dit Charles, tremblant de rage.

— La première fois, oui, pas les deux autres. T'es aussi mauvais que ces foutus Indiens.

Il la regarda droit dans les yeux, cherchant une réponse, puis sa jambe gauche céda sous lui et il s'effondra. Le barman et le portier le portèrent à la remise, d'où Nellie les renvoya dans la salle.

— Le type est mort, annonça-t-elle calmement.

Charles demeura silencieux.

— Tu peux rester ici le temps que tu puisses marcher mais je te vire. Je sais que tu devais te défendre, mais pas en le massacrant comme ça. Les rumeurs vont vite. Un caractère comme le tien, c'est mauvais pour les affaires. Désolée.

Impassible, il la regarda se retourner et sortir. Bon Dieu ! il avait seulement essayé de sauver sa peau et...

Non, c'était faux. Trooper Nell avait raison : une balle aurait suffi pour liquider le jeune téméraire et il le savait. Pourquoi ne parvenait-il pas à se libérer de la rage qui l'avait incité à tirer les deux autres balles ?

Entendant frapper, il ôta son avant-bras de ses yeux. La porte de la remise s'ouvrit ; dans le jour finissant, Charles reconnut la silhouette du barbu à la veste en daim.

— Griffenstein, dit l'homme.

— Oui, je m'en souviens. Dutch Henry.

— J'ai eu un mal de chien à te trouver. Comment va la guibolle ?

— Il faudra que je m'en passe pendant un moment, je crois.

— Ah ! dommage. J'ai fait cent cinquante kilomètres à cheval pour venir ici.

— Faire quoi ?

— Te recruter.

Griffenstein tira à lui une vieille caisse, s'assit et poursuivit :

— Les Cheyennes sont déchaînés, et tout ce que fait la cavalerie, c'est leur courir après. Alors Phil Sheridan a décidé de prendre l'offensive. Il a ordonné à l'un de ses aides de camp, le colonel Sandy Forsyth, d'embaucher cinquante civils aguerris et de les emmener tuer tous les Indiens hostiles qu'ils trouveront. Je leur ai dit qu'il y a pas meilleur homme que toi pour ce boulot. On parle encore de toi au 10ᵉ régiment.

— De mon renvoi, tu veux dire, fit Charles, amer.

— Non. De la façon dont t'as fait de tes Noirs une des meilleures unités de cavalerie de l'armée. On ne parle plus de la compagnie de Barnes mais de la « compagnie de Main » — ton vrai nom — et le « Vieux » dit amen.

Charles agrippa sa jambe douloureuse.

— Aide-moi. Je sais que je peux me lever.

Il y parvint effectivement mais retomba aussitôt sur le lit.

— Bon Dieu, Griffenstein, je regrette que tu ne sois pas venu un jour plus tôt.

— Moi aussi. Bon, ce sera pour la prochaine fois. Si les Peaux-Rouges continuent à scalper et à foutre le feu partout comme en ce moment, c'est pas les occasions qui manqueront. Tu nous rejoindras plus tard.

— Tu peux y compter.

— Comment je te retrouverai ?

— Tu enverras un télégramme au général Jack Duncan, à Fort Leavenworth.

— Un parent à toi ?

Mensonge commode :

— Mon beau-père.

— Personne m'a dit que t'es marié.

— Je ne le suis plus. Elle est morte.

Et tu as tué toute trace de sentiment pour toi chez la seule autre femme que tu aies jamais aimée autant.

Les deux hommes se serrèrent la main. Après le départ de Dutch Henry, Charles jura de frustration et chercha à tâtons sous le lit la bouteille à demi vide.

45

Lorsque Willa craqua et oublia son texte pour la troisième fois, Sam Trump décida d'interrompre le travail.

— Dix minutes de pause, mesdames et messieurs.

Il la conduisit à l'estrade couverte de coussins servant de lit pour les répétitions, la fit asseoir. La chaleur torride de septembre faisait couler son maquillage de Maure et il laissa des empreintes noires sur la robe jaune de la jeune femme.

— Qu'est-ce qu'il y a, ma chérie ?

Comme Willa demeurait silencieuse, l'air égaré, il ajouta :

— C'est le temps ? Ça cessera bientôt, sûrement.

— Le temps n'a rien à voir là-dedans. Je n'arrive pas à me concentrer sur mon rôle. Sam, pourrais-tu suspendre les répétitions assez longtemps pour que je puisse faire un saut à Leavenworth ?

— Mais tu y es allée il n'y a pas un mois.

— Ce pauvre enfant a besoin de quelqu'un d'autre qu'une gouvernante pour s'occuper de lui. Avec le général qui part des semaines entières pour distribuer la solde, c'est comme si Gus était orphelin.

— Willa, c'est vraiment ce petit garçon qui te préoccupe ou son père ?

D'un ton acerbe, elle répliqua :

— Je ne sais pas où est son père, et je m'en moque.

— Ah, non, certainement pas. « Amour et renommée sont les nourritures du poète », a dit Mr Shelley, et c'est également vrai pour les acteurs. Mais toi, tu prétends que la moitié seulement te suffirait.

— Ne me tourmente pas, Sam. Accepte de laisser Grace me remplacer quelques soirées. Je jouerai mieux Desdémone quand je saurai que Gus va bien.

— J'ai horreur de retarder les répétitions, bougonna le comédien. En plus, j'ai le pressentiment que notre nouveau spectacle sera celui qui nous lancera vers les sommets. J'ai invité plusieurs directeurs de New York à venir nous voir et...

— Pour l'amour de Dieu, Sam ! s'exclama Willa avec une agressivité inhabituelle chez elle. Tu sais parfaitement que ces triomphes n'existent que dans ton imagination. Nous sommes et nous resterons une troupe de province.

Trump regarda sa partenaire d'un air blessé.

— Je suis désolée, Sam, fit-elle, les larmes aux yeux. C'était méchant de ma part. Pardonne-moi.

— Je te pardonne. Quant à te libérer, je n'ai pas le choix : tu joues comme une somnambule. Si un voyage de plus à Leavenworth doit te guérir, pars, je t'en prie. Et puisque nous parlons franchement, permets-moi d'ajouter que j'aimais bien ce jeune homme au début mais que je ne l'apprécie plus du tout. Il t'a fait du mal. Même quand il n'est pas là, il continue à te faire du mal. Il se débrouille je ne sais comment pour tout gâcher de loin.

Desdémone eut un demi-sourire plein de tristesse.

— Cela s'appelle l'amour, Sam. Toi aussi tu as eu des histoires de cœur.

— Aucune ne m'a détruit. Je ne veux pas te voir complètement brisée.

— Non, Sam. Juste quelques jours, et tout ira bien·

— Bon, fit Trump, sceptique.

Dans le train qui emmenait Willa à l'autre bout de l'État, des passagers descendaient à chaque gare pour acheter les derniers journaux. Des événements se déroulant dans l'est du Colorado faisaient la une : près de l'Arikaree, affluent de la Republican, un détachement spécial de civils commandés par le colonel Forsyth avait été surpris par une bande de Cheyennes et avait trouvé refuge sur une île de la rivière. Fait incroyable, il avait repoussé toutes les attaques des Indiens qui, selon certaines dépêches, étaient au nombre de six cents. Au cours d'un des assauts, un chef de guerre renommé avait été abattu malgré la coiffure magique censée le protéger des balles. Ce Cheyenne était connu sous le nom de Chauve-Souris, ou de Nez-Busqué.

Les voyageurs lisaient avec passion les comptes rendus de la bataille de Beecher's Island — l'île de Beecher — ainsi nommée en l'honneur du jeune officier qui y avait été blessé mortellement.

— Ils sont sauvés ! s'écria le voisin de Willa en agitant un journal. Les hommes que Forsyth avait envoyés à Fort Wallace ont réussi à passer. La colonne de renfort les a trouvés retranchés dans l'île, mangeant leurs chevaux pour tenir.

— Ils en ont tué combien ? voulut savoir un autre passager.

— Des centaines, d'après le journal.

— Bon Dieu, il faudrait une cinquantaine de batailles comme celle-là pour venger les innocents qui se sont fait scalper cet été.

Bouillonnante de colère, Willa lança par-dessus le dossier de son siège :

— Vous croyez que les Cheyennes peuvent rester pacifiques alors qu'on ne les traite même pas avec la plus élémentaire équité ? Cela fait près d'un an que la commission de paix leur a promis des vivres et des armes pour chasser. Lorsque les armes ont été livrées, l'été était presque fini. Vous vous attendez à ce qu'ils tiennent leur parole alors que nous ne tenons pas la nôtre ?

Sa voix fut couverte par le cliquetis des boggies.

— Hé, lança l'homme au journal aux autres voyageurs, vous saviez qu'il y a des squaws qui arrivent à se faire passer pour des Blanches ?

Willa s'apprêtait à riposter mais avant qu'elle n'en ait eu le temps, le malotru se pencha en avant, cracha un jet de jus de chique. Autrefois, ce genre de conduite l'aurait incitée à se battre avec plus de vigueur encore. Plus maintenant. Elle se sentait découragée, insensée, même, prise dans un combat impossible à gagner.

— Non, le général n'a pas eu de ses nouvelles depuis des semaines, dit Maureen lorsque Willa arriva au fort, par un matin gris et venteux.

— Le général est ici ?

— Non. Il est reparti distribuer la solde.

— Et Gus ?

— Je lui ai demandé de biner le potager, derrière la maison. Ce n'est pas la saison — nous avons déjà récolté nos courges et nos pommes de terre — mais le pauvre a besoin de s'occuper.

— Il a surtout besoin d'une vie normale, dit Willa en posant son sac près du poêle froid. D'aller à l'école, d'avoir un foyer, des parents.

— Ça, c'est indiscutable, approuva Maureen.

Le climat rude de la prairie avait ridé et vieilli sa peau.

— Et ce n'est pas ici qu'il les trouvera, ajouta-t-elle.

Une sorte de hurlement grave accompagnait la conversation des deux femmes. La porte trembla dans son chambranle, la gouvernante tordit le devant de son tablier.

— Marie, Joseph, je déteste cet endroit, parfois. La chaleur, ce vent infernal qui souffle depuis des semaines...

Willa alla à la porte de derrière, d'où elle put observer Gus, robuste garçonnet sarclant un coin de potager avec nonchalance. De la poussière et des débris tourbillonnaient dans le jardin, autour des bâtiments voisins, et le petit chapeau rond de l'enfant menaçait de s'envoler à tout moment.

Du seuil de la porte, Willa le regardait, prête à fondre en larmes. Comme il avait l'air solitaire ! Courbé tel un petit vieillard, maniant la houe sans enthousiasme et sans but.

— Salut, Gus, dit-elle en s'avançant.

— Tante Willa !

Lâchant l'instrument, l'enfant courut vers la jeune femme qui s'agenouilla et le prit dans ses bras. Agé de presque quatre ans, le fils de Charles avait perdu son aspect dodu de bébé. Bien qu'il passât beaucoup de temps dehors, il avait la peau plutôt blanche, le teint pâle. Malgré le vent, elle l'emmena faire une promenade le long de la falaise dominant le fleuve et lui posait des questions auxquelles il répondait par monosyllabes lorsqu'elle entendit quelqu'un appeler derrière eux. Elle se retourna.

— Oh ! mon Dieu.

Charles descendait le sentier à pas lents. Par-dessus son poncho, il portait une sorte de gaine en toile d'où dépassait la crosse de sa carabine. Il avait à nouveau une barbe longue, mal soignée.

Le petit Gus découvrit son père, un sourire illumina son visage et il courut vers lui. Charles trébucha sur une pierre, tomba, se reçut lourdement sur les mains. L'enfant s'arrêta, interdit. Le visage de Willa se tendit : à la façon dont Charles vacillait en se relevant, elle devinait qu'il était soûl.

— 'jour, Gus. Viens embrasser ton papa.

Le garçon se remit à avancer mais avec précaution. Son père s'accroupit, le serra contre lui. Gus tourna la tête et Willa vit qu'il avait les yeux clos et les lèvres pincées, comme s'il avait peur. Le moment d'élan spontané était passé.

— Je ne pensais pas te voir, dit Charles d'une voix pâteuse en lançant à la comédienne un regard presque hostile. Qu'est-ce que tu fais ici ?

— Je suis venu pour Gus. Je n'imaginais pas que tu serais dans les parages.

L'enfant se dégagea de l'étreinte de son père.

— Va voir Maureen, Gus. Il faut que je parle à Willa.

— Je veux rester jouer, Papa.

Charles le prit par l'épaule, le fit tourner et le poussa vers la rangée de maisons des officiers.

— Ne m'énerve pas. File.

Au bord des larmes, l'enfant déguerpit. Willa aurait voulu accabler son ancien amant de reproches, le frapper, le fouetter. L'intensité de sa réaction la bouleversait. Parvenant à se maîtriser, elle demanda :

— Que deviens-tu, Charles ?

— J'ai des raisons de te répondre ?

— Pour l'amour du ciel, c'était juste une question polie.

— A Abilene, marmonna-t-il. J'avais un boulot mais j'ai laissé tomber.

— Quel genre de boulot ?

— Oh ! ça ne t'intéresserait pas.

Il la prit par le coude, la dirigea sans douceur vers le fleuve.

— Pourquoi es-tu tout le temps aussi hargneux ?

Elle se tourna vers lui, posa ses mains gantées sur le devant de son poncho et se hissa sur la pointe des pieds pour l'embrasser. Sa barbe piquait. Elle aurait tout aussi bien pu embrasser une statue.

— Écoute, Willa…

— Non, c'est toi qui écoutes. Tu crois que je suis ici par charité ? Je t'aime. Je veux que tu cesses de te détruire.

— Je suis venu voir Gus, pas entendre un sermon.

— Tu vas en entendre un quand même. Ta place n'est pas dans les Plaines. Trouve un travail à Leavenworth, occupe-toi de ton fils. Tu lui as fait peur, tu dois regagner sa confiance. Tu ne comprends pas qu'il a besoin de toi ? De l'homme que tu étais il y a deux ans ? Je t'en prie…

Il rabattit le bord de son chapeau noir sur ses yeux avant de répondre :

— Je ne suis pas encore prêt à revenir ici. J'ai un travail à terminer.

— Toujours les Cheyennes…

— Pour lesquels ton cœur saigne. Retourne donc t'occuper de ta Société d'Amitié et de tes fichues pétitions.

— Pourquoi cries-tu, Charles ?

— Parce que je ne veux pas que tu te mêles de mes affaires.

— J'aime beaucoup Gus !

— Moi aussi. Je suis son père.

— Si peu !

Il la frappa, main ouverte, pas très fort, mais elle ressentit une douleur insupportable. Elle recula en se frottant la joue. Le vent emporta son chapeau à plume, le souleva et le laissa retomber au-dessus du Missouri.

— Oh, fit Willa d'une petite voix misérable.

Lorsqu'elle regarda à nouveau Charles, ses yeux bleus brillaient d'un éclat dur.

— Tu es devenu un véritable salaud, cracha-t-elle. Avant, je me demandais pourquoi mais maintenant, je m'en fiche. Ton fils aussi mais tu es trop bête et trop soûl pour t'en apercevoir. Si tu continues, il te haïra. La plupart du temps, il est terrifié par toi.

— Parce que tu vas m'apprendre à élever mon fils ? Je n'ai pas besoin de toi. Occupe-toi de *tes* problèmes. Trouve quelqu'un d'autre à fourrer dans ton lit.

— Va au diable, Charles Main. Au diable ! Tu es tombé tellement bas que plus personne ne peut te ramasser.

Furieux, il voulut l'empoigner mais elle s'enfuit, le visage inondé de larmes.

— Willa ! cria-t-il. Willa... C'est ça, cours. Cours !

COURSCOURSCOURS, fit l'écho au-dessus du fleuve, tandis qu'elle disparaissait dans les tourbillons de feuilles et de poussière.

Lorsqu'elle revint au théâtre, Sam Trump fut étonné de l'entrain avec lequel elle lui demanda :

— Convoque les autres pour une répétition, Sam. J'ai hâte de reprendre le travail. Je ne reverrai plus Mr Main.

Journal de Madeline.

Septembre 1868. L'activité du Klan a décuplé dans l'État avec les élections dans moins de deux mois. Le comté de York, près de la frontière avec la Caroline du Nord, est un foyer de contagion où la population s'est bizarrement entichée du Klan. Venu voir Marie Louise, Theo nous a montré un paquet de Tabac Ku Klux. A Charleston, il a vu dans une boutique le rouleau de papier à musique d'une chanson écrite en l'honneur du Klan. A Columbia, une équipe de base-ball nommée les « Visages Pâles » rend publiquement hommage à l'organisation.

La « tanière » de Summerton continue à se montrer mais n'a rien entrepris contre nous. Ne sais parfois si je dois rire ou trembler devant ces fanatiques aux costumes prétentieux...

Le jeune et vigoureux Noir nommé Ridley passa un bras autour des épaules de sa femme, May. Bien qu'elle fût mince et frêle, on commençait à voir qu'elle était enceinte de trois mois.

Ridley était rentré chez lui fatigué d'avoir creusé toute la journée dans les mines de phosphate de Mont Royal. Mais le temps était si agréable qu'il avait persuadé May de retarder le souper pour sortir prendre l'air avec lui. Il se sentait bien ces derniers temps. Il gagnait un salaire correct, avait commencé à bâtir sa propre maison avec l'aide de son ami Andy Sherman et des outils prêtés par Mr Heely, le contremaître blanc du domaine. Ridley était fier de faire toutes ces choses et d'aller où bon lui semblait, en homme libre. Par exemple à Summerton, pour élire le général Grant à la présidence, comme Mr Klawdell, de la Ligue, le lui avait recommandé.

Le dernier rougeoiement du jour disparaissait derrière les bois épais bordant la route de la rivière. Ridley et sa femme marchaient enlacés lorsqu'ils entendirent un hululement.

— La nuit tombe, murmura May en se blottissant contre son mari. Nous sommes allés trop loin.

— Il faisait si bon que j'ai pas fait attention, avoua Ridley.

Il allongea le pas, n'accéléra pas trop l'allure à cause de l'état de sa femme. Soudain, ils entendirent derrière eux un bruit de sabots, se retournèrent, virent des cavaliers vêtus de longues robes rouges et portant des torches.

— May, faut filer, c'est les types du Klan !

Sans dire un mot, elle fit volte-face, partit en courant vers Mont Royal, ses pieds nus frappant la terre battue de la route. Son mari la rattrapa et, côte à côte, ils fuirent les chevaux trottant derrière eux. May se mit à haleter, émit un gémissement : l'effort était trop grand pour elle.

Les quatre cavaliers lancèrent leurs bêtes au galop, rejoignirent rapidement le couple. Deux d'entre eux le dépassèrent, se postèrent en travers de la route : Ridley et May étaient encerclés.

— Moricaud, tu sais que t'as pas le droit de sortir la nuit, tonna un des cavaliers.

Ridley posa une main sur l'épaule de May et, quoique furieux, s'efforça de ne pas provoquer les quatre hommes : ils pouvaient faire mal à sa femme.

— On rentrait juste à la maison, messieurs.

— Messieurs ! ricana un autre cavalier. On est pas des messieurs, on est des démons de l'enfer venus tourmenter les noirauds récalcitrants.

L'homme agita un revolver Leech and Rigdon sous le nez de Ridley.

— T'es d'où, mon gars ? Et réponds avec respect.

— De Mont Royal, là-bas, au bout de la route.

— Oh ! alors t'es un de ces négros de la Ligue qui s'imaginent pouvoir voter en novembre. Tu voudrais bien envoyer ce foutu Grant à la Maison-Blanche, hein, noiraud ?

Les yeux de May étincelèrent de fureur.

— Et pourquoi pas ? Il a le droit de voter. C'est un citoyen, comme...

— Arrête, May, intervint Ridley.

— On est les envoyés du diable, on exige du respect, grogna l'homme, levant son arme pour frapper la jeune femme enceinte.

Ridley s'interposa.

— Cours, May ! cria-t-il.

Ses mains saisirent la gorge de l'homme, qui tira.

— Bon Dieu ! Jack, protesta un des cavaliers.

Ridley tomba à genoux, une tache rouge sur la chemise, juste au-dessus de la ceinture. Avec un hurlement, May se jeta sur le cavalier au revolver, qui lui donna un coup dans le ventre. Elle geignit, s'effondra sur la route. Sa robe remonta sur ses hanches, révélant une culotte de coton blanc où apparut soudain une tache de sang. Jack Jolly défit sa cagoule, regarda May avec répugnance.

— C'est presque une enfant, Jolly, fit observer un membre du Klan.

Le capitaine braqua le Leech and Rigdon entre les trous de la cagoule de l'homme qui venait de parler.

— Ferme-la, Gettys.

Ridley bascula lentement sur le côté, tressaillit, ne bougea plus. Avec un grognement satisfait, Jolly arma son revolver, visa la tête de May et tira. Le corps de la jeune Noire sursauta. Jolly eut un petit rire, essuya son menton humide avec le bord de sa cagoule.

— En tout cas, v'là un vote noir qui nous causera jamais de souci. Deux, même, si c'est un garçon qu'elle portait.

— Pas de violence, déclara Devin Heely, le petit Irlandais à barbe rousse embauché à Charleston par la direction de la mine. La Compagnie des Phosphates de Beaufort est tout à fait opposée à la violence. En tant que contremaître, je dois...

— Ils ont tué deux innocents ! s'exclama Madeline. Comment proposez-vous de traiter ces chiens enragés ? En les invitant à discuter devant une tasse de thé ?

Heely mordilla en silence le tuyau de sa pipe de maïs. Le soir tombait ; vingt-quatre heures s'étaient écoulées depuis le double assassinat de la route de la rivière. Toutes les lanternes qu'on avait pu trouver étaient allumées devant la maison blanchie à la chaux, autour de laquelle les Noirs employés à la mine formaient un vaste demi-cercle. Ils avaient amené avec eux leur femme et leurs enfants. Un bébé pleurnicha ; sa mère le berça pour le calmer.

Assises l'une près de l'autre sur le perron, Prudence et Marie Louise regardaient Madeline. Dans la foule, une femme, la sœur de May, pleurait bruyamment. Au moment où Heely ouvrait la bouche pour répondre, une voix lança :

— Elle a raison.

Tout le monde se retourna pour voir Andy s'avancer vers la lumière.

— Ils ne nous laissent pas le choix, reprit-il. Nous ferons usage du droit inscrit dans la Constitution des États-Unis.

— De quoi tu parles, Sherman ? demanda Foote.

— Du 2e Amendement : « Le droit de posséder et de porter une arme ne sera pas mis en cause. »

— Tout ça pour montrer qu'il a lu son foutu bouquin de droit, grommela quelqu'un.

Sans lui prêter attention, Andy poursuivit :

— Je parle de former notre propre milice. Ici même.

— C'est de la folie, déclara Heely. S'il y a quelque chose que les gars du Klan détestent encore plus que la Ligue, c'est les milices noires. Je m'oppose à ce qu'...

— Vous n'avez rien à dire, coupa Madeline. Andy, je crois que tu as raison. Nous devons nous protéger. Si les hommes du Klan s'en prennent à Mont Royal, nous n'aurons pas le temps de faire venir des troupes de Charleston.

— Mais où trouver des armes ? demanda Jane.

— Nous les achèterons en ville, répondit Madeline.

— Ce ne sera pas trop cher ? objecta Prudence.

La veuve d'Orry lui jeta un regard étrange, plein de tristesse, dont ni l'institutrice ni Marie Louise ni quiconque d'autre ne comprit le sens.

— Je trouverai l'argent, promit Madeline.

Ai écrit à Mr J. Lee, l'architecte, pour le prier de suspendre son travail. L'argent destiné à ses honoraires doit être utilisé autrement.

46

C'était la vraie prairie, où pas un arbre ne brisait l'horizon. En ce dernier jour d'octobre, le vent soufflant au ras du sol annonçait l'hiver. Un ciel couleur d'acier prolongeait le vaste espace désolé.

Un petit point noir apparut près de la berge escarpée d'une rivière paresseuse, grandit pour devenir un cheval et un cavalier : Satan et Charles. Malgré les trois chemises qu'il portait sous son poncho, il grelottait de froid.

Mâchonnant un cigare éteint d'un air maussade, Charles Main songeait que la saison était mal choisie pour commencer une guerre. Mais si guerre il y avait, il voulait en être. C'était dans ce but qu'il avait quitté son dernier emploi — débardeur à la gare de marchandises proche de Fort Leavenworth — et parcouru à cheval plus de trois cents kilomètres.

Une demi-heure plus tard, des bâtiments de pierre et d'adobe se profilèrent à l'horizon. Fort Dodge, enfin.

Charles découvrit un vaste parc à chariots et des pelotons d'instruction, entendit le crépitement d'un exercice de tir se déroulant derrière le fort. Manifestement, le poste n'était pas assoupi dans la routine, et cette constatation lui fouetta le sang.

L'officier de jour posa un regard las sur l'inconnu à l'air sinistre, lui répondit qu'il trouverait peut-être ceux qu'il cherchait à la cantine. Charles longea les écuries pour se diriger vers une bâtisse d'adobe au toit plat devant laquelle plusieurs chevaux étaient attachés. Il mit Satan avec les autres bêtes, entra.

Dutch Henry Griffenstein jouait aux cartes à une table du fond avec trois civils que Charles ne connaissait pas. L'un d'eux, un homme sans rien de particulier hormis la pipe qu'il avait à la bouche, ne cessait de faire tomber des cartes en battant le paquet.

— T'es trop soûl, Joe, fit son voisin de gauche, qui lui prit les cartes.

Joe rota, l'air indifférent.

— Charlie ! s'exclama Griffenstein en se levant. Alors, vous avez reçu le télégramme.

— Je me suis mis en route le lendemain.

— Les gars, je vous présente Cheyenne Charlie Main, dit Dutch Henry en entraînant Charles vers la table. Charlie, voici Stud Marshall, Willow Roberts, et là...

Griffenstein indiqua l'homme à la pipe, qui devait avoir une dizaine d'années de plus que Charles.

— Là, c'est California Joe Milner, le chef des éclaireurs, fit-il d'un ton déférent.

Milner considéra le nouveau venu d'un œil trouble, tendit la main. Sous son sombrero crasseux, ses longs favoris roux n'avaient pas été taillés depuis longtemps et toute sa personne dégageait une impression de malpropreté.

— Joe est l'homme pour qui je travaille, ajouta Dutch Henry. Et toi aussi, maintenant, Charlie.

California Joe rota à nouveau.

— Si le général est d'accord...

Il avait l'accent nasillard de la lisière montagneuse du Sud — le Tennessee, peut-être, ou le Kentucky.

— Il parle de Custer, expliqua Griffenstein. Des généraux, on en a plus d'un. On a aussi Al Sully, que Petit Phil* a mis à la tête du 7e pendant que le Bouclé était encore en quarantaine. Il l'a envoyé chasser les Indiens au sud de l'Arkansas et Sully s'est pas trop bien débrouillé. C'est pour ça que Phil a demandé à Sherman de remettre la peine de Custer pour qu'on ait un commandant qui sache se battre. Ils sont tous les deux lieutenant-colonel, en fait, Custer et Sully, mais le Bouclé prétend qu'il est plus élevé en grade. Ah ! ils arrêtent pas de se chamailler et de faire des histoires.

— Nous, ça nous regarde pas, dit Milner à Charles. Moi, je rends des comptes à Custer seulement, et tu feras pareil s'il t'embauche. T'as déjà été éclaireur dans le Territoire indien ?

— Je l'ai parcouru pendant plus d'un an avec un marchand qui était mon associé. Mais je ne peux pas dire que j'en ai le plan dans la tête.

— C'est rien, ça. Tout ce qu'il faut pour être éclaireur, c'est une boussole et des couilles.

— J'ai ce qu'il faut, mais il faudra me croire sur parole.

California Joe éclata de rire.

— Ah ! t'avais raison, Henry, il est au poil. Main, va voir Custer. Tu le trouveras au nouveau camp de la Bluff Creek, où il fait faire l'exercice à ses troupes. S'il t'accepte, la paie est de cinquante dollars par mois.

— J'ai apporté mon propre cheval, précisa Charles.

Nouveau rot.

— Alors ce sera soixante-quinze dollars, bredouilla Milner.

Voyant que les éructations de son chef ne plaisaient pas trop à Charles, Dutch Henry le tira par le bras.

— Viens, Charlie, je t'offre un verre.

Ils se dirigèrent vers le comptoir en rondins.

— C'est le fameux chouchou de Custer ? fit Charles, incrédule.

— Le chouchou à deux pattes, répondit Griffenstein. Custer a aussi emmené deux de ses chiens de chasse quand Sherman s'est débrouillé pour le faire revenir du Michigan. Ici, on se prépare au combat. Phil et l'oncle Bill ont finalement convaincu Grant de faire la guerre aux tribus hostiles. L'attaque, pas la défense. Le plan consiste à les repousser jusqu'au Territoire et à tuer ceux qui refuseront de gagner paisiblement leur réserve.

Charles vida en trois gorgées un grand verre de casse-poitrine.

— Avec l'hiver qui arrive ? dit-il.

— Je sais que ça paraît dingue mais c'est drôlement malin de la part de Petit Phil. Les Indiens se seront établis dans leurs villages, et leurs chevaux seront affaiblis par le manque de fourrage, tu le sais aussi bien que moi.

— A Leavenworth, j'avais entendu dire que Sherman voulait que Sheridan parte en campagne dès le mois d'août.

— C'est vrai, mais ce foutu ministère de l'Intérieur l'a baisé une fois de plus. Les Rameaux d'olivier ont obligé l'armée à retarder son

_____
* Sheridan. (N.d.t.)

offensive jusqu'à l'établissement d'un camp pour recevoir les tribus ne menaçant personne.

Charles craqua une allumette sur l'ongle de son pouce, cligna des yeux derrière la flamme et tira de son bout de cigare une longue bouffée de fumée.

— Il est où, ce camp ?

— A Fort Cobb. Satanta y a déjà conduit ses Kiowas, et Dix-Ours ses Comanches. Quelques Cheyennes se sont présentés aussi mais le général Hazen les a renvoyés parce que nous ne sommes pas en paix avec leurs tribus. C'est à eux qu'on en a. Une bande de ces Indiens a capturé une autre pauvre Blanche, Mrs Blinn, et son petit garçon, le 1er octobre près de Fort Lyon...

— Qui sont les chefs cheyennes qui se sont rendus à Fort Cobb ?

— Un seul : Chaudron-Noir.

Charles ôta son cigare de ses lèvres, le fit rouler entre ses doigts.

— Et on ne l'a pas laissé entrer ? C'est pourtant le plus pacifique.

— Un Cheyenne est un Cheyenne, c'est comme ça que Hazen a vu les choses.

Dutch Henry ne comprit pas pourquoi Charles avait l'air troublé et n'y attacha d'ailleurs pas d'importance. Tapant l'épaule de son ami, il s'exclama :

— Bon Dieu, t'as raté une belle bagarre, à Beecher's Island. Les Vengeurs de Solomon ont montré un sacré cran.

— C'est comme ça que vous vous appelez, les Vengeurs de Solomon ?

— Oui, mon vieux. On a tué une palanquée d'Indiens mais il en reste. Des Cheyennes, des Arapahos...

— L'armée devrait laisser Chaudron-Noir tranquille.

— Hé, je croyais que tu les haïssais tous.

— Pas lui, répondit Charles, l'air mal à l'aise.

Dutch Henry fronça les sourcils.

— Charlie, je te l'ai dit, personne s'occupe de distinguer les bons des mauvais Cheyennes. L'idée, c'est de les tuer. Si ça te pose un problème, autant laisser tomber.

Charles pensa à Boy et Pied-de-Bois, au pauvre colley massacré.

— Aucun problème.

Charles ne pouvait comprendre comment un sac à vin comme California Joe Milner avait gagné l'estime de Custer, mais puisque c'était manifestement le cas, il serra la main du chef des éclaireurs avant de sortir de la cantine. Une rafale de vent fit tournoyer autour de lui de gros flocons de neige, sous un ciel noir comme la nuit. Un soldat vêtu d'une pèlerine approcha et lui remit quelque chose.

— De la part du Comité de Soutien à Grant, monsieur.

Charles examina le tract, le dessin du candidat en grand uniforme.

— Non, merci, grogna-t-il.

— Voter est un devoir pour tout...

— J'ai autre chose à faire.

Voyant l'expression de Charles, le jeune soldat n'insista pas.

Il étrilla Satan, lui donna à manger et dormit dans l'écurie de Fort Dodge. Le lendemain matin, il refit provision de vivres et partit pour le campement du 7e de cavalerie, installé sur la rive nord de l'Arkansas, à une quinzaine de kilomètres au sud du fort. La neige continuait à tomber d'un ciel d'ardoise et Charles se sentit bientôt gelé. Pour se remonter le moral, il se mit à siffler le petit air qui lui rappelait Mont Royal.

Le Camp Sandy Fortsyth tenait son nom du commandant des Vengeurs de Solomon. La nuit commençait à tomber lorsque Charles en aperçut les feux dans le crépuscule. La sentinelle qui l'arrêta déclara qu'il avait eu de la chance de ne pas avoir été abattu par la bande de Cheyennes qui canardait le camp depuis quelque temps. Il haussa les épaules, répondit qu'il n'avait vu aucun Indien.

Avec la permission du sous-officier de garde, il s'installa dans le parc à chariots. Après avoir mastiqué un peu de biscuit, il rabattit les oreillettes de son bonnet de rat musqué et s'emmitoufla dans ses couvertures. Il avait soif mais l'eau de sa gourde avait gelé. Il se sentait fatigué, seul, déprimé.

Ce qu'il vit et entendit après la diane lui redonna du cœur au ventre. Attiré par des coups de feu tirés sur le rythme régulier de l'exercice, il gagna le fond du camp, vit une douzaine de soldats braquant leur arme sur des cibles en bois et interrogea un vieux sergent.

— Custer veut être sûr qu'on pourra descendre les Indiens quand on les aura trouvés, répondit le sous-officier. Ces types font partie des quarante hommes qu'il a sélectionnés pour former une unité d'élite, commandée par le lieutenant Cooke.

Charles continua à faire le tour du campement, où tout annonçait une campagne imminente. Il compta vingt chariots de vivres et quarante bœufs, décela un esprit militaire chevronné à l'œuvre dans les évolutions de deux groupes de cavaliers trottant sous le ciel gris. Tous les hommes du premier peloton montaient des bais, tous ceux du second des alezans. Custer avait adopté la pratique confédérée consistant à uniformiser la couleur des chevaux d'un peloton. Cela rendait l'identification plus facile au combat et contribuait également à renforcer l'orgueil ainsi que la discipline des soldats.

Cinq ou six maréchaux-ferrants abattaient leur marteau sur des enclumes brûlantes pour mettre de nouveaux fers à un grand nombre de chevaux. Les musiciens du régiment faisaient l'exercice aux accents de *Garry Owen* et leurs montures grises rappelèrent à Charles son cheval Joueur.

Une demi-douzaine d'autres chariots arrivèrent dans l'après-midi, et peu après cinq heures, il put voir Custer dans sa grande tente en A.

— Tranquille, Maida, fit le général.

Il caressa le chien qui s'était mis à grogner lorsque Charles était entré. Custer était en train de se laver les mains dans une cuvette dont l'eau demeura parfaitement propre quand il eut terminé. Il s'essuya, s'avança d'une démarche énergique, un large sourire sous sa moustache d'un roux doré. Pendant la poignée de main, Charles renifla une odeur d'huile de cannelle sur les boucles du général.

— Mr Main, je vous attendais. Asseyez-vous, je vous prie.

— Merci, mon général.

En prenant place sur la chaise en toile, Charles remarqua des journaux de l'Est sur la table de Custer et vit qu'un titre avait été entouré à l'encre noire. L'article concernait la campagne électorale de Grant.

Les coudes sur son bureau, Custer scruta le visage de Charles, qui avait peine à se rappeler que cet officier célèbre dans le monde entier n'avait pas trente ans.

— Nous nous sommes déjà rencontrés, dit le général.

— Vous avez raison. Nous étions dans des camps opposés à Brandy Station.

— C'est cela, dit Custer en riant. Vous m'avez fait passer quelques sales moments, je m'en souviens. Quelle était votre unité ?

— La légion de Wade Hampton.

— Excellent officier de cavalerie, Hampton, commenta le *Boy General*. J'ai toujours eu de la sympathie pour les Sudistes, ajouta-t-il en ouvrant un dossier. Vous connaissez l'objectif de notre expédition, je présume : localiser l'ennemi, l'attaquer au moment où il s'y attend le moins et tuer autant de guerriers que possible. Pour reprendre les termes du sénateur Ross, nous avons l'intention de conquérir la paix.

Charles hocha la tête, Custer parcourut le dossier.

— Vous devez avoir un penchant pour l'armée. Je vois que vous avez tenté à deux reprises de vous faire réintégrer, sous un nom différent à chaque fois.

— Je ne connais que le métier de soldat, mon général. Je suis allé à West Point quelques années avant vous. Promotion 57.

— Oui, c'est ce que je vois. Moi j'en suis sorti en l'an de grâce 1861, année de la chute de Fort Sumter, déclara Custer en refermant le dossier. Vous connaissez le Territoire indien ?

— Votre Milner m'a déjà posé cette question. J'y ai passé un an avec deux associés que les Cheyennes ont massacrés.

Les yeux bleus fixèrent Charles.

— Alors vous n'hésiteriez pas à tuer un Indien d'une tribu hostile ?

— Non, pas du tout, assura Charles.

Il éprouva cependant une certaine gêne, sans doute, se dit-il, parce qu'il avait appris que Fort Cobb avait refusé asile à Chaudron-Noir. Bah, il y avait de grandes chances pour que l'expédition ne tombe pas sur les tipis du chef de paix. Le Territoire indien était vaste.

— Griffenstein vous a recommandé pour cette campagne. Vous avez chassé ensemble, je crois ?

— Nous avons travaillé pour Buffalo Bill Cody.

— Vous parlez cheyenne ?

— Un peu.

— J'ai un Mexicain qui a été élevé par une tribu. Vous l'aiderez, décida le général en griffonnant une note. Maintenant, revenons à votre expérience. Votre connaissance du Territoire est-elle bonne ?

— J'ai répondu la vérité à Milner. J'en ai parcouru une partie, et celui qui prétend avoir fait beaucoup plus est un menteur. Tout le secteur ouest n'a jamais été exploré, du moins pas de manière systématique.

— Voilà qui est net. Je préfère la franchise aux boniments.

Après quelques autres questions rapides, Custer prit une décision :

— Bon, vous êtes accepté. Vous recevrez vos ordres de Milner ou de moi-même. A la première désobéissance, vous serez puni.

Un muscle de la mâchoire de Charles tressaillit. Il avait entendu parler de la façon dont Custer faisait appliquer la discipline en ayant recours à des punitions illégales telles que crâne rasé, fouet, séjour dans une fosse — sans oublier l'ordre d'abattre les déserteurs.

L'expression hésitante de l'ancien officier irrita le général.

— Quelque chose qui n'est pas clair dans ce que j'ai dit, Mr Main ?

— Non, mon général. C'est clair.

— Bien, lâcha Custer d'un ton moins cordial.

Charles comprit qu'il pouvait disposer. En se levant, il fit tomber la pile de journaux sur le sol gelé, les ramassa, remarqua d'autres articles entourés d'un trait.

— Vous devez vous intéresser à la politique, mon général.

Custer lui lança un regard froid, se leva lui aussi et enfila des gants à franges.

— Je n'en fais pas mystère, avoua-t-il. Je suis de près la campagne du général Grant parce que plusieurs personnes influentes de l'Est m'ont suggéré d'envisager ma candidature à la présidence. D'un succès militaire à la Maison-Blanche, le chemin n'est pas long pourvu que ce soit une victoire importante et qu'elle fasse la une des journaux.

L'éclaireur se demanda si ce point de vue ne pouvait affecter la tactique adoptée pendant l'expédition.

— Bonsoir, Mr Main.

Custer souleva le rabat de la tente et sortit à la suite de Charles. L'attention de ce dernier fut attirée par un homme traversant le secteur du quartier général, éclairé par des lanternes. Bien qu'on ne pût distinguer ses traits — la neige avait recommencé à tomber — on le reconnaissait sans doute possible à sa barbiche rousse et à son maintien plein de raideur. Lorsqu'il disparut à l'intérieur d'une tente, Custer demanda à Charles :

— Vous le connaissez ?

— Je crains que oui, hélas.

— Si vous avez des griefs contre lui, gardez-les pour vous. Le général Sheridan prévoit de nous rejoindre et plusieurs de ses aides de camp à l'état-major du secteur se trouvent déjà ici. Le capitaine Venable en fait partie.

D'un ton appuyé, le *Boy General* ajouta :

— C'est un officier de premier ordre. Capable et loyal.

Loyal. Ce dernier mot confirma ce que Charles savait déjà : on était l'admirateur ou l'ennemi de Custer. Il n'y avait pas de milieu.

— Oui, mon général.

— Vous m'excuserez.

A la façon dont Custer lui tourna le dos, le nouvel éclaireur devina qu'il avait finalement fait mauvaise impression au général. Custer s'éloigna à cheval dans le crépuscule tandis que la neige recouvrait les épaules et le chapeau de Charles. Venable, bon Dieu. Et la sentinelle qui l'avait accueilli au camp en lui disant qu'il avait de la chance !

47

Il attendait, perché sur le siège du chariot garé près de l'entrepôt de grain. Au-dessus de lui, sur le mur, la tête énorme d'un officier en uniforme, encadrée de rouge et de bleu. En haut du cadre semé d'étoiles blanches, une grande inscription, FAISONS LA PAIX ; en bas, en lettres aussi grosses, un nom, GRANT.

Sous la pluie froide tombant d'un ciel de nuit, Bent contemplait le portrait du candidat et frissonnait de temps à autre. L'air de novembre était glacé ; tous les habitants de la petite communauté rurale de Grinnel demeuraient calfeutrés chez eux.

Un homme sortit de l'entrepôt, une liasse de billets à la main. C'était le fermier Drossel, pour qui Bent travaillait depuis son arrivée dans ce hameau de l'Iowa, à la fin de l'été. Plus petit que Bent, il était âgé mais vigoureux. Il s'approcha du chariot, compta quelques billets, les tendit à Bent

— Vos gages, dit-il avec un accent prononcé.

— Merci, Herr Drossel.

C'était ainsi que Herr et Frau Drossel s'appelaient mutuellement, avec la politesse cérémonieuse de l'Ancien Monde, et Bent avait adopté cette pratique.

Les Drossel avaient émigré en Amérique peu après les soulèvements politiques de 1848 en Europe. Ils avaient trouvé dans le comté de Poweshiek, Iowa, des terres fertiles et un avenir plein de promesses. C'était un couple paisible et travailleur qui avait cru Bent sans poser de question lorsqu'il s'était présenté comme un ancien combattant de l'Union cherchant dans l'Ouest des parents partis pour le Colorado pendant la guerre.

— Le reste de la récolte est vendu, à un bon prix, reprit le fermier. Suivez-moi à la maison, Herr Dayton. J'ai mis un schnaps spécial de côté pour fêter ça.

— Drôle de temps pour faire la fête, marmonna Bent en regardant Drossel glisser sa liasse de billets sous sa veste en laine.

Ventru, le paysan portait des lunettes et une bande bien nette de barbe blanche courant d'une oreille à l'autre. Ses bottes s'enfoncèrent dans la boue lorsqu'il s'approcha d'un autre chariot garé devant celui de Bent. « Herr Dayton » tendit la main vers le mur de l'entrepôt pour montrer les lettres MOUR, seule partie demeurée visible d'une affiche recouverte par celle de Grant.

— On dirait que le candidat démocrate n'est pas très aimé dans cette partie de l'Iowa.

— *Tcha,* fit Drossel en claquant la langue. (Il enfonça son chapeau rond sur son crâne, grimpa sur le siège du premier chariot.) Qu'est-ce qu'on sait de ce Seymour, nous autres ? Il est gouverneur de New York mais il pourrait aussi bien débarquer de la lune. Grant, on le connaît. Dans tout le pays. C'est pourquoi il gagnera.

— Sur sa réputation, ajouta Bent.

Il sentit entre les yeux le premier coup de tire-point de la douleur et de petites lumières se mirent à clignoter dans sa tête. Les victoires militaires l'auraient peut-être aussi porté aux plus hautes fonctions si ses ennemis n'avaient pas brisé sa carrière d'officier.

Reste calme, s'exhorta-t-il. Penser aux vieilles blessures ne servait qu'à les rouvrir. Elles ne guérissaient jamais. Tout ce qu'il pouvait faire, c'était réclamer le prix du sang. Comme il l'avait fait à Lehig Station et comme il le ferait bientôt avec sa nouvelle victime, choisie avec soin.

— Herr Dayton, vous dormez ?

Drossel le taquinait, mais avec une certaine sévérité teutonique. Souvent, quand le fermier lui donnait des ordres, dans les champs de maïs, Bent avait envie de lui sauter à la gorge. Seule la perspective de lui voler l'argent nécessaire pour poursuivre son voyage l'incitait à se contenir.

— Vite, Frau Drossel nous attend avec un bon dîner, dit le fermier.

Ce n'est pas la seule chose qui t'attend ce soir, pensa Bent avec un sourire matois que Drossel ne remarqua pas.

Le couple vivait à une demi-heure de Grinnel, sur une terre ondoyante. Il n'y avait aucun voisin à trois kilomètres à la ronde et la nature du terrain empêchait de voir de loin la pimpante maison blanche et ses dépendances.

En arrivant, Bent monta se changer dans la soupente qu'une courte volée de marches séparait de la chambre du couple, située au premier étage. Frau Drossel, femme babillarde au visage de poupée de son, apporta des plats fumants de chou rouge et de veau sur la table couverte d'une nappe en dentelle ; Herr Drossel offrit son schnaps comme si c'était du champagne français.

— Nous sommes désolés que vous nous quittiez, Herr Dayton, dit la fermière après le repas. Les soirées d'hiver nous paraîtront longues sans vous.

Ne te tracasse pas pour les soirées d'hiver, il n'y en aura pas, pensa Bent, à peine capable de répondre par un grognement tant il avait mal à la tête. Lorsque Drossel se leva de table, Elkanah remarqua le renflement que faisait l'argent dans la poche du pantalon. Alléguant la fatigue, il prit congé du couple.

— Bonsoir, Herr Dayton, dit Frau Drossel.

Elle se dressa sur la pointe des pieds pour embrasser sa joue mal rasée et il retint un frisson de dégoût. Ses vieux yeux larmoyants lui donnaient la nausée.

— Vous avez été une compagnie très agréable pendant toutes ces semaines, continua-t-elle.

— J'aimerais pouvoir rester. Vous êtes comme une famille pour moi, dit Bent.

Les lumières explosaient derrière ses yeux, le froid humide faisait palpiter de douleur son épaule déjetée.

— Bonne nuit, Herr Dayton, cria le fermier tandis que Bent montait le petit escalier étroit.

En fermant la porte de la soupente, Bent entendit Drossel ajouter :

— Vous êtes un brave homme.

Au lieu de se déshabiller, Elkanah remit son manteau, noua une longue écharpe en laine autour de son cou, tira son sac de dessous son lit et en inventoria le contenu. Il se livrait chaque soir à cet examen rituel qui devait lui garantir le succès.

Il aperçut immédiatement la toile roulée du tableau, dépassant de quelques vêtements sales, mais dut chercher à tâtons avant de trouver la boucle d'oreille en forme de larme. Souriant, il referma le sac et s'assit au bord du lit pour attendre.

Dans la chambre des Drossel, la pendule sonna minuit et demi. L'heure était venue.

Il descendit l'escalier à pas de loup, tourna lentement le bouton de la porte, l'ouvrit, écouta la respiration régulière des deux dormeurs. Puis il pénétra dans la pièce, referma la porte avec un léger bruit. Un instant plus tard, des cris étouffés retentirent dans la maison.

Journal de Madeline.

Octobre 1868. Les autorités civiles sont incapables de trouver un coupable pour le meurtre de May et Ridley, et je me demande pourquoi j'ai présumé qu'elles y parviendraient. Justice serait peut-être faite si l'armée enquêtait mais c'est désormais impossible. La « Reconstruction » de la Caroline du Sud est terminée.

Theo a acheté à C. une vieille cloche de navire que j'ai astiquée et accrochée près de la porte pour sonner l'alarme en cas de besoin. Nous avons à présent notre propre milice du district de l'Ashley — composée exclusivement de Noirs, pour la plupart de M.R. — afin d'empêcher toute intervention dans le déroulement des élections. Le Klan fait de fréquentes apparitions et la tension demeure très vive. Aussi un homme monte-t-il la garde chaque nuit devant la maison. Dans un pays civilisé, en paix, cela semble inimaginable. Pourtant j'entends la sentinelle faire sa ronde, le bruissement de ses pieds nus sur le tapis d'aiguilles de pin couvrant le sol, et je sais que le danger est réel...

M.L. s'ennuie d'être enfermée ici. Son éducation est négligée. Dois faire quelque chose...

Novembre 1868. En ville, pour l'avant-dernier jour de la campagne. Ai vu un défilé de soldats — des unités qui se sont surnommées « les gars en bleu qui soutiennent Grant ». Les affiches de T. Nast, le dessinateur de N. York, donnent au général la majesté d'une statue, mais les biographies écrites spécialement par Badeau et Richardson restent sur les rayons des librairies.

Seymour, l'adversaire de Grant, est tenu en piètre opinion ici, mais Blair, qui se présente avec lui, est la coqueluche des citoyens blancs. Il déclare les gouvernements de Reconstruction « illégitimes », promet de rétablir le « droit du sang » sudiste et proclame ouvertement que seule la race blanche s'est « montrée capable de maintenir des institutions libres dans un gouvernement libre ». Pas étonnant que les Yankees prétendent qu'il suffit de « gratter la peau d'un démocrate pour trouver un rebelle ». Judith dit qu'elle n'ose gratter la peau de Cooper de peur d'apprendre la vérité. Je vois une grande angoisse derrière cette pauvre plaisanterie car C. est un partisan enragé de Blair...

C'est fini, sans surprise : Grant est élu. Dans le Sud, Seymour n'a gagné qu'en Louisiane et en Georgie. Voilà pour les promesses de Blair de « dissoudre les gouvernements de carpet-baggers *et d'obliger l'armée à rendre les pouvoirs qu'elle a usurpés ». Tous les hommes majeurs de M.R. ont voté, ce dont je suis très fière...*

Theo venu dîner. Pour la première fois, M.L. et lui ont soulevé la question du mariage. Je ne m'y oppose pas mais c'est la fille de Cooper... J'arrête d'écrire, j'entends du bruit dehors.

Alignés sur une seule file, les cavaliers quittèrent la route de la rivière pour tourner dans l'allée. Une lune en forme de faucille accrochait des reflets blancs aux canons de leurs armes.

Ils avancèrent lentement sous la voûte des arbres, firent sans bruit le tour de la maison et s'arrêtèrent devant la porte.

Le cavalier du milieu de la ligne leva son vieux fusil ; son voisin de droite craqua une allumette sur le talon de sa botte, l'approcha d'une torche imprégnée de pétrole. Une flamme s'éleva, éclairant les six hommes encagoulés.

— Appelle-la, ordonna le cavalier situé à l'extrémité droite de la ligne.

Au moment où l'homme du centre saisissait un porte-voix, la porte s'ouvrit brusquement, Madeline sortit, leva la main gauche vers la corde de la cloche.

— Ne bougez pas, ordonna le membre du Klan armé d'un vieux fusil.

Livide, Madeline serrait le col de sa chemise d'homme élimée aux coudes. Derrière elle apparurent Prudence, la robuste institutrice, puis Marie Louise.

— Nous sommes les chevaliers de l'Empire Invisible, continua l'homme dont le cheval, nerveux, fit un écart.

Madeline surprit tout le monde en éclatant de rire.

— Vous êtes des petits garçons qui cachent leur visage parce qu'ils sont lâches. Mais je reconnais vos longues jambes, Mr LaMotte. Ayez au moins le courage d'ôter votre cagoule et de vous conduire en homme.

Le cavalier placé à l'extrémité gauche de la file releva les deux pans de sa robe, posa les mains sur les crosses assorties de ses revolvers.

— Allez, on la tue, cette garce. Je suis pas venu pour discuter avec une négresse.

Celui qui devait être le chef leva son vieux fusil pour calmer ses troupes et dit à Madeline :

— Vous avez vingt-quatre heures pour quitter le district.

La torche grésilla. On entendit un déclic — le bruit d'une balle montant dans une chambre — puis une voix s'éleva derrière les cavaliers, à droite.

— Non, m'sieur, elle partira pas.

Les membres du Klan tournèrent la tête vers un arbre moussu dans lequel venait d'apparaître un Noir trapu au visage rond, debout sur une grosse branche qui ployait sous son poids. Adossé au tronc, il avait les deux mains libres pour tenir sa carabine. Madeline reconnut le doux, le taciturne Foote, qui était probablement de garde cette nuit-là.

— Feriez mieux de filer, menaça-t-il.

— Bon Dieu, c'est juste un négro, et il est tout seul, dit l'homme aux deux revolvers.

— Un négro armé d'une carabine à répétition, objecta un autre membre du Klan. A ta place, je me méfierais, Jack.

— Pas de nom ! ordonna le chef.

Marie Louise murmura à Madeline :

— C'est bien le professeur de danse de Mrs Allwick. Je reconnais sa voix.

Lèvres serrées, Madeline hocha la tête.

— Madame…, commença le cavalier.

Elle bondit en avant et, arrachant la cagoule, révéla le visage rouge de fureur de Desmond.

— Enfin ! s'exclama-t-elle. Le célèbre Mr LaMotte. Au moins, je garderai un souvenir de votre visite, dit-elle en agitant la cagoule.

Comme tout le monde avait les yeux fixés sur elle — aussi bien les deux autres femmes que les membres du Klan et Foote, juché sur sa branche — personne ne vit l'homme aux deux revolvers dégainer, plier le bras droit pour y appuyer le canon de l'arme de sa main droite, viser et tirer.

Le revolver tonna, les chevaux hennirent et se cabrèrent. Touché à la cuisse gauche, le Noir tomba de l'arbre, disparut derrière la mousse d'Espagne.

— Foote ! cria Madeline en courant vers lui.

Avant qu'elle y parvienne, le cavalier le plus proche de l'arbre s'avança sous les branches les plus basses. Un second coup de feu retentit ; Madeline s'immobilisa en hurlant :

— *Foote !*

— Arrêtez l'autre, là-bas, brailla l'homme aux deux revolvers.

Jack Jolly ôta sa cagoule et visa Prudence, qui s'était précipitée dehors après la deuxième détonation. Jolly hésita un moment à tirer sur une Blanche et son atermoiement permit à l'institutrice de saisir le cordon de la cloche, dont le tintement sonore couvrit la voix de LaMotte.

— C'est fichu. Partons, dit un autre cavalier.

— Vous avez vingt-quatre heures ! répéta Desmond à Madeline.

Elle courut à nouveau vers lui, saisit la têtière de son cheval et répliqua en criant comme une harengère :

— Pas question ! Je suis chez moi. Vous n'êtes qu'une bande de lâches au costume grotesque. Si vous voulez que je quitte Mont Royal, tuez-moi. C'est le seul moyen de vous débarrasser de moi.

LaMotte coula un regard nerveux à Jolly, qui écumait de rage.

— Si t'as peur de descendre une négresse, moi pas, lança le capitaine. (Avec un grand sourire, il braqua ses deux Leech and Rigdon sur Madeline.) Tiens, v'là un aller simple pour l'enfer.

Son voisin le poussa juste avant qu'il ne tire ; l'une des balles se ficha dans un bardeau du toit, l'autre se perdit dans le noir.

— Je ne tolérerai pas cela, fit l'homme qui était intervenu.

Madeline, qui s'était réfugiée contre le mur de la maison, reconnut sa voix avec stupeur.

— Le père Lovewell ? Mon Dieu.

Jolly tourna ses revolvers vers lui mais le pasteur ne se laissa pas impressionner et le saisit par les bras.

— Arrêtez, Jolly. Je ne permettrai pas qu'on assassine une femme, même de couleur...

— Sale bigot !

Jolly libéra un de ses bras, visa la cagoule de Lovewell, qui parvint encore à détourner le coup. La balle s'enfonça dans le sol, sous la jument de l'homme d'église. Les cris de Noirs alertés par la cloche et la fusillade s'élevèrent dans la nuit.

Lovewell arracha à Jolly une de ses armes, le capitaine s'apprêta à faire feu avec l'autre mais son cheval rua, l'empêchant de tirer. Tenant à deux mains le lourd revolver, le pasteur appuya sur la détente.

Jack Jolly se dressa sur sa selle puis bascula en avant. Du sang assombrit le devant de sa robe en satin, coula sur le flanc de son cheval. Pris de panique, les membres du Klan détalèrent, Des LaMotte en tête. Derrière eux, la monture de Jolly emporta son cavalier mort, qui menaçait de tomber à chaque instant.

Les jambes flageolantes, Madeline dut s'appuyer au mur blanchi à la chaux. Une âcre odeur de poudre la faisait suffoquer.

— Ça va ? Qui a tiré ?

C'était Andy, déboulant de l'allée menant aux anciennes cases des esclaves.

Les nerfs de Madeline lâchèrent et, les cheveux dans les yeux, l'air égaré, elle courut vers l'arbre en gémissant :

— Foote, mon pauvre Foote...

Avant d'y arriver, elle dut faire halte, prise d'une violente nausée.

Parvenus au bord du marais, les membres du Klan alourdirent le cadavre de Jolly avec des pierres et le jetèrent à l'eau.

— Ils lui ont tiré dessus et l'ont abattu juste devant la maison, dit LaMotte d'une voix rauque. Ce sera notre version. Nous n'avons pas pu le ramener parce que les autres nous sont tombés dessus. Ne vous inquiétez pas, sa famille n'ira pas réclamer le corps à Mont Royal.

— Et nous n'y retournerons pas non plus, déclara Lovewell.

— Oh ! si, dit LaMotte. Je suis responsable de ce qui est arrivé : jamais je n'aurais imaginé qu'elle aurait fait monter la garde. Mais je ne me laisserai pas humilier par une femme — une négresse, en plus. Elle a déshonoré mes cousins, détruit...

— Renonce, Des, plaida Randall Gettys, prenant la parole pour la première fois. Le père Lovewell a raison.

— Elle ne continuera pas à nous narguer ! Je me cacherai un moment puis je reviendrai m'occuper d'elle. Seul, si vous êtes trop pleutres.

Sans un mot, les autres membres de la « tanière » lancèrent leurs torches dans l'eau saumâtre et se dispersèrent, abandonnant Jolly aux poissons, aux grenouilles et aux crocodiles. Un jeune saurien d'un mètre de long s'approcha du cadavre, ouvrit les mâchoires et enfonça des dents pointues comme des aiguilles dans la chair du visage.

Nous avons enterré Foote. Cassandra est inconsolable. Elle avait perdu Nemo quand Foote était revenu, et maintenant... En fin d'après-midi, nous avons découvert qu'elle était partie...

Suis allée à Charleston, et pas de gaieté de cœur. Avec froideur, Cooper a écouté ma relation des événements et n'a pas bronché quand j'ai ajouté que Prudence et Marie Louise en donneraient confirmation. Manifestement, il était furieux que sa fille eût été en danger mais il s'est contenu provisoirement. Quant à la visite du Klan, il m'a conseillé sèchement de l'oublier car aucun juré de Caroline n'en condamnerait les membres, et la famille de LaMotte trouverait à coup sûr des témoins déclarant qu'il était ailleurs cette nuit-là. De plus, témoins ou pas, personne ne croirait à la présence du père Lovewell. Les autorités n'obtiendront rien de la misérable famille du capitaine Jolly. Apprenant probablement qu'il était mêlé à cette affaire, ils ont déjà levé leur campement et quitté le district.

Cooper s'est déclaré persuadé qu'il n'y aurait plus d'« incidents ». Comment peut-il en être certain, je l'ignore, mais son ton ne souffrait aucune discussion. Tout à coup, il s'est mis à me chapitrer au sujet de Marie Louise. J'ai tenu bon et répondu qu'elle resterait à Mont Royal aussi longtemps qu'elle le désirerait. Mon attitude a suscité un flot de récriminations et je suis partie avant qu'elles ne deviennent aussi insupportables que la dernière fois.

Orry, je ne sais que faire. Je suis malade de peur...

— Oui, je comprends, dit Jane quand Madeline lui eut parlé de ce qu'elle éprouvait. Les miens ont vécu avec ce genre de peur pendant des générations. Mais je ne crois pas que Mr Cooper a raison lorsqu'il dit que le Klan renoncera. Vous rappelez-vous la visite de Mr Hazard, juste après la guerre ? Je lui ai dit qu'il y aurait de nombreuses autres années de combat avant la victoire finale, et je le pense encore.

— Et si j'allais trouver le général Hampton ? Il a promis de m'aider.

— Comment le pourrait-il ? Il n'a pas de troupes, n'est-ce pas ? Madeline secoua la tête.

— Je crois que nous devons rester sur nos gardes, poursuivit Jane. Un type comme LaMotte accepterait peut-être d'être vaincu par quelqu'un de son monde, par un autre homme, mais par une femme ? Une femme de couleur ? Il perdrait plutôt l'esprit.

— Je crois qu'il l'a déjà perdu.

Jane haussa les épaules pour indiquer que cela ne changeait rien.

— Ce n'est pas la dernière bataille, conclut-elle. Il reviendra.

LIVRE CINQ

WASHITA

Faisons la paix.
> Général Ulysses S. Grant. Campagne
> électorale de 1868.

*En hommes courageux, en soldats d'un
gouvernement qui n'a pas ménagé ses efforts
pour la paix, nous acceptons, dans l'accom-
plissement d'un devoir des plus désagréables,
la guerre commencée par nos ennemis, et
nous décidons de la mener à son terme.*
> Général Sherman au général Sheridan,
> 1868.

*Avancer vers le sud, en direction des Antelope
Hills, et donc de la rivière Washita, campement d'hiver présumé des tribus hostiles ;
détruire leur village, tuer leurs chevaux,
abattre ou pendre tous les guerriers, ramener
les femmes et les enfants....*
> Général Sheridan au général Custer,
> 1868.

48

Les éclaireurs arrivèrent, poursuivis par les aboiements de quatre chiens. Griffenstein chevauchait en tête, suivi des frères Corbin et d'un jeune interprète mexicain qui avait été élevé par les Cheyennes et parlait couramment leur langue. Comme son nom était Romero, tout le monde l'appelait naturellement Roméo. Sur sa mule, California Joe oscillait d'un côté à l'autre et souriait béatement au vide.

— Soûl comme une vache, dit plus tard Charles à Dutch Henry. Comment Custer peut-il tolérer un tel clown ?

Griffenstein gratta la tête d'un terrier agitant sa courte queue. Une douzaine de chiens errants au moins traînaient autour du camp.

— J'ai l'impression que le seul homme fort qu'aime Custer, c'est Custer, répondit-il. Bah, qu'est-ce que ça change ? Tu veux tuer du Cheyenne, t'as dit ? Ben, le Bouclé va t'y aider.

Novembre apporta des vents mordants, un ciel de plomb. Dans le camp installé sur la rive nord de l'Arkansas, Custer fit doubler les exercices de tir. Deux fois par jour, les cavaliers du 7e tiraient sur des cibles distantes de cent, deux cents, trois cents mètres. Les tireurs d'élite de Cooke venaient souvent les railler et faire des commentaires condescendants.

Les généraux Sully et Custer réunirent officiers et éclaireurs pour étudier la stratégie que Sheridan avait conçue et fait approuver par l'oncle Billy. Charles murmura à l'oreille de Griffenstein une question au sujet de Harry Venable, qui était absent, et Dutch Henry répondit que le capitaine se remettait d'une mauvaise grippe.

Sully, sorti de West Point en 1841, était un peu plus âgé que ne l'aurait été Orry s'il avait vécu. Son père, Thomas Sully, de Philadelphie, était un peintre célèbre, et même quelqu'un d'aussi peu féru d'art que Charles connaissait son tableau représentant le général Washington franchissant le Delaware.

Le fils de l'artiste était un homme plein de dignité, avec l'habituelle longue barbe. Bien qu'il n'eût pas réussi, ces derniers temps, à trouver et à écraser une seule bande d'Indiens au sud de l'Arkansas, il avait une excellente réputation d'officier remontant à la guerre du Mexique. Il passait en outre pour un combattant chevronné des guerres indiennes puisqu'il avait pourchassé les Sioux lors de la rébellion du Minnesota, en 1863, les contraignant à se réfugier dans les Black Hills.

Charles observa attentivement Custer, qui ne parvenait pas à masquer totalement son ressentiment à l'égard de Sully : il n'y avait pas assez de place pour les deux hommes dans l'expédition.

Avec l'aide de cartes, Sully expliqua que trois colonnes pénétreraient simultanément en Territoire indien : une troupe de fantassins et de cavaliers partie de Fort Bascom, dans le Territoire du Nouveau-Mexique, marchait vers l'est ; une deuxième colonne, composée de cavaliers du 5e régiment commandés par le général Eugene Carr, quitterait Fort Lyon, dans le Colorado, pour se diriger vers les Antelope Hills, point de repère situé juste au sud de la North Canadian River.

La colonne centrale — celle de Sully ou celle de Custer, selon le point de vue — était considérée comme le fer de lance de l'expédition. Rassemblant onze pelotons du 7e de cavalerie, cinq compagnies d'infanterie des 3e, 5e et 38e régiments, elle marcherait plein sud, établirait une base de ravitaillement gardée par des fantassins puis rechercherait et harcèlerait toute bande de Cheyennes ou d'Arapahos campant sur le Territoire. Les deux autres colonnes serviraient en fait de rabatteurs poussant les Indiens vers la troisième, conclut Sully. Charles découvrit après la réunion que ce plan avait été rendu possible par certains de ses vieux amis.

— Tes bonshommes du 10e, expliqua Dutch Henry. Ils sont postés tout le long de la Smoky Hill, maintenant. Sans eux, Custer serait encore en train de patrouiller là-haut au lieu de chercher la gloire dans ce coin-ci. Ces noirauds ont une sacrée réputation, tu sais. Ils valent bien mieux que tous les poivrots et traîne-la-jambe blancs de cette armée. Personne veut le reconnaître mais c'est vrai.

Ces propos éveillèrent en Charles le souvenir de Magee Magie et de Williams Quat-Zyeux, du « Vieux » Barnes et du colonel Grierson. Ils firent aussi apparaître sur le visage barbu de l'ancien officier un pâle sourire — le premier depuis longtemps.

Un soir, devant le feu de camp des éclaireurs, Charles prenait un tardif dîner quand, relevant la tête, il vit un chien bâtard qui le regardait mastiquer son pemmican. L'animal, qu'il n'avait encore jamais remarqué parmi la meute de chiens errants, agitait la queue en gémissant.

— Qu'est-ce que tu veux, toi ? grogna Charles.

De l'autre côté du feu, Joe Corbin s'esclaffa.

— C'est le Vieux Bob. Ça fait une heure qu'il traîne à chercher un officier d'approvisionnement.

— Ah ! non, pas moi, dit Charles, et il se remit à manger.

Le Vieux Bob tourna autour de lui en frétillant de la queue, avec de petites plaintes ressemblant à des miaulements de chaton. Ses yeux jaunâtres demeuraient fixés sur Charles, qui finit par capituler.

— Oh ! bon, maugréa-t-il.

Il retira le morceau de bison boucané de sa bouche et le jeta au bâtard.

A partir de ce jour, le Vieux Bob devint son chien.

Charles se refusait à prendre parti dans les querelles qui continuaient à diviser le 7e de cavalerie, mais il était hélas impossible de rester neutre. Custer comptait un grand nombre d'ennemis, et la plupart d'entre eux exprimaient volontiers leur opinion sur le personnage, qu'on les sollicite ou non. L'un des adversaires les plus féroces du *Boy General* était un colonel du temps de guerre nommé Fred Benteen, qui commandait le peloton H avec le grade de capitaine.

— Ne vous fiez pas à son air désinvolte, Charlie, dit-il un jour à l'éclaireur. Au fond de lui, il ne digère pas d'être passé en cour martiale. Naturellement, la Reine de Saba (c'était le surnom que les détracteurs de Custer donnaient à Libbie) ne cesse de lui répéter qu'il est formidable, innocent comme l'agneau, mais il n'y croit pas tout à fait. Observez-le, vous remarquerez qu'il se lave les mains quinze fois par jour. Aucun homme à la conscience tranquille ne fait ça. C'est peut-être l'expédition de Sheridan mais Custer y joue sa réputation.

Le *Boy General* avait aussi ses partisans, dont Cooke, le chef des tireurs d'élite, n'était pas le moins tapageur. Parlait aussi en sa faveur le capitaine Louis Hamilton, petit-fils d'Alexander Hamilton, l'aide de camp de George Washington. Comme on pouvait s'y attendre, le général avait pour meilleur défenseur son jeune frère Tom, colonel pendant la guerre, et présentement lieutenant du peloton D.

Charles trouvait un des apologistes de Custer plutôt sympathique malgré sa loyauté aveugle à l'égard du général. Répondant au nom de Joel Elliott, l'homme avait des manières franches, une réputation de héros que nul ne contestait. Simple soldat dépourvu de relations, il s'était hissé au grade de capitaine pendant la guerre. En 1864, combattant avec le 7e Régiment de Volontaires du Mississippi, il avait reçu une balle dans le poumon. Miraculeusement guéri, il reprit du service après la reddition sudiste en passant l'examen d'officier et obtint des résultats si bons qu'on lui donna le grade d'adjudant major. Adjoint de Custer, il commandait aussi son propre détachement de trois pelotons, et Charles eut immédiatement l'impression que c'était un excellent officier.

Ses positions étaient cependant tout à fait claires :

— Le général est un homme remarquable. Il a cessé de boire et de fumer il y a plusieurs années, et s'il lui arrive de jurer, ce n'est jamais avec conviction.

— Il refuse de commander des Noirs mais j'ai entendu dire qu'il coucherait avec une prostituée de couleur, répondit Charles.

Elliott se raidit.

— Mensonge. Il est fidèle à Libbie.

— Bien sûr. Elle le pousse vers la présidence.

— Ce n'est pas un politicien, c'est un soldat. Le plus battant que je connaisse.

— Oui, je sais qu'il aime attaquer, convint Charles. Sous ses ordres, le 3e Régiment du Michigan a atteint le taux de pertes en hommes le plus élevé de toute l'armée de l'Union.

— Cela ne signifie-t-il pas qu'il est courageux ?

— Ou téméraire. Un de ces jours, il pourrait bien y laisser sa peau. Et celle de ses hommes.

— Pourvu que ça n'arrive pas pendant cette campagne. Je veux décrocher un brevet d'officier supérieur. Un brevet ou un cercueil, pas de milieu.

Charles s'entendait bien avec Elliott parce qu'il ne mettait aucune animosité personnelle dans la discussion. On avait peine à se rappeler qu'il faisait partie de ceux qui avaient poursuivi cinq déserteurs et abattu trois d'entre eux sur l'ordre de Custer.

Malgré tout, l'éclaireur l'aimait bien. Elliott était un officier sans prétention, plein d'ardeur et surtout sorti du rang. On pouvait probablement se fier à lui pour exécuter les ordres à la lettre, même les plus désagréables. Au combat, cela comptait beaucoup.

Le temps empira, le ciel s'assombrit encore avec la menace d'orages tapis dans les nuages noirs roulant au nord. L'instruction se poursuivit. Les éclaireurs étaient impatients de partir. Ils avaient leur propre campement, qu'ils partageaient avec un autre groupe que Charles appréciait peu : onze guides osages, commandés par les chefs Corde-Tendue et Petit-Castor. L'ancien officier n'aimait pas leurs yeux, cachant Dieu sait quels projets de trahison, ni leur face laide au nez écrasé, ni la façon dont ils caressaient sans cesse leurs grands arcs, ni leur habitude de venir mendier du sucre pour leur café. Les Indiens adoraient le sucre. Ils en mettaient tellement dans leur café qu'ils obtenaient une sorte de bouillie brune qu'ils mangeaient plutôt qu'ils ne buvaient.

— Arrange-toi pour qu'ils ne s'approchent pas de moi, c'est tout, avait dit Charles à California Joe.

Corde-Tendue s'était approché du Sudiste pour quémander du sucre — « Moi besoin sucre », c'était son meilleur anglais — et celui-ci l'avait envoyé au diable. California Joe (dont le véritable prénom était Moses) était intervenu :

— Tu devras bosser avec eux, Main.

— Bosser, oui, faire des amabilités, non.

Accommodant et un peu gris, le chef des éclaireurs avait répondu :

— Bon, si c'est comme ça, c'est comme ça.

Charles prépara son équipement, étrilla Satan, chaparda des restes pour le Vieux Bob et attendit. A la fin de la première semaine de novembre, le vent dispersa les nuages et chacun y vit le signe d'un prochain départ.

Charles était prêt. Il se sentait en forme et jugeait sage d'éviter Harry Venable. Il l'avait aperçu plusieurs fois de loin en apportant au camp un message de Milner et s'était débrouillé chaque fois pour repartir rapidement. Bien sûr, il n'ignorait pas qu'une confrontation aurait inévitablement lieu un de ces jours.

Le 11 novembre, le camp frémit d'excitation en recevant de nouveaux ordres. Le lendemain, la colonne s'ébranla.

Le départ, manœuvre bruyante et impressionnante, commença à l'aube. C'était un spectacle auquel Charles n'avait pas assisté depuis la guerre. Le convoi de ravitaillement transportant des vêtements d'hiver, des vivres et du fourrage avait grossi jusqu'à compter quatre cent cinquante chariots aux bâches blanches, répartis en quatre files avançant de front. Deux compagnies du 7e ouvraient la marche, deux autres formaient l'arrière-garde, le reste devant se déployer pour protéger les flancs du convoi. Les fantassins marcheraient en principe près des chariots mais tout le monde s'attendait à ce que ces fainéants de l'infanterie ne tardent pas à demander à y monter, ce qui fut effectivement le cas.

Sully et plusieurs autres officiers se postèrent sur la rive sud de l'Arkansas tandis que les premiers chariots pénétraient lourdement dans l'eau et entamaient la traversée. Un aussi grand nombre de véhicules, dont les conducteurs juraient et faisaient claquer leur fouet, créait un prodigieux vacarme auquel s'ajoutaient les sonneries de trompette, le craquement des harnais et le meuglement des bœufs avançant entre les chariots et les cavaliers.

Pimpant et plein d'entrain, Custer chevauchait en tête avec son détachement, loin de Sully. Charles vit le *Boy General* sur la rive nord, l'étendard du 7e — un aigle tenant dans ses serres des flèches d'or — flottant derrière lui. La fanfare du régiment jouait *The Girl I Left Behind Me* pour accompagner le passage du gué.

La contrée située au-delà de la rivière était semblable à celles que Charles avait vues avec Jackson Pied-de-bois : une étendue désolée de collines sablonneuses sillonnée de ravins. La progression des chariots était lente, pénible. Timons et essieux se brisaient. Des conducteurs fouettaient impitoyablement mules et bœufs mais demeuraient à la traîne et bientôt les cavaliers les distancèrent, laissant dans leur sillage un rempart ondoyant de poussière.

Charles, Dutch Henry et deux des Osages, partis devant, repérèrent un endroit où camper au bord de la Mulberry Creek, à moins de dix kilomètres du point de départ. Sully et Custer décidèrent d'un commun accord de ne pas pousser plus loin le premier jour à cause des multiples ennuis que connaissaient les chariots.

Au camp, après un dîner de haricots et de biscuit, la chance de Charles l'abandonna à nouveau.

Raide d'avoir passé la journée en selle, il donna à manger à Satan, lui mit une couverture sur le dos pour le protéger du froid de la nuit. Il retournait près du feu des éclaireurs lorsqu'il avisa une silhouette familière descendant un petit tertre sur un chemin qui croiserait le sien. Le capitaine Harry Venable demeurait tiré à quatre épingles après une journée à cheval.

— Main, lança-t-il sèchement lorsqu'il fut devant Charles. Ou dois-je dire May ? August, peut-être ? Lequel est-ce, cette fois ?

— Je suppose que vous le savez.

— En effet. Je vous ai repéré il y a une semaine et vous vous en êtes rendu compte. Je pensais que vous auriez l'intelligence de filer.

— Pourquoi ? Je ne porte pas l'uniforme. C'est California Joe qui m'a embauché.

— Vous êtes quand même sous l'autorité de l'armée.

Le Vieux Bob, qui traînait toujours derrière son maître, s'approcha de Venable pour le renifler. L'officier décocha un coup de pied à l'animal, qui se ramassa sur lui-même et grogna. Charles le rappela en sifflant, le chien obéit mais continua à montrer les crocs.

— Écoutez, Venable, Custer sait que j'ai servi dans l'armée confédérée et cela ne le dérange pas.

— Moi si ! répliqua Venable, la barbiche en avant, l'air mauvais.

Le Vieux Bob grogna plus fort, le capitaine fit un pas vers Charles en s'écriant :

— Saloperie de rebelle !

L'éclaireur réagit en frappant durement de la paume la cape bleu marine de l'officier.

— Allez vous plaindre au général.

A la surprise de Charles, Venable se détendit, recula. Un sourire intrigant apparut sur son visage.

— Oh ! non. Je ne lui ai pas dit un mot de nos démêlés antérieurs et je ne lui en parlerai pas. Je vous veux pour moi seul, cette fois. La correction que vous avez reçue à Jefferson ne vous a pas découragé, ni votre renvoi de l'armée pour vous être enrôlé sous un faux nom. Je trouverai quelque chose d'autre. Un moyen *définitif*.

— Allez vous faire foutre, grommela Charles. Viens, Bob.

L'éclaireur s'éloigna. L'officier courut derrière lui mais un grognement du chien l'arrêta.

— Je vous aurai à l'œil ! cria Venable. Je serai tout le temps dans votre dos.

La menace inquiétant Charles plus qu'il ne voulait l'admettre, il éprouva le besoin d'en parler à quelqu'un. De retour parmi les éclaireurs, il entraîna Griffenstein à l'écart et lui raconta sa rencontre.

— Alors, si tu me trouves mort avec un balle dans le dos, descends ce foutu Yankee, conclut-il.

Dutch Henry eut l'air déconcerté.

— Mais pourquoi il t'en veut ?

— A cause de ce que John Hunt Morgan a fait à sa mère et à sa sœur. Je n'en suis pas responsable, bon Dieu.

Le robuste éclaireur regarda Charles du coin de l'œil.

— Non, et les Indiens qu'on recherche ont probablement pas charcuté tes associés. Mais tu les tueras quand même.

— Henry, c'est...

— Différent ? Mmm. Si tu le dis. Retournons près du feu, Charlie. Il fait trop froid pour rester ici à faire des palabres.

Griffenstein s'éloigna, laissant Charles immobile, une curieuse expression sur le visage. Presque une expression de désarroi.

Le 13 novembre, la colonne parvint à Bluff Creek, l'endroit où Custer avait rejoint le régiment après son exil au Michigan. Le lendemain, elle atteignit Bear Creek, le Cimarron, et le Territoire indien le jour d'après. Le vent du nord déferla sur les cavaliers, leur donnant un avant-goût de l'hiver qu'ils allaient endurer.

Ils prirent la direction de l'est, le long de la Beaver, un affluent de la Canadian, sans apercevoir d'Indiens. Le lendemain, Charles et les frères Corbin découvrirent près d'un gué des traces de nombreux mustangs, mais pas de travois. Une bande sur le sentier de la guerre. Ils rejoignirent le gros de la troupe au galop et firent leur rapport :

— Une centaine de guerriers, se dirigeant vers le nord-est.

— Pour attaquer des colons, Mr Main ? demanda Sully.

Le général avait réuni les officiers et les éclaireurs dans la grande tente de son quartier général, où des lanternes illuminaient des visages ombrés de barbe, sales, marqués par la fatigue. Bras croisés, Venable se tenait à l'écart, comme pour indiquer qu'il mettait en doute tout ce que Charles pourrait dire.

— Je ne vois pas d'autre raison pour laquelle ils quitteraient le Territoire en hiver, mon général, répondit l'ancien confédéré.

Custer s'avança, tout excité par la perspective de se battre. Fut-ce par hasard qu'il se planta devant Sully, le cachant partiellement aux autres ?

— Ces traces sont récentes ? voulut-il savoir.

— Deux jours, au plus, répondit Jack Corbin, laconique.

— Alors, si nous prenons la direction d'où ils viennent, nous trouverons peut-être leur village, gardé par quelques hommes seulement, et nous l'attaquerons par surprise.

— Absurde, laissa tomber Sully. Comment pouvez-vous croire qu'une troupe aussi nombreuse que la nôtre, suivie d'un long convoi de chariots, ait pu pénétrer aussi loin en territoire indien sans se faire repérer ?

Au lieu d'argumenter, Custer demanda à Charles :

— Qu'en pensez-vous, Main ?

Charles n'apprécia pas ce transfert de responsabilité inattendu et peu subtil, mais il n'avait aucune raison de mentir, que Sully en prenne ombrage ou non.

— Je pense qu'il est tout à fait possible que personne n'ait décelé notre présence. Les Indiens ne se déplacent pas beaucoup en cette saison, et la troupe de guerriers dont nous avons vu les traces est une exception. Ils présument que nous ne bougerons pas non plus.

— Vous voyez ? dit Custer à Sully. Laissez-moi emmener un détachement...

— Non.

— Mais écoutez...

— Permission refusée.

Custer se tut, les joues écarlates, le regard chargé de rancœur, et Charles songea que Sully avait commis une gaffe qu'il regretterait.

Les éclaireurs explorèrent le Sud à la recherche d'un endroit où établir la base de ravitaillement. Ils trouvèrent un lieu approprié à un kilomètre et demi du confluent de la Wolf et de la Beaver Creek, qui se réunissent pour former la North Canadian. Il y avait du bois, de l'eau potable et du gibier en abondance. A midi, le 18 novembre, les détachements avancés du 7e régiment parvinrent à l'emplacement de la future base.

Charles, Milner et les autres éclaireurs partirent chasser dans les bois tandis que des fantassins coupaient des arbres pour construire une palissade. D'autres soldats entreprirent de creuser des fosses pour les latrines, de faucher l'herbe tuée par le gel pour faire du fourrage.

Charles leva une troupe de dindes sauvages, en abattit trois avec sa Spencer. California Joe, à jeun pour une fois, tua un bison femelle mais manqua une douzaine d'autres bêtes qui détalèrent à la première détonation. La plupart des autres éclaireurs rapportèrent aussi quelque chose pour agrémenter le menu de l'expédition.

Le camp s'éleva rapidement : une enceinte de quarante mètres de côté, avec des lunettes à deux des coins, des fortins crénelés aux deux autres. Des palissades de rondins protégeaient les côtés ouest et sud ; des baraquements servant de magasins fermaient les côtés nord et est. Les chariots furent déchargés à l'intérieur, les hommes montèrent leurs tentes dehors. L'expédition avait étiré sa ligne de ravitaillement sur une distance de cent cinquante kilomètres depuis Fort Dodge.

Charles entendit dire que Custer et Sully ne cessaient de discuter, que le *Boy General* était toujours furieux du refus de son rival.

Un détachement avancé d'éclaireurs blancs et de guides kaws apparut au nord, annonçant l'arrivée du général Sheridan et de ses trois cents hommes du 19e Régiment de Volontaires du Kansas. Custer fit seller son cheval, partit au galop à la rencontre du commandant du secteur. A la tombée de la nuit, Petit Phil parcourait le camp et serrait les mains des officiers en bougonnant contre le vent du nord et la tempête de neige fondue qui l'avaient accablé pendant sa progression rapide depuis Fort Hays. Trapu, solidement bâti, Sheridan avait des yeux noirs et une moustache effilée de Mongol. Charles n'avait jamais vu de barman de la Bowery new-yorkaise mais c'était l'idée qu'il s'en faisait.

Plus tard dans la soirée, étendu près du feu, le Vieux Bob pelotonné contre son ventre, Charles entendit de la musique et reconnut *Marching Through Georgia*.

— Qu'est-ce qui se passe, Henry ?

— Ben, il paraît que Custer a envoyé ses musiciens donner la sérénade à Sheridan. Tu reconnais pas l'air ? Ça devrait plutôt s'appeler : « Au revoir, général Sully ».

Six jours après le départ, Sheridan prit personnellement le commandement de l'expédition ; Sully et son état-major partirent soudain pour Fort Harker. Il n'était pas difficile de deviner à quel général Petit Phil avait donné raison.

L'intendance distribua des capotes doublées de peau de bison, de hautes guêtres en toile, des gants et des bonnets de fourrure aux soldats du 7e Régiment. Sheridan ordonna à Custer et à ses onze pelotons de se préparer à partir le 23 novembre à l'aube.

La distribution de vivres et de munitions se poursuivit toute la nuit ; les chevaux furent examinés, les bêtes mal en point remplacées. Custer se choisit une nouvelle monture, Dandy, parmi les chevaux en réserve. On attela les meilleures bêtes aux meilleurs chariots, sur lesquels on chargea des vivres pour trente jours.

Un silence étrange tomba ensuite sur le camp de ravitaillement. Charles se rappelait avoir remarqué la même tranquillité juste avant Sharpsburg, et à plusieurs autres occasions en Virginie. Dans les heures précédant la bataille, les hommes aimaient se retrouver seuls pour lire la Bible ou écrire un lettre d'adieu, à tout hasard. Charles adressa une lettre de ce genre à Duncan, en le priant de la lire au petit Gus. Il la mettait sous enveloppe quand Griffenstein entra d'un pas lourd dans la tente qu'ils partageaient.

— Devine ce qu'il y a dehors ?

— Comme d'habitude : le vent.

— C'est pire, maintenant.

Dutch Henry souleva le rabat de la tente et Charles put voir des lignes blanches obliques.

— Y a déjà une belle couche, reprit Griffenstein. Ils avaient bien dit que ce serait une guerre d'hiver, et ils rigolaient pas.

Le Vieux Bob ronflait par intermittence mais son maître ne parvenait pas à fermer l'œil. Déjà emmitouflé dans son poncho, il attendait impatiemment la diane, que les clairons sonneraient à quatre heures.

Lorsque vint enfin le moment de se lever, il vérifia que sa boussole était dans l'une de ses poches — même les Osages ne connaissaient pas grand-chose du territoire s'étendant au sud du camp de ravitaillement — et sortit de la tente, tandis que Dutch Henry s'étirait en bâillant. Le vent hurlait, la couche de neige avait une dizaine de centimètres d'épaisseur.

Éveillé lui aussi de bonne heure, Custer envoya chercher Dandy et, suivi de ses chiens de chasse Maida et Blucher, se rendit seul au quartier général, où il ne trouva qu'obscurité et silence. Tout le monde dormait encore.

Nullement découragé, il demanda à voir Sheridan, qui émergea un instant plus tard de sa tente, enveloppé dans deux couvertures. Une ordonnance alluma une lanterne tandis que Custer tapotait le flanc de son cheval effrayé. Avec ses yeux en amande, Sheridan ressemblait à un Chinois.

— Qu'est-ce que vous dites de cette tempête ? demanda-t-il.

— Général, je pense que rien ne pouvait mieux servir notre plan. Les Indiens ne bougeront pas. Nous, si. S'il continue à neiger une semaine encore, je vous rapporterai quelques scalps.

— Je vous attendrai, dit Petit Phil, rendant son salut au commandant bouillant d'impatience.

Les trompettes donnèrent le signal du départ. Comme d'habitude, les éclaireurs partirent les premiers, lançant leurs chevaux entre les congères. Le vent hululait. Il était difficile d'entendre autre chose et les rabats du bonnet de rat musqué de Charles n'arrangeaient rien. Il avait été étonné de voir le journaliste venu avec Sheridan, un certain Mr DeBenneville Keim, monter dans un des chariots de ravitaillement, maintenant perdu dans la pénombre derrière les éclaireurs. Peut-être Custer avait-il convaincu le reporter que l'expédition obtiendrait des résultats dignes d'être relatés.

Croyant avoir entendu son nom, Charles releva le rabat gauche de son bonnet.

— Quoi ?

— Je disais qu'on a un observateur de l'état-major de Sheridan, cria Griffenstein. Il est là-bas derrière, avec le Bouclé. Devine qui c'est.

Dans l'obscurité fouaillée par la neige, Charles imagina les yeux de Venable et, malgré la température, sentit un picotement brûlant le long de son dos.

49

Le jour se leva sur un monde entièrement blanc. Charles protégea d'un foulard la partie inférieure de son visage mais des aiguilles de neige continuèrent à piquer douloureusement sa peau à découvert. Le gémissement incessant de la tempête lui tendait les nerfs.

Bientôt une croûte de neige recouvrit ses sourcils. Satan avançait péniblement entre les congères, s'ébrouait de temps à autre pour faire tomber la neige de son dos. Lorsqu'il se retournait, Charles ne voyait rien, bien qu'il entendît des hommes derrière lui. L'un d'eux lui cria que les chariots, déjà distancés, continuaient à perdre du terrain.

Griffenstein ralentit pour laisser son ami le rejoindre et les deux éclaireurs, chevauchant côte à côte, renoncèrent rapidement à se parler tant se faire entendre demandait d'efforts. Chacun d'eux tenait une main gantée près de son visage, les doigts raides repliés pour donner quelque protection à leur seul guide sûr dans le blizzard : la petite aiguille de leur boussole.

A deux heures de l'après-midi, Custer ordonna la halte. La colonne était étirée le long de la vallée de la Wolf Creek qui, estimait Charles, ne devait pas se trouver à plus de vingt-cinq kilomètres de leur point de départ. Hommes et chevaux étaient épuisés comme s'ils avaient parcouru le double de cette distance.

Le long de la rivière gelée se dressaient des arbres de haute futaie au pied desquels la neige s'était amoncelée. Entre les troncs dénudés, Charles distingua de grandes formes noires immobiles semblables à des statues qu'un sculpteur dément aurait abandonnées là. Des bisons, qui se tenaient tête baissée dans la tempête.

Comme des fourmis sur une plage de sable blanc, les éclaireurs s'affairaient sur la neige, tiraient des congères des branches tombées par terre ou coupaient les plus petits des arbrisseaux. A défaut de vivres, ils auraient au moins du feu pour se réchauffer si les chariots ne les rejoignaient pas.

Charles et Dutch Henry empilèrent leur bois, allèrent nourrir leur monture. Affamé, Satan engloutit sa maigre ration d'avoine avec une telle avidité que son maître crut qu'il allait lui dévorer les doigts.

Ensuite, ils déblayèrent la neige avec leurs mains puis la tassèrent avec leurs pieds. Bien entendu, après qu'ils eurent monté leur tente et allumé un feu de camp, la neige fondit sous leur couverture, bientôt trempée.

A la tombée de la nuit, Charles entendit des grincements et des claquements : les roues des chariots, les fouets des conducteurs. Custer apparut sur son cheval, Maida et Blucher sautant dans la neige derrière lui.

— ... *voir tous ces tire-au-flanc de conducteurs dans ma tente dans vingt minu...*

Le général disparut dans un nuage de neige.

Le Vieux Bob, qui s'était bravement comporté toute la journée, semblait savoir que la nuit serait terrible. Il demeurait près de Charles, reniflait ses guêtres en geignant.

Les éclaireurs sortirent les poêles des sacs, en déplièrent les manches, y firent fondre un peu de neige pour y cuire du porc salé. Avec quelques morceaux de biscuit frits dans la graisse et du café, cela fit un repas passable, quoique Charles fût toujours gelé et écorché à vif par le frottement de ses plusieurs couches de vêtements.

Le capitaine Fred Benteen s'approcha d'un pas lourd en marmonnant :

— Bougre d'imbécile.

— Qui ça ?

— Le général. Vous savez ce qu'il vient de faire ?

— Quoi ? demanda Griffenstein, d'un ton indiquant qu'une exécution en masse ne l'aurait pas surpris.

— Il a mis tous les conducteurs aux arrêts à cause de leur lenteur. Demain, interdiction de monter dans les chariots, ils devront marcher. Si on a encore des chariots après ça...

L'officier repartit sous la neige. Le Vieux Bob gémit, Charles lui caressa le museau et lui donna un morceau de porc. L'éclaireur sentait naître en lui un sombre et vague pressentiment qui n'avait rien à voir avec la présence de Harry Venable.

Du fait de ses antécédents sudistes, Charles Main était une sorte de curiosité, et le jeune Louis Hamilton, sympathique capitaine du peloton A, lui amena dans la soirée le « reporter sténographe » du *New York Herald*.

Si DeBenneville Keim désirait beaucoup s'entretenir avec l'éclaireur, il n'en allait pas de même pour Charles, qui lui offrit cependant une tasse de café pour se montrer hospitalier. Keim en but une gorgée, sortit de sa poche un petit livre aux pages cornées dont le titre était gravé en lettres d'or sur la couverture : *After the War**.

— J'ai lu l'ouvrage de Whitelaw Reid, dit le journaliste. Mr Main, vous qui étiez en Caroline du Sud quand Sumter est tombé, pouvez-vous me dire ce que vous pensez de ce passage sur Sullivan's Island.

Reid était un correspondant de guerre nordiste renommé, l'un des trois premiers journalistes à avoir pénétré dans Richmond. Charles prit le livre que Keim lui tendait, cligna des yeux pour chasser la neige fondue coulant de ses sourcils et lut :

C'est ici, il y a quatre ans, que furent jetées les fondations de la guerre. Les jeunes cavaliers impétueux, les Sudistes hautains méprisant la racaille yankee, se ruèrent follement dans la guerre comme on part pour un pique-nique. C'est ici que les navires de Charleston déchargeaient chaque jour des caisses de champagne et de bordeaux, des milliers de cigares de La Havane, pour les jeunes capitaines et lieutenants adonnés au luxe. C'est entre deux fêtes, entre deux danses, entre deux galanteries, au son de la musique des salles de bal, que les jeunes gens prodigues qui avaient régné sur la « bonne société » de Newport et de Saratoga, se jetèrent dans la révolution comme dans une valse...

Keim posa sur son genou un carnet aux pages noircies de signes sténographiques.

---

* Après la guerre. (N.d.t.)

— C'est une description saisissante, dit-il. Était-ce vraiment comme cela ?

Envahi d'une immense tristesse, Charles songea au pauvre Ambrose Pell.

— Oui, répondit-il. Mais ça n'a pas duré très longtemps. Et c'est fini, maintenant. Pour toujours.

Il referma le livre et le lança à Keim avec une expression étrange et morne qui incita le journaliste à poser plutôt à Dutch Henry le reste de ses questions.

Le lendemain, le convoi repartit, les conducteurs punis marchant péniblement dans la neige. La tempête faiblit, le ciel s'éclaircit — ce qui posa un autre problème : le reflet du soleil sur la neige était impitoyable pour les yeux.

Ils se dirigeaient vers le sud-ouest en longeant la Wolf, ce qui permettait à Charles de se passer de sa boussole. Il chevauchait loin devant en compagnie de Griffenstein et de quelques-uns des Osages, qui lui lançaient des regards intrigués parce qu'il chantonnait d'une voix monotone :

> *Le vieux mouton connaît pas la route,*
> *Le vieux mouton connaît pas la route,*
> *Le vieux mouton connaît pas la route...*
> *C'est le jeune agneau qui doit trouver le chemin.*

— Où t'as appris ça ? s'enquit Dutch Henry.

— Les nègres des îles chantent cet air, là-bas, chez moi. C'est un chant religieux.

— Tu le chantes comme si on allait à un enterrement.

— J'ai un drôle de pressentiment, Henry.

— C'est toi qui as voulu venir.

— C'est vrai.

Charles haussa les épaules en songeant qu'il s'inquiétait peut-être pour rien. Mais l'étrange malaise qu'il éprouvait persista.

D'après leur plan de marche, ils devaient remonter la rivière jusqu'à un endroit où ils prendraient au sud, vers les Antelope Hills proches de la North Canadian. Épuisés d'avoir franchi de nombreuses congères, à demi aveuglés par un soleil qui n'était pourtant pas assez chaud pour faire fondre la neige, ils établirent leur camp en haut de la falaise dominant la Wolf. Charles entendit dire qu'un des conducteurs avait menacé le Bouclé de son arme, que Custer lui avait donné un coup de pied dans le bas-ventre, l'avait désarmé sans l'aide de personne et avait ordonné qu'il soit fouetté avec une corde à nœuds. D'après Griffenstein, le *Boy General* avait convoqué le journaliste sténographe et lui avait intimé de ne pas écrire un mot sur la punition du conducteur s'il voulait continuer à suivre l'expédition.

— C'est idiot, tu trouves pas, Charlie ?

— Il faut couvrir ses arrières si on veut se présenter un jour à la présidence.

Le lendemain matin, ils prirent la direction plein sud. Çà et là surgissaient à l'horizon les taches sombres d'étendues boisées, comme des hachures au fusain sur une feuille vierge. Certains aspects de la topographie transparaissaient malgré la couche de neige. La prairie montait légèrement de la Wolf vers une crête, qu'ils franchirent dans l'après-midi. Le soir, ils campèrent à un kilomètre au nord de la Canadian.

Charles et California Joe patrouillèrent le long de la rivière en crue, entraînant dans son courant rapide de gros blocs de glace. ils repérèrent un gué qui semblait franchissable et Milner, à jeun pour une fois, entama prudemment la traversée sur sa mule. Soudain, il s'enfonça d'une dizaine de centimètres.

— Des sables mouvants, marmonna-t-il. Bon, de toute façon, y a pas d'autre endroit où passer. Faudra que ça aille.

Les deux éclaireurs rentrèrent et firent leur rapport à Custer, qui parut satisfait. Plus tard, Griffenstein leur apprit que l'adjudant major Elliott était déjà parti avec trois pelotons, et sans chariot, pour remonter la vallée de la Canadian à la recherche d'Indiens. Les frères Corbin et plusieurs Osages l'accompagnaient. Dutch Henry ajouta que le lendemain, jeudi, c'était le jour de *Thanksgiving*. Charles s'en moquait : c'était une fête du Nord, et les cuistots de l'armée ne leur serviraient pas le planureux dîner traditionnel dans cette région désolée.

A cause des sables mouvants, de l'eau glacée, des dangereux blocs de glace brisant les rayons des roues et blessant les chevaux, la traversée de la Canadian dura plus de trois heures le matin de *Thanksgiving*. Soldats, civils, Indiens étaient tous trempés et découragés en se retrouvant sur l'autre rive, mais leur moral remonta lorsqu'ils découvrirent devant eux les Antelope Hills, collines familières attestant qu'ils n'avaient pas erré sans but.

En début d'après-midi, des cris signalèrent l'approche d'un cavalier venant de la direction prise par le détachement d'Elliott. Les clairons appelèrent officiers et éclaireurs à la tente de Custer, où régnait une grande excitation. Maida et Blucher jappaient en sautant ; leur maître leur donna à chacun un léger coup de cravache pour les faire taire.

— Répétez pour ceux qui viennent d'arriver, Jack, ordonna le général.

— L'adjudant Elliott se trouve à une vingtaine de kilomètres d'ici, sur la rive nord, dit Jack Corbin. Y a un gué, et plein de traces. Cent cinquante Indiens environ l'ont passé, en direction du sud-est, il y a pas deux jours.

Charles ressentit des fourmillements dans les doigts. Des murmures excités accueillirent la nouvelle et le visage de Custer, rougi par le froid, s'illumina d'un sourire. Le beau Harry Venable, dont les regards hostiles ne troublaient plus Charles Main, prononça une évidence :

— S'ils continuent dans la même direction et nous aussi, ils croiseront notre route. Demain, peut-être.

— Sacredieu, s'écria California Joe, l'haleine parfumée par le remontant qu'il venait de prendre. C'est pas *Thanksgiving* pour rien.

— Hourra, hourra ! s'écrièrent les adulateurs de Custer.

Ses détracteurs, Benteen compris, faisaient grise mine, et le général lui-même ne tenait pas en place.

— Je veux que les hommes soient prêts dans vingt minutes pour une marche de nuit. Pas de tente, pas de couverture. Cent cinquante balles par soldat, un peu de café et de biscuit, c'est tout. Nous emmènerons sept chariots et une ambulance. Le reste du convoi restera ici avec un peloton et l'officier de jour. Où est-il ?

Le capitaine Louis Hamilton fit un pas en avant, l'air désolé.

— C'est moi, mon général. Je demande la permission de partir avec le détachement. Je parie que ces maudits Indiens ne sont pas loin de leur tanière et que nous allons la trouver.

— Je vous félicite de votre enthousiasme, Hamilton. Je le partage.

Custer dansait presque autour de la tente et tous les autres hommes présents semblaient dans le même état survolté. Charles se demandait pourquoi, après avoir attendu si longtemps l'occasion de se venger, il n'éprouvait pas la même exaltation.

— Si vous vous trouvez un remplaçant en vingt minutes, reprit le général, vous serez de la fête.

— Merci ! s'exclama Hamilton, comme un enfant recevant une poignée de bonbons.

Il se précipita dehors sans prendre le temps de saluer et tout le monde éclata de rire. Custer se tourna vers Jack Corbin.

— Pouvez-vous retourner auprès d'Elliott ?

— Oui, avec un cheval frais.

— Dites-lui de continuer la poursuite. Nous devrions nous rejoindre à la tombée de la nuit.

Corbin parti, Custer congédia les autres, qui sortirent de la tente en se bousculant. Dutch Henry rayonnait de bonheur.

— Je crois que ça y est, ce coup-ci, Charlie.

Vingt minutes plus tard exactement, un clairon donna le signal du départ et les troupes désignées — onze pelotons et les tireurs d'élite de Cooke — repartirent à travers les congères. Hamilton était de la fête : un officier souffrant de cécité des neiges avait accepté de rester avec les chariots.

Le temps s'était un peu radouci, les congères fondaient. Deux heures après le départ, Corde-Tendue et un autre Osage revinrent vers Charles au galop et le chef des guides cria dans son mauvais anglais :

— Moi trouvé, moi trouvé !

Griffenstein balaya la piste du regard ; Charles dirigea Satan vers le cheval de son ami. Plusieurs chiens suivirent aussi en aboyant et en sautant.

Corde-Tendue avait effectivement trouvé : des traces nettes d'une bande d'Indiens, aussi nombreux que Corbin l'avait estimé, et sans travois. Des guerriers, donc. En route pour un dernier raid, une dernière chasse. La piste continuait vers le sud-est à travers un paysage plat et sans arbres.

Spontanément, les hommes se mirent à chanter *Jine the Cavalry* et autres refrains militaires. Le Vieux Bob ne cessait de bondir en jappant.

Vers la fin de la journée, le paysage changea à nouveau. Le terrain s'inclinait doucement vers un bois embrumé, encore distant de plusieurs kilomètres mais bouchant déjà tout l'horizon. Custer envoya Griffenstein devant avec l'ordre de trouver Elliott et de lui donner pour instruction d'attendre le gros de la troupe, à un endroit où il y aurait de l'eau et du bois.

Charles estima qu'il devait être cinq heures de l'après-midi, environ, lorsqu'ils atteignirent la lisière du bois. Son ventre gargouillait et l'éclaireur était sûr que Satan avait aussi faim que lui : aucun des chevaux n'avait mangé depuis quatre heures du matin, et Charles s'était contenté d'un morceau de biscuit sur lequel il avait failli se casser une dent avant de le ramollir avec sa salive. L'expédition s'était transformée en une de ces impitoyables marches forcées à la Custer.

Ils avançaient sans relâche dans le dédale des arbres. Avec le crépuscule, le froid redevint âpre ; la neige molle gela, formant une croûte dure qui craquait sous les sabots des bêtes. Les chiens aboyaient, les sabres cliquetaient, les hommes juraient.

Vers neuf heures, Charles aperçut devant lui un rougeoiement, contourna un tronc d'arbre et découvrit d'autres lueurs semblables. Dépassant les Osages, il dirigea Satan vers un espace découvert. A la sentinelle qui lui barra le chemin, il cria :

— Colonne du général Custer ! C'est le détachement d'Elliott ?

— Oui, nous sommes là, répondit le soldat.

— On les a trouvés, lança Charles par-dessus son épaule.

Les trois pelotons de l'adjudant-major se reposaient le long des berges escarpées d'un cours d'eau. Profitant du fait qu'ils étaient à couvert, les hommes avaient allumé côté sud de petits feux pour se faire à manger. Les soldats de Custer s'apprêtèrent à descendre de selle et à se reposer enfin eux aussi. Le capitaine Venable passa à cheval devant la file des cavaliers pour annoncer la bonne nouvelle :

— Une heure de halte. Enlevez les selles et les mors de vos bêtes.

Charles sécha Satan du mieux qu'il put et lui donna l'avoine qu'il avait emportée. Il donna aussi à manger au cheval de Dutch Henry tandis que celui-ci faisait chauffer du café. Biscuit et café — un somptueux festin de *Thanksgiving*.

A dix heures précises, la colonne repartit sans sonnerie de clairon. A quatre de front, les cavaliers entreprirent de descendre la rive, traverser le cours d'eau et gravir la berge opposée. Sous la lune, la neige avait des éclats de diamant.

Descendus de cheval, Petit-Castor et un autre Osage guidaient la colonne. A cause des craquements de la croûte de neige sous les sabots des chevaux, les « traqueurs » marchaient quatre cents mètres devant le premier groupe de cavaliers, qui comprenait les autres Indiens et les éclaireurs blancs, avançant sur une seule file. Custer fermait la marche avec les chiens qui ne cessaient d'aboyer.

Charles dirigea Satan au pas vers une sorte de grosse souche d'un mètre cinquante de haut et sursauta quand il la vit remuer. Petit-Castor s'était arrêté pour les attendre.

— Village, dit-il.

Custer entendit et s'exclama :

— Qu'est-ce que c'est ?

— Village pas loin.

— A quelle distance ?

— Sais pas. Mais il y a village.

Certains aspects de l'art indien de lire une piste étaient si enrobés de mystère, si proches du don de seconde vue que Charles n'essayait pas de les comprendre. Hibou-Gris avait eu parfois des intuitions comparables, auxquelles les Blancs avaient eu la bêtise de ne pas croire. Custer, lui, y crut.

— Très bien, Petit-Castor. Retourne à ta place, maintenant. Sans bruit.

Dans l'obscurité, deux cavaliers plaisantèrent en riant. Custer sortit de la file, faillit piétiner deux des chiens.

— On se tait, ordonna-t-il. Je sabrerai quiconque ouvrira la bouche.

Charles ne doutait pas qu'il le ferait. Les nerfs tendus, il éprouva à nouveau le même malaise. La colonne repartit, serpent noir de chevaux et de cavaliers progressant lentement sur la neige baignée de clair de lune, sans chariot ni ambulance. Custer les avait laissés derrière avec le lieutenant d'intendance Bell.

Ils se trouvaient apparemment dans une région de crêtes s'étendant vers l'est et vers l'ouest, parallèles les unes aux autres, et enserrant des vallées encaissées. Les selles gémissaient, la neige craquait. Un loup hurla au loin, un autre lui répondit. A nouveau les deux Osages attendirent le gros de la colonne et Petit-Castor annonça :

— Sentir feu.

— Moi pas, dit Custer.

— Feu, insista l'Indien.

— Bon, va voir. Griffenstein, Main, accompagnez-le. Et prenez vos armes.

Charles ôta ses gants, défit le foulard protégeant son visage afin de pouvoir humecter ses lèvres, dures et crevassées. Puis il passa un bras par-dessus son épaule pour tirer la Spencer de son étui. Précédés de l'Osage, les deux Blancs firent avancer leurs chevaux au pas vers quelques arbres espacés se dressant au bout d'une nouvelle étendue neigeuse.

— Il y a quelque chose, murmura Charles.

Il désigna une tache orange, plus petite et plus pâle que celles qu'ils avaient repérées en découvrant le camp d'Elliott. Dutch Henry dégaina ses deux revolvers, Charles arma sa carabine.

Spectres noirs soufflant de petits panaches de brume dans le clair de lune, les éclaireurs continuèrent à progresser au pas en direction des arbres. Charles sentit de la fumée. Un feu, oui, allumé à l'abri de buissons épineux, mais presque éteint maintenant.

A l'aide d'un bâton, Charles tisonna les cendres, qui rougeoyèrent et dont la lueur éclaira le terrain alentour : un bourbier de neige et de boue. Il marcha sur un boulet de crottin à peine durci dont l'odeur se mêla à celle du feu.

— Un troupeau de chevaux a pâturé ici — ou du moins essayé — une bonne partie de la journée, Henry. Et je mettrais ma tête à couper que ce feu a été allumé par les jeunes garçons qui gardaient les bêtes.

— Alors on est forcément à moins de quatre, cinq kilomètres du village ?

— Exact. Mais le village de *quels* Indiens ?

— Ça change quelque chose ?

La question déconcerta Charles, qui fut à nouveau envahi par une impression de malaise. Petit-Castor se mit à danser sur place en chantonnant à mi-voix : il sentait que le combat était proche.

— Je vais annoncer la bonne nouvelle au général, dit Griffenstein en tirant sur la bride de son cheval.

Custer renvoya les deux éclaireurs en avant, à pied cette fois. Charles avait la bouche sèche ; il sentait son cœur battre dans sa gorge, si fort qu'il en avait presque mal. Au-delà des arbres, la lune brillait sur une crête au profil irrégulier nettement dessiné.

— Attention, on dirait que ça descend, derrière, prévint Dutch Henry.

Ils rampèrent jusqu'au sommet, découvrirent une pente menant à une vallée peu profonde. Difficile pour des chevaux mais pas impossible.

— C'est sûrement la Washita, chuchota Griffenstein.

La rivière coulait juste en dessous d'eux, approximativement d'ouest en est. A trois kilomètres environ à l'est, elle remontait vers le nord et disparaissait derrière un éperon rocheux.

Sur l'autre rive, derrière un espace découvert, une masse sombre signalait d'autres arbres. On ne distinguait pas grand-chose de plus malgré la lune et l'incroyable déploiement d'étoiles dans le ciel. Charles renifla, sentit une odeur de fumée provenant de l'autre côté de la Washita.

Un chien aboya. Quelques secondes plus tard, un bébé vagit.

— Peux pas voir les tentes d'ici, dit Dutch Henry. Peut-être qu'en approchant...

Il descendit la pente, laissant Charles au sommet de la crête. Un tintement de cloche lui révéla soudain l'endroit où se trouvait le troupeau, forme noire ondoyant au-delà des arbres. Bientôt Griffenstein revint.

— On les tient, murmura-t-il. Les tipis sont là-bas, parmi les peupliers. Y en a une cinquantaine. Allons-y.

En repartant sans bruit, Charles s'interrogea. *Cinquante, mais à qui ?*

Custer inclina sa montre en direction de la lune.

— Trois heures et demie à attendre avant le lever du jour. C'est à l'aube que nous attaquerons. Main, rassemblez immédiatement les officiers.

Quelques minutes plus tard, Custer expliqua aux gradés qu'on avait repéré la bande de guerriers dans leur village, auquel la colonne donnerait l'assaut aux premières lueurs du jour. L'excitation fut telle que Venable lui-même oublia de lancer à Charles des regards menaçants.

Sans masquer sa jubilation, le général improvisa un plan sur-le-champ. Il divisa ses sept cents hommes en quatre détachements : trois d'entre eux soutiendraient le quatrième, plus nombreux, qui conduirait l'attaque de la crête où Main et Griffenstein avaient découvert les tipis. L'un des détachements encerclerait totalement le village et tous avanceraient au son de la fanfare. Les pelotons d'Elliott et de Thompson partiraient immédiatement pour prendre position.

— Les cavaliers demeurant ici pourront attendre le signal du départ pour se mettre en selle mais ils ne devront ni parler fort ni faire de bruit, poursuivit Custer. Interdiction de marcher ou de battre la semelle, d'allumer une pipe ou un cigare. Tout homme qui désobéira aura affaire à moi personnellement. Venable, s'il vous plaît, conduisez mes chiens à l'arrière et confiez-les au sergent-major Kennedy.

Bien qu'il n'appréciât pas cette étrange corvée, le capitaine ne discuta pas. Il siffla doucement et les deux bêtes, bien dressées, bondirent dans son sillage. Le gant à franges du général indiqua les autres chiens tournant autour des officiers.

— Main, Griffenstein, tuez ces bâtards.

— Pardon, mon général ? fit Charles.

— Vous m'avez entendu. Nous voulons avoir la surprise pour nous et ces chiens pourraient trahir notre présence. Débarrassez-nous-en, et tout de suite.

L'éclaireur fixa Custer, qui soutint son regard. Dutch Henry posa une main sur l'épaule de son ami, pour le calmer ou le retenir. Le capitaine Hamilton ordonna à deux lieutenants :

— Apportez des cordes. Nous les musèlerons d'abord.

Charles se précipita vers le Vieux Bob dans l'intention de le saisir et de le porter à l'arrière.

— *Tous*, dit Custer.

— Je ne le ferai pas.

Le *Boy General* toisa longuement l'éclaireur avant de lui lancer :

— On s'attendrit, dirait-on ? Tâchez de vous ressaisir avant l'attaque.

Il s'éloigna, ses petits éperons d'or scintillant au clair de lune.

— Reste pas là, murmura Dutch Henry à son ami. Regarde pas.

Les lieutenants revinrent avec des cordes, les soldats encerclèrent les chiens — dix, au total — et après quelques courses derrière les fuyards, musèlèrent et attachèrent toute la meute. Pendant ce temps, Charles marcha jusqu'aux arbres, appuya l'avant-bras contre un tronc, le visage tourné vers le village indien. Il entendit un cliquetis lorsque les sabres sortirent des fourreaux puis des jappements frénétiques, quoique étouffés par les muselières, et le bruit de griffes lacérant la croûte de neige.

Il se retourna. Il ne sut pas qui avait égorgé le Vieux Bob mais vit le corps mou de l'animal dans le tas puant, avec les autres cadavres. Il passa rapidement devant, les yeux emplis de larmes amères.

Le détachement chargé d'encercler le village se mit en marche afin de prendre position avant l'aube, tandis que le reste de la colonne avait la chance de pouvoir se reposer un peu plus longtemps. Immobiles, les soldats se tenaient debout, assis ou couchés près de leur monture, la bride à la main. Certains, la tête enfouie sous leur capote, tentaient de dormir ; la plupart étaient trop nerveux.

Plusieurs officiers se regroupèrent, échangèrent des murmures en contenant leur excitation. Le cheval de Jack Corbin se mit à hennir, à frapper du sabot, et l'éclaireur ne parvint pas à se calmer. Charles s'approcha, pinça les naseaux de l'animal et les tint fermés jusqu'à ce qu'il redevienne tranquille. Un autre truc cheyenne que Jackson lui avait enseigné.

L'ancien officier retourna ensuite s'agenouiller près de Satan, fit passer la bride d'une main dans l'autre. Il sentait en lui quelque chose qui n'allait pas, qui menaçait d'exploser. California Joe faisait le plein de courage en vidant une des cruches dont il semblait avoir une réserve illimitée. Il passa le récipient à Dutch Henry, qui jeta un coup d'œil aux officiers avant de boire une lampée. Milner proposa la cruche à Charles, qui refusa d'un signe de tête.

— T'as pas l'air de mourir d'envie d'y aller, fit observer le chef des éclaireurs. Ça devrait être une belle bagarre, pourtant. Si on les prend par surprise, y aura pas de problème. J'croyais que c'était ça que tu voulais. J'croyais que c'était pour ça que tu nous avais rejoints. Cheyenne Charlie, toujours prêt à se payer un...

— Ferme-la, dit Charles. Fous-moi la paix ou je t'enfonce la cruche dans la gorge.

Il se leva, s'éloigna, entendit Milner demander :

— Qu'est-ce qui lui prend ?

Griffenstein ne put que hausser les épaules.

Lorsque la lune descendit derrière les arbres, une brume épaisse se répandit sur le sol, créant un climat étrange et inquiétant. Custer ne cessait d'ouvrir et de refermer sa montre. Enfin, ce fut l'heure. Il remit sa montre dans sa poche, enfonça ses deux Webley Bulldog à crosse d'ivoire dans leur gaine et donna ses derniers ordres : laisser sur place havresacs, capotes et sabres. Ne pas tirer avant le signal.

Se sentant lourd, sale et fatigué, Charles fit passer sa jambe droite par-dessus Satan. Custer s'assura que la colonne était formée, appela le clairon auprès de lui et fit avancer Dandy au pas à travers les arbres. La brume s'agita, monta autour des jambes des chevaux.

Soudain un murmure parcourut la troupe. Charles tourna la tête vers l'est, que le bras de Griffenstein indiquait. Un point lumineux doré scintillait au-dessus des arbres.

— L'étoile du matin, dit un cavalier.

Custer la regarda monter, lente et majestueuse.

— C'est un signe, déclara-t-il. Cette expédition est bénie de Dieu.

Ils parvinrent en haut de la crête dominant la rivière. En entendant le grondement sourd de tant de sabots ferrés, Charles songea que le bruit provoquerait forcément une réaction dans le village endormi. Effectivement, un chien aboya ; quelques secondes plus tard, une demi-douzaine d'autres bêtes l'imitèrent.

Main droite levée, Custer commença à descendre la pente. Dandy glissa, trébucha mais atteignit la rivière sans encombre. D'autres suivirent, les éclaireurs à droite du clairon, qui chevauchait en tête de la fanfare.

Le poncho relevé pour pouvoir dégainer son colt, Charles tenait sa carabine en travers des genoux. Lentement, avec des craquements et des cliquetis, d'occasionnels jurons étouffés, la colonne descendit jusqu'à la Washita. Parvenu au niveau de la rivière, dont l'eau refroidissait sensiblement l'air, Charles vit sous un autre angle les peupliers de l'autre berge et, parmi les arbres, se détachant sur le ciel un peu plus clair, les poteaux croisés de nombreux tipis.

De quels Indiens ?

— Clairon..., commença Custer.

Dans le bois sombre, quelqu'un tira un coup de feu pour donner l'alarme et le général eut une exclamation de colère. Des hennissements s'élevèrent du troupeau de mustangs, qui avaient probablement senti les chevaux des Blancs.

Un Indien armé d'une carabine jaillit du bois et courut vers la rivière. Custer l'aperçut et, levant un de ses pistolets à la crosse d'ivoire, s'écria :

— Sonnez la charge !

Au même moment, il fit feu. L'Indien projeté en arrière lâcha son arme.

Le clairon souffla dans son instrument. Autour de Charles, derrière lui, des soldats poussèrent des cris joyeux. Avant même la fin de la sonnerie, la fanfare entama *Garry Owen* et le 7e Régiment de cavalerie déferla sur la Washita.

50

D'un bond, Satan s'élança au-dessus de la rivière et Charles, serrant des genoux les flancs de l'animal, fut aspergé d'éclaboussures glacées quand son cheval retomba dans l'eau peu profonde, près de l'autre rive. A sa droite, il aperçut Griffenstein, un revolver dans chaque poing, un sourire flottant sur son visage barbu.

Le jour se levait, éclairant les peaux des tipis dont on distinguait à présent les dessins. Pas de doute, c'était un village cheyenne. A droite et à gauche du principal détachement, les unités de soutien se mettaient en branle dans un concert de hourras, et Charles entendit même le cri des rebelles confédérés.

La colonne galopait vers les tipis à travers un espace découvert et plat, brisé çà et là par de petites buttes. La terre tremblait sous les sabots des chevaux. Soudain le soleil éclaircit l'horizon et des bandes orangées flamboyèrent à l'est du village, là où la Washita tournait vers le nord.

Les Cheyennes sortirent des tipis au moment où les cavaliers approchaient du village. Charles fut atterré de voir tant de femmes et de jeunes enfants, apeurés et sanglotants. Il se trouvait encore à une cinquantaine de mètres des premières tentes, que plusieurs cavaliers avaient déjà atteintes. L'un d'eux tira sur un chien aboyant en direction des chevaux, un autre logea une balle dans la poitrine d'une vieille femme aux cheveux gris. Les squaws se mirent à hurler tandis que leurs maris s'élançaient pour les défendre. Contre la vague bleue, ils n'avaient aucune chance.

La charge entraîna Charles Main dans une allée séparant des tipis d'où montait de la fumée. Griffenstein chevauchait devant lui, faisant feu des deux mains. Un frêle vieillard abrité derrière le bouclier rouge de ses années de jeunesse fixait les Blancs de ses yeux étonnés. Dutch Henry tira dans la bouche ouverte de l'Indien, un flot de sang jaillit derrière lui, éclaboussant son tipi.

Charles laissait Satan galoper entre les Indiens pris de panique et les feux allumés dans les allées. Hébété, il n'avait pas encore tiré un coup de feu. Au bout du village, il fit demi-tour, faillit tomber de selle en heurtant deux cavaliers effectuant la même manœuvre. Sur leur visage, dans leurs yeux étincelants, il vit une rage qui ne distinguait plus la femme et le guerrier, l'homme fait et l'adolescent.

Une escouade en colonne par deux, commandée par le lieutenant Godfrey, du peloton K, surgit des peupliers et s'éloigna du village. Agitant leurs képis, les cavaliers se séparèrent pour encercler le troupeau de mustangs, qui commençait déjà à fuir le vacarme. En les observant, Charles se demanda pourquoi Custer prenait cette peine : c'était des chevaux dressés à l'indienne et tout à fait inutilisables comme remonte.

Dans la fumée de poudre qui dérivait en couches épaisses, l'éclaireur engagea Satan dans une autre allée. Sur sa gauche, trois soldats s'efforçaient d'abattre un tipi d'où s'élevaient des cris aigus d'enfants terrifiés. Des hommes du détachement ayant encerclé le village y entrèrent à leur tour, ajoutant à la confusion. Une femme dépenaillée, la chevelure en désordre, passa devant Charles en courant, un bébé contre l'épaule. Ses mains, son visage étaient roses : c'était une Blanche.

— Je m'appelle Blinn ! cria-t-elle aux soldats. Mrs Blinn.

La prisonnière, se rappela Charles.

— Je vous en prie, ne faites pas de mal à mon petit Willy...

Une volée de balles la fit tressauter comme une marionnette et elle s'effondra sur un tipi, avec son enfant au crâne à demi emporté.

La bouche pleine de vomi, Charles lança Satan dans une autre direction et songea au petit Gus, qui avait le même âge que l'enfant mort.

Les allées s'emplirent de cavaliers tirant frénétiquement malgré les écarts de leurs montures. Hormis un caporal à la manche ensanglantée, Charles ne vit aucune victime parmi les soldats. Il mit Satan au pas, tourna les yeux vers le terrain découvert qu'il avait traversé en sortant de la rivière et découvrit Custer, perché sur la plus haute des buttes, observant la bataille avec des jumelles.

Dans une allée transversale, Charles repéra Dutch Henry agenouillé près du corps criblé de balles d'un Indien, dont il souleva la tête pour le scalper. L'Indien hurla : il était encore en vie. Son visage ridé laissait penser qu'il avait au moins soixante hivers.

Ici et là, des adolescents de douze ou treize ans armés d'un poignard ou d'une lance affrontaient les soldats dans un duel suicidaire. Un jeune Indien aux pieds nus, ne portant que des jambières, jaillit de derrière une tente pour défier Charles. Il avait des traits délicats, des traces de peinture rouge sur la poitrine, une croix de cuivre jaune attachée à l'une de ses tresses noires. C'était un jeune initié de la société des Boucliers Rouges ou un enfant imitant ses aînés en se peignant le torse. L'éclaireur remarqua tous ces détails pendant les quelques secondes qu'il fallut au Cheyenne pour placer une flèche sur la corde de son arc.

Utilisant le langage des signes, Charles leva la main droite pour dire à l'adolescent de déguerpir. La face convulsée de rage, le jeune Cheyenne banda son arc, lâcha la corde. Charles s'abrita derrière le flanc gauche de Satan, la flèche passa au-dessus de lui.

Dégageant son pied droit de l'étrier, il sauta à terre avec sa Spencer. Satan s'éloigna en trottant entre les tipis. Charles agita sa carabine et cria en cheyenne :

— Cours. Sauve-toi avant de te faire tuer.

Il ignorait pourquoi il s'exposait ainsi mais savait en tout cas qu'il n'avait jamais envisagé de se venger sur des vieillards et des enfants.

Refusant la pitié du Blanc, le jeune Indien mit une autre flèche sur son arc. Charles fit un écart vers la droite dans l'intention de plonger derrière le tipi de l'enfant, mais lorsque celui-ci banda son arc, l'éclaireur se trouvait encore à découvert. Charles n'avait pas le choix, il tira.

La balle souleva l'adolescent du sol et lui déchira le ventre. Il tournoya, retomba sur les braises d'un feu. Voyant la chevelure noire fumer, Charles se précipita pour le tirer des flammes. La croix, déjà chaude, lui brûla les doigts. Un goût amer dans la bouche, de la sueur coulant le long de l'arête du nez, l'éclaireur vit en imagination des choses que l'enfant mort ne connaîtrait pas. Un autre printemps, un autre hiver ; le grand troupeau de bisons en migration ; les yeux pleins d'adoration de la première femme qu'il aurait prise...

Bouleversé, il arracha la croix de cuivre de la natte du jeune Indien, la fourra dans sa poche. Il fallait qu'il garde quelque chose qui lui rappelle ce qu'il avait fait.

Afin de retrouver Satan, il parcourut le village, où le chaos était à son comble. Des cavaliers du 7e en occupaient le centre tandis que de petits groupes de Cheyennes isolés avaient trouvé refuge derrière les arbres et dans un fossé. Les hommes de Custer se regroupèrent et concentrèrent leur feu sur ces guerriers pour les tuer ou les déloger. Au milieu de la fusillade, des femmes tentaient de fuir avec leur bébé, renonçaient en découvrant que les hommes en bleu bloquaient toutes les allées. Une vieille squaw obèse armée d'un petit couteau se rua vers trois cavaliers et tomba, fauchée par une volée de balles.

Charles récupéra Satan, que le vacarme et les odeurs étranges de la mêlée faisaient hennir. Il sauta en selle, partit au galop vers le côté du village par lequel la colonne avait attaqué. En arrivant sur les lieux, il sut qu'il ne s'était pas trompé et qu'il avait bien reconnu les dessins d'un des tipis au commencement de la charge. Les deux silhouettes montées sur un seul mustang filant vers la rivière lui en donnèrent confirmation. Malgré la fumée et la distance, il reconnut Chaudron-Noir et Femme-Médecine.

Le cheval atteignait la berge de la Washita quand quatre cavaliers le rattrapèrent. Le chef indien leva les mains pour demander grâce ; criblés de balles, le Cheyenne et sa squaw basculèrent en avant, tombèrent dans l'eau. Le mustang effrayé piétina Femme-Médecine avant de gagner l'autre rive.

— Bon Dieu ! s'écria Charles, envahi de dégoût.

Les promesses de vengeance qu'il s'était faites lui firent soudain honte. Jackson Pied-de-bois n'aurait pas voulu cela : la mort de femmes et d'enfants, du chef de paix qui leur avait offert son amitié et les avait protégés toute une saison de la fureur de Balafre.

Il rengaina sa carabine et galopa tête baissée vers la rivière. Une dizaine de cavaliers prirent son sillage, se séparèrent pour le dépasser.

— Allez, Main ! Des galons ou un cercueil !

Avec des exclamations d'enfants, Elliott et ses hommes filèrent vers l'est, soulevant derrière eux de la neige boueuse. Le sol était jonché de corps de Cheyennes, des hommes pour la plupart, presque tous morts. L'éclaireur aperçut un cadavre en uniforme bleu, bouche ouverte, fixant de ses yeux vitreux la neige sale. Louis Hamilton, l'officier qui avait demandé à ne pas rester à l'arrière avec les chariots alors que la gloire attendait le 7e Régiment.

Satan fit un écart pour éviter un obstacle que Charles n'avait pas remarqué. L'ancien confédéré baissa les yeux et découvrit Blucher, le chien de Custer, la gorge transpercée par une flèche.

Lorsque Charles arriva à la rivière, il estima qu'une vingtaine de minutes s'étaient écoulées depuis le début de l'attaque. Déjà la fusillade faiblissait. Dans le village, de nombreux tipis avaient été renversés et les soldats, descendus de cheval, parcouraient les allées sans chercher à se protéger : ils avaient gagné, ils le savaient.

Il sauta lui aussi à terre, s'avança dans l'eau froide jusqu'à la taille. Au milieu de la Washita, là où il y avait un banc de sable, de petites rigoles rouges coulaient dans l'eau. Chaudron-Noir et Femme-Médecine étaient tombés ensemble, le corps de la squaw sur celui du chef.

Charles sentit la douleur lui tordre les tripes. C'était pour cela qu'il avait réintégré l'armée, qu'il était devenu éclaireur ? Pour assassiner un homme qui n'avait fait que rechercher la paix, essayer d'emprunter le chemin des Blancs ? Les écailles lui tombaient des yeux, il était malade de honte.

Il souleva le corps de Femme-Médecine, alourdi par ses vêtements trempés, alla le déposer sur la berge puis revint chercher celui de Chaudron-Noir. Des larmes lui vinrent aux yeux quand il découvrit les cinq blessures du chef indien, cachées auparavant par le cadavre de la squaw.

Insensible à la morsure du courant glacé, il retourna vers la rive — droit dans l'ombre d'un cheval et d'un cavalier.

Le capitaine Harry Venable tendit le bras, braqua son arme sur l'éclaireur. C'était un colt de l'armée modèle 1860 avec une plaque d'ivoire sur la crosse.

— Laissez ces cadavres où ils sont tombés ou prenez leurs scalps.

— Je ne ferai ni l'un ni l'autre, répliqua Charles. Ces pauvres vieux étaient mes amis.

— Vous les connaissiez ?

— C'est Chaudron-Noir, le chef de paix. Il avait emmené les siens au sanctuaire de Fort Cobb mais ce crétin de Hazen l'avait renvoyé. Chaudron-Noir était mon ami, je veux lui donner une sépulture décente.

Venable sourit. Il tenait Main : refus d'obéissance. Au moment où il armait son colt, la sonnerie du rassemblement retentit dans l'air matinal. L'officier tourna la tête en direction du village, vers lequel cavaliers et hommes à pied se hâtaient. Les yeux fixés sur le canon du revolver, Charles se rendit compte qu'il pouvait lâcher

Chaudron-Noir, dégainer et débarrasser le monde de Venable. Il ne bougea pas.

Lorsque le capitaine tourna à nouveau les yeux vers l'éclaireur, un cavalier arriva au galop, s'interposant entre les deux hommes.

— Z'êtes soûl ? lança Griffenstein à Venable. (D'un coup sec, il fit tomber l'arme de l'officier.) Ceux qu'on bousille ont la peau rouge, pas blanche.

Un autre gradé galopant vers les arbres cria à Venable de se presser. Dutch Henry descendit de cheval sans quitter le petit Kentuckien des yeux, ramassa le colt et le lui rendit avec précaution. Lentement, Charles se baissa pour déposer Chaudron-Noir dans la neige et la boue, à côté de sa femme.

Venable rengaina son arme, jeta à Main un regard signifiant qu'il n'en avait pas fini avec lui et partit.

— Qu'est-ce que c'est que ces salades ? grommela Griffenstein.

Redevenu lui-même, il n'avait plus le regard égaré que son ami lui avait vu quand il s'apprêtait à scalper un Indien. Le trophée était maintenant attaché à sa ceinture par une mèche de cheveux sanguinolents.

— Venable a un vieux compte à régler avec moi, se contenta de répondre Charles.

— Ben, il ferait mieux de se retenir. C'est pas le moment de régler des comptes.

Pour Charles, les paroles de Dutch Henry avaient une autre signification.

— Je te suis reconnaissant, Henry.

— Pas de quoi, fit l'éclaireur en balayant l'air de la main. Je peux pas supporter qu'un morveux galonné descende mon pote.

Charles était remonté sur Satan, abandonnant à regret le chef et sa squaw à l'endroit où il les avait étendus. Tandis que les deux hommes dirigeaient leurs chevaux vers le point de rassemblement, Griffenstein manifesta sa belle humeur :

— C'était une chouette bagarre, non ?

Charles posa sur lui un regard où la colère avait chassé toute gratitude.

— C'était un massacre. Un massacre d'innocents. Quelle honte ! Regarde ça, dit Charles en tirant de sa poche la croix de cuivre. Je l'ai prise à un gosse qui avait toute la vie devant lui. J'ai dû l'abattre pour qu'il ne me tue pas.

Incapable de comprendre la profondeur des sentiments de son ami, Dutch Henry tendit la main vers la croix.

— Ça te fait un beau souvenir, en tout cas.

Charles ferma le poing.

— Parce que tu penses que c'est pour cela que je l'ai pris, abruti ? Ce n'est pas une guerre, c'est une boucherie. Un nouveau Sand Creek.

L'étonnement de Griffenstein se changea en ressentiment.

— Réveille-toi, Charlie. C'est ça, la réalité.

— Merde pour la réalité.

L'expression de Dutch Henry changea à nouveau et il regarda Charles avec toute la répugnance qu'il aurait montrée à un malade atteint de choléra.

— J'ai l'impression que c'est ici que nos chemins se séparent. Je devrais te décoller la tête pour ce que tu m'as dit mais je le ferai pas, parce que je pense que t'es devenu fou. Tu fais équipe avec quelqu'un d'autre, à partir de maintenant.

Griffenstein s'éloigna, sous l'œil indifférent de son ancien ami. Quelque chose était mort en Charles, là, sur le bord de la Washita.

Dans le village, les soldats s'empressaient d'amasser des « souvenirs » avant qu'un officier ne le leur interdise. Charles vit un jeune cavalier exhiber fièrement deux scalps devant ses camarades.

Le troupeau de mustangs, qui comptait plusieurs centaines de bêtes, avait été encerclé par les hommes de Godfrey à l'autre bout du village, près des arbres. La colonne avait également fait prisonniers une cinquantaine de femmes et d'enfants et s'était emparée de peaux de bison, de hachettes, de carabines, de centaines de kilos de farine et de tabac ainsi que d'une grande quantité de viande de bison. Lorsque Charles regagna le village, Custer chargeait Godfrey et son peloton K de rassembler et d'inventorier le butin.

En écoutant les conversations excitées qu'on tenait autour de lui, l'éclaireur entendit quelqu'un prétendre que plusieurs centaines d'Indiens avaient été tués. Il en doutait. Chaque tipi abritant généralement cinq ou six Indiens, le village ne devait pas compter plus de trois cents Cheyennes. De nombreux cadavres jonchaient les allées et l'espace découvert mais certainement pas trois cents, ce qui signifiait que beaucoup de braves s'étaient échappés. Parmi les cavaliers, il n'y avait que deux victimes — Louis Hamilton et le caporal Cuddy, du peloton B — mais personne ne savait ce qu'était devenu le détachement d'Elliott.

Des cris et des plaintes s'élevèrent à nouveau lorsque trois des guides osages se mirent à fouetter plusieurs captives.

— Essayer s'enfuir, expliqua un des Osages.

Une des prisonnières tourna vers Charles un visage zébré de coups et le regarda avec insistance. Elle reconnaissait sans doute le marchand qui avait passé une saison au village de Chaudron-Noir. La squaw ne dit rien mais son regard fut comme un poignard s'enfonçant dans le ventre de l'éclaireur.

— Général !

La voix aiguë appartenait à Romero, l'interprète, qui poussait devant lui une Indienne aux vêtements crottés. Elle joignit les mains et s'inclina devant Custer, toujours aussi pimpant et plein d'énergie. Comment fait-il ? se demanda Charles, qui se sentait fourbu.

— Cette femme dit elle Mahwissa, sœur de Chaudron-Noir, déclara Romero.

Possible, pensa Charles, quoiqu'il n'eût jamais vu cette femme ni entendu parler d'une sœur du chef pendant l'hiver qu'il avait passé au village indien.

— Elle dit autres villages le long de la Washita, continua le truchement.

— Où sont-ils ? demanda Custer dans le silence qui suivit.

Romero ramassa une lance brisée, traça dans la boue un U renversé, en évasa l'ouverture en y ajoutant deux traits puis fit un trou sous le jambage gauche.

— Ici village de Chaudron-Noir... (Autre trou près de la partie courbe.) Ici Arapahos... (Troisième trou sous l'autre jambage.) Encore Cheyennes ici. (Deux trous sous le trait droit.) Et ici aussi, et aussi des Kiowas. Tous campements d'hiver.

Le *Boy General* était aussi blanc que la neige recouvrant les arbres. Des arbres où Charles crut déceler un mouvement...

— Combien d'Indiens dans ces camps ? demanda Custer.

Romero interrogea la squaw en cheyenne, Charles comprit suffisamment la réponse pour être atterré.

— Cinq, six mille.

Silence de tombeau. Quelque part un chien hurla. Les soldats, débordants d'une gaieté exubérante l'instant d'avant, tapotaient nerveusement leur arme.

D'une certaine manière, la nouvelle ne surprenait pas vraiment Charles car il savait que le tempérament impétueux de Custer attirait les ennuis comme un paratonnerre la foudre. Le général avait mené la poursuite et l'attaque en s'appuyant sur l'hypothèse, non fondée, qu'il avait affaire à une bande de guerriers d'un village isolé de la vallée de la Washita. La marche forcée de la veille avait laissé peu de temps pour se poser des questions comme : Y avait-il un seul village ? Les guerriers étaient-ils retournés à ce village ou à un autre ? Encore maintenant, on ne connaissait pas la réponse à cette deuxième question. Charles songeait cependant qu'il ne devait pas condamner Custer trop vite puisqu'il ne s'était pas posé de questions lui non plus. De plus, le général ne manifestait aucune frayeur, il fallait lui rendre cette justice.

— Nous avons remporté une victoire décisive sur l'ennemi, affirma-t-il.

Charles fit la grimace, remarqua la présence de Keim, le journaliste, qui griffonnait sur son carnet.

— Nous allons maintenant détruire cette base, continua Custer, sans montrer que nous connaissons l'existence des autres villages ou que nous nous en inquiétons. S'il y a d'autres Indiens à proximité, ils ne pourront évaluer nos forces.

— Ils vont quand même voir qu'on est pas cinq mille, grommela quelqu'un.

— Que le couard qui vient de parler s'avance.

Personne ne bougea. Custer ouvrit la bouche, sans doute pour exiger à nouveau que le coupable se dénonce, mais l'un des Osages attira son attention en tendant brusquement le bras vers la pente labourée par les sabots s'étendant au-delà de la rivière. Trois braves armés de lances venaient de surgir des arbres. Ils arrêtèrent leurs mustangs, attendirent.

Bientôt, toute la crête se couvrit d'Indiens.

Custer a dit que cette expédition était bénie de Dieu, pensa Charles. Elle est maudite.

51

A onze heures, des centaines d'Arapahos et de Cheyennes armés étaient massés sur les hauteurs surplombant la Washita. De son poste de commandement — établi au centre du village, près d'une infirmerie de fortune — Custer donna l'ordre de déployer les hommes en un périmètre de défense à la lisière des peupliers, au cas où les Indiens attaqueraient.

Ils attaquèrent. Un groupe d'une vingtaine de Cheyennes arriva au galop de la courbe de la rivière, située à trois kilomètres au nord-est. Ils s'engagèrent sur l'espace découvert entre les petites buttes et tirèrent en direction des arbres. Debout près de Romero, Charles riposta. Custer parcourait à cheval la ligne de défense pour galvaniser ses troupes.

— Ne vous montrez pas, dit-il. Ils essaient de nous attirer à découvert. Tirez à bon escient, nous manquons de munitions. Tenez bon, ils ne se risqueront jamais dans le bois.

Le tintement de ses petits éperons d'or sembla flotter encore dans l'air après son départ. L'interprète jeta à Charles un regard inquiet : Custer avait raison en ce qui concernait les munitions. Si la colonne demeurait bloquée un certain temps, les Indiens pourraient donner l'assaut sans craindre un tir de riposte.

Charles engagea son avant-dernier chargeur dans le magasin de sa Spencer et essuya ses yeux, que la fumée et la fatigue faisaient pleurer. Se sentant observé, il tourna la tête, aperçut à quelques pas de lui, sur la droite, Dutch Henry Griffenstein. Avec un sourire méprisant, celui-ci dit quelque chose à son voisin, qui regarda Charles, et l'ancien officier songea qu'il devrait trouver l'occasion de s'excuser d'avoir traité l'éclaireur d'abruti.

Les Cheyennes battirent en retraite, hors de portée des soldats. Un des braves s'agenouilla sur son cheval et indiqua du pouce le fond de son pantalon. Personne, dans le bois enfumé, ne trouva cela drôle.

Pendant les deux heures où Charles demeura à son poste, une demi-douzaine de petits groupes d'Indiens dévalèrent des hauteurs mais aucun ne s'approcha des arbres. Custer avait raison : les Cheyennes voulaient les attirer à découvert.

Derrière la ligne de défense, d'autres soldats s'employaient à détruire les tipis, déchirant les peaux, brisant les poteaux à la hache. California Joe revint de l'autre extrémité du bois pour annoncer qu'il avait trouvé trois ou quatre cents mustangs de plus.

— Ça doit nous en faire huit ou neuf cents, maintenant, mon général, dit-il à Custer, qui inspectait à nouveau ses lignes.

L'un des Corbin releva Charles, qui s'éloigna à pas lents et alla soulager sa vessie derrière un arbre éraflé par les balles. Avec accablement, il se rappelait combien un village cheyenne en paix pouvait être gai et vivant, avec ses chants, ses rites amoureux, les contes récités autour du feu après un festin de viande de bison. Le village de Chaudron-Noir ressemblait à présent à un cimetière, un cimetière mis à sac. Les soldats qui n'étaient pas postés sur la ligne de défense continuaient à piller les tentes et à entasser le butin : dizaines de peaux de bison, centaines de flèches peintes.

— Mets celui-là à part, dit Custer à son ordonnance en montrant un tipi renversé. Si l'enveloppe n'est pas déchirée, garde-la pour moi. Les autres, faites-en un tas et brûlez-les.

Charles écoutait d'un air découragé. L'ordre de Custer priverait d'abri des Indiens innocents, qui mourraient de froid s'ils ne parvenaient pas à trouver refuge quelque part. Les chasser temporairement de leur village eût été suffisant.

Le général n'était pas de cet avis et bientôt des flammes s'élevèrent de la montagne de peaux déchirées, brûlant avec une âcre fumée noire.

Sur l'ordre de Custer, un petit groupe mené par Joe Corbin et Henry Griffenstein sortit du bois et prit la direction de l'est.

— Où vont-ils ? demanda Charles à Milner.

California Joe le gratifia d'un regard soupçonneux. Peut-être Dutch Henry avait-il parlé à tout le monde de la conduite de l'ancien confédéré.

— Chercher Elliott, répondit le chef des éclaireurs d'une voix avinée.

— Il est bien temps, marmonna Charles.

— Garde ce genre de réflexions pour toi, répliqua Milner d'un ton menaçant.

Charles sentait monter en lui une rage aveugle qu'il était incapable de contrôler et qui englobait tous les Blancs réfugiés dans le bois, lui-même compris. Grignotant un morceau de biscuit — sa seule nourriture de la journée — il eut brusquement envie de dégainer son colt et d'abattre Custer. L'impulsion irraisonnée passa, mais pas la colère. Ce qui se passait dans le village lui faisait horreur.

Trottinant l'un derrière l'autre comme des fourmis, des soldats s'approchaient du brasier pour y jeter vêtements, carquois, moules à balles et tout autre objet personnel qu'ils pouvaient trouver. Si les Indiens rescapés revenaient jamais au village, ils n'auraient plus rien qui pût leur permettre de survivre.

Des cris s'élevèrent de la ligne de défense :

— Bell arrive ! Voilà Bell !

Charles et d'autres coururent jusqu'à la lisière du bois, côté rivière, virent leurs sept chariots filer en direction d'un gué situé à quelque distance en aval. Des Cheyennes et des Arapahos galopaient de chaque côté du convoi, qu'ils criblaient de flèches et de balles.

Les conducteurs ripostèrent, un brave tomba de cheval. En haut de la crête, d'autres groupes d'Indiens se formaient, probablement pour intercepter les chariots. Ils ne furent pas assez rapides et le convoi, mené par le lieutenant Jim Bell, pénétra dans le bois dans un grondement de tonnerre. Les moyeux des roues, surchauffés, projetaient des étincelles. Le véhicule de tête vira pour éviter un arbre, s'inclina, versa sur le côté, répandant son chargement de caisses de munitions.

Le visage noir de poussière, un pistolet fumant à la main, Bell s'avança vers Custer en titubant.

— Pas pu attendre les ordres, mon général. Une bande d'Indiens nous est tombée dessus et on a dû foncer en direction du gué.

— Excellente initiative, apprécia Custer. Nous disposons maintenant des munitions dont nous avons besoin.

La troupe semblait ragaillardie par l'arrivée des chariots, qui étaient parvenus aux peupliers sans qu'aucun des conducteurs ne soit gravement blessé. Les soldats montèrent dans les véhicules et entreprirent de décharger le reste des caisses.

Le détachement parti à la recherche d'Elliott revint alors par l'est. Les cavaliers, pâles et effrayés, sautèrent de selle, se mirent à parler tous ensemble d'une voix excitée. Custer s'approcha d'un pas vif, réclama le silence. Charles parcourut le groupe des yeux : pas de Griffenstein.

— Jusqu'où êtes-vous allés ? interrogea le général.

— Quatre ou cinq kilomètres d'ici, répondit Joe Corbin. On s'est fait canarder et on a fait demi-tour. Nous avons perdu un homme, sans trouver Elliott.

— Vous avez fait de votre mieux, j'en suis sûr, dit Custer.

Le capitaine Fred Benteen s'avança.

— Mon général, nous ne pouvons en rester là. Elliott est peut-être bloqué quelque part. Je prendrai la tête d'un autre détachement et...

— Non ! Pas maintenant. Nous devons d'abord nous sortir de la fâcheuse situation dans laquelle nous nous trouvons.

Charles songeait à son ami Dutch, qu'il avait traité d'abruti, et à qui il n'aurait plus l'occasion de présenter des excuses. Le souvenir des paroles qu'il avait prononcées le replongea dans l'état qui avait été le sien la dernière année de la guerre. Il se sentait abattu, crasseux, prêt à faire mal.

Trois heures de l'après-midi.

Un peu plus tôt, des escouades commandées par Meyers, Benteen et Weir, le remplaçant de Hamilton, étaient sorties du bois. Charles ignorait l'objectif que Custer poursuivait avec cette manœuvre — peut-être montrer qu'il n'était pas intimidé. Mais les Indiens ne le furent pas davantage et attaquèrent les cavaliers. Après un échange de coups de feu vif mais indécis, les braves se replièrent vers l'est tandis que les soldats regagnaient le bois au galop. Depuis, les Indiens n'avaient pas bougé.

Custer avait l'air hagard lorsqu'il rassembla à nouveau tous les éclaireurs et officiers.

— Nous devons nous préparer à sortir d'ici mais cela pose quelques problèmes, dit-il. Si nous nous contentons de battre en retraite, ces sauvages nous poursuivront et je ne veux pas d'un combat au galop à la tombée du jour. Les hommes sont épuisés. Nous allons donc ruser. Dans une heure environ, nous formerons les rangs et nous partirons avec nos prisonniers, dans cette direction. (Sa main gantée indiqua le nord-est.) En ordre de bataille. Comme si nous avions l'intention de donner l'assaut aux autres villages, l'un après l'autre. Nous partirons en fanfare, afin d'afficher une confiance absolue. Comme les Indiens ont vu ce que nous avons fait de ce nid d'ennemis, ils se précipiteront pour protéger leurs propres tipis. Et dès qu'il fera nuit, nous pourrons ordonner une contremarche et nous esquiver par le nord.

Nul ne souleva d'objection ou ne fit même de commentaires. Les hommes étaient trop exténués pour poser des questions secondaires et le plan de Custer paraissait sensé.

— Avant de partir, reprit le général, il faut paralyser ce village. Le paralyser totalement. Venable ?

— Mon général ?

— Prélevez sur le troupeau de mustangs le nombre de bêtes nécessaire pour porter les prisonniers. Vous pourrez ensuite, messieurs, prendre pour vous-mêmes autant de chevaux que vous le désirerez. Puis Godfrey — où est-il ? — Ah ! Godfrey...

Le lieutenant essuya le coin de ses lèvres taché de suie.

— Mon général ?

— Vous abattrez le reste.

— Mais cela fait au moins huit cents bêtes.

— Certes, Godfrey. Mais nous ne laisserons aucune remonte à ces assassins à la peau rouge. Tuez-les tous.

Adossé à un arbre, Charles faisait tourner le barillet de son colt pour le recharger. Romero s'approcha de lui d'un pas pressé.

— Hé, señor Charlie, aidez-nous. Plus vite on aura tué les chevaux, plus vite on filera d'ici.

— Laisse-le, Roméo, cria California Joe, occupé à brosser un scalp tombé de sa ceinture. Charlie est pas dans son état normal en ce moment.

D'un pas chancelant, le Sudiste se dirigea vers le brasier, dont la chaleur fit perler des gouttes de sueur sur son visage sale. Il ferma les yeux, se rappela le dernier galop de Joueur, en Virginie, le sang tombant sur la neige immaculée au passage du vaillant animal blessé, ramenant son maître en sécurité à l'arrière.

Huit cents chevaux. *Huit cents.* Il ne pouvait croire que quelqu'un serait capable d'une chose pareille. Pas après les destructions déjà infligées au village.

Il passa devant le feu, la joue droite rougie par la chaleur, et regarda Venable finir de choisir cinquante-cinq montures pour les femmes et les enfants prisonniers. Le capitaine et ses hommes poussèrent les bêtes vers les piquets hâtivement plantés au milieu des arbres puis rejoignirent Godfrey et ses quatre pelotons, qui se déployèrent pour encercler les mustangs nerveux.

Sur l'ordre du lieutenant, les hommes confectionnèrent des lassos et s'avancèrent pour capturer les chevaux un par un. Certains mustangs sentirent l'odeur des soldats — une odeur d'homme blanc, qu'ils n'aimaient pas — et agitèrent leur crinière en roulant des yeux.

Les cordes fendirent l'air. Un soldat attrapa un magnifique alezan et cria pour que quelqu'un vienne l'égorger. L'animal rua, un de ses sabots entailla le front du soldat. Aveuglé par le sang, il partit à la renverse, et aurait été piétiné si ses camarades ne l'avaient tiré à l'écart.

Les hommes de Godfrey continuèrent à utiliser lassos et poignards pendant un quart d'heure mais les chevaux, excités par l'odeur des soldats, mordaient et ruaient.

— Allez chercher le général ! cria le lieutenant.

Charles vit arriver Custer, monté sur Dandy.

— Mon général, on n'arrive pas à les approcher pour les égorger, expliqua Godfrey. Qu'est-ce qu'on fait ?

Furieux, Custer répondit :

— Nous avons des munitions en quantité, maintenant. Servez-vous-en.

Il dégaina un de ses pistolets, abattit deux chevaux d'une balle dans la tête. Les mustangs s'écroulèrent avec un hennissement effroyable.

— Il faut donc toujours que je vous apprenne votre travail ? lança le général au lieutenant.

Il repartit au galop en direction des arbres, faillit renverser Godfrey au passage.

— Des carabines, ordonna le lieutenant.

Des hommes partirent en courant. Le beau Harry Venable déboutonna sa capote souillée pour avoir plus de liberté de mouvement puis dégaina son arme de poing.

— Ceux qui ont des revolvers, commencez à vous en servir, cria Godfrey. Sinon, on y passera la nuit.

Venable se dirigea droit vers un cheval marron bien découplé dont la lueur du brasier faisait briller les yeux. Le petit Kentuckien avait les lèvres pressées comme un homme s'apprêtant à faire une addition difficile. Il braqua le canon de son revolver vers l'œil droit de l'animal et tira. Du sang, des lambeaux de chair jaillirent derrière la tête magnifique de la bête.

Le coup de feu retentit, se répercuta avec le fracas d'un orage de prairie. Dans le cerveau de Charles, quelque chose explosa comme un baril de poudre. Un son grave et primitif monta à sa gorge, s'amplifia en un long cri sauvage. Plus tard, il ne se souvint pas d'avoir bougé.

52

Les chevaux tombaient avec une étrange grâce sereine sous les balles de soldats aux traits enfantins qui riaient ou s'écriaient : « Dans le mille ! » Agenouillés, les hommes de Custer tiraient sans s'arrêter dans les poitrines et les ventres. Le sang jaillissait à gros jets comme de tamis rudimentaires tandis que les animaux s'écroulaient sur le côté, créant un ondoiement bref et beau comparable à celui de vagues roulant vers la côte. Puis le mouvement perdit toute beauté parce que quatre-vingts, cent bêtes étaient tombées, et que les autres n'avaient plus de place pour mourir. Pas moyen non plus de s'enfuir. Les mustangs qui tentèrent de traverser le troupeau trouvèrent d'autres jeunes soldats armés de carabines. Certains hommes avaient le teint blanc sale de l'épuisement, quelques-uns plaisantaient sans conviction, d'autres se montraient stoïques, d'autres encore paraissaient écœurés de ce qu'ils faisaient. La tuerie commença de ce côté aussi et bientôt, un cercle de feu et de fumée entoura les animaux mourants. Le bruit devint insupportable, véritable chœur de souffrances. A l'odeur du sang excitante pour certains, s'ajouta la puanteur des boyaux se vidant dans un grand spasme. Ici ou là, une tête splendide surgissait de la vague, lèvres retroussées sur de longues dents étincelantes pour jeter un cri désespéré qui s'achevait quand un autre brave soldat prenait l'animal pour cible et lui fracassait le crâne. Lorsque l'ondoiement cessa, il ne resta qu'un monceau de chair brillante et puante, un promontoire aussi reconnaissable que l'une des Antelope Hills, œuvre non de la nature mais de l'homme, là, au bord de la Washita.

Charles courut autour du cercle de jeunes soldats agenouillés, empoigna une épaule bleu marine.

— Baisse cette arme. Arrête. On ne tue pas des animaux comme ça.

Il avait l'impression de parler de manière raisonnable alors que les mots avaient jailli en éclats braillards. Il n'avait pas non plus conscience de la force inhabituelle qui l'habitait et qui projeta l'un des tireurs à deux mètres lorsqu'il le saisit par les épaules.

Un soldat aux yeux humides et brillants comme ceux des chevaux agonisants recula à l'approche de l'éclaireur en prévenant ses camarades :

— Attention, Cheyenne Charlie est devenu dingue.

Charles se demanda pourquoi l'homme réagissait ainsi. Tout ce qu'il voulait, c'était qu'on cesse d'abattre les chevaux, désir tout à fait sensé.

— Écartez-vous, je m'occupe de lui !

Charles reconnut la voix de Venable avant de le voir. Le beau Harry, tout pimpant malgré la faim et la fatigue.

— Dites-leur d'arrêter, Venable.

— Imbécile ! Nous exécutons les ordres du général.

Charles serra les poings, boxa l'air et se mit à crier, pour de bon, parce que cela semblait le seul moyen de percer la carapace de calme affecté de l'officier.

— Laissez-les partir. Arrêtez cette boucherie !

Venable leva la main ; son colt légèrement huilé miroita à trente centimètres de la poitrine de l'éclaireur.

— Fichez le camp, Main.

Le regard de Charles alla du capitaine aux chevaux morts, revint à Venable. Soudain, l'éclaireur bondit sur l'officier, ce qui était une erreur car Venable l'attendait.

— Saisissez-le ! cria le petit Kentuckien en expédiant son genou dans le bas-ventre de Charles.

Étourdi de douleur, le Sudiste essaya de frapper son adversaire au visage mais n'en eut pas le temps parce que deux soldats l'empoignèrent par les bras.

Les yeux bleus de Venable étincelèrent.

— Bien joué, messieurs, fit-il. Maintenant, tenez-le bien.

Il rengaina son arme, enfonça son poing dans l'estomac de Charles avec une force surprenante pour sa taille. L'éclaireur releva lentement la tête et, les yeux fous, cracha à la figure de l'officier. Venable s'essuya, cogna son ennemi au visage. Du sang et de la morve jaillirent du nez de Charles, qui s'écroula. Envahi d'un sentiment d'échec, il tenta de se remettre debout, n'y parvint pas.

Venable dégaina à nouveau son arme, visa l'oreille de l'éclaireur.

— Capitaine, intervint un soldat, il sait plus ce qu'il fait. Griffenstein m'avait expliqué que Main supporte pas qu'on fasse mal aux chevaux. C'est pas une raison pour le tuer...

Charles ne reconnut pas le jeune soldat qui avait parlé mais il vit le regard noir que l'officier lui lança et l'entendit ajouter d'une voix maintenant moins assurée :

— Capitaine.

Charles sut qu'il allait mourir assassiné. Il vit Venable regarder autour de lui pour affronter des témoins dont le Sudiste ne voyait que les bottes éclaboussées de sang. L'officier hésita puis lança aux soldats :

— Relevez-le, ce salopard. C'est le général qui décidera de son sort.

53

Deux hommes emmenèrent Charles au pas cadencé en direction des arbres, où l'on avait allumé un autre feu près du poste de commandement du général pour procurer lumière et chaleur alors que le ciel s'assombrissait. Presque aussi vite qu'elle était venue, la rage de Charles retomba, le laissant perclus de douleurs et vaguement conscient d'avoir tenté d'arrêter le massacre.

Custer, qui parvenait à paraître élégant et soigné malgré son uniforme sale, eut l'air ennuyé par l'arrivée de Venable. Le général était en conversation avec California Joe, qui lui répondait :

— Non, on a pas encore retrouvé le corps du sergent-major Kennedy.

Custer tourna la tête, la jambe droite légèrement fléchie, la main gauche sur la poignée de son sabre. Il semblait toujours conscient de sa posture.

— Qu'y a-t-il, capitaine ? Faites vite. J'ai l'intention de donner le signal du départ dans moins d'une heure.

— Mon général, cet homme, ce maudit rebelle, a tenté d'empêcher vos soldats d'accomplir leur devoir.

Venable donnait une impression de calme et de dignité, bien que Charles, reprenant ses esprits et commençant à se rendre compte des graves ennuis dans lesquels il s'était fourré, pût sentir la fureur sous-jacente de son ennemi.

— Il nous a interrompus dans notre tâche..., continua Venable.

— Votre boucherie, rectifia Charles.

— Votre sensiblerie se manifeste à nouveau, Mr Main ? dit Custer.

Il s'approcha de l'éclaireur, feignit de ne pas remarquer qu'il avait un œil poché, une joue écorchée et le nez sanguinolent.

— Vous préférez que nous laissions des chevaux à ces sauvages pour qu'ils puissent commettre de nouvelles atrocités au printemps ?

Le général Sheridan m'a chargé de punir les Cheyennes et les Arapahos...

— Chaudron-Noir était un chef de paix.

— Aucune importance. J'ai pour devoir d'éliminer la menace pesant sur les Blancs...

Pourquoi parle-t-il autant ? se demanda Charles. Devant qui justifie-t-il ses actes ? Il n'a pas d'explication à fournir à un minable éclaireur au passé douteux. Malgré la douleur, l'ancien confédéré eut l'intuition que le *Boy General* se rendait compte que cette journée lui avait porté un coup, et qu'il dévalait déjà la pente.

— Un devoir que j'ai accompli aujourd'hui. Seule la guerre totale apportera la paix sur ces plaines.

— Peut-être, mais je ne veux plus la faire, maintenant.

— Quoi ? Qu'est-ce que vous dites ?

Les yeux bleus de l'officier exprimèrent la perplexité puis à nouveau l'irritation.

— Je dis que je ne veux plus de votre guerre. Je n'aurais pas dû m'enrôler parmi vos éclaireurs.

— Et nous n'aurions pas dû vous accepter, rétorqua Custer.

California Joe paraissait avoir envie de disparaître sous terre.

— Je pars, déclara Charles, décidé à jouer son va-tout. Si vous voulez m'en empêcher, il faudra me tirer dessus. Ou ordonner à quelqu'un de le faire.

— Ce serait avec le plus grand plaisir..., glissa Venable.

— Silence ! tonna Custer, écarlate, la respiration sifflante. Mr Main, vous êtes bien téméraire de me faire une telle suggestion. Je pourrais donner cet ordre sans problème. Les témoins de votre conduite indisciplinée attesteront que...

— Des problèmes, vous en avez suffisamment comme ça, dit Charles. J'ai vu mourir Mrs Blinn et son fils.

— Ce sont les Cheyennes qui ont abattu cette femme.

— Ce sont vos hommes, je l'ai vu. D'autres aussi l'ont vu.

— Rien ne prouve que cette femme blanche était Mrs Blinn, faite prisonnière...

— Je l'ai entendue crier son nom, d'autres aussi.

Une goutte de sang tomba de la barbe de l'éclaireur, qui poussa soudain le général. Custer eut un moment de panique, reflétée par ses yeux bleus.

— On ne parlera pas de bataille mais de massacre, continua Charles. Des bébés avec une balle dans la tête, des femmes scalpées par des soldats de l'armée des États-Unis. Une captive blanche et un chef de paix assassinés. Un épisode pas très reluisant à inclure dans la biographie d'un officier, vous ne pensez pas, général ?

George Custer recula d'un demi-pas, ce qui constituait une réponse.

— Mon général, intervint Venable, bavant presque de dépit, personne ne croira un homme qui a menti deux fois pour s'enrôler dans l'armée.

— Vous avez raison, approuva Charles. Et je n'ai aucune envie de parler aux journalistes, Mr Keim ou autres. Je n'ai plus envie de régler des comptes avec qui que ce soit. J'ai suivi longtemps cette piste et voilà où ça m'a mené.

Personne ne comprit le sens de ses propos. Ses yeux irrités se portèrent sur le village dévasté, les cendres du grand feu et les chevaux morts.

— Ce matin, j'ai été obligé de tuer un gosse. Pas un homme, un enfant. Je le verrai dans mes cauchemars jusqu'à ma mort. Je verrai aussi cet endroit épouvantable. J'en ai marre de cette armée, marre de soldats comme vous qui réalisent leurs ambitions en sacrifiant des vies humaines, marre de tout ce gâchis. Maintenant, vous me laissez partir ou vous me faites abattre, Custer, misérable semblant d'être humain.

Venable marcha sur l'éclaireur, le bras ramené en arrière.

— Laissez-le, ordonna le général, avec une sécheresse qui fit sursauter le capitaine. Laissez-le partir. Nous avons déjà suffisamment de choses à expliquer.

— Mon général, vous ne pouvez permettre...

— Fermez-la, capitaine !

Custer agita l'index sous le nez de Charles, les dents serrées comme s'il avait peine à se maîtriser.

— Mr Main, je vous donne cinq minutes pour traverser la Washita. Si vous ne l'avez pas franchie dans cinq minutes, j'enverrai un détachement à vos trousses pour vous abattre. Vous faites honte à l'armée et à l'humanité tout entière. Vous pouvez disposer.

Les deux hommes s'affrontèrent du regard un long moment puis, tels deux ours ayant échangé des coups de griffe jusqu'à l'épuisement, ils se tournèrent chacun de leur côté et renoncèrent à poursuivre le combat.

Le petit Harry Venable, lui, ne renonça pas et suivit Charles à travers le bois. La décision de Custer avait cependant réduit le Kentuckien à l'impuissance, tel un gamin n'osant se servir de ses poings et remplaçant les coups par des paroles :

— Le chemin est long jusqu'à Fort Dodge. J'espère que les Indiens vous feront prisonnier, qu'ils vous arracheront le cœur.

C'est probable, songea Charles. Il s'arrêta, toisa l'officier.

— Pauvre petit merdeux ! Ma guerre est finie.

— Quoi ?

Il fit demi-tour et s'éloigna, certain que Venable ne tirerait pas.

———

Quartier général du 7ᵉ Régiment de cavalerie sur le champ de bataille de la Washita, 28 nov. 1868

Dans l'excitation du combat... plusieurs squaws et quelques enfants ont été tués ou blessés...
Une captive blanche fut exécutée par ses ravisseurs au moment où nous attaquions...
Après les combats, les cadavres de trente-huit guerriers morts furent retrouvés dans un petit ravin proche du village, ce qui donne une idée du caractère désespéré de la bataille.
J'ai le regret de signaler parmi nos pertes l'adjudant major Joel H. Elliott et le capitaine Louis W. Hamilton, ainsi que dix-neuf engagés...
Extrait du rapport au général Sheridan.

———

Journal de Madeline.

Décembre 1868. La défaite que le général Custer a infligée aux Indiens occupe toujours une grande place dans les nouvelles. Un journal en fait un héros, un autre lui reproche avec mépris d'avoir « fait la guerre à des innocents ». Pour ma part, je ne l'aime guère, sans l'avoir jamais rencontré. Je n'ai jamais apprécié les hommes qui se pavanent comme des paons...

Viens de passer deux jours assommants, pendant lesquels j'ai dû prodiguer des sourires à foison, expliquer mille et une fois comment Mont Royal s'est relevé de ses cendres. Huit membres du Congrès ont fait ici une « tournée d'inspection » (qui ressemblait fort à des vacances puisqu'ils avaient emmené leurs épouses, non moins prolixes et infatuées que leurs maris). L'homme qui dirigeait la délégation, le sénateur Stout, déploie tout son talent oratoire même dans les conversations les plus anodines. Je n'ai aimé ni son air doucereux, ni la hâte et l'assurance avec lesquelles il exprime ses opinions — oui à ceci, non à cela, chaque remarque puisant dans le dogme radical sans le mettre en doute un seul instant.

Quant à la raison de cette visite, je crois que Mont Royal est devenu une sorte de vitrine, car les Washingtoniens ont tout inspecté : les mines de phosphates, la scierie, la milice à l'exercice, sous le commandement d'Andy. Le sénateur Stout a passé deux heures assis comme un élève dans la classe de Prudence Chaffee, après avoir veillé, naturellement, à ce que deux journalistes de son escorte soient présents pour noter ses commentaires. Au diable les politiciens !

Pas facile que la plantation serve ainsi de modèle aux radicaux. Nous essayons au contraire de ne pas attirer l'attention, et les ennuis qui en découlent généralement...

Encore des fêtes de fin d'année solitaires. Lettre de Brett, en Californie, qui exprime une même mélancolie. Tout va bien pour la firme de Billy, écrit-elle. Le bébé, Clarissa, a quatre mois et se porte comme un charme. Ils n'ont pas eu de nouvelles de G., qui se trouve en Suisse depuis le mois de mai, et cela les inquiète beaucoup...

George déjeuna à une heure et demie, comme à son habitude. Le palace, un des plus luxueux hôtels de Lausanne, avait un chef remarquable. A la belle saison, il avait sa table près de la balustrade en marbre de la terrasse, mais maintenant que l'hiver avait chassé les touristes, il prenait ses repas dans la salle à manger, devant une haute fenêtre d'où il découvrait le lac, par-dessus le centre de la ville.

Quelques feuilles mortes tournoyaient sur la terrasse dans les rayons déjà obliques du soleil. Il termina son déjeuner — une délicieuse terrine de homard avec un excellent Montrachet — et quitta la table. En traversant la salle, il échangea quelques mots polis avec un trio de Suisses qui fréquentaient régulièrement l'établissement et reconnaissaient en lui un autre habitué.

Ils s'interrogeaient souvent sur cet Américain qu'ils savaient très riche et qui vivait sans autre compagnie que celle de domestiques dans une vaste villa plutôt sinistre jouissant d'une vue splendide sur la ville bâtie au pied du Jorat.

Ce qu'ils voyaient, c'était un homme trapu et courtaud, dans la force de l'âge (George venait d'avoir quarante-trois ans), avec une barbe brune bien taillée semée de poils blancs. Bien qu'il se tînt très droit, il donnait l'impression d'être abattu et d'avoir souffert malgré sa fortune. Il fumait avec des gestes nerveux des cigares de tabac fort qu'il abandonnait à moitié consumés. A la différence de la plupart de ses compatriotes visitant Lausanne, il se montrait fermé à tout contact. Alors que les touristes bavardaient interminablement, on ne pouvait lui arracher plus de quelques mots.

Sa femme l'avait-elle quitté ? Était-il mêlé à un scandale ? Ah ! peut-être. Il ressemblait un peu aux portraits gravés du nouveau président américain, le général, Grant. Serait-il un parent en disgrâce, contraint à l'exil ?

A la porte de la salle à manger, George s'adressa en français au maître d'hôtel, lui donna un pourboire, récupéra sa canne, son chapeau, son manteau de fourrure et traversa le hall. Une riche Athénienne au teint olivâtre, somptueusement vêtue et veuve de fraîche date, le regarda passer avec intérêt. Elle essaya d'attirer son attention mais il ne lui accorda même pas un coup d'œil.

George descendit une rue en pente jusqu'à l'agence immobilière située juste derrière la magnifique cathédrale gothique de Notre-Dame. Il y trouva le courrier de la semaine, dans une serviette en cuir qu'il glissa sous son bras. Puis il repartit d'un pas vif vers le haut du Jorat. Il lui fallut plus d'une heure pour regagner la villa mais c'était sa seule activité ces temps-ci et il se contraignait à faire cet effort.

La villa avait elle aussi une terrasse, sur laquelle donnait un bureau joliment agencé. Un feu y était allumé dans la cheminée de marbre. George approcha un fauteuil d'un buste de Voltaire — Lausanne avait été un des lieux de séjour favoris de l'écrivain — et parcourut le contenu de la serviette en commençant par deux récents numéros de *Nation*, hebdomadaire républicain fondé en 1865 par Edwin Lawrence Godkin, pour défendre des causes du Parti telles que transparence gouvernementale et réforme administrative. George se promit de lire plus tard un article traitant du retour à l'étalon-or pour remédier aux effets d'une émission excessive de papier-monnaie pendant la guerre. Métal contre billet, c'était le débat passionné qui se déroulait actuellement dans son pays.

Il lut ensuite un rapport de trois pages de Christopher Wotherspoon indiquant que les profits des usines Hazard étaient à nouveau en hausse. Son homme de confiance recommandait des dons importants aux parlementaires qui prônaient des droits de douane élevés pour protéger l'industrie métallurgique, et sollicitait l'approbation de George.

Il y avait aussi une lettre un peu triste que Patricia avait écrite en septembre pour lui demander ce qu'il voulait pour Noël. Il n'avait envie de rien. Ses enfants avaient pris le bateau pour l'Europe en été mais leur visite du mois de juillet lui avait paru interminable. A eux aussi, sans doute, car il ne s'intéressait à rien. Pendant une semaine, ils avaient visité les environs puis avaient achevé leur séjour en jouant chaque jour d'interminables parties de tennis.

Jupiter Smith, qui lui envoyait le courrier chaque semaine, avait ajouté trois numéros du *New York Tribune* de Mr Greeley, dans lesquels il avait entouré plusieurs informations financières. Il y avait aussi une invitation à une fête célébrant l'entrée en fonction de Grant, en mars, et une autre à la cérémonie elle-même. George jeta les deux cartes dans le feu.

Il alluma un cigare cubain, se planta devant la fenêtre et contempla le lac, que traversait un vapeur. Vu des hauteurs du Jorat, ce n'était qu'un point minuscule, comme lui-même.

Il pensa à la veuve d'Orry, femme belle et intelligente, dont il espérait qu'elle survivrait à la tourmente politique agitant le Sud. Cela ne l'incita cependant pas à lui écrire pour s'enquérir de son sort. Il pensa à son fils William, à sa décision de faire des études de droit, sur laquelle George continuait à ne pas avoir d'avis, ni dans un sens ni dans un autre. Il se rappela le Grant qu'il avait connu à West Point et se demanda si cet homme dépourvu d'expérience politique ferait un bon président. Sans doute tenterait-il de diriger le gouvernement comme un quartier général militaire. Était-ce possible ? Avec un tiraillement de honte, il s'aperçut que les problèmes concernant l'avenir de son pays le laissaient indifférent.

Sur le lac, le vapeur avait disparu. George demeura un long moment à la fenêtre, fumant et contemplant l'eau miroitante. Il avait découvert qu'il était agréable de ne rien dire, de ne rien faire, de ne réagir à rien. On menait ainsi une vie monotone mais on ne risquait plus de souffrir.

Mr Lee m'a apporté de Savannah les plans définitifs. Nous disposons à nouveau des fonds nécessaires et les travaux commenceront après la Nouvelle Année. Orry, j'ai le cœur brisé que tu ne sois pas avec moi pour voir cela...

Nouvelle visite de Theo, sans son uniforme. Il y a en lui une nervosité, une agitation... Chez Marie Louise, aussi.

Les amoureux s'enlacèrent dans l'air frais du soir, à l'abri des regards parmi les broussailles qui avaient envahi l'ancien jardin. Marie Louise défaillit presque lorsque la langue de Theo se glissa dans sa bouche. Bien qu'effrayée, elle ne s'écarta pas et, nouant les mains derrière le cou du jeune homme, se cambra au contraire pour presser son corps contre le sien. Les lèvres de Theo descendirent sur la gorge de la jeune fille, ses mains caressèrent ses hanches.

— Marie Louise, je ne peux plus attendre. Je t'aime.

— Je t'aime aussi, Theo. Je suis aussi impatiente que toi.

— J'ai trouvé le moyen. Prévenons-la.

— Ce soir ?

— Pourquoi pas ? Elle nous aidera.

— Je ne sais pas. C'est une décision si importante.

Avec ardeur, tendresse, il prit la main droite de Marie Louise entre les siennes.

— C'est en Caroline du Sud que j'ai choisi de vivre. Avec toi. Si tu es aussi sûre que moi, il n'y a aucune raison d'attendre.

— Je suis sûre de ce que je veux. J'ai peur, pourtant.

— Je parlerai pour nous deux. Tu n'auras rien d'autre à faire que tenir ma main.

La jeune fille bascula en arrière et Theo la retint d'un bras, un peu amusé par son côté romanesque, séduit en même temps par cet aspect de sa personnalité.

— Bien, allons la voir, chuchota-t-elle.

— Donner votre démission ? fit Madeline, stupéfaite.

— Oui. J'ai déjà avisé mes supérieurs de mon intention.

Marie Louise demeurait derrière Theo, accrochée à sa main comme à une bouée de sauvetage. Les deux jeunes gens étaient entrés précipitamment dans la maison alors que Madeline déroulait sur le plancher les plans de l'architecte pour les montrer à Prudence.

— Je suis parvenu à cette décision en me fondant sur deux données, poursuivit Theo avec un sérieux qui eût fait sourire Madeline si le projet n'était pas aussi insensé. Premièrement, vous m'avez dit que vous pourriez me trouver ici un emploi temporaire.

— Oui. Je pense que vous feriez un excellent directeur pour la scierie et la mine. Mais il n'a jamais été dans mes intentions de vous inciter à...

— Vous n'y êtes pour rien. Je quitte l'armée principalement à cause de la seconde donnée. La semaine dernière..., commença-t-il en faisant un pas en avant.

— Pardonnez-moi, Theo, mais vous marchez sur le nouveau Mont Royal.

— Oh ! non. Je suis navré...

Il sauta en arrière, lâcha la main de Marie Louise et s'agenouilla pour lisser la feuille de papier. Prudence sourit, Madeline se reprocha sa réaction tatillonne — encore un signe de vieillissement.

— Il n'y a pas de mal, s'empressa-t-elle de dire. Vous parliez d'une seconde donnée qui a motivé votre décision.

Le jeune homme déglutit, se jeta à l'eau :

— J'ai trouvé à Savannah un aumônier de l'armée disposé à nous marier.

Marie Louise retint sa respiration, saisit à nouveau la main de son amoureux et la pressa. Les quatre lampes de la pièce jetaient une lumière cruelle sur le visage joli mais ridé de Madeline.

— Bien que Marie Louise soit mineure ? demanda-t-elle.

Theo acquiesça, tripota sa cravate puis sa moustache.

— Cet aumônier... eh bien, il n'aime pas beaucoup les rebelles. Et comme je lui ai dit que Mr Main a travaillé au ministère de la Marine confédérée...

Madeline s'assit, fronça les sourcils.

— Vous me placez dans une situation fort embarrassante. Je ne puis approuver que vous défiiez ainsi l'autorité de Cooper. Et de Judith.

— Nous ne vous demandons pas d'approuver..., commença Theo.

— Donnez-nous juste un jour ou deux, plaida Marie Louise. Ne le dites pas à papa avant notre retour. Theo s'en chargera à ce moment-là.

— Cela me rend quand même complice, objecta Madeline.

— Vous prétendrez que vous ne saviez rien, répondit Theo.

— Marie Louise aurait disparu et je n'en saurais rien ? Non, il me faudrait être prête à assumer ma part de responsabilité.

Après un moment de silence, elle ajouta :

— Et je n'y tiens pas.

Au bord des larmes, Marie Louise se précipita vers sa tante.

— Si Theo en parle d'abord à papa, il refusera, s'écria-t-elle. Il est têtu comme une bourrique.

— Marie Louise, voyons, intervint Theo, offusqué.

Les jeunes filles bien élevées n'employaient pas un tel langage.

— Mais c'est vrai, insista la fille de Cooper. Tante Madeline, si vous ne nous laissez pas partir, nous ne pourrons jamais nous marier. Jamais !

Prudence s'approcha de Marie Louise pour la consoler. Ayant encore grossi, la jeune institutrice avait tendance à se dandiner en marchant. Madeline réfléchit. Pourquoi, alors que le Klan ne se manifestait plus et que la construction de la nouvelle maison allait commencer, fallait-il que surgisse ce nouveau problème ?

Elle aurait préféré maintenir son refus et s'éviter une autre scène avec Cooper mais elle se rappela ce que Orry avait fait subir à Billy et à Brett, avant la guerre, parce qu'il jugeait peu sage de donner une jeune fille de Caroline en mariage à un officier du Sud.

Madeline regarda les deux jeunes amoureux, se demanda si elle avait le droit de leur dire non. Marie Louise avait raison, Cooper s'entêterait dans un refus. D'un autre côté, était-elle en mesure de juger si leur amour était authentique, réfléchi, digne des liens éternels du mariage ? Mais son premier élan d'amour pour Orry avait-il été réfléchi ? Non, loin de là.

— Bon, d'accord, capitula-t-elle. Mais je m'en repentirai probablement. Je suis une incurable sentimentale. Je vous accorderai quarante-huit heures... (Prudence battit des mains.) Et vous pourrez en plus utiliser mon élégante charrette pour mener le cortège nuptial, ajouta Madeline d'un ton sec.

C'est fait. Comme ils rayonnaient de plaisir anticipé en partant ! J'espère que leur amour soutiendra Theo lorsqu'il se présentera devant son beau-père. D'une manière ou d'une autre, je survivrai à l'orage et je ne puis tomber plus bas dans l'estime de Cooper que je ne le suis déjà...

A midi, deux de nos Noirs ont déchargé les premiers chariots de bois de charpente, des piles bien nettes de pin jaune, grossièrement élagué, et débité dans notre propre scierie. Peut-être pourrons-nous célébrer Noël prochain dans la nouvelle maison.

Oh ! le monde tourne à nouveau rond !

— Je ne veux pas d'un soldat yankee pour gendre ! cria Cooper à son épouse.

Theo venait de partir, déçu et passablement pâle, après avoir récité le discours qu'il avait appris par cœur et essuyé les injures de Cooper.

— Je lancerai les autorités à ses trousses, fulmina le père de Marie Louise. Il y a sûrement un moyen légal d'annuler ce mariage.

— Dans les faits, c'est trop tard, dit Judith. Ta fille a passé deux nuits avec lui à Savannah.

— C'est la faute de Madeline.

— Ce n'est la faute de personne. Les jeunes gens tombent amoureux...

— Pas mon unique enfant, pas avec une saleté de *carpetbagger* !

Après avoir ajouté qu'il dormirait dans son bureau de la compagnie maritime, Cooper sortit au pas de charge.

Vers une heure du matin, Judith, réveillée par un coup frappé à la porte, trouva son mari sur le perron. Deux connaissances l'avaient ramené du bar du *Mills House* où il s'était soûlé au bourbon une bonne partie de la soirée. Il avait ensuite adressé des remarques injurieuses à un major de l'armée et l'aurait probablement assailli s'il n'avait soudain régurgité son whisky.

L'air embarrassé, les deux hommes portèrent le mari de Judith, inconscient et empestant l'alcool, au premier étage. Judith le déshabilla, le lava et demeura à son chevet jusqu'à ce qu'il se réveille, vers deux heures et demie. Les premiers mots qu'il prononça, après quelques grognements, la stupéfièrent :

— Qu'elle couche donc dans le lit où elle s'est vautrée avec ce Yankee. Je ne lui ouvrirai plus la porte de cette maison, jamais !

Elle éclata en sanglots rageurs.

— Cooper, cela suffit. Tu pousses ton stupide esprit partisan à des extrémités ridicules. Je refuse d'être séparée de mon enfant. Je la verrai quand je voudrai.

— Pas ici ! vociféra Cooper. Je donnerai des ordres aux domestiques, et tu feras bien de ne pas les enfreindre. Je n'ai plus de fille.

Il rejeta la couverture, alla vomir dans une cuvette sous le regard de Judith, qui baissa la tête, l'air accablé.

54

Il était assis dans une loge, tout au fond pour éviter les lumières de la scène : il ne voulait pas qu'elle le voie avant le moment de son choix.

Elle gisait sur un lit au pied duquel était tombé l'oreiller qui avait servi à l'étouffer. Les cheveux d'un blond argenté recouvrant ses épaules brillaient de cet éclat superbe dont il avait gardé le souvenir. Pourtant, il n'éprouvait aucune affection pour elle. Il massa sa cuisse gauche machinalement, comme pour rendre au muscle mutilé l'agilité qui lui manquait désormais pour se battre en duel sur scène ou jouer les rôles romantiques de manière convaincante.

« *Alors vous aurez à parler d'un homme qui a aimé sans sagesse mais qui n'a que trop aimé !* »

Le maquillage de Maure de Sam Trump coulait à la chaleur des feux de la rampe, et son visage ressemblait à une peau de zèbre. Bien que l'acteur déclamât un peu trop, le spectateur de la loge trouvait la performance honorable dans l'ensemble, et pour une production provinciale, le spectacle était en fait excellent. Exception faite de Desdémone, qui connaissait manifestement un jour « sans ».

L'homme assis dans la loge se surprit à caresser l'idée d'inviter Trump à monter *Othello* au New Knickerbocker pour la période de trois semaines demeurant encore libre. Avec une autre vedette féminine, naturellement, puisque Mrs Parker ne serait plus en état de jouer. Plus jamais. Il plongea la main dans sa poche gauche, y sentit la présence rassurante de ce que les mauvais garçons de New York appelaient des « bijoux de rôdeur de quai » : des clous à ferrer, tordus en forme de bague.

« *Je saisis ce chien de circoncis à la gorge et le frappai ainsi.* »

Sam Trump s'empala sur son épée de théâtre, vacilla à droite, à gauche, la main levée et crispée pour signifier une douleur mortelle. Mr Trueblood, qui jouait Lodovico, s'exclama :

« *O conclusion sanglante !* »

Presque terminé, plus que quatre répliques, et le véritable drame de la soirée commencerait.

« *... ne me restait plus...* », clama Trump.

Il s'écroula sur Willa avec une lourdeur inaccoutumée, lui coupa le souffle et faillit lui faire ouvrir les yeux de surprise. Elle se dégagea, murmurant entre ses dents :

— Sam, ton genou...

« *qu'à me tuer pour mourir sur un baiser.* »

La tête et le torse du comédien se redressèrent, retombèrent à nouveau. Il adorait prolonger son agonie sur scène.

Willa entendit Lodovico acculer Iago, le « *chien de Sparte* » et le menacer du pire supplice.

« *Quant à moi, je m'embarque à l'instant et je vais au sénat raconter, le cœur accablé, cette accablante aventure.* »

Le moment qui s'écoula avant que le rideau ne tombe parut interminable. Sam enfonça le genou dans l'estomac de sa partenaire en se relevant, le visage ruisselant.

— Tu ne te sens pas bien, ma chérie ? Nous avons été bons, ce soir.

Sans attendre la réponse de Willa, il bondit vers le devant de la scène.

— En place pour le rappel. En place !

La comédienne rejoignit ses camarades, inspecta la salle en saluant. A peine un tiers de sièges occupés. C'était très maigre, même pour un mois de janvier. Lorsque le rideau tomba une seconde fois, Sam tourna des yeux pleins d'espoir vers le machiniste mais il n'y eut pas de nouveau rappel, les applaudissements avaient déjà cessé. Les acteurs quittèrent la scène en silence, conscients de n'avoir pas satisfait le public. Willa regarda Sam en secouant la tête pour reconnaître qu'elle avait mal joué et sortit.

Elle était de mauvaise humeur en arrivant au théâtre. Depuis trois jours elle souffrait de maux d'estomac, ce qui enlevait à son jeu toute énergie et toute conviction. Sam essuya son front à sa manche brodée et prit le sillage de la comédienne.

— Willa, ma chérie, il faut simplement mettre plus de vie dans...

— Demain, dit-elle en s'affalant dans un fauteuil, l'air abattu. Je te le promets, Sam. Je sais que j'ai été mauvaise ce soir. Je veux rentrer tout de suite à l'hôtel, je ne me sens vraiment pas bien. Bonne nuit.

L'homme robuste au gros nez spongieux quitta la loge en remontant le col en peau de phoque de son manteau pour dissimuler son visage.

Non pas qu'il connût quiconque parmi les provinciaux vulgaires et braillards du public. Ni d'ailleurs dans la troupe — mis à part la personne qu'il avait retrouvée.

Il descendit l'escalier sans se presser, s'arrêta un moment dans le hall près du tableau où étaient accrochées les photos des comédiens. Il étudia le visage de l'actrice prétendant s'appeler Mrs Parker. Il avait entendu parler d'elle à New York puis avait vu son nom sur un prospectus chiffonné qu'une de ses connaissances avait rapporté de voyage, à sa demande. Il avait ensuite effectué un long trajet en train pour mener enquête et ses efforts avaient été récompensés.

L'homme sortit du théâtre, tourna au coin de la rue et traversa, se posta dans l'ombre en face de l'entrée des artistes. La brume montant du fleuve voilait la lumière des becs de gaz. Une corne de brume mugit. Transi de froid, il enfila une paire de gants jaunes puis tira de sa poche une flasque d'argent sur laquelle était gravé son nom : C.W. Claudius Wood.

Willa attacha sa cape en sortant du théâtre d'un pas pressé. Elle se sentait sale, mal à l'aise et ne pensait qu'à prendre un bain et se coucher. Glissant les mains dans son manchon de fourrure, elle tourna à droite. D'ordinaire, elle attendait qu'un des membres de la troupe la raccompagne mais ce soir elle était impatiente de rentrer. La représentation avait été lamentable, et la période des fêtes aussi. Bien sûr, elle avait chanté et fait des cadeaux comme les autres le soir du réveillon, fêté sur la scène du théâtre, mais chaque fois qu'elle avait souri, bavardé joyeusement, c'était de la comédie.

Le président Andrew Johnson avait offert à la nation en cadeau de Noël l'amnistie inconditionnelle de tous les Confédérés n'ayant pas encore été graciés. C'était un événement historique, presque aussi important que la capitulation du Sud, peut-être, mais qui ne signifiait rien pour Willa. A présent, cette amnistie ne concernait plus quiconque qui lui fût cher et ne suscitait en elle qu'une amère tristesse, parce qu'elle lui rappelait Charles.

Au premier croisement, elle s'arrêta, avec la nette impression qu'il y avait derrière elle une... une *présence*. Elle se retourna, scruta l'obscurité. Rien.

Wood la suivait silencieusement, à bonne distance. Parvenue à proximité de l'hôtel, la comédienne s'immobilisa à nouveau et regarda par-dessus son épaule. Wood se tapit près du rectangle noir de la vitrine d'une boulangerie.

Dès qu'elle repartit, il recommença à la suivre, boitant à chaque pas, privé de la souplesse et de la prestance qu'un homme supérieur se doit d'avoir. Mais la responsable de son infirmité serait bientôt châtiée. Dans sa poche, à travers le cuir mince du gant, les têtes des clous pliés en bagues s'enfoncèrent dans la pulpe de ses doigts.

Chaleur, lumière, odeurs familières de peluche poussiéreuse et de crachoir. Willa était si fatiguée qu'elle titubait presque en traversant le hall en direction de l'escalier de marbre. Un employé à demi assoupi, le front orné d'une mèche graisseuse en forme de point d'interrogation, se leva tardivement pour lancer à Willa :

— Mrs Parker, il y a un monsieur...

La jupe de Willa avait déjà tourné le coin du premier palier quand il acheva sa phrase :

— ... qui vous attend.

Wood traversa le hall d'un pas assuré, tenant la clef de sa propre chambre dans un autre hôtel de manière que l'employé de la réception pût la voir. Celui-ci examina Wood, ne le reconnut pas. Un client ayant signé le registre avant qu'il ne prenne son service. Probablement. Il n'aurait pas oublié un homme affligé d'une boiterie aussi prononcée.

Quand l'employé fit tourner le registre pour regarder la page de signatures fleuries, Wood se trouvait déjà dans l'escalier désert. Juste après le palier, lorsqu'on ne put plus le voir du hall, le comédien se mit à monter deux marches à la fois en s'aidant de la rampe. Sa claudication ne le ralentissait pas mais lui donnait au contraire la rage nécessaire pour gravir rapidement l'escalier dans la pénombre.

Elle tourna à gauche dans le couloir éclairé par des lampes à gaz, chercha sa clef et, parvenue devant sa porte, constata avec un sursaut qu'elle n'était pas fermée.

Il glissa les bagues à l'index, au majeur et à l'annulaire de sa main droite gantée de manière que les têtes, aiguisées à la lime, se trouvent à l'extérieur. Il se rappela qu'il devait griffer, taillader, et non frapper, parce que les têtes pouvaient aussi bien entamer le cuir du gant que lacérer le visage de « Mrs Parker ».

En s'avançant dans le couloir, il la découvrit devant sa porte, s'approcha d'un pas vif et appela :

— Willa.

Elle tourna la tête, vit un homme se diriger vers elle en boitant, franchissant l'une après l'autre les flaques de lumière projetées par les appliques du mur. Elle le reconnut bien qu'il fût différent — plus lourd, le nez plus violacé. Son corps se balançait d'un côté à l'autre comme un jouet d'enfant, montant et descendant au rythme d'une jambe mutilée.

Soudain, Willa comprit. Le New Knickerbocker, la dague de *Macbeth*. Elle n'avait pas fui assez loin après lui avoir donné un puissant motif de la rechercher : cette claudication, catastrophique pour un acteur de premier plan. Ce qui l'effrayait le plus et lui nouait l'estomac, tandis que Wood marchait sur elle avec une rapidité alarmante, c'étaient ses yeux, impitoyables.

— Alors, fit-il en s'arrêtant. Ma chère Mrs Parker. Ma chère Desdémone.

— Vous... vous étiez dans la salle ?

Il acquiesça de la tête en s'humectant les lèvres.

— Tu étais épouvantable, tu sais. Et malheureusement, c'était ton dernier grand rôle, j'en ai peur. Quand j'en aurai fini avec toi, tu ne pourras plus jouer que les mégères. Les sorcières.

Elle sentit son haleine chargée d'alcool et eut envie de s'enfuir. C'était généralement de cette façon qu'elle se débarrassait des importuns. Mais la masse et la taille de Wood l'intimidaient. Si elle faisait un pas, il se jetterait immédiatement sur elle. Elle inspecta le couloir.

— Vas-y, fit Wood, amusé, en levant sa main droite gantée, où brillaient les têtes de clou. Cours, crie. Avant qu'un client ne se réveille et n'intervienne, ton visage sera en lambeaux. (Il approcha sa main gauche de la gorge de la jeune femme.) La charmante Mrs Parker ne sera plus charmante.

Willa recula, plaqua vivement son dos contre la porte, qui s'ouvrit. Elle tomba sur le plancher de la chambre obscure sentant la poussière où un petit sapin jauni et triste se dressait dans un coin.

Wood lança son poing droit hérissé de têtes coupantes vers le visage de Willa. Un homme, un inconnu qui se tenait caché dans la pénombre, se glissa entre eux. Elle entrevit un œil, un vêtement fait de carrés multicolores cousus ensemble. Était-ce possible ? Une odeur de fumée de cigare lui répondit que oui.

— Je vous ai entendu fanfaronner dans le couloir, fit-il. Qu'est-ce que vous voulez à cette dame ?

« *Il y a un monsieur...* », avait tenté de lui dire l'employé de la réception. Un monsieur qui l'attendait, probablement, et qui avait convaincu l'employé de le faire entrer dans la chambre, au besoin en lui graissant la patte. « *Nous sommes de vieux amis, elle ne dira rien.* »

— Ne vous mêlez pas de ça, répliqua Wood d'un ton arrogant, bien que l'homme au poncho et à la longue barbe de brigand l'eût fait reculer jusqu'au mur, de l'autre côté du couloir.

— Charles, cria Willa de la chambre, c'est Claudius Wood.

Il tourna la tête, surpris.

— Le type de New York ?

— Oui. Il a réussi à me retrouver je ne sais comment et... *Attention !*

Wood expédia son poing droit vers la figure du barbu qui, malgré son air épuisé, esquiva le coup, saisit le bras tendu de Wood et le tira brusquement vers la porte. La main gantée heurta le chambranle, les têtes de clou acérées entaillèrent le cuir et les doigts, comme des saucisses. Le sang jaillit. Charles saisit Wood par le devant de son manteau, le frappa une seule fois. Le comédien s'effondra, les fesses sur le plancher, hors de combat.

L'employé appela la police de Saint Louis, dont deux représentants repoussèrent les clients dans leur chambre sans écouter leurs plaintes ni leurs questions. Le plus jeune des policiers passa les menottes à Wood, tandis que Willa conduisait l'autre dans son salon.

Le barbu déclara s'appeler Charles Main, sans domicile pour le moment : il était arrivé de l'Ouest le soir même.

— Alors, vous êtes Mrs Parker, fit le plus âgé des policiers, tout excité de se trouver en présence d'une célébrité. Ma femme et moi, nous vous avons admirée dans le rôle de Desdémone. Ah ! ça fait plaisir d'avoir un peu de culture à Saint Louis.

Avec la déposition de Willa et le témoignage de Charles, il ne fallut que dix minutes aux policiers pour se convaincre de la culpabilité de Wood. Dans le hall, le comédien alterna les insultes et les bredouillements rageurs, ce qui acheva de persuader les représentants de l'ordre que la jeune femme et son ami barbu disaient la vérité.

— Il faudra venir signer votre déposition, Mrs Parker. Présentez-vous au commissariat dès que possible. En attendant, nous inculpons le bonhomme et nous le bouclons.

Les policiers partirent avec leur prisonnier, laissant Charles et Willa face à face dans le salon poussiéreux. Elle était si stupéfaite, si heureuse de le voir qu'elle avait envie de pleurer.

— Oh ! Charles.

Ce fut tout ce qu'elle put dire en se jetant dans ses bras.

Elle lui versa un peu de whisky qui lui restait de Noël, trempa elle-même ses lèvres dans le verre pour calmer ses maux d'estomac. Puis elle s'installa sur le sofa, les jambes repliées sous elle et fit parler Charles, parce qu'il avait un air étrange, bouleversé.

— Où étais-tu ? Qu'as-tu fait ?

— Quelque chose qui m'a appris que tu avais raison, et que j'avais tort.

— Je ne comprends pas. Est-ce que ton fils...

— Gus va bien. C'est à peine s'il me reconnaît. Je l'ai vu à Leavenworth, pendant trois jours, puis je suis venu ici, dit Charles en prenant la main de Willa. Je suis retourné en Territoire indien, comme éclaireur de Custer. Il faut que je t'en parle.

Elle l'écouta pendant une heure. Il se mit à pleuvoir, une averse tombant en traits obliques qui dissipaient la brume. Willa avait l'impression qu'il émanait de Charles une aura étrange et froide — l'aura des plaines lointaines, des rudes hivers, accompagnée d'une odeur un peu rance que même ses cigares malodorants ne parvenaient pas à masquer. Il avait besoin d'un bain et à coup sûr d'un barbier pour rafraîchir sa barbe, épaisse comme un sous-bois.

Charles interrompit son histoire au moment où Custer et ses hommes découvraient les Indiens massés sur les hauteurs dominant le village détruit, et dit à Willa qu'il voulait lui faire l'amour.

Naturellement, répondit-elle en rougissant, mais il remarqua sa légère hésitation et plissa le front. Elle lui expliqua qu'elle était souffrante depuis quelques jours. Alors, faire l'amour, ça peut attendre, répondit-il. Mais il avait froid. Elle le conduisit dans la chambre. Il se déshabilla tandis qu'elle passait une chemise de nuit de flanelle. Lorsqu'ils se furent glissés sous les couvertures, il la serra contre lui et reprit son récit.

— J'avais tort de vouloir me venger des Cheyennes, d'essayer d'effacer une mort par une autre. Voilà où ça m'a mené. (Il saisit la croix de métal terni qu'il portait attachée au cou par une lanière.) Je me suis vengé en tuant un gosse de quatorze ou quinze ans. Bel exploit, hein ?

Elle caressa de la paume son front ridé.

— Alors tu es parti...

— Pour de bon.

— Pour aller où ?

— Je te l'ai dit. Voir mon fils. Te retrouver.

— Et maintenant ?

— Je n'en sais rien. Je n'ai plus de place nulle part à présent.

— J'en trouverai une, pour nous deux, si tu veux bien.

— Je t'aime, Willa. Je veux vivre avec toi et Gus. C'est tout ce que je désire. Seulement... je ne suis pas sûr que tu y parviendras. Je ne sais pas s'il reste une place pour moi sur cette terre.

55

Deux jours plus tard, à Fort Leavenworth, Maureen coupait de la pâte à biscuit dans la cuisine de la maison du général Duncan. Le vent avait tourné pendant la nuit, balayant les nuages et baignant le fort dans un flux d'air chaud venu du sud. Le soleil miroitait dans les flaques de neige fondue du potager. La gouvernante avait posé son fer à repasser devant la porte pour la tenir ouverte et laisser la brise chasser les odeurs rances de l'hiver.

Alors que, habituellement, le dégel de janvier la réconfortait, elle se sentait encore cafardeuse, ce matin-là. Elle était dans cet état depuis que Mr Charles avait surgi de nulle part, une semaine plus tôt, pour annoncer qu'il en avait fini avec l'armée, qu'il désirait épouser cette actrice de Saint Louis — si elle voulait de lui — et s'établir pour élever le petit Gus. Maureen entendait l'enfant jouer avec des cubes en bois que Duncan avait sciés dans une planche de bouleau.

Elle ne pouvait dénier à Charles le droit d'élever son fils, même si elle n'approuvait pas tous les aspects de la personnalité de cet homme, de sa mise de bravache à ses cigares, de son mauvais caractère à ses réactions imprévisibles. Non, elle ne pouvait lui dénier ce droit, il était le père de l'enfant. Mais depuis que le général l'avait fait venir de l'Est, elle avait espéré, présumé, que l'éducation du petit Gus lui serait confiée parce que Charles était trop instable pour s'en charger. Et maintenant il était de retour et se disait capable de s'occuper de l'enfant.

Dans la maison silencieuse, on n'entendait que Gus en train de jouer et les habituels bruits extérieurs provenant du fort : sonneries de clairon, pas cadencé des soldats à l'exercice. Le général était à nouveau parti pour la tournée des forts du Kansas qu'il effectuait tous les deux mois avec une escorte armée. A chaque poste militaire, la procédure était la même : Duncan établissait un petit bureau à l'extérieur duquel les hommes faisaient la queue. Les soldats portaient des gants de coton blanc et chacun d'eux ôtait le droit en se présentant devant l'officier payeur. Après que l'homme eut signé, Duncan, aidé de son ordonnance, mettait dans la main du soldat la somme appropriée. Puis celui-ci saluait de la main gauche, faisait demi-tour et laissait la place au suivant.

Croyant entendre un bruit de chariot, Maureen regarda au-dehors, ne vit rien. Sur l'appui de fenêtre était posé un encombrant *pepperbox* Allen à six canons que Duncan lui avait donné peu après leur arrivée au Kansas. L'arme datait des années 1840 mais on pouvait être sûr qu'elle accomplirait ce qu'on attendait d'elle. En cas d'attaque des

Indiens, les femmes étaient censées garder la dernière balle pour elles-mêmes afin d'échapper au viol. Bien qu'il fût hautement improbable que des Sioux ou des Cheyennes attaquent un poste militaire aussi bien établi que Leavenworth, la coutume persistait, et la plupart des épouses de soldat gardaient une arme chargée à portée de la main.

Gus entra dans la cuisine et demanda :

— Reeny, je peux aller jouer dehors ?

Âgé de quatre ans, c'était un enfant vigoureux qui ne ressemblait pas à son père, exception faite pour ses yeux sombres. Il avait un visage plus carré qu'il tenait probablement de sa mère, la nièce du général, de même que ses cheveux blonds bouclés.

— Tu n'auras pas froid ?

Le bambin fit non de la tête.

— Bon, mais reste dans le jardin que je puisse te voir. Et fais attention aux Indiens.

— Y en a pas. Y a juste les vieux qui sont toujours assis autour du fort.

— On ne sait jamais, Gus. Ouvre l'œil parce qu'on ne sait jamais.

L'enfant soupira, alla prendre derrière la porte le cheval que Duncan lui avait fait avec un manche à balai. Bientôt il galopa le long du potager, braquant l'index vers un ennemi imaginaire. En le voyant s'ébattre au soleil, Maureen se sentit plus triste encore. Il la rendait si heureuse. Pourquoi devrait-elle le perdre ?

Elle alla dans sa chambre s'étendre cinq minutes : elle n'était plus jeune et commençait probablement à souffrir du retour d'âge. Les cinq minutes se transformèrent en un quart d'heure...

Gus avait abattu trois douzaines d'Indiens féroces lorsque le chariot apparut en grinçant devant la dernière maison de l'allée. Le colporteur attacha les guides au levier de frein, regarda autour de lui comme s'il cherchait des clients puis descendit.

Immobile, le petit garçon l'observait. Bien que le chariot ne portât pas d'inscriptions sur ses flancs, Gus savait qu'il appartenait à un marchand ambulant parce que des pots en fer-blanc étaient accrochés au-dessus du siège du conducteur. Il avait été légèrement alarmé par l'arrivée soudaine du chariot mais la curiosité prenait à présent le dessus car le marchand souriant, coiffé d'un haut-de-forme, tenait à la main une canne dont le gros pommeau doré brillait au soleil. Quelque chose d'autre brillait à l'oreille gauche de l'inconnu. Cela ressemblait aux boucles que portaient parfois les femmes des officiers du fort mais l'enfant n'en avait jamais vu sur un homme.

S'appuyant sur sa canne, le colporteur remonta l'allée, la bouche ouverte comme s'il avait peine à marcher. Son épaule gauche était légèrement plus basse que la droite.

— Bonjour, mon garçon. Je suis Mr Dayton, vendeur d'ustensiles de cuisine. Comment tu t'appelles ?

— Gus Main.

— Ta maman est à la maison ?

— J'ai pas de maman, c'est Reeny qui s'occupe de moi.

Gus monta les marches du perron, regarda par l'entrebâillement de la porte.

— Je sais pas où elle est, dit-il. Elle faisait des biscuits.

Le garçonnet demeura sur la dernière marche. Le marchand avait une odeur désagréable et quelque chose dans son regard inquiétait Gus, il ne savait pas pourquoi. L'homme le fixait en caressant le pommeau de sa canne et l'enfant déglutit, cherchant quelque chose à dire.

— C'est quoi, ça ? demanda-t-il en tendant soudain le bras.

Le colporteur caressa la boucle en forme de larme pendant à son oreille.

— Oh ! juste un petit cadeau de quelqu'un qui avait une dette envers moi. Tu veux voir ma mule ? C'est une brave vieille bête, elle aime qu'on lui gratte le crâne.

Gus secoua la tête, résolu à ne plus dire un mot à cet homme qui sentait mauvais et était vaguement effrayant.

— Viens la caresser, insista le marchand, elle adore ça.

Tout à coup, il saisit le bras de l'enfant, avec une telle force que Gus sut aussitôt qu'il se passait quelque chose d'anormal.

— Gus, avec qui es-tu ?

C'était Maureen, que la voix de l'inconnu avait fait sortir de sa chambre. Elle ouvrit la porte toute grande, découvrit un homme dont la vue lui fit peur pour une raison qu'elle n'aurait su expliquer. A cause de ses yeux, peut-être, brillants comme ceux d'un chien enragé. Avec son vieil habit à queue de pie graisseux, il n'avait pas l'air d'une personne respectable.

— Vous feriez mieux de lâcher cet enfant immédiatement, menaça la gouvernante en descendant les marches.

Avec un grognement, l'homme brandit la canne au-dessus de sa tête et fracassa le crâne de Maureen.

Elle partit à la renverse dans la cuisine, sans un bruit. Le colporteur souleva Gus de terre, le coinça sous son bras droit et lui couvrit la bouche de la main gauche. Le robuste petit garçon se débattit, tenta de crier, et le marchand eut peine à écrire quelque chose dans l'allée avec le bout ferré de sa canne.

Il repartit vers son chariot, soudain moins confiant dans la réussite de son plan, qui reposait sur deux facteurs : surprise et terreur.

Après avoir retrouvé la trace de Charles Main puis de son fils grâce au quartier général du secteur — il avait été étonné de découvrir l'enfant au fort même où il avait mené son enquête — il avait observé pendant deux jours les allées et venues des personnes habitant les maisons des officiers.

Cela n'avait pas posé de problème car les civils circulaient assez facilement dans le fort. A son arrivée, il avait aisément convaincu les sentinelles postées à l'entrée qu'il était colporteur et il en était allé de même par la suite quand il avait fait son enquête et surveillé les maisons des officiers. Il *avait l'air* d'un colporteur, ce qui était précisément ce qu'il avait voulu en achetant et en équipant le chariot avec l'argent du couple de fermiers morts de l'Iowa.

Lorsque Gus essaya de le mordre, il pressa plus fort sa main contre la bouche de l'enfant, jusqu'à ce que des gémissements étouffés indiquent qu'il lui faisait mal.

— Je te brise le cou si tu ne te tiens pas tranquille, murmura le faux marchand.

Le visage rouge d'une vieille femme apparut à la fenêtre de la cuisine de l'avant-dernière maison, prit une expression interloquée.

— Qu'est-ce que vous faites avec le garçon du général ? s'écria la femme.

Mais lorsqu'elle accourut dehors, le « colporteur » était déjà remonté sur son siège. Il jeta l'enfant à l'arrière, lui enveloppa la tête d'une couverture et noua un chiffon par-dessus, juste assez serré pour qu'on ne l'entende pas crier avant qu'ils ne quittent le fort.

Le plus difficile, ce fut de maintenir la mule au pas en quittant l'allée des officiers. Il entendit la vieille femme s'époumoner derrière lui et présuma qu'elle se précipiterait d'abord à la maison de l'enfant, pour prévenir celle qu'il avait assommée.

Un peloton de jeunes cavaliers trotta vers lui, houspillé par le sergent instructeur reprochant leur mollesse aux nouvelles recrues. Entendant son petit prisonnier ruer et gémir dans le chariot, le « marchand » saisit sa canne, frappa l'enfant à la tête avec le pommeau d'or. Au second coup, Gus cessa de remuer.

Le faux colporteur s'assura que l'enfant respirait encore puis essuya le pommeau taché de sang et accéléra l'allure de sa mule. Trente secondes plus tard, il franchit la porte du fort en soulevant courtoisement son chapeau pour saluer la sentinelle.

Charles consulta la pendule : dix heures et demie. Comme Willa avait promis de rentrer du théâtre vers onze heures et quart, il avait le temps de lire le *Saint Louis Democrat*.

Le journal reproduisait une lettre étonnante dans laquelle le capitaine Fred Benteen, du peloton H, accusait quasiment Custer d'avoir abandonné Elliott et son détachement pendant l'expédition de fin novembre. Après qu'une unité envoyée à la recherche de l'adjudant-major eut rebroussé chemin sous le feu de l'ennemi, le général n'en avait pas envoyé d'autre et s'était uniquement préoccupé d'échapper aux Indiens postés sur les hauteurs. Le plan de Custer avait été exécuté comme prévu. Un départ musique en tête avait convaincu les Indiens que les Blancs projetaient d'attaquer les villages, et quand les Peaux-Rouges s'étaient dispersés pour défendre leurs tipis, Custer avait ordonné une contre-marche et ses troupes avaient trouvé refuge dans la nuit. Laissant les cadavres d'Elliott et de seize autres hommes là où ils étaient tombés.

Personne ne s'accordait sur le nombre d'Indiens morts à la bataille de la Washita. Custer prétendait que cent cinquante guerriers adultes avaient été tués mais d'autres estimations attribuées à « des éclaireurs » réduisaient ce nombre à vingt ou quarante hommes, Chaudron-Noir compris, avec un nombre égal de femmes et d'enfants. Charles inclinait à croire les chiffres les plus bas puisque le général Sully avait récemment admis que les commandants des troupes engagées dans les Plaines gonflaient généralement les pertes ennemies pour prouver leur valeur militaire et satisfaire une opinion assoiffée de sang.

Début décembre, les généraux Sheridan et Custer étaient revenus sur le bord de la Washita et avaient découvert les cadavres d'Elliott et de ses hommes. L'adjudant-major était tombé face contre terre, avec deux balles dans la tête. Tous les soldats avaient été dénudés et mutilés, certains égorgés, d'autres décapités.

Et Benteen critiquait maintenant en termes amers la « fuite » de Custer. Custer, dont les guides osages avaient loué l'habileté à s'esquiver furtivement en le surnommant Panthère-Rampante ; Custer, que les Rameaux d'olivier qualifiaient de « nouveau Chivington » — non sans raison, songea Charles. Il toucha la croix de cuivre qu'il portait pour ne pas oublier ce qu'un homme était capable de faire quand il vivait sans pitié, sans sentiments humains, sans raison.

L'ancien éclaireur ne pouvait croire que Benteen avait voulu la publication de sa lettre. Il haïssait certes Custer mais c'était un officier chevronné, il connaissait les règles. Charles était certain que le journal s'était procuré le document d'une manière détournée.

Entendant des pas dans le couloir de l'hôtel, il releva la tête. Onze heures moins vingt. Trop tôt pour...

Elle entra en trombe, le visage encore couvert de maquillage.

— Que se passe-t-il ? demanda Charles.

— C'est arrivé au théâtre, pour toi, répondit Willa. Quelqu'un l'a glissé sur scène à Sam et il a arrêté la représentation.

— Pourquoi, grand Dieu ?

Charles ne comprenait pas qu'un simple télégramme pût causer une telle consternation.

— Lis, murmura la comédienne.

VOTRE FILS ENLEVÉ HIER. RAVISSEUR APERÇU PAR MAUREEN QUI N'A RIEN PU EMPÊCHER. L'HOMME A TRACÉ UN NOM SUR LE SOL. B-E-N-T.
N'EST-CE PAS L'INDIVIDU DONT VOUS M'AVIEZ PARLÉ ?
AUTORITÉS DE LEAVENWORTH CITY N'ONT PAS RÉUSSI A L'ATTRAPER.
VENEZ IMMÉDIATEMENT.

DUNCAN

Charles dut lire trois fois le texte pour parvenir à y croire. Willa, bouleversée, vit le masque incrédule de son amant se lézarder et céder la place à une expression effrayante.

En revenant de la Washita, l'idée était venue à Charles qu'il entamait une remontée longue et pénible du gouffre de l'enfer. Il savait à présent qu'il s'était trompé : la Washita n'était pas l'enfer, seulement sa porte, comme Sharpsburg et le nord de la Virginie en avaient été le seuil.

Son esprit était un chaos dans lequel se mêlaient la douleur de la perte, la haine d'Elkanah Bent, le souvenir de la mort d'Augusta Barclay, le sentiment d'avoir échoué en tant que père.

Si seulement j'avais été auprès de lui...

Si seulement j'avais été là-bas...

Baissant les yeux vers le télégramme qu'il tenait à la main, il se dit qu'il savait maintenant ce qu'était l'enfer. Il s'y trouvait.

LIVRE SIX

LA ROUTE SUSPENDUE

> *Toi et moi rentrons tous deux à la maison aujourd'hui par une route que nous ne connaissons pas.*
> Un éclaireur crow au général Custer avant la bataille de la Little Big Horn, 1876.

56

Charles serra la sangle de Satan, qui frappa le sol du sabot et secoua la tête.

— Au revoir, Willa.

Frissonnant sous son châle — le redoux de janvier était terminé — elle l'avait accompagné jusqu'à l'écurie. Une prostituée et son client, trop soûl pour marcher droit, étaient les seuls êtres humains qu'ils avaient croisés dans les rues obscures. La brume lourde et froide venue du fleuve montait jusqu'à une trentaine de centimètres du sol.

— Combien de temps seras-tu parti ?

— Jusqu'à ce que je retrouve mon fils.

— Tu m'as dit qu'on a déjà perdu la trace de l'homme qui l'a enlevé. Cela pourrait durer longtemps.

— Je m'en fiche. Je le retrouverai, même si cela me prend cinq ans. Ou dix.

A le voir souffrir autant, Willa faillit fondre en larmes. Elle se dressa sur la pointe des pieds pour l'embrasser avec passion, le serrant contre lui comme pour lui donner de la force. Il en aurait tant besoin. Ni l'un ni l'autre n'osait évoquer de vive voix la possibilité que Bent eût déjà infligé à l'enfant le même sort qu'à la femme de George Hazard.

— Reviens-moi, Charles. Je trouverai une place pour nous deux.

Sans répondre, il sauta en selle et regarda Willa avec tristesse. Il tendit la main gauche pour lui caresser la joue puis éperonna Satan. Monture et cavalier jaillirent de l'écurie pour se perdre dans la brume et la nuit.

En retournant à l'hôtel par les rues désertes, sans songer aux dangers qui pouvaient la menacer, elle roulait une pensée dans sa tête comme une réplique difficile qu'un acteur se répète inlassablement. *Pourquoi n'avait-il pas dit qu'il reviendrait ?*

Maureen était au lit, rongée de culpabilité, en proie à une dépression nerveuse. Charles pouvait la voir par la porte ouverte en mangeant les œufs — trop cuits — que Duncan avait préparés pour lui. Les deux hommes avaient déjà longuement parlé des événements mais le général semblait résolu à y revenir, comme s'il cherchait encore une explication.

— Seul un fou envisagerait d'enlever un gosse en plein jour dans un poste militaire.

— Il *est* fou, je vous l'ai dit. A Camp Cooper, les autres officiers du 2e de cavalerie se moquaient de lui parce qu'il se prenait pour un nouveau Napoléon.

Duncan passa un pouce sous l'une de ses bretelles, tourna la tête vers la chambre. La gouvernante, maintenue en somnolence par un opiat, avait crié dans son sommeil. Il était presque minuit.

— Vous prenez tout ceci très calmement, je dois dire, fit observer le général. C'est votre fils qu'on a enlevé, pas un quelconque fortin perché sur une colline.

Charles craqua une allumette sous la table, approcha la flamme du mégot de cigare fiché entre ses dents.

— Que voulez-vous que je fasse ? Que je me lamente ? Ça ne m'aidera pas à retrouver Gus.

— Vous êtes vraiment décidé à poursuivre Bent vous-même ?

— Vous vous imaginez que je vais attendre passivement qu'il m'écrive une lettre racontant ce qu'il a fait à Gus ? Je crois qu'il veut faire souffrir autant de Main et de Hazard que possible. Il faut que je mette la main sur lui.

— Comment ? Il a des milliers de kilomètres carrés où se cacher.

— Je ne sais pas comment, mais j'y arriverai.

— Je pense qu'il faut également envisager la possibilité qu'il ait déjà...

— Taisez-vous ! Je m'y refuse absolument. Gus est vivant.

Duncan détourna des yeux pleins de souffrance et de doute.

— Oui, il m'a vendu le chariot et la mule, déclara Steinfeld.

C'était un petit homme plein de vivacité, coiffé d'une calotte juive, qui tenait une des écuries de louage de Leavenworth City.

— C'est-à-dire qu'on a fait un échange, après avoir marchandé un peu, continua-t-il. Deux chevaux, des remontes de l'armée mais robustes, contre son chariot et sa vieille mule, avec en plus les marmites qu'il vendait. Il ne lui en restait plus tellement, juste ce qui pendait au-dessus de son siège.

— Je soupçonne qu'il n'en a jamais eu davantage, dit Charles. L'enfant était avec lui ?

Steinfeld acquiesça de la tête.

— Qu'avez-vous remarqué d'autre ?

— C'était un homme poli. Un homme instruit. Avec une épaule biseautée — c'est comme ça qu'on dit ? Blessure de guerre, peut-être. Il portait une perle à l'oreille — curieux pour un homme, vous ne pensez pas ?

— Pas s'il voulait attirer votre attention là-dessus pour vous cacher d'autres choses. Merci, Mr Steinfeld.

Le commerçant fit un pas en arrière, comme pour s'éloigner d'une colère si froide qu'elle en devenait brûlante.

Charles acheta à Steinfeld un cheval de rechange, un alezan de trois ans ayant appartenu à un prédicateur méthodiste itinérant. Une bête résistante capable de longues étapes, promit le marchand.

L'ancien éclaireur se procura aussi des vivres, des munitions, et quitta Leavenworth sous une tempête de neige. Il prit la direction la plus logique, l'ouest, le long de la voie ferrée qui serait bientôt rebaptisée Kansas Pacific. Il fit halte à Secondine, Tiblow, Fall Leaf, Lawrence et posa des questions. Des gens avaient vu Bent mais personne ne se rappelait la boucle d'oreille, dont il avait dû se débarrasser comme il l'avait fait pour le chariot. Deux personnes se souvinrent d'un petit garçon aux cheveux blonds bouclés. Un restaurateur de Lawrence qui avait servi à Bent un steak de bison déclara que l'enfant avait l'air épuisé et ne parlait pas. Il n'avait rien mangé non plus — enfin, Bent ne lui avait rien donné à manger.

Montant alternativement Satan et l'alezan, Charles poursuivit vers l'ouest à travers les hautes congères laissées par la tempête. Il dépassa un train chasse-neige projetant de grandes gerbes blanches de chaque côté de sa locomotive. Buck Creek, Grantville, Topeka, Silver Lake, Saint Mary's.

Rien.

Wamego, Saint George, Manhattan, Junction City.

Rien.

A Junction City, il entendit dire que le colonel Grierson avait installé ses quartiers d'hiver à Fort Riley. Des détachements du 10e étaient disséminés dans les bourgades et les hameaux situés le long d'une voie ferrée qui s'étirait maintenant sur plus de six cents kilomètres, jusqu'à Sheridan, petite localité proche de la frontière du Colorado. La construction s'y était arrêtée à la fin de l'été ; tous les ouvriers avaient été payés et renvoyés chez eux jusqu'à ce que la compagnie reçoive une injection d'argent frais sous forme de nouvelle subvention gouvernementale. Toute l'attention et tout le prestige allaient à présent à l'Union Pacific et à la Central Pacific, prêtes à se raccorder quelque part à l'est de Denver quand le temps se serait amélioré.

Charles continua. La neige devint grésil puis pluie. Il dormait dehors ou dans un coin d'écurie si le propriétaire ne le faisait pas payer. Kansas Falls, Chapman Creek, Detroit, Abilene. Bien que la ville du bétail vécût au ralenti en hiver, il y retrouva la piste de Bent. Un homme répondant à son signalement avait acheté de la farine, du lard fumé et du biscuit à l'*Asher General Store*.

Il se trouvait que le nommé Asher était aussi shérif-adjoint et que tous les représentants de l'ordre de l'État avaient été informés de l'enlèvement par télégramme. Lorsque Asher avait servi Elkanah Bent, il n'avait pas vu d'enfant mais avait tout de suite remarqué que son client correspondait au signalement du ravisseur. Le shérif-adjoint avait sorti un revolver de dessous son comptoir, Bent avait levé les bras. Mais quand Asher avait fait le tour du comptoir, Bent avait saisi une pelle et l'avait assommé. Les autres personnes présentes, deux vieillards jouant aux dames, n'avaient pas eu le temps de réagir ; Bent s'était rué hors du magasin et personne ne l'avait revu à Abilene.

— On a failli l'avoir, dit Asher à Charles.

— Failli, ça ne suffit pas. Personne n'a vu mon fils ?

Le commerçant secoua la tête.

Solomon, Donmeyer, Salina, Bavaria, Brookville, Rockville, Elm Creek. Lorsque l'impatience le gagnait, Charles se répétait ce qu'il avait décidé avant de se mettre en route : il valait mieux procéder lentement, méthodiquement et rattraper Bent que se presser et perdre définitivement sa piste.

Il dormait toutefois rarement plus de deux heures par nuit, soit qu'il fût réveillé par un cauchemar, soit que la fièvre qu'il avait contractée à force de chevaucher dans le froid l'empêchât de dormir. Il frissonnait et tremblait comme un vieillard. Sa longue barbe retenait dans ses poils des miettes de biscuit et des débris de tabac de cigare bon marché. Ses yeux semblaient s'être enfoncés dans la tête, ne laissant à leur place que deux trous sombres. Il puait tellement et avait l'air si patibulaire que les gens respectables le fuyaient dans les villes où il s'arrêtait pour poser ses questions.

Qui lui valaient les mêmes réponses exaspérantes :

— *Non, on n'a pas vu de type comme ça.*

— *Non, il est pas passé ici.*

— *Non, désolé.*

Au début du mois de mars, il arriva à Ellsworth et trouva si facilement la piste de Bent que celui-ci avait dû laisser intentionnellement des traces de son passage.

— Il a passé la nuit ici, avec son neveu, un beau petit mais mort de fatigue, et malade, le pauvre agneau.

C'était une forte femme chaleureuse, avec de gros jambons roses en guise d'avant-bras, des yeux aimables et l'accent des Midlands.

— Je leur ai loué ma plus petite chambre et il a pris le petit déjeuner avec mes pensionnaires, le lendemain matin. Je m'en souviens parce qu'il avait gardé son bonnet de castor sur la tête, ce grossier personnage. Il a répété plusieurs fois qu'il allait en Territoire indien. L'enfant était resté en haut. L'homme disait que le gosse était trop malade pour manger, mais moi, j'ai pas eu cette impression. Il se conduisait bizarrement, ce type, comme s'il cherchait à se faire remarquer. Quelques heures après son départ, j'ai vu le marshall et il m'a dit qu'on recherchait ce bonhomme pour rapt d'enfant. L'horrible gredin ! Ah ! si j'avais su ça avant !

Un autre témoin, un jeune garçon que Charles rencontra près de la rivière, confirma les propos de la logeuse. Charles couvrit une trentaine de kilomètres en direction du sud avant de s'arrêter, au milieu d'un petit cours d'eau grossi par la fonte. Ses deux chevaux burent avidement sous la pluie. A sept ou huit kilomètres à l'ouest, des rayons de soleil brumeux perçaient les nuages. La pluie tombait plus dru au sud, où elle cachait l'horizon.

Charles examina la situation. Au-delà de la Cimarron, limite du Territoire, s'étendaient des milliers de kilomètres carrés de terres désertiques et inexplorées. On risquait sa peau en s'y aventurant seul. Que Bent y aille avec un enfant constituait une preuve de plus de sa démence. Charles avait vraiment du mal à interpréter et à expliquer rationnellement la conduite du ravisseur. Nombre des explications possibles menaient au même dénouement — une issue qu'il se refusait toujours à envisager.

Les propos tenus par Bent à la pension de famille visaient peut-être à lancer Charles sur une fausse piste mais celui-ci ne le croyait pas. Bent aurait pu disparaître aussitôt après avoir quitté Leavenworth s'il l'avait voulu. Au lieu de cela, il avait délibérément laissé une piste, semblable à la ficelle qu'on agite devant un chat.

Il se pouvait aussi que Bent eût claironné sa destination dans l'espoir que Charles, jugeant inutile et dangereux de pénétrer en Territoire indien, renoncerait à le poursuivre. Peut-être n'avait-il déroulé la ficelle sous les yeux de Charles que pour la retirer soudain et s'échapper dans un éclat de rire. Si c'était le cas, il se trompait sur la réaction de Charles car l'ex-officier continuerait.

Mais pas seul.

— Se venger sur un enfant ? s'indigna Benjamin Grierson. C'est ignoble.

— L'adjectif décrit parfaitement Bent, approuva Charles.

Assis sur une chaise du quartier général du 10e Régiment, à Fort Riley, il avait le corps transpercé de douleurs et se sentait trop malade pour ressentir davantage qu'une vague émotion d'être de retour au fort.

Plus maigre, plus grisonnant, le colonel Grierson portait les traces des mois passés dans les Plaines. Mais dès que Charles était entré dans le bureau, il lui avait annoncé que le 10e avait tenu ses promesses.

— Quelle sorte d'aide vous faudrait-il ? demanda l'officier. Tous les hommes du peloton de Barnes aimeraient réparer les torts qui vous ont été causés. Moi aussi. Nous n'avons pas tellement de bons officiers et vous étiez l'un des meilleurs.

— Merci, mon colonel.

— Vous êtes au courant de l'amnistie accordée par le président Johnson pour Noël ? Vous n'êtes plus un rebelle, Charlie. Vous pourriez revenir...

— *Jamais* !

Charles avait répondu avec une détermination si farouche que Grierson n'avait pas insisté.

— Quelle sorte d'aide, alors ?

— Deux hommes prêts à m'accompagner dans ma poursuite. Pour être franc, je dois dire que je les emmènerai dans le Sud.

— Loin ? Au sud de l'Arkansas ?

— Au besoin.

— A Medicine Lodge, le gouvernement a promis de faire de son mieux pour empêcher les Blancs qui n'ont rien à y faire de pénétrer dans le Territoire. Vendeurs de whisky, trafiquants en tous genres. C'est l'armée qui veille au respect de cet engagement.

— Je le sais. C'est peut-être cette interdiction qui a incité Bent à se cacher en Territoire indien.

— Si vous vous faites prendre là-bas, vous devrez vous débrouiller seul.

— Naturellement.

— Qui que vous choisissiez pour vous accompagner, il faudra révéler à l'avance votre destination.

— D'accord.

— Vous êtes sûr que Bent est là-bas ?

— Autant qu'on puisse l'être avec un dément. Je crois qu'il descend se cacher chez les Cheyennes, les Arapahos et les trafiquants parce qu'aucun d'eux ne s'occupera de lui, si ce n'est pour le tuer.

— Ce qui est fort possible. Votre foutue expédition de la Washita a tout chamboulé. Sheridan s'est efforcé pendant tout l'hiver d'intimider les Indiens pour qu'ils se rendent. Résultat, la moitié des Indiens meurt de faim et est prête à capituler, l'autre est assoiffée de sang. Carr et Evans sont encore en campagne. Custer aussi. Il opère depuis Camp Wichita.

Charles médita cette information. Le camp était situé à l'est des montagnes du même nom, au cœur du Territoire.

— Nul ne sait où se cachent les membres de la Société des Chiens qui ne cessent de se déplacer pour éviter l'armée, poursuivit Grierson. À l'ouest des montagnes — là-haut le long de la Sweetwater, au-delà de la branche nord de la Rivière Rouge — ou même au Texas, à ce qu'on a entendu dire. Vous ne saurez jamais d'où ils surgiront, et même chose pour l'armée.

— Je tâcherai de m'en souvenir.

Charles porta la main à la croix de cuivre, devenue presque noire, pendant à une lanière sur son poncho. Il ne donna pas d'explication au colonel, que cet objet rendait perplexe. L'ancien officier ne se comportait pourtant pas en homme ayant eu une révélation religieuse.

— Une précision, colonel. La Washita n'était pas *mon* expédition.

— Vous voulez dire que vous n'en avez pas dressé les plans.

— Et que je regrette d'y avoir participé. J'ai lu les journaux. J'ai lu les commentaires du général Sheridan sur Chaudron-Noir : un vieux minable à bout de forces, le chef de tous les violeurs et assassins. C'est un mensonge éhonté, je le sais.

Grierson ne discuta pas.

— Qui souhaitez-vous emmener ?

— Le caporal Magee, s'il est d'accord ; Hibou-Gris si vous pouvez vous passer de lui.

— Prenez-les, dit Grierson.

Fort Hays demeurait un poste militaire sommaire, l'un des plus rudimentaires du Kansas. La compagnie d'Ike Barnes y avait passé l'hiver dans des cabanes sordides dont les cheminées de pierre s'écroulaient. Celle du caporal Magee avait un toit en mottes de terre sous lequel il avait fallu tendre une toile de tente pour ne pas recevoir sur la tête des débris divers, de la neige fondue ou parfois même un serpent à sonnette cherchant un coin chaud où se nicher.

Bien après l'extinction des feux, Magee était assis sur son étroite couchette, parmi les ronflements et les manifestations de flatulence. À la lumière d'une lanterne posée entre ses pieds, sur le sol de terre battue, il grattait avec un chiffon les petites taches de rouille d'un vieux pistolet à pierre de fabrication allemande. La baguette se fixait sous le canon et un crochet à la crosse permettait d'attacher l'arme à la ceinture.

Il l'avait payé trois dollars, après avoir longtemps cherché une arme de ce genre. Avec des morceaux de cuir, il avait confectionné la poire à poudre qui était posée près de lui sur sa couverture, à côté de cinq balles rondes couleur de plomb.

Occupé à astiquer son pistolet, il ne fit guère attention lorsque la porte de la cabane s'ouvrit, laissant entrer la pluie poussée par une rafale de vent et le sergent-chef Williams, vêtu d'un poncho en caoutchouc ruisselant.

Un des dormeurs se réveilla et se redressa en beuglant :

— Ferme cette putain de porte ! Oh ! Pardon, sergent, 'scusez-moi.

L'homme se rallongea aussitôt, tandis que Williams s'avançait vers la lanterne qui faisait étinceler ses lunettes.

— T'aurais dû éteindre depuis longtemps, Magee. Qu'est-ce que tu fabriques avec ce vieux pistolet ?

— Ah ! non, il est nouveau. C'est le truc qui est vieux, répondit le caporal pour toute explication.

— Bon, amène-toi. Tu vas devenir pâle comme un Blanc quand tu verras qui est de retour.

Frissonnant dans son maillot de corps et son caleçon long, Magee découvrit dehors le capitaine Barnes qui, sagement vêtu d'un ciré, tenait une lanterne à la main pour éclairer le visiteur.

— Il a surgi de la nuit comme un fantôme, dit l'officier. Ça fait pas plaisir de le revoir ?

Le visage de Magee Magie allait s'épanouir quand il remarqua les yeux fiévreux de Charles, ses mains sales.

— Salut, Magie, marmonna l'ex-sous-lieutenant.

— Cheyenne Charlie. Ça alors !

— Mets tes frusques, Magie, fit Barnes. J'ai réveillé Lovetta pour qu'elle nous fasse du café. Charlie a besoin d'aide, il te racontera.

— Pas de problème, assura le caporal. Vous avez frappé à la bonne porte, Charlie. J'ai toujours une dette envers vous.

Après que les hommes eurent parlé, Lovetta Barnes nourrit copieusement Charles puis lui prépara un coin où coucher près de la cheminée. Il dormit seize heures d'affilée sans être dérangé par les allées et venues du « Vieux » et de sa femme. Hibou-Gris n'hésita pas davantage que Magee Magie quand on lui demanda s'il voulait partir pour le Territoire indien. Les deux hommes avaient peu changé, bien que leur visage comptât des rides plus nombreuses, et plus profondes. Charles supposait qu'il en allait de même pour lui.

Ils se ravitaillèrent à la cantine puis Charles acheta deux chevaux de rechange, ce qui porta à six le nombre de leurs bêtes. Aux ides de mars, avec le retour du soleil et d'un vent chaud soufflant du Texas, ils prirent la direction du sud, au-delà de la Smoky Hill. La première nuit, Charles dormit profondément à la belle étoile mais fit un cauchemar dans lequel lui-même et ses compagnons, visage ensanglanté, chevauchaient dans le ciel ; ils étaient morts, et remontaient la Route Suspendue.

Journal de Madeline

Mars 1869. Grant est président. L'hostilité qu'on lui manifeste ici est compréhensible, mais dans l'ensemble du pays, l'heure est à l'optimisme. Parce qu'il a organisé avec tant d'efficacité ses campagnes militaires, parce qu'il parle si souvent de la nécessité de la paix après quatre années amères, on attend beaucoup de son passage à la Maison-Blanche...

La queue d'une tempête venue du nord-est toucha la capitale avant l'aube du 4 mars. Planté devant la baie vitrée de sa chambre, dans la grande maison de la rue I, Stanley Hazard gratta son énorme panse et contempla d'un œil morne le crachin, les flaques de boue, la brume. Mauvaise journée, décidément*.

Andrew Johnson n'assisterait pas à la cérémonie. Grant avait repoussé les ouvertures de paix discrètes faites après l'affaire Stanton et annoncé qu'il ne monterait pas dans la même voiture que Mr Johnson et qu'il ne lui adresserait même pas la parole. Le Cabinet ne savait que faire. Devait-il y avoir deux voitures ? Deux cortèges séparés ? La question se trouva résolue quand Mr Johnson décida de rester à son bureau pendant la cérémonie pour signer de toutes dernières lois et dire adieu aux membres du gouvernement.

La morosité de Stanley avait cependant un côté plus personnel. Grâce aux manœuvres de sa femme, qui ronflait encore au lit, il avait été nommé au prestigieux Comité d'organisation du bal présidentiel. C'était un pas de géant dans son ascension sociale, et pendant un ou deux jours, Stanley en fut ravi. Puis il découvrit qu'organiser ce bal serait peut-être une tâche aussi écrasante que la construction des pyramides.

Les membres du comité ne parvinrent pas à se mettre d'accord sur un lieu ni même à trouver une salle assez vaste pour accueillir la foule attendue. En désespoir de cause, ils sollicitèrent du Congrès la permission d'utiliser la rotonde du Capitole. La Chambre émit un vote favorable mais le Sénat rejeta la demande. Le président élu envoya aux parlementaires une note disant que c'était sans importance, que cela ne le dérangeait pas qu'on ne donne pas de bal en son honneur. Ce à quoi Isabel réagit avec son acrimonie coutumière :

— Quel scélérat ! Le nom de Grant n'a pas besoin d'autres honneurs, je présume. Nous priver de la soirée qui ouvre la saison ? Mais pour qui se prend-il ?

Chargés d'organiser cette soirée, Stanley et ses collègues passèrent des heures en discussions fort vives. Fallait-il parler de bal ou de réception ? De réception. Le prix d'entrée devait-il être de dix dollars (pour un homme accompagné de deux dames) ou plus modestement de huit dollars ? Dix dollars. Fallait-il inviter Mr Johnson, en froid avec Grant depuis l'affaire Stanton ? On ne l'invita pas.

Les membres « les plus riches » de la communauté de couleur devaient-ils être admis, malgré une large opposition ? Cette question épineuse fut résolue quand un représentant de cette communauté fit savoir qu'ils n'assisteraient pas à la réception si on les invitait. Réaction d'Isabel :

---

* Le 4 mars est le jour d'entrée en fonction officielle du président américain. (N.d.t.)

— Enfin, ces individus font preuve d'un peu d'intelligence primaire. Ils ont compris qu'on les remettrait à leur place s'ils montraient leur sale figure noire.

On trouva finalement un lieu assez vaste — l'aile nord du bâtiment du Trésor — mais qui présentait l'inconvénient d'être inachevé. Pendant les deux derniers jours, Stanley passa le plus clair de son temps là-bas, son bel habit couvert de plâtre et de taches de peinture, à superviser le travail de dizaines d'ouvriers terminant la décoration et l'aménagement des salles.

Et à présent le temps s'en mêlait ! Étourdi de fatigue — il n'avait dormi que deux heures — il passa dans son bureau, y prit un paquet de cartes d'invitation au bal. Aussi grandes qu'une page d'almanach, elles étaient ornées d'un portrait aux couleurs criardes censé combiner les traits de Grant et de Colfax, le vice-président élu. L'œuvre ne ressemblait ni à l'un ni à l'autre. « Lamentable », avait commenté Isabel, et Stanley, d'un ton geignard, avait tenté pendant vingt minutes de la convaincre qu'il n'y était pour rien. La tête baissée, il se demandait s'il avait déployé tant d'efforts uniquement pour fournir à son épouse une nouvelle occasion d'entretenir ses relations et de distribuer les flatteries.

Il pencha la tête vers la fenêtre, comme un bœuf sous le joug, écouta la pluie et souhaita qu'elle se transforme en déluge pour emporter toutes les cérémonies de la journée, et sa ronfleuse de femme aussi.

Sous un ciel où quelques taches de bleu apparaissaient entre les nuages, Stanley conduisit Isabel aux places qui leur étaient réservées, juste en face de la tribune édifiée sur les marches de la façade est du Capitole. Le voyant repartir, elle demanda :

— Où vas-tu ?

— A l'intérieur, saluer quelques personnes. Peut-être serrer la main du général.

— Emmène-moi.

— C'est trop dangereux. Regarde cette foule ! De plus, ces cérémonies sont surtout l'affaire des hommes.

Le visage chevalin d'Isabel se crispa.

— Le défilé aussi, je l'ai remarqué.

— Tu parles comme une suffragette.

— Dieu m'en préserve. Mais n'oublie pas que c'est *moi* qui ai assuré la réussite de Mercantile Enterprises !

Stanley jeta autour de lui des regards inquiets.

— Moi qui ai tenu les registres, veillé à ce que ton respectable gredin d'avocat, Dills, ne nous dépouille pas de...

— Isabel, je t'en prie, murmura-t-il, son teint jaunâtre virant au blanc. Ne parle pas de ces choses, même devant des inconnus. Ne prononce pas le nom de cette société : nous n'avons aucun rapport avec elle, je te le rappelle.

Isabel ouvrit la bouche pour répliquer, s'aperçut que le conseil était sage, et grommela :

— D'accord. Mais ne sois pas long.

Tenant son haut-de-forme d'une main, son invitation spéciale de l'autre, Stanley se lança dans la foule, contourna des policiers montés et franchit un cordon de gardes du Capitole armés de lourdes matraques. Débraillé, la cravate gris perle sortie de son gilet de même couleur, il parvint enfin au bruyant couloir situé derrière la salle du Sénat.

Il entra, ne vit pas trace de son protecteur, Ben Wade. La galerie bondée accueillait déjà un millier de spectateurs. Croyant apercevoir Virgilia, il détourna vivement les yeux : il ne voulait pas avoir de rapports avec elle.

Stanley se fraya un chemin parmi les notables, serrant des mains ici et là, en personnage important du Parti républicain qu'il était censé être. Quelque peu intimidé toutefois par les rangées de galons dorés — Sickles, Pleasonton, Dahlgren, Farragut, Thomas et Sherman étaient déjà présents — il n'essaya pas de saluer des hommes aussi célèbres. En revanche, il félicita l'imposant Mr Sumner, qui s'apprêtait à prêter serment pour son quatrième mandat de sénateur. Il adressa aussi un signe au sénateur Cameron mais le « Boss », à nouveau proche du pouvoir, se comporta comme s'il connaissait à peine son ancien protégé.

Stanley parla ensuite à Carl Schurz, du Missouri, premier citoyen allemand de naissance à accéder aux hautes fonctions sénatoriales. Sans préambule, Schurz se mit à discuter de la dette, une des principales préoccupations de Grant. Étudiant, il avait participé à la révolution de 1848 en Allemagne et était demeuré un homme politique plein d'ardeur. Stanley trouvait ce genre d'homme intimidant, peut-être parce que ses propres opinions étaient particulièrement tièdes et que rien ne l'exaltait. Il pensait que sa fortune ne lui donnerait jamais le bonheur ; il trouvait sa femme repoussante et ses fils incapables. Levi, dont les études s'étaient réduites à une semaine d'université suivie d'une expulsion pour avoir poignardé un étudiant au cours d'une partie de dés, possédait maintenant la moitié d'un bar dans le quartier mal famé de New York et se vantait d'être un maquereau accompli. Laban, son frère jumeau, qui avait réussi à terminer ses études à Yale malgré une semblable disposition à la violence, entamait à présent la carrière de voleur de haut rang, expression que son père appliquait à tous les avocats.

Il se dirigea vers le bureau de Wade, parvint à se faufiler près de la porte fermée.

— Désolé, monsieur, lui dit un huissier. Le sénateur s'entretient avec le général Grant jusqu'au début de la cérémonie.

— Mais je suis Stanley Hazard.

— Je le sais. Vous ne pouvez pas entrer.

Profondément vexé, Stanley s'éloigna.

Avant de ressortir, il tira de sa poche intérieure un flacon plat en argent et prit son cinquième remontant de la matinée. Revenu auprès d'Isabel, il raconta qu'il avait rencontré le président élu, un exploit car Grant avait peu mené campagne personnellement et rarement participé aux réunions du Parti. Stanley promit à Isabel qu'il la présenterait pendant le bal et elle répondit :

— J'espère bien.

A midi et quart, l'heure à laquelle Andrew Johnson devait prendre congé des membres de son Cabinet et monter en voiture devant le portique de la Maison-Blanche, les personnalités de la tribune officielle sortirent du Capitole.

Grant avait un air plein de dignité avec son habit noir et ses gants jaunes. Avec une certaine nervosité, le juge Chase fit prêter serment au président, qui se pencha pour embrasser la Bible puis prononça une brève allocution. « Prosaïque », fut le commentaire d'Isabel sur l'ensemble de la cérémonie.

PAIX

Le mot d'ordre flamboyait tout là-bas dans l'obscurité. Stanley admira l'œuvre du comité, illumination spéciale réalisée en faisant courir des tuyaux de gaz sur la façade du bâtiment du Trésor. La conception et la réalisation du projet avaient coûté cher mais l'effet était spectaculaire : aux yeux de Washington et du monde entier s'étalait l'engagement du Parti républicain.

Tandis que Stanley s'extasiait, bouche bée, Isabel se plaignait du retard. Ils avaient rejoint d'autres couples en tenue de soirée qui se hâtaient d'entrer.

Un orchestre à cordes jouait sur le balcon de l'immense Salle des Espèces ; dans un majestueux décor de marbre de Carrare et de Sienne, une allégorie de la paix, spécialement peinte pour la circonstance, attirait une foule importante. Stanley et Isabel rencontrèrent inopinément Mr Stout, récemment réélu au Sénat, qui donnait le bras à une femme beaucoup plus jeune que lui, au regard dur, coiffée d'une tiare de saphirs.

— Je crois que vous connaissez ma femme, Jeannie, leur dit le sénateur d'un ton très calme.

Isabel était folle de rage de se trouver en présence de l'ancienne maîtresse de Stanley, une chanteuse de music-hall nommée autrefois Jeannie Canary, et avec qui elle avait obligé son mari à rompre.

Troublé, Stanley redressa sa cravate blanche.

— Ah ! oui, fit-il. J'ai eu l'occasion d'apprécier son, euh, talent.

Stout ne saisit pas immédiatement l'allusion à double sens de Stanley, mais lorsqu'il comprit, il s'empourpra, comme s'il allait provoquer l'insolent en duel. Jeannie semblait elle aussi offensée. Quant à Isabel, elle entraîna son mari, les larmes aux yeux. Stanley en demeura interdit : sa femme ne pleurait jamais.

— Espèce de grossier personnage, murmura-t-elle, regardant droit devant elle à travers ses larmes.

Stanley était trop stupéfait pour s'en réjouir. Refusant de lui adresser à nouveau la parole, Isabel secoua la tête quand il lui proposa un verre de vin, quelque chose à manger, et lorsqu'il l'invita mollement à valser. Elle le suivit toutefois quand il se précipita, avec des dizaines d'autres invités, pour être présenté au président et à Mrs Grant, qui venaient de faire leur entrée. Malheureusement, le couple présidentiel était en compagnie de Stout et de sa femme.

Le tour des Hazard finit par venir et Stanley marmonna leurs noms, que Stout répéta plus clairement. Isabel lança à son mari un regard hostile quand il serra la main du président.

— Ah ! oui, Mr Hazard, les Hazard de Pennsylvanie. Je connais votre frère George. Vous assuriez la liaison avec le Bureau des affranchis, je crois ?

— Oui, monsieur le président, jusqu'à la fin de 67. J'ai alors pris ma retraite pour m'occuper de mes affaires. Je dois dire que votre programme économique me paraît excellent.

— Merci, monsieur, répondit Grant avant de se tourner vers le couple suivant.

Isabel ne décolérait pas.

— Sale menteur. Tu ne l'as pas rencontré ce matin.

— Non. On ne m'a pas permis d'entrer dans le bureau de Wade.

— Tu m'as suffisamment humiliée pour ce soir, Stanley. Ramène-moi à la maison.

Stanley fut le premier membre du Comité d'organisation à partir et Grant le remarqua.

— Très sympathique, ce Hazard, dit-il à sa femme, Julia. Il me fait l'impression d'un homme intelligent.

Le sénateur Stout l'entendit et songea : *Si Mr Grant croit cela, nous avons un benêt à la tête du pays. Dieu protège la République !*

Marie Louise et Theo se sont enfin installés dans une toute petite maison de l'île de Sullivan, trouvée par l'homme qui a offert à Theo un meilleur emploi qu'à Mont Royal. C'est un carpetbagger yankee.

Charleston a été en grande partie reconstruite mais il reste beaucoup à faire. Aux voyageurs qui débarquent sur la jetée, on demande encore : « Voulez-vous voir le monument de Mr Calhoun ? » Et si les plus crédules acquiescent, on leur montre cyniquement la ville.

L'employeur de Theo a participé à la lente reconstruction de Charleston. Arrivé en automne 65, il comprit qu'il y avait une occasion à saisir et fonda une firme pour construire de nouveaux trottoirs, au bord assez solide pour ne pas être endommagé par les véhicules. Ses ouvriers réparent aussi les nombreuses ornières, les cratères d'obus creusés par l'Ange des Marais, etc. Ses affaires prospèrent. Il a passé d'importants contrats avec la ville, ainsi qu'avec Georgetown et Florence. Theo remplace son premier contremaître, qui a filé au Brésil avec une jeune mulâtre. Douze à quatorze heures de travail quotidien, six jours par semaine, à diriger des équipes d'ouvriers noirs. Mais M.L. et lui disent qu'ils sont maintenant très heureux. Après la visite de Theo chez Cooper, ils ont vécu plusieurs semaines ici, dans une misérable cabane. Theo travaillait à Mont Royal et faisait un excellent régisseur. Je regrette beaucoup son départ mais je ne pouvais lui refuser l'autorisation de partir.

Leurs relations avec Cooper ne se sont pas améliorées. Il ne les reçoit pas et feint d'ignorer leur présence à Charleston. Judith doit voir sa fille en cachette, comme elle le faisait déjà pour moi. J'ai conscience que la guerre a fait dans les esprits de profonds ravages mais il y a un point où la pitié cède la place à l'exaspération. Les nouvelles positions politiques de Cooper, son attitude envers sa famille le placent au-delà de toute compassion. Au-delà de la mienne, en tout cas...

Grant, le fils de Sim — un jeune homme, maintenant — a été surpris par le Klan près du croisement hier soir. Lui et deux de ses amis ont été retenus prisonniers pendant une heure, contraints à participer à ce que les hommes en cagoule ont appelé un concours de gigue : ils ont dansé sous la menace des armes, avec une bassine d'eau en équilibre sur la tête. Cela semble si puéril. Pourtant Grant est rentré chez lui bouleversé. Au moins, on ne lui a pas fait mal. Joseph Steptoe, lui, a été fouetté la semaine dernière par des hommes de la même bande. Saignant abondamment, il a été ensuite enveloppé dans un drap imprégné de saindoux salé et abandonné sur le bord de la route. Le lendemain, sa femme et lui ont disparu de leur cabane proche de la chapelle épiscopalienne et on ne les a pas revus depuis. Joseph était caporal de la milice noire du district, dont Grant fait aussi partie.

J'ignore comment on peut être à la fois ridicule et effrayant mais c'est la nature même du Klan.

Aller à Charleston voir Theo et M.L., et plaider une fois de plus ma cause auprès de Dawkins...

— Non, dit l'obèse.

Parmi les lettres et les feuilles de chiffres encombrant le bureau, Madeline remarqua un livre à reliure de carton, *Your Sister Sally*, dont elle avait déjà vu un exemplaire ailleurs. Imprimé au Mississippi, l'ouvrage contenait une description caricaturale de la misère et des rapines auxquels les Blancs pouvaient s'attendre sous un gouvernement dominé par les Noirs. Gettys en vendait dans son magasin.

— Leverett, fit Madeline en se contraignant au calme. Mont Royal rapporte de l'argent. Même en reconstruisant la maison, j'ai de quoi rembourser un peu plus de l'hypothèque chaque année. Je trouve insensé de payer inutilement autant d'intérêts.

Le mobilier du bureau était en bois sombre, les fauteuils tendus de peluche verte.

— Je vous répète la position de principe de la banque, dit Dawkins. Pas de remboursement anticipé. (Il se passa la langue sur les lèvres.) Si vous refusez de montrer un peu de souplesse, nous aussi.

— De la souplesse, riposta Madeline d'un ton amer. Vous voulez dire fermer l'école. Vous étiez pourtant un libéral, autrefois. Pourquoi êtes-vous aussi opposé à...

— Parce que ces écoles pour nègres ne sont pas du tout des écoles mais des foyers d'action politique. Tous les conservateurs s'y opposent.

Conservateur, telle était la nouvelle étiquette du mouvement anti-républicain rassemblant démocrates et anciens *whigs*.

— Wade Hampton a ouvert une école dans sa plantation et c'est un conservateur déclaré.

— Oui, mais au conservatisme mêlé de certaines vues regrettables. D'ailleurs, je ne vois pas l'intérêt de parler du général Hampton, c'est un cas unique.

Il veut dire qu'il est intouchable, pensa Madeline. Ce que je ne suis pas.

— Leverett, j'aimerais comprendre. Pourquoi êtes-vous aussi résolument hostile à ce qu'on donne aux gens une éducation convenable ?

— Pas aux *gens*, aux nègres. Cette idée contamine toute la Caroline du Sud. D'abord nous avons eu ces femmes yankees enseignant à Saint Helena, puis votre école privée, et maintenant des établissements publics. Résultat, non seulement des êtres inférieurs pleins de rancœur essaient de nous dominer mais nous devons supporter un fardeau financier écrasant avec ces détestables impôts pour l'école.

— Ah ! nous en sommes à l'argent.

— A la justice ! A l'équité ! L'article de la Constitution de l'État réclamant des écoles publiques, je n'y suis pour rien, et Mr Cooper Main non plus, je dois dire. Nous avons dîné ensemble chez moi la semaine dernière et je connais sa position... Ainsi que les circonstances qui l'ont motivée, ajouta le banquier en coulant un regard à Madeline.

Elle présuma qu'il faisait allusion au mariage de Marie Louise.

— Votre beau-frère et moi sommes en accord total sur la question de l'école publique, continua Dawkins. Puisqu'elle nous est imposée par le gouvernement fédéral, qu'il paye.

— Je ne reçois pas de fonds gouvernementaux, Leverett.

— Mais vous recevez de nombreux bureaucrates et politiciens yankees qui voient dans votre école un modèle d'action radicale, si je ne m'abuse. Je m'étonne que le Ku Klux ne soit pas revenu vous rendre visite. Je ne prône pas la violence mais c'est à vous seule qu'il faudra vous en prendre quand il le fera.

57

— C'est joli ? demanda Bent. C'est joli, Gus ?

Il porta la main à son oreille gauche, secoua la boucle en forme de larme qui y pendait.

Sur une pente désolée des Wichita, pics granitiques s'élevant abruptement de la plaine, ils campaient autour d'un petit feu qui craquait et claquait au vent de mars. Deux jours plus tôt, au nord des montagnes, Bent avait repéré une colonne de la cavalerie se dirigeant d'est en ouest, devant lui. La cavalerie et non une bande indienne, parce qu'elle avançait en bon ordre, drapeau et fanions déployés. Bent avait plaqué l'enfant au sol et forcé son cheval gris pommelé à demeurer couché jusqu'à ce que la colonne disparaisse.

Il tourna légèrement la tête pour montrer à Gus son profil gauche et agiter à nouveau la boucle.

— C'est joli, non ?

Dans un visage qui n'avait pas été lavé depuis des jours, les yeux de l'enfant brillaient comme des pierres polies. La discipline imposée par Bent avait laissé sa marque dans son regard et sur son corps : une plaie croûteuse au menton, une autre au front, un bleu faisant autour de l'œil droit comme une tache de boue. Bent avait réduit le petit garçon à un état de crainte permanente et de dépendance totale. Le bambin de quatre ans lui était reconnaissant des moindres bouchées de bœuf rance, des moindres gorgées d'eau tiède qu'il lui accordait. Il ne parlait presque pas de peur de provoquer la colère de son ravisseur, car il avait rapidement appris que l'homme pouvait se mettre en fureur sans raison précise.

Bent continuait à agiter la boucle d'oreille et l'enfant ne savait pas ce qu'il attendait de lui. Finalement, il se décida à tendre une main hésitante vers le bijou.

L'homme le frappa si violemment qu'il tomba. Puis il le saisit par les cheveux, le gifla.

— Méchant garçon. On ne prend pas. Si tu es encore méchant, mon ami se réveillera.

De la poche de son habit à queue de pie crotté, Bent tira son rasoir droit, l'ouvrit. Gus se recroquevilla sur lui-même, bouche bée, mais ne prononça pas un mot : l'homme le fouettait s'il criait.

Le feu de camp faisait ondoyer des éclats argentés le long de la lame. Gus recula, tomba sur le derrière. Bent sourit.

— Tu sais ce que mon ami fait aux vilains garçons, hein ? Il leur fait mal.

Il tendit soudain le bras par-dessus les flammes et le rasoir fila vers la gorge de Gus. L'enfant hurla et, se couvrant la face, bascula sur le côté. Bent avait retenu son coup au dernier moment, arrêtant la lame à dix centimètres du cou du garçonnet. Il lâcha le rasoir, fit le tour du feu et secoua l'enfant par les épaules.

— Je t'ai dit de ne pas faire de bruit ! Si tu cries encore, je laisse mon ami te mordre. Tu sais ce que ça fait, hein ? Il t'a déjà mordu.

Gus se mit à pleurnicher. Bent ôta son haut-de-forme, essuya de sa manche son front luisant, sur lequel il laissa des traînées noirâtres.

— Bon, prends ta couverture et couche-toi avant que je demande à mon ami de te punir.

Sans bruit, Gus tira à lui une couverture de selle crasseuse que les poux avaient quittée depuis longtemps pour infester ses cheveux et son corps. Du gras du pouce, Bent fit tomber la terre accrochée au rasoir et inclina la lame vers le feu pour projeter le reflet des flammes dans les yeux de Gus. Terrorisé, l'enfant se cacha sous la couverture.

Faire mal à Gus procurait à Bent une vive satisfaction et avait aussi l'avantage de dissuader l'enfant de s'enfuir. Le garçon était dompté maintenant. Bent l'avait brisé, comme un cheval. Fixant des yeux la forme recroquevillée sous la couverture, il marmonna à mi-voix :

— Bien. Bien.

Le cheval gris pommelé attaché à proximité s'était couché une demi-heure plus tôt pour se rouler sur le sol et ne s'était pas encore relevé. L'animal regardait son maître avec des yeux rappelant ceux de l'enfant. Il était épuisé. Ses côtes pointaient à travers sa peau et il avait des plaies dans la bouche. Bent serait obligé de l'abattre dans un ou deux jours et ils devraient continuer à pied, mais ils pourraient au moins manger sa viande.

Il referma le rasoir, s'adossa à un rocher, écouta un moment le vent gémir à travers la pente dénudée. Il était temps de songer à l'avenir, à l'endroit où il passerait l'été. Sa provision de vivres s'épuisait et il courait constamment le risque qu'une patrouille de l'armée le surprenne sur le Territoire, où il n'avait rien à faire.

Lorsqu'il avait traversé le Kansas, laissant délibérément des indices derrière lui pour tourmenter le père de Gus, il ne s'était pas soucié de sa sécurité personnelle. Puis il avait été contraint d'estourbir le boutiquier d'Abilene et peu de temps après, il avait éveillé les soupçons de la grosse garce qui tenait la pension de famille d'Ellsworth City. Il avait alors décidé que le jeu ne valait plus les risques qu'il prenait. Charles Main savait que son fils était entre ses mains, ce qui suffisait pour le moment. Il avait donc brouillé sa piste en obliquant au sud pour gagner le Territoire, où il savait qu'il pourrait se cacher en toute sécurité pendant une période indéterminée. Main ne le suivrait pas, c'était trop dangereux.

Les épaules appuyées contre le granite, Bent songea à l'époque où Charles et lui servaient dans le 2e de cavalerie, avant la guerre. Main était alors un séduisant gaillard, avec les manières chichiteuses des Sudistes. Bent l'avait trouvé suffisamment attirant pour lui faire des avances, que Charles avait repoussées. Il ne l'en haïssait que plus. Tournant le regard vers le corps immobile sous la couverture, Bent se dit qu'il n'en avait terminé ni avec Gus ni avec son père.

Le lendemain, il tua le cheval, le dépeça et insista pour que Gus en mange. Comme l'enfant résistait, il lui fourra dans la bouche la viande à moitié cuite et Gus vomit sur les bottes de son bourreau. La lame du rasoir était déjà sur la gorge du petit garçon quand Bent se calma : il avait besoin du gosse pour ses plans ultérieurs.

Tremblant d'une excitation quasi sexuelle, il rangea le rasoir, obligea le bambin à nettoyer le vomi avec des brindilles sèches arrachées aux broussailles accrochées à la pente.

Laissant la vieille selle volée sur le cadavre du cheval, il n'emporta que les sacoches. Puis il partit vers l'ouest, quittant la montagne où ils avaient campé, le petit Gus trottant dans son sillage comme un animal bien dressé.

Les Wichita se trouvaient derrière eux, à l'est, quand ils parvinrent à une région de prairie sillonnée de cours d'eau, avec des bois épais de chênes rabougris barrant l'horizon. Le gibier abondant — lièvres dodus, poules de prairie, daims — ils avaient de quoi manger car Bent était un excellent tireur.

Il commença à sentir les effets revigorants du temps printanier quand lui et l'enfant remontèrent la Vermilion Creek. Un vent presque constant agitait les violettes et les feuilles des indigotiers, arrachait une pluie de pétales roses aux arbres de Judée en fleur. Au-dessus de leurs têtes, des vols d'oies sauvages filaient vers le nord.

Bent cessa d'entendre les chaussures trouées de Gus racler l'argile derrière lui et se tourna pour le punir mais n'en fit rien à cause de l'expression de l'enfant. Gus regardait au loin, les yeux momentanément libres de toute frayeur et pleins de curiosité.

Bent se tourna à nouveau, retint sa respiration. Un feu caché sous l'horizon envoyait dans le ciel clair une mince colonne grise.

Des Indiens ? Tout à fait possible. Cela pouvait être aussi un camp de chasseurs de bison. Bent poussa Gus dans la rivière dont l'eau lui montait aux chevilles.

— Lave-toi le visage et les mains. Il faut être présentable, au cas où nous rencontrerions des Blancs.

L'eau coulait entre les doigts noirs de poussière d'Elkanah Bent. Gus entreprit de l'imiter, guettant sans cesse sur sa figure un signe de mécontentement. La saleté disparut lentement du visage de l'enfant mais les marques de coups y demeurèrent.

Ce n'était pas seulement un camp mais un poste avancé de la civilisation établi au bord de la rivière. Le bâtiment principal, d'où montait la fumée, était un édifice rectangulaire de briques de terre séchée, avec un toit en tourbe légèrement incliné pour l'écoulement de l'eau. Caché dans les chênes, Bent observait avec étonnement deux chevaux indiens attachés devant la porte donnant sur la rivière miroitante. Une autre porte s'ouvrait sur un corral exigu où se trouvaient un alezan et deux mules. Une petite dépendance, étable rudimentaire, était à moitié dissimulée par le bâtiment principal.

— Regarde ! s'écria soudain Gus en tendant le bras.

Bent plaqua une main sur la bouche de l'enfant, lui tordit la tête jusqu'à ce qu'il pousse un gémissement étouffé et, alors seulement, ôta sa main des lèvres du garçonnet.

Il examina avec curiosité ce qui avait arraché à Gus un cri d'excitation : un raton laveur, fort bien nourri, dont le ventre poilu balayait le sol tandis qu'il courait à petits bonds le long de la maison. Un animal apprivoisé ?

Bent posa les sacoches, déboutonna son vieil habit, porta la main à la crosse de son revolver pour s'assurer qu'il pouvait dégainer facilement puis claqua ses doigts. Aussitôt, Gus lui prit la main.

L'homme et l'enfant approchèrent de la bâtisse en longeant la berge rocheuse de la rivière. Le raton laveur les aperçut, fila vers l'écurie. Bent s'arrêta près de la porte de devant, entendit des voix et, pour ne pas être abattu comme un rôdeur, s'écria :

— Il y a quelqu'un ?

— Ouais. Qui c'est ?

La porte s'ouvrit avec un gémissement, d'abord sur les canons d'un fusil de chasse puis sur l'homme qui le tenait. Pauvrement vêtu, ventripotent, il avait un visage de Père Noël congestionné. Ses cheveux, plus gris que blancs, étaient partagés par une raie médiane et coiffés en longues tresses, nouées à leur extrémité par une bande emperlée. Les clochettes attachées à la tresse droite tintèrent doucement.

— Je suis le capitaine Dayton. Mon neveu et moi sommes perdus. Nous voulons nous rendre dans l'Ouest.

— Pas en traversant le Territoire indien, c'est interdit.

— Nous ne sommes pas au Texas ?

— Il s'en faut de quelques kilomètres, répondit l'homme.

Il regarda par-dessus l'épaule de Bent, comme pour déceler la présence de soldats venus l'arrêter, puis dévisagea à nouveau l'inconnu au haut-de-forme et décida qu'il devait s'aventurer autant que lui aux frontières de la légalité. Ses mains reprirent une couleur normale quand il desserra les doigts tenant le fusil.

— Je m'appelle Septimus Glyn. C'est mon ranch.

Pas grand-chose en fait de ranch, pensa Bent.

— Qu'est-ce que vous élevez, Glyn ?

— Rien. Je vends ce que le Bureau des affaires indiennes vend pas.

L'homme avait un ton péremptoire mais ne parut pas dangereux à Bent, à nouveau gonflé par le sentiment de sa propre importance. Ce commerçant ignorant serait sans doute stupéfait de savoir qu'il parlait au Bonaparte américain.

— J'ai un peu d'argent, Glyn. Vous vendez de la nourriture ?

Septimus Glyn n'avait aucune idée de ce que cet homme faisait vraiment dans ce coin désertique mais il se dit qu'« un peu d'argent » méritait quelques risques.

— Ouais, j'en ai. Et du whisky si vous avez soif. J'ai autre chose aussi qui vous plairait peut-être. Entrez, proposa-t-il en s'écartant.

Bent s'avança en tirant Gus derrière lui.

— Un beau petit gars, fit Glyn. Il s'est blessé, on dirait.

— Il est tombé de cheval.

Le marchand ne demanda pas d'autre explication.

A l'intérieur de la maison, Bent fut surpris par le mobilier : deux grandes tables rondes en pin, couvertes de taches, une large planche posée sur deux tonneaux et, derrière, une étagère soutenant une rangée de bouteilles sans étiquette. Un rideau rouge masquait une ouverture donnant peut-être sur une pièce d'habitation.

Deux Indiens d'âge mûr, dont un obèse, étaient assis à l'une des tables devant une bouteille brune. Ils levèrent vers les nouveaux venus des yeux bouffis pleins de méfiance.

— Des Caddos, dit Glyn en posant son fusil sur le comptoir de fortune. Inoffensifs. Je vends pas de whisky aux Comanches, on sait jamais comment ils vont réagir.

Ainsi Glyn tenait un de ces ranchs à whisky illégaux dont Bent avait entendu parler. Il y en avait un certain nombre dans le Territoire qui fournissaient aux Indiens des armes, des produits de première nécessité, et surtout l'alcool que le gouvernement refusait aux tribus.

Le rideau rouge se souleva et Bent découvrit quelque chose qui l'étonna encore plus : une jeune Indienne à la peau marron clair, la robe en daim semée de taches de nourriture et de whisky. L'air boudeur, elle se dirigea vers Glyn, pieds nus, passa la main dans ses cheveux noirs mal peignés et lança à Bent un regard effronté. Remarquant le renflement des seins sous la robe, il eut un frisson inattendu. Il n'avait pas couché avec une femme et n'en n'avait désiré aucune depuis plus d'un an.

— C'est ma femme, dit Glyn en remplissant un verre d'un liquide clair. Femme-de-l'Herbe-Verte. Je l'ai sortie de son village il y a un an. Elle voulait voir le monde, je lui ai montré à quoi ça ressemble quand on est couché sur le dos. On croirait pas à la voir mais elle a que dix-huit hivers. Seulement, elle a un penchant pour le gin. Je lui ai appris à aimer ça, et d'autres choses aussi...

Le marchand s'éclaircit la voix avant d'ajouter :

— Ce que je veux dire, c'est qu'elle est à vendre, elle aussi.

Bent redressa la tête. Il avait déjà décidé qu'il aurait cette Indienne, mais il n'avait pas l'intention de payer.

Septimus Glyn apporta quelques tranches de chevreuil et du whisky qui semblait relevé au poivre de Cayenne.

— Où vous procurez-vous cette gnôle ? demanda Bent, les lèvres brûlées.

— Au Texas, à Dunn's Station. Y a bien quelques *rangers* sur le chemin mais je me débrouille pour les éviter. Une fois par mois, je fais le tour des villages indiens. Il en reste plus beaucoup depuis l'arrivée de l'armée. Le reste du temps, je gagne ma vie ici. Au

Bureau, ils m'ont foutu dehors mais comme j'aime le coin, je suis pas parti. Ce que j'aime surtout, c'est baiser les Indiennes, à cause de leur odeur musquée. Pour deux dollars, vous pouvez essayer.

— Plus tard, peut-être. Mange, Gus.

Le petit garçon porta à sa bouche un morceau de viande et le mastiqua avec un air de dégoût. Bent songea qu'il avait trouvé le havre qu'il cherchait.

— Nous voulons arriver en Californie avant l'hiver, dit-il. Mais nous passerons la nuit ici si vous n'y voyez pas d'objection.

Glyn secoua la tête.

— Vous dormirez dans l'écurie, ou dans mon chariot, là derrière. Ça vous coûtera un dollar.

— Très bien, acquiesça Bent.

Il pêcha dans son habit un billet d'un dollar, le lissa de la main et le donna à Glyn sans se soucier de la dépense, parce que le transfert d'une poche à l'autre n'était que temporaire.

Les vieux Caddos, hommes vaincus qui buvaient jusqu'à tituber, partirent avant le crépuscule. Bent et le petit Gus installèrent leurs couvertures dans le chariot bâché, plus confortable que la remise servant d'écurie. A plusieurs reprises, Bent toucha son sexe, en érection depuis l'après-midi.

Il attendit plusieurs heures et, quand il ne put plus y tenir, se glissa hors du chariot sans éveiller l'enfant. Il poussa la porte de devant du ranch à whisky, qui s'ouvrit en grinçant, mais le bruit fut couvert par les plaintes et les grognements provenant de l'autre côté du rideau rouge. Bent dégaina son arme.

Guidé par la lumière allumée derrière le rideau, il traversa la grande salle. L'Indienne émettait des gémissements sonores et profonds. Collant un œil au bord du rideau, il vit, à la lueur d'une lanterne, le dos en sueur de la jeune Peau-Rouge, chevauchant le trafiquant de whisky qui lui caressait les seins. Les deux mains de Glyn étaient bien en vue et son fusil appuyé contre le mur, hors de portée. Ce qui comptait maintenant, c'était la rapidité.

Bent arracha le rideau, fut près du lit en trois enjambées. Femme-de-l'Herbe-Verte poussa un cri, Glyn lança un bras vers son fusil, renonça.

— Qu'est-ce vous foutez ici, Dayton ?

— Je veux ton ranch, répondit Bent, tout sourire.

— Pauvre idiot, il est pas à vendre.

Bent tira. Il traîna le cadavre dans l'autre pièce puis revint, déboutonna sa braguette et fit rouler l'Indienne sur le dos. Trop effrayée pour résister, elle se laissa pénétrer.

C'est ainsi que le ravisseur de Gus acquit le ranch à whisky. Deux jours plus tard, trois Caddos se présentèrent et, dans un anglais haché, demandèrent des nouvelles de Glyn, que Bent avait enterré à huit cents mètres de la maison.

— Parti, répondit-il. Il m'a vendu le ranch.

Les Indiens ne mirent pas ses propos en doute. Quant à Femme-de-l'Herbe-Verte, elle ne semblait pas se soucier de l'identité de l'homme avec qui elle vivait tant qu'il lui permettait de boire du gin. Septimus Glyn avait dû être un séducteur accompli pour corrompre la jeune fille aussi totalement. Un matin que Bent lui refusait son gin uniquement pour voir sa réaction, elle le supplia, sanglota et, comme il s'obstinait dans son refus, elle tomba à genoux et ouvrit sa braguette. Ahuri, il la laissa le confirmer dans son idée que toutes les femmes étaient des putains dépravées. Alors qu'elle lui enlaçait encore les jambes, il lui rejeta la tête en arrière, fit couler un peu de gin dans sa bouche. Il ne remarqua pas l'enfant debout sur le seuil de la porte, écartant d'une main le rideau rouge, les pieds nus, la chemise raide de crasse, les yeux immenses dans son visage blême.

Au soir du septième jour, Bent commença à se sentir chez lui. Il nettoya la maison et accrocha même le portrait rayé, craquelé, de la mère de Madeline. Juste avant la nuit, il sortit, le bras autour des épaules de Femme-de-l'Herbe-Verte, qui poussait sa hanche contre la sienne de manière aguichante.

Le petit Gus, la plupart du temps livré à lui-même, avait fait la connaissance du raton laveur apprivoisé et le poursuivait le long de la rivière dans le jour rougissant. L'eau avait la couleur du sang et dans l'air frais du soir, Bent entendit le rire joyeux de l'enfant.

Bah, pourquoi ne pas le laisser rire ? Bientôt, il n'en aurait plus l'occasion. Bent avait maintenant arrêté son plan : il attendrait quelques mois de plus, jusqu'à l'automne, peut-être, ou le début du printemps. Charles Main se serait alors probablement fait à l'idée que son fils était mort, et Bent réveillerait le chagrin du Sudiste en lui faisant savoir que l'enfant était resté en vie presque toute l'année et venait seulement d'être tué. La torture serait double : souffrance et sentiment de culpabilité. Main serait hanté par l'idée que son garçon aurait peut-être été sauvé s'il n'avait pas abandonné les recherches — comme il avait dû le faire maintenant, Bent en était persuadé. Naturellement, il devrait envoyer au père le cadavre de son fils, par morceaux, pour lui prouver que cette fois il était bien mort. Le rasoir lui serait utile.

Le rire du petit Gus s'éleva à nouveau dans le crépuscule. Femme-de-l'Herbe-Verte posa la joue sur l'épaule droite de Bent. Il était heureux.

58

Charles s'aplatit contre le mur de la cabane, le revolver à hauteur de la poitrine, percuteur relevé. Un des chevaux confiés à la garde de Hibou-Gris, cinq cents mètres plus loin, dans un bosquet de peupliers, émit un faible hennissement.

Il sentit une odeur de cendres s'échapper de la cheminée d'où ne montait aucune fumée. On avait probablement éteint le feu à la hâte. Dans le corral, le crottin avait au moins un jour. Des chevaux ferrés avaient laissé des traces dans le sol.

La pointe d'une botte crottée apparut au coin de la bâtisse, juste avant que Magee Magie surgisse à son tour et avance vers la porte, le dos plaqué contre le mur. Le Noir, coiffé de son melon orné d'une plume de dinde, ne portait rien qui pût indiquer sa qualité de soldat.

Charles tendit l'oreille vers la porte en planches mais le grondement de l'orage, à l'ouest, aurait couvert les voix les plus fortes. Une rafale de vent soudaine souleva de la poussière et agita les branches des arbres derrière Magee.

Le caporal se rapprocha de la porte. Charles leva trois doigts, compta silencieusement en remuant les lèvres. A trois, il bondit devant la porte, l'ouvrit d'un coup de pied. Une forme noire s'élança de l'obscurité, droit sur son visage. Il tira deux fois.

Les échos des détonations se perdirent dans le fracas du tonnerre. Magee suivit des yeux le gros oiseau qui était passé par-dessus la tête de Charles et avait failli faire tomber son chapeau.

— Un parent de Hibou-Gris, dit-il.

La chouette disparut dans la masse sombre et tourbillonnante des nuages. Tenant son colt à deux mains, Charles pénétra dans la maison, sentit une odeur de fumée de tabac par-dessus celle des cendres. Quelqu'un avait effectivement jeté de l'eau dans la cheminée pour éteindre le feu. Tout indiquait un départ précipité des occupants du lieu, probablement des trafiquants commerçant avec les Indiens.

— Dis à Hibou-Gris d'amener les chevaux, lança Charles à Magee en rengainant son arme. Autant nous mettre à l'abri ici jusqu'à la fin de l'orage.

Le caporal hocha la tête et sortit. Inutile de dire quoi que ce soit, le découragement de Charles était évident.

La pluie tombait à torrents. Ils avaient cassé une vieille chaise et rallumé le feu, qui donnait de la lumière mais ne parvenait pas à chasser l'humidité pénétrante. Assis dans un coin, sa couverture autour de lui, Hibou-Gris paraissait beaucoup plus vieux — ou peut-être Charles avait-il cette impression parce qu'il se sentait lui-même ainsi. En mastiquant du pemmican, il regardait Magee s'entraîner avec un vieux jeu de cartes.

Cela faisait deux semaines et demie qu'ils cherchaient la piste de Bent. Ils avaient fait un détour vers le sud-ouest pour éviter le camp de ravitaillement de l'armée et avaient trouvé cette maison au bord de la Wolf Creek. Charles avait espéré interroger ceux qui y habitaient mais ils l'avaient apparemment quittée en toute hâte, ce qui le préoccupait.

La pluie tombant sans relâche depuis des heures ajoutait à son découragement : ce déluge noierait tous les indices qui auraient pu les aider. Jusqu'ici, il n'y en avait pas eu beaucoup, hormis les inévitables traces de détachements de l'armée en patrouille. Cette maison était le premier signe que d'autres êtres humains, peut-être des trafiquants blancs, vivaient dans les parages.

Au matin, ils découvrirent que deux des chevaux, effrayés par le tonnerre, avaient cassé leur longe et s'étaient enfuis.

L'orage dura jusqu'à midi, inondant les cuvettes et creusant de nouvelles ravines. Au moment de quitter la maison, Charles nota que Magee avait l'air maussade, ce qui était inhabituel chez lui. Hibou-Gris s'approcha, demanda d'un ton précautionneux :

— Combien de temps on continue à chercher ?

— Jusqu'à ce que je décide d'arrêter, répondit Charles.

— Il n'y a pas de piste à suivre. L'homme et l'enfant ont pu prendre n'importe quelle direction, rebrousser chemin, même.

— Je le sais mais je ne peux pas abandonner. Rentre, si tu veux.

Il n'y avait aucune trace de ressentiment dans la voix de l'ex-officier.

— Non. Mais c'est dur pour Magee...

Intrigué, Charles attendit la suite.

— Il a une squaw, maintenant. Une Delaware dont le mari est mort.

— Jusqu'à ce qu'il me dise qu'il veut rentrer, on continue, trancha Charles. Tous les trois.

Hibou-Gris éprouvait de la peine pour son ami. La poursuite était vaine : le plus habile « traqueur » n'aurait pu trouver un homme et un enfant dont la piste était si ancienne, dans un territoire aussi vaste et offrant autant de cachettes.

Un matin brumeux — le 9 avril, si Charles avait bien tenu le compte des jours — les trois hommes se tenaient dans un bois de pins, muselant de la main leurs bêtes craintives, tandis que trois pelotons de cavalerie traversaient au petit trot une rivière peu profonde. C'étaient des troupes du Kansas, probablement des unités du 19e Régiment de Volontaires que le vieux Crawford avait levées et envoyées en renfort à Sheridan. Le mustang de Hibou-Gris se libéra en secouant la tête, poussa un hennissement. Charles jura entre ses dents. Le lieutenant commandant le détachement, jeune officier blond au visage rougeaud de paysan, tourna vivement la tête vers le bois enveloppé de brume, s'écarta de la colonne et observa les arbres un moment. Doutant de ce qu'il avait entendu, parce que ses hommes et leurs bêtes faisaient beaucoup de bruit en traversant la rivière, il finit par repartir. Quelques minutes plus tard, l'eau coulait à nouveau paisiblement ; les soldats avaient disparu.

Charles et ses compagnons chevauchaient des heures en silence, plongés chacun dans leurs pensées. Magee était morose à cause de la Delaware, Hibou-Gris parce qu'il ne parvenait pas à guider son ami et n'accomplissait pas l'objectif qu'il avait donné à sa vie. Au sud, les Wichita se dressaient comme des monuments dans un champ plat. Sur les faibles pentes du versant ouest des montagnes, ils repérèrent maintes traces : un grand nombre d'Indiens y avaient planté leurs tipis une semaine auparavant. Tant d'Indiens — plusieurs centaines, selon Charles — que le temps écoulé et la pluie n'avaient pu effacer complètement leurs traces.

Ils passèrent la nuit à cet endroit et le lendemain matin, Charles explora à pied les environs. Il découvrit une bouilloire cabossée qu'il ramassa et dont le métal rouillé céda sous la pression de son pouce : c'était un village pauvre qui avait campé sur cette pente.

Hibou-Gris le rejoignit.

— Viens voir, dit l'Indien.

Le Sudiste le suivit jusqu'à la base d'un pic où subsistaient des traces de travois. Entre les deux lignes parallèles laissées par les poteaux, Charles vit des empreintes de mocassins. Des mocassins de femme : jamais un guerrier ne tirerait un travois.

Repoussant en arrière son chapeau noir, il tira une conclusion à laquelle le guide était déjà parvenu :

— Ils n'ont plus de chiens, ils les ont mangés. Ils crèvent de faim. Ils ne se déplacent pas parce qu'ils l'ont décidé, ils fuient. D'ici, ils devraient logiquement aller vers le sud. Ou vers l'ouest, au Texas. Peut-être jusqu'au *llano*.

Hibou-Gris connaissait le *llano*, plaines broussailleuses inhospitalières.

— L'ouest, dit-il, approuvant de la tête.

Ils se remirent en route avec un peu plus d'énergie maintenant qu'ils étaient sur la piste d'un grand nombre d'Indiens dont un ou plusieurs avaient peut-être vu un Blanc accompagné d'un enfant. Charles savait que leurs chances étaient minces mais ils avaient enfin quelque chose à se mettre sous la dent après un long jeûne.

La piste d'un groupe aussi nombreux était facile à suivre. Elle les conduisit jusqu'à la partie nord de la Rivière Rouge, qu'ils longèrent en direction du nord-ouest pendant un jour et demi. Puis ils tombèrent sur des traces qui les intriguèrent : les cendres d'un autre campement et, de l'autre côté de la rivière, des empreintes de sabot, ce qui indiquait qu'un second village avait rejoint le premier.

Hibou-Gris partit en éclaireur au nord puis à l'est, revint au galop au bout de quelques heures.

— Tous partis vers l'est, annonça-t-il.

De l'ongle, Magee gratta les fientes d'oiseau maculant son chapeau.

— Ça tient pas debout, dit-il. Les forts sont à l'est.

— Pourtant, c'est leur direction.

Charles eut une idée :

— Remontons un peu la rivière pour voir s'ils sont tous partis vers l'est.

Le lendemain, ils trouvèrent les traces d'un camp d'une trentaine de tentes, peut-être, et le surlendemain, ils découvrirent le grand-père.

Il se reposait parmi les peupliers, entouré de quelques objets personnels sortis de son sac à médecine : des plumes, une griffe, une pipe. L'odeur nauséabonde d'un chancre s'échappait de sa robe en peau de bison. La peau semblable à du papier d'emballage froissé, il était vieux et, sachant sa mort imminente, ne montra aucune frayeur en voyant le curieux trio.

Répondant aux questions de Hibou-Gris, Oiseau-Vigoureux — c'était son nom — expliqua la raison de la grande migration vers l'est. Quelque six cents Cheyennes conduits par les chefs Ours-Rouge, Yeux-Gris et Petite-Robe avaient décidé de se rendre aux soldats de Camp Wichita plutôt que de mourir de faim ou d'affronter les balles des hommes du général Panthère-Rampante, qui écumait le Territoire. Le vieux Peau-Rouge faisait partie d'un groupe qui avait suivi Ours-Rouge lorsqu'il était revenu sur sa décision de se rendre.

— Trente tipis, murmura le vieillard d'une voix grêle. Ils mangent leurs chevaux, maintenant.

— Où, grand-père ? demanda Hibou-Gris.

— Ils voulaient pousser jusqu'à la Sweet Water. Je ne sais pas s'ils y sont parvenus... Je connais ton visage. Tu appartiens au Peuple.

Le guide semblait écrasé par le poids d'un lourd fardeau.

— J'en faisais partie autrefois.

— L'âge a pourri ma chair, reprit Oiseau-Vigoureux. Je n'ai pas pu les suivre et je leur ai demandé de me laisser. M'aideras-tu à mourir ?

Ils coupèrent des branches, construisirent une plate-forme funéraire dans l'un des arbres les plus robustes. Avec l'aide de Magee, Charles souleva le vieillard et le porta sur la plate-forme. Bien qu'il pût à peine supporter la puanteur du chancre, il l'installa avec ses quelques possessions, le plaçant de manière que le soleil printanier réchauffe le vieux visage, calme et même souriant.

Au moment où le trio repartait, Hibou-Gris dit à Charles :

— C'était généreux de l'aider à prendre la Route Suspendue. Je ne reconnais pas là celui qu'on appelait Cheyenne Charlie et qui voulait tuer tant d'hommes.

— Il n'y en a plus qu'un qui m'intéresse, maintenant, répondit Charles. Et je crois que nous le trouverons.

Le soleil, le temps printanier et la possibilité que la bande d'Ours-Rouge eût aperçu un Blanc avaient redonné espoir au père de Gus. Hibou-Gris prévint ses deux compagnons qu'Ours-Rouge, à présent chef de village, était autrefois un farouche chef de la Société de Boucliers Rouges, ce qui expliquait sans doute pourquoi il avait refusé de se rendre comme les autres.

Ils trouvèrent le village sur la rive droite de la Sweet Water. Les Cheyennes, qui ne cherchaient pas à se cacher, avaient allumé des feux dont la fumée montait dans le ciel de midi. D'une hauteur, Charles vit dans sa lunette d'approche plusieurs hommes, la tête coiffée de peaux de bête, décrire un grand cercle autour du camp en traînant les pieds. Le vent porta aux oreilles des « traqueurs » le bruit sourd des tambours.

— Qu'est-ce qu'ils ont à danser ? demanda Magee. Je croyais qu'ils mouraient de faim.

— Massaum, répondit Hibou-Gris.

— Parle anglais, maugréa le caporal, avec une sécheresse qui ne lui ressemblait guère.

— C'est le nom de la cérémonie, expliqua Charles. On place un crâne de bison peint dans une fosse pour rappeler le jour où cette bête est venue sur terre, et les danseurs représentent des daims, des élans, des loups et des renards. C'est une prière pour demander de la nourriture, parce qu'effectivement, ils ont faim.

— Et ça les rend cinglés, on dirait.

— Tu sais, Magee, tu n'es pas obligé de m'accompagner.

— Oh ! bien sûr. J'ai fait toute cette route pour me déballonner maintenant, hein ? C'est pas ce que m'a appris celui qui a fait de moi un soldat.

Le caporal fixa les yeux hagards de Charles puis fit la grimace.

— Désolé de te parler durement, Charlie, mais je crois que c'est sans espoir. Ton gosse est mort.

— Non, il est vivant. Hibou-Gris, on y va ?

— On y va. Mais d'abord, on charge toutes les armes.

L'un des danseurs vêtus de peaux de bêtes fut le premier à les repérer et poussa un cri en tendant le bras. Les tambours se turent. Hommes, femmes et enfants accoururent dans la partie du camp vers laquelle se dirigeaient les inconnus. Les hommes étaient vieux ou d'âge mûr, sans doute parce que les guerriers étaient partis à la recherche de nourriture... Bien avant d'être à portée de voix, Charles vit le reflet du soleil sur les fers de lance et les lames de couteau. Il remarqua aussi l'absence de chiens, l'état pitoyable des tipis : le village installé au bord de la Sweet Water respirait le désespoir.

Le vent continuait à souffler dans la direction du trio et Charles sentit des odeurs d'immondices, de fumée et de sueur. Il n'aimait pas du tout les visages maigres à l'expression coléreuse s'alignant derrière les danseurs, ni l'air agressif du vieil Indien qui s'avança à leur rencontre avec sa lance longue de huit pieds et son bouclier rouge en peau de bison. Les cornes de sa coiffure, dont la peinture rouge avait pâli, indiquaient qu'il s'était distingué à la guerre bien des hivers plus tôt.

Charles tendit le bras, paume en avant, et déclara en cheyenne :

— Nous venons en paix.

— Vous êtes des chasseurs ?

— Non. Nous cherchons un petit garçon, mon fils.

La réponse déclencha des murmures parmi les grand-mères, qui semblaient savoir de quoi parlait Charles.

— Pouvons-nous nous arrêter un moment dans le village ?

Le chef Ours-Rouge brandit son bouclier.

— Non ! Je connais l'homme qui t'accompagne. Il a détourné son visage du Peuple pour aller aider les démons blancs des forts. Oui, je te connais, Hibou-Gris !

Ours-Rouge agita sa lance ; l'un des danseurs fléchit les jambes, fit décrire un petit cercle à son poignard.

— Vous êtes des soldats ! cria le chef.

— Non, nous ne..., commença Hibou-Gris.

— Des soldats ! Qu'on aille chercher Serpent-Siffleur dans le tipi du Massaum.

Magee leva sa Spencer.

— Non, fit Charles en anglais. Un coup de feu et ils nous taillent en pièces.

— 'M'a tout l'air que c'est ce qu'ils feront de toute façon, répondit le caporal noir d'une voix mal assurée.

Son ancien lieutenant craignait qu'il n'eût raison : plus de cent Indiens les entouraient, et si la faim et l'âge avaient affaibli chacun des Cheyennes, leur supériorité numérique leur garantissait la victoire.

— Tu connais ce Serpent-Siffleur ? demanda Charles à Hibou-Gris.

— C'est le sorcier, murmura le guide, d'une voix quasi inaudible. Il a une tête hideuse. Dans sa jeunesse, il s'est tailladé lui-même les joues pour montrer ses pouvoirs magiques. Même des chefs comme Ours-Rouge le redoutent.

Charles ne savait que faire. Il croyait avoir un as dans sa manche et avait sorti un trois. Dernière tentative :

— Chef Ours-Rouge, nous voulons seulement demander si quelqu'un de ton village a vu un Blanc accompagné d'un petit...

La foule s'écarta avec un murmure de crainte respectueuse tandis que le regard du vieux chef se faisait curieusement sarcastique. Dans l'allée de terre battue souillée d'excréments humains s'avançait le sorcier, Serpent-Siffleur.

Journal de Madeline.

Avril 1869. L'école a un nouveau globe terrestre, une carte murale, huit pupitres d'écolier pour remplacer les tables que nous avions fabriquées nous-mêmes. Un groupe d'éminents éducateurs du Connecticut envisage de nous rendre visite le mois prochain et Prudence veut à tout prix que nous nettoyions et astiquions les lieux.

Le grincement des scies et le ferraillement des chariots de la mine que je perçois parmi les bruits plus agréables des travaux de construction me rappellent que nous pouvons acheter des fenêtres pour remplacer les volets de l'école. Andy se chargera d'y mettre des carreaux. Avec l'aide d'un ou deux jeunes, Prudence et moi pouvons nous occuper du reste le soir. C'est un travail exigeant, fatigant, qui convient parfaitement à des femmes seules. Vigoureuse comme un charretier, Prudence grossit un peu plus chaque mois. Bien qu'elle continue à citer ses auteurs latins favoris, je décèle une tristesse dans ses yeux, sans doute parce qu'elle sait qu'elle restera vieille fille. Comme je resterai veuve. Travailler jusqu'à en avoir le corps douloureux est le meilleur remède contre la solitude, un des grands maux dont Dieu afflige notre existence.

Je partage une tristesse d'une autre nature avec Jane, qui m'a confié qu'elle ne peut avoir d'enfants. Prudence, les Sherman, Orry, mort stupidement — ils semblent tous reliés les uns aux autres, d'une certaine façon. Est-ce parce que chacun d'eux témoigne que nous ne sommes jamais sûrs d'avoir une vie heureuse ?...

Rencontré un homme, jeune et pauvrement vêtu, montant un cheval blanc le long de la rivière. Bien qu'il ne m'ait pas saluée, il m'a fixée comme s'il me connaissait. Son visage avait, malgré sa jeunesse, un côté cruel. Ce n'est certainement pas un Nordiste au grand cœur venu inspecter notre école...

Andy l'a vu lui aussi ce matin.

Nouvelle rencontre avec le jeune homme. Alors que je le saluais, il a lancé son cheval blanc vers moi comme pour me renverser, me forçant à me jeter sur le côté et à rouler dans l'herbe. Son visage est passé rapidement au-dessus de moi, image même de la haine...

Pas trace de lui depuis deux jours. Je soupçonne et j'espère qu'il est parti terroriser d'autres gens...

Dans le petit cimetière noir dominant l'Ashley, à la sortie de Charleston, le sol entourant les tertres funéraires était un tapis de feuilles brunes pourrissantes. Des bouquets de tournesols fanés et même quelques fleurs de pissenlits jaunies ornaient les tombes. L'endroit était pauvre, mal entretenu.

Des LaMotte s'agenouilla et pria devant une plaque en bois sur laquelle il avait gravé cette inscription :

JUBA
Tu as été fidèle en peu de choses,
Sur beaucoup je t'établirai.
Matt. 25, 21

A l'endroit où les arbres s'ouvraient sur l'eau, un ciel couleur d'argent brillait d'un éclat étrangement menaçant. Le vent, se levant au nord-est, soufflait de l'Atlantique. Il faisait trop froid pour le printemps, ou peut-être Desmond ressentait-il les effets de l'âge, de la misère et de son incapacité à en finir avec son ennemie. Après les souffrances de la guerre et les années écoulées, il ne tenait plus aussi farouchement à se venger. L'honneur semblait désormais moins important qu'avoir à manger, garder sa chambrette en ville et ménager des vêtements qu'il n'avait pas les moyens de remplacer. « L'honneur des LaMotte » lui faisait maintenant l'impression curieuse d'une expression étrangère impossible à traduire.

Ses liens avec le passé étaient rompus. Ferris Brixham, mort. Sallie Sue, morte. Mrs Asia LaMotte, morte un an et demi plus tôt, les entrailles rongées par un cancer. Et maintenant Juba, le dernier en date. L'ancien esclave était devenu tellement impotent que, vers la fin, il ne pouvait même plus se lever de son grabat. Des l'avait nourri, lavé comme s'il était le dernier reste de luxe et de grandeur d'une maison rasée. Le domestique était mort dans son sommeil et Desmond avait contemplé sa dépouille à la lueur d'une bougie pendant près d'une heure. La mort de Juba lui avait rappelé que le corps humain est déjà suffisamment vulnérable pour qu'on ne l'expose pas délibérément au danger. Le Desmond au sang chaud qui avait défié Cooper main sur la planche, dans les marais, semblait être un très lointain parent fort sot ne comprenant rien aux réalités de la vie et dont les idées n'avaient plus aucune pertinence. Des était vieux, malade, il avait assez lutté.

En se relevant péniblement, il entendit un bruit de sabots et se retourna. Au lieu du paysan noir monté sur un cheval ensellé qu'il s'attendait à voir, il découvrit un Blanc, derrière lequel des nuages sombres roulaient dans le ciel.

L'homme était jeune, à peine plus de vingt ans, vêtu d'un vieil habit noir au col relevé. Le soleil avait brûlé son nez, ses mains et le haut de ses joues, qui semblaient à vif. Lorsqu'il descendit de son cheval blanc, Des aperçut sa nuque rougeaude d'homme travaillant dans les champs.

Tandis que l'inconnu s'approchait, Des remarqua que son œil gauche avait quelque chose d'anormal, le regard fixe d'un aveugle. Il pensa à l'Apocalypse : *Celui qui le montait s'appelait la Mort.*

— Vous êtes Desmond LaMotte ?

— Oui, monsieur.

— On m'a dit que je vous trouverais ici.

Des attendit. L'inconnu dégageait une impression de férocité rentrée qui effrayait l'ancien maître de Juba.

— Je suis Benjamin Ryan Tillman, du comté d'York, fit l'homme en fouillant les poches de sa veste élimée. Je suis venu ici avec pour instruction de vous parler.

Le comté d'York, c'était loin, au-dessus de Columbia, à la frontière de la Caroline du Nord.

443

— Je ne connais personne dans ce comté, répondit LaMotte.

— Oh ! si.

Tillman lui montra ce qu'il avait tiré de sa veste : une coupure de journal déjà jaunie, dont le titre fit sursauter Desmond :

KU KLUX KLAN
Le cadavre de l'inspecteur Barmore
a été retrouvé

La peur de Desmond grandit.

— Je ne comprends pas ce que..., commença-t-il.

— Je suis ici pour vous l'expliquer. L'article précise que le corps a été découvert dans un bois, revêtu d'une partie de son costume du K.K.K.

— Quel rapport avec moi ?

— Cela aussi, je vais vous l'expliquer. Barmore n'avait pas exécuté un ordre que lui avait donné le Grand Dragon, là-bas à Nashville, dans le Tennessee. Et le Grand Dragon de Caroline veut vous montrer qu'on ne peut pas désobéir à l'Empire Invisible.

— Je n'ai pas désobéi à un seul ordre, protesta Desmond.

— Et vous ne désobéirez pas non plus à celui que je vais vous donner, répliqua Tillman. Votre klaverne ne contrôle pas ce district comme elle le devrait. Tout le monde dans l'État a entendu parler de cette femme de Mont Royal qui amasse de l'argent avec sa scierie et sa mine et le dépense pour son école de nègres.

— Nous avons essayé d'y mettre le feu...

— Essayé, oui, et vous avez échoué lamentablement. A présent, les politiciens et les prédicateurs yankees viennent ici visiter l'école, faire son éloge, et vous, vous ne faites rien. C'est une offense à tous les Blancs qui craignent Dieu. Il faut détruire cette école, LaMotte, sinon vous connaîtrez le même sort que Barmore.

— Tu sais à qui tu parles ? s'écria soudain Desmond. J'ai fait toute la guerre dans les *Palmetto Rifles*, un régiment d'élite. Et toi ? Tu es resté à la ferme avec ta bande de rustauds ?

— Sale petit merdeux prétentieux de Charleston ! riposta Tillman. Je suis resté alité deux ans, attendant d'aller mieux pour m'engager. J'ai perdu un œil, j'ai perdu trois frères. Je suis à fond pour le Sud, pour la race blanche, et j'ai tué pour le prouver. Je fais partie du Klan du comté d'York et je suis venu te donner un avertissement. Le Grand Dragon de Caroline veut du sang. Du sang de nègre. Le sang de cette Madeline Main. Réunis ta klaverne, débarrasse-nous de cette femme et de son école.

Agitant la coupure de journal sous le nez de LaMotte, Tillman ajouta :

— C'est compris ?

— Je... Oui.

— Et cela vaut pour les autres membres de ta klaverne.

— Croyez-moi, Tillman, je veux la même chose que vous, que le Klan. Mais nous nous sommes heurtés à une certaine résistance, la dernière fois, et elle sera plus vive encore maintenant. Il y a une milice noire à Mont Royal...

— On se fiche éperdument que tous les archanges descendent du ciel avec leur harpe pour monter la garde autour d'elle. Ou elle disparaît avant trente jours, ou ce sera toi. Je reviendrai avec plaisir exécuter la sentence.

Tillman dévisagea LaMotte jusqu'à lui faire baisser les yeux puis, avec un petit rire, fourra la coupure de journal dans la poche de Desmond. Il retourna près du cheval blanc, monta en selle avec agilité.

— Au revoir, cher monsieur, lança-t-il avant de quitter le cimetière.

Pris de faiblesse, Desmond s'appuya contre un arbre, lut et relut l'article concernant Barmore. Il ne doutait pas de l'authenticité des lettres de créance du visiteur, ni du sérieux de l'avertissement. Benjamin Ryan Tillman, du comté d'York, était à coup sûr l'un des êtres humains les plus intimidants qu'il lui eût été donné de rencontrer. L'homme faisait penser aux Romains massacrant des chrétiens et aux Inquisiteurs d'Espagne. La Caroline entendrait parler de ce jeune paysan pauvre si les moricauds ne le tuaient pas pour sauver leur peau.

Dans le vent qui hurlait, Desmond reprit le chemin de Charleston sur la mule de Juba.

A la tombée de la nuit, il se mit en route pour le *Dixie Store* de Summerton et, une fois arrivé là-bas, donna pour instruction à Gettys d'acheter des explosifs. Comme le commerçant répondait en bégayant que c'était trop dangereux, LaMotte lui conseilla de se rendre à cheval à Savannah, ou même de remonter la rivière jusqu'à Augusta si c'était nécessaire. Le maître de danse précisa que l'ordre émanait du Grand Dragon et expliqua quelle serait la sentence du Klan s'ils échouaient. Après quoi, Gettys cessa de discuter.

59

Bien que Serpent-Siffleur eût au moins soixante-dix hivers, il marchait avec la vigueur d'un homme jeune. Son cou, ses avant-bras avaient quelque chose de sinueux. Sa chevelure totalement blanche était simplement divisée en deux tresses, sans aucun ornement. Il portait une chemise en peau à laquelle le temps avait donné une couleur vieil or, et qu'il serrait à la taille par une ceinture de cuir brut. Dans la main droite, à hauteur de poitrine, il tenait un éventail de plumes d'aigle large de deux pieds.

Charles ne pouvait se rappeler un autre vieillard dégageant une telle impression de force, ni des yeux d'être humain aussi arrogants et antipathiques. L'iris droit était en partie masqué par un bourrelet de chair ridée. Le visage de Balafre était lisse comparé à celui de Serpent-Siffleur, dont on eût dit que la chair avait fondu des tempes aux mâchoires puis avait formé des ravins et des crêtes en durcissant.

— Ils prétendent qu'ils cherchent son fils, dit Ours-Rouge au vieillard avec un mouvement du menton en direction de Charles.

Le sorcier examina le trio en s'éventant puis pointa les plumes d'aigles vers Magee.

— Soldat noir. Tuez-les.

— Bon Dieu, s'exclama Charles, tous les Noirs des Plaines ne sont pas soldats. C'est mon ami, il est venu en paix, moi aussi. Nous cherchons mon petit garçon, qui a été enlevé par un autre Blanc. Un homme grand, qui porte peut-être un bijou de femme à l'oreille.

Un vieux Cheyenne couvrit sa bouche de sa main en roulant des yeux ; plusieurs femmes se mirent à babiller avec excitation avant qu'un regard réprobateur d'Ours-Rouge les fasse taire. Charles sentit son estomac se serrer : ils avaient vu Bent.

— Tuez-les, répéta Serpent-Siffleur, agitant l'éventail d'un léger mouvement de rotation de son poignet osseux. D'abord celui-là, qui a trahi le Peuple.

Le mustang de Hibou-Gris piaffa comme si quelque force invisible émanait du sorcier. Le guide serra les genoux pour reprendre le contrôle de sa monture, le visage perdant son impassibilité coutumière pour exprimer une émotion. De la peur.

Du coin des lèvres, Magee demanda en anglais :

— Qu'est-ce qu'il raconte, ce vieux sagouin ?

— Il leur dit de nous tuer.

Visiblement affecté, le caporal avala sa salive.

— Ah ! non. Je veux rentrer avec tous les poils sur le caillou. Je veux revoir Beaux-Yeux. Je crèverai pas ici. Je me suis fait dérouiller par les bouffeurs de nègres des bars de...

Le sorcier s'écria en cheyenne :

— Arrêtez sa langue !

— J'ai été injurié par des soldats blancs même pas capables de cirer les bottes d'un vrai homme, continua le Noir. Je laisserai pas un vieil Indien me liquider comme ça, pfft, d'un coup d'éventail...

Une curieuse colère, née de la peur, excitait le caporal, qui agita son melon comme Serpent-Siffleur l'avait fait de son éventail.

— Dis-lui qu'il a pas intérêt à toucher un magicien !

— Un quoi ? fit Charles.

— Le plus grand, le plus féroce de tous les magiciens noirs de l'univers planétaire. Moi !

Magee leva les bras vers le ciel comme un prédicateur et poursuivit :

— Je déchaînerai le vent, la grêle et le feu contre ce village s'ils nous touchent ou s'ils refusent de nous dire ce que nous voulons savoir.

Il y eut un moment de silence puis Magee lança à Charles :

— Allez, dis-leur !

Charles traduisit, avec l'aide de Hibou-Gris. Serpent-Siffleur agita son éventail plus rapidement, Ours-Rouge se tourna vers lui pour voir sa réaction.

— Il connaît la magie ? demanda-t-il.

— C'est le plus fort que je connaisse, répondit Charles, en s'interrogeant sur la santé mentale du caporal.

— Je suis le plus grand jeteur de sorts, déclara le sorcier.

Charles traduisit et Magee, calmé maintenant, renifla avec mépris.

— Vieux crétin prétentieux.

— Non, dit Charles en montrant son ami. C'est lui le plus grand.

Pour la première fois, Serpent-Siffleur sourit, révélant quatre dents largement espacées sur sa mâchoire supérieure. Elles étaient en forme de croc, comme s'il les avait limées.

— Laisse-les entrer, dit-il à Ours-Rouge. Donne-leur à manger. Quand le soleil sera tombé, nous verrons qui est le plus grand magicien. Ensuite, nous les tuerons.

Par-dessus le bord de son éventail, il examina le Noir et émit un ricanement. Puis il fit demi-tour et repartit vers sa tente d'une démarche majestueuse.

— Bon Dieu, fit Magee, l'air atterré, j'aurais jamais cru qu'il me prendrait au mot.

— Tu as quelque chose à lui montrer ? murmura Charles.

— J'ai deux ou trois trucs, comme toujours. Mais c'est de la broutille comparé à ce que doit pouvoir faire ce vieux type.

— Ce n'est qu'un homme, argua Charles.

Hibou-Gris secoua la tête.

— Il est davantage. Il est en contact avec de puissants esprits.

— Seigneur, gémit Magee. Moi, je connais juste quelques tours de passe-passe.

Le soleil de la prairie leur semblait briller d'un éclat particulier car c'était peut-être la dernière fois qu'ils le voyaient.

Les Cheyennes les firent entrer dans un tipi puant et affectèrent quelques vieillards à leur garde. Une femme leur apporta des bols de ragoût froid trop faisandé pour qu'ils puissent le manger. A la tombée de la nuit, les Indiens allumèrent un grand feu et commencèrent à jouer de la flûte et du tambour.

Une heure s'écoula en chants et en danses. Charles mâchonnait son dernier cigare avec la certitude, superstitieuse, qu'ils ne s'en sortiraient pas s'il le fumait. Hibou-Gris paraissait dormir sous sa couverture. Magee inventoriait le contenu de ses sacoches, les refermait, les rouvrait quelques minutes plus tard. Les ombres d'hommes dansant en traînant les pieds défilaient sur l'enveloppe du tipi, comme les projections d'une lanterne magique. Le bruit des tambours devint plus fort. Charles estima que deux heures s'étaient écoulées quand Magee se leva d'un bond et, d'un coup de pied, expédia ses sacoches à l'autre bout de la tente.

— Ils vont nous taper longtemps sur les nerfs ?

Hibou-Gris releva la tête, ouvrit les yeux.

— Le sorcier veut que tu t'énerves. Lui montrera un visage différent, calme.

— Je regrette de nous avoir fourrés dans ce..., commença Charles.

— Non, c'est de ma faute, coupa Magee, d'un ton presque rageur. Je nous ai mis dans le pétrin, je nous en sortirai. Même si je suis juste un magicien de saloon.

Quelques minutes plus tard, leurs gardes les firent sortir. Un murmure parcourut le cercle d'Indiens entourant le feu. Les hommes étaient assis, les femmes et les enfants se tenaient debout derrière eux. La nuit était sans vent et les flammes, droites comme des piliers, projetaient des étincelles vers les étoiles. Serpent-Siffleur prit place à côté d'Ours-Rouge, qui souriait d'un air hébété, comme s'il avait bu. Comme Hibou-Gris l'avait prédit, le sorcier affichait le plus grand calme.

Le chef invita Charles à s'asseoir tandis que Hibou-Gris était brutalement repoussé parmi les femmes. Le vieil Indien qui se trouvait à côté de Charles dégaina un couteau et en éprouva le fil en regardant le Blanc droit dans les yeux. L'ancien éclaireur continua à mâchonner son cigare éteint.

— Commencez, ordonna Ours-Rouge.

Magee posa ses sacoches de selle à plat par terre, se racla la gorge, souffla sur ses mains, saisit son melon et le fit rouler le long de son bras, jusqu'à sa main. Un vieillard éclata de rire, Serpent-Siffleur le fit taire d'un regard.

Le visage déjà luisant de sueur, le caporal noir tira d'une des sacoches son mouchoir bleu, le fourra dans son poing droit en psalmodiant :

— Colonne, droite, colonne, gauche, passe-passe, passe-passe.

Ours-Rouge plissa légèrement le front de curiosité, Serpent-Siffleur contempla les constellations en s'éventant. Magee tira un mouchoir noir de son poing, ouvrit la main pour montrer qu'elle était vide. Il agita le carré de tissu comme une cape de torero puis s'assit. Le sorcier daigna lui jeter un coup d'œil et sourit, découvrant ses quatre dents limées avec un souverain mépris.

D'un geste cérémonieux, il remit son éventail à Ours-Rouge et se leva. De sa robe, il tira un grand sac de flanelle rouge, le retourna pour montrer l'intérieur. Puis il se mit à chantonner et à danser en tenant les coins supérieurs du sac entre le pouce et l'index de chaque main.

Deux têtes de serpent aux yeux brillants jaillirent soudain du sac et se dressèrent vers les étoiles. Un moment sidéré, Charles remarqua le manque de souplesse des deux « bêtes » lorsqu'elles redisparurent dans le sac. Magee, assis en tailleur près de ses sacoches, lança à son ancien lieutenant un regard écœuré : lui aussi avait compris qu'il ne s'agissait que de peaux de serpent collées sur du bois.

Le truc parut néanmoins beaucoup impressionner les Indiens, dont le sorcier effectua un tour complet autour du feu en faisant à nouveau apparaître les reptiles plusieurs fois. Puis il retourna le sac et alla se rasseoir avec une satisfaction évidente.

Les visages des Cheyennes luisaient à la lumière du feu ; Serpent-Siffleur fixait son adversaire comme un animal dont il se repaîtrait bientôt. D'une des sacoches, Magee sortit trois plumes blanches, en glissa deux sous sa ceinture et changea la troisième en caillou blanc. Il tint le caillou dans sa bouche pendant la transformation des deux autres plumes puis changea à nouveau les cailloux en plumes, les fit disparaître dans l'une de ses mains, ouvrit la bouche et en tira trois plumes. Montrant qu'il n'avait rien dans les mains, il toucha la nuque d'un des Cheyennes, fit apparaître trois cailloux blancs.

Le caporal scruta la foule dans l'attente d'un signe d'émerveillement ou d'approbation mais on ne vit que des regards durs. L'air abattu, il retourna s'asseoir.

Serpent-Siffleur se leva, l'expression hautaine, et tendit ses mains vers les spectateurs. Puis il renversa la tête en arrière et, entamant une incantation, se dirigea vers le feu.

Il plongea la main droite dans les flammes, l'y laissa tandis que la gauche la rejoignait lentement. Son visage n'exprimait aucune douleur. Raide comme un piquet, Magee l'observait avec des yeux pleins de curiosité et d'admiration. Il avait momentanément oublié que le Cheyenne voulait le tuer.

Lentement, le sorcier retira la main gauche du feu, puis la droite. Au-dessus des poignets, les poils blancs couvrant les avant-bras avaient roussi mais les paumes ne portaient aucune marque.

Charles tourna la tête vers Hibou-Gris, dont les traits étaient aussi expressifs que le granite des Wichita. Magee regarda à nouveau son ancien officier avec un air d'excuse et celui-ci sourit, comme pour l'encourager à ne pas se tracasser. L'air accablé, le caporal se leva ; Charles saisit un brandon et alluma son dernier cigare.

Magee posa sur le sol une bourse en cuir, tira ensuite d'une des sacoches un coffret en bois sculpté contenant quatre balles couleur de plomb. Il en prit une, la plaça soigneusement entre ses dents, referma le coffret et, d'un geste théâtral, tira de l'autre sacoche un pistolet.

Plusieurs Cheyennes se levèrent d'un bond, le Noir fit le signe de la paix. L'arme en équilibre sur la paume, il tourna lentement sur lui-même pour que chacun puisse la voir. Où a-t-il déniché cette antiquité ? se demanda Charles.

Le caporal ouvrit la bourse, l'inclina pour verser de la poudre dans le canon du pistolet. Soudain, il frappa le sol du pied droit, deux fois, comme si quelque insecte l'avait piqué. Comme la plupart des Indiens, Charles baissa les yeux et ne vit rien.

Magee releva la bourse, la rangea. Il prit la balle qu'il tenait entre les dents, la glissa dans le canon et la poussa avec la baguette. Puis il replaça la baguette sous le pistolet et mit une amorce dans le bassinet.

De grosses gouttes de sueur roulaient sur ses joues. Il essuya ses mains à son pantalon, fit signe à Charles de se lever. Étonné, le Sudiste s'exécuta. Magee jeta un regard à Ours-Rouge pour s'assurer qu'il avait son attention ; Serpent-Siffleur agita son éventail avec irritation.

— Ce que j'ai fait jusqu'à maintenant, c'était de la bricole, déclara le Noir. Je vais tuer la Mort devant leurs yeux. Dis-leur, Charlie.

— Magee, je ne comprends pas où...

— Dis-leur.

Charles traduisit. Dans le silence qui suivit, Magee se retourna avec une raideur militaire, fit signe aux Indiens se trouvant devant lui de s'écarter. Il tendit ensuite le vieux pistolet à Charles.

— Quand je te le dirai, tu me tireras dessus.

— Quoi ?

Le caporal approcha sa tête de celle de Charles et murmura :

— Tu veux filer d'ici ? Alors fais ce que je te dis.

Il compta dix pas, s'arrêta, se retourna.

— Vise la poitrine, Charlie ! cria-t-il. En plein milieu.

Charles sentit de la sueur couler le long de sa barbe. Serpent-Siffleur se leva, regarda le Blanc ramener le percuteur en arrière. La chemise du caporal était tendue sur ses côtes et sur son ventre. D'une main tremblante, Charles braqua l'arme vers son ami. Non, il ne pourrait jamais...

— Maintenant, ordonna Magee Magie.

Réagissant plus au ton qu'au mot, Charles fit feu. Des étincelles jaillirent du silex, l'amorce s'enflamma, le pistolet tonna.

Charles vit un panache de poussière se former sur la poitrine de Magee, à quelques centimètres sous le sternum. Le Noir fit un pas en arrière en titubant, ferma les yeux et ouvrit les mains, les doigts tremblants et raides. Puis ses bras tombèrent le long de son corps et il rouvrit les yeux.

Serpent-Siffleur se précipita vers lui et s'écria :

— Où est la balle ? Où a-t-elle frappé ?

D'une voix retentissante, Magee répondit :

— La Mort est morte. Vous répondrez à nos questions et vous nous laisserez repartir ou je la rappellerai. Elle chevauchera les vents de la grêle et du feu pour anéantir ce village ! Dis-leur, Charlie.

Charles s'empressa de traduire. En s'efforçant de prendre un ton aussi menaçant que Magee, il examina la chemise, n'y vit aucune déchirure. Le caporal se frotta la poitrine, comme si quelque chose le chatouillait.

Dès que Charles eut fini de parler, Ours-Rouge répondit :

— Qu'il en soit ainsi.

Serpent-Siffleur émit des cris de protestation qui eurent pour effet de tirer les Cheyennes de leur ahurissement. Ils se précipitèrent vers Magee pour le toucher, lui tapoter le dos. Charles baissa les yeux vers le vieux pistolet, sentit la chaleur du canon. La Mort était morte, et par-dessus la foule rieuse flottait la bannière de son vainqueur : le grand sourire étincelant de Magee le magicien.

Ours-Rouge prépara un calumet tandis que Hibou-Gris s'occupait des chevaux. Bien que Charles eût préféré ne pas s'attarder et partir avant que les Indiens ne changent d'humeur, l'usage exigeait qu'il s'assît devant le feu avec Ours-Rouge. Le chef avait contraint Serpent-Siffleur à prendre place parmi les anciens du village mais lorsque le tour du sorcier arriva, il passa le calumet à son voisin sans tirer une bouffée et, saisissant une poignée de cendres, la jeta entre les jambes de Charles. Ours-Rouge réprimanda Serpent-Siffleur, qui se contenta de se frotter les mains et de croiser les bras.

Le chef se montrait maintenant non seulement courtois mais aussi plein de respect, et après avoir demandé à Charles de lui décrire à nouveau le Blanc qu'il cherchait, il déclara :

— Oui, nous avons vu cet homme, avec un enfant. Au ranch à whisky de Glyn le marchand, au bord de la Vermilion Creek. Glyn est parti maintenant, celui que tu cherches a pris sa place. Je t'indiquerai le chemin.

Silencieux, les Cheyennes formèrent une longue haie que le trio longea au trot pour quitter le village. Charles jugea prudent de mettre une bonne distance entre les Indiens et eux avant d'ordonner une halte et ils chevauchèrent toute la nuit. A l'aube, bêtes et hommes, fourbus, se reposèrent sur l'herbe fraîche de la prairie et le Sudiste se tourna vers son ami noir.

— D'accord, je sais que tu ne révèles pas tes secrets, mais cette fois, tu feras une exception. Explique-nous.

Avec un gloussement, Magee prit dans le coffret en bois une des balles grises et la montra à ses compagnons en la tenant hors de portée.

— C'est un vieux magicien itinérant qui m'a appris ce tour à Chicago. Ça me démangeait depuis un moment de le faire devant un public mais j'ai dû attendre cet hiver pour me payer le pistolet qu'il faut. Ma paye y est passée. Bon, alors, d'abord, j'ai fait tomber une partie de la poudre. Vous ne l'avez pas vu parce que vous avez baissé les yeux, comme tout le monde, quand j'ai fait semblant d'avoir été piqué. Mais c'est pas tout. Sans ça, poursuivit le caporal en montrant le projectile qu'il tenait à la main, le tour ne marcherait pas.

— C'est une balle en plomb, non ?

Magee enfonça l'ongle de son pouce dans la petite boule grise, qui s'écrasa.

— Non, c'est juste une couche de plomb fondu versé sur de la bonne vieille boue séchée du Kansas. Assez solide pour construire une maison, mais pas assez dure pour tuer un homme.

Il souffla sur sa paume, éparpillant la poussière dans le soleil.

— Et maintenant, on va chercher ton fils ? proposa-t-il.

Une heure plus tard, Charles se rappela les cendres que Serpent-Siffleur lui avait jetées et interrogea Hibou-Gris, qui perdit aussitôt sa bonne humeur.

— C'est une malédiction, répondit le guide d'un air attristé. L'échec et la mort s'abattront sur toi comme ces cendres sont tombées sur tes jambes.

60

Ils arrivèrent cette fois de la rivière, au galop, se souciant moins du bruit que de la surprise. Une douzaine de Noirs appartenant à la milice du district vivaient à Mont Royal, dans des cabanes en bois ou de petites maisons de boue séchée disséminées sur le domaine. Moins on leur laisserait de temps pour s'éveiller et accourir avec leurs vieux mousquets, mieux ce serait : telle était la tactique définie par les membres du Klan rassemblés au croisement.

Les mors tintaient, les selles craquaient, les sabots frappaient la route sablonneuse tandis qu'ils s'approchaient de la bâtisse blanchie à la chaux près de laquelle s'élevaient les poutres et les madriers d'une future maison beaucoup plus vaste. Surgissant de la voûte épaisse des arbres, les cavaliers parvinrent à l'ancien village des esclaves. La lumière argentée du ciel donnait un éclat chatoyant à leurs robes et à leurs cagoules. A quelque distance, sur la droite, ils distinguèrent les fenêtres éclairées de l'école, des formes bougeant à l'intérieur. Tant mieux.

Galopant en tête auprès de Gettys, Des LaMotte sentit un grand calme l'envahir. Il touchait au but, comme un vaisseau accostant après un long et périlleux voyage.

On tira les revolvers de dessous les robes, on releva les percuteurs ; le canon d'une carabine étincela à la lumière de la lune. Desmond gardait les mains libres : comme il exerçait le commandement, il aurait le privilège d'approcher une allumette de la mèche de la dynamite...

— Vous avez bientôt fini, mesdames ? bâilla Andy. Doit pas être loin d'onze heures.

Il était assis sur un petit pupitre aux pieds en fer, poussé dans un coin contre d'autres bureaux semblables. Le dos contre le nouveau tableau noir, il avait sur les genoux un des volumes des *Commentaires* de Kent dont il venait de souligner un passage.

Un quart d'heure plus tôt, il avait quitté sa petite maison pour venir chercher Jane qui, avec Prudence, Madeline et un jeune garçon de onze ans nommé Esaü, avait passé la soirée à finir de nettoyer l'école : laver les vitres qu'il avait posées la veille, frotter le plancher. Madeline et Jane utilisaient des chiffons savonneux mais Prudence, comme pour se purifier en rendant la tâche plus rude, frottait avec une poignée de mousse trempée dans l'eau, selon la tradition primitive du Bas-Pays.

— J'ai l'impression qu'il est plus tard que ça, soupira la veuve d'Orry.

Se relevant avec raideur, le bas de la jupe mouillé, elle jeta son chiffon dans un baquet en bois. Les carreaux brillaient à la lumière des deux lampes posées sur des tabourets.

— Terminé, déclara-t-elle. Nous remettrons les bureaux en place demain.

— Esaü, c'était vraiment très gentil de nous aider, dit Jane en tapotant l'épaule du jeune Noir à la peau dorée. Mais il est tard pour toi, maintenant. Andy et moi allons te raccompagner.

— C'est normal que j'aide, c'est mon école, fit Esaü.

Madeline sourit en relevant une mèche grise tombée sur son front. Elle était épuisée mais ce n'était pas une sensation désagréable. Toute la soirée, ils avaient travaillé dans une atmosphère détendue, amicale, et l'école, fraîchement blanchie à la chaux et débarrassée de l'éternelle moisissure du Bas-Pays, était prête à accueillir les visiteurs du Connecticut.

En se penchant pour soulever le baquet, elle vit une tache rouge briller au-dehors et comprit immédiatement.

— Ils sont revenus, eut-elle le temps de dire.

Une volée de plombs fracassa la fenêtre de devant ; un éclat de verre entailla la joue du jeune Noir hébété. Prudence se releva, laissant sa poignée de mousse s'égoutter sur le plancher si soigneusement frotté et séché.

La manche percée par un plomb, Madeline se jeta contre le mur. Elle entendit des chevaux, des hommes crier le mot « nègre », une voix réclamer :

— La dynamite !

— Oh ! mon Dieu, gémit Jane.

Andy jeta son livre.

— Il faut que quelqu'un prévienne les membres de la milice, dit-il. Miss Madeline, sortez par-derrière avec les autres, je m'en charge.

— Non, intervint Jane, je te l'interdis. Ils sont dehors à t'attendre.

— Je courrai le long des arbres de la route, argua son mari. Assez discuté, sauvez-vous.

Il poussa les femmes vers la fenêtre de derrière, d'abord Madeline, puis Prudence, encore haletante de son travail et trop lourde pour courir bien loin. Madeline attira Esaü contre elle, le sentit trembler.

— Sortez de là, sales nègres ! Si vous restez à l'intérieur, vous crèverez.

La maîtresse de Mont Royal reconnut la voix de Gettys. Andy saisit le globe terrestre, le lança dans la fenêtre latérale, ce qui déclencha une fusillade de ce côté du bâtiment. Il mit le vacarme à profit pour briser les vitres de la fenêtre de derrière avec un tabouret et poussa à nouveau Madeline.

— Vite !

Jane leva vers lui des yeux implorants. Il l'embrassa rapidement sur la joue et murmura :

— N'oublie pas que je t'aime. Va, maintenant.

Madeline enjamba le fenêtre, Prudence fit passer Esaü par l'ouverture et le passa à la veuve. Andy sauta par la fenêtre latérale, se mit à courir dans le noir.

— En voilà un ! brailla un homme du Klan.

Des chevaux hennirent, deux au moins partirent au galop derrière le Noir en fuite. Le fracas de trois coups de feu retentit dans la nuit. Jane, qui venait de sauter après Prudence, poussa un terrible cri de douleur. Elle savait qu'Andy était mort.

— La dynamite ! cria une voix.

— Allume-la !

Quelque chose tomba à l'intérieur de l'école avec un bruit sourd, roula sur le plancher. Une colonne de fumée sinueuse monta vers les dents de verre restées accrochées au châssis de la fenêtre.

— Cours, sauve-toi, ordonna Madeline à Prudence.

— De quel côté ? fit l'institutrice, hébétée.

— Droit devant, dit Madeline.

Elle entraîna Esaü vers les chênes au-delà desquels s'étendaient les marais. Le sentier qui les traversait était sûr mais étroit, difficile à suivre, même en plein jour. Il faudrait beaucoup de chance et la complicité de la lune pour s'échapper par cette voie.

— Tenons-nous la main, murmura-t-elle.

Elle chercha à tâtons, trouva les doigts boudinés, froids et moites de peur de Prudence. De l'autre main, elle entraîna Esaü dans l'obscurité qui se dressait comme un mur derrière l'école.

Les feuilles pointues des yuccas lui lacéraient les jambes, la mousse espagnole caressait son visage comme une main menaçante. Elle courait sans rien voir devant elle, sans que le reflet de la lune sur l'eau des marais ne lui indique enfin la bonne direction. Elle avait oublié que le bois était aussi profond.

Esaü se mit à pleurer. Derrière, une caverne ardente s'ouvrit dans la nuit, les inondant de lumière rouge : la dynamite avait soufflé les murs et le toit de l'école. Madeline vit un pupitre projeté à travers la lueur écarlate comme un léger ballon. Ils continuèrent à courir, poursuivis par les cris de triomphe des cavaliers.

Respirant avec difficulté, Madeline sentait une douleur se propager dans sa poitrine. L'école était démolie, Andy était mort. Prudence sanglotait :

— Je ne peux pas aller plus vite, je ne peux pas.

— Alors nous mourrons tous.

Dans un sursaut d'énergie, Madeline l'entraîna vers un massif de chardons qui déchirèrent le bas de sa robe et écorchèrent ses chevilles. Mais ils étaient enfin de l'autre côté des arbres, les pieds dans l'eau peu profonde.

La veuve d'Orry pressa son poing contre sa poitrine pour tenter de calmer la douleur, scruta les marais baignés par le clair de lune. Elle avait souvent emprunté le sentier menant à Summerton, mais toujours en plein jour, et sa frayeur, conjuguée au miroitement de l'eau sous la lune, jetait la confusion dans son esprit.

— Ils arrivent, murmura Jane.

— Par ici, décida Madeline.

Elle s'élança sur le sol boueux en priant pour que sa mémoire ne l'induise pas en erreur.

Deux hommes du Klan descendus de cheval traînèrent le corps d'Andy à la lumière de l'incendie. L'arrière du crâne avait été emporté, la chemise était trempée de sang du col à la taille. Des considéra le cadavre puis défit sa cagoule et fit en courant le tour du brasier.

— Je les ai vus s'enfuir vers les arbres, cria-t-il en agitant son vieux colt Walker en direction du bois.

— Je t'accompagne, suggéra Gettys, dont les délicates mains blanches semblaient déplacées sur son fusil rutilant.

— Non, tu restes ici pour t'occuper des autres. Les nègres de la milice pourraient arriver.

— Des, plaida le boutiquier d'une voix d'enfant à qui on refuse un jouet, j'ai attendu presque aussi longtemps que toi pour exterminer cette bâtarde. J'ai le droit de...

LaMotte poussa le canon du vieux Walker sous le menton de Gettys.

— Tu n'as aucun droit, c'est moi qui commande.

Comme le commerçant continuait à protester, Desmond enfonça le canon de l'arme dans sa gorge.

Gettys vit une lueur démente s'allumer dans les yeux de son complice et se demanda s'il n'allait pas avoir une de ses crises.

— D'accord, Des, capitula-t-il. Je te la laisse.

Madeline sentit que ses compagnes perdaient courage. De l'eau jusqu'au mollet, elles avançaient péniblement sur un fond vaseux qui les ralentissait et les aspirait. Trompée par les reflets de la lune sur l'eau ainsi que par le balancement des roseaux dans le vent, elle leur avait fait quitter le sentier. Et Prudence était sur le point de s'effondrer.

— Oh ! Seigneur.

C'était Jane, qu'un bruit avait fait se retourner. Madeline s'arrêta, serra plus fort la main d'Esaü.

Elle entendit d'abord un éclaboussement puis découvrit leur poursuivant, haute silhouette dégingandée aux bras immenses.

— Je viens vous chercher, sales négresses, beugla-t-il d'une voix forte. Vous allez mourir.

Prudence gémit, tomba à genoux dans l'eau saumâtre, mains jointes et tête baissée, marmonnant une prière.

— Relevez-vous ! dit Madeline.

Furieuse, elle se pencha vers l'institutrice, échappant ainsi aux deux balles tirées par LaMotte. Esaü avait recommencé à pleurer.

— Si vous ne vous relevez pas, il nous tuera, poursuivit-elle en secouant Prudence. Il faut continuer.

L'homme s'approchait, tout en coudes et en genoux, étrange épouvantail dansant dans le marais, un gros revolver à la main. Les trois femmes et l'enfant se remirent à courir. Madeline éprouvait un chagrin presque insupportable : tout était fini. Andy, l'école, leur propre vie. Ces êtres grotesques portant cagoule avaient encore le pouvoir de détruire.

Elle retrouva le sentier, le suivit sur une dizaine de mètres et trébucha, se tordant la cheville. Hors d'haleine, Prudence renonçait et se faisait tirer par Jane comme une mule récalcitrante. Dans la nuit silencieuse, on n'entendait que la respiration haletante des fugitifs et le bruit régulier des gerbes d'eau soulevées par LaMotte, toujours plus proche.

Il tira une troisième fois. Prudence leva les bras comme pour implorer à nouveau le ciel puis s'écroula et s'enfonça dans l'eau. Jane s'accroupit, plongea les mains dans les roseaux.

— Je ne la trouve pas. Je n'arrive pas à... attendez, je l'ai.

Avec un grognement, elle tira du marais la tête et les épaules de l'institutrice. De l'eau ruissela du nez, de la bouche et des yeux sans vie de Prudence.

Madeline se mordit les jointures, Esaü renifla en retenant ses larmes. Elle prit la main de l'enfant et repartit. Elle refusait de se laisser abattre passivement, même si elle savait que c'était fini.

Entre le poursuivant et l'endroit où Prudence était tombée, l'alligator nageait silencieusement sous l'eau. C'était un mâle de trois cents kilos mesurant seize pieds du museau à l'extrémité de la queue. Ses yeux sombres hémisphériques apparurent à la surface. A quelque distance, l'eau s'agita, annonçant une menace, et l'animal écarta les mâchoires.

Il les tenait, il le savait. Elles ne couraient plus maintenant et avançaient à une allure qui lui permettrait de les rattraper dans une minute ou deux. Trempé, crotté, LaMotte se sentait cependant plein d'ardeur et avait l'impression de danser sur l'eau, comme il l'avait fait pendant de nombreuses années sur les parquets cirés des grandes maisons de Caroline. Des maisons que les Yankees avaient détruites en même temps que tout ce qu'il y avait de beau dans le Sud. Une lumière blanche palpitait dans sa tête, projetant des traits qui se rencontraient derrière ses yeux. Il éprouvait une sorte d'exaltation mêlée d'angoisse.

— Mon Dieu, faites que je reste lucide jusqu'à ce que je les rattrape. Si vous m'avez jamais compté parmi vos élus, accordez-moi quelques instants encore...

La lumière blanche crépitait sous son crâne, dévorant peu à peu l'obscurité de son esprit. Il sentit une odeur de fumée de canon, entendit siffler des obus et se mit à courir en criant, sans se rendre compte que les femmes se trouvaient à moins de quinze mètres de lui.

— En avant les *Palmetto Rifles* ! Chargez ! Gloire à la Confédération !

L'énorme queue de l'alligator fouetta l'eau, le frappa aux jambes comme un gourdin et Des tira vers la lune en tombant. Lorsque le saurien referma ses mâchoires sur sa poitrine, il sentit des dizaines de clous percer sa chair. L'animal le tua à sa manière habituelle : en le serrant dans l'étau de sa gueule jusqu'à ce qu'il soit noyé. Alors seulement, l'alligator laissa le corps remonter et, dans le sang s'écoulant dans l'eau du marais, il commença son repas en arrachant la jambe gauche de Desmond LaMotte.

Des cris, des coups de feu surprirent et alarmèrent les membres du Klan attendant leur chef devant les cendres rougeoyantes de l'école. Gettys entendit une voix leur ordonner de jeter leurs armes.

— Vers la route ! s'écria-t-il, éperonnant sa monture.

Premier à s'enfuir, il offrit une belle cible à l'un des Noirs de la milice, qui tira sur lui au moment où il tournait dans l'allée. La balle le toucha à l'épaule, le fit basculer sur le côté. Craignant d'être traîné par son cheval, Gettys sortit les pieds des étriers et tomba dans les yuccas tandis que les autres hommes du Klan filaient au galop.

— Ne me laissez pas ! bêla le boutiquier en direction de la croupe du dernier cheval.

Des hommes aux pieds nus approchèrent en courant. Une main noire arracha la cagoule écarlate. A travers ses lunettes embuées, Randall Gettys découvrit six visages sombres, six fusils, et s'évanouit.

61

Un bosquet de pacaniers agités par le vent ombrageait la berge de la Vermilion Creek où Magee était assis, son melon posé à l'envers sur le sol, au bout de ses jambes. Avec un mouvement vif du poignet, il expédiait carte après carte dans son couvre-chef sans jamais manquer son coup.

Satan et deux autres chevaux étaient attachés à une branche basse ; Hibou-Gris avait délaissé son mustang pour partir avec le vigoureux bai. Le soleil était au zénith et Charles, accroupi au bord de l'eau murmurante, transpirait sous sa chemise et son poncho. Le vent d'avril caressait ses yeux et sa barbe. Il faisait trop beau pour penser à la peur, à la mort...

— Attention, Charlie.

Magee retourna son chapeau pour en vider les cartes et le coiffa en se levant. Charles entendit des sabots agiter l'eau peu profonde, dégaina son colt de l'armée. Hibou-Gris apparut, le dos voûté sous sa couverture. Le bai, peu accoutumé à un cavalier aussi lourd, était hors d'haleine et luisant de sueur.

Charles rengaina son arme, courut à la rencontre du guide.

— Tu l'as trouvé ?

L'Indien acquiesça d'un signe.

— Loin ?

— Un ou deux kilomètres, pas plus, répondit le Cheyenne, l'air maussade comme à son habitude. J'ai vu un enfant.

Le soleil de midi parut exploser dans les yeux de Charles, qui fut pris de vertige.

— Comment est-il ?

Hibou-Gris se mordit la lèvre : manifestement, il n'avait pas très envie de répondre.

— Je l'ai vu assis devant la maison, finit-il quand même par dire. Il donnait à manger à un raton laveur. Sa figure... Il y a des marques. Quelqu'un l'a frappé.

Charles s'essuya la bouche ; Magee racla le sol de la pointe d'une de ses bottes.

— Y a quelqu'un d'autre dans le coin ? demanda-t-il.

— J'ai vu une vieille Comanche kiowa sortir avec un cruchon de whisky, monter sur son cheval et partir. J'ai vu aussi une Cheyenne entrer dans une petite cabane, où on entendait des poules, et rapporter des œufs.

— Il a une squaw ? fit Charles.

— Oui, répondit l'Indien, le regard envahi de tristesse. Une jeune femme, sale et misérable.

— Et Bent, tu l'as vu ?

Hibou-Gris hocha la tête négativement.

— Et toi, personne ne t'a vu ? Ni la femme ni l'enfant ?

Nouveau hochement de tête.

— Tu es sûr ? insista Charles.

— Oui. Il y a des chênes près du ranch. Bonne cachette.

Magee se frotta les mains et proposa, comme s'il s'agissait d'une manœuvre ordinaire, sur le terrain d'exercice :

— On pourrait approcher chacun d'un côté...

— J'irai seul, coupa Charles.

— Ça, c'est de la folie pure.

— Seul, répéta-t-il avec un regard étouffant toute autre protestation.

Il retourna près des arbres, ôta son poncho et vérifia si sa Spencer était chargée, rabattit le bord de son chapeau noir sur ses yeux puis revint auprès de ses compagnons.

— Je serai prudent, ne vous inquiétez pas. Si vous entendez des coups de feu, rappliquez en vitesse. Sinon, restez ici.

Il avait parlé avec le ton péremptoire d'un officier. Magee Magie était furieux ; Hibou-Gris, envahi d'un sombre pressentiment, contemplait les reflets de l'eau.

Il ne me reconnaîtra pas, songea Charles en marchant à longues enjambées le long de la rive. Pas avec cette barbe qui me tombe sur le ventre. Il pensait à Gus mais la remarque s'appliquait probablement aussi à Bent. Lui-même ne parvenait pas à imaginer l'aspect de son ennemi après dix ans. C'était sans importance. Ce qui comptait, c'était récupérer l'enfant sain et sauf.

L'air printanier était doux comme une main de femme et lui rappelait des journées aussi magnifiques, en Virginie, où des centaines de pauvres gars étaient morts dans des prairies et des clairières ensoleillées.

Il aperçut les chênes devant lui et, plus loin, une bâtisse en briques de terre. De la fumée s'échappait d'une cheminée, tortillon de coton épinglé sur le ciel. Les jointures de sa main, sur la Spencer, avaient blanchi. Il essaya de chasser sa peur. Impossible. Son cœur battait à son oreille comme un tambour indien. Il avait conscience qu'il n'aurait probablement qu'une seule chance, pas plus.

Accroupi derrière un chêne, il observa la maison et faillit pousser un cri en découvrant son fils assis par terre, jetant un à un des grains de maïs au raton laveur. L'enfant nourrissait l'animal sans la moindre trace de plaisir sur son visage triste couleur de gruau.

Même de loin, Charles distingua les estafilades, le bleu entourant l'œil du petit Gus. Les pieds nus du garçon étaient si sales que son père crut d'abord qu'il portait des chaussettes grises.

La porte de devant était fermée. Dans le corral jouxtant la maison, il y avait un bel alezan et deux mules. Le regard de Charles passa à la cabane où gloussait une poule.

Il était presque incapable de se décider à bouger tant il craignait de commettre une erreur. Il s'efforça d'oublier ce qui était en jeu et de considérer la situation comme une espèce de problème abstrait. Cela l'aida, un peu. Il compta jusqu'à cinq puis s'avança à découvert, là où son fils le verrait.

En le découvrant, Gus ouvrit la bouche toute grande et Charles porta un doigt à ses lèvres pour l'empêcher de crier. Manifestement, l'enfant n'avait pas reconnu son père dans cet inconnu surgissant du désert, barbe et cheveux en broussaille, yeux enfoncés. Charles demeura parfaitement immobile, tandis que Gus jetait les derniers grains de maïs. Le raton laveur bondit en avant et se mit à manger. Charles tendit l'oreille, n'entendit que le murmure de l'eau. Il fit trois pas vers son fils, leva la main et se désigna d'un grand geste. *Viens avec moi.*

L'enfant fixait à présent l'inconnu avec des yeux inquiets. Charles eut envie de lui crier qui il était, n'osa pas. Il fit à nouveau signe à Gus, qui se leva.

Charles fut envahi de joie mais le petit garçon recula vers la maison, les yeux rivés sur l'inconnu.

Il a peur. Il ne me reconnaît toujours pas.

Gus s'approcha de la porte fermée, prêt à se réfugier à l'intérieur. Désespéré, son père s'accroupit, posa sa carabine sur le sol, écarta les bras. Ses muscles étaient si tendus qu'il tremblait de l'épaule au poignet.

Pour une raison ou une autre, le geste rassura le garçon, dont l'expression changea. Avec un sourire hésitant, il pencha la tête sur le côté.

— Gus, c'est Papa, murmura Charles, aussi fort qu'il l'osa.

L'air étonné, l'enfant se mit à marcher vers lui.

La porte du ranch à whisky s'ouvrit bruyamment.

Bent sortit en bâillant. Il portait un vieux haut-de-forme et, à l'oreille gauche, la boucle en forme de larme de Constance Hazard. Son habit à queue de pie brillait comme si on l'avait enduit de graisse avec un couteau. Il était plus vieux, plus ventru, avec un visage couturé, des sourcils broussailleux, une épaisse tignasse mal entretenue cachant sa nuque, l'épaule gauche plus basse que la droite.

Il vit Charles et ne le reconnut pas. Le Sudiste saisit sa Spencer, la braqua sur le gilet crasseux de Bent, fermé par un seul bouton.

— Les mains bien en vue, ordonna-t-il en se levant.

Bent écarta les bras, dévisagea l'inconnu à la carabine. Charles s'avança, lentement, avec précaution, et les épais sourcils de son ennemi se froncèrent.

— Main ?

— C'est moi, salaud.

— Charles Main. Je n'aurais jamais cru que tu me suivrais dans le Territoire.

— Erreur.

L'ancien éclaireur parcourut la moitié de la distance séparant les chênes de la maison et s'arrêta.

— Je sais ce que tu as fait à la femme de George Hazard, reprit-il.

Bent recula d'un pas, l'air surpris.

— Et je vois ce que tu as fait à Gus. Je n'ai pas vraiment besoin d'un prétexte pour éclabousser tout le mur avec ta cervelle. Alors ne respire pas trop fort. Gus, viens près de Papa. Vite !

L'enfant se tourna vers son bourreau, comme s'il doutait de sa libération, et marcha vers son père. Un, deux, trois pas.

Une Indienne en robe de daim maculée sortit avec un pot de chambre, l'air endormi et renfrogné. Charles se dit qu'elle ressemblait à une squaw qu'il avait rencontrée du temps où il travaillait avec Jackson puis se rendit compte avec stupeur que c'était elle, Femme-de-l'Herbe-Verte.

Elle le vit, le reconnut et poussa un cri. Effrayé, Gus se retourna ; Bent bondit, s'empara de lui.

Charles se refusait à croire ce qu'il voyait. Souriant, Bent serrait d'une main la gorge de Gus. De l'autre, il tira de sa poche un rasoir, l'ouvrit et posa la lame à plat sur la joue de l'enfant.

— Jette tes armes, Main, ordonna-t-il.

Comme Charles ne bougeait pas, il inclina le rasoir, dont le fil entailla la chair du petit garçon.

— Jette-les ou je l'égorge.

Charles posa par terre sa carabine et son colt.

— Maintenant le couteau.

Il ajouta le poignard. Satisfait de voir son ennemi désarmé, Bent élargit son sourire qui, de patelin, devint presque cordial. Un sentiment d'échec pesait sur Charles comme un bloc de granite invisible.

— Ramasse-les, espèce de garce. Toi, Main, sur le côté... Encore... Encore.

Femme-de-l'Herbe-Verte courut vers les armes d'une curieuse démarche de crabe, jambes fléchies. En les prenant, elle lança à Charles un regard implorant et murmura en anglais :

— Il avait dit que c'était l'enfant d'un trafiquant, d'un homme mauvais.

Charles haussa tristement les épaules.

— Qu'est-ce que tu fais ici ?

— Elle appartenait au propriétaire du lieu, répondit Bent. Je la vends. Elle fait l'amour avec n'importe qui pour un verre de gin mais tu n'auras pas ce plaisir. J'ai d'autres projets pour toi.

Le visage de Bent se tordit, rappelant à Charles que l'homme était complètement fou.

— Mon cher Main, nous allons savourer ces retrouvailles imprévues. C'est moi qui donnerai les ordres, bien sûr, et tu les exécuteras à la lettre si tu ne veux pas voir ton fils saigné à mort. Quand je dirai « en avant, marche », tu iras jusqu'à la porte et tu feras deux pas à l'intérieur. Pas un ni trois, *deux,* en gardant les bras en l'air tout le temps. La moindre désobéissance, la moindre erreur et je lui tranche la gorge.

Avec une jubilation qu'il avait peine à contenir, il s'exclama :

— Bon, en avant... marche !

Les mains au-dessus de la tête, Charles pénétra dans la maison.

Magee s'éloigna des pacaniers à grands pas, la carabine au creux du bras.

— Il a dit d'attendre, lui cria Hibou-Gris.

— Ça fait trop longtemps qu'il est parti, répondit le Noir, sans s'arrêter.

— Attendre, c'était son ordre.

Le caporal s'immobilisa, regarda deux tangaras volant dans le soleil de l'autre côté de l'eau. Il suivit d'un œil inquiet le cours de la rivière puis se retourna et rejoignit lentement le guide enveloppé dans sa couverture.

62

La pièce rappela à Charles une cantine. Le sol de terre battue gardait l'empreinte de bottes, de mocassins et de pieds nus. Des reliefs de nourriture jonchaient les plateaux des deux tables. La chaise sur laquelle Bent lui ordonna de s'asseoir craqua et vacilla sous son poids.

Le Sudiste remarqua alors le portrait accroché de guingois, examina quelques secondes le visage féminin avant de le reconnaître.

— Ce tableau..., fit-il, troublé. Où l'as-tu trouvé ?

— Tu reconnais le modèle, hein ?

Bent posa couteau, carabine et colt sur la planche faisant office de bar, se débarrassa également du rasoir en le gardant à portée de main.

— C'est la veuve de mon cousin Orry. Pas très ressemblant, comme portrait.

— Parce que c'est celui de sa mère. Une prostituée de La Nouvelle-Orléans. Une octavonne...

Bent tira une grosse corde d'une caisse rangée sous l'étagère à bouteilles.

— Tu ne parais pas surpris d'apprendre que c'est une négresse.

— Je sais que Madeline a du sang noir. Mais je ne m'attendais pas à voir ce portrait...

— Ni à me trouver, je présume, fit le ravisseur de Gus d'un ton courtois. Les mains jointes, ordonna-t-il, tendues devant toi.

Comme Charles n'obtempérait pas assez vite, il le frappa du poing. Saignant de la narine droite, Charles tendit les mains vers Bent, qui passa la corde autour de ses poignets.

Femme-de-l'Herbe-Verte observait les deux hommes d'un air affligé. Devinant la suite, elle serrait le petit Gus contre elle, comme pour le protéger tant qu'elle le pourrait.

L'enfant fixait son père avec des yeux si mornes que Charles eut envie de pleurer. Il avait vu ce même regard sans vie dans les yeux de jeunes soldats blessés après la bataille de Sharpsburg. Il avait vu cette même expression de chien battu sur les visages de vieux Noirs craignant autant la liberté qu'ils avaient redouté le maître.

Mais Gus n'avait pas cinq ans.

Bent serra la corde, fit un nœud. Charles avait contracté ses muscles au maximum mais le truc de Magee n'avait apparemment pas marché. Encore un échec.

— Tu sais ce que je pense de moi ? demanda Bent avec enjouement.

Charles donna libre cours à sa haine.

— Oui, Orry me l'a dit. Tu te prends pour le nouveau Napoléon.

Il cracha sur la terre battue. Bent écrasa son poing sur sa bouche, Gus se cacha derrière Femme-de-l'Herbe-Verte.

— Il t'a aussi expliqué que lui et Hazard ont ruiné ma carrière, à West Point et au Mexique ? Qu'ils ont sali ma réputation avec leurs mensonges ? Monté mes supérieurs contre moi ? J'étais né pour commander. Comme Alexandre le Grand. Hannibal. Bonaparte. Ta tribu et celle de Hazard m'en ont empêché.

Le souffle court, Bent essuya le filet de salive qui coulait de ses lèvres. Charles entendit des oiseaux gazouiller de l'autre côté de la porte. Les cendres froides de la cheminée dégageaient une odeur familière de bois brûlé. Le monde était fou.

Bent reprit le rasoir, passa la lame sur la pulpe de son pouce. Son sourire réapparut. D'un ton raisonnable et persuasif, il déclara :

— Je me considère en effet comme le Bonaparte américain. A juste titre. Et je dois demeurer sur mes gardes parce que tout grand général est en butte aux attaques d'hommes inférieurs qui le jalousent et veulent l'abattre. Ternir sa gloire. Les Main sont comme ça, les Hazard aussi. Je suis non seulement le chef mais aussi le bras qui frappe. Qui extermine les comploteurs. Les traîtres. Les ennemis. Les Hazard, les Main. Jusqu'au dernier.

— Laisse partir mon fils. Il est trop jeune pour te nuire.

— Oh ! non, mon cher Charles. C'est un Main. J'ai toujours eu l'intention de le tuer...

Femme-de-l'Herbe-Verte émit un faible bruit et détourna la tête.

— J'avais prévu d'attendre plusieurs mois, reprit Bent. Jusqu'à ce que tu sois convaincu de sa perte. Et après l'avoir tué...

— Ne dis pas ça devant lui !

Bent saisit la barbe de Charles, la tira vers le haut, forçant le Sudiste à renverser la tête en arrière. Il appuya le rasoir contre la gorge de son ennemi.

— Je dis ce qui me plaît, c'est moi qui commande.

Il appuya plus fort, Charles sentit une douleur et ferma les yeux. Bent gloussa, essuya de sa manche le sang qui avait perlé sur la lame.

— Après l'avoir tué, disais-je, je t'aurais envoyé certaines parties de son corps pour t'annoncer sa mort. Des doigts. Des orteils. Quelque chose de plus intime, peut-être.

— Espèce de cinglé, dit Charles entre ses dents.

Perdant tout contrôle de soi, il se leva à demi. Bent saisit les cheveux de Gus, qui se débattit en criant. Une gifle fit tomber l'enfant, un coup de pied dans les côtes le fit rouler sur le ventre.

— Lève-toi, mon garçon, tonna Bent d'un ton de prédicateur. Lève-toi. *C'est un ordre.*

— Non, intervint la Cheyenne. Non, il est si petit...

Il lui enfonça le poing dans l'estomac, la projetant contre le mur.

— Tu seras la suivante si tu prononces encore un mot. Debout, mon garçon !

L'enfant gémit, se releva en chancelant. Bent l'empoigna, le tira à lui, contre ses jambes, le fit tourner pour qu'il soit face à son père.

— Après lui, et après toi, ce sera le tour du frère de George Hazard, en Californie. Je vous exterminerai tous, mon cher Charles. Penses-y.

D'un geste caressant, il passa le rasoir sur la joue droite de Gus, qui hurla. Un fil rouge apparut sur la peau blême.

— Penses-y pendant que le bourreau exécute l'ordre du général.

— Et merde ! s'écria Magee Magie.

Ce qui étonna Hibou-Gris car le caporal avait un vocabulaire châtié pour quelqu'un de sa profession.

— Je me fous des ordres, j'y vais, ajouta le Noir.

L'Indien ouvrit la bouche pour le rappeler, hésita un instant seulement avant de lui emboîter le pas.

Des larmes roulèrent sur la joue de Gus, se mêlèrent à son sang. Fou de rage, Charles tira de toutes ses forces sur ses liens. La corde lui entama les poignets. Soudain sa main gauche glissa un peu. Il saignait. Il la tira vers lui mais la partie la plus large, juste sous les jointures, demeura coincée. Rien à faire. Rien à faire.

Une main sur la barrière du corral, Magee murmurait des mots apaisants à l'alezan et aux mules, qui secouaient la tête.

— Doucement, doucement. Je suis un ami.

Lorsqu'il se glissa entre deux barres en bois, le cheval hennit.

— Fais pas ça, grommela le caporal, pris d'une envie d'abattre la fichue bête.

Il fit un signe à Hibou-Gris qui, carabine à la main, disparut en direction de la porte de devant. Magee lui avait dit d'attendre jusqu'à ce qu'il l'appelle. Charlie devait être dans la maison puisqu'il ne l'avait trouvé ni dans la cabane des poules ni dans le chariot.

Le Noir ignorait ce qu'il y avait de l'autre côté de la porte du corral mais espérait qu'elle ne donnait pas directement sur la grande salle. Il transpirait comme en plein mois d'août. Au moment où il tendait le bras vers le loquet, un raton laveur fila le long du mur et s'arrêta juste devant la porte.

— Décampe, murmura Magee.

L'animal ne bougea pas. Déconcerté, le caporal resta figé une quinzaine de secondes puis il entendit, clairement, un cri d'enfant. Avec une expression de regret, il dégaina son poignard.

— Désolé, mon vieux.

Il s'accroupit, tua le raton d'un seul coup.

Gus saignait de son estafilade à la joue. Si seulement il s'était évanoui, pensa Charles.

Débarrassé des étranges lumières qui palpitaient dans sa tête, Bent savourait une bienfaisante absence de douleur. Les ordres du général étaient justes, le devoir du bourreau une joie. Il ne pouvait cependant la prolonger beaucoup plus. Entailler la joue de l'enfant devant son père terrifié, aux yeux fous, lui avait donné une puissante érection, quasi douloureuse.

Il approcha le rasoir de la gorge de Gus.

Charles vit le canon bleuté apparaître entre le chambranle de la porte et le rideau rouge. Il n'avait pourtant entendu aucun bruit dans cette partie de la maison.

— Mr Bent ! fit la voix de Magee. Vous feriez mieux de vous tourner par ici.

Il y eut un instant de torture pendant lequel Charles crut que le fou égorgerait son fils. Mais Bent, obéissant au ton impérieux du caporal, se retourna. Magee sortit de sa cachette.

Charles bondit de sa chaise, fit tomber Gus. Comprenant son erreur, Bent poussa un rugissement. L'ancien éclaireur sauta sur le côté, trébucha sur le corps de son fils et tomba. Femme-de-l'Herbe-Verte se précipita sur Bent, le griffa, le roua de coups de poing. Magee visa mais l'Indienne se trouvait dans sa ligne de tir. Bent repoussa la squaw et, abattant son rasoir, ouvrit la robe et entailla la cuisse de la jeune femme, qui hurla. Une deuxième bourrade la fit s'effondrer et Elkanah Bent marcha vers Charles, en agitant son rasoir.

Magee tira. Atteint à la cuisse gauche, Bent s'affala, la main droite en avant. Les poignets toujours attachés, Charles roula sur le sol, arracha le rasoir à la main de Bent et le jeta au loin. Magee cria, un rectangle de lumière tomba sur Charles et son fils. Hibou-Gris apparut sur le seuil de la porte, jambes fléchies, carabine à la hanche.

— Tu veux que je l'achève ? demanda le caporal.

— Pas devant le petit, répondit Charles. Libère-moi.

Le Noir trancha la corde avec son couteau taché de sang. Tout tremblant, Charles s'agenouilla.

— Gus, c'est papa. Je sais que j'ai l'air effrayant mais c'est moi, papa.

L'enfant se releva, recula avec un regard d'animal terrifié. Charles tendit les bras, comme il l'avait fait dehors et répéta :

— Papa.

Soudain les sanglots éclatèrent, secouant le garçonnet qui courut vers son père. Charles l'enlaça et le serra contre lui, longuement, jusqu'à ce que le petit corps cesse de trembler.

La blessure de Femme-de-l'Herbe-Verte saignait abondamment et l'Indienne avait perdu connaissance après être tombée. Magee souleva la robe, examina l'entaille et, d'un geste calme de médecin, essuya le sang tachant l'épaisse toison pubienne.

— Dans le temps, je soignais les soûlards du saloon qui s'enfonçaient mutuellement des couteaux dans le lard. Je peux lui recoudre. Pendant un bout de temps, ça lui fera mal quand elle marchera mais je crois qu'elle s'en tirera.

De son sac à médecine, Hibou-Gris sortit des racines qu'il broya et mélangea à un peu d'eau pour faire une pâte qu'il étala sur une pierre plate. Pendant ce temps, Magee attacha les mains de Bent derrière le dos avec un morceau de la corde qui avait servi pour Charles.

— Et sa jambe ? s'enquit le Sudiste.

— Simple écorchure. On n'y touche pas. Et tant mieux si la gangrène s'y met.

Hibou-Gris s'agenouilla près de l'enfant épuisé, appliqua avec douceur un peu de la pommade gris-vert sur l'estafilade.

— Il gardera peut-être une cicatrice, comme les jeunes Cheyennes après la Danse du Soleil.

— On leur entaille la poitrine, pas le visage, dit Charles.

— Oui, acquiesça tristement le guide. Il n'y a rien à faire. Il guérira.

— Même s'il guérit, il restera balafré.

Charles remit le colt de l'armée dans son étui, banda son poignet coupé par la corde et passa derrière le « comptoir ». Il trouva un autre morceau de corde qu'il enroula et mit sur son épaule. Debout près de la porte, le pantalon ensanglanté, Bent clignait des yeux dans le soleil, l'air docile.

Charles avala deux gorgées de mauvais whisky dans l'espoir d'atténuer le choc que provoquerait immanquablement le déchaînement de violence qu'il venait de subir. Il s'approcha de Bent. C'était tout ce qu'il pouvait faire pour maîtriser son envie de lui tirer une balle dans la tête.

— Magie, amène-toi, tu veux ? Toi, Hibou-Gris, tu restes ici avec Gus.

Bent parut se recroqueviller sur lui-même dans l'encadrement de la porte.

— Où je vais ? demanda-t-il.

Le soleil faisait briller l'or de la boucle de Constance. Charles sentit l'impulsion monter en lui, ne put ou ne voulut pas y résister. Saisissant le bijou, il tira d'un coup sec et arracha une bonne partie du lobe. Bent hurla, se plaqua contre la porte ; Charles lui botta les fesses, le poussa dehors.

La main sur son oreille sanglante, Bent bredouilla d'un air pitoyable :

— S'il vous plaît, où ?

— En enfer, répondit Magee, impérial dans sa colère.

— *Où ?*

Charles se pencha pour être sûr que Bent l'entendrait.

— A Waterloo.

Journal de Madeline.
Mai 1869. Enterré Prudence Chaffee et Andy Sherman aujourd'hui. Ils reposent côte à côte, selon ma volonté et celle de Jane. J'ai lu un passage de l'évangile selon saint Jean...
Le Père Lovewell a quitté le district. Pas de trace du cadavre de Desmond L. Mes sentiments à son égard se ramènent plus à de la tristesse qu'à de la haine. Je crois savoir qu'il a servi dans les Palmetto Rifles pendant toute la guerre. Il s'est ensuite battu pour des causes plus douteuses : le maintien de l'esclavage sous une autre forme, la suprématie des Blancs, l'honneur d'une famille hautaine et cruelle. Les hommes doivent-ils toujours succomber à des idées mauvaises parées d'une justesse trompeuse ?...
Je repense à D.L. Mort, il excite ma curiosité comme il ne pouvait le faire quand il nous menaçait. Comme des millions d'hommes des deux camps, la guerre l'a changé et finalement anéanti. Pour une génération ou plus, elle restera peut-être l'événement essentiel de notre vie. Sans elle, D.L. n'aurait probablement pas été conduit à livrer son dernier combat à Mont Royal.
Mais comme je l'ai déjà dit, la commisération n'est pas sans limite. J'obtiendrai justice face au Klan. R. Gettys est toujours à demi inconscient à l'hôpital de Charleston et les autorités agissent trop lentement. Un bon ami m'a dit que je pourrais faire appel à lui à n'importe quel moment. Partirai demain pour Columbia, avec un pistolet pour compagnon...

Il ne restait rien de Millwood ni de Sand Hills : Wade Hampton avait perdu la totalité de son domaine après la banqueroute de décembre. La hausse des impôts, la baisse des revenus agricoles, des placements ayant perdu plus de la moitié de leur valeur — tous ces éléments conjugués avaient débouché sur un désastre. Plus d'un million de dollars de dettes avaient acculé Hampton à la ruine.

Le général et sa femme Mary vivaient à présent sur un pied beaucoup plus modeste, dans une petite maison située sur un lopin de terre qu'il avait réussi à garder. Le couple accueillit chaleureusement Madeline et insista pour qu'elle passe la nuit dans un lit qu'on installa pour l'occasion dans la pièce servant de bureau à Hampton.

Quoique vieilli, il avait conservé sa vigueur et son teint coloré. Tandis que Mary servait le thé, il sortit avec sa canne à pêche et revint une heure plus tard avec quatre brèmes pour le dîner. Mary entreprit d'écailler le poisson, laissant Hampton et Madeline passer dans le bureau. Pour pouvoir poser sa tasse sur la table encombrée, il poussa divers papiers, déplaça un gros volume dont il lui montra le titre, imprimé en lettres d'or.

— Débats de la convention nationale démocrate de New York, en juillet dernier.

— J'ai lu que vous y avez été délégué.

Hampton déclara sans rancœur :

— Les républicains l'ont qualifiée de convention rebelle. Bedford Forrest, Peter Sweeney y ont participé, et ce sont de bien étranges compagnons, mais le Parti démocrate est ainsi fait.

— C'est précisément au sujet du général Forrest et de son Klan que je suis venue vous voir. Je veux que les coupables soient punis.

— Qu'ont fait les autorités ?

— Rien jusqu'à présent, et plus de deux semaines se sont écoulées. Si l'on attend encore, d'autres événements passeront au premier plan et ceux de Mont Royal seront oubliés. Je ne le tolérerai pas. La mémoire de Prudence et d'Andy exige à tout le moins que justice soit faite.

— Je suis de votre avis. Une information sur Forrest : il est prêt à nier ses liens avec le Klan et à ordonner sa dissolution. Les choses sont allées trop loin, même pour lui.

— Piètre consolation pour la femme d'Andy et la famille de Prudence.

— Je comprends votre amertume. Grant méprise le Klan, permettez-moi de lui écrire. Je prierai le général Lee de faire de même, nous sommes en bons termes. Au nom de tous les actionnaires de la petite compagnie d'assurances que j'ai fondée à Atlanta, je lui ai demandé d'en assumer la présidence. Il a refusé. Il est heureux de présider aux destinées de l'université de Lexington. Mais nous sommes amis, et ses propos auront du poids.

Madeline entrevit la tristesse qui l'habitait lorsqu'il murmura d'un ton mélancolique :

— Être un vieux briscard rescapé de la guerre présente parfois quelque avantage.

Lorsque Randall Gettys commença à reprendre connaissance, le colonel Orpha C. Munro lui rendit visite mais la surveillante de l'hôpital l'avertit qu'il ne pourrait rester longtemps. Avec un sourire acerbe, il assura qu'il s'acquitterait rondement de sa tâche.

— Je suis venu à la demande du président Grant, et investi de son autorité.

L'infirmière déplia un paravent pour isoler le lit, près duquel Munro s'assit. Le drap remonté jusqu'au menton, Gettys ressemblait à un enfant intimidé. Dans la mêlée, à Mont Royal, il avait brisé le verre droit de ses lunettes et, n'ayant pu le remplacer, il observait son visiteur à travers un réseau de fentes partant du centre du verre.

D'un ton de cordialité affectée, l'officier déclara :

— J'ai le devoir de vous informer que la petite presse à main que vous utilisiez pour imprimer votre journal dans votre *Dixie Store* a été confisquée. Vous n'exercerez plus la profession de semeur de haine, Mr Gettys.

Le boutiquier attendit, certain que le pire restait à venir.

— Je vous fouetterais volontiers si c'était permis, poursuivit Munro. Je le ferais malgré votre blessure parce que je trouve que vous le méritez largement, vous et vos semblables. Comme les Bourbons de France, vous n'avez rien oublié et rien appris.

Le colonel respira profondément pour se forcer à demeurer calme.

— Toutefois, il ne m'est pas permis d'en venir là et c'est tant mieux, je présume. Utiliser un fouet me rabaisserait à votre niveau, alors laissez-moi plutôt vous poser une question.

Une lueur dure, voire un peu sadique, s'alluma dans le regard de Munro lorsqu'il demanda :

— Vous connaissez les Dry Tortugas ?

— Ce sont de petites îles, non ? Au large de la Floride.

— Exactement. C'est là que le gouvernement envoie maintenant certains prisonniers de Caroline. Un endroit épouvantable, surtout en été. Une chaleur torride, des insectes, des rats, de la vermine. Des gardiens à peine moins dépravés que les détenus...

Munro lissa les gants qu'il avait posés sur son genou et ajouta avec le sourire :

— Les nouveaux venus sont soumis à une sorte de... d'initiation, tandis que les gardiens regardent d'un autre côté. Un prisonnier qui n'a ni les nerfs solides ni une robuste constitution court le risque de ne pas survivre à cette épreuve, qui peut être d'une grande sauvagerie, si je suis bien informé. Que voulez-vous, des hommes enfermés ensemble, sans femmes...

— Mon Dieu, quel rapport avec moi ? Je suis un gentleman.

— Vous serez cependant déporté aux Dry Tortugas pour le meurtre de l'affranchi Sherman et de l'institutrice Prudence Chaffee.

— Je ne les ai pas tués ! s'écria Gettys d'une voix aiguë. Vous ne pouvez pas m'envoyer dans un endroit aussi horrible.

— Nous le pouvons et nous le ferons. Si vous n'avez pas personnellement commis ces crimes, vous appartenez à l'organisation illégale qui en porte la responsabilité.

La main de Gettys étreignit la manche galonnée.

— Je vous donnerai les noms des membres de notre klaverne. Tous, jusqu'au dernier.

Le colonel s'éclaircit la gorge.

— Ah ! si vous vous montriez coopératif, cela pourrait changer les choses, dit-il en cachant son amusement.

S'étant renseigné sur le caractère du boutiquier, il s'attendait à une capitulation rapide.

Le visage rose de Gettys luisait de sueur.

— Si vous m'épargnez la prison, je vous donnerai une autre information utile.

Interloqué, le colonel Munro dit d'un ton précautionneux :
— Oui ?

— Je vous livrerai des renseignements sur les *Dixie Store*. Les gens pensent que c'est une société sudiste, que quelques vieux rebelles se cachent derrière ce nom pour pratiquer l'usure. Eh bien...

Gettys se redressa sur son oreiller, bafouillant presque dans sa hâte à se tirer d'affaire.

— Ce n'est pas du tout cela. Les propriétaires, qui saignent cet État, sont peut-être ceux-là mêmes qui se posent en réformateurs yankees aux nobles sentiments. Mon magasin et tous les autres *Dixie Store* appartiennent à une firme appelée Mercantile Enterprises. Je n'envoie pas mes reçus et mes bilans à Memphis ou à Atlanta mais à un avocat yankee de Washington. Je vous donnerai son nom et son adresse, je vous remettrai mes livres de comptes. Est-ce assez pour m'éviter les Dry Tortugas ?

A l'autre bout de la salle, un jeune malade réclama dans son délire une certaine Nancy et de l'eau. Retrouvant son calme, le colonel répondit :

— Je le crois, Mr Gettys.

Brève visite de Munro. Tous les autres membres de la klaverne sont arrêtés. Le colonel a laissé entendre qu'il a aussi découvert un scandale impliquant certains Nordistes. Il n'a pas voulu en dire davantage.

63

— Vous ne savez pas ce que vous faites, dit Bent.

Charles et Magee ne lui prêtèrent pas attention. Le Sudiste tenait la bride qu'il avait passée à l'une des mules ; le caporal, monté sur l'alezan, tira sur la corde attachée à une grosse branche de pacanier s'étendant au-dessus de la rivière. Quelques nuages d'un blanc brillant dérivaient dans le ciel bleu, au nord-ouest. Il faisait doux, comme en été.

— Baisse la tête, ordonna le Noir.

Assis sur la mule, Bent refusa.

— C'est criminel ! beugla-t-il, les joues inondées de larmes.

Las des protestations du ravisseur de son fils, Charles jeta un coup d'œil à Magee, qui fit voler le haut-de-forme de Bent. Le chapeau tomba dans la Vermilion Creek, flotta sur l'eau murmurante. Le caporal saisit les cheveux de Bent pour l'obliger à baisser la tête et lui passa le nœud coulant autour du cou.

Du sang perlait encore au lobe déchiré de Bent et sa blessure à la jambe faisait une tache sombre sur son pantalon. Crachant sa colère, il vociféra :

— Vous n'êtes que des ignares ! Vous allez priver le pays de son plus grand génie militaire ! Sale sudiste, sale nègre !

— Seigneur ! soupira Magee, trop ahuri pour être furieux.

Le prisonnier secoua violemment la tête, comme s'il pouvait ainsi se défaire de la corde.

— Vous n'avez pas le droit ! Vous ne pouvez pas enlever au monde un nouveau Bonaparte !

Charles dégaina son colt, l'arma, tint le canon à un centimètre de la bouche de Bent.

— Ferme-la.

Il tourna la tête vers le ranch en se demandant si on entendait de là-bas les hurlements du prisonnier. Gus et l'Indienne étaient déjà suffisamment bouleversés. Voyant la détermination des yeux qui le fixaient derrière le revolver, Bent s'efforça de se calmer. Il se mordit la lèvre mais les larmes continuèrent à couler du coin de ses yeux.

La branche du pacanier jetait une ombre sur le visage de Charles, qui n'avait aucune envie de pendre Bent. Il en avait assez de tuer. Mais l'exécution de Bent représentait une obligation plus que personnelle. Il la devait à Orry et à George, à Femme-de-l'Herbe-Verte et à Dieu sait combien d'autres personnes à qui le monstre avait fait du mal.

Il s'écarta de la mule.

— Vous ne pouvez pas ! Le génie est trop rare...

Charles rengaina son arme, plia les doigts de sa main droite et en frotta les extrémités contre sa paume, comme pour les nettoyer.

— C'est Bonaparte que vous assassinez !

Il leva la main pour frapper la croupe de la mule, lança un dernier coup d'œil à Bent pour s'assurer qu'il était bien réel, puis laissa retomber son bras. La mule partit au galop, la corde se tendit, le poids de Bent fit gémir la branche.

Bent parut lancer à Charles un regard furieux mais il avait déjà le cou brisé. L'ombre de son corps oscilla lentement sur le visage de Charles jusqu'à ce que celui-ci, incapable d'en supporter la vue, détournât la tête.

— Je vais rattraper la mule.

— Je m'en occupe, dit Magee avec douceur. Retourne auprès de ton fils.

Il traversa la pièce principale, souleva le rideau rouge masquant l'accès à la chambre et vit Gus endormi sur la paillasse. Il s'approcha. Même dans son sommeil, l'enfant avait l'air tendu, inquiet. Charles toucha l'estafilade où suintait du sang, Gus gémit et se retourna. Écrasé par un sentiment de culpabilité, le père retira sa main et sortit.

Assis à la table, Hibou-Gris fixait le vide sous le plateau balafré. Vautré sur une chaise, ses pieds posés sur un autre siège, Magee grignotait du biscuit en contemplant les cartes étalées devant lui. Sur son tabouret, Femme-de-l'Herbe-Verte gardait les mains jointes et les yeux baissés. Elle paraissait vieille, usée, désespérée. En entrant, Charles l'avait trouvée une bouteille à la main. Il la lui avait prise, l'avait vidée dehors puis avait fait de même avec les autres.

Lorsque l'ancien compagnon de Jackson Pied-de-bois s'approcha d'elle, elle releva la tête et il retrouva brièvement l'image de la jeune fille pleine de fraîcheur que courtisait Balafre, celle qui lui avait jeté des regards énamourés au village de Chaudron-Noir. Ce souvenir lui fit mal.

— Comment es-tu arrivée ici ? lui demanda-t-il en cheyenne.

Elle secoua la tête, fondit en larmes.

— Réponds-moi, Femme-de-l'Herbe-Verte.

— J'ai cru aux promesses et aux mensonges d'un Blanc. J'ai goûté l'alcool qu'il m'a proposé et j'en ai redemandé.

— C'était Bent.

— Non, Mister Glyn. Bent l'a tué.

Charles se souvint vaguement d'un marchand de ce nom qu'il avait croisé avec Jackson en quittant le village indien.

— Montre-moi ton pansement.

Il y avait un reste de pudeur juvénile dans la façon dont elle releva sa robe en daim. La bande était tachée mais on pouvait attendre le lendemain pour la changer. Femme-de-l'Herbe-Verte pouvait marcher en s'appuyant sur sa jambe blessée, sans doute au prix d'une grande souffrance. Son état imposait à Charles une responsabilité à laquelle il lui semblait de plus en plus difficile de se dérober.

— Il faut que je te ramène auprès du Peuple.

Hibou-Gris se redressa, l'air inquiet.

— Non, dit l'Indienne, l'air effrayé. Ils me rejetteraient. Ce que j'ai fait est trop honteux.

— Il n'est personne sur cette terre de Dieu qui n'ait quelque chose à se faire pardonner, argua Charles. Le village le plus proche est celui d'Ours-Rouge. Je t'y conduirai et je lui parlerai.

— Pas mécontent de partir d'ici, marmonna Magee en ramassant ses cartes. Il y a quelque chose de malsain, ici.

— Hibou-Gris et moi la ramènerons, lui dit Charles. Toi, tu mettras Gus sur une des mules et tu iras droit chez le général Duncan, à Fort Leavenworth. D'accord ?

Le caporal fronça les sourcils.

— Ah ! je sais pas trop, Charlie. Ça me plaît pas que tu retournes là-bas sans ton magicien. Le Serpent-Siffleur est encore en rogne, probable.

— Il n'y aura pas de problème, assura Charles.

La perspective de retourner chez les Cheyennes l'effrayait pourtant mais il ne voyait pas d'autre solution.

— Ça nous prendra une heure, poursuivit-il. Maintenant, écoute. A Leavenworth, j'aimerais que tu envoies un télégramme pour moi. J'ai vu du papier dans l'autre pièce, je te l'écrirai.

Le lendemain matin, il rédigea le message et regarda son ami le mettre en sûreté dans une de ses sacoches avec le pistolet à pierre, le sac de poudre et le coffret de fausses balles. Puis il défit les clous auquel le portrait était accroché et roula la toile peinte, sèche et cassante, avant de l'attacher avec une lanière de cuir.

Dans une couverture qu'il avait lavée et mise à sécher sur la barrière du corral, il coupa un carré dont il fit un poncho pour son fils. Il installa ensuite l'enfant sur le tapis de selle qu'il avait attaché sur la mule avec de la ficelle : il n'y avait pas d'autre selle dans le ranch à whisky.

Balafré et pâle, Gus avait l'air d'un petit vieillard.

— Embrasse ton papa, dit Charles.

Le garçon poussa un long soupir. Il restait sur ses gardes, le regard marqué par la souffrance. Charles le serra contre lui et promit :

— Je te rejoindrai bientôt chez l'oncle Jack. Tout ira bien.

Il n'en était toutefois pas sûr. Il faudrait des mois, voire des années d'attention et d'amour pour le guérir. Les cicatrices invisibles ne se refermeraient peut-être jamais.

Gus posa une main sur la tête de son père, la retira au bout d'un moment. Son visage était calme, dépourvu d'émotion. Il m'a touché, c'est un début, pensa Charles.

— Prends soin de lui, demanda-t-il à Magee.

— Tu peux y compter.

Charles et Hibou-Gris suivirent le caporal et l'enfant des yeux jusqu'à ce qu'ils disparaissent derrière l'horizon brumeux, au nord-est.

Le guide aida Charles à défaire deux des barres du corral et à les raccourcir avec une hache rouillée. Puis ils fabriquèrent un travois pour Femme-de-l'Herbe-Verte. C'était une autre journée ensoleillée, avec un léger vent. La jeune Cheyenne ne dit rien quand les deux hommes la portèrent sur le travois.

Charles avait déjà sellé Satan, qu'il avait ramené la veille avec les autres chevaux. Il n'avait pu éviter de passer devant le cadavre du Bonaparte américain, dont les vautours avaient commencé à se repaître.

— C'est un endroit mauvais, déclara Hibou-Gris, assis sur son mustang. Je suis content de le quitter.

— Emmène le travois un peu plus bas le long de la rivière, près des chênes. Je te rejoins dans quelques minutes.

Hibou-Gris partit, tirant la mule derrière lui. Femme-de-l'Herbe-Verte, qui contemplait le ciel en serrant sa jambe blessée, émit un petit gémissement quand le travois passa sur une pierre pointue.

Charles retourna dans la maison avec la hache rouillée, démolit une table et deux chaises. Il frappait à grands coups, laissant la souffrance remonter le long de ses bras.

Il empila les morceaux de bois, y mit le feu avec une de ses dernières allumettes et quitta le ranch à whisky, qui commençait à brûler derrière lui.

Ils parvinrent au village d'Ours-Rouge sous une pluie battante. Personne ne les menaça et les quelques Indiens qui mirent le nez dehors pour assister à leur arrivée rentrèrent aussitôt dans leur tipi, effrayés par ce Blanc barbu ayant à son service un magicien noir. Cette fois, le magicien n'était pas avec lui mais son pouvoir l'accompagnait probablement.

De Serpent-Siffleur, nulle trace. Charles confia Femme-de-l'Herbe-Verte à la squaw boulotte et édentée d'Ours-Rouge. Bien que la jeune Indienne ne fût pas de son village, le chef la connaissait.

— Elle ira avec nous au fort des Blancs, déclara Ours-Rouge dans son tipi.

Assis près du feu, Charles se servait d'une cuiller en os pour manger un ragoût dont l'origine ne le préoccupait plus.

— Tu vas te rendre aux soldats ?

— Oui. J'ai pris cette décision après avoir longuement réfléchi et consulté les autres. Si nous ne capitulons pas, nous serons abattus ou nous mourrons de faim. Tous les membres du village sont d'accord, excepté huit « Chiens » qui refusent d'abandonner. Je leur ai dit que je ne conduirai pas des vieillards et des enfants à la mort uniquement pour préserver l'honneur de leur société. Cela blesse mon orgueil de me rendre aux soldats. J'ai été courageux moi aussi. Mais j'ai appris que courage et sagesse parfois ne peuvent marcher ensemble. La vie est plus précieuse que l'orgueil.

Charles essuya ses lèvres tachées de sauce et ne dit rien.

Il n'avait pas dormi depuis deux jours mais il voulait repartir. Ours-Rouge l'approuva :

— Les Chiens savent que tu es ici. Ils sont furieux.

La sagesse dictait donc de quitter le village au plus tôt. Après avoir cérémonieusement remercié le chef et sa squaw, Charles émit le souhait de dire au revoir à Femme-de-l'Herbe-Verte. L'épouse d'Ours-Rouge le conduisit à un tipi où elle avait installé la jeune fille sur une peau de bison, les épaules et le cou reposant sur un appuie-tête tressé. Il lui prit la main.

— Tout ira bien maintenant.

Les yeux bouffis versèrent de nouvelles larmes.

— Plus un homme ne m'aura, dit-elle. Je t'aime. Je regrette que tu ne m'aies pas fait l'amour au moins une fois.

— Moi aussi.

Il se pencha, l'embrassa doucement sur les lèvres. Elle se mit à pleurer en silence, le corps secoué de sanglots. Charles lui caressa le visage puis se redressa et sortit sous la pluie.

Des étoiles commençaient à briller à travers les nuages translucides poussés par le vent. Ours-Rouge accompagna les deux hommes jusqu'à la lisière du camp puis fit demi-tour. Charles tapota l'encolure de Satan, regarda le ciel qui s'éclaircissait et fredonna la petite mélodie qui lui rappelait la Caroline. Hibou-Gris mit son mustang au trot, observa soigneusement son ami et ce qu'il vit fit monter un vague sourire à ses lèvres.

Quand, plus tard, ils repérèrent un cavalier solitaire immobile sur une hauteur, ils n'y prêtèrent pas particulièrement attention. Un jeune Indien qui garde des chevaux, pensa Charles. Il fit obliquer Satan vers la rivière pour éviter de passer trop près de la sentinelle, mais soudain l'Indien dévala la colline pour les intercepter.

— Que se passe-t-il ? se demanda Charles à voix haute.

Le Cheyenne galopait vers eux, une lance dans une main, dans l'autre une carabine au canon orné de longues plumes. Quelque chose dans son allure rappelait...

Hibou-Gris arrêta son cheval.

— Homme-Prêt-pour-la-Guerre, dit-il d'une voix chargée de désespoir.

C'était bien lui. Plus âgé mais toujours beau, malgré son air affamé et anxieux. Paré de peintures de guerre, il portait au cou son sifflet en os et la croix d'argent volée aux Blancs. Sous le ciel devenu clair, la longue cicatrice blême en forme de hameçon était parfaitement visible.

— Nous n'avons plus de raison de nous battre, Balafre, lui lança Charles.

— Je t'ai attendu de nombreux hivers. Je n'ai pas oublié la façon dont ton ami m'a arraché ma virilité.

— Et je me rappelle la façon dont tu t'es vengé. Restons-en là, Balafre.

Le Cheyenne planta sa lance dans la terre.

— Tu ne passeras pas, à moins que ce ne soit pour rejoindre la Route Suspendue.

Charles réfléchit puis murmura en anglais à Hibou-Gris :

— On pourrait essayer de le semer.

Le guide tendit le bras vers la hauteur, où quatre guerriers venaient d'apparaître.

L'ancien éclaireur défit son chapeau noir, ôta son poncho, descendit de cheval, tira son coutelas de sa gaine et attendit.

64

Le membre de la Société des Chiens entonna une sorte d'incantation en brandissant sa carabine par-dessus sa tête. *Assez*, se révolta intérieurement Charles. Le Texas, la Virginie, Sharpsburg, la Washita. Augusta, Constance, le rasoir de Bent... Cela ne finira donc jamais ?

Avec un grognement, Balafre jeta sa carabine et détacha de sa taille une hachette au manche de bois. Continuant à psalmodier, il ôta ses mocassins, fit décrire un petit cercle à son arme et l'abattit soudain sur le Blanc.

Le sol était détrempé, l'herbe encore jaune et rare après les gelées de l'hiver, et Charles trébucha lorsqu'il bloqua le tomahawk avec le coutelas qu'il tenait à deux mains. La force du coup fit plier le bras de Charles, le fer de la hache glissa sur la lame, passa en sifflant près de l'oreille du Sudiste. Celui-ci tenta d'enfoncer son couteau dans le corps projeté en avant mais le manqua.

Balafre s'avança à nouveau, frappa. Charles esquiva. L'Indien frappa encore, le Blanc baissa la tête mais sentit le fer de la hache frôler ses cheveux. Charles perça la manche gauche de la chemise du Cheyenne, qui bondit habilement en arrière.

Jambes fléchies, dans la posture traditionnelle du combat au couteau, Charles attendit. Voyant Balafre faire passer sa hachette dans sa main gauche, il changea de position pour pouvoir parer l'attaque. Tout à coup, le Cheyenne reprit son arme dans sa main droite et fonça.

Le couteau de Charles décrivit un arc de cercle, entailla l'avant-bras de l'Indien, qui réagit en levant son tomahawk. Le Blanc bloqua l'arme de la main gauche, le Cheyenne lui expédia son pied dans le bas-ventre. Charles tourna sur lui-même, perdit l'équilibre, tomba dans la boue.

Balafre poussa un cri aigu d'enfant qui vient de gagner à un jeu. Il sauta sur Charles, le fit rouler sur le dos, saisit la main tenant le poignard et la plaqua contre le sol. Le tomahawk s'éleva, forme sombre se détachant sur le ciel étoilé.

La hache retomba. Charles tourna la tête, sentit le fer l'égratigner avant de s'enfoncer dans la boue. Il tenta de libérer sa main tenant le poignard mais Balafre tint bon. Le Sudiste sentit l'odeur de graisse rance dont l'Indien avait enduit son corps avant de le peindre. Balafre balança à nouveau le tomahawk, Charles se contorsionna à nouveau pour l'éviter et réussit cette fois à dégager sa main. La pointe du coutelas s'enfonça dans le bras gauche du Cheyenne.

Le membre de la Société des Chiens lâcha la hachette, qui rebondit à quelques centimètres du crâne de Charles. L'Indien haletait. Gardant son couteau planté dans le bras du Cheyenne, le Blanc lui saisit le menton de la main gauche. Bientôt Charles sentit son adversaire faiblir : il ne lui restait plus qu'à frapper à la gorge.

— Achève-le, fit la voix de Hibou-Gris dans l'obscurité.

La main droite de Charles se mit à trembler. Au-dessus de lui, Balafre se faisait de plus en plus lourd, comme un sac de farine que quelqu'un serait en train de remplir.

A la gorge.

Il ne put pas. Poussant de la main gauche, il se dégagea tandis que Balafre roulait sur le côté. Je l'ai blessé, ça suffit, pensa Charles en se redressant.

Il sentit une main toucher sa cuisse droite, ne comprit ce qui se passait que lorsque Hibou-Gris se précipita vers Balafre. Assis dans la boue, l'Indien releva le percuteur du colt de l'armée qu'il avait pris dans l'étui de Charles. Malgré la boue maculant l'arme, le mécanisme fonctionna. Le guide se mit devant Charles pour le protéger, les deux Cheyennes firent feu en même temps. Hibou-Gris reçut la balle destinée à son ami.

La tête de Balafre retomba dans la boue avec un petit floc. Sur la colline, les mustangs des quatre cavaliers hennirent et agitèrent leur crinière. Hibou-Gris tomba à genoux, tira trois balles dans leur direction et cria en cheyenne que Balafre était mort. Les Indiens firent demi-tour, disparurent.

Avec un soupir, le guide se laissa glisser en arrière. Au village, quelqu'un donna l'alarme. Charles souleva le Cheyenne et le prit dans ses bras. La lumière des étoiles blanchissait le visage de Hibou-Gris, qui exprimait un grand calme.

— J'ai trouvé la voie pour toi, mon ami, murmura-t-il. Maintenant je pars.

— Hibou-Gris, s'écria Charles, la voix brisée.

— Je pars comme ma vision l'avait prédit. Je pars...

— *Hibou-Gris !*

— Là.

Le Cheyenne tendit une main tremblante vers le ciel étoilé, la Route Suspendue. Son bras retomba sur sa chemise maculée de sang et de boue. Charles le sentit frissonner quand il expira.

Serrant contre lui le corps de son ami, Charles tourna la tête et vit Balafre, immobile dans la boue, le colt à la main. Le Blanc sentait qu'il devait faire quelque chose mais l'épuisement et la confusion de son esprit l'empêchèrent un moment de savoir quoi. Puis il se souvint et vit en pensée une plate-forme bâtie dans un arbre, près du ciel. C'était son devoir d'en construire une pour Hibou-Gris, un homme remarquable. Le guide avait cru que ses dieux l'avaient choisi pour conduire les autres, et jusqu'au bout, il était demeuré fidèle à sa vision. Charles aurait souhaité avoir quelque chose d'aussi fort en quoi croire.

Mais il l'avait. Il pensa à Gus, à Willa.

Doucement, il reposa le corps de son ami sur l'herbe boueuse, trébucha en se relevant et entendit des clameurs derrière lui. Ours-Rouge et son peuple. Ils l'aideraient à donner une sépulture au guide, songea-t-il en se retournant.

Agonisant et non mort, Balafre se souleva de quelques centimètres et tira dans le dos du Blanc.

GEORGE HAZARD, LEHIG STATION, PENNSYLVANIE
CRIMINEL BENT APPRÉHENDÉ ET EXÉCUTÉ DANS LE TERRITOIRE INDIEN LE 27 COURANT. J'AI LA BOUCLE D'OREILLE.
CHARLES MAIN, FORT LEAVENWORTH, KANSAS.

Journal de Madeline.
Mai 1869. La presse a levé un nouveau lièvre et les journaux de Charleston publient de nombreuses révélations sur les Dixie Store. *Je ne parviens pas à croire que le nom qu'ils impriment puisse être mêlé au scandale.*

— Regrettable, Stanley, soupira le Boss. Très regrettable. Je pensais que vous feriez un excellent élu de votre district quand Muldoon prendra sa retraite, à la fin de son mandat. Vous êtes connu, vous avez les moyens de faire campagne, vos positions s'appuient sur de nobles principes.

Stanley Hazard savait ce que la fin de la phrase signifiait. Il obéissait aux ordres de l'appareil du Parti, entièrement aux mains de son invité.

Les deux hommes étaient assis sous le buste de Socrate, au *Concourse,* le club préféré de Stanley. Depuis quelques jours, le frère de George avait le visage pâle et flasque. Bien qu'il n'eût que quarante-sept ans et son invité, Simon Cameron, soixante-dix, Stanley avait l'impression que le Boss était le plus vigoureux des deux. Resté mince, il n'avait pas de calvitie et ses yeux gris n'avaient pas le manque d'éclat annonçant une sénilité proche chez d'autres hommes du même âge. Réélu au Sénat en 1867, le Boss n'avait jamais été plus puissant. L'intrigue politique lui réussissait.

D'un air méditatif, Cameron but une gorgée de son whisky du Kentucky. Le jour déclinant d'une chaude journée de printemps dorait les fenêtres qui les encadraient.

— Quant à la situation, reprit-il, je dois être franc avec vous. L'usure n'est pas illégale mais elle n'est guère appréciée de l'opinion, et les Nordistes en ont assez de fustiger le Sud. En fait, l'affaire des

Dixie Store a suscité un élan de sympathie pour les victimes des profiteurs au *carpetbag*.

Il leva une main pour calmer son hôte et continua :

— L'expression n'est pas de moi, c'est celle qu'emploient les journaux, mon garçon. En tout cas, il est regrettable que Dills ait craqué dès qu'on l'a mis face aux aveux de ce membre du Klan.

Stanley claqua des doigts pour appeler un des serveurs et commanda une autre tournée avec un entrain qui intrigua Cameron. L'homme était pourtant harcelé par des articles le liant à la compagnie Mercantile Enterprises, propriétaire des quarante-trois *Dixie Store* disséminés en Caroline du Sud. Presque chaque jour, Stanley niait publiquement être coupable. Sans fournir d'explications, il proclamait simplement son innocence avec la détermination du vieux Jackson Mur-de-Pierre résistant à l'ennemi à la première bataille du Bull Run. Étant donné sa conduite passée, Cameron s'attendait à ce qu'il soit visiblement fatigué — ce qu'il était — mais aussi totalement abattu, ce qu'il n'était pas. Remarquable.

— Je présume que Dills a coopéré dans l'espoir de garder ce qu'il lui reste de clients, supputa Stanley. Ces derniers temps, son train de vie s'est considérablement réduit, personne ne sait au juste pourquoi. Il a dû démissionner de son club, par exemple, il n'avait plus les moyens d'en être membre.

— Je suppose que vous aimeriez vous aussi garder quelque chose, comme notre ami Dills, dit Cameron. Votre réputation, peut-être ? Sans elle, vous n'avez aucun avenir politique.

— Je n'ai rien à voir avec les *Dixie Store,* Simon. Rien du tout.

Autre fait surprenant, l'assurance inhabituelle qu'affichait Stanley. Jusqu'à ces derniers jours, il n'osait appeler le Boss par son prénom.

— Je l'ai dit et redit aux journalistes, et je continuerai à le faire, parce que c'est vrai.

Cameron fit la moue, passa la langue derrière ses lèvres comme pour en déloger un pépin agaçant.

— Oui, fort bien, mais en toute franchise, mon garçon, à la direction du Parti républicain, on ne vous croit pas.

Stanley soupira, prit le verre que lui présentait sur un plateau d'argent un vieux serveur noir en livrée.

— Alors, il faut peut-être que je sois un peu plus clair, dit-il. J'aspire à devenir parlementaire. Bien entendu, me disculper totalement, ce sera dur. Sur le plan sentimental.

Cameron, qui perçait aisément à jour la plupart des hommes, fut interloqué.

— De quoi parlez-vous ?

D'un rapide coup d'œil, Stanley s'assura qu'aucun membre du club n'était assez près pour l'entendre.

— Je parle des *Dixie Store,* naturellement. Je reconnais que des fonds appartenant à une personne qui m'est proche ont servi à les ouvrir. Mais à l'époque, je l'ignorais. J'étais trop pris par mes activités au Bureau des affranchis. Mr Dills peut témoigner que toutes les actions de Mercantile Enterprises sont au nom de ma femme, Isabel.

Le sénateur de Lancaster faillit renverser son verre.

— Voulez-vous dire que c'est *elle* qui dirigeait l'affaire ?

— Exactement. Et elle l'a créée de sa propre initiative, après un voyage en Caroline du Sud. Évidemment, je l'ai découvert par la suite mais je n'ai jamais eu connaissance des détails.

Le vieux politicien pouffa de rire ; Stanley en prit ombrage mais cacha son ressentiment.

— Vous niez catégoriquement tout lien avec le scandale des *Dixie Store* ? demanda Cameron.

— Parfaitement.

— Et vous vous imaginez que le Parti et l'opinion avaleront ça ?

— Si je continue à l'affirmer, on finira par me croire, oui, répondit Stanley d'un ton calme. J'ignorais tout. Isabel est une femme intelligente et déterminée, les actions lui appartiennent. Moi, je ne savais rien.

Simon Cameron s'efforça de reconnaître dans cet homme affable et impassible le naïf timide à qui il avait conseillé, au début de la guerre, de se lancer dans le secteur lucratif des fournitures de l'armée. Stanley avait amassé une fortune considérable en vendant au ministère de la Guerre des chaussures de mauvaise qualité. Il avait aussi totalement changé, et le Boss ne retrouvait plus l'ancien Stanley dans le nouveau.

Le sénateur se détendit dans son fauteuil de cuir, eut un petit rire.

— Mon garçon, ce siège de représentant n'est peut-être pas hors de votre portée, finalement. Vous êtes très convaincant.

— Merci, Simon. J'ai eu un excellent professeur.

Cameron présuma que Stanley parlait de lui.

— Voulez-vous dîner avec moi ? proposa le Boss.

Le disciple étonna une nouvelle fois le maître en répondant :

— Merci mais je ne peux pas. J'ai invité mon fils.

Laban Hazard, âgé de vingt-trois ans et sorti de Yale deux ans plus tôt seulement, s'était déjà fait une clientèle à Washington. Peu prestigieuse, certes, mais lucrative, puisque la plupart de ses clients étaient des assassins, des escrocs, des maris accusés d'adultère. C'était un jeune homme fluet et faiseur d'histoires, dont la beauté première se fanait rapidement à cause de trop peu de soleil et de trop de xérès.

Dans la salle à manger du club, devant de succulentes côtes d'agneau, Stanley expliqua sa situation et sa décision de parler pour prouver son innocence. Son fils l'écouta avec une expression indéchiffrable. A la lumière des lampes à gaz, sa chevelure soigneusement peignée ressemblait à une peau de loutre sortant d'une rivière.

A la fin du long monologue de son père, Laban sourit.

— Tu as tout bien préparé, papa. Je ne pense même pas que tu auras besoin d'un avocat si les actions sont enregistrées comme tu le dis. Toutefois, je serai ravi de te représenter en cas d'événement imprévisible.

— Merci, Laban, fit Stanley, envahi d'une sentimentalité sirupeuse. Ton misérable frère jumeau est incorrigible, mais toi, tu me réjouis le cœur. Je suis heureux d'avoir pris l'initiative de nos retrouvailles.

— Moi aussi, assura Laban. (Il éructa.) Excuse-moi.

Sa façon de parler indiquait qu'il avait déjà trop bu.

— Pourrais-tu prendre contact avec le *Star* pour moi ? reprit Stanley. Je voudrais avoir un entretien privé avec son meilleur reporter, le plus vite possible.

— Je m'en occupe demain matin en priorité, dit Laban.

Le jeune homme fit tourner le vin de son verre et, évitant le regard de son père, ajouta d'un ton désinvolte :

— Tu sais que j'ai toujours eu beaucoup de mal à éprouver de l'affection pour ma mère.

— Je le sais, mon garçon, murmura Stanley, plein d'une feinte retenue. Mais n'ayons pas de méchanceté envers elle. Elle aura besoin de compassion quand l'orage éclatera.

Trois jours plus tard, Stanley se trouvait dans l'écurie jouxtant la grande maison de la Rue I. En bras de chemise, et déjà revigoré par deux whiskies matinaux, il admirait les chevaux bais à la robe assortie de son attelage. Ils étaient la joie de son existence, ils symbolisaient le privilège de la fortune.

— Stanley.

La voix de harpie le fit se tourner vers le large portail.

Un pâle soleil peinait à percer la brume montée du Potomac pendant la nuit. L'écurie dégageait une odeur agréable de terre et de fumier.

— Laisse-nous, ordonna Stanley à Peter, le jeune palefrenier noir.

Livide, Isabel agita de façon menaçante l'exemplaire du *Star* qu'elle tenait à la main.

— Misérable porc ! Quand as-tu fait ça ?

— Quand j'ai transféré les actions ? Il y a déjà quelque temps.

— Tu ne t'en tireras pas aussi facilement.

— Oh ! mais je crois que je m'en suis déjà tiré. J'ai reçu hier un mot de félicitations de Ben Wade. Il loue mon intégrité et mon courage devant un choix cornélien et me prédit un bel avenir au Parti républicain. Si j'ai bien compris, la Maison-Blanche me juge hors de cause.

Isabel décela le sarcasme sous la douceur mielleuse du ton. Elle eut envie d'abreuver Stanley d'injures mais se contint. Sentant le poids de ses cinquante ans, elle eut soudain peur de cet homme rondelet en tenue débraillée qu'elle avait si longtemps accablé de son mépris.

— Qu'allons-nous faire, Stanley ? murmura-t-elle en s'approchant de lui.

Il écarta la main qu'elle tendait vers lui.

— Je vais entamer une procédure de divorce. Laban a accepté de s'en occuper. Je ne puis fermer les yeux sur les activités de tes magasins en Caroline.

— *Mes* magasins ?

— Je dois penser à mon avenir, reprit Stanley. Toutefois, j'ai donné pour instruction à Laban de faire verser cinq cent mille dollars sur ton compte personnel. Considère ça comme une sorte de cadeau de séparation, même si tu n'as pas été une bonne épouse.

— Comment oses-tu dire une chose pareille ?

— Parce que c'est vrai, s'écria Stanley, soudain tremblant. Tu m'as sans cesse humilié, rabaissé devant mes fils. Tu m'as privé de la seule femme qui a jamais éprouvé un sentiment pour moi.

— Cette putain de music-hall ? Pauvre naïf ! C'est ton argent qui l'intéressait, pas tes charmes.

— Tu ne fais que confirmer ce que je viens de dire, répliqua Stanley. Je te donnerai quand même cet argent pour t'aider à supporter le scandale. Tout ce que je te demande en échange, c'est de ne plus m'approcher. Jamais.

Dans leurs stalles voisines, les pur-sang frottèrent leurs têtes l'une contre l'autre. Un rayon de soleil tombant du fenil traversa l'air comme une lance. Dehors, caché par le brouillard, Peter sifflait une chanson de *minstrel man*. La stupeur d'Isabel se changea en rage.

— Je t'ai trop appris, cracha-t-elle.

— Tout à fait exact. Dans ma jeunesse, je n'ai jamais eu une haute opinion de moi-même et de mes capacités. Ma mère non plus et George pas davantage. Mais toi, tu m'as convaincu que je réussirais si je ne me montrais pas trop scrupuleux sur les moyens...

Dieu ! Comme il la haïssait. C'était la première fois qu'il manifestait ouvertement ses sentiments à son égard.

— Tu peux être fière de ton œuvre, conclut-il.

— J'ai trop fait pour toi ! cria Isabel.

Elle se rua sur lui, les poings levés, mais tout mollasson qu'il fût, elle était trop frêle pour se mesurer à lui. Bien qu'il n'eût pas l'intention de la repousser aussi violemment, elle heurta de l'épaule la porte d'une stalle vide et tomba sur le derrière. Hébétée, elle baissa les yeux vers sa jupe pleine de fumier.

Le jeune palefrenier apparut sur le seuil de l'écurie et s'arrêta, mince silhouette sur la brume nimbée de soleil.

— Tout va bien, Peter, dit Stanley d'une voix dont la force l'étonna. Retourne à ton travail.

— J'ai été trop bonne pour toi, sanglota Isabel, la tête appuyée contre la porte de la stalle.

Clignant des yeux, Stanley répondit :

— Oui, je dois en convenir, bien que je ne croie pas un seul instant que cela ait été intentionnel de ta part. Et en étant trop bonne pour moi, tu as commis une grave erreur, Isabel.

Il sourit.

— Je te prie de quitter la maison dans les vingt-quatre heures, sinon je serai contraint de t'en chasser, ajouta-t-il. Maintenant, excuse-moi, j'ai soif.

65

Richard Harris Hunt désigna la grande bâtisse occupant tout le pâté de maisons entre la 19e et la 20e Rue, dans South State Street. Faire venir à Chicago un architecte aussi en vogue tenait de l'exploit mais dans ce domaine comme dans presque tous les autres, Will Fenway avait découvert qu'en payant un tiers en plus du prix normal, il obtenait ce qu'il désirait.

Ce gaspillage ne l'inquiétait pas : jamais il n'arriverait à dépenser l'argent aussi vite qu'il le gagnait. L'usine Fenway, agrandie trois fois, avait des commandes pour dix mois et à la fin de 1868, son directeur des ventes, LeGrand Villers, avait envoyé en Europe trois représentants opérant depuis Londres, Paris et Berlin. Will commençait à croire qu'il y avait plus de bordels que de maisons décentes de par le monde.

Il avait déjà soixante-huit ans lorsqu'il avait fait appel aux services de Hunt, et sachant qu'il ne vivrait plus qu'une dizaine d'années, il voulait en profiter. Aussi avait-il demandé à l'architecte de lui construire la maison la plus vaste et la plus luxueuse possible. Diplômé de l'École des Beaux-Arts, Hunt était un des plus éminents disciples de l'architecture française du Second Empire, que les gens de goût considéraient non comme une simple renaissance d'un style ancien mais comme l'essence même de la modernité.

Hunt avait dessiné un château en granite de quarante-sept pièces avec des toits en mansarde sur trois ailes et une profusion de colonnes, dalles et cheminées de marbre. La salle de billard de Will aurait pu accueillir une chaumière, la salle de réception d'Ashton en aurait logé trois. Un seul incident avait perturbé la bonne marche des travaux : chaque toit était orné de couronnements en fonte dont Ashton avait découvert qu'ils provenaient de l'usine Hazard de Pittsburgh. Furieuse, elle avait envoyé à Hunt une lettre lui signifiant son congé. En réponse, l'architecte avait envoyé au mari un télégramme au ton courroucé et Will avait dû prendre le train pour l'Est et passer plusieurs heures à convaincre Hunt d'oublier la lettre injurieuse.

La crise surmontée, les Fenway avaient emménagé au début de l'été et passé de longues heures à choisir un nom pour la maison. Fenway penchait pour « Château Willard » mais Ashton le persuada de transformer Willard, qui faisait parvenu, en Villard, prononcé à la française.

1869 fut une année particulièrement prospère pour les propriétaires de « Château Villard ». La firme avait dessiné les plans d'un magnifique piano à queue et les commandes affluaient déjà pour le nouvel instrument pas encore construit. Ashton s'estima enfin en mesure de prendre sa revanche sur sa famille et, dans un premier temps, demanda à Will un compte en banque personnel. Après avoir consulté ses comptables, Fenway donna satisfaction à Ashton en lui ouvrant un compte de deux cent mille dollars. En février, elle résolut de se rendre en Californie du Sud dès que le temps et ses plans le permettraient. Sans avoir d'idée précise sur la façon dont elle se vengerait de son frère et de sa femme, elle désirait simplement explorer les possibilités s'offrant à elle.

Pendant les trois premiers mois d'une période de folles dépenses, le personnel de Château Villard passa de trois à douze personnes. Ashton acheta des tableaux, des statues et des livres par caisses entières. Puis elle essaya de lier connaissance avec les occupants des maisons voisines. Au nord de Château Villard vivait Hiram Buttworthy, baptiste devenu millionnaire en vendant des harnais. Il avait installé des crachoirs dans chaque coin de chaque pièce de la maison et avait pour épouse une femme si laide qu'elle semblait faite pour porter les harnachements fabriqués par son mari.

Au sud habitait une suffragette nommée Sedgwick, dont les opinions déclarées et la langue acérée rappelèrent à Ashton sa sœur, ce qui suffit à faire naître une antipathie durable à leur première et unique rencontre.

Will acheta une villa à Long Branch, dans le New Jersey, sans même l'avoir vue : si la station balnéaire plaisait au président et à Mrs Grant, elle serait bien assez bonne pour lui. Il s'offrit aussi un yacht resplendissant, muni d'une machine à vapeur auxiliaire, pour lequel il acheta un anneau fort coûteux près de l'embouchure de la Chicago River.

L'argent des Fenway leur ouvrait certaines portes mais pas d'autres. Il y avait toujours une bonne table pour eux parmi les feuilles de palmier du restaurant du *Palmer House*, quelle que fût l'affluence. Toutefois, si les dames de la bonne société acceptaient avec joie les dons d'Ashton à des œuvres charitables, elles refusaient poliment de l'admettre dans leurs clubs.

— Tu vas me manquer, dit Villers en passant lentement la main entre les cuisses d'Ashton.

— Je ne serai pas longtemps partie, chéri. Une semaine ou deux.

— Deux jours sans tout ça, c'est trop pour moi.

Elle rit, prit la main de son amant et la pressa contre son sein gauche en se tortillant de plaisir.

LeGrand Villers était un homme vigoureux nanti d'une épaisse crinière de boucles châtains. Nordiste, il avait autrefois gagné sa vie comme croupier sur les bateaux du Mississippi. Bien qu'il ne fût pas particulièrement séduisant, il était extrêmement viril et avait beaucoup d'assurance. Au cours des deux années écoulées depuis qu'il avait franchi la porte de l'usine Fenway à la recherche de quelque emploi temporaire pour régler des dettes de jeu, il avait gravi les échelons de la firme, de magasinier à directeur des ventes, et fait dans le même temps la conquête d'Ashton. Villers était incontestablement l'amant le mieux doté par la nature qu'Ashton eût connu, et il était représenté par *deux* boutons dans la collection du coffret oriental.

Le soleil passant par un hublot éclaboussait le ventre et les cuisses de la jeune femme. L'*Euterpe*, le yacht de Fenway, se balançait doucement au bout de ses amarres. Il faisait une chaleur douillette dans la principale cabine en ce matin de juin. Le capitaine et le matelot, régulièrement soûls toutes les nuits, ne montaient jamais à bord avant midi, ce qui faisait du bateau un lieu de rendez-vous idéal.

— Tu me rends folle toi aussi, LeGrand, assura Ashton.

Elle songeait que Powell avait été plus beau mais pas tout à fait aussi viril.

— Et tu crois vraiment que Will n'est au courant de rien ?

— Il sait que j'ai des amants mais nous n'en parlons jamais. Il comprend que je suis une jeune femme qui a... euh, certaines envies à satisfaire.

— Entre autres celle d'aller en Caroline. Je ne vois vraiment pas pourquoi. J'ai visité la Géorgie : juste un tas de noirauds, de filles frivoles et de morveux qui vous donnent du « oui, monsieur » en pensant au meilleur moyen de vous rouler.

— LeGrand, je devrais te faire tomber de la couchette. Je suis sudiste, tu sais.

Elle venait d'en administrer la preuve en reprenant l'accent qu'elle avait progressivement perdu pendant les années passées dans le Nord.

— Je veux voir ma famille, ajouta-t-elle. Une visite amicale.

— Amicale ? s'étonna Villers, la taquinant à nouveau. Je ne t'ai jamais entendue dire quelque chose d'amical sur ces gens.

Ashton souleva sa chevelure dénouée tombant sur ses épaules, jeta un coup d'œil à la pendule. Onze heures moins le quart seulement. Parfait.

— Eh bien, j'ai changé, répondit-elle.

Il eut un petit rire.

— Tu veux dire que tu as appris à cacher à quel point tu les hais ?

Elle caressa la mâchoire lourde de son amant.

— Je savais bien que je t'aimais pour autre chose que ce que tu as dans la culotte, fit-elle. Mais ne révèle mon secret à personne, surtout. Viens ici, et au travail.

Un docker passant sur le quai quelques minutes plus tard remarqua que le yacht se balançait plus qu'il n'aurait dû par un temps aussi calme.

— Le fiacre attend pour vous conduire à la gare, madame.

— Charge les bagages, Ramsey.

Le maître d'hôtel s'inclina et sortit. Malgré l'accent anglais distingué du serviteur — qui avait incité Fenway à le choisir parmi d'autres postulants — Ashton le considérait comme un esclave. Un homme enchaîné par ses gages plutôt que par des fers mais cela ne lui donnait certes pas droit à un meilleur traitement. Une partie du plaisir que procurait la domesticité — comme la défunte « institution particulière » — c'était d'avoir autour de soi des gens terrorisés par la moindre de vos paroles.

Will sortit à pas lents de la salle de billard, admira un moment sa femme puis lui caressa la joue, comme il l'eût fait à sa chatte préférée.

— On est sage ? demanda-t-il.

Ashton tressaillit. Les yeux bleus du vieillard ne reflétaient que de l'affection mais la remarque rappela à la jeune femme la mise en garde de son mari après qu'elle eut tué sans raison le beau-frère de la señora. Personne, excepté Will, ne déclenchait en elle ce petit frisson de peur qu'elle aimait susciter chez les autres.

— Oui, chéri, répondit-elle. Toujours.

Elle descendit au *Mills House* sous le nom de Mrs W.P. Fenway, de Chicago, et le personnel remarqua naturellement cette femme voyageant seule avec onze valises. Mais personne ne put observer son visage car elle était lourdement voilée : elle ne tenait pas à ce qu'on reconnaisse en elle une Main.

Ashton fut affectée par l'état de la ville de Charleston, qui portait encore de nombreuses traces des ravages de la guerre. Des nègres traînaient dans les rues avec un air insolent qui leur aurait valu le fouet quand Ashton était enfant. On pouvait encore voir des Yankees en uniforme bleu.

Elle loua un fiacre pour faire le tour de la ville et se fit conduire à la Battery. Les passants s'interrogeaient sur cette jeune élégante à l'air mélancolique dont le regard se portait vers l'océan. Avait-elle des pensées romanesques ? Songeait-elle à quelque amour perdu ?

Je te hais, Billy Hazard. Tout aurait pu être différent si tu ne m'avais pas préféré ma sainte nitouche de petite sœur.

Ashton tenait aussi Orry, Cooper et Madeline pour responsables de son exil et des horribles mois de prostitution. En méditant tout ce qu'elle avait perdu à cause de la conduite pharisaïque de sa propre famille, elle sentit sa haine se ranimer. Elle renifla, se tamponna les yeux avec son mouchoir et, retournant à la voiture, ordonna au cocher de suivre lentement East Bay.

Au passage, elle examina la maison où elle avait vécu avec le pauvre Huntoon et n'éprouva que du mépris.

Dans l'étroite Tradd Street, une femme sortit de la maison de Cooper au moment où passait la voiture, et Ashton se plaqua contre les coussins de son siège. C'était l'épouse de Cooper, vieillie mais toujours aussi laide et plate. Ashton demanda au cocher de rouler plus vite. Aucun doute, elle les haïssait tous.

Au cours des jours qui suivirent, Mrs Fenway apprit plusieurs choses surprenantes. D'abord qu'Orry n'était pas revenu de la guerre. Après avoir chassé Ashton et Huntoon de Richmond pour leur rôle dans la conspiration de Powell, il était parti sur le front de Petersburg, où un Yankee l'avait tué.

Ashton se livra à une brève introspection : elle n'éprouvait ni chagrin ni remords, juste un surcroît de colère envers son frère, dont la mort la privait d'une possibilité de vengeance.

Madeline vivait seule, prospère mais méprisée pour son comportement de *scalawag*. Ashton entendit aussi parler de l'attaque du Klan contre Mont Royal et de la nouvelle maison en construction. D'un journaliste éméché avec qui elle flirta, elle apprit une dernière chose qui l'excita vraiment : le domaine était lourdement hypothéqué.

— Ravi de faire votre connaissance, Mrs Fenway, déclara Leverett Dawkins, trônant sur son fauteuil spécial. En quoi la Palmetto Bank peut-elle vous être utile ce matin ?

Ashton était assise au bord de son siège, les épaules ramenées en arrière pour mettre en valeur sa poitrine. Elle vit les yeux du banquier quitter son visage pour descendre le long du bustier — le pauvre imbécile pensait manifestement qu'elle n'avait pas remarqué l'intérêt qu'il témoignait à ses formes — et sut qu'elle se trouvait en position de force. Le nom de Dawkins lui était familier mais elle ne l'avait jamais rencontré, et il n'établirait donc aucun rapport entre elle et la famille Main.

— Je voudrais me renseigner sur les propriétés à vendre dans le district, répondit-elle avec un calme apparent. J'adore la région de Charleston et j'aimerais m'y installer.

— Je vois.

— En suivant la route de l'Ashley, avant-hier, j'ai remarqué une plantation qui m'a réellement séduite. J'espère que vous pourrez me dire si elle est à vendre.

— De quelle plantation parlez-vous, madame ?

— On m'a dit qu'il s'agit de Mont Royal.

— Ah ! la plantation des Main, fit Dawkins en se renversant dans son fauteuil. Elle appartient à Mr Cooper Main, un habitant de cette ville.

En entendant le nom de son frère, Ashton eut une réaction de stupeur et de désarroi, heureusement cachée par son voile noir. Recouvrant aussitôt son sang-froid, elle reprit avec aisance :

— Je croyais que c'était une femme qui dirigeait...

— Vous parlez de Mrs Orry Main, la belle-sœur du propriétaire, coupa le banquier avec une nuance de dégoût qui n'échappa pas à Ashton. Oui, elle y vit avec l'accord de Mr Main. Elle gère le domaine, elle est responsable de tout, mais Mr Main en demeure propriétaire.

Ashton, d'un ton précautionneux :

— La plantation serait-elle à vendre ?

Dawkins réfléchit à la question, considéra ce qu'il savait des sentiments de Cooper à l'égard de l'école nègre, de la complicité de Madeline dans le mariage de Marie Louise avec un Yankee. La visiteuse du banquier ouvrait une perspective fort intéressante à laquelle il voyait un double avantage : gagner de l'argent, et débarrasser la banque d'une affaire devenue ennuyeuse.

— Il y a une hypothèque importante sur Mont Royal, dit-il. C'est notre établissement qui la détient.

Ashton feignit d'apprendre un fait qu'elle connaissait déjà.

— Oh ! quelle chance ! Pensez-vous que le propriétaire, ce monsieur, euh...

— Main, souffla Dawkins.

— Accepterait-il de vendre si la transaction incluait la levée de l'hypothèque ?

— Naturellement, je ne puis répondre à sa place mais c'est une possibilité. Si vous désirez faire une offre, nous nous ferons un plaisir de vous représenter. Contre honoraires, bien sûr.

— Bien sûr, j'y tiens absolument. Je tiens également à plusieurs autres conditions. Mon mari, Mr Fenway, est un homme riche. Vous connaissez la marque de piano Fenway ?

— Qui ne la connaît pas ? Ainsi, c'est votre mari ? Bien, bien.

— Si Mr Main découvrait l'identité de la personne qui souhaite acquérir sa plantation, il pourrait en augmenter le prix de manière déraisonnable.

— Nous pourrions veiller à ce que cela ne se produise pas. Si nous agissons en votre nom, nous vous assurerons un anonymat total jusqu'à ce que la vente soit conclue...

Dawkins remarqua que sa réponse satisfaisait Mrs Fenway.

— Vous parliez de *plusieurs* conditions ?

Le cœur d'Ashton battait si fort qu'elle en tremblait presque. Elle tenait enfin l'occasion parfaite de se venger dont elle rêvait depuis des années. S'efforçant de chasser de sa voix toute nervosité, elle déclara :

— Je voudrais que l'affaire se fasse très rapidement. En quelques jours. Et j'aimerais être en possession du titre de propriété avant de rentrer à Chicago.

Le banquier fronça les sourcils.

— Ce que vous me demandez est contraire aux règles, Mrs Fenway. Et difficile.

Elle se laissa retomber contre le dossier de son siège, comme si elle lui retirait toute sa sympathie.

— Dans ce cas, je suis navrée...

— Difficile, répéta Dawkins en levant prestement la main. Mais pas impossible. Nous ferons tout ce que nous pourrons.

— Parfait, dit Ashton, plus détendue. Parfait. Peut-être convient-il de passer aux détails ? Le montant de l'offre, par exemple. Avancez donc un chiffre, je vous prie. Une somme qui ne soit pas extravagante, voyez-vous, mais suffisamment élevée pour que ce Mr Cooper Main ne puisse y résister.

LIVRE SEPT

LA TRAVERSÉE DU JOURDAIN

Je ne crois pas que les Blancs puissent, aujourd'hui ou demain, vivre sous un régime où des gens totalement ignorants, vénaux et corrompus exercent le gouvernement de leur État... Je pense qu'ils endureront leurs épreuves aussi longtemps qu'ils le pourront mais qu'il y aura un point au-delà duquel ils ne les supporteront plus.

Général Wade Hampton, 1871.

66

— C'est de Sam. Il est à New York. On a fait suivre la lettre que je lui avais envoyée à Saint Louis.

— Qu'est-ce qu'il raconte ?

Elle lut rapidement la page.

— Qu'il a été surpris d'apprendre que je suis en Caroline du Sud. Il te souhaite un prompt rétablissement. Il accepte volontiers de conduire la mariée à l'autel à condition que la cérémonie ne tombe pas un jour de représentation. De quelle représentation parle-t-il ?

Elle tourna la feuille de papier.

— Oh ! ça, c'est un peu fort.

— Quoi ?

— Claudius Wood a aimé l'*Othello* de Sam. Il a fait venir le spectacle à New York et c'est un énorme succès. Sam dit qu'il tiendra l'affiche plusieurs mois au Knickerbocker. Tu te rends compte ? Sam travaille pour l'homme qui a failli me tuer !

— Ça te rend furieuse, on dirait.

— D'accord, je devrais être plus compréhensive. Sam est un acteur, ce qui veut dire un enfant à certains égards. Et les désirs des enfants sont parfois plus forts que leur sentiment de loyauté. Enfin, il faudra nous marier un jour où le Knickerbocker fera relâche. Du moins si tu tiens toujours à...

— J'y tiens toujours. Viens ici.

Une lumière jaune — une lumière d'été — colorait le plafond et le mur passé à la chaux derrière la tête de son lit. Sur le chantier de la nouvelle maison, le travail s'arrêtait pour la journée. Quelqu'un enfonça dans une poutre un dernier clou dont la tête sonna comme une cloche à chaque coup de marteau.

Il entendit au loin la plainte de la scierie, les cris et le claquement des fouets des muletiers conduisant leur chariot vers la mine de phosphate. Plus près, dans la pièce principale de la maison, Madeline et Willa discutaient du dîner. Elles s'entendaient à merveille depuis qu'il était arrivé avec Willa.

Bien au chaud dans la chemise de nuit en flanelle que la comédienne avait coupée et cousue pour lui, Charles, étendu sur le lit, contemplait le plafond où les persiennes découpaient la lumière du jour selon un dessin agréablement régulier. Une région mal délimitée de son dos, sur le côté gauche, le faisait encore souffrir mais moins qu'avant. Il allait mieux.

Ours-Rouge et quatre de ses Cheyennes l'avaient transporté, inconscient, au camp de ravitaillement, où un médecin avait cherché la balle sans la trouver. Une ambulance l'avait ensuite conduit chez Duncan, à Leavenworth. Gus s'y trouvait en sécurité mais Charles délirait trop pour s'en rendre compte. Le général avait envoyé un télégramme au théâtre et Willa avait pris le premier train pour le Kansas. Pendant les trois semaines qu'elle passa au chevet de Charles, Sam et sa troupe fermèrent le théâtre de Saint Louis et partirent pour New York.

A Leavenworth, un autre médecin avait vainement essayé d'extraire la balle. L'avant-veille, un affranchi efflanqué nommé Leander avait fait une troisième tentative dans l'espoir de soulager la douleur de Charles. Le Noir avait longtemps soigné ses compagnons d'esclavage dans une plantation de coton de la Savannah River.

Leander avait donné au blessé un morceau de bois enveloppé dans un chiffon imbibé de whisky, et tandis que Charles mordait, fou de douleur, l'affranchi avait plongé dans la blessure un couteau désinfecté à la flamme. Il avait rapidement trouvé la balle — qui avait dû bouger — et l'avait extraite avec un morceau de fil de fer.

Derrière la porte à demi close, une troisième voix, plus jeune, plus claire, se mêla à celle des deux femmes. Charles respira l'air humide et odorant des marais, sentit le pollen de pin le chatouiller doucement au fond de la gorge. Chaque année, il recouvrait régulièrement toute chose d'une couche de poussière vert-jaune. Charles était chez lui.

Il n'était cependant pas aussi totalement heureux qu'il l'avait escompté lorsqu'il avait convaincu Willa de l'accompagner à Mont Royal pour une longue convalescence. Madeline rebâtissait la grande maison en souvenir d'Orry mais la plantation avait subi de nombreux changements qui lui paraissaient vulgaires, étrangers à l'ancien Mont Royal. Le domaine, envahi de machines à vapeur, avait perdu sa beauté.

Brouillée avec Cooper, Madeline était en butte à l'ostracisme des familles blanches du district. Une organisation dont Charles savait peu de chose — le Ku Klux — avait terrorisé la région pendant quelque temps. Des hommes du Klan avaient assassiné Andy Sherman (ancien esclave qu'il avait connu alors qu'il n'avait pas de nom de famille) et une institutrice blanche. L'air nostalgique qu'il avait sifflé pendant tant d'années en songeant au pays sonnait faux maintenant.

Et puis il y avait l'enfant qui ne savait plus sourire.

Gus était resté un petit garçon bien élevé. Portant à la main le chapeau rond que Willa avait acheté pour lui à Leavenworth, il entra silencieusement dans la chambre et s'approcha du lit de son père.

— Tu vas bien, papa ?

— Beaucoup mieux. Tu veux me donner un verre d'eau ?

L'enfant posa son chapeau sur le lit pour prendre le grand pichet en porcelaine. L'eau gargouilla dans la tasse, sous le regard attentif de Gus. Sur sa joue droite, l'entaille faite par Bent se transformait en bourrelet dur de tissu cicatriciel, crête sombre dans un paysage noyé de soleil.

Gus touchait souvent sa balafre mais n'en parlait jamais, pas plus qu'il n'évoquait la période terrible du ranch à whisky. Willa, tout en reconnaissant qu'elle n'était pas une psychologue exercée, estimait qu'il valait mieux garder le silence sur ce sujet quelque temps encore.

Gus tendit la tasse à son père. L'eau était tiède.

— Devine ce que j'ai vu près de la scierie, p'pa.

— Quoi ?

— Un grand oiseau blanc avec des pattes comme des bâtons. Longues comme ça. Il était dans l'eau mais il s'est envolé.

— Une aigrette, dit Charles.

— Devine ce que j'ai vu d'autre. Des oiseaux qui volaient l'un derrière l'autre. J'en ai compté cinq. Le premier faisait comme ça... (L'enfant agita les bras.) Et les autres faisaient pareil. Quand le premier s'arrêtait, ils s'arrêtaient aussi. Ils avaient de drôles de bouches, de grandes bouches, précisa-t-il en avançant les lèvres. Et ils volaient par là.

Du doigt, Gus indiqua la direction de l'océan.

— Des pélicans bruns, peut-être, supputa Charles. Un peu loin en amont de la rivière, quand même. Ça t'a plu de les voir ?

— Oui, ça m'a plu.

Il n'y eut pas dans la réponse la moindre nuance de plaisir, ni le plus petit sourire sur la bouche bien dessinée qui rappelait toujours à Charles celle d'Augusta Barclay. Quand Gus ne souffrirait-il plus ? Jamais ?

— J'ai faim, maintenant, déclara le garçonnet avant de sortir.

Assailli par un sentiment familier de culpabilité, Charles détourna les yeux de la porte et revit en pensée la balafre de son fils. *C'est de ma faute.*

Il aurait beaucoup à faire pour réparer. *Il faut que je lui laisse autre chose que des cicatrices quand il deviendra grand.* De l'argent. Il ne connaissait rien de plus précieux. Bien sûr, il paierait en affection et en attention paternelles, mais cela ne suffirait pas, il s'en faudrait de beaucoup. A cause des cicatrices — celle qu'on voyait et les autres, cachées à l'intérieur.

Après la tombée de la nuit, lorsque les grenouilles et les engoulevents accordèrent leurs instruments pour leur concert nocturne, Willa vint s'asseoir près de lui. Il monta un peu la mèche de la lampe, pour mieux la voir.

— Je cherche encore cet endroit où nous aurons notre place, dit-elle. Où ? cela m'est égal. J'irai n'importe où avec toi.

— Et ton métier d'actrice ? Tu ne veux pas l'abandonner, n'est-ce pas ?

Elle fit tomber de la farine collée à son pouce.

— Non, mais je le ferai, répondit-elle. (Elle l'examina plus attentivement.) Attends. Tu as quelque chose en tête...

Il se redressa, fit passer l'oreiller derrière ses épaules. Il avait rasé barbe et moustache et Madeline aussi bien que Willa assuraient qu'il paraissait dix ans de moins, même si ses cheveux grisonnaient.

— J'y ai pensé avant-hier, reconnut-il. Juste avant que Leander me charcute et que je perde conscience. Le Texas. J'adorais le Texas. J'ai bien appris à être officier, je ne vois pas pourquoi je n'apprendrais pas à devenir éleveur.

— Eleveur de bétail ?

— Oui. Je construirais une maison, rassemblerais un troupeau. Le bœuf se vend bien. On expédie de plus en plus de bêtes vers l'Est.

— Je n'ai jamais vu le Texas, dit Willa.

— Plutôt désolé dans certains coins, mais d'autres sont magnifiques.

— Et pour trouver de l'argent ? Je n'ai pas beaucoup d'économies.

— Je pourrais travailler pour quelqu'un jusqu'à ce que je connaisse le métier et que j'aie fait ma pelote.

Elle approcha sa bouche chaude de la sienne, l'embrassa.

— Une sacrée pelote, prévint Willa. Je veux une grande maison ancienne, pour élever Gus avec des tas de frères et sœurs.

— Je te le promets, Willa, dit Charles, dont la voix retrouva enfin quelque vie. En fait, je veux faire fortune. *(Pour réparer, payer pour les cicatrices.)* Nous nous installerons près d'une ville assez importante, et quand l'argent affluera, je te ferai construire un théâtre. Un opéra rien que pour toi.

Elle le serra contre elle.

— Charles, c'est un très beau rêve. Et je crois que tu le réaliseras.

Il contempla les ombres d'une femme et d'un petit garçon de l'autre côté de la porte à demi ouverte, entendit Gus poser une question à Madeline.

— Je te le promets, répéta-t-il.

Début juin dans le Bas-Pays, plus doux et plus éclatant encore que dans le souvenir d'Ashton. Un air tiède pas encore vicié par l'humidité accablante du plein été ; un ciel pur donnant un sentiment de repos, de langueur, même.

Les chevaux de l'attelage, à la robe couleur de lait, portaient chacun un pompon blanc fixé à la têtière. Avant de quitter Charleston, Ashton avait insisté pour que les deux Noirs en livrée élimée rabattent la capote de la calèche aux flancs laqués.

Assise face à la route dans la voiture de louage, retrouvant des images et des odeurs de son enfance, elle luttait contre un accès de sentimentalisme. Son vis-à-vis, insensible aux charmes du paysage, était un certain Favor Herrington, Esquire, avocat de Charleston qu'on lui avait recommandé lorsqu'elle avait dit qu'elle cherchait quelqu'un qui plaçait la réussite au-dessus de l'éthique professionnelle.

D'apparence banale, Herrington était un homme frêle au teint pâle de trente-cinq ans environ, avec une moustache si petite et si fine qu'elle ressemblait à un trait de crayon tracé par mégarde. Sous sa lèvre inférieure en retrait, une sorte de beignet mou faisait office de menton. Ashton trouvait son accent traînant vulgaire comparé au langage cultivé de la ville de Charleston qui était le sien. Néanmoins, à leur première rencontre, l'avocat l'avait outrageusement flattée en lui donnant du « Oui, chère madame » avec une telle extravagance mielleuse qu'elle avait immédiatement reconnu en lui un être de son espèce. Totalement dénué de scrupules.

Ashton se rappela cette portion de la route et, la gorge sèche, lança au cocher :

— Ralentis. C'est le prochain tournant.

Herrington pressa le fermoir en cuivre de la vieille mallette de cuir contenant tous les papiers et resserra sa cravate au moment où la calèche s'engageait dans la longue allée. A travers la brume noire de son voile, Ashton découvrit la charpente jaune du nouveau Mont Royal.

Mais c'était une immense maison !

Tant mieux.

— J'ai l'honneur de vous soumettre ces documents, dit Favor Herrington. Acte de vente, état de la dette, titre — et ceci, sur lequel j'attire spécialement votre attention.

L'avocat d'Ashton ne s'attendait pas à la présence de l'individu aux mains puissantes et à la peau tannée qui sortit en boitant de la maison, dans une chemise de nuit en flanelle, tandis que Madeline affrontait les visiteurs sur la pelouse ombragée. Il ne savait pas non plus qui était la jeune blonde à l'air effronté — peut-être la compagne de l'homme.

Charles observait attentivement la femme assise dans la calèche dont deux Noirs en livrée calmaient les chevaux blancs. Elle portait une robe de velours lie-de-vin et un épais voile noir. Il émanait de sa personne quelque chose de menaçant, quelque chose qui lui rappelait... quoi ?

L'air hébété, Madeline prit le document à couverture bleue que l'avocat lui présenta en dernier.

— C'est un ordre d'expulsion, expliqua-t-il d'un ton enjoué. Hier, à la Palmetto Bank, l'hypothèque sur la plantation de Mont Royal a été levée et le titre vendu à mon client, dit-il en montrant la femme au voile.

Madeline jeta à Charles un regard interdit, feuilleta les pages couvertes d'une écriture fine, releva un nom :

— Mrs W.P. Fenway. Je ne connais pas de Mrs Fenway.

— Voyons, ma chère, bien sûr que si, intervint la femme de la calèche, relevant son voile d'un geste gracieux.

— Je ne pensais jamais vous revoir, cousin Charles, dit Ashton.

Elle se tenait dans l'herbe, près de la maison, une lueur de mépris flamboyant dans ses yeux sombres.

— Qu'avez-vous fait pendant toutes ces années ? poursuivit-elle. Vous paraissez beaucoup plus vieux.

Il aurait pu en dire autant d'elle, encore que sa beauté demeurât intacte, presque parfaite. Ce n'était guère surprenant : il se rappelait comment, autrefois, elle évitait le soleil et passait des heures à se pomponner avant d'apparaître dans une nouvelle robe. C'étaient ses yeux qui trahissaient l'effet des années. Des yeux durs, hautains.

— Que voulez-vous ? demanda Madeline, ébranlée.

— Mont Royal, tout simplement. C'est le domaine de ma famille, la terre des Main. Il ne vous appartient pas. Votre mari, mon frère, m'en a chassée et j'ai juré de revenir pour vous rendre la pareille.

— Ashton, pour l'amour de Dieu, Orry est mort depuis plus de cinq ans.

— C'est ce que j'ai appris. Dommage, soupira Ashton. (Elle s'avança sur le perron en pin, jeta un coup d'œil à l'intérieur de la maison.) Comme c'est primitif ! Une des premières choses que je devrai faire, c'est installer un Fenway dans le nouveau bâtiment. On en trouve dans tous les bons salons.

— Je savais bien que ce nom me disait quelque chose, intervint Willa. Les pianos Fenway. Sam en a acheté un pour le théâtre à Noël.

— Oui, c'est la compagnie de mon mari. Et elle connaît une expansion extraordinaire. Le succès engendre le succès, vous ne croyez pas ?

Madeline semblait médusée.

— Mon Dieu, que se passe-t-il ? murmura-t-elle tandis que Charles lui prenait le document à couverture bleue.

— Voyons, ma chère, c'est on ne peut plus simple, fit Ashton d'une voix chantante. J'ai acheté tout le domaine.

— A Cooper ? demanda Madeline, incrédule.

— Mais oui, et cela ne devrait pas vous surprendre. Certes, j'ai acquis Mont Royal en gardant l'anonymat. Je veux dire que je ne me suis montrée ni à la signature de l'acte ni à un autre moment. Si bien que mon cher frère ignore que Mrs Willard Fenway est aussi sa sœur pas très aimante. Je présume qu'il sera un tantinet irrité par la supercherie quand il la découvrira. Mais je ne pense pas qu'il regrettera d'avoir vendu. Il a obtenu un bon prix et, en outre, je crois savoir qu'il n'est pas très satisfait de votre gestion — et de votre attitude. Vous refusez de vous comporter comme une Blanche respectable, vous faites au contraire l'arrogante avec votre école de nègres. La seule façon pour Cooper de rompre l'accord qu'il avait passé avec vous, c'était vendre. Je me suis laissé dire qu'il avait aussi une autre bonne raison de le faire : vous avez aidé sa fille à s'enfuir de la maison pour épouser un *carpetbagger*.

Ashton promena le regard le long des poutres de la nouvelle maison avant de poursuivre :

— Willard et moi envisagions justement d'avoir une résidence d'hiver dans une région au climat plus clément que Chicago. Ici, c'est l'idéal.

Sans s'en rendre compte, Willa enfonça ses doigts dans le bras de Charles. Elle ne saisissait pas toutes les implications de l'affrontement mais en devinait la nature implacable. On entendit du bruit au bas de la pente menant à l'Ashley : Gus, chassant une demi-douzaine d'oies gardées par la femme d'un affranchi.

Madeline prit une profonde inspiration.

— Ashton, je n'ai pas d'autre foyer. Je vous supplie...

— Vous suppliez, maintenant ? Comme c'est curieux. Ce doit être une expérience tout à fait nouvelle pour vous.

La colère empourpra soudain le visage de Madeline, qui répliqua :

— Vous ne savez pas dans quoi vous vous êtes lancée en achetant cette plantation. Mont Royal n'est plus ce qu'il était lorsque vous y viviez : un domaine protégé de l'extérieur, où régnait une certaine nonchalance. C'est une affaire complexe, intégrée dans un monde dur et complexe. Nous ne cultivons plus maintenant que le riz que nous mangeons et c'est la scierie, la mine qui nous font vivre. Mont Royal emploie une quarantaine d'hommes. Des hommes libres, qui travaillent pour avoir une maison et envoyer leurs enfants à l'école. C'est une responsabilité dont vous ne voulez certain...

— Madeline, ma chérie, j'ai déjà acheté Mont Royal. Alors, tout ceci n'est que bavardage.

— Non. Vous devez vous occuper de ces gens.

— Une bande de nègres ? Fi ! Les républicains les ont poussés à vouloir ce qu'ils ne sont pas capables d'avoir. Mon pauvre premier mari, James, n'était qu'un médiocre mais il avait raison : les moricauds ne valent rien. Alors, qu'ils n'attendent pas de faveurs de ma part. Ils travailleront toute la journée pour un croûton de pain s'ils ne veulent pas déguerpir avec leur marmaille.

— Ashton, *je vous en prie*. Un peu d'humanité.

— De l'humanité ? Je n'en ai plus depuis que votre satané mari m'a chassée de ma maison natale. J'avais juré de revenir et je l'ai fait. A votre tour d'être mise à la porte, et bon débarras !

Madeline se tourna vers Charles, qui avait examiné l'ordre d'expulsion : tous les cachets et signatures officiels y étaient.

— Le document ne porte pas de date, dit-il. De combien de temps disposons-nous ?

— Voyons, ronronna Ashton. Je tiens à prendre possession du domaine avant de repartir pour Chicago, ce que je dois faire bientôt. Willard, mon mari, est un homme âgé, vous comprenez. Il a besoin de ma compagnie. Naturellement, j'entends me montrer charitable. Je me considère comme une personne sensible et compatissante. Aujourd'hui, nous sommes... ? Mr Herrington ?

— Vendredi, Mrs Fenway. Toute la journée. Oui, madame.

— Alors, disons jusqu'à vendredi prochain, même heure ? Je vous demanderai d'être prête à partir, Madeline, vous et tous vos, euh, pensionnaires. A moins, naturellement, que vous ne choisissiez de rester et de travailler pour moi comme n'importe quelle autre négresse.

La veuve d'Orry rentra la tête dans les épaules d'un air rageur ; Charles s'avança pour la retenir.

— Vendredi, répéta Ashton.

En retournant à la calèche, elle remarqua Gus, qui s'était approché et se tenait sous un grand chêne dont l'ombre assombrissait son visage balafré.

— Mon Dieu, quel horrible petit garçon ! s'exclama Ashton. Il est à vous, cousin Charles ?

Elle n'attendit pas la réponse.

Des larmes de défaite brillant dans ses yeux, Madeline contemplait la maison inachevée.

— Orry, je te demande pardon. J'ai tout gâché.

Elle demeura un long moment immobile, perdue dans la souffrance et les reproches qu'elle se faisait à elle-même. Charles l'appela, elle ne parut pas entendre. Il l'appela à nouveau, pas de réponse. Il éleva la voix et réussit cette fois à la tirer de sa torpeur.

— Nous ne savons même pas où il se trouve, répondit-elle à la suggestion de Charles. Et si nous le savions, comment pourrait-il nous aider ? Le document a l'air tout à fait légal. On ne peut pas annuler la vente.

D'un ton dur, il répliqua :

— Madeline, je crois que vous ne comprenez pas. Vous serez chassée d'ici dans une semaine. Combien d'argent avez-vous sur votre compte en banque ?

— Juste quelques dollars. J'ai dû payer l'architecte, l'entrepreneur. Presque tous mes revenus y sont passés...

— Et vous ne toucherez plus rien maintenant qu'Ashton possède la plantation. Je me charge d'envoyer le télégramme. Pour demander qu'on vous accueille jusqu'à ce que vous ayez refait surface. Je n'ai malheureusement pas de toit à vous offrir et la maison de Cooper vous est fermée.

— Mon Dieu, vous ne pensez quand même pas que je lui demanderais quoi que ce soit après ce qu'il nous a fait ?

— D'accord, d'accord. Tout ce que je veux vous faire comprendre, c'est que dans un moment pareil, vous n'avez d'autre choix que faire appel aux amis.

— Charles, je me refuse à quémander !

— C'est pourtant exactement ce qu'il faut faire. Et j'ai le sentiment que la situation serait peut-être différente si vous l'aviez fait plus tôt. Il ne vous reste pas d'autre solution, maintenant.

Madeline trouva cette perspective humiliante, mais mentalement épuisée, elle renonça à discuter. Une heure plus tard, Grant partit sur une mule, laissant derrière lui une traînée de poussière. Dans la poche de son pantalon en loques, il emportait de l'argent et le texte d'un télégramme adressé à George Hazard, Lehig Station, Pennsylvanie.

67

Le jour vint où tout fut différent, et il le sut en s'éveillant.

La chambre immense, avec ses nymphes et ses chérubins folâtrant au plafond, n'avait pas changé. Pas plus que la villa, les odeurs matinales de café chaud, de brioche cuite avant l'aube, de fleurs fraîchement coupées dans les vases de l'entrée. Ce qui était différent, c'était lui, George. Il ne se sentait pas exactement bien. Physiquement, c'était à peu près pareil : l'habituelle aigreur d'estomac matinale provenant du vin rouge qu'il adorait et auquel il refusait de renoncer. Non, c'était une impression plus subtile, et néanmoins tout à fait réelle. Il se sentait guéri.

Il tira le cordon de la sonnette, demeura au lit jusqu'à ce que son valet frappe à la porte et entre avec le petit déjeuner. George Hazard se sentait détendu, à l'aise, la tête pleine de souvenirs de ses deux enfants, qu'il n'avait pas vus depuis l'été précédent. Sur la toile de son imagination apparut le tableau des montagnes s'élevant au-dessus de Lehig Station et où fleurissait le laurier. Il lui tardait de se promener à nouveau sur ces vertes hauteurs, de contempler la ville, Belvedere et l'usine : orgueilleux bilan de sa vie.

Une pointe de culpabilité le tourmenta. Être trop insouciant serait trahir la mémoire de Constance et le souvenir de la mort horrible qu'elle avait connue à cause de lui. Le télégramme annonçant l'exécution de Bent — que Wotherspoon avait fait suivre — ne le libérait pas de l'obligation de pleurer son épouse. Pourtant, ce matin, il y avait — oui, un certain changement. Il ne voulait plus vivre seul à jamais dans sa villa de Suisse.

— Mr Hazard, puis-je vous rappeler que le monsieur qui vous a envoyé sa carte la semaine dernière arrive ce matin ? dit le valet dans un français châtié. A dix heures.

— Merci, répondit George.

Il était curieux de voir cet homme, journaliste parisien qu'il ne connaissait pas. Que voulait-il ?

Le visiteur, âgé d'une soixantaine d'années, lui fit une première impression défavorable à cause de son aspect négligé. Chaussé de bottes de cavalerie crottées, il portait un manteau militaire dont on avait décousu les insignes et les mitaines. Ses cheveux longs masquaient ses oreilles et se mêlaient à la barbe qui lui tombait sur la poitrine. D'après sa carte, il s'appelait Marcel Levie et était correspondant du journal *La Liberté*.

George découvrit rapidement que l'homme n'était ni fou ni aussi négligé que son apparence le laissait penser. C'était une contenance, destinée sans doute à donner une impression d'esprit libre. Il s'empressa de répondre quand George lui demanda s'il voulait boire quelque chose : bien qu'il ne fût que dix heures cinq, Marcel Levie désirait un cognac.

Les deux hommes s'installèrent sur la terrasse ensoleillée surplombant le lac, dans la douceur bleutée du matin. George buvait à petites gorgées son deuxième et dernier café quand le journaliste attaqua :

— Notre groupe de Paris a appris que le riche sidérurgiste américain George Hazard passe des vacances en Suisse.

— Pas exactement des vacances, corrigea George, sans fournir d'explication.

— J'ai été chargé de prendre contact avec vous et, si possible, de vous intéresser à un projet.

— Mr Levie, je ne dirige pas réellement mon entreprise pour le moment et je ne suis donc pas en mesure de procéder à des investissements. Je suis navré que vous vous soyez déplacé pour rien.

— Oh ! certainement pas. Le projet dont je vous parle n'a rien à voir avec les affaires, du moins au sens strict. Je suis venu à la demande de notre président, le professeur Edouard-René Lefebvre de Laboulaye.

George fronça les sourcils, fit répéter le nom, qui lui paraissait vaguement familier.

— Entre autres activités, le professeur préside depuis de nombreuses années la Société antiesclavagiste française. C'est un grand admirateur des libertés américaines. Je me rappelle que le soir où l'idée de ce projet lui est venue, il y a quelques années, dans sa maison de Glatingy, il en parlait avec un enthousiasme d'autant plus grand que nous venions juste d'apprendre la défaite de Lee.

— Continuez, je vous prie.

— Le professeur pense, comme moi, que l'Amérique et la France sont sœurs dans le domaine de la liberté. Le général Lafayette vous a aidés à gagner votre indépendance, et les Etats-Unis se dressent tel un phare de la liberté et des droits de l'homme à un moment où... (Levie regarda furtivement autour de lui) la France traverse de grandes épreuves.

Enfin un indice sur les opinions politiques du visiteur : Levie était un libéral, et probablement pas un partisan de l'empereur Napoléon III.

— Ce que mon ami propose, et que notre groupe soutient, poursuivit le journaliste, c'est un cadeau symbolique à votre pays. Un monument ou une statue, représentant notre amitié et notre foi commune en la liberté.

— Ah, dit George. Et qui financerait le projet ?

— Le peuple français. A travers une souscription publique, peut-être. Les détails restent flous mais l'objectif est clair. Nous voulons que le monument soit achevé pour le centenaire de votre pays. On le célébrera dans plusieurs années, je vous l'accorde, mais un projet de cette taille ne se réalise pas rapidement.

— Envisagez-vous une statue pour un jardin public, Mr Levie ?

— Oh ! plus grand. Beaucoup plus grand. Le soir où l'idée est née, un jeune sculpteur était parmi nous. Un Alsacien nommé Bartholdi. Beaucoup de talent. C'est lui qui réalisera le monument.

— Alors qu'attendez-vous de moi ?

— Ce que nous demandons à tout Américain important de passage sur le continent. D'approuver notre initiative et de s'engager à la soutenir.

D'excellente humeur ce matin-là, George répondit :

— Je pense que je puis répondre oui sans réserve.

— Magnifique ! Ce que nous nous efforçons également de connaître avec moins de réussite, c'est l'accueil que le gouvernement et le peuple américains feraient à un tel cadeau.

George alluma un cigare, alla s'accouder à la balustrade.

— Vous montrez, en posant cette question, une grande sagacité, Mr Levie. A priori, on s'attendrait à ce que ce présent soit bien reçu mais les Américains sont des gens contradictoires. On m'envoie régulièrement la presse de mon pays et leur lecture m'a conduit à cette conclusion : tout ce qui est étranger est suspect.

Il fit rouler le cigare entre ses doigts d'un air pensif.

— Cela serait particulièrement vrai pour un cadeau provenant d'un pays divisé par les luttes entre la droite et la gauche, et prêt à se lancer dans une guerre avec la Prusse.

Il tira une bouffée avant d'ajouter :

— En tout cas, c'est ce que je pense.

Découragé, le journaliste soupira :

— Cela confirme ce qu'ont déclaré à Edouard des membres de la Ligue pour l'Union de Philadelphie.

— Voilà donc où j'avais entendu son nom, fit George. Il figure sur la liste de nos membres.

— C'est exact, bien qu'Edouard n'ait jamais eu le privilège de se rendre dans votre pays.

Les deux hommes discutèrent ensuite du climat politique en Europe et Levie tint des propos véhéments contre Bismarck et son chef d'état-major, Moltke.

— Ils s'emploient manifestement à exacerber les tensions jusqu'à faire éclater la guerre. Bismarck rêve de réunifier les Etats germaniques — un nouvel empire, si vous voulez. Malheureusement, notre propre soi-disant empereur se berce d'illusions : il croit avoir forgé une armée invincible, ce qui n'est certes pas le cas. De plus, Moltke dispose de puissants canons à chargement par la culasse et d'un remarquable réseau d'espions. Cela finira mal pour la France.

— Je connais le général Moltke, révéla George. Deux de ses officiers d'état-major sont venus ici le mois dernier pour négocier l'achat de pièces d'artillerie à ma compagnie. En Pennsylvanie, mon directeur général étudie la question mais je n'ai pas encore pris de décision.

Le ton de Levie se fit moins amical.

— Vous voulez dire que vous pourriez travailler d'une main pour la France et de l'autre contre elle ?

— Malheureusement, c'est comme ça dans la métallurgie, Mr Levie. Des hommes de ma patrie se retrouvent inévitablement représentés des deux côtés du champ de bataille.

L'hostilité du Français se tempéra.

— En tout cas, vous êtes franc.

— Et je vous dirai avec la même franchise que je ferai tout ce que je peux pour soutenir et faire connaître votre projet s'il se réalise selon les lignes que vous venez de suggérer. Vous pouvez considérer que je fais partie de votre groupe, si vous le voulez.

Ce fut dit avant que George eût tout à fait réfléchi. Une mouette passa au-dessus d'eux, piqua vers le lac ; la sirène d'un vapeur ulula. Ces sensations ravissaient l'œil et le cœur de George. Oui, tout était différent.

— Très volontiers, répondit le journaliste. Vous nous communiquerez les réactions américaines. Le professeur Laboulaye sera enchanté.

Levie ne parut pas lui-même au comble de la joie mais les deux hommes se serrèrent néanmoins la main. Le soir, prenant chez lui un dîner léger, médaillons de veau et haricots verts — pas de pâtisserie ni de vin le soir : son embonpoint commençait à se voir, surtout à la taille — George prit conscience qu'il s'était trouvé une nouvelle cause. Quelque chose qui n'était pas lié au passé mais tourné au contraire vers la grande célébration prévue en 1876.

Il finit rapidement son repas, réunit son personnel et annonça qu'il rentrait chez lui.

George envoya un message à Jupiter Smith par le câble transatlantique et embarqua à Liverpool à bord du *Persia*. C'était un bâtiment plus grand et plus luxueux que les précédents vaisseaux de la compagnie de Mr Cunard, dont les cabines austères avaient suscité le mépris de Charles Dickens. Le *Persia* assurait une traversée rapide en dix jours grâce à ses immenses aubes latérales de quarante pieds, assistées de voiles au besoin.

Le premier soir, George but trop de champagne, valsa avec une jeune comtesse polonaise et, à sa propre surprise, passa la nuit avec elle. Il constata avec plaisir que sa virilité n'avait pas faibli, mais la désinvolture avec laquelle la jeune femme lui fit les honneurs de sa cabine et de son lit ne fit que ranimer ses sentiments pour Constance et sa douleur de l'avoir perdue.

Sa guérison fut à nouveau menacée le troisième jour, lorsque l'énorme vapeur rencontra le mauvais temps et se mit à rouler et à tanguer comme un jouet. Bien que le commissaire de bord eût recommandé aux passagers de ne pas s'aventurer sur les ponts, George ne put rester dans sa cabine tant il était attiré par la masse de brume grise d'où s'élevaient de grandes gerbes d'eau blanche qui cognaient contre les cheminées et faisaient osciller les canots de sauvetage tandis qu'il s'agrippait au bastingage en teck. Il était midi, et il faisait presque aussi sombre que le soir. Des images de Constance, d'Orry et de Bent tremblotaient dans ses pensées ; les dix dernières années se déroulaient dans sa mémoire comme un ruban de crêpe funéraire. Le sentiment de bien-être retrouvé à Lausanne disparut, George sombra à nouveau.

Quelque chose en lui se rebella. Il s'efforça d'échapper à son abattement en en découvrant la cause, en répondant, s'il le pouvait, à certaines questions qui le hantaient. Pourquoi tant de souffrance ? D'où venait-elle ?

Dans les ténèbres de l'orage, Constance et Orry lui apparurent à nouveau et une série de conclusions jaillirent comme un diable de la boîte de son esprit.

La douleur naît d'autre chose que les circonstances ou les actes d'autrui. Elle vient de l'intérieur. De la conscience de ce que nous avons perdu.

Se rappeler le ciel, voilà l'enfer.

La sirène du paquebot retentit, des membres de l'équipage se mirent à courir en tous sens. George sentit qu'on renversait la marche des machines. Un steward en veste blanche lui apprit qu'une vague avait jeté à la mer les deux enfants d'un millionnaire italien. On effectua des recherches, dans des conditions difficiles, jusqu'à la tombée de la nuit. Deux des chaloupes mises à l'eau se retournèrent ; on ne retrouva pas les enfants. Dans la soirée, éveillé et tendu près de la comtesse endormie, George entendit les machines vrombir de manière différente : le *Persia* reprenait sa route parce qu'il n'y avait rien d'autre à faire.

68

Le samedi, dans sa maison de Lehig Station, Jupiter Smith reçut le télégramme de Charles. Après avoir demandé à sa femme de garder le dîner au chaud, il descendit la colline d'un pas rapide pour se rendre à la gare. Le télégraphiste s'apprêtait à fermer son guichet quand l'avocat lui dit :

— Envoie donc ça avant de partir, Hiram.

L'avocat prit un formulaire et se mit à écrire en capitales d'imprimerie :

Mr HAZARD SUR LE CHEMIN DU RETOUR A BORD D'UN CUNARD. IMPOSSIBLE DE LE JOINDRE MAIS SUIS CERTAIN QU'IL ACCUEILLERA AVEC JOIE MRS MAIN. REGRETTE LES CIRCONSTANCES RENDANT SA VENUE NÉCESSAIRE.
J. SMITH, Esq.

Dans son message, Charles avait résumé la situation à Mont Royal, et Jupe Smith ne parvenait pas à comprendre comment Asthon Main pouvait se montrer aussi dure envers sa belle-soeur. Tandis que la clef du télégraphiste cliquetait, Smith demeurait immobile et silencieux dans la salle d'attente, songeant avec une amertume familière à la conduite de la majorité des êtres humains, qu'il ne s'expliquait pas.

Comme il poussait la porte pour quitter la gare, il lui vint à l'esprit qu'il fallait peut-être informer un autre membre de la famille, au cas où une aide et des encouragements de nature plus personnellle seraient nécessaires. On ne pouvait attendre de l'égoïste Stanley qu'il réagît avec compassion mais Virgilia, maintenant qu'elle était réconciliée avec son frère et que son caractère s'était grandement adouci...

Dimanche, dans le calme du début de matinée, Sam Stout ouvrit la porte de son bureau au Sénat. C'était une belle journée d'été et la pièce était déjà chaude.

Installé devant une petite pile de feuilles de papier ministre, le parlementaire entreprit de répondre au courrier de ses électeurs, pour la plupart des paysans obtus pour lesquels il n'avait que mépris. Au bout de quelques instants, il jeta sa plume sur son buvard et s'abandonna à l'accablement contre lequel il avait lutté au cours d'une longue nuit d'insomnie. Lorsqu'il avait divorcé d'Emily pour épouser Jeannie, sa nouvelle femme et lui-même avaient décidé qu'il était trop âgé, trop pris par sa carrière pour fonder à nouveau une famille. Fort bien. Il avait fait confiance à la petite garce. Hier soir, après un dîner au champagne, elle lui avait annoncé qu'elle accoucherait dans sept mois, et Stout avait passé la nuit dans une autre chambre.

Non seulement sa vie personnelle mais *tout* paraissait voué à l'échec. En prononçant ses discours, pendant sa dernière tournée en Indiana, il avait senti que son auditoire en avait plus qu'assez des républicains comme lui qui continuaient à « agiter la chemise sanglante ». Bien que quatre ans seulement se fussent écoulés depuis Appomatox, l'opinion était lasse de la politique de division, des programmes sociaux radicaux. On notait même certains signes de désenchantement à l'égard du gouvernement de Grant, qui venait juste d'entrer en fonction. Le président était un homme populaire mais d'une naïveté regrettable, et les plus cyniques des collègues de Stout assuraient qu'avant longtemps, les compères de Grant voleraient et pilleraient le pays sous son nez.

Cela inquiétait Stout. Il avait soutenu Grant par nécessité, non par principe, et craignait à présent d'avoir misé sur un mauvais cheval. Ses convictions peu profondes lui rappelèrent celles de Virgilia, plus fortes et plus sincères, et cet aspect de leur liaison lui remit à son tour en mémoire son côté physique. Virgilia lui semblait plus attirante maintenant que Jeannie avait montré sa duplicité. Peut-être avait-il eu tort de rejeter aussi rapidement son ancienne maîtresse.

Il prit une feuille et se mit à écrire, convaincu que, s'il réparait cette erreur, tout le reste s'arrangerait aussi en temps utile. Il mit de la passion dans ses phrases, parla de sa solitude et reconnut même, à contrecœur, les fautes qu'il avait commises pendant leur liaison. Il se sentait guilleret comme un célibataire de vingt ans quand il posta sa lettre, en début d'après-midi.

Le lundi, Virgilia enfila un gant gris sur la bague ornée d'un diamant qu'elle portait à la main gauche et souleva son sac. Un fiacre attendait dans la 13e Rue pour la conduire à la gare. Jetant un coup d'œil autour d'elle pour s'assurer que tout était en ordre, elle vit sur le bureau la lettre insultante de Sam Stout, à laquelle elle avait oublié de répondre dans l'excitation causée par le télégramme de Smith.

Les lèvres serrées, elle posa son sac sur une chaise et, avec une allumette et de la cire, recacheta la lettre de son ancien amant. Puis elle barra son nom et son adresse, inscrivit au-dessus ceux de Sam, retourna l'enveloppe et écrivit sa réponse en lettres majuscules : NON.

Elle la posta avant de prendre l'express de nuit pour Richmond et Charleston.

Mardi, Willa proposa encore une fois à Madeline de l'aider à faire ses valises. Jusque-là, la veuve d'Orry avait remis à plus tard, comme si elle attendait un miracle. Il n'y en aurait pas.

— D'accord, faisons les paquets, capitula-t-elle. Il n'y a pas grand-chose à emporter mais ce que nous ne prendrons pas, Asthon le détruira.

Elle enveloppait de la porcelaine dans des feuilles du *Courier* quand une voiture arriva. C'était Theo et sa femme. Le jeune Nordiste pressa la main de Madeline en assurant qu'il était désolé ; Marie Louise, rose et éclatante de santé pour son troisième mois de grossesse, donna libre cours à son émotion et pleura dans les bras de sa tante en condamnant son père entre deux sanglots.

Charles arriva avec une caisse qu'il venait de fabriquer. Il n'avait pas vu Marie Louise depuis des années et il y eut un bref moment de gêne au cours duquel ils refirent reconnaissance.

— Ton père sait qui est le véritable acheteur du domaine ? demanda-t-il d'un ton brusque.

— Tout Charleston en parle depuis samedi midi. Maman dit que papa en a parlé lui aussi, le soir à table.

— Pour dire quoi ?

A contrecœur, la jeune femme répondit :

— Que... qu'il aimait sa sœur à peu près autant que les autres membres de la famille, c'est-à-dire pas beaucoup.

Charles mordit son cigare avec une telle force qu'il faillit le briser.

— Merveilleux, bougonna-t-il.

— Maman était tellement furieuse en me racontant la scène qu'elle a juré. Jamais je ne l'avais entendue dire du mal de papa auparavant. D'après elle, il gagne maintenant tant d'argent avec la compagnie qu'il n'a plus besoin de Mont Royal, et il n'est plus très attaché au domaine. C'est la raison pour laquelle il l'a vendu.

Madeline et Charles échangèrent un regard que Marie Louise ne remarqua pas.

— Maman est bouleversée par cette histoire et moi aussi, poursuivit-elle. Oh ! Madeline, qu'est-ce que vous allez faire ?

— Empaqueter, attendre vendredi. Partir quand Asthon arrivera. Que pouvons-nous faire d'autre ?

Personne ne répondit à la question.

Le vendredi, au crépuscule, Willa rentra en courant de la pelouse où elle apprenait un jeu de cartes à Gus.

— Il y a une voiture dans l'allée, annonça-t-elle. Avec une femme que je n'ai jamais vue.

— Zut, marmonna Madeline, en jetant une vieille soucoupe dans un tonneau. Il ne manquait plus que des inconnus pour venir nous lorgner et rire de nos malheurs !

Elle entendit l'attelage s'arrêter en grinçant. Quelques instants plus tard, une femme en tenue de voyage grise, avec chapeau et gants assortis, s'avança sur le seuil.

— Mon Dieu ! Virgilia, s'exclama Madeline.

— Bonjour, fit la sœur de George, incertaine de l'accueil qu'elle recevrait.

Charles sortit en claudiquant de la chambre, où il avait décroché une lithographie encadrée de West Point, et faillit la lâcher en découvrant la visiteuse. Bien entendu il se souvenait d'elle, et surtout de sa venue à Mont Royal avec George et d'autres membres de la famille Hazard.

Alors farouchement abolitionniste, elle affichait une sorte de supériorité morale et une haine de tout ce qui touchait au Sud. Charles se rappela qu'elle avait insulté Tillet Main, son hôte, le jour où James Huntoon était venu l'accuser d'avoir aidé la fuite de Grady, un esclave avec lequel Virgilia avait ensuite vécu dans le Nord.

Il se souvint de la fierté injurieuse avec laquelle elle avait reconnu sa culpabilité ce jour-là et eut peine à reconnaître l'ancienne Virgilia dans la femme qui se tenait à présent devant lui. Il avait gardé le souvenir d'une mégère à la langue acérée, elle parlait maintenant avec douceur ; il se rappelait une jeune fille mince, elle était maintenant corpulente ; l'ancienne Virgilia se souciait peu de toilette, la nouvelle suivait la mode avec sagesse et paraissait impeccable malgré son long voyage.

— Comment allez-vous, Charles ? dit-elle. La dernière fois que nous nous sommes vus, vous étiez un tout jeune homme.

Encore ahurie, Madeline se rappela à ses devoirs :

— Asseyez-vous donc, Virgilia.

— Merci. Je suis restée debout dans le train de Washington à Charleston.

Elle ôta ses gants, révélant le diamant monté sur or blanc qu'elle portait à l'annulaire de la main gauche. Madeline débarrassa une chaise des livres posés dessus, invita d'un geste Virgilia à s'asseoir. Charles alluma une lampe tout en présentant Willa. Madeline semblait nerveuse, au bord des larmes, sans doute, supposa-t-il, parce que l'arrivée de la sœur de George était un événement inattendu de trop.

— J'aimerais passer un ou deux jours ici, avec votre permission, dit Virgilia. Je suis venue parce que l'avocat de George m'a envoyé un télégramme au sujet d'Ashton. Il faut trouver un moyen d'annuler la vente.

Madeline tordait son tablier dans ses mains aux jointures rougies.

— Nous n'avons pas de place, Virgilia, répondit-elle. Le mieux que je puisse vous offrir, c'est une paillasse chez l'un de nos affranchis.

— Cela me conviendra parfaitement, assura Virgilia.

Il émanait d'elle une cordialité nerveuse, une sophistication citadine à laquelle Charles ne parvenait pas à s'habituer.

— Surtout, ne me croyez pas grossière..., commença Madeline. (Elle s'éclaircit la gorge.) Mais c'est que je ne comprends pas...

— Pourquoi je suis ici après tout ce qui s'est passé il y a des années ? acheva Virgilia. C'est très simple. Autrefois, je ne me souciais aucunement de ma famille, ni des sentiments de mon frère. Maintenant ils ont pour moi une grande importance. Je sais que George avait beaucoup d'estime pour Orry, et qu'il aimait cet endroit. Moi, j'avais des convictions qui ne me permettaient pas d'apprécier Mont Royal. Je ne les renie pas, je pense qu'elles étaient justes, mais cela appartient au passé. Je sais aussi que George vous aiderait financièrement si cela pouvait résoudre votre problème. Comme ce n'est pas le cas et qu'il se trouve encore quelque part dans l'Atlantique, je voudrais vous soutenir d'une autre façon, si je le puis. J'ai abandonné nombre de mes opinions mais pas celle que j'avais d'Ashton. Je l'ai toujours considérée comme une créature superficielle, méprisable, particulièrement cruelle envers les Noirs que possédait son père.

— Elle n'a guère changé, commenta Charles. (Il craqua une allumette sur la semelle d'une de ses bottes, tira une bouffée de son cigare.) Je crains cependant que ce que nous pensons d'elle n'ait absolument aucune espèce d'importance. Cet endroit lui appartient. Vendredi, nous devrons filer ou elle fera appel aux autorités.

L'ancienne pugnacité de Virgilia se réveilla.

— C'est une attitude défaitiste.

— Si vous en connaissez une autre qui convienne, dites-le-moi, rétorqua-t-il.

— Charles, murmura Madeline.

Virgilia eut un geste apaisant.

— Il reste un peu de vin de Bordeaux, intervint Willa. Notre invitée aimerait peut-être boire quelque chose pendant que je prépare le dîner.

Personne ne trouvant quoi que ce soit à ajouter, il se fit un silence gênant qui se prolongea jusqu'à ce que Charles sorte de la maison et appelle son fils.

Le jeudi, Virgilia proposa à Charles une promenade le long de la rivière. C'était une journée brumeuse, sans soleil, reflet parfait de leur état d'esprit. Charles n'avait aucune envie d'accompagner Virgilia mais Willa insista pour qu'il accepte. A quelle fin ? Il l'ignorait.

Le travail s'était arrêté mardi à la scierie et les ouvriers attendaient le bon plaisir du nouveau propriétaire. Sur le quai, le long de l'Ashley aux eaux calmes et lisses, Virgilia avançait entre les piles de bois grossièrement coupé.

— Charles, je sais que pendant des années je n'ai guère été appréciée des Main, et à juste titre. J'espère toutefois que vous pensez que j'ai changé.

Les mains sur les hanches, il contemplait la rivière. Avec un haussement d'épaules, il répondit que c'était une possibilité, mais juste une possibilité.

— Bon. Alors, estimez-vous que nous pourrions conclure une alliance ?

Il la dévisagea.

— Nous sommes mal assortis.

— Je vous l'accorde.

— Quel genre d'alliance ?

— Une alliance destinée à vaincre cette méprisable femme.

— Il n'y a rien à faire.

— Je refuse de croire cela, Charles.

Soudain il se détendit et s'esclaffa.

— J'ai beaucoup entendu parler de vous il y a quelques années, Miss Hazard...

— Virgilia, corrigea-t-elle.

Elle toucha la manche de son ample chemise de coton et il remarqua ses doigts rougis par le travail.

— Entendu, Virgilia. Je suppose que si on enlève tout le dépit qu'il y a dans ces histoires, le reste est vrai. Vous êtes aussi coriace qu'un de mes sergents de la cavalerie... C'est un compliment, s'empressa-t-il d'ajouter.

— Naturellement, fit-elle avec un sourire pincé.

Elle demeura un moment pensive et dit :

— Nous avons vingt-quatre heures.

— Je pourrais l'abattre mais ça ne réglerait rien. La plantation irait à ce marchand de pianos sur lequel elle a mis le grappin.

Il soupira.

— Si seulement on pouvait revenir en arrière d'une semaine, reprit-il. Avant la vente, j'aurais peut-être pu l'effrayer au point de la faire déguerpir. Quand j'étais marchand dans le Territoire indien, j'avais un associé qui m'a appris que la peur est une arme puissante.

La remarque éveilla l'intérêt de l'ancienne infirmière.

— Attendez, fit-elle. Vous tenez peut-être quelque chose. Parlez-moi de cet associé.

Charles décrivit le marchand, raconta certaines de ses aventures avec lui, en particulier l'incident des fausses traces de travois.

— Pied-de-bois disait que la peur peut vous faire voir ce à quoi vous vous attendez au lieu de ce que vous avez réellement sous les yeux. Moi, je voyais tout un village dans ces traces.

Parvenue au bout du quai, Virgilia fit demi-tour.

— Ce qu'on s'attend à voir au lieu de la réalité, dit-elle, l'air vivement intéressé. Parlez-moi un peu plus d'Ashton, Charles.

— Elle a vieilli, comme tout le monde, mais elle s'habille encore de façon voyante. Elle est restée très belle.

L'ex-officier s'aperçut que Virgilia le fixait d'un regard dont l'intensité l'intrigua.

— Pourriez-vous m'accompagner à Charleston cet après-midi ? demanda-t-elle en lui saisissant le bras. Il faut que je trouve un apothicaire.

Etonné, Charles ne posa cependant pas de questions. Une demi-heure plus tard, seul avec Willa, il confia à la jeune femme :

— On peut dire qu'elle m'a eu, bon Dieu. Elle prétend qu'elle est venue nous aider et voilà qu'il faut se mettre en quête d'un apothicaire, probablement parce qu'elle a une quelconque maladie de bonne femme. Je crois qu'elle est plus folle que jamais.

Sur le chemin de Charleston, la sœur de George expliqua à Charles ce qu'elle désirait se procurer chez un apothicaire et pourquoi. D'abord l'ancien éclaireur fut abasourdi puis, lentement, son scepticisme céda la place à un sentiment quasi euphorique d'espoir.

Tout sur un seul coup de dé.

— Ça peut marcher, déclara-t-il à Virgilia lorsqu'elle ressortit de la boutique.

— Il y a cependant de fortes chances pour que cela ne marche pas, fit-elle observer. C'est la raison pour laquelle nous ne devons en parler à personne avant. Cela risquerait de faire naître de faux espoirs. Pourquoi souriez-vous ?

— Je pense à mon associé, Pied-de-bois. Il aurait apprécié votre cran.

— Merci. Espérons que je n'en ferai pas usage en vain.

Virgilia lissa sa jupe, serra dans ses mains le sac contenant son achat. Charles secoua les guides au-dessus des mules, le chariot partit en direction de Mont Royal. Bien qu'il n'eût aucune raison de le faire, il se mit à siffler son petit air.

69

La calèche, dont on avait relevé la capote pour protéger Ashton et Favor Herrington de la poussière du voyage, remonta l'allée beaucoup trop vite. Les deux Noirs en livrée agrippés au siège avant avaient l'expression de chasseurs forçant un renard. Ils ne savaient pas grand-chose de ce qui se passait à Mont Royal mais n'avaient pas tardé à comprendre que leur patronne était hautaine comme une reine et dure comme un général. Ils aimaient travailler pour elle.

Derrière la calèche roulait une deuxième voiture, moins luxueuse, dans laquelle avaient pris place deux collaborateurs de Herrington et un huissier dont on s'était assuré la présence par un pot-de-vin.

Lorsque la calèche s'immobilisa en balançant, Ashton sentit son rythme cardiaque s'accélérer. Elle avait peu dormi, d'un sommeil agité, et avait sauté du lit avant l'aube pour commencer à peigner et coiffer ses cheveux. Elle était nerveuse comme une vierge dans le lit conjugal — du moins, elle le supposait car elle avait perdu sa virginité depuis si longtemps qu'elle n'en gardait aucun souvenir.

Cette fois Herrington avait emporté un grand *carpetbag* dont il examinait le contenu d'un air affairé tandis que le cocher descendait d'un bond pour ouvrir la portière d'Ashton. De grandes lances de soleil tombaient entre les chênes imposants, dispersant un reste de brume. Il était neuf heures et demie en cette journée de juin qui promettait d'être étouffante.

La lèvre supérieure d'Ashton luisait de sueur. Malgré sa nervosité, elle pouvait à peine s'empêcher de sourire. Elle avait passé une demi-heure à choisir sa robe et avait finalement jeté son dévolu sur un modèle parisien de couleur rose coûtant trois mille dollars.

Entendant les voitures, Charles fit le tour de la maison de sa démarche de félin paresseux. Il portait ses vieilles bottes de cavalerie, une culotte en lin blanc jauni et une chemise aux manches retroussées. Il avait toujours des longs cheveux de gitan et, comme à l'accoutumée, un cigare malodorant fiché entre les dents.

— Bonjour, cher cousin, lança Ashton d'une voix chantante.

Il s'adossa à l'une des tournisses d'un mur inachevé de la nouvelle maison et regarda la jeune femme d'un œil noir.

L'insolent, pensa-t-elle. Herrington appela ses employés ; l'huissier rota et, se grattant la panse, se dirigea d'un pas nonchalant vers la porte de la maison blanchie à la chaux. Charles retira le cigare du coin de sa bouche.

— Un moment, vous !

Favor Herrington se planta devant l'ancien officier.

— Ce monsieur est libre d'aller où bon lui semble, Mr Main. Il est huissier et a l'autorisation de la propriétaire. Nous l'avons amené pour éviter tout problème.

— Vous n'aurez pas besoin de lui, murmura Charles, l'air vaincu.

— Voilà qui est raisonnable, approuva l'avocat.

Il adressa un signe de tête à l'huissier ventripotent, qui s'éloigna en se massant l'entrejambe.

— Favor, fit Ashton avec un sourire éclatant, vous savez ce qu'il convient de faire. Vos deux employés passeront dans chaque cabane de la plantation pour informer les nègres que les dispositions antérieures concernant leurs terres sont nulles et non avenues s'ils ne peuvent en fournir une preuve écrite et en lire les clauses à voix haute.

Herrington hocha la tête et dit aux deux médiocres qui l'accompagnaient :

— Tout fermier du domaine devra désormais s'acquitter d'un loyer de vingt-cinq dollars par mois, avec deux mois d'avance à régler d'ici cinq heures. S'ils ne peuvent pas payer, ils déguerpiront ou signeront un des contrats d'embauche que j'ai rédigés. Je vous rejoins dans un moment. Au travail.

Tandis que les employés allaient prendre leurs sacs dans la deuxième voiture, Ashton tendit la main vers la route menant à l'ancien village des esclaves.

— Vous les trouverez là-bas, dit-elle. Maintenant, passons aux choses importantes. Où est Madeline ?

— Là devant, grogna Charles avec un mouvement du menton.

— Comme vous êtes aimable ! répliqua-t-elle d'un ton sarcastique.

Elle aurait dû voir dans l'attitude renfrognée de Charles un signe de victoire mais la réaction de son cousin ne faisait que l'irriter. Et lorsqu'elle était en colère, elle ne parvenait plus à réfléchir. Se ressaisissant du mieux qu'elle put, elle fit le tour de la maison et découvrit sur la pelouse trois femmes assises, immobiles comme un modèle dans un studio de photographe. L'une d'elles était Virgilia Hazard.

— Virgilia, je suis sidérée. Absolument sidérée.

— Bonjour, Ashton, dit la sœur de George en se levant.

Elle lui parut vieille et lourde, sans attrait dans sa robe terne. Ashton se rappela les propos arrogants de la Nordiste sur le Sud et ses habitants, son goût pour les Noirs. Cette femme était une abomination, elle avait envie de lui cracher à la figure. Mais Mr Herrington, qui se tenait à ses côtés, n'aurait pas approuvé.

— Quelle charmante surprise ! s'exclama-t-elle. Votre frère était-il trop occupé pour venir ? Vous a-t-il envoyée ici pour que vous vous tordiez les mains de désespoir à sa place ?

La petite garce blonde, la compagne de Charles, lui jeta un regard furieux tandis que Madeline semblait trop abattue pour réagir.

— George est en Europe, répondit Virgilia.

— Comme c'est dommage !

— Pour l'amour du ciel ! s'écria Madeline. Chargeons le chariot et partons.

— Dans un instant, dit Virgilia. Charles et moi voudrions dire quelques mots en particulier à Ashton.

Surprise, Mrs Fenway scruta le visage de la Nordiste pour y lire ses intentions, ne parvint pas à déchiffrer son expression.

— Je ne vois pas ce que nous pourrions avoir à discuter, fit-elle. Mont Royal m'appartient, point final.

— C'est juste, mais nous aimerions quand même vous parler.

Ashton inclina la tête, battit des cils avec grâce.

— Qu'en pensez-vous, Favor ?

— Cela me paraît inutile mais je n'y vois aucun mal.

— Bon, alors, allons-y.

— Avec votre permission, je rejoins mes employés.

— Je vous en prie, chantonna Ashton.

Charles glissa à Willa un regard de conspirateur que ni la sœur d'Orry ni son avocat ne remarquèrent. Virgilia releva sa jupe grise de la main gauche, ce qui attira l'attention d'Ashton sur le bijou qu'elle portait.

— Entrons, proposa Virgilia. Nous n'en avons que pour un instant.

Avec un sentiment de triomphe, la nouvelle maîtresse de Mont Royal songea qu'elle pouvait se permettre d'être généreuse avec ces chiens battus. Souriant d'une oreille à l'autre, elle passa devant la Nordiste sans s'excuser et la précéda dans la minable petite pièce servant de salon à Madeline.

Tout était empaqueté et posé par terre près de la porte, à l'exception d'une petite fiole couleur d'ambre restée sur une étagère en bois grossier. Une lumière pâle passait à travers les rideaux fermés de la fenêtre. Charles suivit les femmes à l'intérieur, referma la porte derrière lui et s'y adossa, bras croisés. Son cigare avait disparu mais empestait encore.

Le sourire d'Ashton s'estompa : bien qu'elle n'eût rien à redouter de ces gens, elle était nerveuse. Après s'être éclairci la voix, elle demanda à Virgilia :

— C'est une bague de fiançailles que vous portez ?

— Oui.

— Très joli, félicitations. J'aimerais connaître l'heureux élu.

Le ton d'Ashton signifiait plutôt : j'aimerais connaître l'homme assez désespéré pour épouser une grosse truie comme toi, et Virgilia parut le deviner.

— Je ne le crois pas, dit-elle. C'est un Noir.

Ashton était interdite, et même Charles semblait frappé de stupeur.

— Eh bien, en voilà une nouvelle, fit Mrs Fenway. Je suppose que ce n'est pas de cela que vous vouliez me parler ?

— Pas du tout, répondit Virgilia. Non, Charles et moi désirons simplement vous faire signer quelque chose.

La sœur d'Orry eut un petit rire nerveux.

— Signer ?

Virgilia prit le sac à main posé sur une caisse, en tira une feuille de papier épais pliée en deux.

— Ceci, dit-elle en dépliant la feuille. Il y a une plume dans l'une des caisses. Cela ne prendra que quelques secondes.

— Qu'est-ce que c'est ? demanda Ashton, irritée par toute cette comédie.

— Un document légal fort simple, qui cède le titre de propriété de Mont Royal aux Hazard de Pennsylvanie, en échange d'un dollar et autres contreparties.

Bouche bée de stupeur, Ashton abandonna tout semblant de politesse.

— Sale garce yankee ! Mais qu'est-ce que tu t'imagines, grosse putain ? Tu t'es soûlée ?

— Je vous suggère de vous calmer, cousine, recommanda Charles, derrière elle.

— Toi, ferme-la, espèce de bon à rien ! Non, mais vous êtes mûrs pour l'asile, tous les deux. Aucune contrepartie au monde ne me fera renoncer à Mont Royal.

— Pas même celle-ci ? demanda Virgilia.

Elle prit la fiole couleur d'ambre, la montra dans sa main ouverte.

— Complètement folle ! s'exclama Ashton d'une voix suraiguë. J'ai toujours pensé que tu étais dérangée, maintenant, j'en suis sûre. Charles, ouvrez la porte.

Elle se précipita vers lui, s'arrêta soudain en le voyant demeurer immobile, les bras croisés. Il lui faisait peur.

— Si vous croyez..., commença-t-elle d'une voix tremblante, si vous croyez pouvoir m'intimider... Mont Royal m'appartient et je le garde. Vous, gardez vos petits cadeaux.

— Un cadeau ? répéta Virgilia avec un sourire perplexe.

Le sourire s'effaça soudain, comme si un rideau était tombé.

— Un cadeau pour les gens de ton espèce ! poursuivit la sœur de George. Ne la laissez pas sortir, Charles.

Ashton frissonna.

— Que se passe-t-il ? Qu'est-ce qu'il y a dans cette bouteille ?

Virgilia défit le bouchon.

— Quelque chose pour ton visage, mais ce n'est pas du parfum. Du vitriol.

— De l'acide sulfurique, précisa Charles.

Ashton poussa un hurlement qui n'ébranla aucunement Virgilia.

— Vas-y, crie. Ton imbécile d'avocat est parti rejoindre ses assistants, et s'il ne l'avait pas fait, Willa se serait chargée de l'éloigner. Aucun témoin ne confirmera ce que tu pourras dire de notre conversation.

Du coin de l'œil, Ashton mesura la distance qui la séparait de Charles. Tout à coup, elle serra les poings et appela à tue-tête :

— *Favor* !

Dans le silence qui suivit, Virgilia sourit, l'expresssion rêveuse.

— Inutile, ma chère. Même s'il était juste derrière cette porte et qu'il essayait de l'enfoncer, j'aurais quand même le temps de t'asperger...

Le sourire de Virgilia s'élargit quand elle ajouta :

— Tu sais que je n'hésiterais pas à le faire. Je suis une Nordiste qui hait tous les gens de ton espèce, et folle à lier, en plus. Alors je te conseille de signer. Il y a une plume et de l'encre dans cette caisse, là, près de toi.

— Un document comme le vôtre, ça ne vaut rien, vociféra Ashton. Je vous traînerai devant les tribunaux. Je n'aurai qu'à dire que vous m'avez forcée à...

— Personne ne vous y force, intervint Charles. Je suis témoin. Nous serons deux à affirmer que vous avez signé de votre plein gré. Où sont les témoins qui soutiendront le contraire ?

— Va au diable. *Au diable* !

— Ashton, vous gaspillez votre énergie pour rien, fit observer Virgilia. Ce document est parfaitement légal, il le restera après que vous l'aurez signé. Nous ferons appel aux meilleurs avocats du pays pour le prouver. Autant d'avocats qu'il le faudra : mon frère George en a largement les moyens. Soyez raisonnable, signez.

Ashton hurla à nouveau, Virgilia soupira.

— Charles, je crains que nous n'ayons commis une erreur de jugement. Elle n'accorde plus d'importance à son apparence.

— A son visage, vous voulez dire ?

— Oui, son visage.

La fiole ouverte à la main, Virgilia s'avança vers Ashton, qui porta ses poings à ses tempes et cria pendant cinq secondes. Puis elle tomba à genoux, fouilla dans la caisse.

— Je signerai, bredouilla-t-elle. Ne touchez pas à mon visage. Voilà, je signe...

En trempant la plume, elle renversa l'encrier et de grosses taches noires s'étalèrent sur la luxueuse robe rose de Paris. Sans prendre le temps de lire le document, elle y apposa sa signature et, d'une main tremblante, le rendit à Virgilia. Celle-ci le prit, examina la signature.

Ashton se releva en chancelant, pâle, haletante. L'encrier renversé continuait à se vider sur le plancher.

— Merci, Ashton, dit Virgilia en pliant le papier.

Soudain, elle jeta le contenu de la fiole au visage de Mrs Fenway. Ashton tituba, se griffa les joues en criant comme une harpie :

— Sale Yankee ! Tu m'as défigurée !

— Avec un peu d'eau de puits ? Cela m'étonnerait. Laissez-la sortir, Charles.

Il s'écarta, ouvrit la porte. Le soleil entra, éclaira la tache d'encre. Dehors, Madeline et Willa jetaient des regards inquiets en direction de la maison.

— Au revoir, Ashton, dit-il.

Elle poussa un cri et sortit en courant.

La calèche descendit l'allée plus vite encore qu'elle ne l'avait montée, emportant Ashton. Favor Herrington et ses employés réapparurent une heure plus tard, mais comme l'huissier était déjà parti avec la deuxième voiture, ils durent rentrer à pied à Charleston.

———

1869

L'Union Pacific et la Central Pacific opèrent leur jonction dans l'Utah, créant une ligne transcontinentale.

Jay Gould et Jim Fisk provoquent un « vendredi noir » sur le marché de l'or. Des milliers de petits épargnants sont ruinés.

Samuel Clemens* publie un best-seller, les Innocents en voyage.

1870

John D. Rockefeller fonde la Standard Oil de l'Ohio.

Le Congrès adopte la première Force Bill** *sur les droits civiques pour mettre fin au terrorisme anti-Noir dans le Sud.*

Washington reçoit le premier sénateur noir, Hiram Revels, du Mississippi, et le premier représentant noir, Joseph Rainey, de Caroline du Sud.

1871

Les joueurs de base-ball professionnels fondent la Ligue nationale.

A Chicago, un incendie fait trois cents morts et détruit dix-sept mille immeubles.

Inculpation retenue contre William Tweed de Tammany***, dit le « Boss », pour avoir volé des millions à la ville de New York.

1872

Mécontents de Grant, des républicains dissidents proposent la candidature du journaliste Horace Greeley. Le vice-président Schuyler Colfax est accusé d'avoir touché des pots-de-vin de l'entreprise de construction de l'Union Pacific, le Crédit Mobilier.

* Véritable nom de Mark Twain. (N.d t.)
** Toute loi permettant le recours aux forces armées pour assurer son application. (N.d.t.)
*** Tammany Hall, siège de l'organisation centrale du Parti démocrate à New York. (N.d.t.)

*Le Congrès refuse d'allouer des crédits de fonction-
nement au Bureau des affranchis, contraint à fermer.*

*Arrestation de Susan B. Anthony pour tentative de
vote. Grant réélu, Greeley meurt suite au surmenage
de la campagne électorale.*

1873

*Exposition du Centenaire fixée à 1876 par décision
présidentielle.*

*Des rumeurs sur la corruption du gouvernement de
Grant continuent à se répandre.*

*La faillite de l'établissement bancaire Jay Cooke
déclenche une panique qui conduira à une crise de
trois ans.*

1874

*Ead's Bridge, la plus longue arche du monde,
enjambe le Mississippi à Saint Louis.*

*Le général Custer confirme la découverte d'or dans
le Territoire du Dakota.*

*Le dessinateur Thomas Nast crée un éléphant repré-
sentant le Parti républicain.*

1875

*Des chercheurs d'or s'emparent illégalement de terres
sioux dans les Black Hills.*

*Babcok, secrétaire de Grant, mêlé à un trafic de
whisky permettant d'échapper aux taxes sur les alcools.*

*W.W. Belknap, ministre de la Guerre, reconnaît
l'octroi de contrats de fournitures pour l'armée en
échange de pots-de-vin.*

*EXPOSITION INTERNATIONALE
DU CENTENAIRE A PHILADELPHIE
RAPIDE VISITE DE FAIRMOUNT PARK - LES
BATIMENTS ET LES ENVIRONS - SOIXANTE
ACRES DE SALLES - LES TROPHÉES DU MONDE
AUX PIEDS DE L'AMÉRIQUE - CE QU'IL Y A A
VOIR ET COMMENT LE VOIR*
*Le spectacle le plus grandiose jamais organisé à
ce jour sur notre continent — et qu'on ne verra
probablement pas sur nos côtes avant des années —
débutera dans six mois à Philadelphie. Le centenaire
de la nation sera inséparablement lié au souvenir
inoubliable d'une sélection des meilleurs produits de
toutes les branches de l'industrie, des techniques et
des arts...*
News and Courier *de Charleston 10 mai 1876*

———

70

« Mesdames et Messieurs, le président des Etats-Unis. »
A l'aube, la pluie fit place à un soleil perçant les nuages. Les
trains spéciaux venus du centre de Philadelphie s'arrêtaient l'un après
l'autre le long des nouveaux quais pour dégorger un flot de passagers.

« *Mes chers compatriotes, l'idée a été jugée appropriée, à l'occasion du Centenaire, de rassembler à Philadelphie, afin de la soumettre à l'examen du public, une sélection de nos plus belles réalisations dans les domaines de l'industrie et de l'art... »*

Dès neuf heures, des visiteurs munis de parapluies affluèrent par la porte principale et découvrirent d'imposants bâtiments — Hall de la Mécanique et Hall Principal, côte à côte — et, au-delà, des rues et des avenues, des fontaines et des monuments, magnifiques et colossaux. Il y avait le Hall de l'Agriculture et celui de l'Horticulture, un Hall du Gouvernement des Etats-Unis, un autre consacré uniquement aux activités féminines et domestiques. Des pelouses accueillaient des campements de bédouins, des unités de l'armée venues faire une démonstration. Des bassins lumineux étincelaient entre d'immenses massifs de fleurs, des statues représentant Christophe Colomb, la liberté religieuse et Moïse faisant surgir l'eau du rocher. On avait également prévu de nombreuses aires de repos, des baraques de pop-corn et des restaurants : français, allemand, japonais, tunisien, etc.

« *Afin que nous puissions évaluer plus complètement les qualités et les défauts de nos réalisations, ainsi qu'exprimer avec force notre ardent désir de cultiver l'amitié de ceux qui, comme nous, font partie de la grande famille des nations... »*

Quatre mille personnes envahirent rapidement les tribunes spéciales installées devant le Memorial Hall, construit en granite avec un grand dôme de verre surmonté d'une Columbia* aux bras tendus. A l'intérieur, on pouvait admirer plus de trois mille deux cents tableaux, six cents sculptures et, dans un bâtiment séparé, quelque chose d'entièrement nouveau : une exposition de près de trois mille photographies.

« *...les meilleurs spécialistes de l'agriculture, du commerce et de l'industrie du monde entier ont été conviés à envoyer eux aussi des spécimens de leur talent... »*

Un orchestre symphonique joua les hymnes nationaux des seize pays représentés. La nation invitante n'en ayant pas, l'orchestre interpréta *Hail Columbia*.**

« *A cette invitation, ils ont généreusement répondu. »*

A dix heures trente, tambours et trompettes annoncèrent le président et Mrs Grant, l'empereur Dom Pedro II et l'impératrice Theresa du Brésil. Aucun monarque régnant ne s'était encore rendu aux Etats-Unis et le couple impérial fut accompagné jusqu'à la tribune par une imposante escorte militaire.

« *La beauté et l'utilité de ces spécimens seront aujourd'hui soumises à votre attention par les organisateurs de cette Exposition. »*

L'orchestre attaqua la *Marche inaugurale du Centenaire*, composée spécialement par Wagner. Après une prière, une hymne religieuse, une cantate et la présentation des bâtiments, le président prit la parole :

« *Si nous sommes fiers de ce que nous avons fait, nous regrettons de ne pas avoir fait davantage... »*

---

* Nom poétique des Etats-Unis. (N.d.t.)
** Chant patriotique.

A midi, lorsque Grant eut terminé son discours, huit cents choristes accompagnés à l'orgue entonnèrent *le Messie* de Haendel. Les cloches se mirent à sonner ; d'une colline dominant Fairmount Park, des canons commencèrent à tirer une salve de cent coups.

« *Et maintenant, chers compatriotes, j'espère qu'un examen attentif de ce qui vous est montré vous inspirera d'une part un profond respect pour la compétence et le goût de nos amis d'autres pays...* »

Des commissaires invitèrent les dignitaires américains et étrangers à former une longue procession qui prit le chemin du Hall de la Mécanique.

« *et de l'autre une certaine satisfaction face à ce que notre peuple a accompli au cours des cent dernières années.* »

Dans le hall, le président Grant et l'empereur Dom Pedro gravirent l'escalier métallique menant à la merveille à deux cylindres, pièce maîtresse de l'exposition, la Machine du Centenaire. Vingt chaudières installées dans un autre bâtiment actionnaient le volant de cinquante-six tonnes et les balanciers de neuf mètres de cette machine à vapeur de mille quatre cents chevaux. George Corliss, de Providence, montra une des deux manivelles argentées qui la feraient démarrer. En bas, parmi ses collègues organisateurs, George Hazard posait sur le monstre un regard confondu. Il ne parvenait pas à croire tout à fait que le but était enfin atteint après tant de mois de combat et de doute. Il était content, épuisé, perdu dans la foule. Dom Pedro tourna sa manivelle, le président Grant tourna la sienne. Les grands balanciers se mirent à monter et à descendre. Un frisson agita la foule, une immense acclamation s'éleva autour de George, qui entendit ensuite les autres machines du hall. Tournant, vrombissant, ronflant — toutes mues par la machine de Corliss, par la puissance industrielle des Etats-Unis.

« *Je déclare à présent ouverte cette Exposition internationale.* »

George écrivit :

« *Je vous invite à passer une grande réunion d'une semaine des familles Main et Hazard à l'Exposition du Centenaire, à Philadelphie. Je me ferai un plaisir de régler tous les frais, voyage, repas, dépenses imprévues et notes d'hôtel à partir du samedi 1er juillet.* »

— Quand j'ai vu Los Angeles pour la première fois, il y a trois ans, dit Billy, ce n'était guère que quelques vieilles maisons d'adobes bordant des rues non pavées. Maintenant, nous abattons tout pour construire des hôtels, des entrepôts, des églises. La ville connaîtra une croissance extraordinaire. De six mille habitants, bientôt, elle passera à soixante mille. J'ai misé l'avenir de ma famille sur son expansion.

L'interlocuteur de Billy, un pasteur unitarien de Boston, agrippa son chapeau pour empêcher le vent marin de l'emporter. Le petit vapeur venait de quitter la jetée de Santa Monica pour remonter la côte jusqu'à Santa Barbara. C'était une matinée parfaite.

— Vous êtes ingénieur, m'avez-vous dit...

— De formation, répondit Billy.

Agé de quarante et un ans, il avait pris de l'embonpoint et ressemblait de manière plus frappante à son frère George. Les favoris grisonnants, il portait un costume coûteux.

— En fait, je passe le plus clair de mon temps à faire des lotissements et à les vendre.

— Les clients sont nombreux ?

— Non, mais c'est sur l'avenir que je compte. La ligne transcontinentale a amené soixante-dix mille visiteurs et nouveaux habitants l'année dernière. Ce n'est qu'un début. Nous avons tout : de l'espace pour construire de nouvelles villes, un paysage magnifique, un air sain, un climat tempéré. J'ai grandi en Pennsylvanie et je rêve parfois de la neige mais elle ne me manque pas.

Brett s'approcha, plus rondelette, à présent, tenant par la main leur fils cadet Alfred, âgé de deux ans. Billy présenta sa femme à l'ecclésiastique, qui demanda :

— Ce beau garçon est votre seul enfant ?

— Oh ! non, répondit Brett en riant. Nous avons quatre filles et deux autres fils, dont l'aîné a onze ans.

— Et vous allez tous à Philadelphie en train ? fit le pasteur, étonné.

— Oui, dit Billy. Après avoir remonté la côte et montré les plus beaux sites aux enfants. Nous aurons une voiture pour nous seuls, je suppose.

— Vous devez être très heureux de rentrer chez vous.

— Je serai ravi de revoir ma famille après tant d'années. Mais chez nous, c'est la Californie.

George lisait le *Scientific American*, assis dans un fauteuil de la salle de lecture du Pennsylvania Building, qui faisait face à Fountain Avenue, une des deux grandes artères traversant le parc de l'exposition. Ce pavillon au style gothique surchargé était l'œuvre du jeune Schwarzmann, l'ingénieur bavarois qui avait tracé les plans du terrain et conçu plusieurs des principaux bâtiments. La Pennsylvanie étant l'hôte officiel de l'exposition, elle se devait d'avoir le plus grand des vingt-quatre pavillons des Etats. En toute objectivité, George estimait que c'était une horreur, et maints habitants de Philadelphie craignaient qu'il ne demeure définitivement dans Fairmount Park.

L'industriel avait été très occupé pendant toute l'année — pendant les trois ou quatre dernières années en ce qui concernait l'exposition. Il était l'un des sept vice-présidents de la Commission privée du Centenaire et membre de son Comité Financier. George avait contribué à collecter dans l'Etat un million de dollars pour soutenir la gigantesque exposition. Et lorsque les fonds avaient manqué, il avait passé des semaines à Washington pour obtenir des crédits du Congrès. Il avait également déployé beaucoup d'efforts au nom de l'Union franco-américaine afin qu'une partie du monument de Bartholdi soit présente à l'exposition. La statue serait érigée sur Bedloe's Island, dans le port de New York — si elle était achevée un jour. Mais comme George l'avait prédit au journaliste Levie, les Américains étaient d'humeur conservatrice et même un cadeau des Français était suspect à leurs yeux.

George était récemment rentré de Cincinnati où, avec son ami Carl Schurz et quelques autres républicains de même tendance, il avait réussi à rejeter la candidature à la Maison-Blanche du président de la Chambre des Représentants, James G. Blaine, clairement mêlé à des tripotages boursiers concernant l'Union Pacific. La dernière chose dont les républicains avaient besoin après les scandales ayant éclaboussé plusieurs membres du gouvernement de Grant, c'était un candidat douteux. George et ses amis avaient obtenu que Rutherford B. Hayes, gouverneur de l'Ohio, porte les couleurs du Parti.

Il était fier de la candidature de Hayes comme il l'était de l'exposition : deux cent quarante-neuf bâtiments, petits et grands, disséminés sur une superficie de deux cent quatre-vingt-quatre acres, le long de la Schuylkill River. Il s'enorgueillissait tout particulièrement de la participation de nombreux pays étrangers, qui sanctionnait la prétention de l'Amérique à être un nouveau géant industriel.

George aimait se promener dans l'allée du Hall de la Mécanique où l'usine Hazard exposait ses chaudières de locomotive et ses rails. Dans les pièces d'artillerie alignées devant le Hall du Gouvernement, Hazard était représenté par deux canons de défense côtière à âme lisse coulés pendant la guerre selon le procédé Rodman. Bien que moins impressionnantes que les énormes canons de treize pouces de Friedrich Krupp, surnommés les « machines à tuer », les deux pièces représentaient la participation de l'usine à l'effort de guerre de l'Union, contribution dont George était fier.

Les mots imprimés sur la page du *Scientific American* se brouillèrent soudain et il prit conscience de la vanité de ses activités. Le travail auquel il se livrait était utile, il ne le niait pas, mais il servait surtout à remplacer un foyer, une famille. Depuis la mort de Constance, George était un homme solitaire. Il haïssait le silence de Belvedere, la froideur de son lit les nuits d'hiver. Il se jetait tête baissée dans la politique et les activités civiques pour ne pas avoir à réfléchir à ce qu'était devenue sa vie.

George entendit du bruit dans le foyer où serait exposée aujourd'hui une autre *Liberty Bell**, venant cette fois de Harrisburg, haute d'un mètre et toute en sucre. De derrière la cloche, Stanley s'avança.

Cet automne, le frère de George postulerait un troisième mandat de représentant de Lehig Station, sans rencontrer de véritable opposition. Obèse à présent, le teint rubicond, il se déplaçait avec cet air de puissance qui ne tardait pas à émaner de ceux que le pays envoyait à Washington. Il était accompagné de Laban, son fils au visage de fouine, qui mâchonnait du pop-corn tiré d'un sachet acheté à une des baraques de l'avenue.

George posa son magazine, marcha à la rencontre de Stanley pour lui serrer la main. Il était midi et demi en ce vendredi 30 juin.

— Le train avait du retard, déclara Stanley Hazard sans s'excuser.

— J'ai réservé, de toute façon, dit George. Cela fait longtemps que je ne t'ai vu, Laban. Comment vas-tu ?

— Les affaires marchent, assura le jeune avocat avec un sourire affecté.

— Où nous emmènes-tu dîner ? demanda Stanley en caressant ses favoris.

— Au *Lauber's*, répondit George, tandis qu'ils se frayaient un chemin vers la sortie.

Au bout de Fountain Avenue, un train passa sur la voie étroite faisant le tour du parc. Comme ils contournaient deux robustes

* Cloche historique, symbole de liberté, conservée à Philadelphie. (N.d.t.)

gardes entraînant un ivrogne vers les grilles, George considéra la foule d'un œil satisfait.

— Nous avons eu plus de trente-cinq mille entrées payantes hier, dit-il.

Pendant une période, après la nuée du premier jour, le nombre d'entrées s'était péniblement maintenu à un peu plus de douze cents par jour.

— L'expo perdra quand même de l'argent, fit observer Stanley.

C'était exact. Les organisateurs avaient dû capituler devant les prédicateurs de Philadelphie, qui soutenaient qu'ouvrir le dimanche serait profaner le jour du Seigneur. Comme la plupart des Américains travaillaient six jours par semaine, ils ne pouvaient visiter l'exposition pendant leur journée de repos.

— Enfin, nous ne serions même pas là si la Chambre n'avait pas voté un million et demi de crédits spéciaux pour le centenaire. Je te serai éternellement reconnaissant pour l'aide que tu nous as apportée là-bas, Stanley.

— Il n'y a pas de quoi, répondit le représentant Hazard qui, depuis quelque temps, se comportait en frère aîné qu'il était.

George eut un sourire que Stanley ne remarqua pas.

— Les autres arrivent quand ? demanda Laban en jetant par terre son sachet vide.

— William et Patricia sont déjà à Philadelphie, dit George. Ils nous rejoindront au restaurant allemand. Le prochain groupe devrait arriver ce soir.

Au même moment, un train emportait vers Philadelphie le colonel Charles Main, sa femme Willa et leur fils Augustus de douze ans. « Colonel » était un titre honorifique décerné à Charles par ses voisins lorsqu'ils avaient constaté qu'il devenait riche et donc important.

Portant encore les cheveux longs, l'ancien éclaireur était vêtu comme un fermier prospère qu'il était : bottes en cuir repoussé, chapeau à large bord d'un blanc crémeux et foulard lâchement noué. Il possédait vingt-cinq mille hectares de terres à une demi-journée de cheval de Fort Worth et négociait pour doubler la superficie de son domaine. Dans son ranch, qu'il avait appelé *Main Chance*, le cheval Satan prenait une retraite paisible. Charles était également propriétaire de plusieurs pâtés de maisons de Fort Worth et du somptueux Opera Parker, qui avait moins d'un an.

Tandis que le train traversait la campagne, le fermier Main lisait un livre avec l'aide d'une paire de lunettes. Son fils, qui portait encore une longue et fine balafre à la joue gauche, était un jeune garçon solennel aux yeux sombres en passe de devenir aussi grand et musclé que son père. Willa l'aimait comme son enfant, par nécessité peut-être puisque, malgré leur désir, elle n'avait pu avoir de bébé.

Ma vie dans les Plaines, livre de Custer publié deux ans plus tôt, arracha à Charles un rire sans joie.

— Je ne savais pas que c'était drôle, dit Willa.

— Ça ne l'est pas, mais c'est bougrement habile. Je veux dire que le squelette est là, ce qui manque, c'est la chair. La chair sanglante. Custer traite par exemple un des enfants cheyennes que nous avons tués à Washita de « petit chef à la peau sombre » ayant « du cran ». Ses phrases ronflantes sont comme un désinfectant qu'il déverse sur ce qui a été un massacre.

— Cela n'a apparemment pas nui au succès du livre.

— Ni à la réputation du général, conclut Charles avec une mine de dégoût.

William et sa femme Polly gravirent le perron du restaurant juste avant George et Stanley. Âgé de vingt-sept ans et vêtu du costume noir méthodiste, William exerçait son pastorat depuis trois ans dans la petite église de la ville de Xenia, Ohio. Bien que Constance l'eût élevé dans la religion catholique romaine, il avait rencontré à vingt et un ans une jeune fille nommée Polly Wharton, dont le père était évêque méthodiste, et qui avait réussi à en faire son mari et un adepte de sa confession. Elle avait enseigné pour subvenir à leurs besoins tandis qu'il faisait le séminaire.

Ils n'avaient pas d'enfants mais ceux de Patricia et de son mari, deux garçons et une fille tous âgés de moins de six ans, comblaient amplement cette lacune par leurs bavardages et le bruit qu'ils faisaient autour de la table ronde du restaurant. Patricia vivait à Titusville où son mari, Fremon Nevin, était propriétaire et rédacteur en chef du *Titusville Independent*. George avait beaucoup d'estime pour ce grand émigré texan pensif, bien qu'il fût démocrate.

— Et grand-père Flynn, Papa ? demanda Patricia à George quand tous les adultes furent attablés.

— J'ai reçu de lui un message très chaleureux après que Billy lui eut transmis l'invitation. Il est très âgé maintenant et ne s'est pas senti capable de faire le long voyage depuis Los Angeles. Mais il a promis d'être parmi nous par la pensée. Je crois savoir qu'il lui arrive encore de plaider, pour les affaires qui l'intéressent. C'est une personne remarquable — comme sa fille, conclut l'industriel avec un curieux petit tremblement de la voix.

Nevin, qu'on surnommait Champ*, alluma une cigarette et prédit à Stanley :

— Nous allons dégommer Hayes en novembre, vous savez. Le gouverneur Tilden est un excellent candidat.

— Je suis venu pour manger, pas pour discuter politique, si cela ne vous fait rien, répondit le parlementaire d'un air de dignité froissée.

George fit signe au serveur ; Laban tripota la serviette posée sur ses genoux. Il ne participait pas à la conversation, il n'aimait aucun membre de la famille.

— On a réservé pour vous une suite avec une seule chambre, dit l'employé du luxueux hôtel Continental.

Par-dessus le brouhaha du hall, deux messieurs pestaient à propos de réservations inexistantes. L'employé éleva la voix lui aussi pour proposer :

— Si nous mettions un lit de camp dans le salon pour votre bonne ?

* Pour Champion. (N.d.t.)

Jane, qui se tenait derrière Madeline, eut l'air brisé mais elle était trop lasse pour protester. Le voyage avait été long depuis Mont Royal. Mais Madeline, couverte de poussière, furieuse, n'était pas encline à montrer semblable modération.

— Ce n'est pas ma bonne, c'est mon amie, ma compagne de voyage. Elle a droit à un lit comme moi.

— Nous n'avons plus d'autres chambres, déclara l'employé.

A sa gauche, un de ses collègues sauta en arrière pour esquiver le coup de poing d'un des clients mécontents et appela à l'aide.

— Alors, nous dormirons ensemble, décida Madeline, criant presque pour se faire entendre. Faites monter nos bagages.

— Chasseur ! appela le premier employé, l'air scandalisé.

— Fremont, ne joue pas avec ta saucisse, dit Patricia à son fils.

Fremont Junior s'acharna sur la saucisse, qui tomba par terre. Patricia donna une tape sur la main de l'enfant. Son mari demanda à George :

— Combien attendez-vous de Main de Caroline du Sud ?

— Uniquement la veuve d'Orry, malheureusement. Sa nièce Marie Louise aura son deuxième enfant en août et son médecin lui a déconseillé de voyager. Quant au père de Marie Louise, le frère d'Orry... (George soupira, le visage grave.) Bien que ce soit dommage pour sa femme, une personne charmante, j'ai décidé, après avoir longuement réfléchi, de ne pas envoyer d'invitation à Cooper. Il a fait clairement comprendre il y a longtemps déjà qu'il n'était un Main que de nom. Comme Ashton, que je n'ai pas cherché à retrouver.

Le juge Cork Bledsoe, à la retraite depuis trois ans, exploitait une petite ferme près de la côte, à une quinzaine de kilomètres au sud de Charleston. Par une chaude matinée de juillet, sept hommes chevauchant l'un derrière l'autre tournèrent dans son allée pour lui rendre visite. Ce n'étaient pas des membres du Klan, rien ne dissimulait leur visage. La seule chose qu'ils avaient en commun, dans leur tenue, c'était leur épaisse chemise en flanelle rouge.

Personne ne savait au juste pourquoi les « Démocrates loyaux » avaient adopté cette couleur pour leurs clubs de tir. La pratique avait commencé quelques mois plus tôt autour d'Aiken, Edgefield et Hamburg, le long de la Savannah, où la résistance aux républicains et aux Noirs était peut-être la plus violente de l'Etat.

Troisième de la file, Cooper portait un foulard blanc autour de son cou décharné. De son étui de selle dépassait la crosse de la toute dernière Winchester, le modèle 1876 dit du Centenaire. Elle tirait des balles assez puissantes pour arrêter un bison en pleine charge. Depuis quelque temps, Cooper montrait pour les armes à feu un goût qui lui était totalement étranger auparavant.

Il déplaisait fort à Judith que son mari garde cette carabine à la maison de Tradd Street. Elle n'aimait pas non plus les nouveaux amis de Cooper ni leurs activités. Il n'en avait cure, il ne se souciait plus de ce qu'elle pensait. Ils vivaient dans la même maison mais il lui témoignait peu d'affection et leur conversation se réduisait au minimum.

Cooper considérait quant à lui que les activités de son groupe et d'autres semblables disséminés dans l'Etat avaient une importance capitale. Seul un gouvernement de Blancs dévoués pourrait reprendre en main la Caroline du Sud et rétablir l'ordre social.

Une femme mal fagotée aux cheveux gris et au dos voûté regarda les cavaliers pénétrer dans la cour, se disposer en demi-cercle devant la maison. Avant leur arrivée, elle était occupée à tailler ses rosiers dont les nombreuses fleurs — roses, rouge velouté, pêche — embaumaient l'air de leur parfum.

L'avocat Favor Herrington, porte-parole des visiteurs, toucha le bord de son chapeau de planteur.

— Bonjour, Léota.

— Bonjour, Favor, répondit la femme.

Elle salua par leur nom trois autres cavaliers, dont Cooper, et ne manqua pas de remarquer le fusil de chasse ou la carabine que chacun d'eux portait dans son étui de selle.

— On étouffe, hein ? fit Herrington en soulevant la chemise collée à sa peau. Je pourrais dire un mot au juge ? Annoncez-lui que plusieurs de ses amis du *Calhoun Saber Club* sont ici.

Leota Bledsoe rentra d'un pas pressé. Quelques instants plus tard, le juge sortit de la maison en pantoufles, manches de chemise retroussées et gilet de laine déboutonné. C'était un homme frêle aux yeux marron qui possédait des actions dans plusieurs grandes usines de phosphates des environs de la ville.

— A quoi dois-je le plaisir de recevoir la visite de membres aussi éminents de l'opposition ? demanda-t-il avec une pointe de sarcasme.

Herrington ricana.

— Nous sommes des démocrates, vous le savez, mais j'espère que vous vous rendez compte que vous avez affaire à des Purs et Durs, pas à ces fichus collaborationnistes prêts à coucher avec des fichus républicains.

— Avec vos chemises rouges, je ne risquais pas de me tromper, répondit le juge.

Pendant tout le printemps, une lutte farouche avait opposé ceux qui prônaient la pureté du Parti démocrate à ceux qui voulaient le renforcer au moyen d'une coalition avec certains des républicains les moins exécrables, comme le gouverneur D.H. Chamberlain. Cooper et d'autres Purs et Durs de son espèce avaient à présent recours à des méthodes inhabituelles pour renforcer le Parti. Constitution de clubs de tir, visites comme celle qu'ils rendaient au juge, réunions publiques, et même quelques émeutes fort utiles bien que sanglantes. Ces derniers jours, avait-il entendu dire, moricauds et Blancs des deux côtés du fleuve s'étaient empoignés à Hamburg.

— Nous désirons discuter de la convention de Columbia, qui désignera le candidat démocrate le mois prochain, déclara Herrington.

— Nom d'un chien, ne me faites pas perdre mon temps, les gars, répliqua Bledsoe, irrité. Tout le monde sait que ça fait six années de suite que je vote républicain.

— Oui, nous le savons, dit Cooper. C'était peut-être agir au mieux de vos intérêts. (L'air détaché, il posa la main sur la crosse de sa Winchester du Centenaire.) Mais nous ne pensons pas que c'était dans l'intérêt de l'Etat.

— Ecoutez, je n'ai pas l'intention de discuter de mes opinions politiques avec une bande de brutes qui exposent leur point de vue à coups de fusil.

— Ces armes servent uniquement à nous défendre, affirma une autre chemise rouge.

— Vous défendre ! rétorqua l'ancien magistrat. Vous les utilisez pour effrayer d'honnêtes hommes noirs qui ne réclament que le droit de vote — un droit que leur garantit la Constitution. Je connais votre système, c'est celui du Mississippi. Dans cet Etat, tous les républicains et tous les nègres ont été chassés des postes de responsabilité l'année dernière et vous essayez d'appliquer le même plan ici. Eh bien, cela ne m'intéresse pas.

Bledsoe fit demi-tour et regagna sa maison d'un pas traînant.

— Un instant, fit Favor Herrington, d'un ton qui avait perdu toute cordialité.

Dans l'ombre parfumée d'une odeur de rose, le juge jeta un coup d'œil aux cavaliers armés.

— C'est vrai, poursuivit l'avocat, nous faisons en sorte que les moricauds changent de vote ou ne s'approchent pas des urnes en novembre. Nous transformerons la majorité républicaine de cet Etat en majorité démocrate. Nous proposerons le mois prochain une candidature Pure et Dure, avec le général Hampton, et nous arracherons la Caroline du Sud aux *carpetbaggers* et aux parlementaires bâtards qui la conduisent à la honte et à la ruine...

Il s'interrompit pour essuyer son visage luisant de sueur.

— Pour que cela marche, reprit-il, nous devons aussi ramener les brebis égarées au bercail démocrate.

— En les brutalisant, répliqua Bledsoe. En les menaçant de vos armes.

— Pas du tout. Nous leur demandons seulement d'agir dans l'intérêt de l'Etat. Nous le leur demandons poliment, respectueusement.

— Balivernes !

Herrington haussa le ton :

— Tous vos amis républicains le font, monsieur le Juge. C'est simple, il suffit de passer de l'autre côté. De traverser le Jourdain.

— Vous appelez ça traverser le Jourdain ? J'aimerais mieux franchir le Styx et me retrouver en enfer.

Deux membres du *Calhoun Saber Club* sortirent à demi leur carabine de leur étui. A l'intérieur de la maison, la femme de Bledsoe poussa un avertissement étouffé. Le silence se fit dans la cour surchauffée, où l'un des chevaux lâcha quelques boulets de crottin. Herrington coula un regard à Cooper, qui intervint d'un ton qui se voulait raisonnable :

— Pensez à votre famille. Vous avez de nombreux petits-enfants. Vous ne préférez pas la respectabilité à l'ostracisme ? Si vous ne le faites pas pour vous, faites-le pour eux.

— A Charleston, enchaîna Herrington, les rues grouillent de vauriens. Les honnêtes gens ne sont pas toujours en sécurité. Surtout les demoiselles. Vous avez bien deux petites-filles à Charleston, n'est-ce pas, monsieur le Juge ?

— Vous osez me menacer ? s'indigna Bledsoe.

— Non, répondit Cooper d'un ton calme. Nous vous demandons simplement de vous engager à franchir le Jourdain. A soutenir le gouverneur Hampton quand nous proposerons sa candidature à Columbia. A informer les autres de votre décision.

— Allez au diable, vous et vos fusils, riposta le vieillard. Nous ne sommes pas au Mississippi.

— Je regrette votre décision, déclara Herrington, saisi d'une rage froide. Venez, les gars.

Les cavaliers quittèrent l'un après l'autre la cour odorante, et le juge Cork Bledsoe demeura sur sa galerie, le regard furieux, jusqu'à ce que la dernière chemise rouge eût disparu sur la route de Charleston.

Herrington ralentit pour laisser le cheval de Cooper se porter à la hauteur du sien et dit :

— Tu sais qui est le suivant sur la liste ?

— Je le sais. Et je ne veux pas m'en mêler. C'est mon gendre.

— Nous ne te le demandons pas, Cooper. Mais nous lui rendrons quand même visite.

Le père de Marie Louise passa ses longs doigts sur ses lèvres moites de transpiration.

— Faites ce que vous devez faire, murmura-t-il.

Deux jours plus tard, des inconnus tirèrent trois coups de feu sur les fenêtres de la maison de Bledsoe. Le dimanche suivant, à l'église, de vieux amis du juge refusèrent de lui adresser la parole. Le mardi, alors que sa petite-fille âgée de quinze ans et sa gouvernante rentraient d'une promenade à la tombée de la nuit, deux jeunes Blancs surgirent d'une allée, arrachèrent le sac à main de l'adolescente, qu'ils menacèrent de leurs couteaux. A la fin de la semaine, le juge Cork Bledsoe annonça son intention de traverser le Jourdain.

1776
TROIS MILLIONS DE COLONS
SUR UNE BANDE COTIÈRE

1876
QUARANTE MILLIONS D'HOMMES LIBRES
GOUVERNANT D'UN OCÉAN A L'AUTRE
Affiche du Centenaire
de la ville de Philadelphie.

— Nous n'aurons pas besoin de cette suite, déclara Virgilia. Nous avons une chambre réservée ailleurs.

L'employé du Continental, celui-là même qui avait accueilli Madeline et Jane, parut sceptique.

— Comme vous voudrez, Mrs Brown. J'espère que vous êtes sûre de votre réservation. Je ne connais aucun bon hôtel qui puisse encore offrir un endroit où coucher, même dans le hall.

— Nous nous débrouillerons, assura Virgilia.

Elle sortit de l'hôtel, monta dans le fiacre arrêté le long du trottoir. Elégamment vêtu — pardessus à revers de velours, gants gris perle — Scipio lança à sa femme un regard quelque peu mécontent.

— Pourquoi fais-tu cela ?

Elle l'embrassa sur la joue.

— Parce que ça ne vaut pas la peine de se battre, chéri. Je préfère trouver un endroit où on ne nous traitera pas grossièrement et où nous ne serons pas la cible de tous les regards. Ce sera déjà bien assez de la famille.

Le voyant plisser le front, elle lui pressa la main.

— Je t'en prie. Tu sais que je suis toujours prête à monter sur les barricades si c'est important. Ça ne l'est pas. Prenons du bon temps.

— Où voulez-vous aller, maintenant ? grommela le cocher juché sur son siège, sans chercher à cacher qu'il n'était pas très heureux de transporter un nègre et une Blanche.

— Dans le quartier noir, répondit Virgilia.

— Bison ?

— Bunk, bon Dieu ! s'écria Charles.

Il s'élança vers son ami qui venait juste de descendre l'escalier de marbre. Dans le hall, les clients regardaient avec curiosité le grand maigre vêtu à la mode de l'Ouest serrer contre lui le petit homme en costume strict et sombre. Questions et réponses fusèrent.

— Tu as amené Brett et les enfants ?

— Oui, ils sont là-haut. Et ta femme ? Je suis impatient de la connaître.

— Elle s'informe de l'horaire des trains à la réception. Elle veut passer à New York voir un vieil ami.

Ils se rendirent au bar, chacun étudiant l'autre, notant de nombreux changements. Et bien qu'ils parlassent avec chaleur et enthousiasme, chacun se sentait un peu intimidé par l'autre. Beaucoup de temps s'était écoulé depuis leurs retrouvailles à Mont Royal, après la guerre. Toutefois, les enfants constituaient un pont enjambant les années.

— J'espère faire entrer mon fils aîné à West Point si Stanley parvient à s'accrocher au Congrès pour trois mandats de plus, dit Billy. Ton garçon n'a pas à peu près l'âge de G.W. ? Ils pourraient se retrouver dans la même promotion, comme nous.

D'un ton calme, Charles répondit :

— Je ne suis pas sûr de vouloir que Gus soit soldat.

— Il ne resterait pas forcément dans l'armée. Mais West Point continue à offrir la meilleure formation qu'on puisse trouver en Amérique.

Le regard de l'ancien éclaireur se perdit dans le vague, au-delà des volutes de fumée et des lampes à gaz, au-delà des habitués et des touristes assiégeant bruyamment le long bar de chêne, vers quelque lieu lointain bordant une rivière en territoire indien.

— Je n'en suis pas sûr quand même, murmura-t-il.

Willa trouva « le plus grand acteur d'Amérique » dans une pension de famille crasseuse de Mulberry Street. Elle frappa deux fois et, n'obtenant pas de réponse, ouvrit la porte et le découvrit assis dans un fauteuil à bascule, contemplant le mur d'en face par une fenêtre aux vitres grises de suie. Il ne se retourna pas lorsqu'elle referma la porte : il devait devenir dur d'oreille.

La vue de la petite pièce encombrée de vieilles malles, de costumes et d'albums de presse serra le cœur de l'ex-Desdémone. Un fer à cheval était accroché au-dessus de la porte et le chrysanthème ornant le revers de Sam était fané, jauni. Le chat noir assis sur ses genoux arqua le dos et cracha en direction de l'intruse, ce qui fit se retourner le vieux comédien.

— Willa, mon enfant, je ne m'attendais pas à te voir aujourd'hui.

Dans son télégramme elle avait indiqué la date et l'heure probable de sa visite.

— Entre donc.

Lorsqu'il se leva, elle remarqua ses jointures gonflées, déformées. Le contraste entre sa peau ridée et ses cheveux teints était à la fois ridicule et triste. Le serrant affectueusement contre elle, elle demanda :

— Comment vas-tu, Sam ?

— On ne peut mieux, on ne peut mieux ! Pour un homme de soixante ans, je me sens en forme comme un jeune célibataire...

Elle savait qu'il avait soixante-quinze ans.

— Viens t'asseoir, que je t'annonce une grande nouvelle. D'un jour à l'autre, je le tiens de source sûre, Mr Joe Jefferson en personne viendra me prier de le remplacer pendant deux semaines dans le rôle de Rip Van Winkle pour qu'il prenne des vacances à la mer. J'ai le texte de la pièce là quelque part, je l'ai travaillé.

Sous le fauteuil, près d'un verre d'eau et d'un bol de flocons d'avoine froids, il dénicha une brochure dont il chassa la poussière en soufflant. Willa avala sa salive, félicita son ami et lui tint compagnie pendant les deux heures qui suivirent. Il sommeillait dans son fauteuil, une main noueuse posée sur la tête du chat qui ronronnait, quand elle sortit à pas de loup.

Avant de quitter la pension, elle remit à la propriétaire cinquante dollars, deux fois la somme qu'elle lui envoyait chaque mois à l'insu de Sam pour payer les repas et la chambre du vieil acteur.

Lundi, tous se préparèrent pour visiter l'exposition. George fournit une voiture à chaque groupe — deux pour Billy, Brett et leurs enfants — et le petit cortège, dépassant tramways à chevaux et trains bondés, les emmena à vive allure vers le parc.

Ils virent des outils pour le travail du métal de Pratt and Whitney, des systèmes de signalisation pour voie ferrée de la Western Electric, des dessins de mode d'Ebeneze Butterick, de l'argenterie Gorham, des bijoux Haviland and Doulton, des pompes à incendie LaFrance, des horloges Seth Thomas, des racines et des écorces médicinales McKesson and Robbins, des engrais Pfizer, des pianos Steinway, Knabe et Fenway. Ils admirèrent des locomotives, du matériel pour câble sous-marin, de hauts cylindres de verre contenant de la terre de divers comtés de l'Iowa, des bouteilles géantes de vin du Rhin posées sur piédestal, des chaudières portables, des presses à imprimer le papier mural, des souffleurs de verre, des fusils Gatling, le curieux appareil de Mr Graham Bell appelé « téléphone » (que George jugea idiot et peu pratique), des épis de maïs de trente-cinq centimètres, des meubles en bois courbé, des sculptures en beurre, du fer forgé suédois, des fourrures russes, des paravents en laque japonais, des uniformes de l'armée des soixante-quinze dernières années, une école pour tout petits (innovation européenne portant le nom de « jardin d'enfants »), des orangers, des palmiers et des citronniers éclatants de vie dans le Hall du Jardinage, un collier de vingt-sept diamants de chez Tiffany valant plus de quatre-vingt mille dollars-or, des vitrines contenant des oiseaux empaillés, des échantillons de roche, des roues de voitures, des écrous, des corsets et des fausses dents, une sculpture en plâtre de George Washington, tronqué à la taille et perché sur un aigle grandeur nature, et cinq mille inventions déposées au Bureau des Brevets.

Ils burent du soda aux stands des allées, du café à la Maison du Café brésilien. Stanley apprécia la cuisine française des *Trois Frères Provençaux*, sans doute parce qu'elle était excessivement chère ; Brett aima la façon nouvelle dont le mobilier était exposé en « décors d'intérieur » ; Virgilia s'intéressa au Pavillon des Femmes et tout particulièrement au journal *New Century for Women*, rédigé et imprimé sur place. Les enfants furent impressionnés par le Vieil Abe, aigle mascotte d'un régiment du Wisconsin pendant la guerre de Sécession. L'oiseau, qui avait participé à plus de trente batailles, demeura si longtemps immobile sur son perchoir qu'il semblait empaillé. Puis il déploya soudain ses ailes et tourna un œil farouche vers les enfants, qui en furent tout excités. La cabine de bateau du Mississippi plut à Madeline parce qu'elle était décorée de mousse d'Espagne. Billy s'extasia devant la locomotive *Jupiter* de la ligne de Santa Cruz et la vigne californienne accrochée à un grand treillis suspendu au-dessus de la tête des visiteurs. Charles n'aima pas les tipis, calumets et autres objets artisanaux indiens rassemblés par la Smithsonian Institution mais cacha ses sentiments et passa rapidement devant l'exposition avec un air grave. George débitait des formules comme : « C'est le début d'une nouvelle ère », ou « Dire que les sceptiques prétendent que nous n'avons rien à montrer aux pays étrangers ! », mais les autres étaient si captivés par ce qu'ils voyaient qu'ils ne faisaient aucun commentaire ou ne l'entendaient même pas la plupart du temps.

Le lendemain soir, Charles et Willa laissèrent Gus avec la famille de Billy. Virgilia et Scipio arrivèrent à l'hôtel à six heures et demie — nul ne savait au juste où ils logeaient mais personne ne leur posait de question — et les deux couples prirent un fiacre pour la *Maison de Paris*, restaurant chaudement recommandé où Charles avait réservé une table. Ce soir, c'était lui qui invitait. Il avait expliqué à sa femme que depuis 1869, il avait une dette particulière envers Virgilia.

Au restaurant, un maître d'hôtel obséquieux entraîna Charles à l'écart pour lui parler et le « colonel » expliqua que Scipio Brown était le mari de Virgilia.

— Il pourrait bien être l'empereur d'Ethiopie, répliqua l'homme en mauvais anglais. Nous ne recevons pas de personne de sa couleur.

Charles le toisa en souriant.

— Vous venez en discuter avec moi dehors ?

— Dehors...

— Exactement.

— Charles, ça n'en vaut pas la peine..., commença Virgilia.

— Mais si, dit Charles. Alors ? lança-t-il au maître d'hôtel.

— Par ici, marmonna l'homme, rouge de colère.

Il leur donna une mauvaise table, un serveur renfrogné, et il leur fallut attendre trois quarts d'heure pour avoir leur première bouteille de vin, une heure et demie pour le plat de résistance, qui leur fut servi froid. Bientôt leurs rires devinrent forcés et Virgilia avait l'air misérable sous le regard hostile des autres clients de l'établissement.

1776-1876
D'UN SIÈCLE A L'AUTRE
Adieu à l'ancien
Salut au nouveau
CÉLÉBRATION MONSTRE A PHILADELPHIE
ÉMOUVANTES CÉRÉMONIES SUR INDEPEN-
DENCE SQUARE
LECTURE DE LA DÉCLARATION D'INDÉPEN-
DANCE
ÉLOQUENT DISCOURS DE W.M. EVARTS
Le feu d'artifice tiré dans le parc était...
Philadelphia Inquirer

Des étoiles rouges et blanches explosèrent au-dessus de l'exposition, provoquant des exclamations chaque fois plus fortes. Les couleurs éblouissantes palpitaient au-dessus de l'énorme main de cuivre tenant une torche, œuvre de Bartholdi. Semblant s'élever du sol, cette partie de la Statue de l'Indépendance, comme on l'appelait, faisait croire qu'une géante enfouie s'apprêtait à surgir de la terre.

Madeline, qui se tenait près du bras gigantesque en compagnie de Jane, épuisée par une seconde journée de visite des halls et pavillons étrangers, se sentit soudain observée. Elle leva la tête, découvrit les yeux de George.

Le petit Alfred Hazard, de Californie, s'était endormi dans les bras de son oncle, qui contemplait Madeline par-dessus la tête de l'enfant avec une tendresse désarmante. Il n'y avait rien d'inconvenant dans ce regard, qu'il ne tarda d'ailleurs pas à tourner vers le ciel, où une grande fleur de lumière argentée s'épanouissait.

Madeline avait néanmoins la gorge étrangement sèche. George l'avait regardée d'une manière différente et elle se sentait coupable, ravie, troublée et un peu effrayée.

Le *Carolina Club* occupait un vaste terrain non loti au-delà de la lisière nord de la ville. Le grand incendie de Chicago ne s'était pas propagé jusque-là — les faubourgs non plus, d'ailleurs. Il y avait pourtant beaucoup de chevaux et de voitures sur la route passant devant la maison de quatre étages aux formes tarabiscotées car le *Carolina Club* était le bordel le plus grand, le plus en vogue de toute la ville.

La propriétaire, qui se faisait appeler Mrs Brett, s'éveilla comme à son habitude à quatre heures de l'après-midi en ce 4 juillet*. Dans la pièce attenante, sa servante noire vidait un dernier bloc de lait de chèvre légèrement chauffé dans une baignoire en zinc. Mrs Brett s'étira, prit un bain de lait pendant cinq minutes puis se frotta

---

* Fête nationale. (N.d.t.)

jusqu'à en avoir la peau rose. Le docteur Cosmopoulos, client fort riche, phrénologue, professeur d'électromagnétisme et marchand de toniques, affirmait que les bains de lait aidaient à rester jeune.

Elle enfila un peignoir en soie chinois, prit un petit déjeuner d'huîtres et de café puis alluma un petit cigare qu'elle pêcha dans son coffret de laque, devenu trop petit pour sa collection. Forte de trois cents boutons, celle-ci se trouvait maintenant dans un grand pot d'apothicaire en verre transparent muni d'un lourd bouchon rodé.

Elle se tamponna les seins, la gorge et les aisselles avec un parfum algérien et, avec l'aide de la domestique, revêtit ensuite une robe en soie rouge vif ornée d'une imposante tournure. Elle passa à ses doigts des bagues aux pierres rouge, verte et blanche, mit un collier, des bracelets et un diadème de faux diamants. A six heures et demie, elle descendit de son appartement du troisième étage pour relever l'énergique jeune Scandinave qui prenait son service à dix heures du matin afin d'accueillir la clientèle.

Un grand nombre de messieurs se mêlaient déjà aux filles en robes du soir élégantes dans les quatre salons. En plus des prostituées blanches employées au bordel, il y avait aussi une Chinoise, trois jeunes Noires et une Indienne cherokee, pianiste accomplie qui interprétait présentement *The Yellow Rose of Texas* sur le piano droit du grand salon. C'était un Fenway : Mrs Brett gardait contre toute logique un reste de loyauté.

Après avoir libéré Knudson, la maquerelle examinait les comptes dans son bureau quand un client franchit en titubant la porte à demi ouverte. Il recula, les yeux écarquillés :

— *Ashton* ?

— Bonsoir, LeGrand, fit-elle, cachant sa surprise. Entre donc et ferme la porte.

Villers parcourut du regard les tableaux et les marbres décorant la pièce luxueuse, eut un hochement de tête étonné, s'approcha à pas lents du bar personnel de Mrs Brett et se servit maladroitement à boire.

— Ne tache pas le tapis, il vient de Belgique, avertit-elle. Et je t'informe que je m'appelle Mrs Brett.

— C'est incroyable, fit Villers en se laissant tomber dans un fauteuil, à côté de la grande table en teck. J'avais jamais mis les pieds ici. Comme deux représentants de Fenway sont en ville, j'ai pensé qu'on pourrait faire une petite nouba. Depuis combien de temps tu diriges cette boîte ?

Le visage d'Ashton, lisse et soigneusement poudré, montrait cependant une légère boursouflure. Agée de quarante ans, elle avait toutes les peines du monde à ne pas grossir.

— Depuis l'ouverture. Peu après que j'ai quitté Will. Je n'étais pas prête à subvenir à mes besoins : une jeune fille de bonne famille du Sud apprend uniquement à minauder et à faire la révérence. Du moins, c'était comme cela de mon temps. Et lorsqu'elle grandit, tout ce qu'elle sait faire, c'est être une épouse ou une putain. Avec mon premier mari, un incapable sans volonté, j'étais l'une et je me sentais dans la peau de l'autre. Tu sais, LeGrand, les dames de Charleston me lyncheraient si elles m'entendaient, mais je commence à croire que les suffragettes ne sont pas complètement folles. J'ai fait plusieurs fois des dons importants à leur mouvement local... Anonymement, bien sûr. Je ne voudrais pas compromettre ma réputation, ajouta Ashton avec une expression de sainte nitouche.

Villers s'esclaffa.

— Comment as-tu ouvert cet établissement ? demanda-t-il.

— Avec l'aide d'un protecteur.

— Oui, tu n'aurais aucun mal à t'en trouver une flopée. Tu es plus belle que jamais.

— Merci. Comment va Will ?

— Il gagne des millions, le vieux salaud. Notre modèle Ashton a remporté une médaille de bronze à l'exposition de Philadelphie. Qu'est-ce que tu dis de ça ? Mais raconte-moi un peu ce qui s'est passé entre vous. Tu reviens de Caroline, et le lendemain, pfft, disparue.

— Will et moi avons eu un grave désaccord.

Inutile de lui en dire davantage. De révéler qu'elle avait eu la malchance d'être absente de Château Villard le jour où le facteur avait apporté la dernière lettre de Favor Herrington. Fenway, qui se remettait chez lui d'une grippe d'été, ouvrit l'enveloppe portant le nom d'un cabinet d'avocat qu'il ne connaissait pas et voulut ensuite savoir pourquoi Ashton avait fait appel à un homme de loi puisque, selon elle, elle s'était rendue en Caroline du Sud uniquement pour voir sa famille. Elle se déroba, mentit, résista aussi longtemps qu'elle le put. Lorsqu'elle hurla qu'elle aimerait mieux rôtir en enfer que lui répondre, il haussa les épaules et déclara qu'il demanderait des explications à Herrington. L'avocat ne pourrait invoquer le secret professionnel parce que c'était l'argent de son mari qu'Ashton dépensait. Terrifiée, elle avoua s'être engagée à payer une énorme somme pour l'achat de Mont Royal en signant une lettre de crédit sur leur banque.

Elle s'efforça de présenter les choses sous le meilleur angle possible mais comprit qu'elle avait échoué quand elle vit la haine tordre la bouche de Will. Lorsqu'elle eut finalement avoué qu'elle avait cherché à arracher Mont Royal à sa propre famille, il lui rappela la mise en garde qu'il lui avait faite après qu'elle eut assassiné le beau-frère de la señora, à Santa Fe.

« — Je t'avais prévenue que je ne tolérerais plus de cruauté de ta part. Je t'aime, Ashton, vieil imbécile que je suis, mais plutôt être pendu que de vivre avec un être aussi vil que toi. Je veux que tu fasses tes valises et que tu quittes cette maison avant demain midi. »

— Un désaccord, répéta Villers. Et tu as demandé le divorce ?

Elle fit non de la tête.

— Lui l'a peut-être fait. Je n'en sais rien.

— Pas à ma connaissance, dit Villers. Il est au courant de tes activités ?

— Non, mais je crois que cela lui serait complètement égal. Je suis parfaitement heureuse, mentit Ashton. Si une femme a la santé, la beauté et des revenus réguliers, que peut-elle demander de plus ?

Pourquoi Will s'était-il montré si intransigeant ? Souvent, au milieu de la nuit, elle avait désespérément envie de serrer contre elle son vieux corps osseux. Dans le visage blanc de poudre, les yeux sombres s'agrandirent : Villers la fixait d'une manière qui ne lui plaisait pas.

— Qu'est-ce qu'il y a, LeGrand ?

— Rien, je réfléchissais. Je me doute que toi et Will vous aviez une bonne raison de vous séparer, mais c'était ton mari. Il l'est peut-être encore, d'ailleurs. Et il serait peut-être désolé, finalement, d'apprendre ce que t'es devenue.

— Tu ne serais quand même pas assez ignoble pour le lui dire ?

— Tu te préoccupes encore des sentiments de ce vieux salopard ?

— Non, bien sûr. Je... je tiens simplement à protéger ma vie privée.

— Je la protégerai, promit Villers en posant sur Ashton un regard pesant. En échange d'un petit retour au bon vieux temps.

La magnifique poitrine de Mrs Brett se souleva comme la proue d'un navire.

— Je suis la propriétaire du *Carolina Club*, déclara-t-elle avec indignation. Pas une de ses employées.

— Bon, grommela Villers en quittant son fauteuil. Mais dans ce cas, je te promets pas de tenir ma langue.

Elle lui saisit la main, chatouilla la paume avec son pouce.

— Naturellement, je peux toujours faire une entorse à mes principes pour un soir.

Villers s'humecta les lèvres.

— Gratis ?

Elle eut envie de le frapper, d'éclater en sanglots. Tout sourire, elle rejeta la tête en arrière.

— Bien sûr, répondit-elle. Pour les amis, c'est toujours gratuit.

Plus tard, tandis que montaient d'en bas les accords de *Hail Columbia* jouée par l'Indienne Cherokee — mis à part la bannière tricolore décorant le portique, c'était la seule façon dont le club célébrait le 4 juillet — LeGrand Villers jouit pour la troisième fois sans avoir éveillé un seul instant les sens d'Ashton.

En roulant sur le dos, il toucha par hasard le bourrelet de graisse qui ne cessait de s'arrondir au-dessus de la taille de Mrs Brett, quelle que fût la sévérité de son régime. Le directeur des ventes de Fenway n'eut pas la grossièreté de faire une remarque mais elle sentit qu'il retirait sa main de son ventre un peu trop rapidement.

Ce geste la fit s'effondrer. Elle était énergique, elle avait réussi, mais il ne lui restait rien d'autre à attendre de la vie qu'une lente dégradation de sa beauté. Et de temps à autre, elle était bien forcée de voir cette réalité en face.

Bientôt Villers se mit à ronfler et Ashton, étendue sur le côté, les mains sous le menton, les genoux ramenés contre la poitrine, les yeux grands ouverts, regrettait le temps où, enfant, elle jouait avec Brett à Mont Royal.

Le jeudi soir, vingt-neuf membres des familles Main et Hazard se rassemblèrent dans la salle à manger privée réservée pour eux à l'hôtel. A l'extrémité ouverte de la table en fer à cheval, on avait posé sur un chevalet le dessin, par l'architecte, de la façade à colonnes blanches de la nouvelle maison de Mont Royal. Madeline fit la description du bâtiment, invita tout le monde à venir le visiter et se rassit sous les applaudissements.

George se leva, l'air digne et distingué. On n'entendait dans la pièce que le bruissement de la robe de Willa, qui faisait doucement sauter le petit Alfred sur ses genoux pour le calmer. L'enfant s'assoupit, le pouce dans la bouche.

George s'éclaircit la voix ; Charles tira sur le cigare dont la fumée flottait lourdement dans la salle étouffante.

— Je suis heureux que nous soyons réunis pour cet anniversaire important. Nous avons beaucoup de choses importantes en commun, bien que, je le regrette, je ne puisse inclure parmi elles l'excellente politique du Parti républicain.

Tout le monde rit, et Champ Nevin d'aussi bon cœur que quiconque. La fumée montait en spirale de la cigarette posée en équilibre sur le bord de sa tasse de café et Stanley, assis deux chaises plus loin, toussait avec ostentation en lançant des regards furibonds au mari de Patricia. Pendant le repas, le parlementaire et le jeune journaliste s'étaient querellés au sujet du traité d'annexion de Saint-Domingue, que les émissaires de Grant avaient négocié à l'insu du Congrès et du gouvernement. Le Sénat avait annulé le traité et l'affaire avait entraîné la défection de personnalités républicaines telles que George, qui avaient formé une nouvelle tendance réformatrice au sein du Parti. Champ Nevin avait failli provoquer chez Stanley une crise d'apoplexie quand il avait qualifié l'attitude de Grant de « criminelle ».

— Je m'efforçais, reprit George, de préparer quelques remarques appropriées lorsque je songeai à l'affiche de la ville de Philadelphie pour la Fête Nationale, l'avez-vous vue ? (Plusieurs convives acquiescèrent de la tête.) Permettez-moi d'en citer le texte...

Il lut ses notes et conclut :

— Voilà qui résume parfaitement l'histoire de notre pays, et celle de nos vies. Depuis que les Main et les Hazard ont forgé des liens, à partir d'une amitié née à West Point, nous avons tous changé et la nation aussi. Nous ne serons plus jamais comme avant, à une exception près : l'affection réciproque de nos familles est immuable.

Plus jamais comme avant, songea Madeline. *Il a raison.* Constance était morte, Cooper n'avait pas été invité, bien que chacun regrettât l'absence de Judith. Ashton se trouvait probablement à Chicago auprès de son millionnaire de mari — elle ne manquait à personne. Charles et Billy, dont les vies avaient suivi des trajectoires tellement différentes, montraient des signes de gêne l'un envers l'autre malgré les liens puissants noués à l'Académie militaire et pendant la guerre.

Assis près de son fils mal élevé, Stanley avait l'air de s'ennuyer et se demandait sans doute pourquoi il avait accepté de venir.

Enfin et surtout, son cher Orry n'était plus là...

— Cette affection nous a aidés à traverser une période de crise nationale et d'épreuves, continua George. Pendant les jours sombres de la guerre et des affrontements politiques, nos liens se sont distendus mais ne se sont jamais rompus. Ils sont demeurés solides jusqu'à ce jour.

» Ma mère croyait que le laurier de montagne a une vigueur particulière qui lui permet de résister aux atteintes des saisons. Elle prétendait que seuls l'amour et la famille peuvent donner une telle vigueur aux humains, et je pense qu'elle avait raison. Vous en êtes la preuve. Nos deux familles se sont fondues en une seule, et nous avons survécu. Cette force, née de l'amitié et de l'amour, est l'un des précieux cadeaux qu'Orry nous a faits, et c'est la raison pour laquelle il est parmi nous ce soir. J'aimais beaucoup mon ami Orry, comme j'aime chacun d'entre vous. Merci d'être venus à Philadelphie pour réaffirmer... pour...

Il s'éclaircit à nouveau la voix, baissa la tête, s'essuya furtivement l'œil droit.

— Merci, répéta-t-il dans le silence. Et bonne nuit.

Charles et Willa, qui furent les premiers à quitter la salle, remarquèrent le calme inhabituel du hall de l'hôtel. Des clients parlaient en murmurant, d'autres lisaient le journal. Charles tapota l'épaule de Gus, alla à la réception, où l'employé lui tendit son numéro de l'*Inquirer*.

— Qu'est-ce qui se passe ? demanda l'ancien officier.

Livide, l'homme répondit :

— Le général Custer et tous ses hommes ont été massacrés.

――――

GRANDE BATAILLE CONTRE LES INDIENS
Combats sanguinaires dans l'Ouest
Le sol est jonché de cadavres
Plus de trois cents morts

MASSACRE DE NOS TROUPES PAR LES INDIENS
La triste nouvelle est confirmée
On s'attend à une guerre générale
Liste des morts et des disparus
Le général Custer parmi les victimes
Son frère tué à ses côtés

LA GUERRE INDIENNE
Comment sont tombées nos troupes puissantes
Confirmation des premières rumeurs
Quarante-huit heures de combat
Les rescapés arrivent enfin
Cause de la catastrophe
Conduite inexplicablement irréfléchie de Custer
Philadelphia Inquirer
6,7,8 juillet 1876

――――

La lune baignait de lumière les toits de Philadelphie et le visage de l'homme regardant par la fenêtre de l'hôtel. Il portait un pantalon et rien d'autre. Bien qu'il fût une heure et demie du matin, il ne pouvait dormir, et Willa non plus, à cause de lui. L'entendant remuer dans le lit derrière lui, il murmura :

— Je suis content que Magee ait promis de passer nous voir au ranch à sa prochaine permission. Je veux savoir ce qu'il pense de ce massacre.

— Ça te bouleverse, n'est-ce pas ?

Il acquiesça d'un signe de tête.

— Et toi, qu'est-ce que tu en penses ? demanda-t-elle.

— Difficile de juger sans connaître tous les faits. Les dépêches sont encore assez confuses, il n'y en a pas deux qui concordent. Je suis désolé pour les hommes de Custer, et pour sa femme, mais je n'éprouve aucune tristesse pour lui. Je ne sais pas, c'est comme... regarder une roue décrire un cercle complet. Beaucoup affirmaient que Custer nous avait emmenés sur les bords de la Washita parce que sa réputation avait souffert de la discipline trop sévère qu'il imposait et qu'il désirait regagner la faveur du public. Il lui fallait une victoire. Il en obtint une, mais ce fut une sale victoire. Il ne parvint jamais à faire oublier la Washita et j'ai l'impression qu'il était cette fois encore en quête d'une victoire qui puisse redorer son blason. Il semblerait qu'il ait désobéi aux ordres et se soit précipité là où il n'aurait pas dû être.

Charles poussa un long soupir avant d'ajouter :

— Je continue à penser que c'était la présidence qu'il avait en point de mire, pas les Sioux. Maintenant qu'il est mort, j'aimerais pouvoir dire que j'avais quand même de la sympathie pour ce pauvre salopard mais...

Décelant dans la voix de son mari l'écho de lugubres souvenirs, Willa tendit les bras.

— Je t'aime, Charles Main. Viens contre moi.

Il était à un mètre du lit quand Gus cria.

Comme un fou, Charles sortit de la pièce, traversa le salon, entra dans l'autre chambre, plus petite, où Gus s'agitait sur son lit en gémissant :

— Faites pas ça, faites pas ça !

— Gus, c'est papa, tout va bien. Tout va bien !

Charles prit son fils dans ses bras, l'attira contre lui, caressa ses cheveux. L'enfant avait le front ruisselant de sueur et fixait son père sans le voir. La cicatrice paraissait noire au clair de lune. Silencieusement, Charles maudit tous les Bent et les Custer du monde.

Les yeux de Gus perdirent de leur expression égarée.

— Papa.

Les épaules de Charles retombèrent, son corps se détendit.

— Oui, dit-il.

La figure de Virgilia était le seul visage blanc dans le petit restaurant modeste où Scipio, Jane et elle prenaient un petit déjeuner d'adieu. Œufs, poisson frit, pain de seigle — le tout délicieux et bien chaud. Les autres tables étaient occupées par quelques clients vivant manifestement dans le quartier, et il n'y avait qu'un unique serveur, le fils du cuisinier.

— Je suis très heureuse que nous ayons eu l'occasion de faire connaissance, déclara Virgilia quand elle eut terminé son repas.

— Moi aussi, assura Jane. Je regrette que mon mari n'ait pas vu l'exposition.

Il n'y avait dans ce regret nulle trace d'apitoiement sur soi.

— Je ne suis pas de votre avis, dit Scipio.

— Pourquoi ? demanda Virgilia.

— Je ne suis pas sûr que nous ayons beaucoup de raisons de nous réjouir, répondit son mari. (Il joignit ses mains fines, les posa sur la vieille nappe.) La guerre s'est achevée il y a onze ans. C'est court mais j'ai parfois le sentiment que tout ce qu'elle a accompli est déjà enfui. Hier, dans un immeuble du centre, j'ai vu deux pancartes, fixées sur des portes différentes. Réservé aux Blancs. Réservé aux gens de couleur.

Jane soupira.

— Nous n'avons pas encore de pancartes de ce genre en Caroline du Sud, dit-elle, mais c'est tout comme. Le Klan continue à hurler au nègre, les Blancs protestent contre l'impôt pour l'école publique, les transports en commun nous sont à nouveau interdits, les Chemises Rouges de Hampton font la loi, les démocrates gagneront les élections en automne et les derniers soldats partiront. La guerre n'est pas du tout gagnée, vous avez raison. Il y a quelques années, l'avenir paraissait éclatant mais il s'est de nouveau assombri. Nous nous retrouvons en 1860, je crois bien.

— C'est vrai, approuva Scipio.

Jane se couvrit les yeux de la main puis secoua la tête.

— Je suis quelquefois si lasse de lutter.

— Mais nous ne devons pas renoncer, dit Virgilia. Si nous ne sommes pas victorieux maintenant, nous le serons dans cent ans. Si je n'en étais pas convaincue, je ne pourrais vivre un jour de plus.

Dehors, les deux femmes s'embrassèrent et Jane reprit la direction de l'hôtel du centre que Madeline et elle quitteraient le jour même. Bras dessus, bras dessous, Virgilia et son mari regagnèrent leur hôtel à pied, dans un silence pensif. Un enfant pleurait dans un taudis ; un chien bâtard au dos couvert de plaies se grattait au bord d'une ornière. Il se mit à pleuvoir.

Plusieurs gamins blancs d'une dizaine d'années venant probablement d'un quartier d'émigrants irlandais voisin rôdèrent un moment autour d'eux puis lancèrent soudain des pierres en criant : « Baiseuse de nègres ! » Scipio les fit déguerpir facilement et fut stupéfait de voir sa femme en larmes quand il la rejoignit.

Comme il l'interrogeait, elle secoua la tête, sourit et lui prit à nouveau le bras. Ils poursuivirent leur chemin entre des cabanes et des immeubles de guingois, et Virgilia se rappela la vie qu'elle avait menée non loin de là avec Grady il y avait fort longtemps. Comme Jane, elle se sentait découragée.

Elle pressa le bras de Scipio, puisa une force nouvelle à son contact et continua à marcher sous la pluie qui tombait plus dru.

George avait répété son petit discours pendant des jours mais dans la confusion des adieux, à la gare, il se trouva frappé de mutisme, comme un adolescent. Au moment où il éloigna Madeline de Jane pour lui parler en particulier, il oublia jusqu'au moindre mot qu'il avait appris par cœur.

Le sang au visage, il commença :

— J'espère que vous ne jugerez pas ma conduite inconvenante si je...

— Oui, George ?

Elle le regardait d'un air calme et doux, attendant la suite.

— Je me ferais horreur si, d'une manière quelconque, j'offensais la mémoire d'Orry...

— Je suis certaine que vous ne feriez jamais une chose pareille, George.

Bredouillant presque, il reprit :

— J'aurais voulu vous demander... c'est-à-dire, est-ce que vous envisageriez un jour... voilà, l'automne est la plus belle saison dans la Lehig Valley. Est-ce que vous aimeriez venir à Belvedere pour que je vous montre le, euh...

Il s'étrangla sur le dernier mot comme un soupirant mort d'amour :

— La couleur du feuillage ?

Madeleine fut touchée et amusée.

— Oui, j'aimerais beaucoup cela, je crois.

Pâle de soulagement, il s'exclama :

— Merveilleux. Emmenez Jane si vous voulez la compagnie d'une amie. Une visite cet automne vous conviendrait-elle ?

Le regard de Madeline se fit plus chaud.

— Oui, George. Ce serait très agréable.

71

Le vent d'automne balayait la vallée, où le crépuscule répandait une lumière orange sur les toits de Lehig Station, les cheminées de l'usine Hazard, la rivière sinueuse et les hauteurs couvertes de laurier. La chevelure brune de Madeline, si soigneusement arrangée avant la promenade, dansait à présent autour de ses épaules.

Les mains dans les poches de son pantalon gris, George portait une petite rose blanche au revers de sa veste noire, en l'honneur de la visiteuse, arrivée le matin avec Jane par le train.

— Je suis très heureux que vous soyez venue, déclara-t-il avec une difficulté évidente. Ce n'est ni facile ni agréable d'être seul tout le temps.

— C'est exactement ce que je ressens, répondit Madeline, qui n'avait rien trouvé de moins stupide à dire.

La proximité, la virilité de George la troublaient de manière inattendue. Il lui plaisait, et elle s'en sentait coupable.

Ils gravirent le chemin creux en regardant le laurier agité par le vent.

— Je me rappelle être monté ici avec Constance la veille de mon départ pour Washington, au début de la guerre, dit George. Je croyais être de retour chez moi après trois mois. (Il grimaça un sourire.) Dieu, comme nous étions naïfs ! Je n'avais aucune idée de ce qui nous attendait.

— Personne n'en avait idée.

— Ce fut l'épisode crucial de notre vie.

— Maintenant les choses semblent un peu banales en comparaison, n'est-ce pas ?

Il évita son regard.

— Oui. Banales et étranges, en même temps. Parce que Constance n'est plus là. Et Orry non plus.

Elle hocha la tête.

— Il me manque terriblement.

Ils montèrent plus haut, et George était écarlate comme un gosse surpris à faire l'école buissonnière lorsqu'il lâcha tout à trac :

— Je suis vraiment content que nous nous soyons retrouvés en juillet.

— Moi aussi. Ce que vous avez dit à ce merveilleux dîner était fort juste. Nos familles doivent rester proches.

Après un long silence :

— J'aimerais beaucoup voir votre nouvelle maison, Madeline.

— Vous serez toujours le bienvenu à Mont Royal.

Le vent rugissait au-dessus du sommet des collines. En bas, dans la ville, les lampes à pétrole et à gaz brillaient d'une lumière brumeuse jaune ou bleue. A l'ouest, sur l'horizon, le jour faiblissait, comme si une fonderie cachée réduisait ses feux. Soudain, George trébucha.

— Dieu du ciel ! s'écria Madeline.

Elle le saisit par l'épaule tandis qu'il recouvrait l'équilibre. Il mesurait une tête de moins qu'elle, elle en avait conscience, mais c'était un homme plein de vigueur — bien que, pour le moment, il eût reprit son air timide d'adolescent. Elle même n'avait pas l'impression d'être une femme mûre et elle sentait son estomac se nouer. Elle savait que ce moment viendrait depuis le jour où elle avait surpris George en train de l'observer, à Philadelphie.

— Madeline, je suis un homme carré. J'ai... beaucoup d'affection pour vous, et pas seulement parce que vous êtes la veuve de mon meilleur ami. Je... je ne veux pas vous presser, mais je voudrais vous demander... Vous offusqueriez-vous si je devais suggérer que vous et moi, plus tard, peut-être...

Il ne put terminer. Relevant une mèche de cheveux que le vent avait fait tomber sur sa tempe, elle répondit :

— J'en serais très heureuse, George. A condition qu'il n'y ait pas confusion sur mon passé. Mes origines.

— Aucune, affirma-t-il d'une voix redevenue ferme. Cela n'a pas la moindre importance.

— Bien.

Il se racla à nouveau la gorge, se hissa sur la pointe des pieds et, se penchant en avant, l'embrassa chastement sur la joue. Elle lui toucha brièvement le bras, laissa sa main retomber. Il comprit qu'elle donnait son assentiment et sourit d'une oreille à l'autre.

Dans une quasi-obscurité, ils poursuivirent leur ascension : George voulait montrer à Madeline le cratère laissé par le météorite tombé au printemps 1861, signe avant-coureur de la colère de Dieu.

— Cela fait un an et même plus que je ne l'ai pas vu. Rien ne pousse dans ce cratère. La terre est comme empoisonnée.

En sortant d'un tournant du sentier, ils découvrirent un profond entonnoir vert émeraude creusé dans la montagne.

— Ce n'est pas..., commença Madeline.

— Si, murmura George.

— C'est charmant.

Sur les pentes et au fond du trou, un tapis d'herbe d'été remuait doucement au vent

Journal de Madeline

Novembre 1876. Grande confusion quant aux résultats des élections, tant en Caroline du Sud que dans tout le pays. Je n'ai guère l'esprit à ce genre de choses. Le fanatisme qui règne dans notre Etat me révolte, particulièrement quand il contamine quelqu'un qui porte le nom de Main. Cooper s'est vanté devant Judith non seulement d'appartenir à un club de tir Hampton mais encore de faire partie de ces démocrates extrémistes qui entendent exclure totalement les Noirs de la vie politique. Comme il ressemble peu au Cooper d'autrefois !

Si j'ai peu la tête à la politique, c'est que George continue à me faire la cour. Ai reçu une nouvelle lettre de lui aujourd'hui...

Suis restée éveillée presque toute la nuit et ai décidé de l'épouser. J'espère que je ne me trompe pas...

George viendra en Caroline pour Noël. Dans sa toute dernière lettre, il aborde la question de l'annonce de nos fiançailles. Je ne l'aime pas. Je l'admire, j'ai de l'affection pour lui. Je le lui ai dit mais cela ne l'a pas dissuadé. Il est possible que j'en vienne un jour à l'aimer, mais pas avec la même ardeur que toi, mon amour...

Puisque je m'apprête à commencer une nouvelle vie avec George, et que ce journal t'est destiné, je n'y écrirai plus que quelques pensées.

G. et moi partagerons notre temps entre Mont Royal et la Pennsylvanie. Inévitablement, il y aura des difficultés mais nous nous sommes tous deux fermement engagés à tout faire pour les surmonter...

George s'éloigna de la maison et traversa l'allée pour se rendre à l'endroit où la pelouse commençait à descendre vers l'Ashley. Il laissa son regard remonter lentement la verticale blanche et nette de la colonne la plus proche des doubles portes.

A l'intérieur, les domestiques de Madeline bavardaient et riaient en préparant le festin de midi. C'étaient des Noirs, touchant tous des gages. Mais ce n'était pas cela ni l'inévitable mousse d'Espagne ni l'aigrette s'envolant paresseusement au-dessus des arbres qui rappelait à George qu'il se trouvait dans un autre pays, pour ainsi dire. C'étaient les fenêtres, ouvertes pour laisser entrer l'air doux. Chez lui, à Belvedere, on aurait tout fermé à cause du froid.

Madeline observa sa réaction satisfaite, qui l'amena à sourire elle aussi. George soupira, retourna à l'endroit où elle l'attendait, près des hautes portes, et lui prit la main.

— C'est une magnifique maison, dit-il. Orry en serait fier. Mais c'est à lui qu'elle appartient. Je ne veux pas y vivre, même une partie de l'année seulement. Je ne m'y sentirais pas à l'aise.

— Je suis navrée, George. J'avoue que cela ne me surprend pas vraiment. Enfin, cela n'a pas d'importance : j'ai fait construire cette maison en souvenir d'Orry et il y a assez d'argent pour qu'elle reste dans la famille. Peut-être que lorsque Theo sera mieux établi dans la vie, il s'y installera avec Marie Louise et leurs enfants. En tout cas, comme je prévoyais ta réaction, j'ai visité jeudi dernier un hôtel particulier tout à fait confortable à Charleston. J'ai même versé des arrhes pour le retenir jusqu'au premier de l'an. S'il te convient, il me conviendra aussi.

— Oh ! Je suis sûr qu'il me plaira, affirma George. (Il se pencha pour l'embrasser sur la joue.) Joyeux Noël, ma chérie.

Je me sens trop coupable pour continuer à écrire. Dois arrêter. Sache que tu n'es pas oublié, mon amour : je t'aimerai toujours.
Madeline

72

Madeline ferma le journal, trouva un morceau de ruban en satin blanc qu'elle noua autour, avec une petite cocarde, comme pour un cadeau. Puis elle gravit la partie droite du grand escalier double descendant du premier étage comme deux bras ouverts, monta un autre escalier plus étroit menant à l'entrée d'une des vastes pièces situées sous les poutres du toit. Elle alluma une lampe qu'elle prit sur une table basse à trois pieds et la porta dans le grenier. Près d'un des larges conduits de cheminée en briques enserrant la maison à ses deux extrémités, il y avait un petit coffre en cuir rouge orné de gros clous de cuivre, avec une clef, en cuivre également, dans une serrure protégée par une plaque de même métal. Madeline souleva le couvercle, posa le journal attaché par un ruban sur les onze autres semblables, les contempla un moment d'un air songeur puis rabattit le couvercle et ferma le coffre à clef. Sortie du grenier, elle éteignit la lampe, porta la clef à son bureau et prépara une étiquette. Elle écrivit à l'encre un mot permettant d'identifier la clef, y attacha l'étiquette avec une ficelle solide. Enfin, elle rangea la clef dans un petit tiroir du bureau, à l'intention d'une éventuelle postérité. C'était le matin du Jour de l'An 1877.

73

« Remporter les élections dans le calme si possible, par la force s'il le faut. »
Tel était l'objectif déclaré du Plan Mississippi, ou Plan du Fusil, lancé en 1874. En contraignant, par des pressions ou des menaces, tous les électeurs blancs à adhérer au Parti démocrate, en intimidant les Noirs pour les empêcher de voter, les « Bourbons » avaient repris le pouvoir dans le Mississippi.
En 1876, ils cherchèrent à reconquérir la Caroline du Sud de la même manière.
Cette année-là, à l'échelle nationale, les républicains menaient une campagne difficile. De nombreux membres du Parti désiraient qu'il rompe avec les gouvernements *carpetbagger* encore au pouvoir en Floride, en Louisiane et en Caroline du Sud. Une majorité de

l'opinion américaine considérait le régime de la baïonnette imposé au Sud comme un échec, un passif qu'il fallait liquider.

Le gouverneur *carpetbagger* de Caroline du Sud, Daniel Henry Chamberlain, originaire de la Nouvelle-Angleterre, était un homme froid et courtois ayant exercé auparavant les fonctions de procureur général de l'Etat. Quoiqu'il fût un peu plus honnête que son prédécesseur, il n'en était pas moins républicain, et les clubs de tir Hampton le combattaient comme ils combattaient ses partisans.

La situation était explosive. En juillet, au cours d'émeutes raciales qui éclatèrent à Hamburg, des Blancs exécutèrent cinq prisonniers noirs. En août, Calbraith Butler, ancien commandant de Charles Main dans la légion de Hampton, et militant démocrate Pur et Dur, mena un groupe d'hommes armés à un rassemblement républicain organisé à Edgefield pour soutenir Chamberlain. Il y monta à la tribune, exigea d'intervenir et couvrit d'insultes le gouverneur et son parti avant de semer la pagaille dans la réunion.

La violence redoubla. Des démocrates noirs sortant d'une réunion à Charleston furent assaillis par des républicains noirs et durent livrer une bataille rangée dans King Street. Une autre émeute raciale secoua Ellenton, dans le comté d'Aiken. Des bandes de Noirs mécontents des bas salaires payés dans les rizières de la Combahee River mirent le feu à un bar des environs de Beaufort et démolirent la voie ferrée pour faire dérailler un train à destination de Port Royal.

Du fait de ces incidents, des renforts de troupes furent envoyés en Caroline du Sud. Des milliers d'officiers fédéraux vinrent surveiller les urnes et assurer la régularité des élections. Le 17 octobre, répondant à de nouvelles demandes d'aide, le président Grant ordonna, par l'entremise du général Thomas H. Ruger, la dissolution de tous les clubs de tir de l'Etat. La plupart d'entre eux se contentèrent de changer de nom.

7 novembre. Jour des élections. Malgré la présence de troupes et d'officiers fédéraux, on vit des hommes connus pour résider en Géorgie et en Caroline du Nord tenir les bureaux de vote dans les localités proches de la frontière. Des bandes d'hommes à cheval galopaient d'un hameau à l'autre, votant dans chaque endroit. Dans le comté d'Edgefield, où les Blancs votaient au tribunal, les Noirs ayant le courage de se présenter furent envoyés dans une petite école qui ne pouvait les accueillir tous avant la fermeture des bureaux de vote. Quelques Noirs marchèrent sur le palais de justice pour protester et exiger leurs droits. Des hommes armés dirigés par M.W. Gary, ardent partisan du Plan Mississippi dans le district, les dispersèrent.

L'ombre de la fraude s'étendit sur l'Etat et sur le pays.

Des décomptes de voix contestés en Floride, en Louisiane et en Caroline du Sud jetèrent un doute sur le résultat des élections présidentielles. Il ne manquait qu'une seule voix au démocrate Samuel Tilden pour remporter la victoire ; il n'en fallait que dix-neuf de plus à Rutherford B. Hayes. Dans les trois Etats litigieux, on dut recompter les bulletins.

Il sembla d'abord que la Caroline du Sud avait accordé une victoire aux deux partis : Hayes l'avait emporté de peu aux présidentielles tandis que Hampton et sa liste démocrate enlevaient, de peu également, le poste de gouverneur et la majorité des sièges à l'Assemblée de l'Etat.

On recompta. Le comité de vérification de Caroline du Sud étant républicain, ses membres annulèrent suffisamment de bulletins démocrates pour frustrer Hampton de sa victoire tout en confirmant celle de Hayes. Chamberlain obtint un nouveau mandat de gouverneur, les républicains la majorité de l'Assemblée. Les démocrates crièrent à la fraude.

Chamberlain n'était cependant pas fermement installé dans ses fonctions de gouverneur et à la fin de novembre, Grant envoya des troupes à l'Assemblée pour consolider le pouvoir du politicien républicain. Les députés démocrates se présentant à l'Assemblée furent renvoyés par son président, le républicain E.W.M. Mackey. Les démocrates se réunirent au Carolina Hall et élirent William Wallace à la présidence de *leur* assemblée.

Le 7 décembre, le gouverneur Daniel Chamberlain prit officiellement ses fonctions.

Le 14, une seconde cérémonie marqua l'entrée en fonction du gouverneur *démocrate*, Wade Hampton.

Les observateurs ne savaient plus s'ils assistaient à une tragédie ou à une farce. Pendant quatre jours, députés républicains et démocrates se réunirent à l'Assemblée ; les *deux* présidents conduisirent des débats et firent voter des motions, sans qu'aucun des deux groupes ne se décide à reconnaître la présence de l'autre. Mais comme les soldats nordistes et confédérés qui s'étaient affrontés dans les tranchées de Petersburg, certains des adversaires nouèrent des relations cordiales. Quand la compagnie du gaz coupa l'alimentation de l'édifice parce que les républicains avaient négligé de payer leur facture, les démocrates réglèrent l'arriéré.

Faire fonctionner deux assemblées dans une seule salle finit par devenir fort éprouvant — sans parler de la confusion qui en résultait — et les amis de Wallace retournèrent dans le Carolina Hall. Les tribunaux donnèrent ensuite gain de cause à Hampton et à l'assemblée de Wallace, mais Chamberlain refusa de quitter le parlement et la troupe continua à imposer son autorité.

Le Congrès créa alors une commission spéciale — cinq sénateurs, cinq représentants, cinq juges à la Cour Suprême — pour arbitrer les différends électoraux. Le 9 février 1877, cette commission approuva les résultats officiels de Floride donnant la victoire à Hayes. Le 28, elle rendit un verdict semblable pour la Caroline du Sud.

Tilden refusa de contester ces décisions. En coulisse, des démocrates sudistes entamèrent aussitôt des tractations pour obtenir des concessions : il fut convenu, sinon promis, qu'un gouvernement républicain montrerait de la sympathie à l'égard des vues sudistes. En échange, les démocrates soutinrent Hayes, qui prit ses fonctions de président des Etats-Unis le 5 mars, dans le plus grand calme.

Le 23, Hayes invita Hampton et Chamberlain à Washington et s'entretint séparément avec chacun d'eux. Hampton se montra persuasif quand il s'engagea à défendre les droits des Noirs si les troupes étaient retirées. Le pouvoir chancelant du gouverneur Chamberlain s'effondra.

Le 10 avril, en application d'une décision du gouvernement Hayes, l'unité d'infanterie occupant le parlement de Columbia se retira avec armes et bagages. Le dernier Etat sudiste occupé fut évacué.

Le 11 avril, à midi, Wade Hampton pénétra dans le bureau du gouverneur.

La Reconstruction s'achevait.

ÉPILOGUE

WEST POINT
1883

— Je m'appelle George Hazard, je viens de Pennsylvanie. Une petite ville dont vous n'avez jamais entendu parler : Lehig Station.
— Orry Main. De Saint George's Parish, en Caroline du Sud.
Tiré d'une conversation à New York, en 1842.

Les deux jeunes gens se rencontrèrent pour la première fois devant la caserne. Le plus petit, aux traits anguleux, était arrivé par le vapeur du matin ; l'autre dans l'après-midi.

Le plus grand avait dix-huit ans — un an de plus que le premier — une balafre sur la joue droite. Sa cicatrice, ses longs cheveux noirs et ses pommettes saillantes lui donnaient l'air d'un Indien. C'était un garçon doux, qu'aucune brute n'embêtait jamais. Ce fut lui qui parla le premier :

— Gus Main. Du Texas.

Le jeune homme au menton accusé tendit timidement la main.

— G.W. Hazard. De Los Angeles.

— Je me souviens de toi, on s'est vus à Philadelphie.

— Je m'en souviens aussi, dit le fils de Billy. Nous avons mangé du pop-corn ensemble et contemplé un aigle pendant des heures.

— Oui, comment s'appelait-il ?

— Attends. Abe. Le vieil Abe.

— C'est ça, fit Gus en souriant. Tous les Yankees ont une aussi bonne mémoire ?

— Je ne suis pas yankee, je suis californien.

Un « ancien » sortit de la caserne et les appela en criant.

Sur la galerie de l'hôtel, deux vieux amis assis côte à côte dans des fauteuils à bascule écoutaient les cris montant dans le crépuscule. *« La casquette sous le bras quand vous vous adressez à un supérieur, monsieur. Jusqu'à ce que vous ayez réussi l'examen d'entrée, vous*

541

êtes une créature immonde, monsieur. De la matière en putréfaction, monsieur. De la fiente ! »

Le « colonel » Charles Main, propriétaire des sept cent cinquante mille hectares du *Main Chance Ranch*, alluma un cigare. William Hazard, président de la Société Immobilière Sundown Sea and Diamond Acres, posa ses mains jointes sur sa panse.

— J'ai pris grand plaisir à voir jouer Willa hier soir.

— Elle est heureuse de reprendre son métier d'actrice pour quelques mois.

— Mr Booth présente bien, et il a du talent. C'était formidable de souper avec lui. Mais je vais te dire une chose, je ne pourrais pas mettre des collants noirs et montrer mes jambes à six cents inconnus.

Charles haussa les épaules.

— C'est un comédien. Il ne serait pas capable de construire un pont flottant sous le feu de l'ennemi.

Au bout de la plaine de West Point, les nouveaux formaient maladroitement les rangs tandis que les anciens continuaient à beugler : « *Vous êtes plus méprisable qu'un bizuth, monsieur ! Vous êtes une chose !* »

Les lunettes rondes de Billy reflétaient le soleil couchant.

— Je me sens quand même coupable d'avoir accompagné G.W. Toi et moi, nous nous conduisons comme des mères poules, et mon garçon n'aime pas ça du tout.

— Le mien non plus. Aucune importance, nous sommes des anciens, nous avons le droit de revenir à l'Académie. J'avais envie de revoir les lieux.

— Et quelle impression cela te fait ?

— Je ne sais pas trop, répondit Charles.

Il tourna son fauteuil de manière à pouvoir contempler le grand drapeau flottant au vent du soir. Quelque part sur l'Hudson, un vapeur fit mugir sa sirène.

— Je crois que cet endroit m'a fait subir quelques transformations inattendues, poursuivit-il. Il a fait de moi un soldat, alors que je n'en avais probablement pas l'étoffe.

— Tu as été un bon officier, pourtant.

Sans commenter la remarque de Billy, Charles reprit :

— Cet endroit... je m'y sens attaché maintenant que je n'en fais plus partie.

— Sauf par l'intermédiaire de ton fils.

— Eh bien, oui. J'hésitais à le laisser s'enrôler. L'Académie fournit une excellente éducation, c'est ce qui m'a décidé. Il pourra toujours quitter l'armée après avoir fait son temps.

— Tout à fait. Il n'y aura plus de guerre.

— C'est ce que tout le monde dit.

— Tu ne te demandes jamais ce qui arrivera à nos enfants, Bison ?

— Si, bien sûr. Mais je crois le savoir. Il leur arrivera les mêmes choses qu'à Orry et George, toi et moi. Des choses auxquelles nous ne nous attendions pas, que nous n'aurions jamais imaginées.

— M'oui, fit Billy en bâillant. Tu te sens d'attaque pour le dîner ?

— Quand tu voudras, Bunk.

Les yeux sur les rangs mal formés marchant au pas vers le mess, Billy déclara :

— Je suis fier d'être passé par West Point. Je suis heureux que mon frère et ton cousin s'y soient rencontrés. Sans l'Académie, je n'aurais ni Brett ni les enfants. Ni mon meilleur ami.

Tant de naissances, pensa Charles. Tant de morts. A la fois importantes et banales.

— Oui, je suis content qu'ils se soient rencontrés, dit-il. J'aurais aimé les voir le jour de leur arrivée ici, en 1842. Le fils du maître de forge et le rejeton du planteur. Oui, j'aurais voulu voir ça.

Le canon de West Point retentit, annonçant le coucher du soleil au moment où les deux amis rentraient pour dîner.

Pour un instant sous sa colère,
toute une vie dans sa faveur.
Le soir s'attardent les pleurs
mais au matin crie la joie.
                    Psaume 30

Je forme la lumière et je crée les ténèbres,
je fais le bonheur et je crée le malheur ;
c'est moi le SEIGNEUR qui fais tout cela.
                    Esaïe 45

POSTFACE

*Il avait entendu dire que Ned ne s'était jamais
remis de la guerre... C'était le cas de beaucoup
d'hommes.*
Larry McMurtry, *Lonesome Dove*

Avec ces quelques derniers paragraphes, le rideau tombe sur la trilogie de *Nord et Sud*, un projet que j'aurai mis un peu plus de cinq ans à mener à bien.

Le premier volume, *Nord et Sud*, traitait de la période d'avant-guerre et s'efforçait d'éclairer le lent cheminement vers le conflit, ainsi que ses causes complexes. *Guerre et Passion* avait pour sujet la guerre elle-même, quatre années qui marquèrent à jamais de leur empreinte — pour ne pas parler de cicatrice — notre conscience nationale, et qui finirent par captiver l'imagination du monde entier. Encore maintenant, ce conflit exerce une sorte de fascination sur des millions de gens. Ce fut une combinaison rare, voire unique, d'ancien et de nouveau, de souffrances atroces et d'idéalisme flamboyant. « La guerre, c'est l'enfer », déclara, péremptoire, l'Oncle Billy Sherman, couvrant ainsi amplement le côté souffrance. L'aspect idéaliste fut parfaitement illustré en 1884 par Oliver Wendell Holmes (capitaine au 20e du Massachusetts) quand il rappela : « Pour notre grande chance, nos cœurs connurent dans notre jeunesse la brûlure du feu. Il nous fut donné d'apprendre dès le début que la vie est une chose profonde et passionnée. »

Les bouleversements que notre pays subit pendant les quatre années de guerre furent apocalyptiques. Par parenthèse, je constate avec intérêt que nul, jusqu'à présent, n'a relevé la métaphore que je donne de ces changements avec les chevaux de *Guerre et Passion*. Des images de chevaux apparaissent constamment dans ce volume : la première scène, immédiatement après le prologue, décrit des chevaux noirs et luisants galopant dans un pré baigné de soleil ; la dernière est celle de charognards dévorant les restes d'un cheval noir gisant le long d'une voie ferrée. Il semble que les écrivains gaspillent leur temps à recourir à des procédés littéraires.

Dans *le Ciel et l'Enfer*, j'ai déplacé le centre d'intérêt vers l'ouest parce que j'ai estimé que l'ampleur des événements historiques l'exigeait. En même temps, je voulais aborder le sujet de la révolution des droits civiques, généralement appelée Reconstruction Radicale, bataille qui fut gagnée et perdue dans les années qui suivirent la guerre de Sécession. Les historiens fixent habituellement à 1876 la fin de la Reconstruction, qui coïncide avec la « rédemption » — c'est-à-dire le retour à un gouvernement démocrate, exclusivement blanc — de la Caroline du Sud, dernier Etat sudiste à basculer, en l'occurrence par l'application du Plan Mississippi ou Plan du Fusil. C'est dans l'Etat où tout avait commencé, avec la doctrine de la *nullification* avancée par John Calhoun, que tout se termina.

Je ne vois aucun inconvénient au choix de 1876 comme point final. Mais en effectuant mes recherches, je découvris la puissante vague d'idéalisme et d'opportunisme radical montant en crête et se brisant huit ans plus tôt, repoussée par l'échec de la tentative de mise en accusation de Johnson et le rejet général, dans le Nord, du programme des radicaux pour les droits civiques. Cela se refléta aux élections de 1868 lorsque, comme ce livre le note, la majorité républicaine diminua fortement et que plusieurs Etats nordistes passant pour éclairés refusèrent un référendum sur le droit de vote des Noirs — chose que Thad Stevens et ses amis à Washington imposaient militairement au Sud.

Dans les années 1860, nous n'étions pas prêts, en tant que peuple, à pratiquer la démocratie sans réserve. Quand Andrew Johnson, pendant son « tour de piste », invita son auditoire de Cleveland à balayer devant sa porte avant de s'en prendre au Sud, il fut conspué. Même de nombreux républicains déclarés — des hommes de lettres comme John William DeForest, membre du Bureau des affranchis, ou le journaliste Whitelaw Reid — ne pouvaient s'empêcher de montrer dans leur prose une certaine condescendance à l'égard des « moricauds ». Leurs textes abondent en stéréotypes raciaux. Reid écrit par exemple : « Qui n'a pas admiré l'œil humide et profond, tel celui d'un bœuf, des Noirs du Sud ? » Ou encore : « L'ivoire ainsi révélé eût conduit un dentiste à la démence. » Malgré Lincoln, malgré les radicaux, malgré les amendements à la Constitution, l'Amérique blanche demeura raciste après la guerre. Le corps politique rejeta le nouvel ordre social greffé par quelques chirurgiens visionnaires.

L'histoire de la Reconstruction s'applique à l'Amérique moderne. En janvier de cette année, alors que je faisais passer mon texte définitif sur ma machine à traitement de texte, des émeutes raciales éclatèrent dans le comté de Forsyth, en Géorgie, où des manifestants pacifiques furent menacés par une bande de Blancs uniquement parce qu'ils étaient noirs. Parfois, la leçon de l'histoire est affligeante : nous sommes incapables de tirer profit du passé et le revivons éternellement, comme Santayana nous en avertit.

En écrivant sur la Reconstruction, je n'ai pas voulu oublier un autre groupe qui joue un rôle central dans le roman. Je parle des premiers habitants de ce pays, les Indiens américains. Au cours de la période couverte par ce livre, ils furent chassés de leurs terres et privés de toute possibilité de participer à la vie politique, à travers ce que nous appelons maintenant un « génocide ». Si les Indiens ne sont pas au centre des préoccupations ethniques de *le Ciel et l'Enfer*, je ne voudrais cependant pas donner l'impression que leur sort m'incite simplement à hausser les épaules. Leur histoire est une tragédie que j'aimerais traiter plus complètement dans un autre livre, plus tard.

Naturellement, comme les deux volumes précédents, ce livre se veut *une* histoire avant d'être *de* l'histoire (quoique, comme toujours, je n'aie pas une seule fois modifié ou falsifié consciemment la réalité pour les besoins de l'intrigue). Certains des aspects historiques de l'ouvrage appellent un bref commentaire.

J'ai éprouvé quelques difficultés à écrire sur le Kuklux (c'était l'orthographe de l'époque). Les victimes du Klan étaient à juste titre terrifiées par ses membres portant cagoule, et pourtant il est aujourd'hui difficile de regarder des photos vieilles de cent ans d'hommes vêtus de draps de lit, ou de lire leurs tracts ronflants et prétentieux sans sourire. Cette dualité gêne le romancier, si bien que je ne suis pas sûr d'avoir donné une image fidèle des activités du Klan. Je tiens à informer le lecteur que les échantillons de rituel et les extraits de déclarations contenus dans le livre ne sont pas de mon invention. Ils sont authentiques. Le général Nathan Bedford Forrest n'a pas fondé le Klan mais on admet généralement qu'il en fut Sorcier Impérial pendant deux ans, jusqu'à ce que les violences devenant incontrôlables, il ordonnât publiquement au Klan de se dissoudre.

Si, dans les chapitres se déroulant dans le Sud, certains personnages frôlent l'hystérie, je me hâte de faire remarquer que leur comportement s'appuie sur mes recherches, non sur mon imagination. Les propos racistes d'êtres imaginaires comme LaMotte et Gettys s'inspirent de déclarations similaires faites dans la presse ou sur une tribune. Sur ces outrances, je suis d'accord avec l'historien du cinéma et biographe Richard Schickel, ainsi qu'avec l'historien révisionniste Kenneth M. Stampp. Dans son excellente biographie de D.W. Griffith (qui fut le fils d'un officier confédéré, ce qui contribua au ton raciste de son film épique *Naissance d'une nation*), Schickel fait ce commentaire à propos de Stampp : « On ne trouve guère de traces des prétendues brutalités infligées aux Sudistes blancs. Comparé à celui de presque toutes les autres nations vaincues de l'histoire, le "châtiment" du Sud fut d'une clémence sans précédent. » Certes, mais sur le plan émotionnel, une défaite reste une défaite. Une coupe amère et, en l'occurrence, empoisonnée par la peur, irraisonnée et fort ancienne, de ceux que le Sud avait réduits en esclavage. Le mot « hystérie » convient parfaitement.

Encore aujourd'hui, la controverse fait rage autour du général George A. Custer. On peut dire à sa décharge que ce fut un bon officier, ou du moins un officier couronné de succès puisqu'il remporta un nombre stupéfiant de victoires avec l'armée de l'Union. Il suscita chez certains de ses hommes une loyauté profonde et chez d'autres une haine passionnée, ce qui causa un problème au 7e de cavalerie, du moment où il rejoignit le régiment à celui où il le mena au désastre de la Little Big Horn.

Ma vision de Custer est, je le reconnais, personnelle. Je lui trouve trop de points négatifs. Sa vanité était immense, tout comme celle de sa femme, qui ne faisait que l'alimenter. On ne peut lui pardonner d'avoir refusé de commander des soldats noirs au 9e de cavalerie. Les châtiments qu'il imposait étaient durs, souvent contraires au règlement, et nombre de ses aventures hasardeuses ou motivées par des considérations personnelles. L'escapade pour rejoindre sa femme Libbie, qui lui valut la cour martiale, en fournit un bon exemple. Et surtout, il y a la Washita, bataille ou massacre selon les sources que l'on consulte. Pour moi, certains aspects de la Washita présentent une similarité étrange avec le Vietnam. Une armée frustrée, aux prises avec une guérilla dont la tactique peu conforme aux règles est malaisée à combattre, détruit un village entier — hommes, femmes, enfants — sous prétexte que même de jeunes garçons peuvent porter les armes contre leurs ennemis (ce que certains d'entre eux firent manifestement).

On me soupçonnera probablement d'avoir romancé l'histoire et exagéré les exploits des soldats du 10e de cavalerie de Grierson. Je plaide non coupable. L'armée offrit à ces Noirs leur première possibilité officielle d'échapper à leur vie dans les grandes villes du Nord, et ils surent magnifiquement l'exploiter. La plupart de érudits militaires partagent l'opinion de George Walton, qui dit du 10e : « Ces soldats...développèrent un esprit de corps qui fut rarement égalé dans l'armée des Etats-Unis... Leur taux de désertion, toujours révélateur du moral de la troupe, fut le plus bas de notre histoire militaire. » Des officiers blancs, d'abord peu disposés à cette expérience, finirent par s'enorgueillir d'appartenir au 10e.

Je dois signaler que s'il y eut bien une compagnie C au 10e Régiment, les officiers et les soldats qui en font partie dans ce roman sont purement imaginaires. En revanche, l'acharnement du général Hoffman et autres officiers blancs contre le nouveau régiment ne l'est pas.

Enfin, il convient de mentionner Henri Ossian Flipper, premier Noir diplômé de West Point, en 1877, premier officier noir du 10e de cavalerie et de toute l'armée. Né esclave en Géorgie en 1856, il parvint à obtenir son diplôme malgré l'ostracisme dont il fit l'objet. « Je ne jouissais d'aucune compagnie, écrivit-il. Pas d'amis, homme ou femme. Ma solitude était totale. » Face à des difficultés accablantes, Flipper persévéra cependant, comme l'ont fait depuis de nombreux soldats noirs.

Maintenant les remerciements qui s'imposent.

A moins d'indications contraires, les titres et dépêches sont tirés du *New York Times*.

Une anecdote de l'historien Robert West Howard inspira la création de la fabrique de pianos Fenway.

Le colonel John W. DeForest, mentionné plus haut, écrivit des mémoires fort intéressants sur son affectation en Caroline du Sud. J'ai généreusement puisé les détails contenus dans le journal de Madeline dans son livre *A Union Officer in the Reconstruction*.

Je dois tout d'abord remercier le personnel d'une serviabilité inlassable de la Bibliothèque de Greenwich, qui m'a procuré l'ouvrage de DeForest et tant d'autres livres, revues et journaux. Depuis des années, je suis ce qu'on pourrait appeler un gros utilisateur de bibliothèques, et je n'en connais pas de plus remarquable pour une ville de la taille de Greenwich.

A Hilton Head Island, la bibliothèque locale fit preuve de sa diligence habituelle dans la recherche de documents, et j'en remercie tout particulièrement Ruth Paul et Sharon Lowery. Les bibliothécaires de Caroline du Sud manifestent autant d'enthousiasme que ceux du Connecticut, à cette différence près que les bibliothèques de Caroline du Sud bénéficient d'un soutien financier beaucoup moins important. La majorité des élus au niveau du comté de l'Etat semblent s'intéresser davantage au tourisme et aux équipes de football qu'au savoir, et cette attitude se reflète dans les insuffisances de maintes collections locales. Les bibliothécaires, jamais découragés, tirent le meilleur profit d'une situation déplorable.

Robert E. Schnare, des archives spéciales de l'Académie militaire de West Point, New York, m'a également aidé en me fournissant des documents particuliers. La Bibliothèque de l'Etat du Tennessee m'a procuré d'autres documents importants.

J'ai été assisté dans mes recherches par mon bon ami Ralph Dennler, par mon fils Michael Jakes, mon gendre Michael Montgomery, et par ma femme.

Je dois en outre remercier Bill Conti, Al Kohn, des archives de la Warner Bros, et Mrs Auriel Sanderson, vice-présidente de l'organisation David L. Wolper.

Comme toujours, les personnes et institutions qui ont contribué à préparer ce livre ne doivent pas être tenues pour responsables des erreurs éventuelles ou des opinions qu'il contient. J'en assume l'entière responsabilité.

Puisque *le Ciel et l'Enfer* clôture une trilogie dont l'idée fut acceptée avec beaucoup de foi, après une brève description, je manquerais à mes devoirs si je n'exprimais pas ma gratitude à Bill et Peter Jovanovich ainsi qu'à toutes les personnes remarquables que j'ai appris à connaître pendant la réalisation de ce projet. Je pense en particulier à Rubin Pfeffer, Willa Perlman, à mon extraordinaire éditeur Julian Muller et à son bras droit plein d'efficacité et d'entrain, Joan Judge.

C'est par H.B.J. que j'ai fait la connaissance de Paul Bacon, dont les magnifiques couvertures ont donné une force accrue à la trilogie et à des milliers d'autres livres. Paul figure parmi les meilleurs de sa profession. Son travail pour *Nord et Sud* et la suite a fait de nous des amis ainsi que des coauteurs puisque nous avons ensuite fait ensemble un livre pour enfants. Ce genre de chance est l'un des à-côtés agréables de l'édition.

Frank R. Curtis, mon éminent avocat et ami, demeure une mine d'encouragements et de conseils avisés. Mon agent en Angleterre, June Hall, ainsi que Ian et Marjory Chapman, de la maison d'édition Collins, ont témoigné pour l'entreprise un intérêt qui n'a pas faibli.

Certains livres sont faciles à écrire, d'autres non. *Le Ciel et l'Enfer* appartient à la seconde catégorie, du fait de circonstances n'ayant rien à voir avec l'écriture. Au milieu de mon travail sur mon premier jet, j'ai perdu ma belle-mère, Nina, victime d'une cruelle maladie. C'était une femme charmante et courageuse, petite par la taille mais grande en sagesse et en force de caractère. Elle était née et avait passé presque toute sa vie dans une bourgade conservatrice de l'Illinois, où non seulement elle éleva une famille nombreuse mais encore défendit publiquement la cause des Noirs et des femmes bien avant que cela ne devienne à la mode. Elle m'accorda un soutien de tous les instants, en particulier dans une période difficile, il y a quelques années, alors que beaucoup d'autres m'avaient retiré leur confiance. Je l'aimais de tout mon cœur, et sa mort, en octobre 1986, fut une grande perte pour nous tous.

Un autre coup me frappa alors que le texte définitif de *le Ciel et l'Enfer* sortait de la machine. Vendredi dernier, ma propre mère est décédée. Sa mort fut différente puisqu'elle était hospitalisée depuis trois ans et n'avait plus conscience de l'endroit où elle se trouvait depuis plus d'une année. Elle avait quatre-vingt-onze ans, mais la perte n'en est pas moins cruelle.

Enfin, sans ma femme Rachel, il n'y aurait rien, et certainement pas ce livre. J'ai envers elle une dette d'amour que je ne pourrai jamais rembourser.

John Jakes
Greenwich, Connecticut
Hilton Head Island, Caroline du Sud
7 août 1986 — 30 mars 1987

TABLE

Achevé   Imprimerie
d'imprimer Gagné Ltée
au Canada Louiseville